中國國家圖書館編

國家圖書館藏敦煌遺書

第二册　北敦〇〇〇七二號——北敦〇〇一三四號

北京圖書館出版社

圖書在版編目(CIP)數據

國家圖書館藏敦煌遺書·第二册/中國國家圖書館編;任繼愈主編.—北京:北京圖書館出版社,2005.10

ISBN 7-5013-2944-3

Ⅰ.圖… Ⅱ.①中…②任… Ⅲ.敦煌學—文獻 Ⅳ.K870.6

中國版本圖書館 CIP 數據核字(2005)第 111254 號

ISBN 7-5013-2944-3

9 787501 329441 >

書　　名 國家圖書館藏敦煌遺書·第二册
著　　者 中國國家圖書館　編　任繼愈　主編
責任編輯 徐　蜀　孫　彥
封面設計 李　瓘

出　　版 北京圖書館出版社　(100034　北京西城區文津街 7 號)
發　　行 010-66139745　66151313　66175620　66126153
66174391(傳真)　66126156(門市部)
E-mail cbs@nlc.gov.cn(投稿)　btsfxb@nlc.gov.cn(郵購)
Website www.nlcpress.com
經　　銷 新華書店
印　　刷 北京文津閣印務有限責任公司

開　　本 八開
印　　張 65.5
版　　次 2005 年 10 月第 1 版第 1 次印刷
印　　數 1-150 册(套)

書　　號 ISBN 7-5013-2944-3/K·1227
定　　價 990.00 圓

編輯委員會

主　　編　任繼愈

常務副主編　方廣錩

副 主 編　李際寧　張志清

編委（按姓氏筆畫排列）　王克芬　王姿怡　李文潔　吳玉梅　胡新英　陳　穎　黄　霞（常務）　劉玉芬

出版委員會

主　任　詹福瑞

副主任　陳　力

委　員（按姓氏筆畫排列）　李　健　郭又陵　徐　蜀　孫　彦

攝製人員（按姓氏筆畫排列）

于向洋　王富生　王遂新　谷韶軍　張　軍　張紅兵　張　陽　曹　宏　郭春紅　楊　勇　嚴　平

目錄

耳界非寂靜非不
及耳觸耳觸爲緣所
處非寂靜非不寂靜觀耳界非遠離非不
遠離觀聲界耳識界及耳觸耳觸爲緣
諸受非遠離非不遠離舍利子是謂觀諸法
舍利子諸菩薩摩訶薩修行般若波羅蜜多
時觀鼻界非常非無常觀香界鼻識界及鼻
觸鼻觸爲緣所生諸受非常非無常觀鼻界
非樂非苦觀香界鼻識界及鼻觸鼻觸爲緣
所生諸受非樂非苦觀鼻界非我非無我觀
香界鼻識界及鼻觸鼻觸爲緣所生諸受非
我非無我觀鼻界非淨非不淨觀香界鼻識
界及鼻觸鼻觸爲緣所生諸受非淨非不淨
觀鼻界非空非不空觀香界鼻識界及鼻觸
鼻觸爲緣所生諸受非空非不空觀鼻界非
有相非無相觀香界鼻識界及鼻觸鼻觸爲
緣所生諸受非有相非無相觀鼻界非有願
非無願觀香界鼻識界及鼻觸鼻觸爲緣
所生諸受非有願非無願觀鼻界非寂靜非不
寂靜觀香界鼻識界及鼻觸鼻觸爲緣所生
諸受非寂靜非不寂靜觀鼻界非遠離非不
遠離觀香界鼻識界及鼻觸鼻觸爲緣所生
諸受非遠離非不遠離舍利子是謂觀諸法
舍利子諸菩薩摩訶薩修行般若波羅蜜多

BD00072 號　大般若波羅蜜多經卷七二　（16–1）

遠離觀香界鼻識界及鼻觸鼻觸爲緣所生
諸受非遠離非不遠離舍利子是謂觀諸法
舍利子諸菩薩摩訶薩修行般若波羅蜜多
時觀舌界非常非無常觀味界舌識界及舌
觸舌觸爲緣所生諸受非常非無常觀舌界
非樂非苦觀味界舌識界及舌觸舌觸爲緣
所生諸受非樂非苦觀舌界非我非無我觀
味界舌識界及舌觸舌觸爲緣所生諸受非
我非無我觀舌界非淨非不淨觀味界舌識
界及舌觸舌觸爲緣所生諸受非淨非不淨
觀舌界非空非不空觀味界舌識界及舌觸
舌觸爲緣所生諸受非空非不空觀舌界非
有相非無相觀味界舌識界及舌觸舌觸爲
緣所生諸受非有相非無相觀舌界非有願
非無願觀味界舌識界及舌觸舌觸爲緣所
生諸受非有願非無願觀舌界非寂靜非不
寂靜觀味界舌識界及舌觸舌觸爲緣所生
諸受非寂靜非不寂靜觀舌界非遠離非不
遠離觀味界舌識界及舌觸舌觸爲緣所生
諸受非遠離非不遠離舍利子是謂觀諸法
舍利子諸菩薩摩訶薩修行般若波羅蜜多
時觀身界非常非無常觀觸界身識界及身
觸身觸爲緣所生諸受非常非無常觀身界
非樂非苦觀觸界身識界及身觸身觸爲緣
所生諸受非樂非苦觀身界非我非無我觀
觸界身識界及身觸身觸爲緣所生諸受非

BD00072 號　大般若波羅蜜多經卷七二　（16–2）

非樂非苦觀觸界身識界及身觸身觸為緣
所生諸受非樂非苦觀身界非我非無我觀
觸界身識界及身觸身觸為緣所生諸受非
我非無我觀身界非淨非不淨觀觸界身識
界及身觸身觸為緣所生諸受非淨非不淨
觀身界非空非不空觀觸界身識界及身觸
身觸為緣所生諸受非空非不空觀身界非
有相非無相觀觸界身識界及身觸身觸為
緣所生諸受非有相非無相觀身界非有願
非無願觀觸界身識界及身觸身觸為緣所
生諸受非有願非無願觀身界非寂靜非不
寂靜觀觸界身識界及身觸身觸為緣所生
諸受非寂靜非不寂靜觀身界非遠離非不
遠離觀觸界身識界及身觸身觸為緣所
生諸受非遠離非不遠離舍利子是謂觀諸
法舍利子諸菩薩摩訶薩脩行般若波羅蜜
多時觀意界非常非無常觀法界意識界及
意觸意觸為緣所生諸受非常非無常觀意
界非樂非苦觀法界意識界及意觸意觸為
緣所生諸受非樂非苦觀意界非我非無我
觀法界意識界及意觸意觸為緣所生諸受
非我非無我觀意界非淨非不淨觀法界意
識界及意觸意觸為緣所生諸受非淨非不
淨觀意界非空非不空觀法界意識界及意
觸意觸為緣所生諸受非空非不空觀意界
非有相非無相觀法界意識界及意觸意觸

BD00072 號　大般若波羅蜜多經卷七二　（16–3）

淨觀意界非空非不空觀法界意識界及意
觸意觸為緣所生諸受非空非不空觀意界
非有相非無相觀法界意識界及意觸意觸
為緣所生諸受非有相非無相觀意界非有
願非無願觀法界意識界及意觸意觸為緣
所生諸受非有願非無願觀意界非寂靜非
不寂靜觀法界意識界及意觸意觸為緣所
生諸受非寂靜非不寂靜觀意界非遠離非
不遠離觀法界意識界及意觸意觸為緣所
諸受非遠離非不遠離舍利子是謂觀諸
利子諸菩薩摩訶薩脩行般若波羅蜜多
時觀地界非常非無常觀水火風空識界非
常非無常觀地界非樂非苦觀水火風空識
界非樂非苦觀地界非我非無我觀水火風
空識界非我非無我觀地界非淨非不淨觀
水火風空識界非淨非不淨觀地界非空非
不空觀水火風空識界非空非不空觀地界
非有相非無相觀水火風空識界非有相非
無相觀地界非有願非無願觀水火風空識
界非有願非無願觀地界非寂靜非不寂靜
觀水火風空識界非寂靜非不寂靜觀地界
非遠離非不遠離觀水火風空識界非遠離
非不遠離舍利子是謂觀諸法
舍利子諸菩薩摩訶薩脩行般若波羅蜜多
時觀苦聖諦非常非無常觀集滅道聖諦非常

BD00072 號　大般若波羅蜜多經卷七二　（16–4）

舍利子諸菩薩摩訶薩脩行般若波羅蜜多
時觀苦聖諦非常非無常觀集滅道聖諦非常
非無常觀苦聖諦非樂非苦觀集滅道聖
諦非樂非苦觀苦聖諦非我非無我觀集滅
道聖諦非我非無我觀苦聖諦非淨非不淨
觀集滅道聖諦非淨非不淨觀苦聖諦非空
非不空觀集滅道聖諦非空非不空觀苦聖
諦非有相非無相觀集滅道聖諦非有相非
無相觀苦聖諦非有願非無願觀集滅道聖
諦非有願非無願觀苦聖諦非寂靜非不寂
靜觀集滅道聖諦非寂靜非不寂靜觀苦聖
諦非遠離非不遠離觀集滅道聖諦非遠離
非不遠離舍利子是謂觀諸法
舍利子諸菩薩摩訶薩脩行般若波羅蜜多
時觀無明非常非無常觀行識名色六處觸
受愛取有生老死愁歎苦憂惱非常非無常
觀無明非樂非苦觀行識名色六處觸受愛
取有生老死愁歎苦憂惱非樂非苦觀無明
非我非無我觀行識名色六處觸受愛取有
生老死愁歎苦憂惱非我非無我觀無明非
淨非不淨觀行識名色六處觸受愛取有生
老死愁歎苦憂惱非淨非不淨觀無明非空
非不空觀行識名色六處觸受愛取有生老
死愁歎苦憂惱非空非不空觀無明非有相
非無相觀行識名色六處觸受愛取有生老
死愁歎苦憂惱非有相非無相觀無明非有

BD00072號　大般若波羅蜜多經卷七二　（16–5）

非不空觀行識名色六處觸受愛取有生老
死愁歎苦憂惱非空非不空觀無明非有相
非無相觀行識名色六處觸受愛取有生老
死愁歎苦憂惱非有相非無相觀無明非有
願非無願觀行識名色六處觸受愛取有生
老死愁歎苦憂惱非有願非無願觀無明非
寂靜非不寂靜觀行識名色六處觸受愛取
有生老死愁歎苦憂惱非寂靜非不寂靜觀
無明非遠離非不遠離觀行識名色六處觸
受愛取有生老死愁歎苦憂惱非遠離非不
遠離舍利子是謂觀諸法
舍利子諸菩薩摩訶薩脩行般若波羅蜜多
時觀內空非常非無常觀外空內外空空空
大空勝義空有為空無為空畢竟空無際空
散空無變異空本性空自相空共相空一切
法空不可得空無性空自性空無性自性空
非常非無常觀內空非樂非苦觀外空內外
空空空大空勝義空有為空無為空畢竟空
無際空散空無變異空本性空自相空共相
空一切法空不可得空無性空自性空無性
自性空非樂非苦觀內空非我非無我觀外
空內外空空空大空勝義空有為空無為空
畢竟空無際空散空無變異空本性空自相
空共相空一切法空不可得空無性空自性
空無性自性空非我非無我觀內空非淨非
不淨觀外空內外空空空大空勝義空有為

BD00072號　大般若波羅蜜多經卷七二　（16–6）

空無性自性空非我非無我觀內空非淨非
不淨觀外空內外空空空大空勝義空有爲
空無爲空畢竟空無際空散空無變異空本
性空自相空共相空一切法空不可得空無
性空自性空無性自性空非淨非不淨觀內
空非空非不空觀外空內外空空空大空勝
義空有爲空無爲空畢竟空無際空散空無
變異空本性空自相空共相空一切法空不
可得空無性空自性空無性自性空非空非
不空觀內空非有相非無相觀外空內外空
空空大空勝義空有爲空無爲空畢竟空無
際空散空無變異空本性空自相空共相空
一切法空不可得空無性空自性空無性自
性空非有相非無相觀內空非有願非無願
觀外空內外空空空大空勝義空有爲空無
爲空畢竟空無際空散空無變異空本性空
自性空共相空一切法空不可得空無性空
自性空無性自性空非有願非無願觀內空
非寂靜非不寂靜觀外空內外空空空大空
勝義空有爲空無爲空畢竟空無際空散空
無變異空本性空自相空共相空一切法空
不可得空無性空自性空無性自性空非寂
靜非不寂靜觀內空非遠離非不遠離觀外
空內外空空空大空勝義空有爲空無爲空
畢竟空無際空散空無變異空本性空自相

空內外空空空大空勝義空有爲空無爲空
畢竟空無際空散空無變異空本性空自相
空共相空一切法空不可得空無性空自性
空無性自性空非遠離非不遠離舍利子
是謂觀諸法
舍利子諸菩薩摩訶薩脩行般若波羅蜜多
時觀布施波羅蜜多非常非無常觀淨戒安
忍精進靜慮般若波羅蜜多非常非無常觀
布施波羅蜜多非樂非苦觀淨戒安忍精進
靜慮般若波羅蜜多非樂非苦觀布施波羅
蜜多非我非無我觀淨戒安忍精進靜慮般
若波羅蜜多非我非無我觀布施波羅蜜多
非淨非不淨觀淨戒安忍精進靜慮般若
波羅蜜多非淨非不淨觀布施波羅蜜多非空
非不空觀淨戒安忍精進靜慮般若波羅蜜
多非空非不空觀布施波羅蜜多非有相非
無相觀淨戒安忍精進靜慮般若波羅蜜多
非有相非無相觀布施波羅蜜多非有願非
無願觀淨戒安忍精進靜慮般若波羅蜜多
非有願非無願觀布施波羅蜜多非寂靜非
不寂靜觀淨戒安忍精進靜慮般若波羅蜜
多非寂靜非不寂靜觀布施波羅蜜多非遠
離非不遠離觀淨戒安忍精進靜慮般若波
羅蜜多非遠離非不遠離舍利子是謂觀諸
法
舍利子諸菩薩摩訶薩脩行般若波羅蜜多

羅蜜多非遠離非不遠離舍利子是謂觀諸
法
舍利子諸菩薩摩訶薩脩行般若波羅蜜多
時觀四静慮非常非無常觀四無量四無色
定非常非無常觀四静慮非樂非苦觀四無
量四無色定非樂非苦觀四静慮非我非無
我觀四無量四無色定非我非無我觀四静
慮非淨非不淨觀四無量四無色定非淨非
不淨觀四静慮非空非不空觀四無量四無
色定非空非不空觀四静慮非有相非無相
觀四無量四無色定非有相非無相觀四静
慮非有願非無願觀四無量四無色定非有
願非無願觀四静慮非寂静非不寂静觀四
無量四無色定非寂静非不寂静觀四静慮
非遠離非不遠離觀四無量四無色定非遠
離非不遠離舍利子是謂觀諸法
舍利子諸菩薩摩訶薩脩行般若波羅蜜多
時觀八解脫非常非無常觀八勝處九次第
定十遍處非常非無常觀八解脫非樂非苦
觀八勝處九次第定十遍處非樂非苦觀八
解脫非我非無我觀八勝處九次第定十遍
處非我非無我觀八解脫非淨非不淨觀八
勝處九次第定十遍處非淨非不淨觀八解
脫非空非不空觀八勝處九次第定十遍處
非空非不空觀八解脫非有相非無相觀八
勝處九次第定十遍處非有相非無相觀八

脫非空非不空觀八勝處九次第定十遍處
非空非不空觀八解脫非有相非無相觀八
勝處九次第定十遍處非有相非無相觀八
解脫非有願非無願觀八勝處九次第定十
遍處非有願非無願觀八解脫非寂静非不
寂静觀八勝處九次第定十遍處非寂静非
不寂静觀八解脫非遠離非不遠離觀八勝
處九次第定十遍處非遠離非不遠離舍利
子是謂觀諸法
舍利子諸菩薩摩訶薩脩行般若波羅蜜多
時觀四念住非常非無常觀四正斷四神足
五根五力七等覺支八聖道支非常非無常
觀四念住非樂非苦觀四正斷四神足五根
五力七等覺支八聖道支非樂非苦觀四念
住非我非無我觀四正斷四神足五根五力
七等覺支八聖道支非我非無我觀四念住
非淨非不淨觀四正斷四神足五根五力七
等覺支八聖道支非淨非不淨觀四念住非
空非不空觀四正斷四神足五根五力七等
覺支八聖道支非空非不空觀四念住非有
相非無相觀四正斷四神足五根五力七等
覺支八聖道支非有相非無相觀四念住非
有願非無願觀四正斷四神足五根五力七
等覺支八聖道支非有願非無願觀四念住
非寂静非不寂静觀四正斷四神足五根五

等覺支八聖道支非有願非無願觀四念住
非寂靜非不寂靜觀四正斷四神足五根五
力七等覺支八聖道支非寂靜非不寂靜觀
四念住非遠離非不遠離觀四正斷四神足五
根五力七等覺支八聖道支非遠離非不
遠離舍利子是謂觀諸法
舍利子諸菩薩摩訶薩脩行般若波羅蜜多
時觀空解脫門非常非無常觀無相無願解
脫門非常非無常觀空解脫門非樂非苦觀
無相無願解脫門非樂非苦觀空解脫門非
我非無我觀無相無願解脫門非我非無我
觀空解脫門非淨非不淨觀無相無願解脫
門非淨非不淨觀空解脫門非空非不空觀
無相無願解脫門非空非不空觀空解脫門
非有相非無相觀無相無願解脫門非有相
非無相觀空解脫門非有願非無願觀無相
無願解脫門非有願非無願觀空解脫門非
寂靜非不寂靜觀無相無願解脫門非寂靜
非不寂靜觀空解脫門非遠離非不遠離觀
無相無願解脫門非遠離非不遠離舍利子
是謂觀諸法
舍利子諸菩薩摩訶薩脩行般若波羅蜜多
時觀五眼非常非無常觀六神通非常非無
常觀五眼非樂非苦觀六神通非樂非苦觀
五眼非我非無我觀六神通非我非無我觀
五眼非淨非不淨觀六神通非淨非不淨觀

五眼非我非無我觀六神通非我非無我觀
五眼非淨非不淨觀六神通非淨非不淨觀
五眼非空非不空觀六神通非空非不空觀
五眼非有相非無相觀六神通非有相非無相
觀五眼非有願非無願觀六神通非有願非
無願觀五眼非寂靜非不寂靜觀六神通非
寂靜非不寂靜觀五眼非遠離非不遠離
觀六神通非遠離非不遠離舍利子是謂觀
諸法
舍利子諸菩薩摩訶薩脩行般若波羅蜜多
時觀佛十力非常非無常觀四無所畏四無
礙解大慈大悲大喜大捨十八佛不共法非
常非無常觀佛十力非樂非苦觀四無所畏
四無礙解大慈大悲大喜大捨十八佛不共
法非樂非苦觀佛十力非我非無我觀四無
所畏四無礙解大慈大悲大喜大捨十八佛不
共法非我非無我觀佛十力非淨非不淨觀
四無所畏四無礙解大慈大悲大喜大捨十
八佛不共法非淨非不淨觀佛十力非空非
不空觀四無所畏四無礙解大慈大悲大
喜大捨十八佛不共法非空非不空觀佛十
力非有相非無相觀四無所畏四無礙解大
慈大悲大喜大捨十八佛不共法非有相非
無相觀佛十力非有願非無願觀四無所畏
四無礙解大慈大悲大喜大捨十八佛不共
法非有願非無願觀佛十力非寂靜非不寂

四無礙解大慈大悲大喜大捨十八佛不共
法非有願非無願觀佛十力非寂靜非不寂
靜觀四無所畏四無礙解大慈大悲大喜大
捨十八佛不共法非寂靜非不寂靜觀佛十
力非遠離非不遠離觀四無所畏四無礙解
大慈大悲大喜大捨十八佛不共法非遠離
非不遠離舍利子是謂觀諸法
舍利子諸菩薩摩訶薩脩行般若波羅蜜多
時觀真如非常非無常觀法界法性平等性
離生性法定法住實際虛空界不思議界非
常非無常觀真如非樂非苦觀法界法性平
等性離生性法定法住實際虛空界不思議
界非樂非苦觀真如非我非無我觀法界法
性平等性離生性法定法住實際虛空界不
思議界非我非無我觀真如非淨非不淨觀
法界法性平等性離生性法定法住實際虛
空界不思議界非淨非不淨觀真如非空非
不空觀法界法性平等性離生性法定法住
實際虛空界不思議界非空非不空觀真如
非有相非無相觀法界法性平等性離生性
法定法住實際虛空界不思議界非有相非
無相觀真如非有願非無願觀法界法性平
等性離生性法定法住實際虛空界不思議
界非有願非無願觀真如非寂靜非不寂靜
觀法界法性平等性離生性法定法住實際

BD00072號　大般若波羅蜜多經卷七二　（16–13）

界非有願非無願觀真如非寂靜非不寂靜
觀法界法性平等性離生性法定法住實際
虛空界不思議界非寂靜非不寂靜觀真如
非遠離非不遠離觀法界法性平等性離生
性法定法住實際虛空界不思議界非遠離
非不遠離舍利子是謂觀諸法
舍利子諸菩薩摩訶薩脩行般若波羅蜜多
時觀無上正等菩提非常非無常觀一切智
道相智一切相智非常非無常觀無上正等
菩提非樂非苦觀一切智道相智一切相智
非樂非苦觀無上正等菩提非我非無我觀
一切智道相智一切相智非我非無我觀無
上正等菩提非淨非不淨觀一切智道相智
一切相智非淨非不淨觀無上正等菩提非
空非不空觀一切智道相智一切相智非空
非不空觀無上正等菩提非有相非無相觀
一切智道相智一切相智非有相非無相觀
無上正等菩提非有願非無願觀一切智道
相智一切相智非有願非無願觀無上正等
菩提非寂靜非不寂靜觀一切智道相智一
切相智非寂靜非不寂靜觀無上正等菩提
非遠離非不遠離觀一切智道相智一切相
智非遠離非不遠離舍利子是謂觀諸法
舍利子諸菩薩摩訶薩脩行般若波羅蜜多
時觀無忘失法非常非無常觀恒住捨性非
常非無常觀無忘失法非樂非苦觀恒住捨

BD00072號　大般若波羅蜜多經卷七二　（16–14）

時觀無忘失法非常非無常觀恒住捨性非
常非無常觀無忘失法非樂非苦觀恒住捨
性非樂非苦觀無忘失法非我非無我觀恒
住捨性非我非無我觀無忘失法非淨非不
淨觀恒住捨性非淨非不淨觀無忘失法非
空非不空觀恒住捨性非空非不空觀無忘
失法非有相非無相觀恒住捨性非有相非
無相觀無忘失法非有願非無願觀恒住捨
性非有願非無願觀無忘失法非寂靜非不
寂靜觀恒住捨性非寂靜非不寂靜觀無忘
失法非遠離非不遠離觀恒住捨性　非遠
離非不遠離舍利子是謂觀諸法
舍利子諸菩薩摩訶薩修行般若波羅蜜多
時觀一切陁羅尼門非常非無常觀一切三
摩地門非常非無常觀一切陁羅尼門非樂
非苦觀一切三摩地門非樂非苦觀一切陁
羅尼門非我非無我觀一切三摩地門非我
非無我觀一切陁羅尼門非淨非不淨觀一
切三摩地門非淨非不淨觀一切陁羅尼門
非空非不空觀一切三摩地門非空非不空
觀一切陁羅尼門非有相非無相觀一切三
摩地門非有相非無相觀一切陁羅尼門非
有願非無願觀一切三摩地門非有願非無
願觀一切陁羅尼門非寂靜非不寂靜觀一
切三摩地門非寂靜非不寂靜觀一切陁羅
尼門非遠離非不遠離觀一切三摩地門非

BD00072 號　大般若波羅蜜多經卷七二　（16–15）

非無我觀一切陁羅尼門非淨非不淨觀一
切三摩地門非淨非不淨觀一切陁羅尼門
非空非不空觀一切三摩地門非空非不空
觀一切陁羅尼門非有相非無相觀一切三
摩地門非有相非無相觀一切陁羅尼門非
有願非無願觀一切三摩地門非有願非無
願觀一切陁羅尼門非寂靜非不寂靜觀一
切三摩地門非寂靜非不寂靜觀一切陁羅
尼門非遠離非不遠離觀一切三摩地門非
遠離非不遠離舍利子是謂觀諸法舍利子
諸菩薩摩訶薩修行般若波羅蜜多時應
如是觀諸法

大般若波羅蜜多經卷第七十二

BD00072 號　大般若波羅蜜多經卷七二　（16–16）

他說其福勝彼何以故須菩提一切
佛阿耨多羅三藐三菩提皆從此經出
所謂佛法者即非佛法
須菩提於意云何須陁洹能作是
洹果不須菩提言不也世尊何以故
入流而无所入不入色聲香味觸法
菩提於意云何斯陁含能作是念我得
不須菩提言不也世尊何以故斯陁含
實无往來是名斯陁含須菩提於意云何
能作是念我得阿那含果不須菩提言不也世
以故阿那含名為不來而實无來　故名阿那含
須菩提於意云何阿羅漢能作是念我得阿羅
漢道不須菩提言不也世尊何以故實无有法
名阿羅漢世尊若阿羅漢作是念我得阿羅
漢道即為著我人衆生壽者世尊佛說我得
諍三昧人中最為第一是第一離欲阿羅漢
不作是念我是離欲阿羅漢世尊我若作是念我
得阿羅漢道世尊則不說須菩提是樂阿蘭那行
者以須菩提實无所行而名須菩提是樂阿蘭那
行
佛告須菩提於意云何如來昔在燃燈佛所於法
有所得不世尊如來在燃燈佛所於法實无所得
須菩提於意云何菩薩莊嚴佛土不不也世
尊何以故莊嚴佛土者則非莊嚴是名莊嚴是
故須菩提諸菩薩摩訶薩應如是生清淨心不
應住色生心不應住聲香味觸法生心應无所住
而生其心須菩提譬如有人身如須弥山王於意

BD00073號　金剛般若波羅蜜經　　（11–1）

尊何以故莊嚴佛土者則非莊嚴是名莊嚴是
故須菩提諸菩薩摩訶薩應如是生清淨心不
應住色生心不應住聲香味觸法生心應无所住
而生其心須菩提譬如有人身如須弥山王於意
云何是身為大不須菩提言甚大世尊何以故佛說
非身是名大身
須菩提如恒河中所有沙數如是沙等恒河於意
云何是諸恒河沙寧為多不須菩提言甚多世
尊但諸恒河尚多无數何況其沙須菩提我
今實言告汝若有善男子善女人以七寶滿
尒所恒河沙數三千大千世界以用布施得福
多不須菩提言甚多世尊
佛告須菩提若善男子善女人於此經中乃至受
持四句偈等為他人說而此福德勝前福德
復次須菩提隨說是經乃至四句偈等當知此處
一切世間天人阿脩羅皆應供養如佛塔廟何
況有人盡能受持讀誦須菩提當知是人成就
最上第一希有之法若是經典所在之處則為
有佛若尊重弟子
尒時須菩提白佛言世尊當何名此經我等云何
奉持佛告須菩提是經名為金剛般若波羅蜜以
是名字汝當奉持所以者何須菩提佛說般若波
羅蜜則非般若波羅蜜須菩提於意云何如來有
所說法不須菩提白佛言世尊如來无所說須菩
提於意云何三千大千世界所有微塵是為多不
須菩提言甚多世尊須菩提諸微塵如來說非
微塵是名微塵如來說世界非世界是名世界須

BD00073號　金剛般若波羅蜜經　　（11–2）

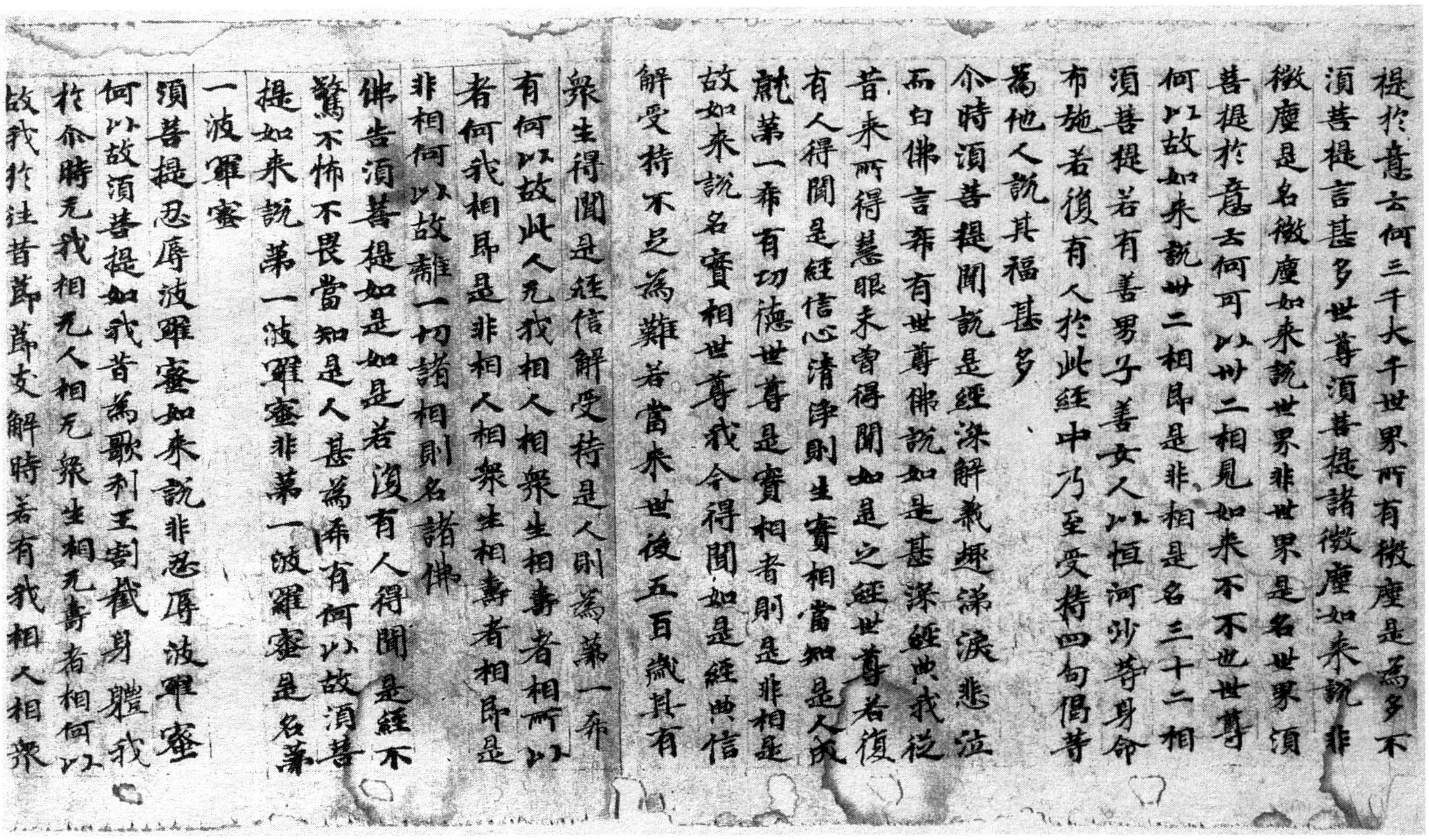

提於意云何三千大千世界所有微塵是爲多不
須菩提言甚多世尊須菩提諸微塵如來說非
微塵是名微塵如來說世界非世界是名世界須
菩提於意云何可以卅二相見如來不不也世尊
何以故如來說卅二相即是非相是名三十二相
須菩提若有善男子善女人以恒河沙等身命
布施若復有人於此經中乃至受持四句偈等
爲他人說其福甚多
尒時須菩提聞說是經深解義趣涕淚悲泣
而白佛言希有世尊佛說如是甚深經典我從
昔來所得慧眼未曾得聞如是之經世尊若復
有人得聞是經信心清淨則生實相當知是人成
就第一希有功德世尊是實相者則是非相是
故如來說名實相世尊我今得聞如是經典信
解受持不足爲難若當來世後五百歲其有
衆生得聞是經信解受持是人則爲第一希
有何以故此人无我相人相衆生相壽者相所以
者何我相即是非相人相衆生相壽者相即是
非相何以故離一切諸相則名諸佛
佛告須菩提如是如是若復有人得聞是經不
驚不怖不畏當知是人甚爲希有何以故須菩
提如來說第一波羅蜜非第一波羅蜜是名第
一波羅蜜
須菩提忍辱波羅蜜如來說非忍辱波羅蜜
何以故須菩提如我昔爲歌利王割截身體我
於尒時无我相无人相无衆生相无壽者相何以
故我於往昔節節支解時若有我相人相衆

BD00073 號　金剛般若波羅蜜經　（11–3）

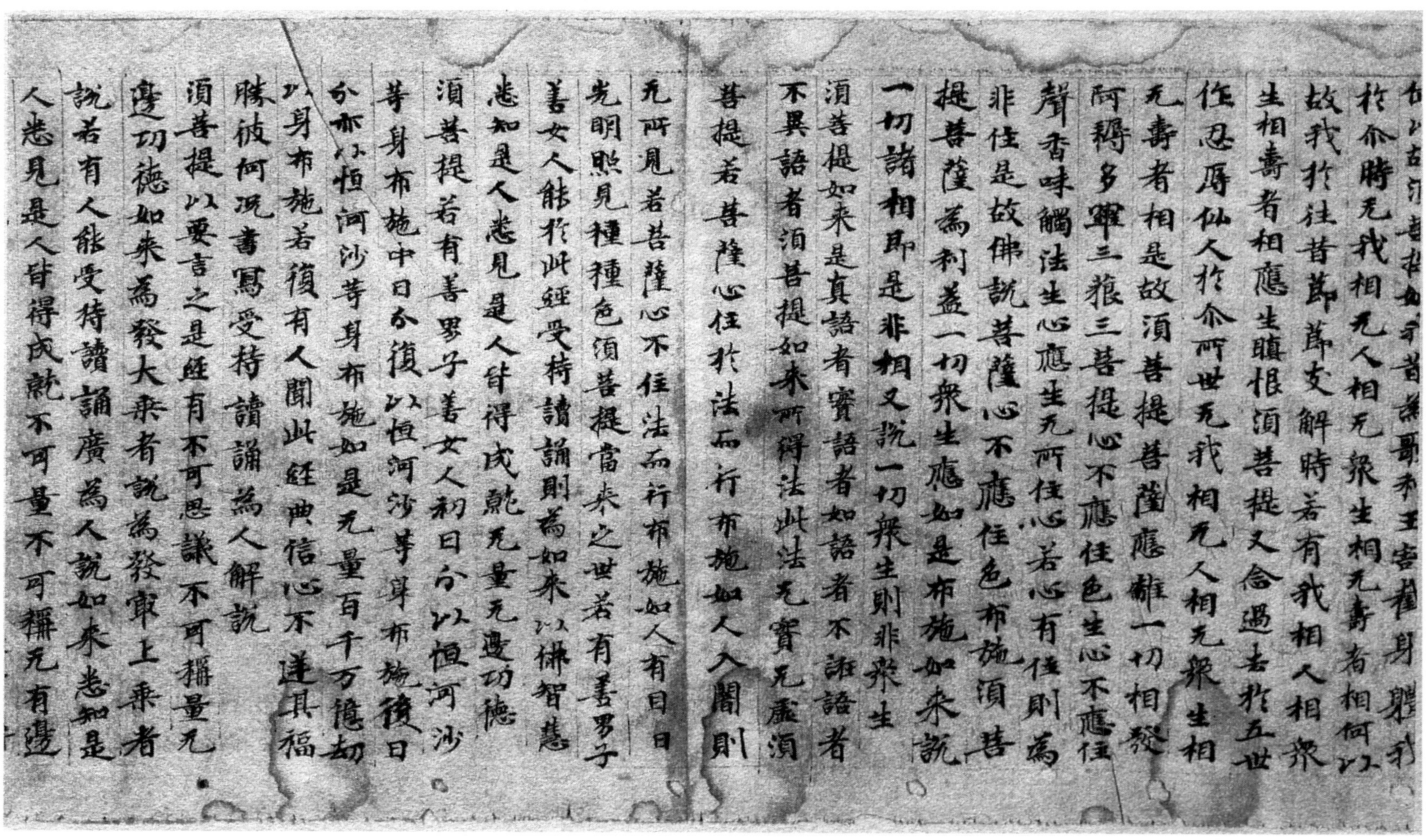

何以故須菩提如我昔爲歌利王割截身體我
於尒時无我相无人相无衆生相无壽者相何以
故我於往昔節節支解時若有我相人相衆
生相壽者相應生瞋恨須菩提又念過去於五百世
作忍辱仙人於尒所世无我相无人相无衆生相
无壽者相是故須菩提菩薩應離一切相發
阿耨多羅三藐三菩提心不應住色生心不應住
聲香味觸法生心應生无所住心若心有住則爲
非住是故佛說菩薩心不應住色布施須菩
提菩薩爲利益一切衆生應如是布施如來說
一切諸相即是非相又說一切衆生則非衆生
須菩提如來是真語者實語者如語者不誑語者
不異語者須菩提如來所得法此法无實无虛須
菩提若菩薩心住於法而行布施如人入闇則
无所見若菩薩心不住法而行布施如人有目日
光明照見種種色須菩提當來之世若有善男子
善女人能於此經受持讀誦則爲如來以佛智慧
悉知是人悉見是人皆得成就无量无邊功德
須菩提若有善男子善女人初日分以恒河沙
等身布施中日分復以恒河沙等身布施後日
分亦以恒河沙等身布施如是无量百千万億劫
以身布施若復有人聞此經典信心不逆其福
勝彼何況書寫受持讀誦爲人解說
須菩提以要言之是經有不可思議不可稱量无
邊功德如來爲發大乘者說爲發最上乘者
說若有人能受持讀誦廣爲人說如來悉知是
人悉見是人皆得成就不可量不可稱无有邊

BD00073 號　金剛般若波羅蜜經　（11–4）

說若有人能受持讀誦廣為人說如來悉知是
人悉見是人皆得成就不可量不可稱无有邊
不可思議功德如是人等則為荷擔如來阿耨
多羅三藐三菩提何以故須菩提若樂小法者著
我見人見衆生見壽者見則於此經不能聽受
讀誦為人解說須菩提在在處處若有此經一
切世間天人阿脩羅所應供養當知此處則為
是塔皆應恭敬作礼圍遶以諸華香而散其處
復次須菩提善男子善女人受持讀誦此經若
為人輕賤是人先世罪業應墮惡道以今世人
輕賤故先世罪業則為消滅當得阿耨多羅三
藐三菩提須菩提我念過去无量阿僧祇劫於
然燈佛前得值八百四千万億那由他諸佛悉皆
供養承事无空過者若復有人於後末世能受
持讀誦此經所得功德於我所供養諸佛功德
百分不及一千万億分乃至筭數譬喻所不能及
須菩提若善男子善女人於後末世有受持讀
誦此經所得功德我若具說者或有人聞心則狂
亂狐疑不信須菩提當知是經義不可思議果
報亦不可思議
尒時須菩提白佛言世尊善男子善女人發阿
耨多羅三藐三菩提心云何應住云何降伏其
心佛告須菩提善男子善女人發阿耨多羅
三藐三菩提者當生如是心我應滅度一切衆
生滅度一切衆生已而无有一衆生實滅度者
何以故若菩薩有我相人相衆生相壽者相

BD00073號　金剛般若波羅蜜經　（11–5）

生滅度一切衆生已而无有一衆生實滅度者
何以故若菩薩有我相人相衆生相壽者相
則非菩薩所以者何須菩提實无有法發阿耨
多羅三藐三菩提者須菩提於意云何如來於
然燈佛所有法得阿耨多羅三藐三菩提不不
也世尊如我解佛所說義佛於然燈佛所无有
法得阿耨多羅三藐三菩提
佛言如是如是須菩提實无有法如來得阿耨
多羅三藐三菩提須菩提若有法如來得阿耨多
羅三藐三菩提然燈佛則不與我受記汝於來
世當得作佛号釋迦牟尼以實无有法得阿耨
多羅三藐三菩提是故然燈佛與我受記作是
言汝於來世當得作佛号釋迦牟尼何以故如來
者即諸法如義若有人言如來得阿耨多羅三
藐三菩提
須菩提實无有法佛得阿耨多羅三藐三菩提
須菩提如來所得阿耨多羅三藐三菩提於是中
无實无虛是故如來說一切法皆是佛法須菩提
所言一切法者即非一切法是故名一切法
須菩提譬如人身長大須菩提言世尊如來說
人身長大則為非大身是名大身須菩提菩薩
亦如是若作是言我當滅度无量衆生則不名
菩薩何以故須菩提无有法名為菩薩是故佛
說一切法无我无人无衆生无壽者須菩提若菩
薩作是言我當莊嚴佛土是不名菩薩何以
故如來說莊嚴佛土者即非莊嚴是名莊嚴須

BD00073號　金剛般若波羅蜜經　（11–6）

薩作是言我當莊嚴佛土是不名菩薩何以
故如來說莊嚴佛土者即非莊嚴是名莊嚴須
菩提若菩薩通達无我法者如來說名真是菩
薩須菩提於意云何如來有肉眼不如是世尊
如來有肉眼須菩提於意云何如來有天眼不
如是世尊如來有天眼須菩提於意云何如來
有慧眼不如是世尊如來有慧眼須菩提於
意云何如來有法眼不如是世尊如來有法
眼須菩提於意云何如來有佛眼不如是
世尊如來有佛眼須菩提於意云何如恒河
中所有沙佛說是沙不如是世尊如來說是沙
須菩提於意云何如一恒河中所有沙有如是等
恒河是諸恒河所有沙數佛世界如是寧為
多不甚多世尊
佛告須菩提尒所國土中所有衆生若干種
心如來悉知何以故如來說諸心皆為非心是
是名為心所以者何須菩提過去心不可得現
在心不可得未來心不可得須菩提於意
云何若有人滿三千大千世界七寶以用布
施是人以是因緣得福多不如是世尊此人以
是因緣得福甚多須菩提若福德有實如來
不說得福德多以福德无故如來說得福德多
須菩提於意云何佛可以具足色身見不不也
世尊如來不應以色身見何以故如來說具
足色身即非具足色身是名具足色身須
菩提於意云何如來可以具足諸相見不不也

BD00073 號　金剛般若波羅蜜經　（11–7）

足色身即非具足色身是名具足色身須
菩提於意云何如來可以具足諸相見不不也
世尊如來不應以具足諸相見何以故如來說
諸相具足即非具足是名諸相具足須菩
提汝勿謂如來作是念我當有所說法莫作
是念何以故若人言如來有所說法即為
謗佛不能解我所說故須菩提說法者无法
可說是名說法
須菩提白佛言世尊佛得阿耨多羅三藐三
菩提為无所得耶如是如是須菩提我於阿
耨多羅三藐三菩提乃至无有少法可得是
名阿耨多羅三藐三菩提復次須菩提是法
平等无有高下是名阿耨多羅三藐三菩
提以无我无人无衆生无壽者脩一切善法則
得阿耨多羅三藐三菩提須菩提所言善法
者如來說非善法是名善法須菩提若三千
大千世界中所有諸須弥山王如是等七寶聚
有人持用布施若人以此般若波羅蜜經乃
至四句偈等受持為他人說於前福德百
分不及一百千万億分乃至筭數譬喻所不能及
須菩提於意云何汝等勿謂如來作是念我
當度衆生須菩提莫作是念何以故實无
有衆生如來度者若有衆生如來說有我者
則非有我而凡夫之人以為有我須菩提凡夫
者如來說則非凡夫須菩提於意云何可以卅
二相觀如來不須菩提言如是如是以卅二
相觀如來佛言須菩提若以卅二相觀如來者

BD00073 號　金剛般若波羅蜜經　（11–8）

者如來說即非凡夫須菩提於意云何可以卅
二相觀如來不須菩提言如是如是以卅二
相觀如來佛言須菩提若以卅二相觀如來者
轉輪聖王則是如來須菩提白佛言世尊
如我解佛所說義不應以卅二相觀如來尒
時世尊而說偈言
若以色見我　以音聲求我　是人行邪道　不能見如來
須菩提汝若作是念如來不以具足相故得
阿耨多羅三藐三菩提須菩提莫作是念如來不
以具足相故得阿耨多羅三藐三菩提須菩
提汝若作是念發阿耨多羅三藐三菩提者
說諸法斷滅莫作是念何以故發阿耨
多羅三藐三菩提者於法不說斷滅相須
菩提若菩薩以滿恒河沙等世界七寶布施若
復有人知一切法无我得成於忍此菩薩勝前
菩薩所得功德須菩提以諸菩薩不受福
德故須菩提白佛言世尊云何菩薩不受福
德須菩提菩薩所作福德不應貪著是故
說不受福德須菩提若有人言如來若去
若坐若卧是人不解我所說義何以故如來
者无所從來亦无所去故名如來
須菩提若善男子善女人以三千大千世界
碎為微塵於意云何是微塵衆寧為多不
甚多世尊何以故若是微塵衆實有者佛則
不說是微塵衆所以者何佛說微塵衆則非微
塵衆是名微塵衆世尊如來所說三千大千
世界則非世界是名世界何以故若世界實有

BD00073 號　金剛般若波羅蜜經　（11–9）

須菩提若善男子善女人以三千大千世界
碎為微塵於意云何是微塵衆寧為多不
甚多世尊何以故若是微塵衆實有者佛則
不說是微塵衆所以者何佛說微塵衆則非微
塵衆是名微塵衆世尊如來所說三千大千
世界則非世界是名世界何以故若世界實有
則是一合相如來說一合相則非一合相是名
一合相須菩提一合相者則是不可說但凡
夫之人貪著其事須菩提若人言佛說
我見人見衆生見壽者見須菩提於意云何
是人解我所說義不世尊是人不解如來所
說義何以故世尊說我見人見衆生見壽者
見即非我見人見衆生見壽者見是名我見
人見衆生見壽者見須菩提發阿耨多羅三
藐三菩提心者於一切法應如是知如是見
如是信解不生法相須菩提所言法相者如來
說即非法相是名法相須菩提若有人以滿
无量阿僧祇世界七寶持用布施若有善男
子善女人發菩薩心者持於此經乃至四句
偈等受持讀誦為人演說其福勝彼云何為
人演說不取於相如如不動何以故
一切有為法　如夢幻泡影　如露亦如電　應作如是觀
佛說是經已長老須菩提及諸比丘比丘
尼優婆塞優婆夷一切世間天人阿脩羅
聞佛所說皆大歡喜信受奉行

BD00073 號　金剛般若波羅蜜經　（11–10）

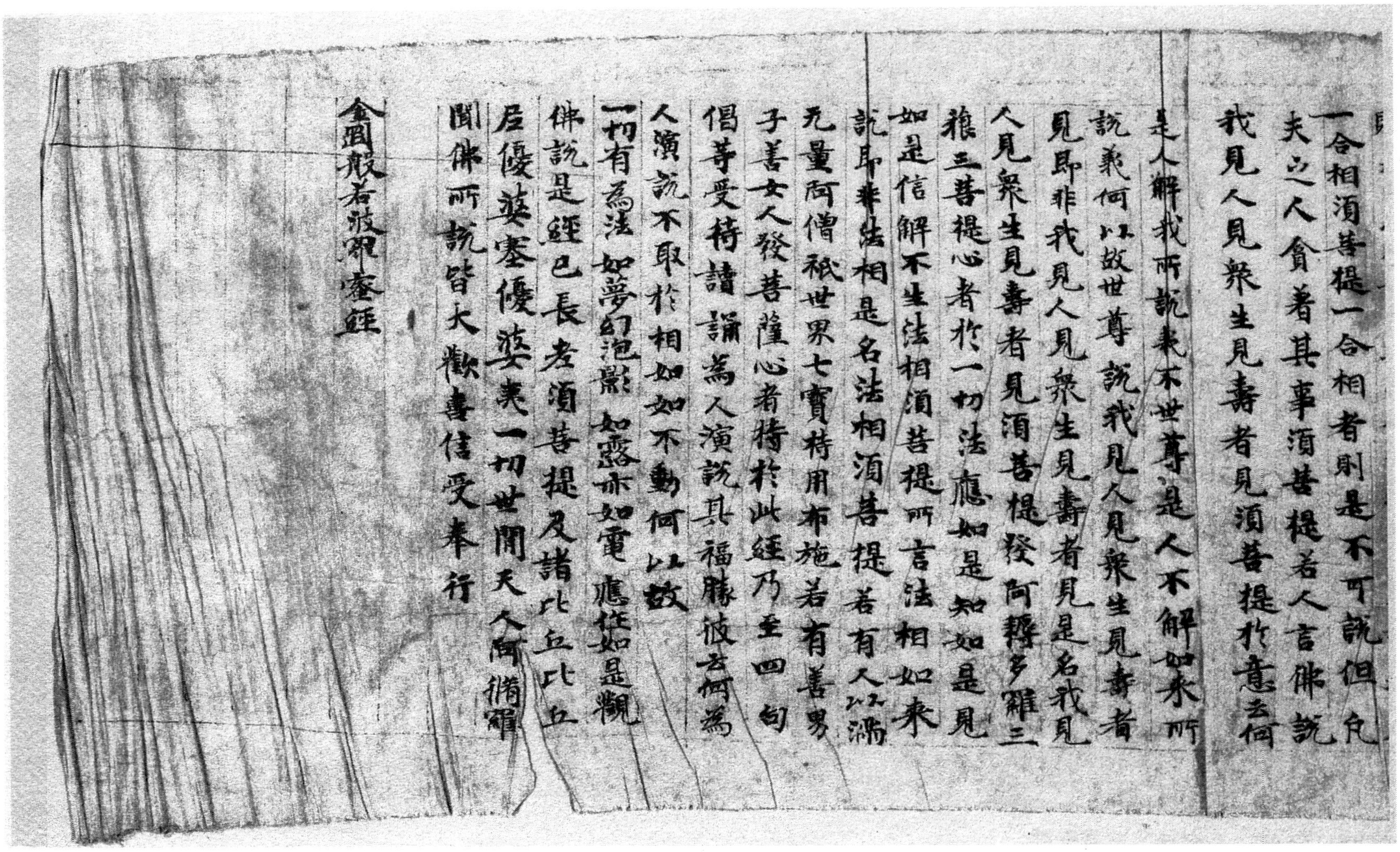
一合相須菩提一合相者則是不可說但凡
夫之人貪著其事須菩提若人言佛說
我見人見衆生見壽者見須菩提於意云何
是人解我所說義不世尊是人不解如來所
說義何以故世尊說我見人見衆生見壽者
見即非我見人見衆生見壽者見是名我見
人見衆生見壽者見須菩提發阿耨多羅三
藐三菩提心者於一切法應如是知如是見
如是信解不生法相須菩提所言法相如來
說即非法相是名法相須菩提若有人以滿
无量阿僧祇世界七寶持用布施若有善男
子善女人發菩薩心者持於此經乃至四句
偈等受持讀誦爲人演說其福勝彼云何爲
人演說不取於相如如不動何以故
一切有爲法如夢幻泡影如露亦如電應作如是觀
佛說是經已長老須菩提及諸比丘比丘
尼優婆塞優婆夷一切世間天人阿脩羅
聞佛所說皆大歡喜信受奉行
金剛般若波羅蜜經

BD00073 號　金剛般若波羅蜜經　　（11–11）

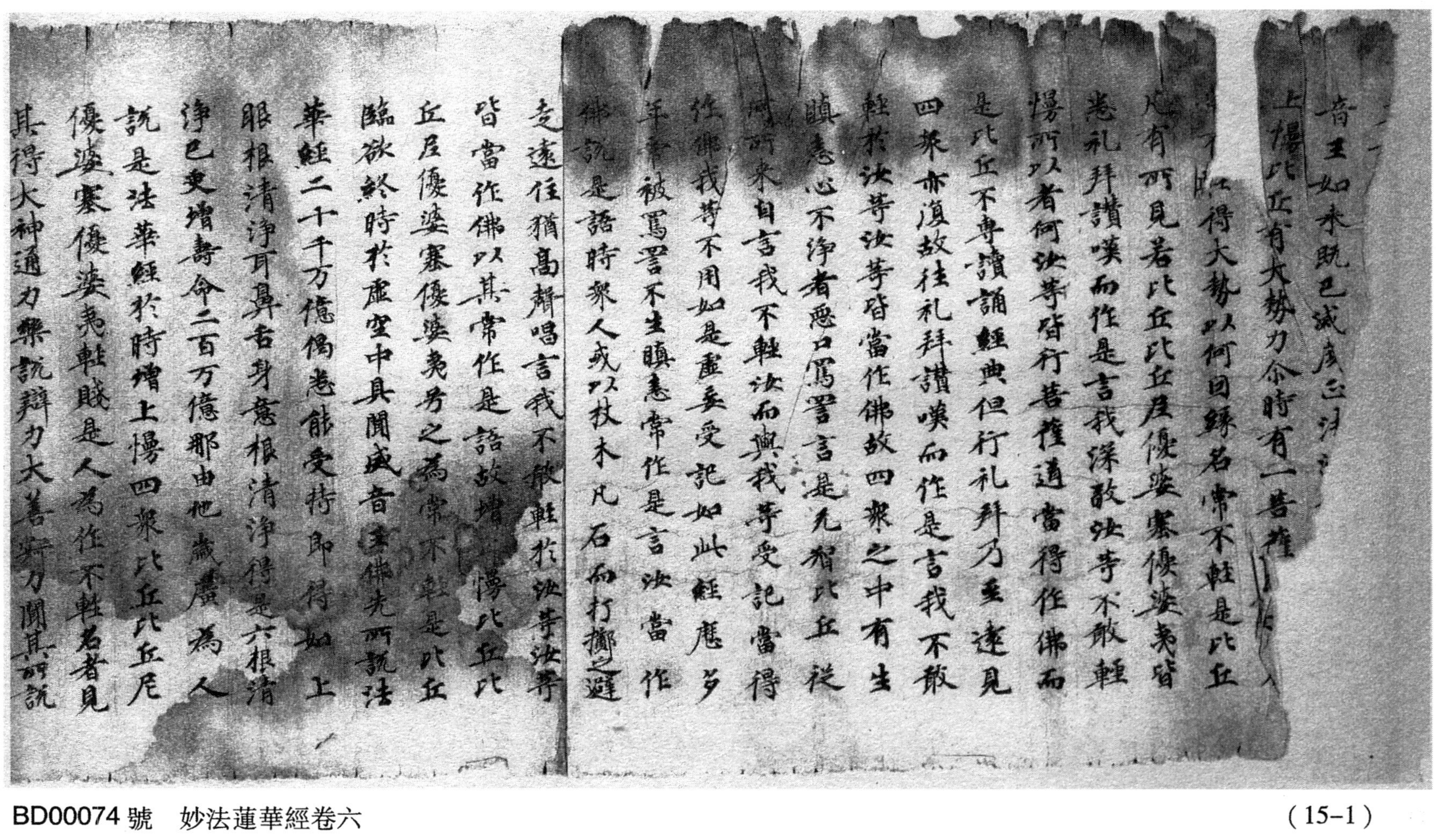
音王如來既已滅度正法[illegible]
上慢比丘有大勢力尒時有一菩薩
[illegible]得大勢以何因緣名常不輕是比丘
凡有所見若比丘比丘尼優婆塞優婆夷皆
悉禮拜讚歎而作是言我深敬汝等不敢輕
慢所以者何汝等皆行菩薩道當得作佛而
是比丘不專讀誦經典但行禮拜乃至遠見
四衆亦復故往禮拜讚歎而作是言我不敢
輕於汝等汝等皆當作佛故四衆之中有生
瞋恚心不淨者惡口罵詈言是无智比丘從
何所來自言我不輕汝而與我等受記當得
作佛我等不用如是虛妄受記如此經歷多
年常被罵詈不生瞋恚常作是言汝當作
佛說是語時衆人或以杖木瓦石而打擲之避
走遠住猶高聲唱言我不敢輕於汝等汝等
皆當作佛以其常作是語故增上慢比丘比
丘尼優婆塞優婆夷号之爲常不輕是比丘
臨欲終時於虛空中具聞威音王佛先所說法
華經二十千万億偈悉能受持即得如上
眼根清淨耳鼻舌身意根清淨得是六根清
淨已更增壽命二百万億那由他歲廣爲人
說是法華經於時增上慢四衆比丘比丘尼
優婆塞優婆夷輕賤是人爲作不輕名者見
其得大神通力樂說辯力大善寂力聞其所說

BD00074 號　妙法蓮華經卷六　　（15–1）

淨已更增壽命二百万億那由他歲廣為人
說是法華經於時增上慢四衆比丘比丘尼
優婆塞優婆夷輕賤是人為作不輕名者見
其得大神通力樂說辯力大善寂力聞其所說
皆信伏隨從是菩薩復化千万億衆令住
阿耨多羅三藐三菩提命終之後得值二千
億佛皆号日月燈明於其法中說是法華經
以是因緣復值二千億佛同号雲自在燈王
於此諸佛法中受持讀誦為諸四衆說此經
典故得是常眼清淨耳鼻舌身意諸根清淨
於四衆中說法心无所畏得大勢是常不輕
菩薩摩訶薩供養如是若干諸佛恭敬尊重
讚嘆種諸善根於後復值千万億佛亦於諸
佛法中說是經典功德成就當得作佛得大
勢於意云何尒時常不輕菩薩豈異人乎則
我身是若我於宿世不受持讀誦此經為他
人說者不能疾得阿耨多羅三藐三菩提我
於先佛所受持讀誦此經為人說故疾得阿
耨多羅三藐三菩提得大勢彼時四衆比丘
比丘尼優婆塞優婆夷以瞋恚意輕賤我故
二百億劫常不值佛不聞法不見僧千劫於
阿鼻地獄受大苦惱畢是罪已復遇常不輕
菩薩教化阿耨多羅三藐三菩提得大勢於
汝意云何尒時四衆常輕是菩薩者豈異人
乎今此會中跋陁婆羅等五百菩薩師子月

BD00074 號　妙法蓮華經卷六　（15–2）

汝意云何尒時四衆常輕是菩薩者豈異人
乎今此會中跋陁婆羅等五百菩薩師子月
等五百比丘尼思佛等五百優婆塞皆於阿
耨多羅三藐三菩提不退轉者是得大勢當
知是法華經大饒益諸菩薩摩訶薩能令至
於阿耨多羅三藐三菩提是故諸菩薩摩訶
薩於如來滅後常應受持讀誦解說書寫是
經尒時世尊欲重宣此義而說偈言
過去有佛　号威音王　神智无量　將導一切
天人龍神　所共供養　是佛滅後　法欲盡時
有一菩薩　名常不輕　時諸四衆　計著於法
不輕菩薩　往到其所　而語之言　我不輕汝
汝等行道　皆當作佛　諸人聞已　輕毀罵詈
不輕菩薩　能忍受之　其罪畢已　臨命終時
得聞此經　六根清淨　神通力故　增益壽命
復為諸人　廣說是經　諸著法衆　皆蒙菩薩
教化成就　令住佛道　不輕命終　值无數佛
說是經故　得无量福　漸具功德　疾成佛道
彼時不輕　則我身是　時四部衆　著法之者
聞不輕言　汝當作佛　以是因緣　值无數佛
此會菩薩　五百之衆　并及四部　清信士女
今於我前　聽法者是　我於前世　勸是諸人
聽受斯經　第一之法　開示教人　令住涅槃
世世受持　如是經典　億億万劫　至不可議
時乃得聞　是法華經　億億万劫　至不可議

BD00074 號　妙法蓮華經卷六　（15–3）

世世受持如是經典 億億万劫至不可議
時乃得聞是法華經 億億万劫至不可議
諸佛世尊 時說是經 是故行者 於佛滅後
聞如是經 勿生疑惑 應當一心 廣說此經
世世值佛 疾成佛道

妙法蓮華經如來神力品第二十一

尒時千世界微塵等菩薩摩訶薩從地踊出
者皆於佛前一心合掌瞻仰尊顏而白佛言
世尊我等於佛滅後世尊分身所在國土滅
度之處當廣說此經所以者何我等亦自欲
得是真淨大法受持讀誦解說書寫而供養
之尒時世尊於文殊師利等无量百千万億
舊住娑婆世界菩薩摩訶薩及諸比丘比丘
尼優婆塞優婆夷天龍夜叉乾闥婆阿脩羅
迦樓羅緊那羅摩睺羅伽人非人等一切衆
前現大神力出廣長舌上至梵世一切毛孔
放於无量无數色光皆悉遍照十方世界衆
寶樹下師子座上諸佛亦復如是出廣長舌
放无量光釋迦牟尼佛及寶樹下諸佛現神
力時滿百千歲然後還攝舌相一時謦欬俱
共彈指是二音聲遍至十方諸佛世界地皆
六種震動其中衆生天龍夜叉乾闥婆阿脩
羅迦樓羅緊那羅摩睺羅伽人非人等以佛
神力故皆見此娑婆世界无量无邊百千万

BD00074 號　妙法蓮華經卷六　（15–4）

羅迦樓羅緊那羅摩睺羅伽人非人等以佛
神力故皆見此娑婆世界无量无邊百千万
億衆寶樹下師子座上諸佛及見釋迦牟尼
佛共多寶如來在寶塔中坐師子座又見无
量无邊百千万億菩薩摩訶薩及諸四衆恭
敬圍繞釋迦牟尼佛既見是已皆大歡喜得
未曾有即時諸天於虛空中高聲唱言過此
无量无邊百千万億阿僧祇世界有國名娑
婆是中有佛名釋迦牟尼今為諸菩薩摩訶
薩說大乘經名妙法蓮華教菩薩法佛所護
念汝等當深心隨喜亦當礼拜供養釋迦牟
尼佛彼諸衆生聞虛空中聲已合掌向娑婆
世界作如是言南无釋迦牟尼佛南无釋迦
牟尼佛以種種華香瓔珞幡蓋及諸嚴身之
具珍寶妙物皆共遙散娑婆世界所散諸物
從十方來譬如雲集變成寶帳遍覆此間諸
佛之上于時十方世界通達无礙如一佛土尒
時佛告上行等菩薩大衆諸佛神力 如是
无量无邊不可思議若我以是神力於无量
无邊百千万億阿僧祇劫為囑累故說此經
功德猶不能盡以要言之如來一切所有之
法如來一切自在神力如來一切祕要之藏
如來一切甚深之事皆於此經宣示顯說是
故汝等於如來滅後應一心受持讀誦解說

BD00074 號　妙法蓮華經卷六　（15–5）

如來一切甚深之事皆於此經宣示顯說是
故汝等於如來滅後應一心受持讀誦解說
書寫如說脩行所在國土若有受持讀誦解
說書寫如說脩行若經卷所住之處若於園
中若於林中若於樹下若於僧坊若白衣舍
若在殿堂若山谷曠野是中皆應起塔供養
所以者何當知是處即是道場諸佛於此得
阿耨多羅三藐三菩提諸佛於此轉于法輪
諸佛於此而般涅槃尒時世尊欲重宣此義
而說偈言
諸佛救世者　住於大神通　為悅眾生故　現无量神力
舌相至梵天　身放无數光　為求佛道者　現此希有事
諸佛謦欬聲　及彈指之聲　周聞十方國　地皆六種動
以佛滅度後　能持是經故　諸佛皆歡喜　現无量神力
囑累是經故　讚美受持者　於无量劫中　猶故不能盡
是人之功德　无邊无有窮　如十方虛空　不可得邊際
能持是經者　則為已見我　亦見多寶佛　及諸分身者
又見我今日　教化諸菩薩　能持是經者　令我及分身
滅度多寶佛　一切皆歡喜　十方現在佛　并過去未來
亦見亦供養　亦令得歡喜　諸佛坐道場　所得祕要法
能持是經者　不久亦當得　能持是經者　於諸法之義
名字及言辭　樂說无窮盡　如風於空中　一切无障礙
於如來滅後　知佛所說經　因緣及次第　隨義如實說
如日月光明　能除諸幽冥　斯人行世間　能滅眾生闇

BD00074號　妙法蓮華經卷六　（15–6）

於如來滅後　知佛所說經　因緣及次第　隨義如實說
如日月光明　能除諸幽冥　斯人行世間　能滅眾生闇
教无量菩薩　畢竟住一乘　是故有智者　聞此功德利
於我滅度後　應受持斯經　是人於佛道　決定无有疑
妙法蓮華經囑累品第二十二
尒時釋迦牟尼佛從法座起現大神力以右
手摩无量菩薩摩訶薩頂而作是言我於无
量百千万億阿僧祇劫脩習是難得阿耨多
羅三藐三菩提法今以付囑汝等汝等應當
一心流布此法廣令增益如是三摩諸菩薩
摩訶薩頂而作是言我於无量百千万億阿
僧祇劫脩習是難得阿耨多羅三藐三菩提
法今以付囑汝等汝等當受持讀誦廣宣此
法令一切眾生普得聞知所以者何如來有
大慈悲无諸慳悋亦无所畏能與眾生佛之
智慧如來智慧自然智慧如來是一切眾生
之大施主汝等亦應隨學如來之法勿生慳
悋於未來世若有善男子善女人信如來智
慧者當為演說此法華經使得聞知為令其
人得佛慧故若有眾生不信受者當於如來
餘深法中示教利喜汝等若能如是則為已
報諸佛之恩時諸菩薩摩訶薩聞佛作是說
已皆大歡喜遍滿其身益加恭敬曲躬低頭
合掌向佛俱發聲言如世尊勅當具奉行唯
然世尊願不有慮諸菩薩摩訶薩眾如是三

BD00074號　妙法蓮華經卷六　（15–7）

合掌向佛俱發聲言如世尊勅當具奉行唯
然世尊願不有慮諸菩薩摩訶薩衆如是三
反俱發聲言如世尊勅當具奉行唯然世尊
願不有慮尒時釋迦牟尼佛令十方來諸分
身佛各還本土而作是言諸佛各隨所安多
寶佛塔還可如故説是語時十方无量分身
諸佛坐寶樹下師子座上者及多寶佛并上
行等无邊阿僧祇菩薩大衆舍利弗等聲
聞四衆及一切世間天人阿脩羅等聞佛所説
皆大歡喜

妙法蓮華經藥王菩薩本事品第二十三

尒時宿王華菩薩白佛言世尊藥王菩薩云
何遊於娑婆世界世尊是藥王菩薩有若干
百千万億那由他難行苦行善哉世尊願少解
説諸天龍神夜叉乾闥婆阿脩羅迦樓羅
緊那羅摩睺羅伽人非人等又他國土諸來
菩薩及此聲聞衆聞皆歡喜尒時佛告宿王
華菩薩乃往過去无量恒河沙劫有佛号日
月淨明德如來應供正遍知明行足善逝世
間解无上士調御丈夫天人師佛世尊其佛
有八十億大菩薩摩訶薩七十二恒河沙大
聲聞衆佛壽四万二千劫菩薩壽命亦等彼
國无有女人地獄餓鬼畜生阿脩羅等及以
諸難地平如掌琉璃所成寶樹莊嚴寶帳覆
上垂寶華幡寶瓶香爐周遍國界七寶爲臺

BD00074 號　妙法蓮華經卷六　（15-8）

諸難地平如掌琉璃所成寶樹莊嚴寶帳覆
上垂寶華幡寶瓶香爐周遍國界七寶爲臺
一樹一臺其樹去臺盡一箭道此諸寶樹皆
有菩薩聲聞而坐其下諸寶臺上各有百億
諸天作天伎樂歌歎於佛以爲供養尒時彼
佛爲一切衆生憙見菩薩及衆菩薩諸聲聞
衆説法華經是一切衆生憙見菩薩樂習苦
行於日月淨明德佛法中精進經行一心求
佛滿万二千歲已得現一切色身三昧得此
三昧已心大歡喜即作念言我得現一切色
身三昧皆是得聞法華經力我今當供養日
月淨明德佛及法華經即時入是三昧於虚
空中雨曼陁羅華摩訶曼陁羅華細末堅黑
栴檀滿虚空中如雲而下又雨海此岸栴檀
之香此香六銖價直娑婆世界以供養佛作
是供養已從三昧起而自念言我雖以神力
供養於佛不如以身供養即服諸香栴檀薰
陸兜樓婆畢力迦沉水膠香又飲瞻蔔諸華
香油滿千二百歲已香油塗身於日月淨明
德佛前以天寶衣而自纏身灌諸香油以神
通力願而自燃身光明遍照八十億恒河沙
世界其中諸佛同時讃言善哉善哉善男子
是真精進是名真法供養如來若以華香瓔
珞燒香末香塗香天繒幡蓋及海此岸栴檀
之香如是等種種諸物供養所不能及假使

BD00074 號　妙法蓮華經卷六　（15-9）

是真精進是名真法供養如來若以華香瓔
珞燒香末香塗香天繒幡蓋及海此岸栴檀
之香如是等種種諸物供養所不能及假使
國城妻子布施亦所不及善男子是名第一
之施於諸施中最尊最上以法供養諸如來
故作是語已而各嘿然其身火燃千二百歲
過是已後其身乃盡一切衆生憙見菩薩作
如是法供養已命終之後復生日月淨明德
佛國中於淨德王家結加趺坐忽然化生即
為其父而說偈言
大王今當知　我經行彼處　即時得一切　現諸身三昧
懃行大精進　捨所愛之身
說是偈已而白父言日月淨明德佛今故現
在我先供養佛已得解一切衆生語言陀羅
尼復聞是法華經八百千万億那由他甄迦
羅頻婆羅阿閦婆等偈大王我今當還供養
此佛白已即坐七寶之臺上昇虛空高七多
羅樹往到佛所頭面礼足合十指爪以偈讚佛
容顏甚奇妙　光明照十方　我適曾供養　今復還親近
尒時一切衆生憙見菩薩說是偈已而白佛
言世尊世尊猶故在世尒時日月淨明德佛
告一切衆生憙見菩薩善男子我涅槃時到
滅盡時至汝可安施床座我於今夜當般涅
槃又勑一切衆生憙見菩薩善男子我以佛
法囑累於汝及諸菩薩大弟子并阿耨多羅

BD00074 號　妙法蓮華經卷六　（15–10）

槃又勑一切衆生憙見菩薩善男子我以佛
法囑累於汝及諸菩薩大弟子并阿耨多羅
三藐三菩提法亦以三千大千七寶世界諸
寶樹寶臺及給侍諸天悉付於汝我滅度後
所有舍利亦付囑汝當令流布廣設供養應
起若干千塔如是日月淨明德佛勑一切衆
生憙見菩薩已於夜後分入於涅槃尒時一
切衆生憙見菩薩見佛滅度悲感懊惱戀慕
於佛即以海此岸栴檀為積供養佛身而以
燒之火滅已後收取舍利作八万四千寶瓶
以起八万四千塔高三世界表剎莊嚴垂諸
幡蓋懸衆寶鈴尒時一切衆生憙見菩薩復
自念言我雖作是供養心猶未足我今當更
供養舍利便語諸菩薩大弟子及天龍夜叉
等一切大衆汝等當一心念我今供養日月
淨明德佛舍利作是語已即於八万四千塔
前燃百福莊嚴臂七万二千歲而以供養令无
數求聲聞衆无量阿僧祇人發阿耨多羅
三藐三菩提心皆使得住現一切色身三昧
尒時諸菩薩天人阿脩羅等見其无臂憂惱
悲哀而作是言此一切衆生憙見菩薩是我
等師教化我者而今燒臂身不具足于時一
切衆生憙見菩薩於大衆中立此誓言我捨
兩臂必當得佛金色之身若實不虛令我兩

BD00074 號　妙法蓮華經卷六　（15–11）

切衆生憙見菩薩於大衆中立此誓言我捨
兩臂必當得佛金色之身若實不虛令我兩
臂還復如故作是誓已自然還復由斯菩薩
福德智慧淳厚所致當尒之時三千大千世
界六種震動天雨寶華一切人天得未曾有
佛告宿王華菩薩於汝意云何一切衆生憙
見菩薩豈異人乎今藥王菩薩是也其所捨
身布施如是无量百千万億那由他數宿王
華若有發心欲得阿耨多羅三藐三菩提者
能燃手指乃至足一指供養佛塔勝以國城妻
子及三千大千國土山林河池諸珎寶物而
供養者若復有人以七寶滿三千大千世
界供養於佛及大菩薩辟支佛阿羅漢是人
所得功德不如受持此法華經乃至一四句
偈其福最多宿王華譬如一切川流江河諸
水之中海為第一此法華經亦復如是於諸
如來所說經中最為深大又如土山黑山小
鐵圍山大鐵圍山及十寶山衆山之中須彌
山為第一此法華經亦復如是於諸經中最
為其上又如衆星之中月天子最為第一此
法華經亦復如是於千万億種諸經法中最
為照明又如日天子能除諸闇此經亦復如
是能破一切不善之闇又如諸小王中轉輪
聖王最為第一此經亦復如是於衆經中最
為其尊又如帝釋於三十三天中王此經亦

BD00074號　妙法蓮華經卷六　（15–12）

為照明又如日天子能除諸闇此經亦復如
是能破一切不善之闇又如諸小王中轉輪
聖王最為第一此經亦復如是於衆經中最
為其尊又如帝釋於三十三天中王此經亦
復如是諸經中王又如大梵天王一切衆生
之父此經亦復如是一切賢聖學无學及發
菩薩心者之父又如一切凡夫人中須陀洹
斯陀含阿那含阿羅漢辟支佛為第一此經
亦復如是一切如來所說若菩薩所說若聲
聞所說諸經法中最為第一有能受持是經
典者亦復如是於一切衆生中亦為第一
切聲聞辟支佛中菩薩為第一此經亦復如
是於一切諸經法中最為第一如佛為諸法
王此經亦復如是諸經中王宿王華此經能
救一切衆生者此經能令一切衆生離諸苦
惱此經能大饒益一切衆生充滿其願如清
涼池能滿一切諸渴乏者如寒者得火如裸
者得衣如商人得主如子得母如渡得船如
病得醫如闇得燈如貧得寶如民得王如賈
客得海如炬除闇此法華經亦復如是能令
衆生離一切苦一切病痛能解一切生死之縛
若人得聞此法華經若自書若使人書所
得功德以佛智慧籌量多少不得其邊若書
是經卷華香瓔珞燒香末香塗香幡蓋衣服
種種之燈酥燈油燈諸香油燈瞻蔔油燈須

BD00074號　妙法蓮華經卷六　（15–13）

得功德以佛智慧籌量多少不得其邊若書
是經卷華香瓔珞燒香末香塗香幡蓋衣服
種種之燈蘇燈油燈諸香油燈瞻蔔油燈須
曼那油燈波羅羅油燈婆利師迦油燈那婆摩
利油燈供養所得功德亦復无量宿王華若
有人聞是藥王菩薩本事品者亦得无量无
邊功德若有女人聞是藥王菩薩本事品能
受持者盡是女身後不復受若如來滅後後
五百歲中若有女人聞是經典如說修行於
此命終即往安樂世界阿彌陀佛大菩薩眾
圍繞住處生蓮華中寶座之上不復為貪欲
所惱亦復不為瞋恚愚癡所惱亦復不為憍
慢嫉妬諸垢所惱得菩薩神通无生法忍得
是忍已眼根清淨以是清淨眼根見七百万
二千億那由他恒河沙等諸佛如來是時諸
佛遙共讚言善哉善哉善男子汝能於釋迦
牟尼佛法中受持讀誦思惟是經為他人說
所得福德无量无邊火不能燒水不能漂汝
之功德千佛共說不能令盡汝今已能破諸
魔賊壞生死軍諸餘怨敵皆悉摧滅善男子
百千諸佛以神通力共守護汝於一切世間
天人之中无如汝者唯除如來其諸聲聞辟
支佛乃至菩薩智慧禪定无有與汝等者宿
王華此菩薩成就如是功德智慧之力若有
人聞是藥王菩薩本事品能隨喜讚善者是

BD00074號　妙法蓮華經卷六　（15–14）

人聞是藥王菩薩本事品能隨喜讚善者是
人現世口中常出青蓮華香身毛孔中常出
牛頭栴檀香所得功德如上所說是故宿王
華以此藥王菩薩本事品囑累於汝我滅度
後後五百歲中廣宣流布於閻浮提无令斷
絕惡魔魔民諸天龍夜叉鳩槃荼等得其便
世宿王華汝當以神通之力守護是經所以
者何此經則為閻浮提人病之良藥若人有
病得聞是經病即消滅不老不死宿王華汝
若見有受持是經者應以青蓮華盛滿末香
供散其上散已作是念言此人不久必當取
草坐於道場破諸魔軍當吹法螺擊大法鼓
度脫一切眾生老病死海是故求佛道者見
有受持是經典人應當如是生恭敬心說是
藥王菩薩本事品時八万四千菩薩得解一
切眾生語言陀羅尼多寶如來於寶塔中讚
宿王華菩薩言善哉善哉宿王華汝成就不
可思議功德乃能問釋迦牟尼佛如此之事
利益无量一切眾生

妙法蓮華經卷第六

BD00074號　妙法蓮華經卷六　（15–15）

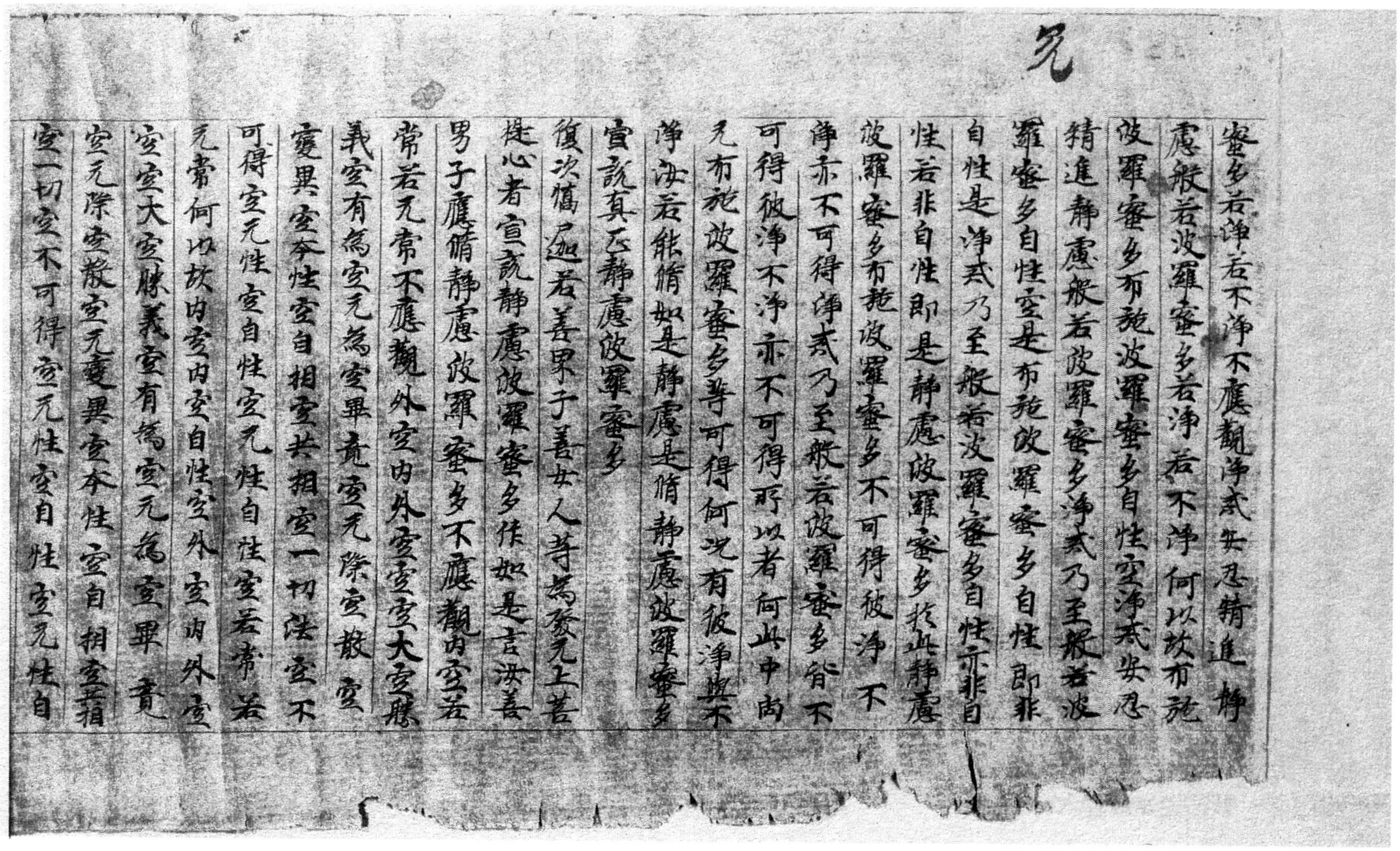
兌
蜜多若淨若不淨不應觀淨戒安忍精進靜
慮般若波羅蜜多若淨若不淨何以故布施
波羅蜜多布施波羅蜜多自性空淨戒安忍
精進靜慮般若波羅蜜多淨戒乃至般若波
羅蜜多自性空是布施波羅蜜多自性即非
自性是淨戒乃至般若波羅蜜多自性亦非自
性若非自性即是靜慮波羅蜜多於此靜慮
波羅蜜多布施波羅蜜多不可得彼淨不
淨亦不可得淨戒乃至般若波羅蜜多皆不
可得彼淨不淨亦不可得所以者何此中尚
无有布施波羅蜜多等可得何况有彼淨與不
淨汝若能脩如是靜慮是脩靜慮波羅蜜多
宣說真正靜慮波羅蜜多
復次憍尸迦若善男子善女人等為發无上菩
提心者宣說靜慮波羅蜜多作如是言汝善
男子應脩靜慮波羅蜜多不應觀內空若
常若无常不應觀外空內外空空空大空勝
義空有為空无為空畢竟空无際空散空
變異空本性空自相空共相空一切法空不
可得空无性空自性空无性自性空若常若
无常何以故內空內空自性空外空內外空
空空大空勝義空有為空无為空畢竟
空无際空散空无變異空本性空自相空共相
空一切空不可得空无性空自性空无性自

BD00075號A　大般若波羅蜜多經（兌廢稿）卷一五〇　（2-1）

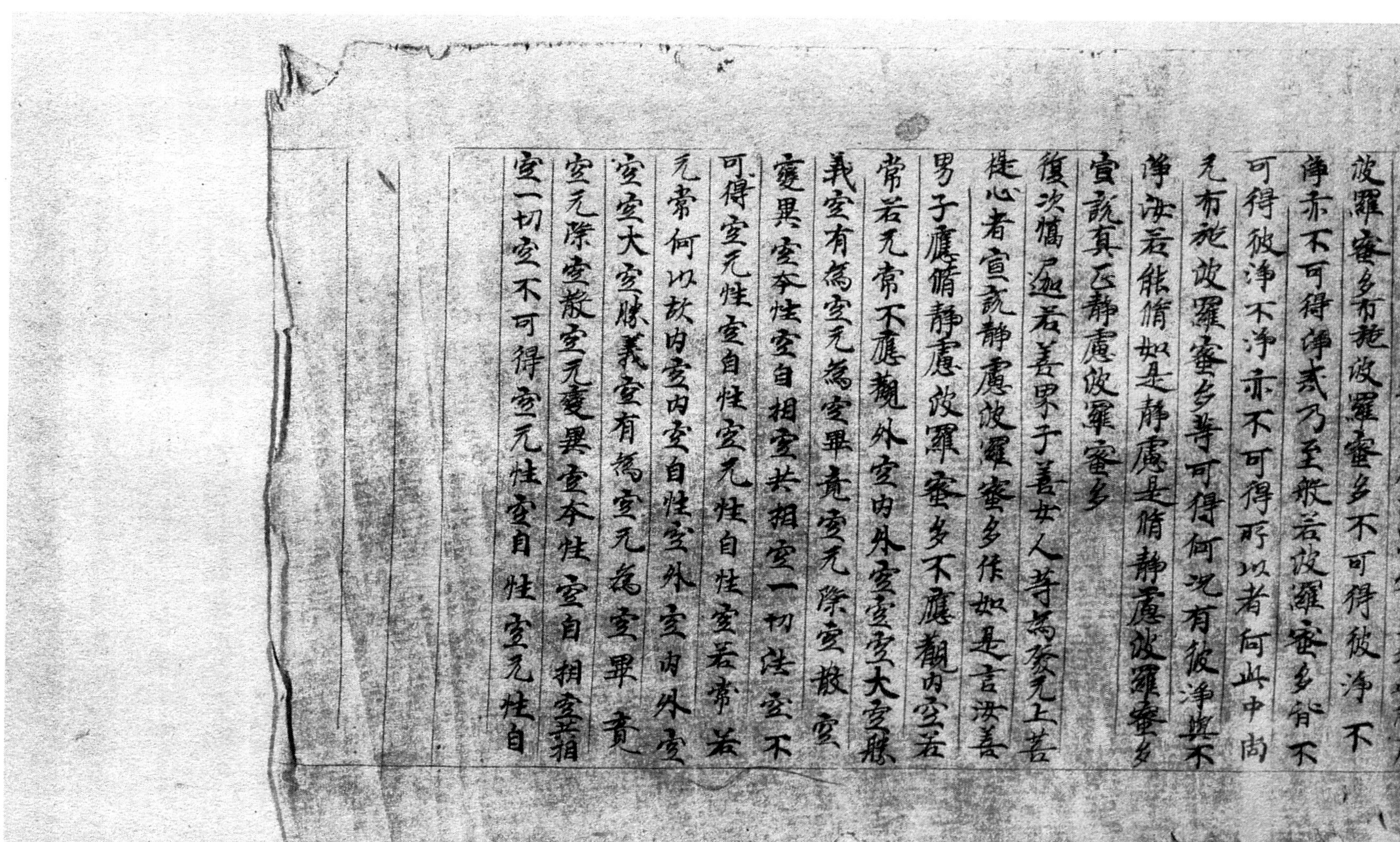
波羅蜜多布施波羅蜜多不可得彼淨不
淨亦不可得淨戒乃至般若波羅蜜多皆不
可得彼淨不淨亦不可得所以者何此中尚
无有布施波羅蜜多等可得何况有彼淨與不
淨汝若能脩如是靜慮是脩靜慮波羅蜜多
宣說真正靜慮波羅蜜多
復次憍尸迦若善男子善女人等為發无上菩
提心者宣說靜慮波羅蜜多作如是言汝善
男子應脩靜慮波羅蜜多不應觀內空若
常若无常不應觀外空內外空空空大空勝
義空有為空无為空畢竟空无際空散空
變異空本性空自相空共相空一切法空不
可得空无性空自性空无性自性空若常若
无常何以故內空內空自性空外空內外空
空空大空勝義空有為空无為空畢竟
空无際空散空无變異空本性空自相空共相
空一切空不可得空无性空自性空无性自

BD00075號A　大般若波羅蜜多經（兌廢稿）卷一五〇　（2-2）

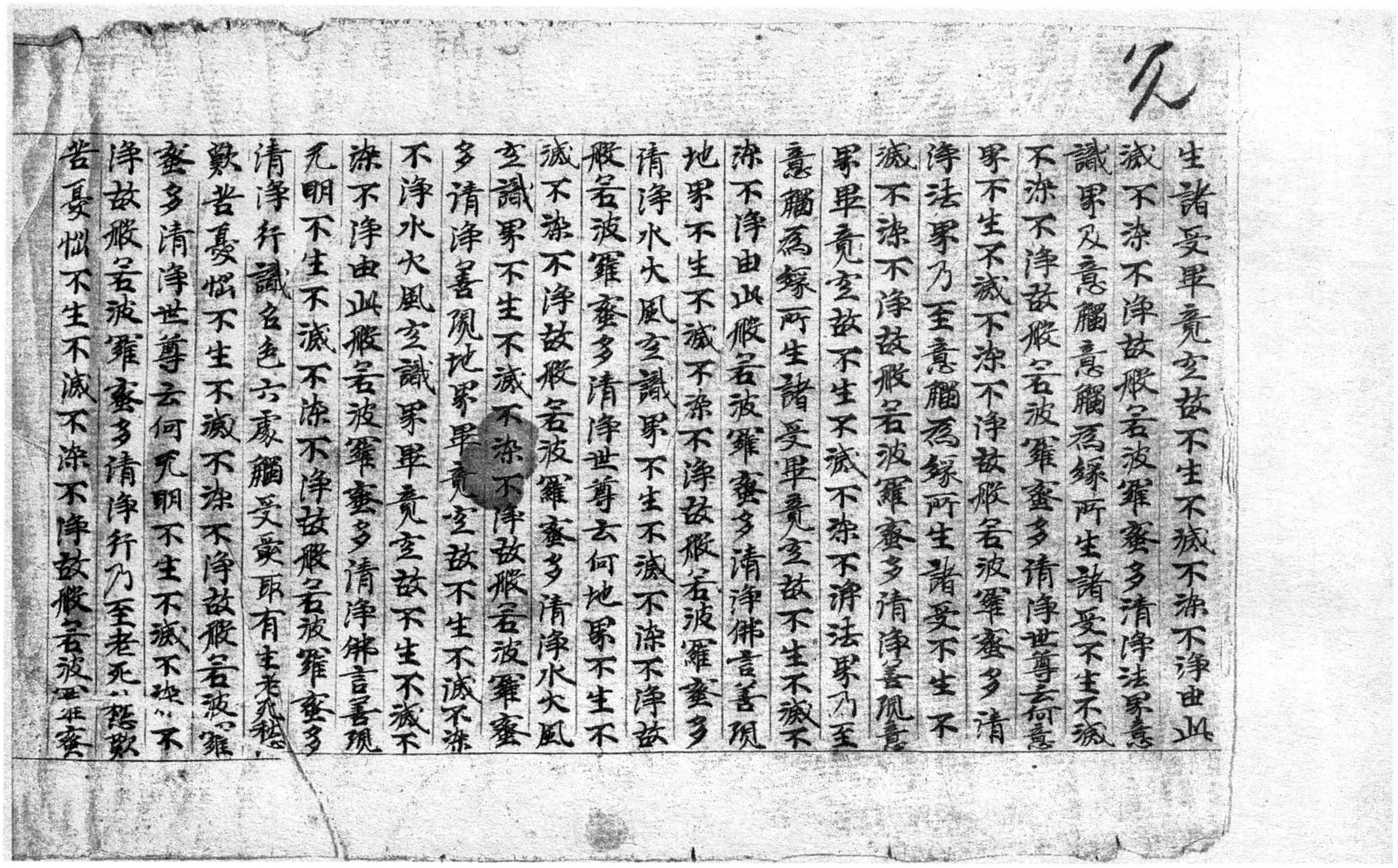
兌

生諸受畢竟空故不生不滅不染不淨由此
滅不染不淨故般若波羅蜜多清淨法界意
識界及意觸意觸爲緣所生諸受不生不滅
不染不淨故般若波羅蜜多清淨世尊云何意
界不生不滅不染不淨故般若波羅蜜多清
淨法界乃至意觸爲緣所生諸受不生不
滅不染不淨故般若波羅蜜多清淨善現意
界畢竟空故不生不滅不染不淨法界乃至
意觸爲緣所生諸受畢竟空故不生不滅不
染不淨由此般若波羅蜜多清淨佛言善現
地界不生不滅不染不淨故般若波羅蜜多
清淨水火風空識界不生不滅不染不淨故
般若波羅蜜多清淨世尊云何地界不生不
滅不染不淨故般若波羅蜜多清淨水火風
空識界不生不滅不染不淨故般若波羅蜜
多清淨善現地界畢竟空故不生不滅不染
不淨水火風空識界畢竟空故不生不滅不
染不淨由此般若波羅蜜多清淨佛言善現
無明不生不滅不染不淨故般若波羅蜜多
清淨行識名色六處觸受愛取有生老死愁
歎苦憂惱不生不滅不染不淨故般若波羅
蜜多清淨世尊云何無明不生不滅不染不
淨故般若波羅蜜多清淨行乃至老死愁歎
苦憂惱不生不滅不染不淨故般若波羅蜜

BD00075 號 B　大般若波羅蜜多經（兌廢稿）卷二九五　（2–1）

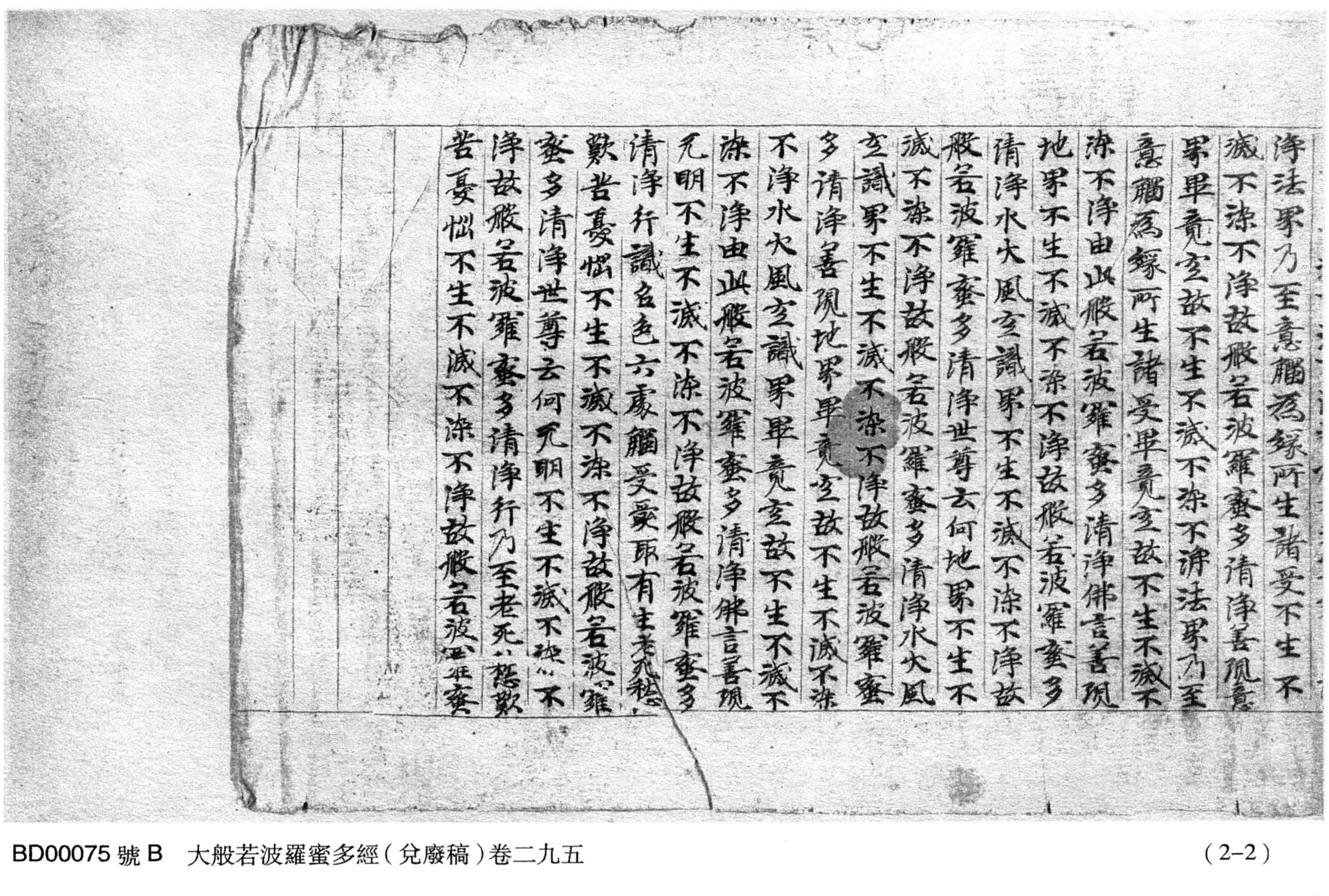

淨法界乃至意觸爲緣所生諸受不生不
滅不染不淨故般若波羅蜜多清淨善現意
界畢竟空故不生不滅不染不淨法界乃至
意觸爲緣所生諸受畢竟空故不生不滅不
染不淨由此般若波羅蜜多清淨佛言善現
地界不生不滅不染不淨故般若波羅蜜多
清淨水火風空識界不生不滅不染不淨故
般若波羅蜜多清淨世尊云何地界不生不
滅不染不淨故般若波羅蜜多清淨水火風
空識界不生不滅不染不淨故般若波羅蜜
多清淨善現地界畢竟空故不生不滅不染
不淨水火風空識界畢竟空故不生不滅不
染不淨由此般若波羅蜜多清淨佛言善現
無明不生不滅不染不淨故般若波羅蜜多
清淨行識名色六處觸受愛取有生老死愁
歎苦憂惱不生不滅不染不淨故般若波羅
蜜多清淨世尊云何無明不生不滅不染不
淨故般若波羅蜜多清淨行乃至老死愁歎
苦憂惱不生不滅不染不淨故般若波羅蜜

BD00075 號 B　大般若波羅蜜多經（兌廢稿）卷二九五　（2–2）

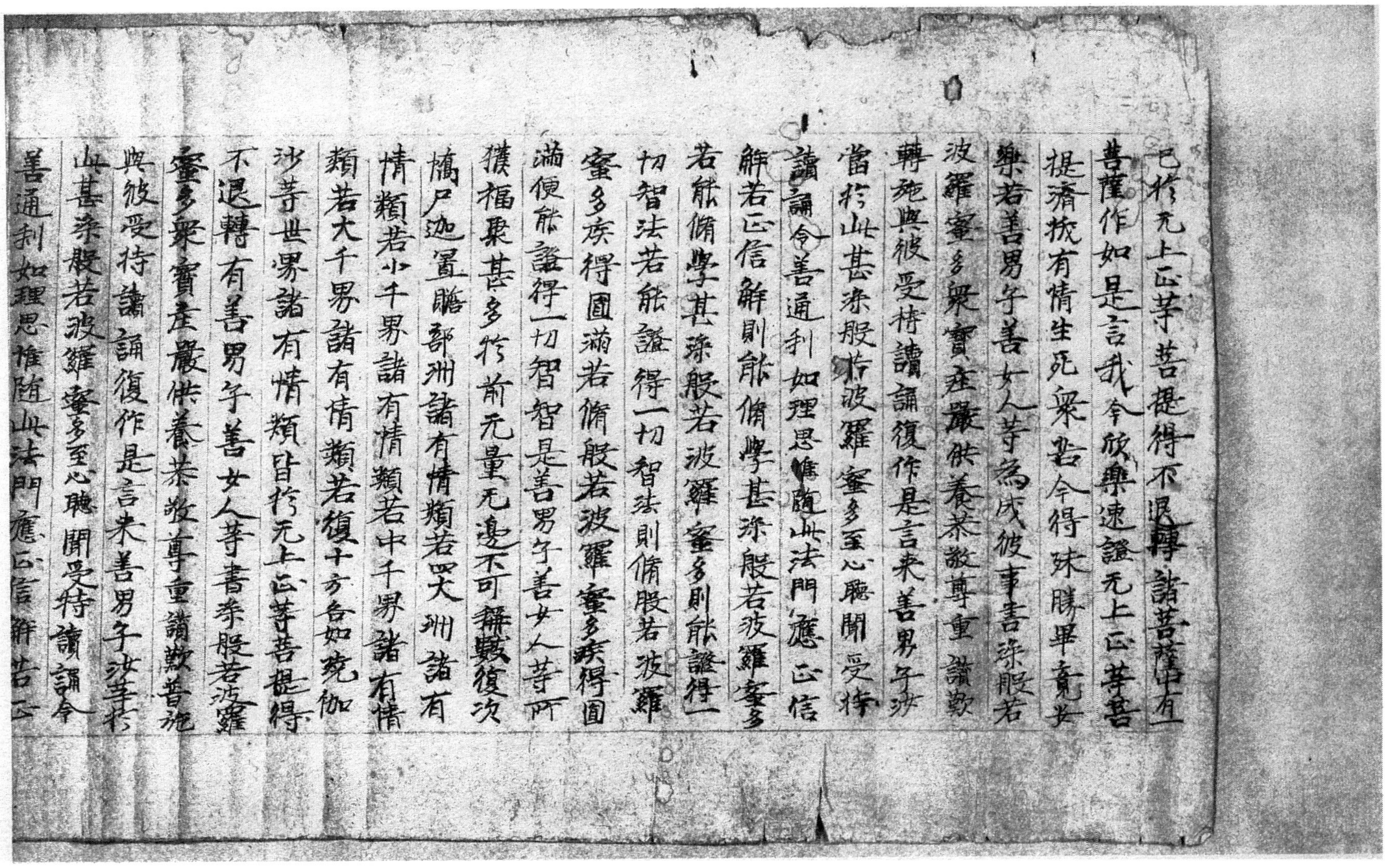

已於无上正等菩提得不退轉諸菩薩中有
菩薩作如是言我今欲樂速證无上正等菩
提濟拔有情生死衆苦今得殊勝畢竟安
樂若善男子善女人等爲成彼事書深般若
波羅蜜多衆寶莊嚴供養恭敬尊重讚歎
轉施與彼受持讀誦復作是言來善男子汝
當於此甚深般若波羅蜜多至心聽聞受持
讀誦令善通利如理思惟隨此法門應正信
解若正信解則能脩學甚深般若波羅蜜多
若能脩學甚深般若波羅蜜多則能證得一
切智法若能證得一切智法則脩般若波羅
蜜多疾得圓滿若脩般若波羅蜜多疾得圓
滿便能證得一切智智是善男子善女人等所
獲福聚甚多於前无量无邊不可稱數復次
憍尸迦置贍部洲諸有情類若四大洲諸有
情類若小千界諸有情類若中千界諸有情
類若大千界諸有情類若復十方各如殑伽
沙等世界諸有情類皆於无上正等菩提得
不退轉有善男子善女人等書深般若波羅
蜜多衆寶莊嚴供養恭敬尊重讚歎普施
與彼受持讀誦復作是言來善男子汝等於
此甚深般若波羅蜜多至心聽聞受持讀誦令
善通利如理思惟隨此法門應正信解若正

BD00075 號 C　大般若波羅蜜多經卷五四二　（2–1）

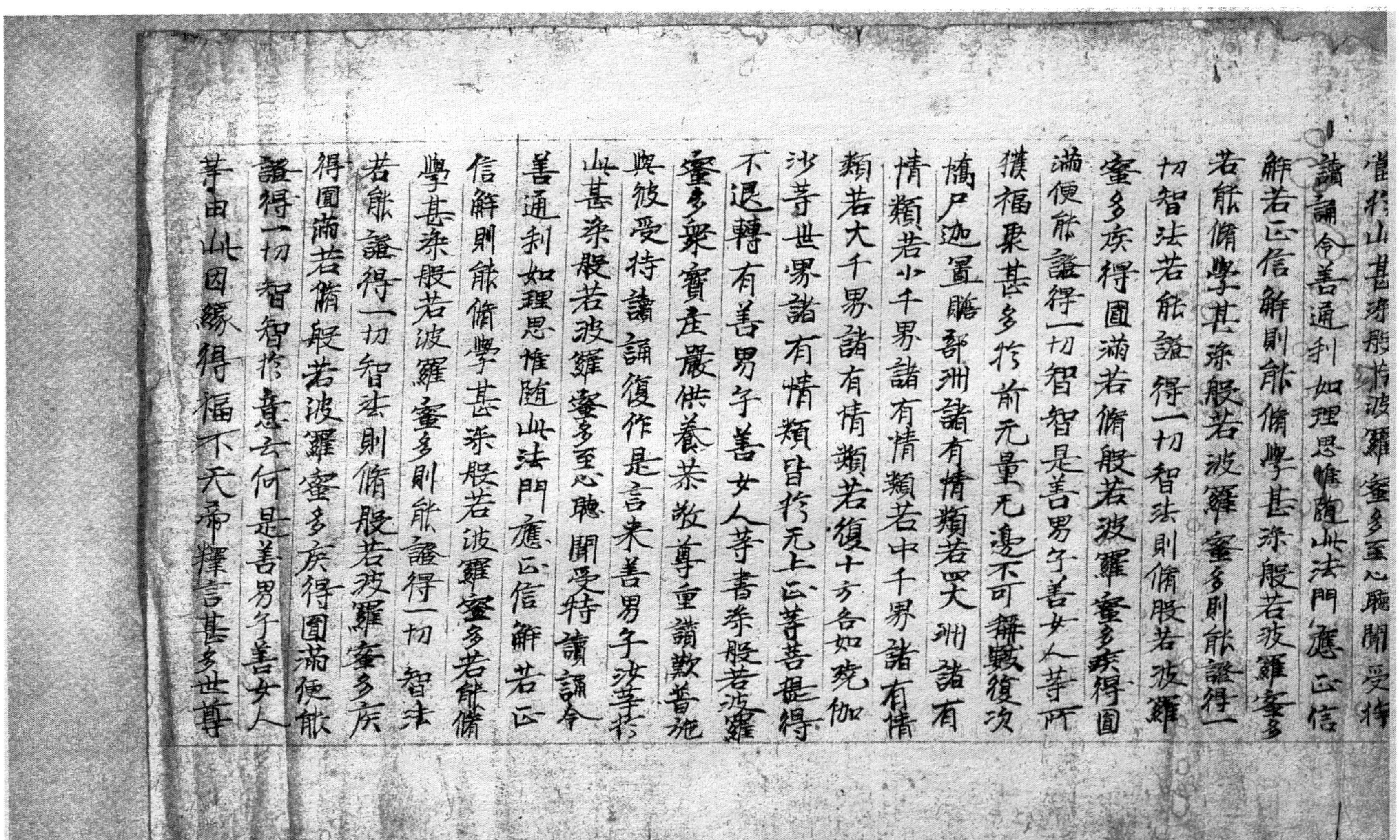

當於此甚深般若波羅蜜多至心聽聞受持
讀誦令善通利如理思惟隨此法門應正信
解若正信解則能脩學甚深般若波羅蜜多
若能脩學甚深般若波羅蜜多則能證得一
切智法若能證得一切智法則脩般若波羅
蜜多疾得圓滿若脩般若波羅蜜多疾得圓
滿便能證得一切智智是善男子善女人等所
獲福聚甚多於前无量无邊不可稱數復次
憍尸迦置贍部洲諸有情類若四大洲諸有
情類若小千界諸有情類若中千界諸有情
類若大千界諸有情類若復十方各如殑伽
沙等世界諸有情類皆於无上正等菩提得
不退轉有善男子善女人等書深般若波羅
蜜多衆寶莊嚴供養恭敬尊重讚歎普施
與彼受持讀誦復作是言來善男子汝等於
此甚深般若波羅蜜多至心聽聞受持讀誦令
善通利如理思惟隨此法門應正信解若正
信解則能脩學甚深般若波羅蜜多若能脩
學甚深般若波羅蜜多則能證得一切智法
若能證得一切智法則脩般若波羅蜜多疾
得圓滿若脩般若波羅蜜多疾得圓滿便能
證得一切智智於意云何是善男子善女人
等由此因緣得福多不天帝釋言甚多世尊

BD00075 號 C　大般若波羅蜜多經卷五四二　（2–2）

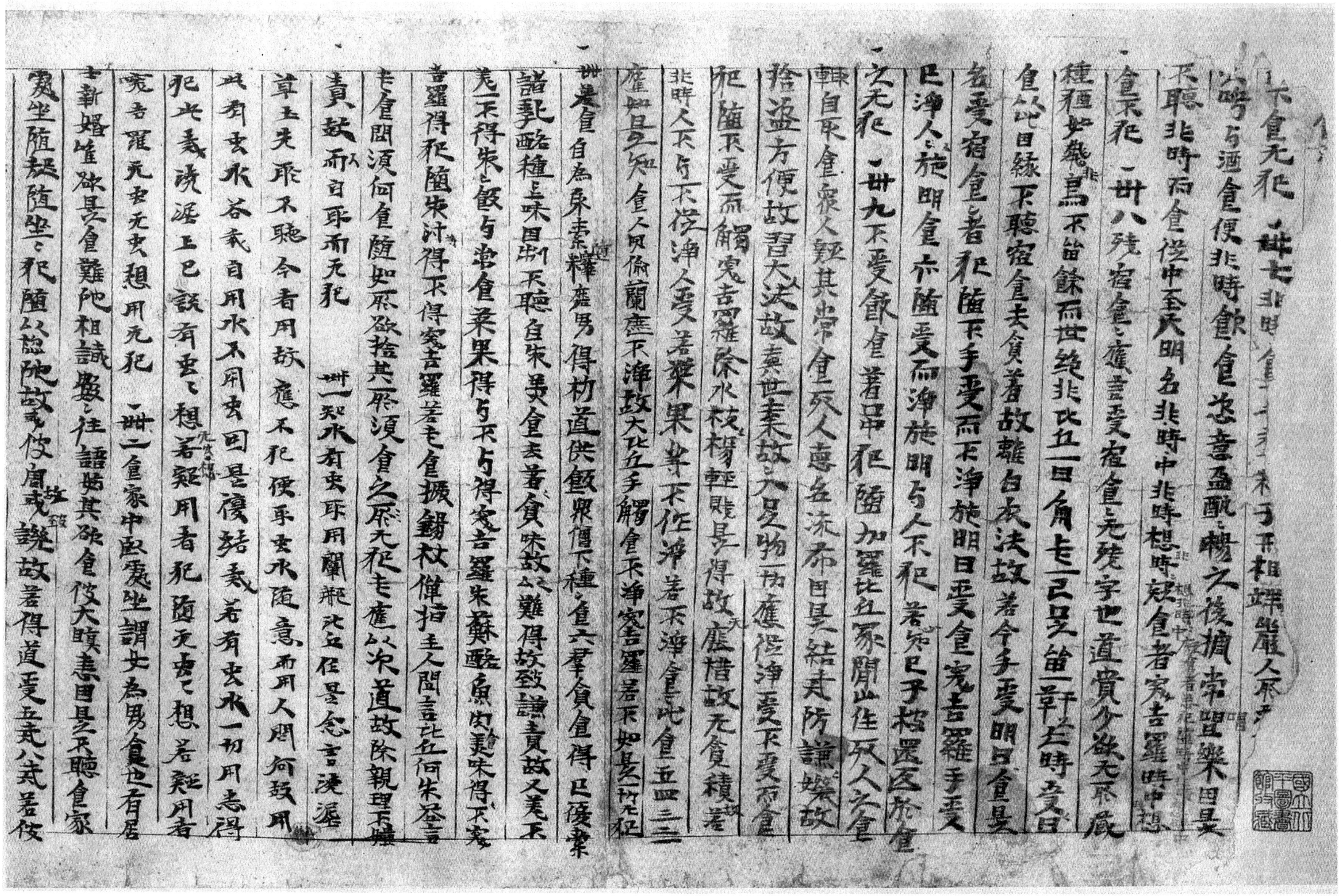
下食无犯　卌七非時食……不相離人不
時与酒食便非時飲食恣意盈醉醉之後犯常習樂因是
不聽非時而食從中至天明名非時中非時想時食者突吉羅時中想
食无犯　卌八殘宿食食應言受宿食無殘字也道貴少欲无所藏
種種如飛鳥不貯餘而世絶非比丘一日有七已是留一許至時受食
食故因緣不聽宿食去貪著故離白衣法故若今手受明日食是
名受宿食食者犯隨下手受而不淨施明日受食突吉羅手受
已淨人施明食亦隨受而淨施明与人不犯若知已予於置於食
之无犯　卌九不受飲食著口犯隨加羅比丘冢間山住死人之食
輒自取食衆人疑其常食死人肉惡名流布因是結戒防譏嫌故
捨盜方便故習大法故爲世素故大足物一切應從淨受下受而食
犯隨下受而觸突吉羅除水枝楊輕賤是得故天應措故无貪積著
非時人下与下從淨人受若藥果等下作淨若下淨食已食五四三二
應如是知食人見偷蘭應下淨故大比丘手觸食不淨突吉羅若下如是一切无犯
卌美食自爲求索釋種男得初道供飯衆僧下種種食六群食食得已便索
諸乳酪種種上味因制不聽自求美食去著貪味故以難得故致譏責故又美不
羨不得求索飯与當食菜果得与不与得突吉羅求蘇酪魚肉美味得不突
吉羅得犯隨求汁得不得突吉羅若乞食振錫杖彈指主人問言比丘何求答言
乞食問須何食隨如所欲捨其所須食之所无犯乞食以求道故除親理不嫌
責故　而入自取而无犯　卌一知水有虫取用蘭那比丘住是念言洗浴
草土先所不聽今者用故應不犯便取虫水隨意而用人問何故用
此有虫水答義自用水不用虫因是復結義若有虫水一切用恚得
犯此義洗浴上已談有虫虫想若疑用者犯隨无虫虫想若疑用者
突吉羅无虫无虫想用无犯　卌二食家中坐處坐謂女爲男食也有居
士新婚唯欲是食難陁相識數數往語妨其欲食彼大瞋恚因是不聽食家
處坐隨起隨坐坐坐犯隨以諸陁故或彼有或譏故若得道受五戒八戒若彼

BD00076號　戒緣卷下

(19–1)

突吉羅。无妄无患想用无犯。一卅二食家中與女坐謂女為男食也有居
士新婦悕欲是食難陀相識數數往語其欲食彼大瞋恚因是不聽食家
處坐隨起隨坐坐犯隨以緣陀故或彼肩或譏故若得道受五戒八戒若使
女拜在若婦二人俱受戒若是舍五人出入往坐无犯若一人受戒往坐突吉羅
一卅三食家中獨與女人屏處坐義如上有家新娶而夫不在難陀於彼欲會
處坐後有比丘往舍乞食聞精舍難陀自說因是制戒食家覆處不得與
女人獨坐舍內應非法故是中三事故犯一者家二者獨與女人三者深隱處三
事故犯一者食家舉以還坐坐犯隨若開向外淨淨人人突吉羅若開戶向內有
淨人无犯 一卅四倮形外道若出家男若出家女手自與食隨毗羅國主
阿耆達王請佛及僧安居三月如來宿緣王家迷忘三月特遭飢有七日佛貰
阿難白王欲去王聞甚悶其所由阿難以實答王乃憶驚懼愧慚苗苗尊世天
許朱供七日佛哀受之七日以訖至踐者國者達愧恥送食追佛踐者國中歲
貴彼王白致供令充足歛追送之說无緣得設觀其少少隨術佛无聽未衆
歲不受佛慈彼故開令受術已已訖王欲運國種種食具宜地而去時有五
百乞人隨衆求食衆食之餘何處得食答言香屋士常與我
食於是結戒不復聽與後至衛舍衆僧食三棵女氣阿難欲乞
難即以餅分與二人餅相連著阿難不覺一人得二得者來三者不與彼
便瞋諍難是汝宿乞食凡作赤色戰言令此倮人復異聽醜謗因是
廣結一切不聽九十六種出道若少與食與食隨彼食不消或病或死或中邪
惡謂餅與毒彼无慚愧訴諸罪謗以此小瘡毀滅佛法不與之言斷可
可見矣倮形人病若是之觀理
若未請食无罪為於僧求索水菓聽其自取若菜在家沒羅門乞與
彼无罪以其亦少信佛循善根故 一卌五軍陣嚴行往觀隨除因緣
波匿斯王特行征伐嚴飾四兵陣防習戰六群比丘共往觀之王及臣
衆咸共嫌責比丘乞法大悲普念用心何觀是虐生之具因是不聽往觀
軍陣陣犯隨後王及大將欲見比丘因是復開因緣得往往而故亦隨
一卌六到軍中乃至二宿奪住遊宿隨有緣聽往往應時反六群比丘宿不
還到人疑怪因是復結聽二宿過是犯隨 一卌七乃至二宿軍中住觀
軍發行乃至軍陣合戰隨亦開習戰也得二宿不得觀而六比丘群群觀觀

遲到人難播因是便結聽二夜遲是犯隨 一卌七乃至二夜軍中住觀
軍鼓行乃至軍陳合戰隨亦開習戰也得二夜不得觀而六比丘群觀
見者犯隨欲觀不見者突吉羅有緣過見无犯 一卌八嗔恚不喜打七
群和善六群鬪諍惡增嫉故手打十七群令彼啼喚急共嫌訶非比丘之法
羼以隨下為本恚忍為先夫何手打出家之人若以手脚一打隨五指一時墮
墮拳以沙擲之沙沙患隨若除身外更吉羅若杖打比丘令捶皆偷蘭
處小打令患休隨餘一切在家出家大打捶皆偷蘭小打伏罷吉羅
擯病鬼嗔故突吉羅若心心善為瞋難難生故被死偷蘭下犯隨
已熟无罪 為余久亦无罪 一卌九嗔恚手搏此亦六群聊未打便舉
手係搏令彼怖啼若手若脚若女舉以擬人患犯隨若舉餘
身外突吉羅為防毒戰惡无犯 一五十知他麁罪覆藏至一夜隨衣无衛
懷慢心犯五篇式隱覆不悔能斷聖道通二麁也今言麁罪謂初二篇也
跋難陀兄名難難陀犯麁罪為之跋難陀弟子名達達麀麀衆說其
麁罪而難弟隱覆不說因達麀白衆因制之聽覆二麁罪足覆他八重
郎犯比丘覆他重乃至殘善犯隨覆他麁三篇患突吉羅覆二麁未至
明突吉羅至明犯 一五十一語彼比丘諸家与汝多美飲食乃至少時驅是
亦緣不異跋難陀以達麁故其兄罪欲驅之便語之言今將欲至諸家
使与汝多美飲食汝自當知以師重故便隨之去去至三家直言師
欲為設食師自不受弟子念言不受吃食餘諸必勝便往一家已至其
門矇達令去語之言我共汝坐語不樂我獨坐語樂弟子思惟日時
已過不容更乞便精舍諸人問汝得好食耶答言我今斷食何好
之有彼問所由其以實答衆患嫌責因是之結式若未至內閣未至門處
便遣令還未知主人飲食好惡故突吉羅至門處而遣令去驅擯涼故
犯隨若弟子有罪欲令伏為作斷事遣之无犯驅他人而遣亦隨此律
文言大德則知嫌說餘人非但弟子言是緣因謂為驅因緣此不異明
尽緣而遣故犯隨 一五十二无病露地然火乃至使人隨一時佛行道路曠
野有諸年少人隨佛而去至一山身諸枯樹年少人伴輩念然火之衆比丘燒大廣
木中毒蛇寒凝蟄得煖動出出齧大吼年少人患驚謂言有賊廣其器杖欲

烝々緣而進故犯隨　一五十二无病露地然火乃至使人隨一時佛行道路嶮
界有諸杳人隨佛而去至二四上与諸枯樹杳人伴輩合然火一衆比丘燒大𢈔
木中毒虵寒凝熱得燸動出々𪀖大吼杳人悉驚謂言有賊嚴其器杖欲
救援官是虵𪀖比丘驚吸是之結戒不得然火一拘火犯隨聚像衆生故杳人别故
无覆郸名露地々然
从貴人故軍中法或驚動相勅闔故若自若使人俱隨先燃後為前之𪧐吉羅火
嫌主著火究吉羅復開之蘆冷病若作食熏鉢染衣等種々須用然
之无罪若燒瘡凈然无有相能生乃燭楊等若不淨犯隨餘草木不淨然
突吉羅　一五十三如法僧事与欲後呵隨六羣犯惡衆欲治之勢力相當无
由得治五人出行一人在後々旦時六羣悉行唯助一人時獨不行衆治六羣而助者不知
悔息不出閣与衆欲羯磨之乃後知所治便即呵之此為非法若義知之即未与
欲自是如与欲先々自後異悉犯隨若聞言能有何事為言其事口与言異
而非故異大法如僧事者呵之亦隨故作異而非法者呵之无罪々羯磨有現前不共
語一本欲与衣後罪責故不与餘一切悉現前　一五十四未受大戒人房宿過二宿隨
阿羅毗國天𤎺堂上道俗大集共聽說法至後夜時悉共復臥沙弥患眠振動
大喚白衣譏謙尊世呵責不聽共宿而未結戒後羅去欲眠入住諸房恚空皆使入佛
廁極大眠臥外有毒虵垂欲入廁佛恐害之便此沒𠊱出其夜風雨佛作雷
羅羅去聞覆佛事特出餅糧安慰令无愁惚因是復聽々共二宿々事故
一為沙弥故白衣恐毒虵惡鼬惡鬼惡人復害之故又恐六親瞋大惚故亦从不二宿
大悲故不妨非法不過二宿復後比丘病沙弥看至宿已比丘令去々後困急无人与藥
於是復聽沙弥立我看眼睡倒地復聽病人々不犯沙弥与比丘共看病更立
坐臥无犯　一五十五知佛法義斷道法不能斷道加彼梵志欲謗佛法令棄
子阿利吒出家受戒當言行欲不能斷道既出家已不能復謗所未逼誣
情不能兔種懼愧不𢧐正說故𤚩言斷法不能斷道作語々是時其去
不轉佛言應先濡語々教々悔々捨々者令突吉羅悔若不捨為作白四羯磨要勅
令捨如法三諫不著捨隨癡為作白四羯磨惡邪不除頓遲得正見聽其悔過
此三𠔃說謗毀佛法其大故事衆諫至三右方便諫欲令自返故結罪不重又不滅儐足
是疑惡邪不捨者應如是治　一五十六若是知人不如語法悔應々捨不惡邪見故若使共
事共房舍宿隨六羣比丘阿利吒惡邪被儐而孝畜之特增長外道毀滅正法意
邪之意不可衰[illegible]

BD00076號　戒緣卷下　（19–4）

比三飛說謗毀佛法其大故衆諫至三在方便諫弥令自返故結罪不重又不滅儐足
是疑惡飛不捨者應如是治　一五十六若是人不知語法擯應不捨惡飛見故若使共
事共一房舍宿隨六群比丘何利吒惡飛殺儐而爭畜之將增長外道毀滅正法惡
飛之徒不可復訓說因是結戒不聽畜此知是人者知其以惡飛使儐飛如是語從
不知法擯除飛心不捨僧如法儐而返畜之有一種事共行丘畜共事共財共法着
衣鉢語虛說戒自恣十四人一切僧事又四種舍中人共宿言教法者從受法隨着与衣
鉢飲食牀臥湯藥着從彼受之亦三隨凡畜共事一切中亡隨着共時宿臥足起已臥亡隨
一着遍三通奏不臥突吉羅　五十七跋難陀沙弥名摩加作重婬足起亡惡見亡飛言糠
不能鄣道集衆三教不捨惡飛乃白四羯磨与作滅儐弥令遣去比滅不
見六群比丘知而畜之比將在夜容惡不可禁止故不畜共語共事共舍共宿亡
義同上事一中犯隨如上若非滅儐沙弥還得正見聽其擯儀若滅儐沙弥
昔自改擯來依衆住若為至誠為衆哀念聽依衆住如白衣法經宿不得受
戒得与衆食不与衣鉢施主与之得受所不得為授籌　一五十八若寶人
名寶自取使人取隨除房內住處內有一寶人遺得伏藏悠然大富王欲誅集緣
憶佛語免死賜金因呵取寶而結戒諸後童子見跋難陀知其著貪欲共試之
敢寶置上隱來潛突難陀取後之而去童子共捉送付司亡官亡佛呵責放之惡戲
然後結戒　十六事　自畜　令制王等一切正寶也似者同鑄白鑞鈆錫鍮石亡珠亡中亦若又作勝
珠如是一切自捉他正寶為勢人等犯隨似寶作男女莊嚴具乃器杖自捉教捉亦
隨若人在嚴具及器杖捉不犯後鹿子母入寺觀佛脫來寶衣以付侍人亡樂法忘
衣而去佛命何難令淨人看舉因是復開有緣應取凡在衆僧界內應使淨人料舉
之若无淨人應當撿問如物識許物何相是則還相非不与若事正行付舊善
若有主來開相還之若五六年无人來索應入四方僧物若後主來索以四方僧物与之
住處內者謂比丘若在白舍衣內取見道物取置如上聽五六年後即於是處
作臥具主復來索以此物還之開相撫寶一往如前捉三尊寶莊嚴具及寶
物作經像突吉羅欲作而捉犯隨若上三處外見道寶不得自捉亡犯隨凡与力
利器肉生之具皆應衆中戲擯捉攝錄防來罪器突吉羅　一五十九得新衣應三
種壞色跋難陀白衣脫与役人諍利令役嫌恨因是呵責而未結戒後諸比丘与病人
共行俱共被劫傷失衣服賊信佛法欲還比丘覔衣不可別分槃白佛今乃結
戒若得新衣應三種壞色異梵志故夫今白好若得他物故名新衣應三種壞色
若青若泥若穢隨得一種亡應種淨若青得衣淨以泥穢若得泥衣淨以青泥若得黑衣淨
以青泥穢得亦白衣亦及如上之

諸比丘与病人
共行俱共授記傳乞衣販賣信佛法欲罷比丘更衣不可別外裸白佛令乃結
戒若得新衣應三種壞色異梵志故夫令白好著得他物故名新衣應三種壞色
若青若泥若茂隨得種二應種淨若青得衣淨以泥茂若得泥衣淨以青泥若得黃淨
以青泥茂得赤白衣亦復如是凡比丘衣服教具悉一切應如是淨而用犯隨贊
犯著突吉羅得淨衣以不淨物補若却刺一黑作淨若直攙處作淨若得染
衣二種壞色却刺攙即是淨刺為牢故異凡志故大衣得入聚不落二衣不得
入入者突吉羅界內大衣不得札佛大衣應剛截刺成不截剛成得突吉羅
受持二衣不剛截成而刺无犯貧无大衣得著五條衣若刺合受之若刺柱
著淨捨之命欲終時令人捉却置衣三衣中以中者与看病人若持亦取中者与
看病人 一六十減半月浴犯隨瓶沙王有三浴渠水与衆僧共上用渠比丘毀呰
浴始甚王用日是結戒以半月為限限後天熱不浴致病開聽熱時隨意而浴
春殘一月半夏初一月病時又風時塵坌雨時衣汙行時垢汙聽浴時應著
衣故跣合掌白比丘長衣隱念叔如是因緣須浴若師在應白若无師應白上
坐无應語下坐但不從耳一切所應作皆如是若不膽出界及大事應白語語應
一小事不須白語 一六十一故斷畜生命上以衆不自用誑无愈擲而意不為斷此
即加留陀夷為櫻頭路故奪鳥命也若自若教他若遣使是種殺役
命斷時比丘犯隨下三種殺或以身以非身以此二事故斷生死者隨不死突吉羅乃至
物受胎時身犯命根以身口意素因緣方便欲殺死者犯隨不死突吉羅
一六十二故令他比丘悔乃至少許得惱犯隨六群与十七群諍不和常輕嫉語言彼
未滿廿受戒不得戒非沙門也以此惱之令其疑悔凡以六事惱之大比丘隨犯
一生二受戒三犯四問五物六復語他言汝何時生換下毛復何時出國何時受戒誰
為三師為五衆十衆中受戒飛何處受戒界內外非復如實為便与說如
其生時其時毛出其受戒其為三師界內受戒者不得戒非沙門復教疑悔若不
下語犯隨若言汝犯後四篇戒非沙門亦下語隨又門其所作復如實若便言
汝至其丈人其尺羅坐起語言非門又如其与比丘同意用種種所須物亦非沙門
又後切惱无時言汝數會畜長衣等非沙門
復起疑悔若下下語犯隨六事外更以餘事令比丘及餘人疑悔皆突吉羅
一六十三以手痛撓隨十七群為六小兒不耐痒以指擊痒遂氣絕而死彼无殺心犯
隨若一指隨三十指十隨若指撓突吉羅若以木石等非身擊痒之突吉羅痛而
一不痒不問給故 一六十四水中戲隨十七群入水浴戲波斯匿王見而故之語末
三昧四戲五非水六令他戲七合他八……乃至牀上案上為水……畫之
利夫人汝看所尊夫人白佛佛因結戒若水中戲有以八事一自作喜二自作
突吉羅若欲學浮度難著直度……

墮若一指墮三十指十墮若掐搯突吉羅若以木石等非身擊塵之突吉羅痛而
一不痒不悶絶故　一六十四水中戲墮七羣入水洛戲波斯匿王見而故之語末
利夫人汝看眾尊夫人白佛ミ因結戒若水中戲有以六事一自作喜二自作之
突吉羅若砯學浮度難若直度天死　六十五阿那律旅行逼暮宿
淫女舍ミ有四種逼覆覆四半覆四種舍中与人非人畜生女共宿是墮若
共還臥ミ墮眠若ミ眠時即名宿不以經宿為宿若俱過夜不眠不犯他舍有
女宿辟孔容猫子入處墮若倚若立名為宿臥牛羊若臥若立名為宿俱
眠一眠俱不眠亦復如是　一六十六自恐怖他比丘使人恐怖乃至戲咲隨来如待
若前後代凡有七人何難眾左後有一侍者名禽中杓夜待佛ミ未四房不得无
入便反被執氣作鬼怖佛ミ因是結戒不得怖他有六羣種ミ可畏聲香味觸
法也謂以伎術作種ミ物異色聲香非常香氣或言汝今何死食如是雜食必
得惡病或自治汝今臥出漏四糾觸他驚怖或言改犯衆多式法必入
三塗以此之事怖他比丘若怖不怖一ミ墮除是六事突吉羅又餘事怖餘人
非人畜生突吉羅　一六十七藏他種ミ生活具乃至戲咲有居士請佛及僧六羣
比丘藏十七羣比丘衣鉢令不及衆因是犯藏他比丘物若自藏若教人若協若
戲若墮藏衣鉢戶鉤草針筒他不在得突吉羅若經宿當貴得不得
突吉羅六八与五衆衣還奪墮六羣懈懶不自作衣ミ与五衆不言於吉伎
謂施已便与或作ミ已便奪令役瞋惱因是結戒若与五衆衣役不還而
奪墮始訖他故鬥諍故先来五淨施法後不聽長衣淨施ミ已他得不還便要鬥諍
佛言不聽現前与亦應与二三人散訖不言故應善思量与一好人若現前應意
捨与之如是墮衣法亦可作淨若長持後長衣与六羣中不役得以不還佛言應
奪取教令不与突吉羅憐避因是聽者取用衣隨意作淨施人若要捨持人應復捨与人
如捨墮衣物　一六十九以无根謗他僧前犯隨慈地前以重輕他罪　二謗不成令人此謗
之因是結戒凡以无根僧殘法謗不淨比丘十種犯種不犯十種犯若人見聞疑若見
忘若聞信若聞不信聞ミ已言見疑已言聞是名五種犯五種不犯若是事若聞若見
若疑見ミ已忘聞已不忘是名五種不犯不比丘淨ミ亦如是无根謗清淨十種犯除
見忘餘如上四種不犯除見忘餘如上清淨比丘亦如是　一七十与女人道行
乃至聚落上制与尼行此制白衣大也加留羅提舍比丘向毗舍離与一殺
道婦人同路而人行夫後追負見共同道疑打擊因是結式若与女人結
水陸共行從村至村犯墮中罪路ミ突吉羅空地行十里犯墮中罪路ミ突吉羅若不期
若青夫而行徂盡若与王夫人伴若无犯　一七十一与賊義共道行至一聚[illegible]

進婦人同路而人行夫後追負見共同道疑恐打擊因是結戒若与丈人結
水陸共行從村至村衹隨中還路究吉羅若空地行十里衹隨中還路究吉羅若不期
若有夫而行相遠若与丈夫人伴若无犯　一七十一与賊議共道行至二聚落吉諸
比丘尼道怨行道見惡賊衆為伴羅睺送官繫縛乃故凡与賊結期水陸共
行從村至村衹隨中路還究吉羅空地十里衹隨中路還究吉羅若不知若嗚呼為賊
送度㝵无犯　一七十二不滿廿年人与受具戒隨是人得戒諸比丘尼呵十七羣比丘
未滿廿歲者目連与受大戒年既多小又貴樂家子晡時喜飢作小兒啼
故不廿不聽受戒以人未久能不堪苦故僧中受戒時問言年滿廿不若未滿廿答言
不滿而与受戒是人不得戒僧得罪共事共住亦得罪若為衆破僧偷蘭罪若
以餘心究吉羅若不滿答言滿是人得戒師僧得罪共事共住无罪若滿答
言不滿是人得戒師僧得罪共事共住亦得罪若滿答言是人得戒師僧
无罪共事共住亦无罪年過六十堪苦故僧攝法不得受々不得戒度及与受
戒者究吉羅　一七十三自手掘地使人掘墮阿毗羅比丘掘地外道既見言地有
命因譏而非受人既訴三戒護法上以許之地有為二種生不生　多角雨國八月地生
謂春夏冬有四月地生謂春夏未杓名有二月地除是名生又類墉蟻村石處
地亦不生地濕相著名生異不生若自掘若教他掘生地一々隨不生地一々究吉羅手畫地
乃至沒脚子究吉羅若比丘為匠師作佛龕僧房為畫作樣像處尺无犯又
諸山寶處沙鹽之地亦无犯　一七十四受四月自恣請過是受隨除自恣請除數
請自恣請除獨自恣請釋摩男請乃僧受四月請施藥隨所須服一切自恣
大羣比丘病阻過更索蘇油蜜美味甚々藥々已盡又所須欲更索瞋罵以致外
嫌因是制過阻不得更索若施主常請久死子繼恣僧取藥名常自恣也
若本施僧夏四月藥初一月未辦則夏受三月冬受一月二月未辦冬受二月竟
夏四月未辦冬更受四月夏取以冬補夏令滿四月是數々恣自請也若
春四月亦如是之其餘月々受亦數々自恣請也非衆是名獨自恣請除三請已
四月滿畢无病更索四種含消等美味上藥若得衹隨不究吉羅若索阿
利勒等苦澀下藥得不得究吉羅若病索若從親里索若自有无犯
一七十五說戒時作是言我今是戒先當問頌脩多羅比尼摩得勒加者衹隨
僧尼戒有同有異若戒尼異集二衆之法若同或集僧結之後語令知長恨路
看清淨有德僧差諳宣說同戒若好尼皆悉受持偷蘭難陀輕懱不受言當問
三種法師因是集僧後結同戒若說時作如是言僧尼俱隨若聞說五篇戒乃餘入
恣尼經時作上言一々隨若說餘經時不復言我當先問誦三種經者一々究吉羅三
[illegible]

BD00076號　戒緣卷下

[illegible]
看清淨有德僧羌諂宣說同戒若好尼皆悉受持偷蘭難陀輕懟不受言當問
二種法師因是之集僧後結同戒若說時作如是言僧尼俱隨若聞說五篇戒乃餘入
遮尼經時作上言ㄟㄟ隨若說餘經時不覆言我當先問誦三種經若ㄟㄟ突吉羅三
種經中或戒或法說此經時聞戒不受ㄟㄟ隨聞法不受突吉羅摩得勒加分別
法相如阿毗曇世十二年中未經七衆或犯或未斷道法十二年後得或經同戒或經異如法
四種七種結但宣語不復別制犯自異應道則同若比丘欲聞法利者是戒中應學
亦應問頌三種經又俱不輕心不受戒法耳　一七十六　諸比丘鬪亂諍訟嘿然
立聽作是念諸比丘所說我當憶持隨十七羣與六羣諍已十七羣處共語
更相謂言六羣凶惡鬪害我等心同彼能得便六羣盜聽ㄟㄟ已便止廣說變
已責十七羣比丘因制不得嘿然聽他語若聞隨不聞突吉羅若好若惡悉不
得盜ㄟ聽ㄟ悉隨防諍緣故若和合若行道聞不犯　一七十七　鬪事時嘿然起去隨
跋難陀貪積遮衆欲治罪五人出入相助人在集衆習時助人習去衆竟人知遮
反羯磨ㄟㄟ之後助人言非理是結戒一切羯磨說戒自恣不得嘿ㄟ去ㄟㄟ者隨善美小行僉
事羣人不得離聞處悉无犯斷事時助惡應善悉突吉羅凡衆會法集皆不
得嘿去罪　一七十八　輕他比丘大德上坐說經法闡那輕慢无敬畏心不得說意亂以異
語因是之結戒為作白四羯磨記彼比丘不共事凡聽說法及五百羯磨時發
語不敬有二種僧未記不敬事不敬突吉羅已記敬犯隨上坐敬下坐已犯
未起悉突吉羅　一七十九　飲酒娑伽ㄟ羅六通羅漢降惡龍已名諸振國競共
好食有女人恐食不消以似酒水蜜與娑伽陀飲已昬醉尸臥路中衣鉢六物里布在地
佛行過與因制戒已因酒毀一切戒作一切惡故作四逆唯不能破僧久信故七衆同語
記之斷罪小草滴渧亦不得飲有二種酒木酒米麵雜種ㄟ藥木酒唯藥不雜
米麵有酒色酒味酒香能醉人者飲之悉隨若飲若嘗咽ㄟ犯隨若糟若麵
餘人者食者皆犯咽ㄟ悉隨　一八十　道中入聚不白餘比丘隨除大因緣中前乞食道
俗无睦後復喪致呵外道嫌毀佛已呵責後加留陀夷中後入聚遇鬪彼因埋身埊
聚事康既遊憂羅者衆非時嘿行其道四比丘僧住止要依ㄟ聚ㄟ落ㄟ結ㄟ大界ㄟ內有三種根本
處至聚落僧房樂禪誦者處幽空閑名阿練若處倉庫營事比丘所住名為住處五者
遊住一處不白入聚落ㄟ隨所經大小巷突吉羅若從僧房白入聚落ㄟ已還歸僧房若至坐禪處營
事處即已先白後入聚落隨所入ㄟ隨經大小巷ㄟ突吉羅為從禪處營事處白入聚落還歸三處
即以先白後入聚落亦如是大界內三處中人往返无善不白无罪至僧房亦如是復有比丘要寄衣他
舍失火比丘往取中路自念不白而來還歸白僧彼燒已盡因是復開有急緣不白者聚落大甚難
[illegible]

BD00076號　戒緣卷下

埵使一處不白入聚落，一一隨聚經大小巷，究吉羅。若從僧房白入聚落，已還隔僧房若至坐禪處及會
事處，即已先白，復入聚落，隨聚入，一一隨經大小巷，一一究吉羅。為從禪處至事處，白入聚落，還隔三處
即以先白，復入聚落，亦知是大界內三處中人，往返在善，不白無罪。至僧房亦如是。復有比丘至寄衣他
舍，失火，比丘往聚中路自念：不白而來，還歸白僧。僧復燒已盡，白是復聞有急緣，不白無罪。聚落大賊入，難
中，隨隨事，趣還去不犯。若白為房、三寶諸緣，非時宜行，皆得去。若無比丘得語餘六眾，除杜三齋、大小行、用嚼楊枝。
餘。一，何比丘？應白，陸無陸白，上坐無上坐白下坐，下坐不白，吉究吉羅。若五十臘者出界及大事，難語小事不須白。
語。八十一，請食，一一前食，一一後至餘家，隨路難，難陀食積出息，居士負責，無以還償，欲白佛，力叱朱減
意利便設飲食，請佛及僧，難陀為請，以陀行佛與眾僧，先至其舍，以難陀不來，俟不設供，難陀至
以然後下食，未周竟，難陀先去，佛還僧房，欲結戒。晡時集僧，唯難陀不至，暮方還，佛諸比丘難陀疑
人今於百家時，僧著比丘為他請，僧已中前、中後不白至餘家者，隨所至家，一一墮，出聚，聚落經巷，一一究
吉羅。若白而罪，曉令僧隨著，究吉羅。因此故餘非請，僧時中前中後出行急疾，白白，若上非時中說，後三處
中聚落，及還三處，即先白，更入聚落，罪甚如上。一八十二，刹帝利灌頂大王夜未曉，未藏寶，若門閾
過。緣。大因緣，彼斯匿王入深信佛法，令諸夫人請佛入宮受法，加留陀夷為末利夫人說
時晨朝早入王宮。王已出外，夫人未起。其集御時所著寶衣輕明照徹，身外現見，陀夷說
胡跪牀上加留陀夷，著耻即僧，還中具說是事。佛言：比丘入王家，有十種過，又因是結戒。
未後聽入刹利居士皆得為王。受位時取四海水，已灌頂，王也。門者宮門，前限人示。夜未曉。胡
閭中有二義，一未曉，二夫人未起。若王及夫人未出寶，衣未藏，比丘入限未，內犯，墮。王及夫人皆出寶
衣已藏，無犯。後後王夫人欲請佛眾僧入宮供養，知已結戒，眾不敢下受請，夫人輩共說，動王王不能
免，為作論，宜請僧宮外，即勅宮圓遶。眾僧應其來道，知王僧食竟，令諸夫人在舉所寶，弥然
後白僧：大德可去。眾佛制不得入宮，王言今恭入宮，令時眾僧呪願而因是後聽有大緣得入。若
一。王夫人本子非力夫宮請入，無犯。一八十三，義治知是事，入戒經中聞，能比丘犯，恃罪諸比丘，教令悔往
知是三義，先知知今始欲望不犯也。然諸比丘知其數聞，但三說、所不知，復道於是，聞能非不
知而得脫。所所犯事墮，隨其所作而得罪也。又若人知而言始知，則犯。九十初志說戒，又若寶人
不知，不半由聽時時不時專時犯墮也。今此中以政聽時不專罪也。語五篇戒及諸律經時不專聽，犯
墮。若說餘經及羯磨時不專聽，究吉羅。臨種十人不誦羯磨，究吉羅。若後錯誤，無相毀
八十四，若骨若牙若角作針筒，墮。舍衛國居士以針筒等自恣施僧，僧乃至大罪，是家貧。王眾人譏嫌，因是結
聽。骨者象馬蛇骨，牙者象及諸牙，角者象馬及諸畜角，牛羊鹿角。此物作針筒，是犯，隨其
好不淨，故九十事中七種物破，竟悔此等針筒，破已僧中悔過。若未破，僧應勅令破。若不勅，一切究吉
一。羅。物下從得究吉羅，若還主，若更餘若與他主，則施僧則非法，唯毀壞可也。一八十五，坐牀
牀足應高八指，除出陛，過作，墮。闡那作高廣好牀，如來遊行，要佛看，出立即破，呵責集眾
結戒 [illegible]

BD00076號　戒緣卷下

（19–10）

一羅物得波逸提若置未受人著与他主則捨施僧則非法唯毀壞可也一八十五坐牀臥
牀足應高八指除出陛過作墮闍般作高廣好牀如來往行要佛看之即破呵責集衆
結戒八氣已捨為說比丘離因已死故二種繩牀一麁陛一細陛長八尺廣四尺高佛指除弟二分
陛下澀處聽十枝過是者墮若欲道作應截令如法僧中擯悔未截之應之不剋一切突吉羅
一剋不復得突吉羅一八十六若自貝羅綿貯縛若使人貯隨貝羅綿之褪名六羣貯褥
居士所聽以出要故難得故此綿褥若使人隨所用即隨應捨亦可与人未已衆中悔未
一捨則衆勸亦一切突吉羅勸不復得突吉羅一八十七作雨衣長佛六搩手半廣佛二搩手過作隨度
時因功德衣未七頻一分与僧尼雨分衣二客來比丘食三与遠行比丘食四与病比丘食五
与看病比丘食六与衆僧七少知識多知識比丘与病緣湯藥諸比丘知聽者雨衣
分衣便廣長大作因是制量如式文過量應截僧中悔過僧應勸不從如律中說一八十八
作覆身衣佛四搩手廣二搩手過墮初時未聽畜涅槃僧者一比丘身病雜瘡膿血流
出污安五會佛聽覆瘡衣乃至瘡差後十日畜不犯過是墮諸比丘知已聽畜便廣長
大作因是後結量如式文過量應截僧中悔過未截應勸之亦如上量与涅槃僧居患瘡
一時涅槃僧內著之一八十九作尼師檀長佛二搩手廣一搩手半名無過搩緩諸比丘失下淨污僧臥具
佛言諸施主益肉乾施僧床褥是中應等量少用又比丘眠時亂念不有五過失一難眠
苦二難覺三見惡夢四眠時善神不護五覺則難入善法一心眠有五善異是時五善也
是聽畜尼師檀護僧臥具諸比丘知聽畜已便廣長作因是制式量如式文若長若
廣過量應截僧中擯悔未截應勸亦如上後因是加畜陁夷大身大前勝到地更聽
一緣四邊各益一搩手用覆僧臥具上更作小者持出入行來及坐禪一九十佛衣等量作過
佛衣隨衣量長佛九搩手廣六搩手佛弟難陁有卅相与佛相似佛四指又其作衣過而
相類衆僧食見謂言是佛乃至知非二俱為愧因制僧作又令深名為悕灒佛量如
式文過等者墮過量應截僧中擯悔未截應勸事亦如所太難陁應截長中一尺廣中
罗佛身丈六常人半之衣量廣長比丘應半佛弟難陁先著上衣佛著中衣令下聽過者
一聽著下衣常人則下中人也一四波羅提提舍尼義自悔亦言向悔輕前三篇重擯衆
學名為可著罪亦悔比丘對手悔無病白衣家內非親理尼自手受食世飢饉毛食
難得花色尼有德又多知識隨其所須善皆得之入城乞食時見諸比丘取少取無患
与之如是言饑悶倒地居士見之令特蒲与衛乃嫌問其所由知已嫌諸比丘貪受無
節因是結如式文說者比丘無病聚落中要非親里尼十五種食犯此式應向与比丘悔十五種
上藥中已說若親里尼若大祠中少人中与若沙門住處与若聚落外比丘尼房中与而取与
之悉無犯僧倉庫知事人所作名沙門住處一第二諸比丘白家請食是中比丘尼指示与是

節因是結如戒文誦者比丘无病聚落中要非親里尼十五種食犯此戒應向与比丘悔十五種
上藥中已說若親里尼若大祠中少人中与若沙門住處与若聚落外比丘尼房中与亦犯与
之善无犯僧倉庫知事人不作名沙門住處 一第二諸比丘白家請食是中比丘尼指木与是
丘食居士請佛及二部衆調達尼為屋故如是教与居士婦之佛因結戒一切比丘受尼所教
与食先呵者一切比丘得罪不犯𢴠此戒文有二部僧集第一部僧呵（語）第二部亦名為語若居士食
少不相容受僧前後未食別坐食入別出者是中入者應問坐者何比丘尼教標頭与坐
食添言羹尼問約勅不添言已勅是入比丘亦名約勅又前後來僧知同一主出入城門時入者
應問出者未語入者應語出者語入者亦名為語入語出者不名為語也 一第三有諸學家作學
家羯磨象阿首羅見識（誐）杣直信樂三寶常布施无極因當後家貧王諸居士輩減共呵
責施者不量受者應知量佛因是為學家作白二羯磨一切五衆入是家不得受食如是首羅聞（法家皆應如是）
之求捨羯磨僧應量宜捨不捨者後財物不增与不与應為捨後財物增長乞与不与
皆為捨若不增不減乞應為捨不乞不為捨作白四捨學家羯磨時若五衆先不投
家長請受其十五種食悉犯此戒皆應如是戒文悔 一第四有僧伽藍者住處有疑怖畏
處僧亦不作羯磨不精舍外受飲食精舍內受飲食去村十里空處天人不向蘭若處及至
疑失小器不為疑處乃有恵比丘不為恵處精舍內外應言界內外也時与（佛）僧伽羅衛國於後空
閑而共止住諸釋女暮得好時常為佛僧留少待明旦看從諸婦女寶衣嚴身送食僧房
尼拘盧林先有恵賊聞嚴即出剝脫衣服婦女失衣裸形六群比丘自任取受言是食好
擾与我來婦女咸怨以為无慈（悲）我輩催念是盡衣者施一通來已去（食）因是結戒受循五德
白二羯磨羨遣待諸淨人難處迎食似有見賊遣彼々令々還々而彼患无犯若僧不迎悉犯
戒不羨而迎亦犯此戒若界內事疑嫌責及僧界外有非僧之名僧所羨人界內迎之界外所羨自迎
无罪六群既不伏羨又不出界外而界內自迎所以被嫌也此中第五德謂知有知无餘皆同
一衆學法始時无師未有教戒杣犯無儀故先制學々衆戒（法）細微難犯故以衆學為名難持難
行習之宜漸自非體足少能无失故勸以當學許其心隨餘四篇方便突吉羅要向人悔過
一著內衣十二被衣四事佛見諸比丘皆不如法而俗杜者不令人无譏嫌然容止不斯非聖執若宜制天
无因則不无常習（乃）遠尋去來論佛儀事血觀現在淨天之法々皆中適不如所見即為結戒令
一學外內聖儀衣 一十二事著內衣應繫上四寸上下舉寸為高下也下角耳垂為三羨也前腰間
攝而下垂如斧鉞頭故或言斧頭或鋤頭也腰以下或攝々攝上下角頭失中失廣名為多羅
樹葉也展上角垂名象鼻也腰間樂屈攝之名麥攢也於前正上細攝前身名細攝也上
前身攝束亦作耳像名為耳也如美帬下名生起也一切跡重大得著也具下足如法无上衆過
名周齊也被衣四事被上衣應高內衣寸具是名高下也前角耳垂名象羨也无此三過周資

樓葉也展上角垂名象鼻也腰間樂屈攝之名数攝也於前正上細攝並上
前良攝束亂作耳像名為耳也如美君下名生起也一切跡重太得著也具下足如法无上衆過
名周齊也被衣四事被上衣雍高下衣亦異是名高下也前角耳垂名象美也无此三過周齊
皆正名周齊也好覆身二事六群從佛受居士請入特目看此脾髀肘居士嫌之自制著
覆坐亦如是三名亦言內謂內三界三有三處白衣界內衆僧界內目後廣制一切處有嫌事不得著
心放兔陰无嫌亦不得著攝身二事六群入家內縱散不視踏壞器物狀齊人既制善入衣
善坐亦因入目誤後不高視二事六群從佛入聚更請長者婦女樓上觀之言是世尊
此是舍利弗等此是六群僻視言此黑此白趣婦女若言叔非汝婦亦非我通何以形相六群
答言我自從佛何自汝事而言六群因制入時不得高視坐亦如是三不可二事六群入時更相調
言昨日飲食美好衣弟等与妹戲亦好今日不如居士言沙門釋子不種下獲從能噉食出罷
過因制可入坐亦如是不高戲二事六群高戲入坐居士責之汝沒羅門法蹲行二事居士
嫌六群蹲行如截脚沒羅門法覆頭二事居士嫌六群覆頭行坐如似伺捕攜頭二事居
士嫌六群搖頭行坐如王大臣木隱人二事居士嫌六群肘隱人行坐如王大臣不抄腰二事
居士嫌六群叉腰行坐如王大臣不抄衣二事居士嫌六群左右抄衣行坐如王大臣不攝抄二事居士嫌
六群攝抄衣行坐如王大臣不覆右肩二事居士嫌六群行坐衣覆右肩全舉左肩上塈
大臣不挾髀二事居士嫌六群並挑髀行坐如種荔人不搖肩二事居士嫌六群搖肩
行坐如王大臣不搖頭二事居士嫌六群搖頭行坐狀如鬼捉不搖身二事居士嫌六群
搖身行坐狀如儛人不攜手入內居士嫌六群攜手入內如王大臣攜手坐內居士嫌六
群言我請身僧長老相近坐六群言何不廣敷坐處而令我等相近一兩不喜脚
入居士嫌六群編一脚行入如王大臣編音去偏㩙一脚兩不喜脚坐內居士嫌六群偏脚坐如
攝手入內中試一不累髀坐居士嫌六群累髀露形兩不累脚坐居士嫌六群髀脚如
王大臣不掌扶頰有一居士曰門前獨坐床上坐以手掌扶頰愁憂不樂六群亡
食見歐之令其語笑為彼嫌弥一心受飯義美六群從佛受居士請持鉢置前四高高視
居士下食六群不覺溢已問何以下与居士答言自看鉢中見已援我鉢來居士責之言汝
等空者心在處六群受食已又不一心受羹美事如飯中心手俱受不俱則犯草管康脚手來
至而心以受无犯也不溢鉢受飯食六群比丘溢居士嫌言溢出居士嫌言盡當更溢羹少許不用捉
鉢不及无等羹飯食六群以羹澆飯而食羹溢居士嫌之故制令等食不偏刻食六群
以嫌飯及羹澆飯汁流下貪味故刻食如井居士嫌言如沒羅門食不讓飯食居士嫌六群
讓飯食如不見謂以鐵稱之米內不大摶食如似有人欲奪驅逐不犯食
六群手把食如田種人謂把食向口崖之不張口待食有一比丘食
未至口便大張待之六群故戲以土塊著口中不合食語六群

BD00076號　戒緣卷下　（19–13）

人[illegible]不著淡食[illegible]下食[illegible]居士[illegible]言[illegible]食[illegible]居士婦六群
譏飯食如不見譏以鐵耕之未出石大挑食如似有人祭等驅逐石犯食
六群手把食如田種人謂把食向口崖之不張口待食有一比丘食
未至口便大張待之六群好戲以土塊著口中不合食語六群
含食語羹飯流出令比坐吐逆不留半食〻六群噛〻半已入口半
在手中不吸飯〻作聲孝男嬋含飯佛及僧諸比丘吸食作聲有
一比丘先是伎兒為眾談咲即便起舞時諸比丘共大咲羹飯
食從鼻出下嚼食六群噏〻作聲如胎耽不味咽食〻六群扞飯前頰然後消咽如
獼猴食法不吐舌食如小兒作是言誰能食吞揣不壞不縮鼻食六群縮鼻食居士嫌之
何不如其弟不舐手食居士語六群言盡當更益何以舐也不指抆鉢食居士語六群言當
更益何故抆鉢乾不振手食居士嫌六群食著手振去如王大臣不失著手飯食六群
羞飯食居士嫌之言沙門釋子既種不擭但能噉食而復棄之不膩手捉飯器六群
膩手捉飯器膩汙汚餘食坐心悶吐逆不病不得索羹六群不病至他舍乞食
便自隨意索食飧無愧不飯覆羹更望得六群覆羹而更索居士嫌語言先
食鉢中飯覆者不可相看比坐鉢六群言我多汝少如多我少嫌視鉢食有比丘食時
飲者六群戲咲以鼻著令驚水弟嗽食六群角嚼不盡棄其殘居士既嫌不舐而食夫
何殘去其洗鉢水看飯不問主人不應舍內居士舍水精作地法比丘洗鉢中有殘食為著堂
上牀似吐居士何不去之展覆乃觸堂上語極妨聽无罪无病乘上下得說法沒斯匿
王乘駕向秖桓六群在下為說法无上妙法質其重尊輕徹不恭敬殺比護罪自
比以下皆不敬故不為人說之不病在前行隨後為說法亦六群式在主後為說法
人不病在道中行自在外為說法六群自在道外行為王說法人坐自立不為法說王持
杖自隨在上坐六群比丘立為說法人无病臥自坐不為說法王身肥大小坐久便臥六群
坐為說法不為覆頭人說法王覆頭六群為說法不為裹頭人說法王裹頭六群
為說法不為肘隱人說法王肘隱六群為說法不為叉腰人說法王叉腰六群為說法
不為發為者抄衣人說法王老者抄衣六群為說法不為偏抄衣人說法王偏抄衣六群為說
一法〻不為以衣覆右肩全樂若左右肩上人說法王如此六群為說法不為著草履人說法王
著草履〻六群為說法不為著屐人說法王著屐六群為說法不為捉杖蓋刀楯弓箭人
說法此沒斯匿王從者佛為王及大眾說法六群別持杖等說是眾中有堪得道者以眾住三蔵
蔵不得因制不聽為是等人說法既因外眾意在不敬故不聽說既下草上大小便涕唾六
群比丘熟草人已著不得後糧汚之今草臭爛後因說之居士既嫌不淨用水中大小便
涕唾六群浣衣不得後窺汚其水令既浣衣皆臭失色後自說之居士既嫌佛呵責而來
結戒時舍衛國城中有一池為人所用六群往看便共汙之居士既嫌令乃結戒不立大小便

散不得因制不聽為是事人說法所因分衆意在下敬故不聽說所下草上大小弟唾六
羣比丘熟草人乇蒸不得後襬汚之令草臭爛後因說之居士所嫌不淨用水中大小便
嗤唾六羣浣衣不得後襬汚其水令所浣衣皆臭失色後自說之居士所嫌佛呵責而咪
結戒時舍衛國城中有一池大多人所用六羣往看便共汚之居士所嫌令乃結戒不立大小便
因六羣結戒樹過人不應上佛与大衆受居士請廿七日六羣比丘治守僧房六羣求為迎食常
相增嫉破令遲食日時以之遲隱而不至十七羣比丘飢上樹望見至已責之後言誰嘗於言
一叔上樹見佛未聽上樹因犯乃結 一七滅諍法 自言滅法 六羣比丘關化治僧有
害比丘遍閣来浴浴已而起錯著佛衣出外乃知還衆來責六羣比丘問之彼已責君
㒸誣其偷問言汝自見罪不答言實便彊偽作不實見是客比丘後至舍衛城以其
白佛佛言從今聽自言滅諍法要言所犯乃隨罪治之式其人狼暴或依勢經力自言
罪不覆僧滅法自言乃治諍亂自息故僧中種種事起應以此滅自言滅諍有十種非法者
如法者比丘犯四重自言不犯僧問言如自說犯不自言不犯而与自言滅是名非法餘
四扁亦是如又比丘不犯五扁僧中問之自言我犯便与自言滅是名十種非比丘犯
五扁自言犯又不犯五扁自言不犯是名十如法者重事應以白羯磨自言滅之輕重
天羯磨𡖖多羅比丘尼以身謗他驃僧即用自言滅實彼尼著陀驃自言无罪封人言
有善言有罪而實清白善无進進无可救應用意念而用自言耳善餘比丘清白无
罪而无陀驃之訓應以自言滅之 一第二現前滅諍法 六羣聞无不見實比丘舍衛衆僧共
事後往到彼問其所由語比丘言佛以自言滅法諍滅是事六羣嗤笑非謗下要言此事不
滅應滅耳我等不現前故佛種種因緣呵已聽滅法僧中種種諍事生起已以此滅之現前諍
有二種非法二種如法 非法者有二 僧約勅非法僧令伏折与現前滅諍法或勅約非法三人二人一人亦如是或
非法三人約勅非法三人二人一人僧亦如是或非法二人約勅非法三人二人一人僧亦如是或非法一人約勅非法又
三人二人僧亦如是為二不如法僧勅如法僧令伏与現前滅諍或約勅三人二人一人亦如是餘
是上說是名二非法有如法僧約勅如法僧為如法僧約勅如法僧為三二人二人一人多人
展轉相約勅亦如是名二法現前毗尼有三現前有事衆事人現前僧現比丘現此中意約
勅无羯磨耶 一第三憶念法陀驃比丘為彌羅尼无根謗隨佚逝而所謗說不息陀驃
告衆衆白佛佛言從今聽憶念毗尼種事後應用此滅憶念毗尼有三如法三非法者若比丘犯无殘自
言有殘應与滅實若与憶念是名非法天如施越往時作惡當不作應与不瘦比丘尼若
与憶念是亦非法又呵多比丘先自言有羅應与實覓而与憶念是亦非法如陀驃
与憶念是名如法又有比丘犯羅已如法悔過而謗說不息与其憶念亦名如法又如
比丘未作是惡特愛當犯於无罪共六群說致諍訟与其憶念亦名如法得念憶尼行
法者不應後出其罪過不應憶念不應乇聽亦不受餘比丘乇聽得吉羅若不後出

如上說是名二非法有如法僧約勅如法僧為三人二人一人多人亦
展轉相約勅亦如是名二法現前毗尼有三現前有事衆事人現前僧現比丘現此中直約
一勅无羯磨所　一第三憶念法陁驃比丘為弥羅尼无根謗雖被遮而猶謗說不息陁驃
告衆々白佛々言從今聽憶念毗尼種々事後應用此法憶念比尼有三如法三非法者若比丘犯无殘自
言有殘應与滅擯若与憶念是名非法又如施越往時作惡業不作應与不癡比尼若
与憶念是亦非法又呵多比丘先自言有罪雖應与實覓而与憶念是亦非法如陁驃
与憶念是名如法又有比丘犯羅已如法悔過而謗說不息与其憶念亦名如法又如
比丘未作是念特異當犯於无罪共諍致諍訟与其憶念亦名如法得念心憶尼行
法者不應後出其罪遮不應憶念々々不應聽亦不受餘比丘々聽得突吉羅若不依後出
其遮罪若令憶念皆犯隨犯无罪而復說說者皆應白僧求憶念羯磨僧應白四羯
磨与憶念々法々者今自思念有罪无一切比丘不得論說也憶念及不癡二等事護无罪
比丘為癡狂謗也後必或有比丘犯罪不憶或自隱覆詐妄不憶衆欲治罪求憶念
法衆亦白四羯磨与憶念法聽其隨思省所犯自憶罪時如法制也　一第四不癡
法施越比丘先犯狂作惡復得大心不後更犯僧及比丘說其本遮彼恐憂愧
比白佛々言從今不聽不癡比尼種々諍并以此滅之与不癡比尼有如不如法者
彼自言憶本所作而与不癡是名非法若言不憶而与不癡是名如法如施
越等僧与白四羯磨得不癡毗尼行法者餘比丘不應後出其遮罪々聽尋如憶
一念中說　一第五實覓何多比丘无慚无愧也然有見聞疑罪先自言作後言不作
佛言聽用實覓滅諍法種々事并以此滅之實覓毗尼有五非法有五如法五非
法者比丘犯四重先言犯後言犯應与滅擯而實覓是名非法五如法者比犯
五篇罪先言犯後言不犯僧与實覓毗尼是名如法僧与白四羯磨令如實思惟自
覓罪相故實覓是比丘不應与他受大戒不得受他依止不應畜新舊二弥沙不得
數々比丘尼僧若羯磨令作比丘尼不應受僧所与實覓比丘罪更不應犯若似是罪
及過是非亦不應作應呵僧羯磨亦不應呵作羯磨及呵作羯磨人不應從他聽不應遮
說戒及受戒自恣不出无罪比丘過罪不共諍謂伏心行應隨順比丘僧意若不一切如是法
行者盡壽不離是羯磨法後求着實犯罪事證分明衆問自見罪不前言不見
應与是人不見覓復言見時乃隨得治之若自言犯罪而遮迳不悔應与不作覓舉
不作悔遮故因此名為後求悔時隨罪聽悔上三人与作羯磨已衆不共作若不首不悔擯衆
一不為捨是羯磨也　一第六多覓法俱念弥比丘闘諍相言已作是念若言舍利弗
斷主者叙尋當得快了佛聞是已聽闥利吒比丘斷事主受是斷事一法如法毗尼
如佛教現前除滅闥利吒有三種有身善口不善有口善身不善有身口善若闥利

不作憍慢故因以名為後来憍時隨罪聽憍上三人与作羯磨已衆不共作若不首不悔終身
不為捨是羯磨也、第六多覓法俱舍弥比丘鬪諍相言已作是念若言舍利弗
斷主者我等當得快了佛聞是已聽闍利吒比丘作斷事主受是斷事法如法毗尼
如佛教現前除滅闍利吒有三種有身善口不善有口善身不善若闍利
吒身不往擧事人有事人所而遣使至彼說好惡所宜彼此勝負是名身善口
善自往至彼而不所言說是名口善身不善身既不往口亦不言是名身口善不作
闍利吒應如法行不應与擧事人有事人得道一行亦得別与一人同道行不應共
期若先少多因緣与期應滅是其其者期時期處也闍利吒受是斷事法如法現
除滅用毗尼法所謂現比尼現前有二種人現前比尼現前者助擧事人共集
一處比丘現前者如法如毗尼如佛教是事是名比尼現前闍利吒不能如法斷事應
捨付僧僧應受是事如法斷用二現前比尼比尼者僧現前人現前比尼現前者是中可中
用共作羯磨比丘共同心和合衆可受欲者持来現在比丘能應者不應是名僧現前
餘二現前如上說若僧不能法斷是持者應僧中立二人成就五法者白二羯磨使往
為迴鳩羅如法斷之用三現前比尼三種現前如上說若為迴鳩羅是上坐諸
比丘應所弥已遠去若是下坐應所弥已自遠去是為迴鳩羅不能如法斷者應
更立二人事悉如上後二人又有五德五德者不必多利和雜大說法後立二人必能善說
開人意也是後為迴鳩羅不能斷應置付先為和鳩舍羅後不能斷應置捨
付僧僧後不能如法斷者僧應遣使往近住處僧前作是言此事如是因緣是闍利
吒不能斷衆僧不能斷先為和鳩羅不能斷後為和鳩羅不能還付先為和
鳩羅鳩羅不能斷還付衆僧汝等来和合為斷是若事故即時後衆僧應和合先安
居應更七日来若七日盡應破安居来為和合故是近住處僧應受是事如法斷之
用三現前比尼亦如上若是後不能如法斷者今時僧僧中白二羯磨二比丘為和鳩羅法亦
如上是二人不能斷應立法用亦如是是後為和鳩羅不能如法斷者應付先為和
鳩羅應用三現前比尼如法斷之亦如是若復不能斷應捨付僧僧應用三現前比尼如法
斷之若是近住處僧不能如法斷者聞其住處僧若有大德衆好上坐知說戒受戒法
是僧中多有比丘持修多羅持比尼者持摩多羅伽者近處僧應人人是事遣使至其
住處先立傳事人僧中應令具外齋覺謂僧中若四人成就五德者立作傳事人應是事持去道中能用三現
前如法斷者是名為斷若傳事道中不能如法斷者應持至大衆中語彼上坐多知
多識長宿比丘言是持如是因緣起從闍利吒傳事人諸處不能斷是事是闍如長宿
能受是斷不若言應斷与作期若彼衆不肯作期不以事其法極遠乃至九月是事有
五種難斷一者惡二者瑰三者很戾四者往来五者畏者擧事人有事人口惡性瞋恨往来者此事從一住處

BD00076號　戒緣卷下　（19–17）

前如法斷者是名為斷若傳事道中不能如法斷者應持至大衆中語彼上坐多知
識長老比丘言是持如是如是因緣起從闍利吒傳事人諸處不能斷是事是闍如長老
能受是斷不答言應斷与作期若彼衆不肯作期不以事其法極遠乃至九月是事有
五種難斷一者惡二者嬈三者佷戾者舉事人有事人惡姓瞋佷往來者此事從往處
處者諸比丘衆斷事時應一心和合傳作殷重故先應白二羯磨立五德比丘作行籌人
令隨得多少作種一分長一分短一分白一分黑說如法者為作長白籌說非法為作短黑
為作短黑籌說如法者說非法者以右手捉短說非法者以左手急捉先行說法如籌應作
是言此是說如法者籌此是說非法者籌善行籌竟說如法籌乃至多一是事
名為斷用二比尼謂現前毗尼名覓比尼現前者是中舉事人共集一處現前如法除
斷多覓比尼者是中朱往反問如法除斷若說法者籌乃至多一亦如是往多不斷除
非衆現欲息諍和衆為矢白行籌人有四種一者藏行二者顛倒行籌三者期仁籌
藏行籌者若闇中若鄣障處潛隱行之顛倒行者以說法人籌与說非法人
期行者隨和合同和上阿者利作期隨識隨共語隨善知識隨同心隨同
若隨家隨共在其衆等取如是籌如等莫異不共語不同事是名期一切僧取
籌者爾時一切應和合一處不得取欲恐多比丘說非法故是名一切取籌上三非
法行籌此一是如法行籌也若是大上坐律持比丘能得用三現前比尼如法斷者是名
為斷若復不能斷應付傳傳事令能用現前比尼如斷者是名為斷若復不
能斷聞後處僧坊中有三比丘能持修多羅持律持摩多羅伽四衆所恭敬尊重是
傳事人應至彼住處語彼三比丘言大德是中如是如是因緣起從闍利吒
二長老轉往至十五處中不能斷大德取是事如法斷之是畢三比丘四衆所恭敬尊
重者應作是言不可二人相俱勝俱負是中必一勝一負作是語者是如說作是
語是非法說二比丘如是分別者是名為斷如法斷者已相言比丘還更發起者犯波夜提
若但言是斷非者闍吉羅闍利吒衆言大德不動其所如地也為和鴦羅能實是非
須平如稱謂不隨愛故捨有罪不隨瞋故罰無過亦不畏怖彼人追法亦不癡
故不畏罪輕斷事無能了知斷不斷心行如此鳥迴鳩羅多責者故言多實
一朱斷或從多為斷故名多覓也 第七布草四俱舍彌比丘闘諍相言聽種種事起
以草海之是比丘應和合一處以應作是念諸長老我等大失非得大衰大利大德失善
我信故佛法出家求道然今𦽕闘諍相言我等是事根本者僧或未起事便起不可海作是
念故白僧若僧時到僧忍聽是事以布草毗尼海是名由此明諸相言比丘共和合一處如上念已
令人白僧共用布草比尼法也諸比丘亦作二部是二部中若有上坐大長老應語此一部言我等大非得大衰

BD00076號　戒緣卷下

以草覆之是比丘僧和合一處以僧作是念諸長老我等大失非得大衰大利大德不善
我信故佛法出家求道然今共鬪諍相言我等是之事根本者僧或未起事便起不可滅作是
念故白僧若僧時到僧忍聽是之事以布草毗尼滅是名由此明諸相言比丘共和合一處如上念已
令人白僧共用布草比尼法也諸比丘分作二部是中若有上坐大長老僧語此一部言我等大失非得大衰
非利大德不善我信故佛法中出家求道然今喜鬪諍相言若我等是之事根本者僧中或未起
事已起事不可滅今汝等當自屈意我等所作罪除偷蘭罪除白衣相僧罪是事如是
現前發露悔過不覆藏是中若无一比丘應是事者既分為二部之一部眾有長老上坐亦悔過
時下坐部僧先白上坐部求悔作如上言若有偷蘭罪除當猶應滅之今是悔過和解故
除偷蘭也与白衣共諍名白衣相僧罪亦當熟後和解悔過非僧所為又且除之白上坐部
時无一應者明其歡喜受悔也僧到第二部眾是中若有長老上坐僧語我等大失非得大衰
非利大德不善我善信故於佛出家求道今鬪諍相言若我等求是事根本者僧中或未起已
起不可滅今汝等當自屈意我等所作罪除偷蘭應除白衣相僧罪今自為及彼故當現前發
露悔過不覆藏前白上坐部求悔也諸比丘如自見罪不忍言見眾又言如法悔過莫復更
起彼第二部眾僧亦如是說是名如草布地毗尼法草布有何義謂悔過時柔濡下意伏
折憍慢如草布地故借以為名也第二部是上坐部也　戒緣下弓
比丘法救所供養經　安太四年七月二日唐兕祠中寫竟首尊可愧頌史之

正法滅已盡　像法三十二　舍利廣流布　天人普供養
華光佛所為　其事皆如是　其兩足聖尊　最勝无倫匹
彼即是汝身　宜應自欣慶
尒時四部眾比丘比丘尼優婆塞優婆夷天
龍夜叉乾闥婆阿脩羅迦樓羅緊那羅摩睺
羅伽等大眾見舍利弗於佛前受阿耨多羅
三藐三菩提記心大歡喜踊躍无量各各脫
身所著上衣以供養佛釋提桓因梵天王等
與无數天子亦以天妙衣天曼陁羅華摩訶
曼陁羅華等供養於佛所散天衣住虛空中
而自迴轉諸天伎樂百千萬種於虛空中一
時俱作雨眾天華而作是言佛昔於波羅柰
初轉法輪今乃復轉无上最大法輪尒時諸
天子欲重宣此義而說偈言
昔於波羅柰　轉四諦法輪　分別說諸法　五眾之生滅
今復轉最妙　无上大法輪　是法甚深奧　少有能信者
我等從昔來　數聞世尊說　未曾聞如是　深妙之上法
世尊說是法　我等皆隨喜　大智舍利弗　今得受尊記
我等亦如是　必當得作佛　於一切世間　最尊无有上
佛道叵思議　方便隨宜說　我所有福業　今世若過世
及見佛功德　盡迴向佛道
尒時舍利弗白佛言世尊我今无復疑悔親
於佛前得受阿耨多羅三藐三菩提記是諸
千二百心自在者昔住學地佛常教化言我

BD00077 號 A　妙法蓮華經卷二　（2–1）

與无數天子亦以天妙衣天曼陁羅華摩訶
曼陁羅華等供養於佛所散天衣住虛空中
而自迴轉諸天伎樂百千萬種於虛空中一
時俱作雨眾天華而作是言佛昔於波羅柰
初轉法輪今乃復轉无上最大法輪尒時諸
天子欲重宣此義而說偈言
昔於波羅柰　轉四諦法輪　分別說諸法　五眾之生滅
今復轉最妙　无上大法輪　是法甚深奧　少有能信者
我等從昔來　數聞世尊說　未曾聞如是　深妙之上法
世尊說是法　我等皆隨喜　大智舍利弗　今得受尊記
我等亦如是　必當得作佛　於一切世間　最尊无有上
佛道叵思議　方便隨宜說　我所有福業　今世若過世
及見佛功德　盡迴向佛道
尒時舍利弗白佛言世尊我今无復疑悔親
於佛前得受阿耨多羅三藐三菩提記是諸
千二百心自在者昔住學地佛常教化言我
法能離生老病死究竟涅槃是學无學人亦
各自以離我見及有无見等謂得涅槃而今
於世尊前聞所未聞皆墮疑惑善哉世尊願
為四眾說其因緣令離疑悔尒時佛告舍利

BD00077 號 A　妙法蓮華經卷二　（2–2）

憍陳如比丘　當見无量佛　[illegible]成等正覺
常放大光[illegible]　[illegible]切之所敬
常說无上道　故號為普明　其國土清淨　菩薩皆勇猛
咸昇妙樓閣　遊諸十方國　以无上供具　奉獻於諸佛
作是供養已　心懷大歡喜　須臾還本國　有如是神力
佛壽六万劫　正法住倍壽　像法復倍是　法滅天人憂
其五百比丘　次第當作佛　同號曰普明　轉次而授記
我滅度之後　某甲當作佛　其所化世間　亦如我今日
國土之嚴淨　及諸神通力　菩薩聲聞眾　正法及像法
壽命劫多少　皆如上所說　迦葉汝已知　五百自在者
餘諸聲聞眾　亦當復如是　其不在此會　汝當為宣說
尒時五百阿羅漢於佛前得受記已歡喜踊
躍即從座起到於佛前頭面礼足悔過自責
世尊我等常作是念自謂已得究竟滅度今
乃知之如无智者所以者何我等應得如來智
慧而便自以小智為足世尊譬如有人至親
友家酔酒而卧是時親友官事當行以无
價寶珠繫其衣裏與之而去其人酔卧都
不覺知起已遊行到於他國為衣食故勤力
求索甚大艱難若少有所得便以為足於後
親友會遇見之而作是言咄哉丈夫何為衣
食乃至如是我昔欲令汝得安樂五欲自恣
於某年日月以无價寶珠繫汝衣裏今故現在
而汝不知勤苦憂惱以求自活甚為癡也汝

BD00077 號 B　妙法蓮華經卷四　（6–1）

於某年日月以无價寶珠繫汝衣裏今故現在
而汝不知勤苦憂惱以求自活甚為癡也汝
今可以此寶貿易所須常可如意无所乏短
佛亦如是為菩薩時教化我等令發一切智
心而尋廢忘不知不覺既得阿羅漢道自謂
滅度資生艱難得少為足一切智願猶在不失
今者世尊覺悟我等作如是言諸比丘汝等
所得非究竟滅我久令汝等種佛善根以方
便故示涅槃相而汝謂為實得滅度世尊我
今乃知實是菩薩得受阿耨多羅三藐三菩
提記以是因緣甚大歡喜得未曾有尒時阿
若憍陳如等欲重宣此義而說偈言
我等聞无上　安隱授記聲　歡喜未曾有　礼无量智佛
今於世尊前　自悔諸過咎　於无量佛寶　得少涅槃分
如无智愚人　便自以為足　譬如貧窮人　往至親友家
其家甚大富　具設諸餚饍　以无價寶珠　繫著內衣裏
嘿與而捨去　時卧不覺知　是人既已起　遊行詣他國
求衣食自濟　資生甚艱難　得少便為足　更不願好者
不覺內衣裏　有无價寶珠　與珠之親友　後見此貧人
苦切責之已　示以所繫珠　貧人見此珠　其心大歡喜
富有諸財物　五欲而自恣　我等亦如是　世尊於長夜
常愍見教化　令種无上願　我等无智故　不覺亦不知
得少涅槃分　自足不求餘　今佛覺悟我　言非實滅度
得佛无上慧　尒乃為真滅　我今從佛聞　授記莊嚴事
及轉次受決　身心遍歡喜

BD00077 號 B　妙法蓮華經卷四　（6–2）

得佛无上慧　尒乃為真滅　我今從佛聞　授記莊嚴事
及轉次受决　身心遍歡喜
妙法蓮華經授學无學人記品第九
尒時阿難羅睺羅而作是念我等每自思惟
設得受記不亦快乎即從座起到於佛前頭
面禮足俱白佛言世尊我等於此亦應有分
唯有如來我等所歸又我等為一切世間天
人阿脩羅所見知識阿難常為侍者護持法
藏羅睺羅是佛之子若佛見授阿耨多羅三
藐三菩提記者我願既滿衆望亦足尒時學
无學聲聞弟子二千人皆從座起偏袒右肩
到於佛前一心合掌瞻仰世尊如阿難羅睺
羅所願住立一面尒時佛告阿難汝於來世當
得作佛号山海慧自在通王如來應供正遍
知明行足善逝世間解无上士調御丈夫天
人師佛世尊當供養六十二億諸佛護持法
藏然後得阿耨多羅三藐三菩提教化二十千
万億恒河沙諸菩薩等令成阿耨多羅三藐
三菩提國名常立勝幡其土清淨瑠璃為
地劫名妙音遍滿其佛壽命无量千万億
阿僧祇劫若人於千万億无量阿僧祇劫中
算數校計不能得知正法住世倍於壽命像
法住世復倍正法阿難是山海慧自在通王佛
為十方无量千万億恒河沙等諸佛如來所
共讚歎稱其功德尒時世尊欲重宣此義而

BD00077 號 B　妙法蓮華經卷四　（6-3）

為十方无量千万億恒河沙等諸佛如來所
共讚歎稱其功德尒時世尊欲重宣此義而
說偈言
我今僧中說　阿難持法者　當供養諸佛　然後成正覺
号曰山海慧　自在通王佛　其國土清淨　名常立勝幡
教化諸菩薩　其數如恒沙　佛有大威德　名聞滿十方
壽命无有量　以愍衆生故　正法倍壽命　像法復倍是
如恒河沙等　无數諸衆生　於此佛法中　種佛道因緣
尒時會中新發意菩薩八千人咸作是念我
等尚不聞諸大菩薩得如是記有何因緣而
諸聲聞得如是決尒時世尊知諸菩薩心之
所念而告之曰諸善男子我與阿難等於空
王佛所同時發阿耨多羅三藐三菩提心阿難
常樂多聞我常勤精進是故我已得成阿
耨多羅三藐三菩提而阿難護持我法亦護
將來諸佛法藏教化成就諸菩薩衆其本願
如是故獲斯記阿難面於佛前自聞授記及
國土莊嚴所願具足心大歡喜得未曾有即
時憶念過去无量千万億諸佛法藏通達
无礙如今所聞亦識本願尒時阿難而說偈言
世尊甚希有　令我念過去　无量諸佛法　如今日所聞
我今无復疑　安住於佛道　方便為侍者　護持諸佛法
尒時佛告羅睺羅汝於來世當得作佛号蹈
七寶華如來應供正遍知明行足善逝世間
解无上士調御丈夫天人師佛世尊當供養

BD00077 號 B　妙法蓮華經卷四　（6-4）

七寶華如來應供正遍知明行足善逝世間
解无上士調御丈夫天人師佛世尊當供養
十世界微塵等數諸佛如來常為諸佛而
作長子猶如今也是蹈七寶華國土莊嚴壽
命劫數所化弟子正法像法亦如山海慧自在
通王如來无異亦為此佛而作長子過是
已後當得阿耨多羅三狼三菩提尒時世尊
欲重宣此義而說偈言
我為太子時　羅睺為長子　我今成佛道　受法為法子
於未來世中　見无量億佛　皆為其長子　一心求佛道
羅睺羅密行　唯我能知之　現為我長子　以示諸衆生
无量億千万　功德不可數　安住於佛法　以求无上道
尒時世尊見學无學二千人其意柔軟寂然
清淨一心觀佛告阿難汝見是學无學二千
人不唯然已見阿難是諸人等當供養五十世
界微塵數諸佛如來恭敬尊重護持法藏
末後同時於十方國各得成佛皆同一号名
日寶相如來應供正遍知明行足善逝世
間解无上士調御丈夫天人師佛世尊壽命
一劫國土莊嚴聲聞菩薩正法像法皆悉同
等尒時世尊欲重宣此義而說偈言
是二千聲聞　今於我前住　悉皆與受記　未來當成佛
所供養諸佛　如上說塵數　護持其法藏　後當成正覺
各於十方國　悉同一名号　俱時坐道場　以證无上慧
皆名為寶相　國土及弟子　正法與像法　悉等无有異

所供養諸佛　如上說塵數　護持其法藏　後當成正覺
各於十方國　悉同一名号　俱時坐道場　以證无上慧
皆名為寶相　國土及弟子　正法與像法　悉等无有異
咸以諸神通　度十方衆生　名聞普周遍　漸入於涅槃
尒時學无學二千人聞佛授記歡喜踊躍
而說偈言
世尊慧燈明　我聞授記音　心歡喜充滿　如甘露見灌
妙法蓮華經法師品第十
尒時世尊因藥王菩薩告八万大士藥王汝
見是大衆中无量諸天龍王夜叉乾闥婆阿
脩羅迦樓羅緊那羅摩睺羅伽人與非人及
比丘比丘尼優婆塞優婆夷求聲聞者求辟
支佛者求佛道者如是等類咸於佛前聞妙
法華經一偈一句乃至一念隨喜者我皆與受
記當得阿耨多羅三狼三菩提佛告藥王
又如來滅度之後若有人聞妙法華經乃至
一偈一句一念隨喜者我亦與受阿耨多羅三
狼三菩提記若復有人受持讀誦解說書
寫妙法華經乃至一偈於此經卷敬視如佛
種種供養華香瓔珞末香塗香燒香繒蓋幢幡
衣服伎樂乃至合掌恭敬藥王當知是諸
人等已曾供養十万億佛於諸佛所成就大
願愍衆生故生此人間藥王若有人問何等
衆生於未來世當得作佛應示是諸人等於

菩薩有四法…
阿耨多羅三藐三菩提心五千人得无生法忍十方諸來菩薩供養於佛所散之
花周遍三千大千世界積至于膝　尒時網明菩薩謂思益梵天言佛說汝於正問
菩薩中為最第一何謂菩薩所問為正問耶梵天言網明若菩薩以彼我問名為
邪問分別法問名為邪問若无彼我問名為正問不分別法問名為正問又網明以
生故問名為邪問以滅故問名為邪問以住故問名為邪問若不以生故問不以
滅故問不以住故問名為正問又網明若菩薩為垢故問名為邪問為淨故問名為邪
問為生死故問名為邪問為出生死故問名為邪問為涅槃故問名為邪問若
不為垢淨故問不為生死出生死故問不為涅槃故問名為正問所以者何法位
垢无淨无生死无涅槃又網明若菩薩為見故問為斷故問為證故問為脩故[問]
為得故問為果故問名為邪問若无見无斷无證无脩无得无果故問名[為正問]
又網明是善是不善名為邪問是世間法是出世間法是有罪法是无罪
法是有漏法是无漏法是有為法是无為法如是等二法隨所依而問者名為邪問
見二不見不二問名為正問又網明若菩薩分別佛問名為邪問分別法[問]
分別衆生分別佛國分別諸乘問名為邪問若於法不作一異問者名為
網明一切法正一切法邪網明言梵天何謂一切法正一切法邪梵天言於諸法性
法名為正若於无心法中以心分別觀者一切法名為邪一切法離相名為正
是離相是即分別諸法若分別諸法則入增上慢隨所分別皆名為邪網
謂為諸法正性梵天言諸法離自性離欲際是名正性網明言少有能解如是
梵天言是正性不一不多網明若有善男子善女人能如是知諸法正性若已證
今知若當知是人无有法已得无有法今得无有法當得所以者何佛說无分別
名為所作已辦相若人聞是法正性勤行精進是名如說脩行不從一地至一地若不
從一地至一地是人不在生死不在涅槃所以者何諸佛不得生死不得涅槃網明
言佛不為度生死故說法耶梵天言佛所說法有度生死耶網明言无也梵天言
以是因緣當知佛不令衆生出生死入涅槃但為度妄想分別生死涅槃二相者耳
此中實无度生死至涅槃者所以者何諸法平等无有往來无出生死无入涅槃尒時世
尊讚思益梵天言善哉善哉說諸法正性應如汝說說是法時二千比丘不受諸
法漏盡心得解脫佛告梵天我不得生死不得涅槃如來雖說生死實无有人往來
生死雖說涅槃實无有人得滅度者若有入此法門者是人非生死相非滅
度相尒時會中五百比丘從坐而起作是言我等空脩梵行今實見有
滅度者而言无有滅度我等何用脩道求智慧為尒時網明菩薩白佛言
世尊若有於法生見則於其人佛不出世世尊若有決定見涅槃者是人不度生死所
以者何涅槃名為除滅諸相遠離一切動念戲論世尊是諸比丘於佛正法出家而
今墮於外道邪見見涅槃決定相譬如從麻出油從酪出酥世尊若人於諸法
滅相中求涅槃者我說是輩皆為增上慢人世尊正行道者於法不作生不作滅无得

BD00078 號 1　思益梵天所問經卷一　(44–1)

滅度者而言无有滅度我等何用脩道求智慧為尒時網明菩薩白佛言
世尊若有於法生見則於其人佛不出世世尊若有決定見涅槃者是人不度生死所
以者何涅槃名為除滅諸相遠離一切動念戲論世尊是諸比丘於佛正法出家而
今墮於外道邪見見涅槃決定相譬如從麻出油從酪出酥世尊若人於諸法
滅相中求涅槃者我說是輩皆為增上慢人世尊正行道者於法不作生不作滅无得
无果網明謂梵天言是五百比丘從坐起者汝當為作方便引導其心入此法門令
得信解離諸邪見梵天言善男子縱使令去至恒河沙劫不能得出如此諸門譬
如癡人畏於虛空捨空而走在所至處不離虛空此諸比丘亦復如是雖復遠去不
出空相不出无相相不出无作相又如一人求索虛空東西馳走言我欲得空我欲得
空是人但說虛空名字而不得空於空中行而不見空此諸比丘亦復如是欲求涅槃
行涅槃中而不得涅槃所以者何涅槃者但有名字猶如虛空但有名字不可得取涅
槃亦復如是但有名字而不可得尒時五百比丘聞說是法不受諸法漏盡心得解
脫得阿羅漢道作是言世尊若有人於諸法畢竟滅相中求涅槃者則於其人
佛不出世世尊我等今者非凡夫非學非无學不在生死不在涅槃所以者何佛
出世故名為遠離一切動念戲論尒時長老舍利弗謂諸比丘言汝今得正智為已
利耶五百比丘言長老舍利弗我等今者得諸煩惱不可作而作舍利弗言何故說
此諸比丘言知諸煩惱實相故言得諸煩惱涅槃是无作故我等已證故說不可作
而作舍利弗言善哉善哉汝等今者住持福田能消供養諸比丘言大師世尊尚
不能消諸供養何況我等舍利弗言何故說此諸比丘言世尊知見法性住常淨故於
是思益梵天白佛言世尊誰應受供養佛告梵天不為世法之所牽者世尊誰
能消供養佛言於法无所取者世尊誰為世間福田佛言不壞菩提性者世尊誰
為衆生善知識佛言於一切衆生不捨慈心者世尊誰知報佛恩佛言不斷佛種者
世尊誰能供養佛佛言能通達无生際者世尊誰能親近於佛佛言乃至失命因緣
不毀禁者世尊誰能恭敬於佛佛言善覆六根者世尊誰名財富佛言成就七財者
世尊誰名知足佛言得出世間智慧者世尊誰為遠離佛言於三界中无所願者
世尊誰為具足佛言能斷一切諸結使者世尊誰為樂人佛言无貪著者世尊誰
无貪著佛言知見五陰者世尊誰度欲河佛言能捨六入者世尊誰住彼岸佛言
能知諸道平等者世尊何謂菩薩能為施主佛言菩薩能教衆生一切智心世尊
何謂菩薩能奉禁戒佛言常能不捨菩提之心世尊何謂菩薩能行忍辱佛言
見心相念念滅世尊何謂菩薩能行精進佛言求心相不可得世尊何謂菩薩能行
禪定佛言除身心麤相世尊何謂菩薩能行智慧佛言於一切法无有戲論世尊何
謂菩薩能行慈心佛言不生衆生想世尊何謂菩薩能行悲心佛言不生法想世尊
何謂菩薩能行喜心佛言不生我想世尊何謂菩薩能行捨心佛言不生彼我想世尊
何謂菩薩安住於信佛言信解心淨无有濁法世尊何謂菩薩安住於念佛言不着
一切語言世尊何謂菩薩名為有數佛言知見內法世尊何謂菩薩名為有愧佛言

BD00078 號 1　思益梵天所問經卷一　(44–2)

謂菩薩能行慈心佛言不生衆生相世尊何謂菩薩能行悲心佛言不生我相世尊
何謂菩薩能行喜心佛言不生我想世尊何謂菩薩能行捨心佛言不生彼我相世尊
何謂菩薩安住於信佛言信解心淨无有濁法世尊何謂菩薩安住於忍佛言不著一
切語言世尊何謂菩薩名為有慚佛言知見內法世尊何謂菩薩名為有愧佛言
捨於外法世尊何謂名為菩薩遍行佛言能淨身口意業尒時世尊而說偈言
若淨身无惡　口淨常實語　心淨常行慈　是菩薩遍行　行捨无貪著　觀不淨无恚　行捨而不癡
是菩薩遍行　若在聚落野　及與處大衆　威儀終不轉　是菩薩遍行　知法名為佛　知離名為法
知无為名僧　是菩薩遍行　知多欲所行　知恚癡所行　善知轉此行　是菩薩遍行　不依止欲界
不住色无色　行如是禪定　是菩薩遍行　信解諸法空　及无相无作　而不盡諸漏　是菩薩遍
善知聲聞乘　及辟支佛乘　通達於佛乘　是菩薩遍行　明解於諸法　不壞道非道　憎愛心无異
是菩薩遍行　於過去未來　及與現在世　一切无分別　是菩薩遍行　尒時思益梵天白佛言
世尊何謂菩薩過世間法通達世間法通達世間法已度衆生於世間法行於世間
不壞世間法尒時世尊以偈答曰　說五陰是世　世間所依止　依止於五陰　不脫世間法
菩薩有智慧　知世間實性　所謂五陰如　世間法不染　利衰及毀譽　稱譏與苦樂　如此之八法
常牽於世間　大智慧菩薩　散壞世間法　見世壞敗相　處之而不動　得利心不高　失利心不下
其心堅不動　譬如須彌山　利衰及毀譽　稱譏與苦樂　於此世八法　其心常平等　知世間虛妄
皆從顛倒起　如是之人等　不行世間道　世間所有道　菩薩皆盡知　故能於世間　度衆生苦惱
雖行於世間　如蓮華不染　亦不壞世間　通達法性故　世間行世間　不是知世間　菩薩行世間
明了世間相　世間虛空相　虛空亦无相　菩薩知如是　不染於世間　如所知世間　隨知而演說
知世間性故　亦不壞世間　五陰无自性　是即世間性　若人不知是　常住於世間　若見知五陰
无生亦无滅　是人行世間　而不依世間　凡夫不知法　於世起諍訟　是實是不實　住是二相中
我常不與世　起於諍訟事　世間之實相　悉以了知故　諸佛所說法　皆悉无諍訟　知世平等故
非實非虛妄　若佛法定　有實有虛妄　是即為貪著　與外道无異　而今平等義　中无實无虛妄
是故我常說　出世法无二　若人知世間　如是之實性　於實於虛妄　不取此惡見　如是知世間
清淨如虛空　是大名稱人　照世間如日　若人見世間　如我之所見　如斯之人等　能見十方佛
諸法從緣生　自无有定性　若知此因緣　則達法實相　若知法實相　是則知空相　若能知空相
則為見導師　若有人得聞　如是世間相　雖行於世間　而不依世間　依止諸見人　不能及此事
云何行世間　而不依世間　若佛滅度後　有樂是法者　佛則於其人　常現在其前　若人解此
則守護我法　亦為供養我　亦是世導師　若人須臾間　聞是世間性　是人終不為　惡魔所得便
若能達此義　則為大智慧　法財之施主　亦是真持戒　若知世間性　忍辱力無極　具足諸禪定
通達於智慧　所得聞是法　其方則有佛　如是諸菩薩　不久坐道場　若有修等　如是世間性
則能降衆魔　疾得无盡　佛復告思益梵天如來出過世間亦說世間苦世間集
世間滅世間滅道梵天五受陰名為世間貪著五陰名為世間集五陰盡名為世
間滅以无二法求五陰名為世間滅道又梵天所言五陰者但有言說於中取相分
別生見而說是名世間若不捨是見是名世間集是見自相是名世間滅隨以何道不

BD00078 號 1　思益梵天所問經卷一　（44–3）

世間滅世間滅道梵天五受陰名為世間貪著五陰名為世間集五陰盡名為世
間滅以无二法求五陰名為世間滅道又梵天所言五陰者但有言說於中取相分
別生見而說是名世間若不捨是見是名世間集是見自相是名世間滅隨以何道不
取是見名世間滅道梵天以是因緣故我為外道仙人說言仙人於汝身中即說世
間苦世間集世間滅世間滅道尒時思益梵天白佛言世尊所說四聖諦何等
是真聖諦梵天苦不名為聖諦苦集不名為聖諦苦滅不名為聖諦苦滅道
不名為聖諦所以者何若苦是聖諦者一切牛驢畜生等皆應有聖諦若集是
聖諦者一切往所生處衆生皆應有集聖諦所以者何以集故生諸趣中若苦滅
是聖諦者觀滅者說斷滅者皆應有滅聖諦若道是聖諦者緣一切有為道
者皆應有道聖諦梵天以是因緣故當知聖諦非苦非集非滅非道聖諦者知
苦无生是名苦聖諦知集无和合是名集聖諦於畢竟滅法中知无生无滅是名
滅聖諦於一切法平等以不二法得道是名道聖諦梵天真聖諦者无有虛妄虛
妄者所謂著我著衆生著人著壽命者著養育者著有著无著生著滅著
生死著涅槃梵天著行者言我知見苦是虛妄我斷集是虛妄我證滅是虛妄我
修道是虛妄所以者何是人違失佛所許念是故說虛妄何等是佛所許念所謂不憶
念一切諸法是為佛所許念若行者住是念中則不住一切相若不住一切相則住實際若住
實際是名不住心若不住心是人名為非實語非妄語者梵天是故當知若非實非虛
妄者是名聖諦梵天實者終不住不實若有佛若无佛法性常住所謂生死性涅槃性
常實所以者何非離生死得涅槃名為聖諦若人證知是四聖諦是名世間實語者梵
天當來有生不循身不循戒不循心不循慧是人說生相即說苦諦說因緣和合是集
諦說滅法是滅諦以二相求法是道諦佛言我說此愚人等是外道徒黨我非彼人師彼
非我弟子是人墮於邪道破失法故說言有諦梵天汝且觀我坐道場時不得一法是
實是虛妄若佛不得法是法寧可於衆生中有言說有議論有教化耶梵天言是
世尊梵天以諸法无所得故諸法離自性故我說菩提是无貪愛相尒時思益梵天
白佛言世尊若如來於法无所得者有何利益說如來得菩提名為佛佛告梵天
於汝意云何我所說諸法若有為若无為是法為實為虛妄耶梵天言是法虛妄
非實於汝意云何若法虛妄非實是法為有為无梵天言世尊若法虛妄是法不
應說有不應說无梵天於汝意云何若法非有非无是法有得者不梵天言无有得者
梵天如來坐道場時唯得虛妄顛倒所起煩惱畢竟空性以无所得故得以无所知
故知所以者何我所得法不可見不可聞不可覺不可識不可取不可著不可說不
可難出過一切法相无語无說无有文字无言說道梵天此法如是猶如虛空汝欲於如
是法中得利益耶梵天言不也世尊諸佛如來甚為希有成就未曾有法深入大
慈大悲得如是寂滅相法而以文字言說教人令得信解世尊其有聞是能信解
者當知是人不從小功德來世尊是法一切世間之所難信所以者何世間貪著實而
是法无實无虛妄世間貪著法而是法无法无非法世間貪著涅槃而是法无生
死无涅槃世間貪著善法而是法无善无非善世間貪著樂而是法无苦无樂世

BD00078 號 1　思益梵天所問經卷一　（44–4）

菩大慈得如是淨成相法而以文字言說教人令得信解世尊其有聞是能信解
者當知是人不從小功德來世尊是法一切世間之所難信所以者何世間貪著實而
是法无實无虛世間貪著法而是法无法无非法世間貪著涅槃而是法无生
死无涅槃世間貪著善法而是法无善无非善世間貪著樂而是法无苦无樂世
間貪著佛出世而是法无佛出世亦无涅槃雖有說法而是法不可說非讀誦
而謂即是无為是故此法一切世間之所難信譬如水中出火火中出水難可得信
如是煩惱中有菩提菩提中有煩惱是亦難信所以者何如來不得是垢淨顛倒煩
惱之性而亦无法可得有所說法亦无有形雖有所說亦无分別雖說涅槃亦无滅者
世尊若有善男子善女人能信解如是法者當知是人得脫諸見當知是人
已親近无量諸佛當知是人已供養无量諸佛當知是人得為善知識所護當
知是人志意曠大當知是人善根深厚當知是人守護諸佛法藏當知是人能集
思量起於善業當知是人種姓尊貴生如來家當知是人能行大捨捨諸煩惱當
知是人得持戒力非煩惱力當知是人得忍辱力非瞋恚力當知是人得精進力无
有疲懈當知是人得禪定力滅諸惡心當知是人得智慧力離惡邪見當知是人
一切惡魔不能得便當知是人一切怨賊所不能破當知是人不離世間當知是人是真
語者義說法相故當知是人是實語者說第一義故當知是人善為諸佛之所護
念當知是人柔和軟善同止安樂當知是人名為大富有聖財故當知是人常能知
足行聖種故當知是人易滿易養離貪食故當知是人得安隱心到彼岸故當知
是人度未度者當知是人解未解者當知是人安未安者當知是人滅未滅者當知
是人能示正道當知是人能說解脫當知是人為大醫王善知諸藥當知是人猶如
良藥善療眾病當知是人智慧勇健當知是人為有大力堅固究竟當知是
人有精進力不隨他語當知是人為如師子无所怖畏當知是人為如象王其心調柔
當知是人為如良馬其心調順當知是人為如牛王能導大眾當知是人為如勇健
能破魔怨當知是人為大丈夫處眾无畏當知是人无所忌難得无畏法故當知是
人无所畏難說真諦法故當知是人其清白法如月盛滿當知是人智慧光照
猶如日明當知是人除諸闇冥猶如執炬當知是人樂行捨心離諸憎愛當知是人等
育眾生猶如地當知是人洗諸塵垢猶如水當知是人燒諸動念猶如火當知是人
於法无障猶如風當知是人其心不動猶須彌當知是人其心堅固如金剛山當知是
人一切外道邪論者所不能動當知是人一切聲聞辟支佛所不能測當知是人多
饒法寶猶如大海當知是人煩惱不現如佉陀羅當知是人求法无厭當知是人智慧
知足當知是人能轉法輪如轉輪王當知是人身色殊妙如天帝釋當知是人得自
在如梵天王當知是人說法音聲猶如雷震當知是人降法甘露猶如時雨當知是人
能增長无漏根力覺分當知是人已度生死洄澓當知是人入佛智慧當知是人
近佛菩提當知是人能多學聞无與等者當知是人无有量已過量當知是人
智慧辯才无有障礙當知是人憶念堅固得陀羅尼當知是人知諸眾生深心
所行當知是人行於正念心觀諸法

BD00078 號 1　思益梵天所問經卷一　（44–5）

近佛菩提當知是人能多學聞无與等者當知是人无有量已過量當知是人
智慧辯才无有障礙當知是人憶念堅固得陀羅尼當知是人知諸眾生深心
所行當知是人行於正念心觀諸法解達義趣當知是人勤行精進利安世間當知是
超出於世當知是人不可污染猶如蓮華當知是人不為世法所覆當知是人
所愛當知是人多聞智者所念當知是人人天供養當知是人
者所敬禮當知是人善人所貴當知是人聲聞辟支佛之所貪慕當知是人不貪小
行當知是人不覆藏罪不顯功德當知是人成就威儀具足淨心當知是人身色端
正見者悅樂當知是人有大威德眾所宗仰當知是人以三十二相莊嚴其身當知
是人能紹佛種當知是人能護法寶當知是人能供養僧當知是人諸佛所見當知是
人為得法眼當知是人為佛智慧而得受記當知是人具足三忍當知是人坐於道場
當知是人破壞魔眾當知是人得一切種智當知是人轉於法輪當知是人作无量佛
事善男子信解如是法義不驚不怖畏者得如是功德是人於諸佛阿耨多羅三藐
三菩提甚深難解難知難信難入而能信受讀誦通利為人廣說如說脩
行亦教他人如說脩行如是之人我以一劫若減一劫說其功德猶不能盡
思益梵天所問經卷第二　佛告梵天汝何能稱說是人功德如如來以无㝵智慧之
所知乎是人所得功德須過於此若人能於如來所說文字言說章句通達隨順不
違不逆和合為一隨其義理不隨章句言辭而善知言辭所應之相知如來以何言說說
法以何隨宜說法以何方便說法以何法門說法以何大悲說法梵天若菩薩能知
如來以是五力說法是菩薩能作佛事梵天言何謂如來所用五力佛言一者說法二
者隨宜三者方便四者法門五者大悲是名如來所用五力一切聲聞辟支佛所不
能及世尊何謂為說佛言梵天如來說過去法說未來現在法說垢法說淨法說世
間出世間法說有罪无罪法說有漏无漏法說有為无為法說我人眾生壽者法
說得證法說生死涅槃法梵天當知是諸言說如幻人說无決定故如夢中說虛妄見
故如響聲說從空出故說如影眾緣和合故說如鏡中像因不入鏡故說如野馬顛倒見
故說如虛空无生滅故當知是諸言說為无所說諸法相不可說故梵天若菩薩能
知此諸說者是菩薩雖有一切言說而於諸法无所貪著以不貪著故得无㝵辯才
以是辯才若恒河沙劫說法无盡无破諸有言說不壞法性亦復不著不壞法性梵
天是名如來說也梵天言世尊何謂如來隨宜所說佛言如來或垢法說淨淨法
說垢菩薩於此應知如來隨宜所說梵天何謂垢法說淨不得垢法性故何謂淨法
說垢貪著淨法故梵天我說布施即是涅槃凡夫无智不能善解隨宜所說者菩薩
應如是思量布施後得大富此中无法可從一念至一念若不從一念至一念即是諸
法實相諸法實相即是涅槃持戒是涅槃不作不起故忍辱是涅槃念念滅故
精進是涅槃无所取故禪定是涅槃不貪味故智慧是涅槃不得相故貪欲是
實際法性无欲相故瞋恚是實際法性无瞋相故愚癡是實際法性无癡相
故生死是涅槃无退无生故涅槃是生死以貪著故實語是虛妄生語見故虛妄是

BD00078 號 1　思益梵天所問經卷一　　BD00078 號 2　思益梵天所問經卷二　（44–6）

法實相諸法實相即是涅槃持戒是涅槃不作不起故忍辱是涅槃念念滅故
精進是涅槃无所取故禪定是涅槃不貪味故智慧是涅槃不得相故貪欲是
實際法住无欲相故瞋恚是實際法住无瞋相故愚癡是實際法住无癡相
故生死是涅槃无退无生故涅槃是生死以貪著故實語是虛妄生語見故虛妄是
實語為增上慢人故梵天如來以隨宜故或自說我是說常邊者或自說我是斷
說斷邊者或自說我是說无作者或自說我是耶見者或自說我是不信者或自
說我是不知恩者或自說我是貪味者或自說我是不受者如來无有如此諸事若
有此說當知是為隨宜所說欲令眾生捨增上慢故若菩薩善通達如來隨宜所
說者若聞佛出世便信受亦眾生善業色身果報故若聞佛不出世亦信受諸
佛法性身故若聞佛說法亦信受為喜樂文字眾生故若聞佛不說法亦信受諸
法信性以不可說故若聞有涅槃亦信受滅顛倒所起煩惱故若聞无涅槃亦信受諸
法无生滅相故若聞有眾生亦信受入世諦門故若聞无眾生亦信受入第一義故
梵天菩薩如是善知如來隨宜所說於諸音聲无疑无畏亦能利益无量眾生
世尊何謂方便佛言如來為眾生說布施得大富持戒得生天忍辱得端正精進
得具諸功德禪定得法喜智慧得捨諸煩惱多聞得智慧故行十善道得人天
福樂故慈悲喜捨得生梵世故禪定得如實智慧故如實智慧得道果故學地
得无學地故辟支佛地得消諸供養故佛地得无量智慧故涅槃得滅一切苦惱
故梵天我如是方便為眾生讚說是法如來實不得我人眾生壽命者亦不得施
不得慳亦不得持戒亦不毀戒亦不得忍辱亦不得瞋恚亦不得精進亦不得懈怠
亦不得禪定亦不得亂心亦不得智慧亦不得智慧果亦不得菩提亦不得涅槃亦不得
苦亦不得樂梵天若眾生聞是法者勤行精進是人為何利故勤行精進不得
是法者須陁洹果斯陁含果阿那含果阿羅漢果辟支佛道阿耨多羅三藐
三菩提乃至无餘涅槃亦復不得梵天是名如來方便說也菩薩於此方便說法應
勤精進令諸眾生得於法利世尊何謂法門佛言眼是解脫門耳鼻舌身意是
解脫門所以者何眼空无我无我所性自離耳鼻舌身意空无我无我所性
自離梵天當知是諸入皆空是解脫門行則不違故色聲香味觸法亦復如是
一切諸法皆入是門所謂空門无相門无作門无生門无滅門无所從來門无所從去
門无退門无起門性常清淨門離自體門又梵天如來於一切文字中示是解脫
門所以者何諸文字性无合无用性離故梵天當知如來於一切文字中說聖諦說
解脫門如來所說法无有垢一切諸法皆入解脫令住涅槃是名如來說法入於法
門菩薩於此法門應當修學　世尊何謂大悲佛言如來以卅二種大悲救護眾
生何等卅二一切諸法无我而眾生不信不解如來於此而起大悲一切法无眾生而眾
生說有眾生如來於此而起大悲一切法无壽命者而眾生說有壽命者如來於此
而起大悲一切法无人而眾生說有人如來於此而起大悲一切法无所有而眾生
住於有見如來於此而起大悲一切法无住而眾生有住如來於此而起大悲一切法
一切法非我所而眾生著於我所

BD00078 號 2　思益梵天所問經卷二　（44–7）

而起大悲一切法无人而眾生說有人如來於此而起大悲一切法无所有而眾生
住於有見如來於此而起大悲一切法无住而眾生有住如來於此而起大悲一切法
无歸處而眾生樂於歸處如來於此而起大悲一切法非我所而眾生著於我所
如來於此而起大悲一切法无所屬而眾生計有所屬如來於此而起大悲一切法无
取相而眾生有取相如來於此而起大悲一切法无生而眾生住於有生如
來於此而起大悲一切法无退生而眾生住於退生如來於此而起
大悲一切法无垢而眾生著垢如來於此而起大悲一切法離染而眾生有染如來
於此而起大悲一切法離瞋而眾生有瞋如來於此而起大悲一切法離癡而眾
生有癡如來於此而起大悲一切法无所從來而眾生著有所從來如來於此
而起大悲一切法无所去而眾生著於有去如來於此而起大悲一切法无所起而眾
生計有所起如來於此而起大悲一切法无戲論而眾生著於戲論如來於此　而
起大悲一切法空而眾生墮於有見如來於此而起大悲一切法无相而眾生於有
相如來於此而起大悲一切法无作而眾生著於有作如來於此而起大悲如來觀
知世間常共瞋恨諍競如來於此而起大悲世間住於耶見顛倒行於耶道
欲令眾生住於正道如來於此而起大悲如來觀知世間貪餮无有猒足爭相
陵奪欲令眾生住於聖財信戒聞施慧等如來於此而起大悲眾生是養妻子
恩愛之僕於此危脆之物生堅固想欲令眾生知悉无常如來於此而起大悲如
來觀知眾生為身怨賊貪著養育以為親友欲為眾生作真知識令畢眾苦
究竟涅槃如來於此而起大悲眾生好行欺誑耶命自活欲令眾生行於正
命如來於此而起大悲眾生樂著眾苦不淨居家欲令眾生出於三界如來於
此而起大悲如來觀知一切諸法從因緣有而眾生於聖解脫生於懈怠我當為
說精進令樂解脫如來於此而起大悲眾生棄捨最上无导智慧求於聲聞辟
支佛道欲引導之令發大心緣佛於法如來於此而起大悲梵天如來如是於諸
眾生行此三十二種大悲是故如來名為行大悲者若菩薩於眾生中常能脩
集此大悲心者則為入阿惟越致為大福田威德具足常能利益一切眾生說是
大悲法門品時三万二千人皆發阿耨多羅三藐三菩提心八千菩薩得无生法忍
尒時網明菩薩摩訶薩白佛言世尊思益梵天云何聞是大悲法門而不喜悅
思益梵天言善男子若識在二法則有喜悅若識在无二實際法中則无喜悅
辟如幻人見幻戲事无所喜悅若菩薩知諸法相如是則於如來若說法若神通亦
无喜悅又善男子如佛所化人聞佛說法亦无不喜不悅菩薩知諸法與化无異
於如來所不加喜悅於餘眾生无下劣想網明言梵天汝今見諸法如幻相耶梵
天言若人分別諸法者汝當問之網明言汝今於何處行梵天言一切凡夫行處吾

BD00078 號 2　思益梵天所問經卷二　（44–8）

於如來所不加善根於餘衆生无下劣想網明言梵天汝今見諸法如幻相耶梵
天言若人分別諸法者汝當問之網明言汝今於何處行梵天言一切凡夫行處吾
於彼行網明言凡夫人行貪欲瞋恚愚癡身見疑網我我所等行於耶道汝於
是處行耶梵天言善男子汝欲得凡夫法決定相耶網明言我尚不欲決定得
凡夫何況凡夫法善男子若是法无決定者寧有貪欲瞋恚愚癡法耶網明
言无也善男子一切法離貪恚癡相行相亦如是善男子凡夫行賢聖行皆无
二无差別善男子一切行非行一切說非說一切道非道網明言何謂一切行非
行梵天言善男子若人千万億劫行道於法性不增不減是故言一切行非
行何謂一切說非說梵天言善男子如來以不可說相說一切法是故言一切說非說
何謂一切道非道梵天言以无所至故一切道非道尒時世尊讚思益梵天言善哉
善哉說諸法相應當如是網明菩薩謂梵天言汝說一切凡夫行處吾於彼
行者則有行相梵天言若我有所生處應有行相網明言汝若不生云教化
衆生梵天言佛所化生吾如彼生網明言佛所化生无有生處梵天言寧可見
不網明言以佛力故見梵天言我生亦如是以業力故網明言汝於起業中行耶梵
天言我於不起業中行網明言云何言以業力故梵天言如業性力亦如是是二
不出於如尒時舍利弗白佛言世尊若有能入是菩薩隨宜所說法中者得大
切德所以者何世尊乃至聞是上人名字尚得大利何況聞其所說辟如有
樹不依於地在虛空中而現根莖枝葉華菓甚爲希有此人行相亦復如是
不住一切法而於十方現有行有生死亦有如是智慧辯才世尊若有善男子
善女人聞是智慧自在力者其誰不發阿耨多羅三藐三菩提心尒時有一菩
薩名曰普華在會中坐謂長老舍利弗仁者已得法性佛亦稱汝汝於智慧
人中爲最第一何以不能現如是智慧辯才自在力耶舍利弗言普華佛諸弟
子隨其智力能有所說普華言舍利弗法性有多少耶舍利弗言无也普華言
汝何以言佛諸弟子隨其智力能有所說舍利弗言隨所得法而有所說普華言
汝證法性无量相耶舍利弗言然普華言汝云何言隨所得法而有所說如法性无
量相得亦如是如得說亦如是何以故法性无量故舍利弗言法性非得相普華言
若法性非得相者汝云何得解脫耶舍利弗言不也普華言何故尒耶舍利弗言若
出法性得解脫者則壞法性普華言是故舍利弗如仁者得道法性亦尒舍利弗
言我爲聽來非爲說也普華言一切法皆入法性此中寧有說有隨不舍利弗言不
也普華言若然者汝何故言我爲聽來非爲說耶舍利弗言佛說二人得福无量一

BD00078 號 2　思益梵天所問經卷二　（44–9）

言我爲聽來非爲說也普華言一切法皆入法性此中寧有說有聽不舍利弗言不
也普華言若然者汝何故言我爲聽來非爲說耶舍利弗言佛說二人得福无量一
者專精說法二者一心聽受是故汝今應說我當聽受普華言汝入滅盡定能聽
法耶舍利弗言入滅盡定无有二行而聽法也普華言汝信佛說一切法是滅盡
相不舍利弗言然一切法皆滅盡相我信是說普華言若然者舍利弗常不能
聽法所以者何一切法常滅盡相故舍利弗言汝能不起于定而說法耶普華
言頗有一法非是定耶舍利弗言无也普華言是故當知一切凡夫常在於定舍
利弗言以何定故一切凡夫常在定耶普華言以不壞法性三昧故舍利弗言
若然者凡夫聖人无有差別普華言如是如是我不欲令凡夫聖人有差別也
所以者何聖人无所斷凡夫无所生是二法不出法性平等之相舍利弗言何
等是諸法平等相普華言如舍利弗所得知見舍利弗汝生賢聖法耶答言
不也汝滅凡夫法耶答言不也汝得賢聖法耶答言不也汝見凡夫法耶答言不也
舍利弗汝何知見說言得道耶答言汝不聞凡夫如即是漏盡解脫如漏盡解
脫如即是无餘涅槃如舍利弗是如名不異如不壞如應以是如知一切法尒時舍利
弗白佛言世尊辟如大火一切諸炎皆是燒相如是諸善男子所說法皆入法性
佛告舍利弗如汝所言是諸善男子所說法皆入法性尒時網明菩薩謂舍利弗
佛說仁者於智慧人中爲最第一以何智慧得第一耶舍利弗言所謂聲聞因聲
得解以是智慧說我於中爲第一耳非謂菩薩網明言智慧是戲論相耶答言不
也網明言是智慧非平等相耶答言是也網明言今仁者得平等智慧云何說智
慧有量答言善男子以法性相故智慧无量隨入法性多少故智慧有量網明言无
量法終不作有量仁者何故說智慧有量即時舍利弗嘿然不答尒時長老大
迦葉承佛聖旨白佛言世尊是網明菩薩以何因緣号網明乎佛告網明善男
子現汝福報光明因緣令諸天人一切世間皆得歡喜其有福德因緣者當發菩
提心於是網明即受佛教偏袒右肩從右手赤白莊嚴指掌間放大光明普照
十方无量无邊阿僧祇佛國皆悉通達其中地獄畜生餓鬼盲聾瘖啞手足
拘躄老病苦痛貪欲瞋恚愚癡裸形醜陋貧窮飢渴囹圄繫閉困厄垂死慳
貪破戒瞋恚懈怠妄念无慧少於聞見无慚无愧墮耶見網如是等衆生遇其光
者皆得快樂无有衆生爲貪欲瞋恚愚癡憍慢憂悲懷恨等之所惱也其在佛
在前大會之衆菩薩摩訶薩天龍夜叉乾闥婆等及比丘比丘尼優婆塞優婆夷
衆會諸衆生同一金色與佛无異有三十二相八十隨形好无見頂者皆坐寶蓮華座
寶交露蓋羅覆其上等无差別諸會衆生[illegible]

BD00078 號 2　思益梵天所問經卷二　（44–10）

令諸眾生同一金色與佛无異有三十二相八十隨形好无見頂者皆坐寶蓮華座
寶交露蓋羅覆其上等无差別諸會眾生皆得快樂譬如菩薩入歡喜莊嚴
三昧時諸大眾得未曾有各各相見如佛无異不見佛身為大己身為小又以光
明力故尋時下方有四菩薩從地踊出合掌而立欲共禮佛作是念言何者真
佛我欲禮敬即聞空中聲曰是網明菩薩光明之力一切大眾同一金色與佛无
異時四菩薩發希有心作如是言今此會其色无異一切諸法亦復如是若我此
言誠實无虛世尊釋迦牟尼當現異相令我今得供養禮事即時佛以蓮華寶
師子坐上昇虛空高一多羅樹於是四菩薩頭面礼佛作如是言如來智慧不
可思議網明菩薩福德本願亦不可思議能放如是无量光明尒時佛告網明菩
薩言善男子汝今以作佛事令无量眾生住於佛道可攝光明於是網明即受佛
教還攝光明已此諸大眾威儀色相還復如故見佛坐本師子坐上
尒時長老大迦葉白佛言世尊此四菩薩從何所來四菩薩言我等從下方世界
來大迦葉言其國何名佛号何等四菩薩言國名現諸寶莊嚴佛号一寶蓋今現在
說法大迦葉言其佛國土去此幾何四菩薩言佛自知之大迦葉言汝等何故來
此四菩薩言是網明菩薩光明照彼我等遇之即聞釋迦牟尼佛名及網明菩
薩是故我等今來見佛并網明上人迦葉白佛言世尊一寶蓋佛現諸寶莊
嚴世界去此幾何佛言去此七十二恒河沙佛土大迦葉言世尊是四菩薩從彼發
來幾時至此佛言如一念頃於彼不現忽然而至大迦葉言世尊此四諸菩薩光
明遠照神通速疾甚為希有今是網明菩薩光明遠照是四菩薩發來速疾
佛言迦葉如汝所說菩薩摩訶薩所行不可思議一切聲聞辟支佛所不能及
尒時長老大迦葉謂網明菩薩言善男子汝現光明照此大會皆作金色以何
因緣網明言長老大迦葉可問世尊當為汝說即時大迦葉以此白佛佛言迦
葉是網明菩薩後成佛時其會大眾同一金色咸共信樂一切智慧其佛國土
乃至无有聲聞辟支佛名唯有清淨諸菩薩摩訶薩會大迦葉白佛言世尊
生彼菩薩當知如佛等无有異佛言如汝所說生彼菩薩當知如佛於是會中
四万四千人皆發阿耨多羅三藐三菩提心已願生彼國白佛言世尊若網明菩
薩得成佛時我等當生其國尒時長老大迦葉白佛言世尊網明菩薩幾時當
得阿耨多羅三藐三菩提佛言迦葉汝自問網明幾時當得阿耨多羅三藐三
菩提網明言大迦葉若有問幻所化人汝幾時當得阿耨多羅三藐三菩提是幻人
當云何答大迦葉言善男子幻所化人无決定相當何所答網明言大迦葉一切諸
法亦如幻所化人无決定相誰可問言汝幾時當成阿耨多羅三藐三菩提大迦

BD00078號2　思益梵天所問經卷二　（44–11）

提網明言大迦葉若有問幻所化人汝幾時當得阿耨多羅三藐三菩提是幻人
當云何答大迦葉言善男子幻所化人无決定相當何所答網明言大迦葉一切諸
法亦如幻所化人无決定相誰可問言汝幾時當成阿耨多羅三藐三菩提大迦
葉言善男子幻所化人離於自相无異无別无所志願汝亦如是耶若如是者汝云
何能利益无量眾生網明言阿耨多羅三藐三菩提即是一切眾生性一切眾生
性即是幻性幻性即是一切法性於是法中我不見有利不見无利大迦葉言善
男子汝今不令眾生住菩提耶網明言諸佛菩提有住相耶大迦葉言无也網明
言是故我不令眾生住於菩提亦不令住聲聞辟支佛道大迦葉言善男子汝
今欲趣何所網明言我所趣如如趣大迦葉言如无所趣亦无有轉網明言如如无趣无
轉一切法住如相故我无趣无轉大迦葉言若无趣无轉汝云何教化眾生網明言大
迦葉若人發願則是不能教化眾生若人於法有轉是亦不能教化眾生大迦葉
言善男子汝不轉眾生生死耶網明言我尚不得生死何況於生死中而轉
眾生大迦葉言汝不令眾生得涅槃耶網明言我尚不見涅槃何況教化眾
生令住涅槃大迦葉言善男子若汝不得生死不得涅槃何故令无量眾生行
於菩提此豈不為賊度眾生耶網明言若菩薩得生死分別涅槃因眾生行菩
提此則不應說為菩薩大迦葉言善男子汝今於何處行網明言我非生死中行
非涅槃中行亦不以眾生相行大迦葉如汝所問汝何處行者如佛所化人行處
吾於彼行大迦葉言佛所化人无有行處網明言當知一切眾生所行亦如是
相大迦葉言佛所化人无貪无恚无癡若一切眾生所行如是相者眾生貪恚癡
從何所起網明言我今問汝隨意答我大迦葉汝今寧有貪恚癡不答言无也
網明言是貪恚癡盡滅耶答言不也網明言若大迦葉今无貪恚癡亦不盡
滅者汝置貪恚癡於何所耶答言善男子凡夫人從顛倒起妄想分別生貪恚癡
耳於賢聖法中善知顛倒實性故无妄想分別是以无貪恚癡大迦葉於汝意
云何若法從顛倒起是法為實為虛妄耶答言是法虛妄非是實耶網明言
若法非實可令實耶答言不耶網明言若法非實仁者欲於是中得貪恚癡
耶答言不也網明言若然者何所是貪恚癡能惱眾生者答言善男子若今者
一切法從本已來離貪恚癡相網明言以是故我說一切法相如佛所化人說是法時
四万四千菩薩得柔順法忍尒時長老大迦葉白佛言世尊若網明菩薩所見眾
生不應復墮三惡道若聞網明所說法者魔不得便若為網明所教化者不
畏墮聲聞辟支佛道世尊願佛今者說網明功德莊嚴國土佛言迦葉是
網明菩薩在在國土遊行之處利益无量眾生迦葉汝見網明所放光明不

BD00078號2　思益梵天所問經卷二　（44–12）

生不復墮三惡道若聞網明所說法者魔不得便若爲網明所教化者不
畏墮聲聞辟支佛道世尊願佛今者說網明功德莊嚴國土佛言迦葉是
網明菩薩在在國土遊行之處利益无量衆生迦葉汝見網明所放光明不
荅言已見佛言若三千大千世界滿中芥子尚可算數今網明光明令諸衆生
住菩提者不可數也迦葉是網明菩薩所放光明饒益尚尒何況說法汝
今諦聽我當粗略說其功德迦葉是網明菩薩過七百六十万阿僧祇劫當
得作佛号普光自在王如來應正遍知世界名日集妙功德其佛趣菩提樹
時國中諸魔民悉皆正定於阿耨多羅三藐三菩提其佛國土以真璃
種寶爲地地平如掌柔濡細滑如迦陵伽衣處處皆以衆寶莊嚴无三惡
道亦无八難其國廣長皆以妙寶蓮華色香具好以爲校飾普光自在王如
來有无量菩薩僧善備无量法門得无量自在神通皆以光明莊嚴其身得
諸陁羅尼藏无閡辯才善能說法光明神力皆悉通達能破魔怨慚愧念
慧諸妙功德以備其心彼佛國土无有女人其諸菩薩皆於寶蓮華中結
跏趺坐自然化生以禪樂爲食諸所須物經行之處房舍林樹園林浴池應念
即至迦葉是普光自在王如來不以文字說法但放光明照諸菩薩光觸其
身即得无生法忍復照十方通達无导令諸衆生得離煩惱又其光明常出卅
二種清淨法音何等三十二所謂諸法空无諸見故諸法无相離分別故
諸法无作出三界故諸法離欲性寂滅故諸法離瞋无有礙故諸法離癡无
闇冥故諸法无所從來本无生故諸法无所去无所至故諸法不住无所依
故諸法過三世去來現在无所有故諸法无異其性一故諸法不生離於報故諸
法无業業報作者不可得故諸法不作无所起故諸法无起无爲性故諸法无
爲離生滅故諸法真不從和合生故諸法實一道門故諸法无衆生衆生不可
得故諸法无我第一義故諸法无所知故諸法捨離憎愛故諸法離煩惱
无有熱故諸法无姤性不汙故諸法一相離欲濟故諸法離相常定故諸法
住實際性不壞故諸法如相不分別故諸法入法性遍入故諸法无緣諸緣不
合故諸法是菩提如實見故諸法是涅槃无因緣故迦葉普光自在王如
來光明常出如是清淨法音亦能令諸菩薩施作佛事其佛國土无有
魔事佛壽无量阿僧祇劫大迦葉白佛言世尊若人欲得清淨佛土者應
取如網明菩薩所備一切功德具足清淨國土如是迦葉是網明菩薩於諸无量
阿僧祇佛所隨願備行功德具足故尒時思益梵天謂網明菩薩仁者已得
從佛受記乎網明言一切衆生皆從佛得受記梵天言於何事中而得受記

BD00078 號 2　思益梵天所問經卷二　（44–13）

阿僧祇佛所隨願備行功德具足故尒時思益梵天謂網明菩薩仁者已得
從佛受記乎網明言一切衆生皆從佛得受記梵天言於何事中而得受記
網明言隨業受報而得受記梵天言汝作何業而得受記網明言若業非身
作非口作非意作是業可得示不梵天言不可示也網明言菩提是起作相耶
梵天言不也何以故菩提是无爲非起作相網明言可以起作相得无爲菩提不梵
天言不也梵天是故當知若无業无業報无諸行无起諸行是名菩提如菩提性得
亦如是如得性受記亦如是不可以起作法而得受記梵天言善男子汝不行
六波羅蜜然後得受記耶網明言如汝所說菩薩行六波羅蜜而得受記耶
網明言如汝所說菩薩行六波羅蜜而得受記梵天若菩薩捨一切煩惱爲
名檀波羅蜜於諸法无所起名爲尸波羅蜜於諸法无所傷名爲羼提波
羅蜜於諸法離相名爲毗梨耶波羅蜜於諸法无所住名爲禪波羅
蜜於諸法无戲論名爲般若波羅蜜梵天若菩薩如是行六波羅蜜
於何處行梵天言无處行也所以者何凡有所行皆是不行若行耶是
不行若不行即是行梵天以是故當知一无所行即是菩提如汝所問汝得受
菩提記者如如法性得受記我所受記亦如是梵天言善男子如如法性无
受記網明言諸菩薩受記相皆亦如是如如如法性　尒時思益梵天白佛言
世尊菩薩以何行諸佛授阿耨多羅三藐三菩提記佛言若菩薩不行生
法不行滅法不行善不行不善不行世間不行出世間不行有罪法不行无罪
法不行有漏法不行无漏法不行有爲法不行无爲法不行脩道不行除斷不行
生死不行涅槃不行見法不行聞法不行覺法不行知法不行施不行捨不行
戒不行覆不行忍不行善不行發不行精進不行禪定不行三昧不行慧不行行
不行智不行得梵天若菩薩如是行者諸佛則授阿耨多羅三藐三菩提
記所以者何諸所有行皆有所是无所是是菩提諸所有行皆是分別无所分
別是菩提諸所有行皆是起作无起作是菩提諸所有行皆是戲論无戲
論是菩提是故當知若菩薩過諸所行則得受記唯然世尊受記者有何義
佛言離諸法二相是受記義不分別生滅是受記義離身口意業相是受
記義梵天我念過去有劫劫名善見我於此劫供養七十二那由他佛是諸如
來不見受記又過是劫劫名善化我於此劫供養二十二億佛是諸如來亦
不見授記又過是劫劫名梵嘆我於此劫供養万八千佛是諸如來亦不見授
記又過是劫劫名无答我於此劫供養三万二千佛是諸如來亦不見授記

BD00078 號 2　思益梵天所問經卷二　（44–14）

不見授記又過是劫劫名梵嘆我於此劫供養万八千佛是諸如來亦不見授
記又過是劫劫名无咎我於此劫供養三万二千佛是諸如來亦不見授記
又過是劫劫名莊嚴我於此劫供養四百四十万佛我皆以一切供養之具而供
養之是諸如來亦不見授記梵天我於往昔供養諸佛恭敬尊重讚嘆
淨脩梵行一切布施一切持戒及行頭陁離於瞋恚忍辱慈心如所說行懃脩精
進一切所聞皆能受持獨處遠離入諸禪定隨所聞慧讀誦思惟是諸如來
亦不見授記何以故我依止所行故以是當知若諸菩薩出過一切諸行則得
受記我若以一劫若減一劫說是諸佛名号不可得盡梵天我於是後見燃燈
佛即得无生法忍佛時授記我言汝於來世當得作佛号釋迦牟尼如來
應供正遍知我於尒時出過一切諸行具足六波羅蜜所以者何若菩薩能捨
諸相名為檀波羅蜜能滅諸所受持名為尸羅波羅蜜不為六塵所傷名為
羼提波羅蜜離諸所行名為毗梨耶波羅蜜不憶念一切法名為禪波羅蜜能
忍諸法无生性名為般若波羅蜜我於然燈佛所具足如是六波羅蜜梵天
我從初發菩提心已來所作布施於此五華布施百分不及一百千分百千万
億分乃至筭數譬喻所不能及我從初發心已來受持戒及行頭陁於此
常滅戒百分不及一乃至筭數譬喻所不能及我從初發心已來柔和忍辱
於畢竟忍法百分不及一乃至筭數譬喻所不能及我從初發心已來發勤
精進於此不取不捨精進百分不及一乃至筭數譬喻所不能及我從初發心已
來禪定獨處於此无住禪定百分不及一乃至筭數譬喻所不能及我從初發
心已來思惟籌量智慧於此无戲論智慧百分不及一百千分百千万億分乃
至筭數譬喻所不能及梵天是故當知我尒時得具足六波羅蜜世尊今云
何名為具足六波羅蜜世尊今云何名梵天若不念施不依止戒不分別忍
不取精進不住禪定不二於慧是名具足六波羅蜜又問具足六波羅蜜已能滿
是何法佛言具足六波羅蜜已能滿足薩婆若世尊云何具足六波羅蜜已能
滿足薩婆若梵天布施平等即是薩婆若平等持戒平等即是薩婆若
平等忍辱平等即是薩婆若平等精進平等即是薩婆若平等禪定平
等即是薩婆若平等智慧平等即是薩婆若平等以是平等善一切法
名為薩婆若又具足布施相持戒相忍辱相精進相禪定相智慧相
是薩婆若梵天如是具足六波羅蜜能滿足薩婆若世尊云何當知滿足
薩婆若梵天若不受眼不受色不受耳不受聲不受鼻不受香不受舌不
受味不受身不受觸不受意不受法若不受是內外十二入名為滿足薩婆若我

BD00078號2　思益梵天所問經卷二　（44–15）

是薩婆若梵天如是具足六波羅蜜能滿足薩婆若世尊云何當知滿足
薩婆若梵天若不受眼不受色不受耳不受聲不受鼻不受香不受舌不
受味不受身不受觸不受意不受法若不受是內外十二入名為滿足薩婆若我
得如是滿足薩婆若於眼无所著於色耳聲鼻香舌味身觸意法无所著
是故如來名為无㝵知見薩婆若梵天薩婆若於法无所受何以故以无用故
无用即是无所有義无所有義即是空如虛空義同虛空相即是薩婆若
是故於法无所受梵天譬如一切所作皆因虛空而虛空无所依如是諸智
慧皆從薩婆若出而薩婆若无所依梵天白佛言世尊所說薩婆若薩婆
若者為何謂也梵天一切所行是智為真智非諸聲聞辟支佛所及故名薩婆
若諸有所行皆能成就故名薩婆若能破一切邪念戲論故名薩婆若諸所教
勅諸所防制如此眾生所得之法皆從中出故名薩婆若得諸聖智若學
智若无學智若辟支佛智皆從中出故名薩婆若正行故名薩婆若能分
別一切藥故名薩婆若能滅一切眾生病故名薩婆若能除一切煩惱習氣故名
薩婆若常在定故名薩婆若一切法中无疑故名薩婆若一切世間出世間智慧
皆從中出故名薩婆若善知一切智慧方便相故名薩婆若尒時思益梵天白
佛言世尊未曾有也世尊諸佛如來智慧甚深心无所緣而知一切眾生心心
所行世尊薩婆若得如是无量功德其誰善男子善女人不發阿耨多羅三
藐三菩提心於是網明菩薩白佛言世尊若有菩薩悕望功德利而發菩
提心者不名為發大乘也所以者何一切法无功德利以无對處故世尊菩薩
摩訶薩不應為功德利故發菩提心但為大悲心故滅眾生諸苦惱故
不自憂苦故生諸善法故解脫諸邪見故滅除諸病故捨我所貪著故不
觀滑愛故不沒世法故厭患有為故安住涅槃故發菩提心世尊菩薩不
應於眾生求其恩報亦不應觀作與不作又於苦樂心不傾動世尊何謂
菩薩家清淨佛言善男子菩薩若生轉輪聖王家不名家清淨若生
帝釋中若生梵王中亦不名家清淨在所生處乃至畜生自不失善根亦
令眾生生諸根是名菩薩家清淨又網明慈是菩薩家心平等故悲是
菩薩家深心念故喜是菩薩家生法喜故捨是菩薩家離貪著故不
捨菩提是菩薩家不貪聲聞辟支佛地故

思益梵天所問經卷第二

思益梵天所問經卷第三

BD00078號2　思益梵天所問經卷二　（44–16）

思益梵天所問經卷第三

思益梵天所問經卷第三
尒時思益梵天白佛言世尊是文殊師利法王子在此大會
而无所說佛即告文殊師利汝於此所說法中可少說之文
殊師利白佛言世尊佛所得法寧可識不佛言不可識也世
尊是法可說可演可論不佛言是法不可說不可演不可論也
世尊若是法不可說不可演不可論者是法云何可示
尒時思益梵天謂文殊師利汝不為衆生演說法乎文殊師利
言梵天是法性中有二相耶梵天言无也文殊師利言一切法
不入法性耶梵天言然文殊師利言若法性是不二相一切法入
法性中云何當為衆生說法梵天言文殊師利頗有說法亦无尒
耶文殊師利言若决定得說者聽者可有說法亦无有二文殊
師利如來不說法耶文殊師利言佛雖說法不以二相何以故如
來性无二故雖有所說而无二也梵天言若一切法无二其誰為二
文殊師利言凡夫貪著我故分別二耳不二法者著終不為二
雖種種分別為二然其實際无有二相梵天言云何識无二法
文殊師利言若无二可識則非无二所以者何无二相者不可識
也梵天二即是識業不可識法佛所說也是法不尒如所說何以
故是法无名字故文殊師利佛所說法終何所至文殊師利言如
來說法至无所至梵天言佛所說法不至涅槃耶文殊師利言
涅槃可得至耶梵天言涅槃无來處无至處文殊師利言如
是佛所說法至无所至梵天言是法誰聽答言如所說法梵天
言云何如所說答言如不識不聞梵天言誰能聽如來如是法
答言不漏六癈者梵天言誰能知是法答言无識无分別无
諍訟者梵天言云何比丘名諍訟答言是好是惡此名諍訟
是理是非理此名諍訟是垢是淨此名諍訟是善是不善此
名諍訟是戒是毀戒此名諍訟是應作是不應作此名諍訟以
是法得道以是法得果此名諍訟梵天若於法中有高下心貪
著取受皆是諍訟佛所說法无有諍訟梵天樂戲論者无不諍

是法得道以是法得果此名諍訟梵天若於法中有高下心貪
著取受皆是諍訟佛所說法无有諍訟梵天樂戲論者无不諍
訟衆諍訟者无沙門法樂沙門法者无有妄想貪著梵天言
云何比丘隨佛語隨佛教答言若比丘稱讚毀辱其心不動是名
隨佛教若比丘不隨文字語言是名隨佛語又比丘滅一切諸相
是名隨佛教不違於義是名隨佛語若比丘守護於法是名
隨佛教不違佛語是名隨佛語梵天言云何比丘能守護法答
言若比丘不違平等不壞法性是名守能護法梵天言云何比丘
親近於佛答言若比丘於諸法中不見有法若近若遠是名
親近於佛梵天言云何比丘給侍於佛答言若比丘身口意
无所作是名給侍於佛梵天言誰能供養佛答言不起福業
不起无動業者梵天言誰能見佛答言若不著肉眼不著天
眼不著慧眼是能見佛梵天言誰能見法答言不違諸因緣
法者梵天言誰能順見諸因緣法答言不起平等不見平等
所生相者梵天言誰得真智答言不生不滅諸漏者梵天言
誰能隨學如來答言不起不受不取不捨諸法者梵天言誰名
正行答言不隨三界者梵天言誰為善人答言不受後身者梵
天言誰為樂人答言无我无我所者梵天言誰為得脫答言不壞
縛者梵天言誰為得度答言不住生死不住涅槃者梵天言漏
盡比丘盡何事耶答言若有所盡不名漏盡知諸漏空相隨如是
知名為漏盡梵天言誰為實語答言離諸言論道者梵天言
誰為入道答言凡夫人有入道聖行者知一切有為法无所從来
无所從去則无道梵天言誰能見聖諦答言无有見聖諦者
所以者何隨所有見皆為虛妄无所見者乃名見諦梵天言不見
何法名為見諦答言不見一切諸見名為見諦梵天言是諦當於
何求答言當於四顛倒中求梵天言何故作如是說答言求四顛倒
不得淨不得常不得樂不得我若不得淨是即不淨若不得常是
即无常若不得樂是即為苦若不得我是即无我梵天言一切法空无
我是為聖諦若能如是求諦是人不見苦不斷集不證滅不脩道
梵天言云何名脩道答言若不分別是法是非法離於二相名為

我是為聖諦若能如是求諦是人不見苦不斷集不證滅不脩道
梵天言云何名脩道荅言若不分别是法是非法離於二相名為
脩道以是道求一切法不得是名為道是道不令人離生死至涅槃
所以者何不離不至乃名聖道　尒時有摩訶羅梵天子名曰
等行問文殊師利何謂優婆塞歸依佛歸依法歸依僧荅言優婆
塞不起二見不起我見不起彼見不起我見不起佛見不起我
見不起法見不起我見不起僧見是名歸依佛歸依法歸依僧又
優婆塞不以色見佛不以受想行識見佛是名歸依佛優婆塞
於法无所分别亦不行非法是名歸依法若優婆塞不離有為法
見无為法不離无為法見有為法是名歸依僧又優婆塞不得
得佛不得法不得僧是名歸依佛歸依法歸依僧尒時等行菩薩
問文殊師利言是諸菩薩發菩提心者為趣何所荅言趣於虛
空所以者何阿耨多羅三藐三菩提同虛空故等行言云何菩
薩名發阿耨多羅三藐三菩提心荅言若菩薩知一切發非發
一切法非法一切衆生非衆生是名菩薩發阿耨多羅三藐三菩
提心尒時等行菩薩白佛言世尊所言菩薩菩薩者為何謂耶
佛言善男子若菩薩於耶定衆生發大悲心於正定衆生不見
殊異故言菩薩所以者何菩薩不為正定衆生不為不定衆
生故發心但為度耶定衆生故而起大悲發阿耨多羅三藐三
菩提心故言菩薩　尒時菩提菩薩白佛言世尊我亦樂說
所以為菩薩者佛言便說菩提菩薩言譬如男子女人受一日
戒无毁无缺若菩薩如是從初發心乃至成佛於其中間常脩
梵行是名菩薩堅意菩薩言若菩薩成就深固慈心是名菩
薩度衆生菩薩言譬如橋船度人不惓无有分别若心如是
是名菩薩斷惡道菩薩言若菩薩於諸佛國投足之處即時
一切惡道皆滅是名菩薩觀世音菩薩言若菩薩衆生見者
即時畢定於阿耨多羅三藐三菩提又稱其名者得免衆苦是
名菩薩得大勢菩薩言若菩薩所投足處震動三千大千世界
及魔宮殿是名菩薩无疲惓菩薩言若恒河沙等劫為一日一
夜以是三十日為一月十二月為歲以是歲數若過百千万億劫得
值一佛如是於恒河等佛所行諸梵行脩集功德然後得授阿

BD00078 號 3　思益梵天所問經卷三　（44–19）

及魔宮殿是名菩薩无疲惓菩薩言若恒河沙等劫為一日一
夜以是三十日為一月十二月為歲以是歲數若過百千万億劫得
值一佛如是於恒河等佛所行諸梵行脩集功德然後得授阿
耨多羅三藐三菩提記心不休息无有疲惓是名菩薩道
師菩薩言若菩薩於墮耶道衆生生大悲心令入正道不求恩報
是名菩薩須弥山菩薩言若菩薩於一切法无所分别如須弥
山一於衆色是名菩薩那羅延菩薩言若菩薩不為一切煩惱
所壞是名菩薩心力菩薩言若菩薩以心思惟一切諸法无有錯
謬是名菩薩師子遊步自在王菩薩言若菩薩於諸論中不怖
不畏得深法忍能使一切外道怖畏是名菩薩不可思議菩薩
言若菩薩知心相不可思議无所思惟分别是名菩薩善守天
子言若菩薩能於一切天宮中生而无所染亦不得是无染之法
是名菩薩寶語菩薩言若菩薩有所發言常以真實乃至夢
中亦无妄語是名菩薩喜見菩薩言若菩薩能見一切色皆
是佛色是名菩薩常慘菩薩言若菩薩見墮生死衆生其心不
樂世間諸樂自度己身亦度衆生是名菩薩心无㝵菩薩言若
若菩薩於一切煩惱衆魔而不瞋㝵是名菩薩常喜根菩薩言
若菩薩常以喜根自滿其願亦滿他願所作皆辦是名菩薩歡
疑女菩薩言若菩薩於一切法中不生疑悔是名菩薩師子童女
菩薩言若菩薩无男法无女法而現種種色身為成就衆生故
是名菩薩寶女菩薩言若菩薩於諸寶中不生愛樂唯樂三寶
是名菩薩毗舍佉達多優婆夷言若菩薩有所得者則无菩提
若不得一切法不生一切法不滅一切法是名菩薩颰陁婆羅賢士
言若菩薩衆生聞其名者畢定於阿耨多羅三藐三菩提是
名菩薩寶月童子言若菩薩常脩童子梵行乃至不以心念
五欲何況身受是名菩薩忉利天子曇陁羅華香菩薩言若菩
薩持戒熏心常流諸善法香不流餘香是名菩薩作喜菩薩
言若菩薩喜樂三法謂供養佛演說於法教化衆生是名菩薩
思益梵天言若菩薩所見之法皆是佛法是名菩薩弥勒菩薩
言若菩薩衆生見者即得慈心三昧是名菩薩文殊師利法王
子言若菩薩雖說諸法而不起法相不起非法相是名菩薩細

BD00078 號 3　思益梵天所問經卷三　（44–20）

思益梵天言若菩薩所見之法皆是佛法是名菩薩…
言若菩薩衆生見者即得慈心三昧是名菩薩文殊師利法王
子言若菩薩雖說諸法而不起法相不起非法相是名菩薩網
明菩薩言若菩薩光明能滅一切衆生煩惱是名菩薩普華菩
薩言若菩薩見諸如來滿十方世界如林華敷是名菩薩如是
諸菩薩各各隨所樂說已尒時佛告等行菩薩若菩薩能代一
切衆生受諸苦惱亦復能捨一切福事與諸衆生是名菩薩
尒時思益梵天問等行菩薩言善男子汝今以何爲行答言我
以隨一切有爲法衆生行爲行又問隨一切有爲法衆生以何爲
行答言諸佛所行是隨一切有爲法衆生行也又問諸佛以何爲
行答言諸佛以第一義空爲行又問凡夫所行諸佛亦以是行凡
聖有何差別等行言汝欲令空中有差別耶答言不也等行言
如來不說一切法空耶答言然是故梵天一切法无有差別是諸行
相亦復如是所以者何如來不說諸法有差別也　尒時思益梵天
問文殊師利言所言行者爲何謂耶答言於諸行中有四梵行是
名行處若人離四梵行不名行處行能行四梵行是名行處
行梵天若人成就四梵行雖於空閑曠野中行是名行處行若
不成就四梵行雖於樓殿堂閣金銀牀榻妙好被褥於此中行不名
行處行亦復不能善知行相又問菩薩以何行知見清淨答言於
諸行中能淨我見又問若得我實性即得實知見耶答言然若
見我實性即是實知見譬如國王典金藏人自已出用知餘在者如
是自知我實性故得實知見又問云何得我實性答言若得无
我法所以者何我畢竟无根本无決定故若能如是知者是名
得我實性又問如我解文殊師利所說義以見我故即是見佛
所以者何我性即是佛性文殊師利誰能見佛答言不壞我見者
所以者何我見即是法見以法見能見佛又問頗有无所行名爲
正行答言有若不行一切有爲法是名正行又問云何行名爲正行
答言若不爲見故行不爲斷不爲證不爲脩故行是名正行又問
慧眼爲見何法答言若有所見不名慧眼慧眼不見有爲法不見
无爲法所以者何有爲法皆虛妄分別无虛妄分別是名慧眼无爲
法空无所有過諸眼道是故慧眼亦不見无爲法又問頗有因緣正

BD00078號3　思益梵天所問經卷三　　（44–21）

无爲法所以者何有爲法皆虛妄分別无虛妄分別是名慧眼无爲
法空无所有過諸眼道是故慧眼亦不見无爲法又問頗有因緣正
行比丘不得道果答言有正行中无道无果无行无得无有得果
差別梵天无所得故乃名爲得若有所得當知是爲增上慢人正
行者无增上慢增上慢則无行无得又問文殊師利得何法故
名爲得道答言若法不自生不彼生亦不衆緣生從本以來常
无有生得是法故說名得道又問若法不生爲何所得答言
若知法不生即名爲得是故佛說若見諸有爲法不生相即入正
位又問云何名正位答言我及涅槃等不起二是名正位又行平等
故名正位以平等出諸苦惱故名正位入了義中故名正位除一切
憶念故名正位尒時世尊讚文殊師利言善哉善哉快說此言
誠如所說說是法時七千比丘不受諸法漏盡心得解脫三万二
千諸天遠塵離垢得法眼淨十千人離欲得定二百人發阿耨多
羅三藐三菩提心五百菩薩得无生法忍尒時思益梵天白佛
言世尊是文殊師利法王子能作佛事大饒益衆生文殊師利
言佛出於世不爲益法故出不爲損法故出梵天言佛豈不滅度
无量衆生仁者亦不利益无量衆生耶文殊師利言汝欲於无衆
生中得衆生耶答言不也梵天汝欲得衆生決定相耶答言不也
梵天汝欲得諸佛有出生相生於世間耶答言不也梵天何等
是衆生爲佛所滅度者梵天言如仁所說義无生死无涅槃文殊
師利言如是諸佛世尊不得生死不得涅槃佛諸弟子得解脫
者亦不得生死不得涅槃所以者何是涅槃是生死但假名字有
言說耳實无生死往來滅盡涅槃又問誰能信是法耶答言
於諸法中无貪著者又問若貪著者於何貪著答言貪著虛妄
梵天若貪著是實者終无增上慢以貪著虛妄故行者知之而
不貪著若不貪著則无有流若无有流則无往來死若无往
往來生死是則滅度又問何故說言滅度答言滅度者名爲衆
緣不和合若无明不和合諸行因緣則不起諸行若不起諸行是
名爲滅不起相是畢竟滅得是道故則无生處如是名爲四聖諦
尒時等行菩薩謂文殊師利如汝所說皆爲真實答言一切言
[illegible]

BD00078號3　思益梵天所問經卷三　　（44–22）

名為滅不起相是畢竟滅得是道故則无生處如是名為四聖諦
尒時等行菩薩謂文殊師利如汝所說皆為真實答言一切言
說皆為真實又問虛妄言說亦真實耶答言如是所以者何是
諸言說皆為虛妄无處无方若法虛妄无處无方是故一切言
說皆是真實善男子提婆達多語如來語无異无別所以者何
一切言說皆是如來言說不出如故一切言說有所說事皆以无
所說故得有所說是以一切言說皆等文字同故文字无念故文
字空故等行言如來不說凡夫語言賢聖語言耶文殊師利
言然以文字說凡夫語言亦以文字說賢聖語言如是善男子諸
文字有分別是凡夫語言是賢聖語言耶等行言不也文殊師
利言如諸文字无分別一切賢聖亦无分別是故賢聖无有言說
所以者何賢聖不以文字相不以衆生相不以法相有所說也譬如鍾
鼓衆緣和合而有音聲是諸鍾鼓亦无分別如是諸賢聖善知衆
因緣故於諸言說无貪无㝵等行言如佛所說汝等集會當行二
事若說法若聖嘿然何謂說法何謂聖嘿然答言若說法不違佛
不違法不違僧是名說法若知法即是佛離相即是法无為即是
僧是名聖嘿然又善男子因四念處有所說名為說法於一切法无
所憶念名聖嘿然因四正懃有所說名為說法以諸法等不作等
不作不等名聖嘿然因四如意足有所說名為說法若不起身心名
聖嘿然因五根五力有所說名為說法若不隨他語有所信為不取
不捨故分別諸法一心安住无念念中離一切法常定性斷一切戲論意
名聖嘿然因七菩提分有所說名為說法若常行捨心无所分別无
增无減名聖嘿然因八聖道分有所說名為說法若知諸法相如栰喻
不依法不依非法名聖嘿然善男子於是三十七助道法若能開解演
說名為說法若身證是法亦不離身見法亦不離法見身於是觀
中不見二相不見不二相如是現前知見而亦不見名聖嘿然又善
男子若不妄想著我不妄相著彼不妄相著法有所說名為說法
若至不可說想能離一切言說音聲得不動處入離相心名聖嘿
然又善男子若知一切衆生諸根利鈍而教誨之名為說法常入
於定心不散亂名聖嘿然等行言如我解文殊師利所說義一切聲聞
辟支佛无有說法亦无聖嘿然所以者何不能了知一切衆生諸根

於定心不散亂名聖嘿然等行言如我解文殊師利所說義一切聲聞
辟支佛无有說法亦无聖嘿然所以者何不能了知一切衆生諸根
利鈍亦復不能常在於定文殊師利若有真實問言何等是世間
說法者何等是世間聖嘿然者則當為說諸佛是也所以者何
諸佛善能分別一切衆生諸根利鈍亦常在定佛告文殊師利
如是如是如等行所說唯諸佛如來有此二法尒時須菩提白佛言
世尊我親從佛聞汝等集會當行二事若說法若聖嘿然世尊
若聲聞不能行者云何如來勑諸比丘行此二事佛告須菩提於
汝意云何若聲聞不從他聞能說法能聖嘿然不須菩提言不
也世尊須菩提是故當知一切聲聞辟支佛无有說法无聖嘿然
尒時文殊師利謂須菩提長老須菩提如來了知衆生八万四千行
汝於此中有智慧能隨其所應為說法不答言不也尒須菩提
能入觀一切衆生心三昧住是三昧通達一切衆生心心所行自心他心
无所㝵不答言不也文殊師利言須菩提如來於衆生八万四千
行隨其所應為說法藥又常住定平等相中心不動搖而通達
一切衆生心心所行須菩提是故當知一切聲聞辟支佛不能及此
事須菩提或有衆生多婬欲者以觀淨得解脫不以不淨唯佛
能知或有衆生多瞋恚者以觀過得解脫不以慈心唯佛能知
或有衆生多愚癡者以不共語得解脫不以說法唯佛能知或有
衆生等分行者不以觀淨不以不淨不以觀過不以慈心不以
不共語不以說法得解脫者隨其根性以諸法平等而為說法
使得解脫唯佛能知是故如來於諸說法人中為最第一禪定人
中亦最第一尒時須菩提問文殊利若聲聞辟支佛不能如是
說法不能如是聖嘿然者諸菩薩有成就如是功德能說法能
聖嘿然不答言唯佛當知於是佛告須菩提有三昧名入一切語
言心不散亂若菩薩成就此三昧皆得如是功德尒時文殊師利
謂等行菩薩善男子為衆生八万四千行故說八万四千法藏名
為法說法常在一切滅受想行定中名聖嘿然善男子我若一劫若
減一劫能說是義是謂說法相是聖嘿然相猶不能盡於是
佛告等行菩薩善男子乃往過去无量无邊不可思議阿
僧祇劫時世有佛号日普光劫日名聞國名喜見彼國嚴飾豐樂

為法説法常名一切諸受想行空中名聖嘿然善男子我若一劫若
減一劫能説是義是謂説法相是聖嘿然相猶不能盡於是
佛告普行菩薩善男子乃往過去无量无邊不可思議阿
僧祇劫時世有佛号日普光劫日名聞國名喜見彼國嚴淨豐樂
安隱天人熾盛其地皆以衆寶莊嚴柔軟細滑生寶蓮華一切香
樹充滿其中常出妙香善男子喜見國土有四百億四天下 一一天
下縱廣八万四千由旬其中諸城縱廣一由旬皆以衆寶校飾一
一城者有二万五千聚落村邑而圍繞之一一聚落村邑无量
百千人衆充滿其中所見色像心皆喜悦无可憎惡亦皆慈
得念佛三昧是以國土名曰喜見若他方世界諸來菩薩皆得
快樂餘國不尒善男子其普光佛以三乘法爲弟子説亦多
樂説如是法言汝等比丘當行二事若説法若聖嘿然善男子
尒時上方醫王佛土有二菩薩一名无盡意二名益意來詣
普光佛所頭面礼佛足右繞三匝恭敬合掌劫住一面時 普
光佛爲二菩薩廣説淨明三昧所以名曰淨明三昧者若菩薩入
是三昧即得解脱一切諸相及煩惱著亦於一切佛法得淨光明
是故名爲淨明三昧又前際一切法淨後際一切法淨現在一切法
淨是三世畢竟淨无能令不淨性常淨故是以説一切諸法性常清
淨何謂諸法性淨謂一切法性空相離有所得故一切法无相相
離憶想分別故一切法无作相不取不捨无求无願畢竟離自
性故是名性常清淨以是常清淨相知生死性即是涅槃性涅槃性
即是一切法性是故心性常明淨善男子譬如虚空若受垢汙无
有是處心性亦如是若有垢汙无有是處又如虚空雖爲烟塵
雲霧覆翳不明不淨而實不能染汙虚空之性設染汙者不
可復淨以虚空實不染汙故還見淨清凡夫心性亦如是雖邪
憶念起諸煩惱其心性不可垢汙設垢汙者不可復淨以心性
實不垢汙性常明淨是故心得解脱善男子是名入淨明三昧
門彼二菩薩聞是三昧於諸法中得不可思議法光明尒時无盡
意菩薩白普光如來言世尊我等已聞入淨明三昧門當以何
行行此法門佛告无盡意善男子汝等當行二行若説法若聖
嘿然時二菩薩從佛受教頭面礼佛足右繞三匝而出越一國林

BD00078 號 3　思益梵天所問經卷三　（44–25）

意菩薩白普光如來言世尊我等已聞入淨明三昧門當以何
行行此法門佛告无盡意善男子汝等當行二行若説法若聖
嘿然時二菩薩從佛受教頭面礼佛足右繞三匝而出越一國林
自以神力化作寶樓於中備行時有梵天名曰妙光與七万二千梵
俱来至其所頭面礼足問二菩薩善男子普光如來説言汝等
比丘集會當行二事若説法若聖嘿然善男子何謂説法何謂
聖嘿然二菩薩言汝今善聽我當少説唯有如來乃通達耳於
是二菩薩以二句義爲諸梵衆廣分別説時七万二千梵皆得
无生法忍妙光梵天得普明三昧是二菩薩於七万六千歲以无
㝵辯才荅其所問不懈不息分別二句不相問荅而不窮盡於是
普光如來在虚空中作如是言善男子勿於文字言説而起諍訟
凡諸言説皆如響如所問荅亦如是汝等二人皆得无㝵辯才及
无盡陁羅尼若於一劫若百劫説此二句辯不可盡善男子佛
法是寂滅相第一之義此中无有文字不可得説諸所言説皆
无義利是故汝等當隨此義勿隨文字是二菩薩聞佛教已嘿然
而止佛告普行以是當知菩薩若以辯才説法於百千万劫若過
百千万劫不可窮盡又告普行於汝意云何彼二菩薩豈異人乎
勿造斯觀无盡意者今文殊師利是益意菩薩者今汝身是妙
光梵天者今思益梵天是尒時普行菩薩白佛言未曾有也世
尊諸佛菩提爲大饒益如所説行精進衆生世尊其懈怠不能
如説行者雖値百千万佛无能爲也當知從懃精進得出菩提
尒時文殊師利謂普行菩薩善男子汝知菩薩云何行名懃精進
荅言若菩薩能得聖道名懃精進又問云何行能得聖道荅言
義於諸法无所分別如是行者能得聖道又問云何名得聖道已荅言
若行者於平等中見諸法等是名得道已又問平等可得見耶荅
言不也所以者何若平等可見則非平等思益梵天謂文殊師利若
行者於平等中不見諸法是名得聖道已文殊師利言何故不見思
益言離二相故不見即是正見又問誰能正見世間荅言不壞世
間相者又問云何爲不壞世間相荅言色如无別无異受想行識
如无別无異若行者見五陰平等如相是名正見世間又問何等是
是世間相荅言滅盡是世間相又問滅盡相可復盡耶荅言

BD00078 號 3　思益梵天所問經卷三　（44–26）

問相者又問云何爲不壞世間相答言色如无别无異受相行識
如无别无異若行者見五陰平等如相是名正見世間又問何等是
是世間相答言滅盡是世間相又問滅盡相可復盡耶答言
滅盡相者不可盡也又問何故說言世間是盡相答言世間畢竟
盡相是相不可盡所以者何已盡者不可復盡也又問佛不說一切
有爲法是盡相耶答言世間是盡相終不可盡是故佛說一切
有爲法是盡相又問何故數名有爲法答言以盡相故名有爲
法又問有爲法者爲住何所答言无爲性中住又問有爲法无
爲法有何差别答言有爲法无爲法文字言說有差别耳所以者
何以文字言說是有爲言是无爲若求有爲无爲實相則无
差别以實相无差别故又問何等是諸法實相義答言一切法平
等无有差别是諸法實相義又問何等爲義答言以文字說令人
得解故名爲義所以者何實相義者不如文字所說諸佛雖以文
字有所言說而於實法无所增減文殊師利一切言說皆非言說
是故佛說名不可說諸佛不可以言相說故又問云何得說佛相答
言諸佛如來不可以色身說相不可以三十二相說相不可以諸切
德法說相又問諸佛可離色身三十二相諸切德法而說相耶答言
不也所以者何色身如三十二相如諸切德法如諸佛不即是如亦不
離是如如是可說佛相不失如故又問諸佛世尊得何等故号名爲
佛答言諸佛世尊通達諸法性相如故說名爲佛已遍知者於是
等行菩薩白佛言世尊何謂菩薩行於大乘尒時世尊以偈答曰
菩薩不壞色　發行菩提心　知色即菩提　是名行菩提　如色菩提然
等入於如相　不壞諸法性　是名行菩提　不壞諸法性　則爲菩提義
是菩提義中　亦无有菩提　正行第一義　是名行菩提　愚於陰界入
而欲求菩提　陰界入即是　離是无菩提　若有諸菩薩　於上中下法
不取亦不捨　是名行菩提　若法及非法　不分别爲二　亦不得不二
是名行菩提　若二則有爲　非二則无爲　離是二邊者　是名行菩提
是人過凡夫　亦不入法位　未得果而聖　是世間福田　行於世間法
處中若蓮華　遵脩最上道　是名行菩提　世間所行處　悉於是中行
世間所貪著　於中得解脫　菩薩无所畏　不没生死渊　无憂无疲惓
而行菩提道　斯人能善知　法性真實相　是故不分别　是法是非法

處中若蓮華　遵脩最上道　是名行菩提　世間所行處　悉於是中行
世間所貪著　於中得解脫　菩薩无所畏　不没生死渊　无憂无疲惓
而行菩提道　斯人能善知　法性真實相　是故不分别　是法是非法
行於佛道時　无法可捨離　亦无法可受　是名行菩提　一切法无相
猶若如虚空　終不作是念　是相是何相　善知世所行　遍知方便力
能充滿一切　衆生之所願　常住於平等　讃持佛正法　一切无所念
是則如來法　若有佛无佛　是法常住世　能通達此相　是名讃持法
諸法之實相　了達知其義　安住於此中　而爲人演說　行於甚深法
魔所不能測　是於人諸法　无所貪著故　願求諸佛慧　亦不著願求
是慧於十方　求之不可得　諸佛慧无等　不著法非法　若能不著此
究竟得佛道　其諸樂善人　布施轉高尊　捨一切所有　而心不傾動
諸法不可捨　亦復不可取　一切世間法　根本不可得　能知一切法
非施非捨相　是名大施主　於法无所見　是等諸菩薩　不計我我所
是故行施時　不生貪惜心　諸所有布施　皆迴向佛道　布施及菩提
不住是二相　无作无起滅　常住於此中　亦不作念言　我住是持戒
智者觀戒相　不生亦不住　是故戒清淨　猶若如虚空　觀身如鏡像
言說如響聲　心則如幻化　不以戒自高　其心常柔軟　安住寂滅性
悉滅一切惡　通達於善法　持戒及毁戒　不得此二相　如是見法性
則持无漏戒　已度忍辱岸　能忍一切惡　於諸衆生類　其心常平等
諸法念念滅　其性常不住　於中无罵辱　亦无有恭敬　若節節解身
其心終不動　知心不在内　亦復不在外　身忍及刀杖　皆從四大起
於他水火風　未曾有傷損　通達於此事　常行忍辱法　菩薩行如是
衆生不能動　勇猛勤精進　堅住於大乘　是人於身心　而无所依止
雖知生死本　其際不可得　爲諸衆生故　莊嚴大誓願　法无决定生
何許有滅相　本際不可得　爲顛倒故說　法性不可說　常住於世間
若能知如是　不生亦不滅　菩薩念衆生　不解是法相　爲之勤精進
令得離顛倒　諸佛常不得　衆生决定相　而發弘大願　常觀精進力
思惟一切法　知皆如幻化　不得堅牢相　觀之如虚空　從虚妄分别
貪著生苦惱　爲斷諸法罔　令得入涅槃　爲彼行精進　而不壞於法
離法非法故　常行真精進　是等行菩提　了達无諍定　獨處无憒閙
常樂於生死　樂住於閑谷　猶如犀一角　遊戲衆禪定　明達諸神通

思惟一切法 悉皆如幻化 不得眾生相 猶之如虛空 從虛妄分別
貪著生苦惱 為斯開法門 令得入涅槃 為彼行精進 而不壞於法
離法非法故 常行真精進 是等行遠離 了達無諍定 獨處無憒鬧
常樂於生死 樂住於閑居 猶如犀一角 遊戲於禪定 明達諸神通
心常住平等 普空開眾路 威儀無變異 恒樂於禪定 信解常定法
及寂滅無漏 其心得解脫 故說常定者 自住平等法 以此道眾生
不違平等行 故說常定者 志念常堅固 不妄菩提心 亦能化眾生
故說常定者 常念於諸佛 真實法僧身 遠離色身相 故說常定者
常備念於法 知諸法實相 亦無有憶念 故說常定者 常備念於僧
僧即是無為 離數及非數 常人知是法 悲見十方國 一切群生類
而於眼色中 終不生二相 諸佛所說法 一切能聽受 而於耳聲中
亦不生二相 能於一心中 知諸眾生心 自心及彼心 此二不分別
憶念過去世 如恒河沙劫 是先及是後 亦復不分別 能至無量土
現諸神通力 而於身心中 無有疲惓相 分別知諸法 樂說辯無盡
於無央數劫 聞亦法性相 智慧度彼岸 善解陰界入 常為眾生說
無取無戲論 善知因緣法 遠離二邊相 知是煩惱因 亦知是淨因
信解因緣法 則無諸邪見 法皆屬因緣 無有受根本 我見與佛見
空見生無見 涅槃之見等 皆無是諸見 無量智慧光 知諸法實相
無閡無所等 是行菩提道 是乘名大乘 不可思議乘 悉容諸眾生
猶不盡其量 一切諸乘中 是乘為第一 如此大乘者 能出生餘乘
餘乘有限量 不能受一切 唯此無上乘 能悉受眾生 若行此無量
虛空之大乘 於一切眾生 無有憎害心 虛空無有量 亦無有形色
大乘亦如是 無量無障等 若一切眾生 乘於此大乘 當觀是乘相
寬博多所容 無量無數劫 說大乘功德 及乘此乘者 不可得窮盡
若人聞是經 乃至持一偈 永脫於諸難 得到安隱處 歡念此經者
捨是身以後 終不墮惡道 常生天人中 於後惡世時 若得聞是經
我皆與受記 究竟成佛道 若信此經者 佛法在是人 是人在佛法
亦能轉法輪 若人持是經 能轉無量劫 生死諸往來 得近於佛道
若能持是經 精進大智慧 是名極勇猛 能破魔軍眾 我於然燈佛
住是得受記 若有樂是經 我復記亦然 若人於佛後 能解說是經
佛雖不在世 為能作佛事

BD00078號3　思益梵天所問經卷三　（44–29）

佛雖不在世 為能作佛事
佛說是偈時五千天子皆發阿耨多羅三藐三菩提心二千菩薩
得無生法忍七千比丘不受諸法漏盡心得解脫三万二千人
遠塵離垢於諸法中得法眼淨尒時文殊師利法王子白佛言
世尊如我解佛所說義若人發菩提願是為耶願所以者何
諸有所得志皆是耶若計得是菩提而發願者是人諸所作行
皆為是耶所以者何菩提不在欲界不在色界不在無色界
若菩提無有住處不應發願世尊譬如有人願得虛空寧得
虛空不佛言不也世尊菩薩亦如是發同虛空相菩提相菩
提之願即是發虛空願菩提出過三世非是受相不可願
也若菩薩起二相發菩提心作是念生死與菩提異耶見與
菩提異涅槃與菩提異是為貪著行菩提道也

思益經卷第三

思益梵天所問經卷第四

尒時思益梵天謂文殊師利菩薩云何行名菩提行答言若菩薩
行一切法而於法無所行是名菩提行所以者何出過一切所行是行
菩提又問云何出過一切所行是行菩提答言離眼耳鼻舌身
意諸緣相是名出過一切所行又問出過有何義答言不出過平等
所以者何一切法平等即是菩提又問云何是發菩提願答言當
如菩提又問云何為菩提答言菩提非過去非未來非現在是
故菩薩應以三世清淨心發菩提願梵天如過去未來現在法從
本已來常不生不生故不可說如是發願無所發願是發一切願所
以者何以是行道能得薩婆若又問何故說言薩婆若答言悉
知一切真智慧故名薩婆若又問何等是真智慧答言無變異相如
眾生無變異相真智慧亦無變異相又問云何是眾生相答言假名字
畢竟離是眾生相如是相則無變異若眾生與菩提異是為變
異如菩提相眾生亦尒故無變異菩提不可以餘道得但以我平
等故菩提平等眾生性無我故如是可得菩提是故菩提無有
變異所以者何如虛空無變異相一切諸法亦無變異相尒時思
益梵天謂文殊師利如來是實語者能說如是法文殊師利言如

BD00078號3　思益梵天所問經卷三　BD00078號4　思益梵天所問經卷四　（44–30）

變異所以者何如虛空无變異相一切諸法亦无變異相尒時思
益梵天謂文殊師利如來是實語者能說如是法文殊師利言如
來於法无所說何以故如來尚不得諸法何況說思益言如來豈不
不說諸法是世間是出世間是有為是无為耶文殊利言於汝
意云何是虛空可說可分別不思益言不也文殊師利言今說虛
空名字以所說故有生有滅耶思益言不也文殊師利言如來說法
亦復如是不以說故諸法有生有滅如此說法是不可說相亦以此
法有所教誨是无所教誨所以者何如說法性不說法性亦如是是
故說一切法性住於如中如是亦无所住尒時釋梵四天王俱在會中
即以天華散於佛上而作是言世尊若善男子善女人聞文殊
師利說是法有信解者當知是人能破魔軍及諸惡錄所以者何
文殊師利今所說法能破一切耶見妄相世尊若善男子善女人
聞是法不驚不怖當知是人不從小功德來若是經所在之處
當知此處則為諸佛擁護受用若人聞是經處當知此處轉於法
輪是經在所住處聚落村邑山林曠野塔寺僧房經行之處
諸魔外道貪著之人不能侵嬈世尊若人多供養過去諸佛乃
能得聞如是經典世尊我於此經中得智慧光明而不能得
報佛及文殊師利思益梵天之恩世尊我等所從聞經於是法
師生世尊相我等常當隨侍說是法者此善男子常為諸天之
所衛護若人書寫是經讀誦解說時无量諸天為聽法故來至其
所尒時世尊語釋梵四天王等大衆言善哉善哉如汝所說若
三千大千世界滿中珍寶以為一分聞是經者所得功德以為一
分福勝於彼量是三千大千世界著恒河沙等十方世界滿中珍寶
聞是經者所得功德復勝於彼諸善男子若欲得功德者當聽
是經欲得身色端正欲得財富欲得眷屬欲得自在欲得具足天樂
人樂欲得名稱欲德多聞憶念堅固正行威儀具足智慧解達經
書欲得善知識欲德三明六通欲得一切善法欲得阿耨多羅三藐
三菩提欲得与一切衆生樂具欲得涅槃者當聽是經受持讀誦
如法備行廣為人說諸善男子若行是經者我不見其人不得
如此具足快樂諸善男子我今語汝若人所從聞是經處若和上
若阿闍梨得聞是經我不見世間供養之具能報其恩是法出於

如法備行廣為人說諸善男子若行是經者我不見其人不得
如此具足快樂諸善男子我今語汝若人所從聞是經處若和上
若阿闍梨得聞是經我不見世間供養之具能報其恩是法出於
世間世間供養所不能報是法度於世間世間財物所不能報是法
无諸汙染汙之物所不能報諸善男子是法餘无能報唯有一事如
說備行若人於此法中能如說備行者是名能報師恩亦為恭敬於師
淨畢報恩是名不空食人信施是名順如來語順如來教是名越度
諸流是名過諸險道是名建立勝幢是名能破敵陣是名師子之
王无所畏故是名像王心柔軟故是名牛王外道論師无能壞故是
名醫王能療一切衆生病故是名无所驚怖能說甚深法故是
名能具足捨諸煩惱故是名持清淨戒究盡善法故是名得
大忍辱離我我所故是名大精進力能於无量劫心无惓故是名
具足禪定常念繫心住一處故是名有大智慧善解言說諸章
句故是名有大功德以无量福莊嚴身相故是名有大威德能蔽
日月諸光明故是名大力持佛十力故是名大雲能震法雷故是
名大雨滅煩惱塵故是名為捨至涅槃故是名大救救生死畏故
是名燈明離无明闇故是名歸趣魔所怖者之所依故是名衆生最
究竟之道是名得住出道場故是名已得法眼是名見諸法
如是名知空法相是名安住大悲是名安立大慈是名不捨一切
衆生是名背小乘是名向於大乘是名至于平
等是名入於法位則是名為安住道場是名破壞諸魔是名
轉於法輪諸善男子我若一劫若減一劫稱揚讚嘆說是如說
備行功德不能窮盡如來之辯亦不可盡　尒時會中有天
子名不退轉白佛言世尊所說隨法行隨法行者為何謂也佛告
天子隨法行者不行一切法所以者何若不行諸法則不分別是正是
耶如是行者不行善不行不善不行有漏不行无漏不行世間不行
出世間不行有為不行无為不行生死不行涅槃是名隨法行若
起法相者是則不名隨法行也若念言我行是法是則戲論不隨
法行若不受一切法則隨法行於一切法无憶念无分別无所行是
名隨法行尒時不退轉天子白佛言世尊若能如是隨法行者是
人畢竟不復耶行所以者何正行者名為畢竟正住耶道者无

名隨法行尒時不退轉天子白佛言世尊若能如是隨法行者是
人畢竟不復耶行所以者何正行者名為畢竟正住耶道者无
隨法行住正道者有隨法行世尊行正行者无有耶法所以者何
諸法平等无差別故尒時思益梵天謂不退轉天子汝等於此
中隨法行不荅言若世尊所說法中有二相者我當行隨法行
尒以无二相是隨法行於中行者及所行法俱不可得梵天我以不
二法行隨法行隨法行離諸分別故如諸法而行是名隨法
行思益言汝未曾見此佛土耶天子言此佛土亦未曾見我思益
言此佛土不能思惟分別見與不見天子言我亦不能思惟分別
曾於佛土見与不見思益言何人未見能見荅言一切凡夫未見聖
法位若能入者是為先所未見而見是法位相非眼所見非耳鼻
舌身意識所知但應隨如相見如眼如乃至意如法位如亦如是若
能如是見者是名正見　尒時釋提桓因白佛言世尊譬如
賈客主入於寶州其人所見皆是寶物如是成就不可思議功德
者有所樂說皆是法寶所樂說者皆亦實際所樂說者於諸
法中无所貪著不著彼我所樂說者皆是真實无有顛倒所
樂說者過去際空未來際不可得現在際不起見所樂說者不
信解者得信解信解者得解脫所樂說者破增上慢无增上
慢者自說所作已辦所樂說者魔不得便所聽法者越渡魔
事所樂說者未生善法令生已生善法令得增長所樂說者已
生諸煩惱令斷未生諸煩惱令不生所樂說者未大莊嚴者令
大莊嚴已大莊嚴者令不退轉所樂說者不斷諸法而讚佛法
世尊以是樂說能降伏一切外道所以者何一切野干不能於師子王
前自現其身說聞其吼世尊一切外道諸論議師不能堪忍无上師
子之吼亦復如是尒時不退轉天子謂釋提桓因憍尸迦所言師子吼
師子吼者為何謂耶荅言若行者說法无所貪著是名師子吼
若行者貪著所見故而有所說是野干鳴不名師子吼起諸耶見故
天子汝當復說所以為師子吼者天子言憍尸迦有所說法乃至如
來尚不貪著何況餘法是名師子吼又憍尸迦如說脩行名師子吼
決定說法名師子吼說法无畏名師子吼又憍尸迦若行者為不生不
滅不出故說法名師子吼若為无垢无淨无合无散故說法名師子吼

來尚不貪著何況餘法是名師子吼又憍尸迦如說脩行名師子吼
決定說法名師子吼說法无畏名師子吼又憍尸迦若行者為不生不
滅不出故說法名師子吼若為无垢无淨无合无散故說法名師子吼
又憍尸迦師子吼名決定說一切法无我无眾生師子吼名決定說
諸法空師子吼名守護法故而有所說師子吼名作是願言我當作
佛滅一切眾生苦惱師子吼名清淨所須物中少欲知足師子吼名常
能不捨阿蘭若住處師子吼名行施唱導師子吼名不捨持戒師子
吼名善心忍辱師子吼名常行精進不捨本願師子吼名能除煩惱
師子吼名以智慧善知所行說是師子吼法時三千大千世界六種
震動百千伎樂不鼓自鳴其大光明普照天地百千諸天踊躍歡喜
言我等聞不退轉天子說師子吼法於閻浮提再見法輪轉時佛
微咲諸佛常法若微咲時若干百千種青黃赤白紅紫等光從口
中出普照无量无邊世界上過梵世蔽日月光還繞身三匝從頂
相入於是思益梵天向佛合掌以偈讚曰
度一切慧最勝尊　悉知三世眾生行　智慧功德及解脫　唯願演說咲因緣
佛慧无量无障导　聲聞緣覺所不及　知眾生心隨應說　願最上尊說咲緣
佛无可樂淨无穢　普照天人蔽日月　須彌鐵圍及眾山　願无比尊說咲緣
大聖行慈離瞋恨　天人瞻仰无厭足　一切皆蒙得快樂　願為分別咲因緣
通達諸法空无我　水沫雲霧夢覺　水中月影虛空相　願以妙音說咲緣
離分別相諸耶見　了空无相及无作　常樂禪定行於法　願說放此淨光緣
不著文字言音聲　說不依法及眾生　彼各自謂當我說　願神通智說咲緣
佛為醫王滅眾病　那羅延力救世者　超勝燈明究竟道　天人供養說咲緣
尒時佛告思益梵天汝見是不退轉天子不唯然已見梵天此不
退轉天子從今已後過三百二十万億阿僧祇劫當得作佛号須
彌燈王如來應供正遍知明行足善逝世間解无上士調御丈
夫天人師佛世尊世界名妙化劫名梵嘆其國佛土以閻浮檀金
琉璃為地純以菩薩為僧无諸魔怨所須之物應念即至佛壽
无量不可計數於是思益梵天謂不退轉天子如來今已授仁
者記天子言梵天如與如法性受記與我受記亦復如是思益言
如法性不可授記天子言如法性不可授記者當知一切菩薩授記
亦復如是思益言若如來不与汝記汝於過去諸佛所則為空住

如法法性不可授記天子言如法性不可得記者當知一切菩薩授記
亦復如是思益言若如來不与汝記汝於過去諸佛所則為空住
梵行天子言若无所住是住梵行思益言云何无住而住梵行荅
言若不住欲界不住色界不住无色界是住梵行又梵天若
行者不住我不住衆生不住壽命者不住人是住梵行以要言
之若不住法不住非法是住梵行又問梵行者有何義荅言住不二道
是梵行義又問住不二道為住何所荅言住不二道是則不住一切
諸法所以者何衆賢聖无所住不取於法能度諸流又問云何為脩
道荅言不墮有不墮无亦不分別是有是无習如是者名為脩道
又問以何法脩道荅言不以見聞覺知法不以得不以證於一切法无相
无亦名為脩道又問何謂菩薩堅強精進荅言若菩薩於諸法
不見一相不見異相是名菩薩堅強精進大莊嚴也於諸法不壞
法性於諸法无着无斷无增无減不見垢淨出過法性是名菩薩
第一堅強精進所謂身无所起心无所起是世尊讚不退轉天子
言善哉善哉諸已語思益梵天言如此天子所說身无所起心无所
起是為第一堅強精進梵天我念宿世一切所行堅強精進持戒
頭陀於諸師長供養恭敬在空閑處專精行道讀誦多聞慈念
衆生給其所須一切難行苦行慇懃精進而過去諸佛不見授
阿耨多羅三藐三菩提記所以者何我住身口心起精進相故
梵天我後得如天子所說堅強精進故然燈佛授我記言汝於来
世當得作佛号釋迦牟尼是故梵天若菩薩疾欲受記應當
脩習如是堅強精進所謂於諸法不起精進相世尊何等是不起
相精進佛言三世等空精進是名不起相精進世尊云何為
三世等空精進佛言過去心已滅未来心未至現在心无住法若
滅不復更起若未至即无生相若无住即住實相有實相亦无
有生若法无生則无去来今若无去来今者則從本以来性常
不生是名三世等空精進能令菩薩疾得受記梵天菩薩成就
如是法忍者能了達一切法无所捨是名檀波羅蜜了達一切法
无漏是名尸波羅蜜了達一切法无傷无忍是名羼提波羅蜜
了達一切法无所起是名毗梨耶波羅蜜了達一切法平等是名
禪波羅蜜了達一切法无所分別是名般若波羅蜜若菩　薩

无漏是名尸波羅蜜了達一切法无傷无忍是名羼提波羅蜜
了達一切法无所起是名毗梨耶波羅蜜了達一切法平等是名
禪波羅蜜了達一切法无所分別是名般若波羅蜜若菩　薩
如是了達則於諸法无增无減无正无耶是菩薩雖布施不求
果報雖持戒无所貪著雖忍辱知内外空雖精進知无起相雖
禪定无所依止雖行慧无所取相梵天菩薩成就如是法忍雖
亦現一切所行而无所染汙是人得世間平等相不為利衰毀譽
稱譏苦樂之所傾動出過一切世間法故不自高不自下不喜不
慼不動不退无二心離諸緣得无二法為見二法衆生起大
悲心為其受身而教化之梵天是名第一堅強精進所謂得无
我空法忍而於衆生起大悲心為之受身說是堅強精進相時八
千菩薩得无生法忍佛為授記皆當得阿耨多羅三藐三菩
提各於異土得成佛道皆同一号号堅精進
尒時大迦葉白佛言世尊譬如大龍若欲雨時雨於大海此諸
菩薩亦復如是以大法雨雨菩薩心佛言迦葉如汝所說諸大龍王
所以不雨閻浮提者非有悋也但以其地不堪受故所以者何
大龍所雨滴如車軸若其雨者是閻浮提及城邑聚落山林陂
池悉漂流如漂棗葉是故大龍不雨大雨於閻浮提如是迦
葉此諸菩薩所以不雨法雨於餘衆生者亦无悋心以其器不
堪受如是等法是故此諸菩薩但於甚深智慧无量大海菩薩
心中雨如是等不可思議无上法雨迦葉又如大海堪受大雨滴如
車軸不增不減此諸菩薩亦復如是若於一劫若復百劫若聽若
說其法湛然不增不減迦葉又如大海百川衆流入其中者同一鹹
味此諸菩薩亦復如是聞種種法種種議論皆能信解為一
空味迦葉又如大海澄淨无垢濁水流入即皆清潔此諸菩薩
亦復如是淨諸結根塵勞之垢迦葉又如大海甚深无底此諸菩薩
亦復如是能思惟无量法故名為甚深一切聲聞辟支佛不能測
故名為无底迦葉又如大海集无量水此諸菩薩亦復如是集
无量法得无量智慧是故說諸菩薩心如大海迦葉又如大海積
聚種種无量珍寶此諸菩薩亦復如是入種種法門集諸法寶
種種行道出生无量法寶之聚迦葉又如大海有三種寶一者

聚種種无量珎寶此諸菩薩亦復如是入種種法門集諸法寶
種種行道出生无量法寶之聚迦葉又如大海有三種寶一者
少價二者有價三者无價此諸菩薩所可說法亦復如是隨諸
衆生根之利鈍令得解脫有以小乘而得解脫有以中乘而得解
脫有以大乘而得解脫迦葉又如大海漸漸轉深此諸菩薩亦復
如是向薩婆若漸漸轉深迦葉又如大海不宿死屍此諸菩薩亦
復如是不宿聲聞辟支佛心不宿慳貪毀戒瞋恚懈怠亂念愚
癡之心不宿我人衆生之見迦葉又如劫盡燒時諸小陂池江河
泉源在前枯竭然後大海乃當消盡正法滅時亦復如是諸行
小道正法先盡然後菩薩大悲之心正法乃滅迦葉此諸菩薩
寧失身命不捨正法汝謂菩薩失正法耶勿造斯觀迦葉
如彼大海有金剛珠名集諸寶乃至七日出時火至梵世而此
寶珠不燒不失轉至他方大海之中若是寶珠在此世界世界
燒者无有是處此諸菩薩亦復如是正法滅時七耶法出尒乃
至於他方世界何等爲七一者外道論二者惡知識三者耶用道
法四者手相惱亂五者入耶見稠林六者不脩福德七者无有得道
此七惡法出時是諸菩薩知諸衆生不可得度尒乃至於他方佛
國不離見佛聞法教化衆生增長善根迦葉又如大海爲无量
衆生之所依止此諸菩薩亦復如是衆生依止得三種樂人樂
天樂涅槃之樂迦葉又如大海鹹不可飲此諸菩薩亦復如是諸
魔外道不能吞滅於是大迦葉白佛言世尊大海雖深尚可測
量此諸菩薩不可測也佛告迦葉三千大千世界微塵猶可數
知此諸菩薩功德无量不可數也尒時世尊欲重宣此事義而說偈言
譬如大海能悉受　一切衆水无滿時　此諸菩薩亦如是　常求法利猒无足
又如大海納衆流　一切来歸无積溢　此諸菩薩亦如是　聽受深法无增減
又如大海不受濁　濁水流入還清淨　此諸菩薩亦如是　不受一切煩惱垢
又如大海无窮盡　此諸菩薩亦如是　功德智慧无有量　一切衆生不能測
又如大海无別異　百川流入皆一味　此諸菩薩亦如是　所應聽受同一相
又如大海所以成　非但爲一衆生故　此諸菩薩亦如是　普爲一切發道心
如海寶珠集諸寶　因是寶故有衆寶　菩薩寶聚亦如是　從菩薩寶出三寶
如大海出三種寶　而此大海无分別　菩薩說法亦如是　三乘度人无彼此

又如大海所以成　非但爲一衆生故　此諸菩薩亦如是　普爲一切發道心
如海寶珠集諸寶　因是寶故有衆寶　菩薩寶聚亦如是　從菩薩寶出三寶
如大海出三種寶　而此大海无分別　菩薩說法亦如是　三乘度人无彼此
又如大海漸漸深　此諸菩薩亦如是　爲衆生故脩功德　迴向甚深薩婆若
又如大海不宿屍　此諸菩薩亦如是　發清淨心菩提願　不宿聲聞煩惱心
如大海有堅牢寶　其寶名曰集諸寶　劫盡燒時終不燒　轉至他方諸佛國
正法滅時亦如是　菩薩精進有餘行法　知諸衆生不可度　轉至他方諸佛國
三千世界欲壞時　大劫將起燒天地　百川衆流在前涸　尒乃水王於後竭
行小道者亦如是　法欲盡時在前滅　菩薩勇猛不惜身　護持正法後乃盡
若佛在世滅度後　是人守法寶不滅　深心清淨住是法　以此善法脩行道
百千衆生依止海　海底非爲一衆生　菩薩發心亦如是　爲度一切衆生故
十方世界諸大海　猶尚可得測其量　是諸菩薩所行道　聲聞緣覺不能測
迦葉當知諸菩薩　功德精進迴向心　願欲作佛度衆生　无尚上尊何況勝
是總寶聚如大海　是可供養良福田　是爲最上大醫王　能療一切衆生病
是世歸依作救護　判諸燈明究竟道　能与世間无明眼　得眼則能服甘露
是爲世間諸法王　是爲柔擇決斷疑　是爲導主行四禪　是爲能轉梵法輪
是爲大智導世師　示諸邪徑正真道　是爲勇猛能破魔　是爲清淨除煩惱
是脩白法如滿月　光明高顯猶如日　智慧超出如須弥　猶如密雲雨甘露
是无所畏如師子　是心調柔如象王　是則譬如金剛山　一切外道不能壞
是則清淨猶如水　是有威猛如火大　是則如風无所著　是則如地无能動
是於憍慢我慢等　是如藥樹无分別　是持淨戒如蓮華　是於世法无所染
是如優曇鉢羅華　千万億劫時一出　是爲知報佛之恩　是爲不斷諸佛種
是爲精進行大悲　是用慈喜而發出　是能捨離五欲心　是常求佛法寶財
是行布施爲最勝　是持淨戒无等侶　是忍辱從无瞋恚　是勤精進无厭惓
是行禪定具神通　能至无量諸佛國　常見諸佛聽受法　如其所聞爲人說
知是衆生所行道　隨其性欲根利鈍　是名善知方便力　是慈慧悲得濟彼
是能善知一切法　皆從和合因緣生　是能決了因緣相　離於我見衆生等
是能正觀於諸法　爲從何來至何所　善知諸法无去来　常住法性而不動
是見有爲法皆空　增益大悲濟衆生　衆生妄想起衆著　爲欲度故脩行道
凡夫分別我我所　行於種種諸邪徑　是能曉了法實相　爲斷諸見講說法
爲常无常不淨淨　无我謂我苦爲樂　凡夫顛倒貪著故　生死前際不可知

是見有為法空无　能發大悲濟衆生　衆生妄想起我著　為令衆生行佛道
凡夫分別我我所　行於種種諸邪徑　是能曉了法實相　為斷諸見轉說法
為常无常不淨淨　无我謂我苦為樂　凡夫顛倒貪著故　生死前際不可知
是能知此顛倒　无我无人无衆生　我當如是脩正道　无常我樂及不淨
如是當知此菩薩　我所稱歎諸功德　於其所行不可盡　猶如大地衆一塵
若發菩提心不退　三千大千供養具　若復有供過於此　志應供養如是人
若人發心願作佛　是則恭敬供養我　於今未來十方佛　亦皆恭敬供養已
尒時思益梵天謂文殊師利法王子當請如來護念斯經於後末世五
百歲時令廣流布文殊師利言於汝意云何佛於是經有說有示可護
念耶思益梵天不也梵天是故當知一切法无說无示亦有无護念是法
於不可減不可護念若欲護此法者為欲護念虛空梵天菩薩若
欲有所受法即非法言所以者何出過一切言論是名菩薩樂无諍訟
梵天若有菩薩於此衆中作是念今說是法當知是人即非聽法所
以者何不聽法者乃為聽法梵天言何故說不聽法者乃為聽法
文殊師利言不濡眼耳鼻舌身意是聽法也所以者何若於內六入
不濡色聲香味觸法中乃為聽法尒時會中三万二千天子五百比丘
三百比丘尼八百優婆塞聞文殊師利所說皆得无生法忍得生忍已
作是言如是如是文殊師利如仁者所說不聽法者乃為聽法尒
時思益梵天問得忍諸菩薩言汝等豈不聽是經耶諸菩薩言
如我等聽以不聽為聽又問汝等云何知是法耶荅言以不知為知
又問汝等得何等故名為得忍荅言以一切法不可得故我等名
為得忍思益言云何隨是法行荅言以不隨行故隨行又問汝等
於此法中明了通達耶荅言一切諸法皆明了通達无彼我故尒時
會中有天子名淨相謂思益梵天若有但聞此經佛不与受記者我
當受其阿耨多羅三藐三菩提記所以者何此經不破因果能生一
切善法能壞魔怨離諸憎愛能令衆生心得清淨能令信者皆
得歡喜斯經能除諸瞋恨斯經一切善人之所脩行斯經一切諸佛
之所護念斯經一切世間天人阿脩羅所共守護斯經決定至不退轉
故斯經不誑至道場故斯經真實能令衆生得諸佛法故斯經能轉
法輪斯經能除憂悔斯經能開聖道斯經求解脫者所應善聽斯
經欲得陁羅尼者所應善持斯經求福之人所應善說斯經樂法

法輪斯經能除憂悔斯經能開聖道斯經求解脫者所應善聽斯
經欲得陁羅尼者所應善持斯經求福之人所應善說斯經樂法
之人所應善念斯經能与快樂至於涅槃斯經若魔外道有所得人
所不能破斯經應受供養人能隨其義斯經能令利根者欣悅斯經
能令智慧者稱善斯經能与人慧離諸見故斯經能与人智破愚
癡故斯經文辭次第善說斯經究竟善隨義說斯經多所利益
說第一義故斯經受樂法之人所貪惜斯經有智之人所不能離斯
經施者之大藏斯經熱惱之凉池斯經能令疑者心等斯經能令懈
怠者精進斯經能令妄念者得定斯經能与愚者慧明梵天斯
經一切諸佛之所貴重淨相天子說是法時三千大千世界皆大震動
佛即讚言善哉善哉天子如汝所說尒時思益梵天白佛言世尊是
天子曾於過去諸佛所聞是經耶佛言是天子已於六十四億諸佛
所得聞是經過四万二千劫當得作佛号寶莊嚴國名多寶於其中間
有諸佛出皆得供養亦聞是經梵天是諸比丘比丘尼優婆塞優婆
夷諸天龍鬼神在此會中得法忍者皆當得生多寶國土尒時淨
相天子白佛言世尊我今不求菩提不願菩提不貪菩提不樂菩
提不念菩提不分別菩提云何如來見授記耶佛告天子如以草木
莖節枝葉投於火中而語之言汝等莫然汝等莫然若以是語而
不然者无有是處天子菩薩亦如是雖不喜樂貪著菩提當知
是人已為一切諸佛所記所以者何若菩薩不喜不樂不貪不着
不得菩提則於諸佛必得受阿耨多羅三藐三菩提記
尒時會中有五百菩薩白佛言世尊我等今不求菩提不願菩提
不喜樂菩提不貪著菩提不思念菩提不分別菩提作是語已
以佛神力即見上方八万四千諸佛授其阿耨多羅三藐三菩提記
尒時五百菩薩白佛言未曾有也世尊如來所說甚善快哉所謂
菩薩不求不願不貪不喜不樂不得菩提而諸佛授記世尊我等
今見上方八万四千諸佛皆与我等受阿耨多羅三藐三菩提記
尒時文殊師利白佛言唯願世尊護念是經於當來世後五百歲廣
宣流布於閻浮提令得久住又令大莊嚴善男子善女人咸得聞之
諸魔事種種起而能不隨魔若魔民不得其便以受持是經
故久不退失阿耨多羅三藐三菩提尒時佛告文殊師利如是如是

宣流布於閻浮提令得久住又令大莊嚴善男子善女人咸得聞之
設魔事種種起而能不隨魔若魔民不得其便以受持是經
故然不退失阿耨多羅三藐三菩提尒時佛告文殊師利如是如是
汝今善聽欲令此經久住故當為汝說召諸天龍夜叉乾闥婆鳩
槃荼等呪術之名若法師誦持此呪則能致諸天龍夜叉乾闥婆
阿脩羅迦樓羅緊那羅摩睺羅伽等常隨護念是法師若行道
路若去入道時若在聚落若在空閑若在僧坊若在宴息若讀經
行處若在衆會是諸神等常當隨侍衛護益其樂說辯才
又復為作堅固憶念慧力因緣无有怨賊得其便者使是法師行
立坐卧一心安隱文殊師利何等為呪術章句
醯頭除 頭頭除 摩除 遮除 魔覓除 柁除 緹除 殊除 睺樓
睺樓 睺樓 睺樓 禪婆除 牟多除 翅丘除 阿刪柁伽帝 摩醯履
摩那復 摩柁 婆睺乾地 薩婆樓帝 羅婆波伽帝 牟頭除 南无
佛馱 遮梨 帝除 南无達磨 涅伽陁柁 南无僧伽 和醯陁昳 婆肩
陁柁 薩婆波波柁 魔覓帝除 殊浮提瘦 薩遮涅提舍 梵嵐夾舍
多子梨師 釋波舍多 阿哆多羅提詫提 薩婆浮多迦羅呵 呼吞久
南无佛馱悉闍緹曼哆遲
文殊師利是為呪術章句若菩薩摩訶薩欲行此經者當誦持是
呪術章句應一心脩行不調戲不散乱舉動進止志令淨潔不當
飲食少欲知足獨處遠離不樂憒鬧身心遠離常樂法悲以法
喜樂安住實語不欺誑人責於坐禪樂欲說法行於正念常離耶
念常樂頭陁細行之法於得不得无有憂喜趣向涅槃長厭生死
等心憎愛離別異相不捨身命及一切物无有貪惜威儀成就常
樂持戒忍辱調柔惡言能忍顏色和悅无惡姿容先意問訊除
去憍慢同止歡樂文殊師利此諸法師住如是法誦是呪術即於
現世得十種力何等為十得念力不忘失故得慧力善擇法故得
行力隨經意故得堅固力行生死故得慚愧力護彼我故得多聞
力具足慧故得陁羅尼力一切聞能持故得樂說辯才力諸佛讚
念故得深法力故具足五通故得无生忍力速得具足薩婆若故文殊
師利若法師能住是行誦持呪術現世得是十力佛說是呪術力時
四天王驚怖毛竪与无量鬼神眷屬圍繞前詣佛所頭面礼足白佛
言世尊我是四天王得須陁洹道順佛教者我等各當率諸親屬

BD00078 號 4　思益梵天所問經卷四　（44–41）

四天王驚怖毛竪与无量鬼神眷屬圍繞前詣佛所頭面礼足白佛
言世尊我是四天王得須陁洹道順佛教者我等各當率諸親屬
營從人民衛護法師若善男子善女人讀念誦者能持如是等經
讀誦解說我等四天王常往衛護是人所在之處若城邑聚落
若空閑淨處若在家出家我等及眷屬常當隨侍供給令心
安隱无有障惱亦使一切无能嬈者世尊又是經所在之處面五十
里若天天子若龍龍子若夜叉夜叉子若鳩槃荼鳩槃荼子等不能
得便尒時毗流勒迦護世天王即說偈言
我所有眷屬　親戚及人民　皆當共衛護　供養是法師　尒時毗流
婆叉天王即說偈言　是諸法王子　從法而化生　求善提佛子　我皆當供給
尒時提頭羅吒天王即說偈言　若有諸法師　能持如是經　我常當衛護
周遍於十方　尒時毗沙門天王即說偈言　是人發道心　所應受供養
一切諸衆生　无能嬈之者　尒時毗沙門天王子名曰善寶持七寶
蓋奉上如來即說偈言　世尊我今當　受持如是經　亦為他人說
我有如是心　世尊知我心　及先世所行　從初所發心　至誠求佛道
世尊无見頂　今奉此妙蓋　願我得如是　无見之頂相　我以愛敬心
瞻仰於世尊　願成清淨眼　得見弥勒佛　度智慧世尊　即時以偈答
汝於此命終　即生兜率天　從兜率下生　得見弥勒佛　二万歲供養
令乃行出家　既得出家已　淨脩於梵行　賢劫中諸佛　一切志得見
亦皆供養之　於彼脩梵行　過六十億劫　汝當得成佛　號名為寶蓋
國土甚嚴淨　唯有菩薩僧　為講說妙法　壽命盡一劫　若滅度已後
正法住半劫　利益諸衆生　尒時釋提桓因与无數百千諸天圍
繞白佛言世尊我等今亦當衛護能持如是比經諸法師等供養
供給是經所在之處若讀誦解說我為聽受法故往詣其所又當
增益法師氣力法句次第令不漏失　尒時釋提桓因子名曰
劬婆伽持真珠蓋七寶莊嚴奉上如來即說偈言
我常現了知　世尊之所行　亦當如是行　求佛一切智　世尊於前世
无物不施与　我當隨此行　亦捨諸所有　我今法王前　受持如是經
常數為人說　以報如來恩　若受念是經　是即与我同　我當供養之
為得菩提故　世尊覺寤人　不能守護法　於後惡姉世　我當護是經
世尊安慰我　又諸天衆　我今當久如　得佛如世尊　佛通達智慧
知其心念已 [illegible]

BD00078 號 4　思益梵天所問經卷四　（44–42）

當敬為人說　以報如來恩　若受念是經　是即与我同　我當供養之
為得菩提故　世尊聲聞人　不能守護法　於後惡佈世　我當護是經
世尊大經我　又濟諸天眾　我今當久如　得佛如世尊　佛通達智慧
即時与授記　汝後當作佛　如我今无異　過於千億劫　又復過百億
尒乃得成佛　号曰為智主　尒時娑婆世界主梵天王白佛言
世尊我捨禪定樂往詣法師所若善男子善女人能說是法者
所以者何從如是等經出帝釋梵王諸豪尊等世尊我當供
養是諸善男子是諸善男子應受一切世間天人阿脩羅之所
供養尒時妙梵天王即說偈言　比丘比丘尼　諸清信士女
其能受此經　是世供養處　乃至有一人　能行是經者　我要當為之
演說如是法　敕眾妙華坐　高至于梵天　於此坐上座　廣說如是經
若於惡世中　所從聞此經　應發希有心　踊躍稱善哉　若无量世界
大火悉充滿　要當從中過　往聽如是經　能聞佛道經　若欲得聞者
積寶如須弥　應盡供是人　尒時世尊現神通力令魔波旬及其軍
眾來詣佛所而作是言世尊我与眷屬今於佛前立此誓願是
經所流布處若說法者及聽法者并被国土令其不起魔事亦
當擁護是經尒時世尊放金光色照此世界告文殊師利言如來
令護念是經利益諸法師故是經在閻浮提隨其歲數佛法不
滅尒時會中眾生以一切華一切香一切末香而散佛上作是言
世尊願使是經久住閻浮提廣宣流布於是佛告阿難汝受持
是經不阿難言唯然受持阿難我今以是經囑累於汝當受持讀
誦為人廣說阿難白佛言世尊若人受持是經讀誦解說得幾所功
德佛告阿難隨是經所有文字章句之數盡壽以一切樂具供養
尒所諸佛及僧若人乃至供養是經尊重恭敬讚歎其福為勝
是人現世得十德之藏何等為十見佛藏得天眼故聽法藏得天耳
故見僧藏得菩薩不退轉故无盡財藏得寶手故色身藏具
三十二相故眷屬藏得不可壞眷屬故辯藏所未聞法藏得陀羅尼
故憶念藏得樂說辯才故无所畏藏破壞一切外道論故福德藏利
益眾生故智慧藏得一切諸佛法故佛說是經時七十二那由他眾生
得无生法忍无量眾生發阿耨多羅三藐三菩提心无数眾生不
受諸法漏盡心得解脫尒時阿難即從坐起偏袒右肩頭面礼佛

BD00078號4　思益梵天所問經卷四　　（44–43）

當擁護是經尒時世尊放金光照此世界告文殊師利言如來
令護念是經利益諸法師故是經在閻浮提隨其歲數佛法不
滅尒時會中眾生以一切華一切香一切末香而散佛上作是言
世尊願使是經久住閻浮提廣宣流布於是佛告阿難汝受持
是經不阿難言唯然受持阿難我今以是經囑累於汝當受持讀
誦為人廣說阿難白佛言世尊若人受持是經讀誦解說得幾所功
德佛告阿難隨是經所有文字章句之數盡壽以一切樂具供養
尒所諸佛及僧若人乃至供養是經尊重恭敬讚歎其福為勝
是人現世得十德之藏何等為十見佛藏得天眼故聽法藏得天耳
故見僧藏得菩薩不退轉故无盡財藏得寶手故色身藏具
三十二相故眷屬藏得不可壞眷屬故辯藏所未聞法藏得陀羅尼
故憶念藏得樂說辯才故无所畏藏破壞一切外道論故福德藏利
益眾生故智慧藏得一切諸佛法故佛說是經時七十二那由他眾生
得无生法忍无量眾生發阿耨多羅三藐三菩提心无数眾生不
受諸法漏盡心得解脫尒時阿難即從坐起偏袒右肩頭面礼佛
足白佛言世尊當何名此經云何奉持佛告阿難此經名為攝一切
法亦名莊嚴諸佛法又名思益梵天所問又名文殊師利論議當
奉持之佛說是經已文殊師利法王子及思益梵天等行菩薩長老
摩訶迦葉慧命阿難及諸天眾一切世間人受持佛語皆大歡喜

思益梵天經卷第四

BD00078號4　思益梵天所問經卷四　　（44–44）

度之如是滅度无量无數
生得滅度者何以故須菩提若
人相衆生相壽者相即非菩薩
復次須菩提菩薩於法應无所住行於布施
所謂不住色布施不住聲香味觸法布施須
菩提菩薩應如是布施不住於相何以故若
菩薩不住相布施其福德不可思量須菩提
於意云何東方虛空可思量不不也世尊須
菩提南西北方四維上下虛空可思量不不
也世尊須菩提菩薩无住相布施福德亦復
如是不可思量須菩提菩薩但應如所教住
須菩提於意云何可以身相見如來不不也
世尊不可以身相得見如來何以故如來所
說身相即非身相佛告須菩提凡所有相皆
是虛妄若見諸相非相則見如來
須菩提白佛言世尊頗有衆生得聞如是言
說章句生實信不佛告須菩提莫作是說如
來滅後後五百歲有持戒脩福者於此章句
能生信心以此為實當知是人不於一佛二
佛三四五佛而種善根已於无量千萬佛所
種諸善根聞是章句乃至一念生淨信者須
菩提如來悉知悉見是諸衆生得如是无量
福德何以故是諸衆生无復我相人相衆生

BD00079號　金剛般若波羅蜜經

（13–1）

佛三四五佛而種善根已於无量千萬佛所
種諸善根聞是章句乃至一念生淨信者須
菩提如來悉知悉見是諸衆生得如是无量
福德何以故是諸衆生无復我相人相衆生
相壽者相无法相亦无非法相何以故是諸
衆生若心取相則為著我人衆生壽者若取
法相即著我人衆生壽者何以故若取非法
相即著我人衆生壽者是故不應取法不應
取非法以是義故如來常說汝等比丘知我
說法如筏喻者法尚應捨何況非法
須菩提於意云何如來得阿耨多羅三藐三
菩提耶如來有所說法耶須菩提言如我解
佛所說義无有定法名阿耨多羅三藐三菩
提亦无有定法如來可說何以故如來所說
法皆不可取不可說非法非非法所以者何
一切賢聖皆以无為法而有差別
須菩提於意云何若人滿三千大千世界七
寶以用布施是人所得福德寧為多不須菩
提言甚多世尊何以故是福德即非福德性
是故如來說福德多若復有人於此經中受
持乃至四句偈等為他人說其福勝彼何以
故須菩提一切諸佛及諸佛阿耨多羅三藐
三菩提法皆從此經出須菩提所謂佛法者
即非佛法
須菩提於意云何須陁洹能作是念我得須

BD00079號　金剛般若波羅蜜經

（13–2）

即非佛法
須菩提於意云何須陁洹能作是念我得須
陁洹果不須菩提言不也世尊何以故須陁
洹名為入流而无所入不入色聲香味觸法
是名須陁洹須菩提於意云何斯陁含能作
是念我得斯陁含果不須菩提言不也世尊
何以故斯陁含名一往来而實无往来是名
斯陁含須菩提於意云何阿那含能作是念
我得阿那含果不須菩提言不也世尊何以
故阿那含名為不来而實无来是故名阿那
含須菩提於意云何阿羅漢能作是念我得
阿羅漢道不須菩提言不也世尊何以故實
无有法名阿羅漢世尊若阿羅漢作是念我
得阿羅漢道即為著我人衆生壽者世尊佛
說我得无諍三昧人中最為第一是第一離
欲阿羅漢我不作是念我是離欲阿羅漢世
尊我若作是念我得阿羅漢道世尊則不說
須菩提是樂阿蘭那行者以須菩提實无所
行而名須菩提是樂阿蘭那行
佛告須菩提於意云何如来昔在然燈佛所
於法有所得不世尊如来在然燈佛所於法
實无所得須菩提於意云何菩薩莊嚴佛土
不不也世尊何以故莊嚴佛土者則非莊嚴
是名莊嚴是故須菩提諸菩薩摩訶薩應如

BD00079 號　金剛般若波羅蜜經　（13–3）

是名莊嚴是故須菩提諸菩薩摩訶薩應如
是生清淨心不應住色生心不應住聲香味
觸法生心應无所住而生其心須菩提譬如
有人身如須弥山王於意云何是身為大不
須菩提言甚大世尊何以故佛說非身是名
大身須菩提如恒河中所有沙數如是沙等
恒河於意云何是諸恒河沙寧為多不須菩
提言甚多世尊但諸恒河尚多无數何況其
沙須菩提我今實言告汝若有善男子善女
人以七寶滿尒所恒河沙數三千大千世界以
用布施得福多不須菩提言甚多世尊佛
告須菩提若善男子善女人於此經中乃至
受持四句偈等為他人說而此福德勝前福
德復次須菩提隨說是經乃至四句偈等當
知此處一切世間天人阿脩羅皆應供養如
佛塔廟何況有人盡能受持讀誦須菩提當
知是人成就最上第一希有之法若是經典
所在之處則為有佛若尊重弟子
尒時須菩提白佛言世尊當何名此經我等
云何奉持佛告須菩提是經名為金剛般若
波羅蜜以是名字汝當奉持所以者何須菩
提佛說般若波羅蜜則非般若波羅蜜須菩
提於意云何如来有所說法不須菩提白佛
言世尊如来无所說須菩提於意云何三千

BD00079 號　金剛般若波羅蜜經　（13–4）

提於意云何如來有所說法不須菩提白佛
言世尊如來无所說須菩提於意云何三千
大千世界所有微塵是為多不須菩提言甚
多世尊須菩提諸微塵如來說非微塵是
名微塵如來說世界非世界是名世界須菩提
於意云何可以三十二相見如來不不也世
尊不可以三十二相得見如來何以故如來說
三十二相即是非相是名三十二相須菩提若
有善男子善女人以恒河沙等身命布施若
復有人於此經中乃至受持四句偈等為他
人說其福甚多
尒時須菩提聞說是經深解義趣涕淚悲泣
而白佛言希有世尊佛說如是甚深經典我
從昔來所得慧眼未曾得聞如是之經世尊
若復有人得聞是經信心清淨則生實相當
知是人成就第一希有功德世尊是實相者
則是非相是故如來說名實相世尊我今得
聞如是經典信解受持不足為難若當來世
後五百歲其有衆生得聞是經信解受持
是人則為第一希有何以故此人无我相人相
衆生相壽者相所以者何我相即是非相人
相衆生相壽者相即是非相何以故離一切
諸相則名諸佛
佛告須菩提如是如是若復有人得聞是經
不驚不怖不畏當知是人甚為希有何以故

BD00079號　金剛般若波羅蜜經　（13-5）

佛告須菩提如是如是若復有人得聞是經
不驚不怖不畏當知是人甚為希有何以故
須菩提如來說第一波羅蜜非第一波羅蜜
是名第一波羅蜜
須菩提忍辱波羅蜜如來說非忍辱波羅蜜
何以故須菩提如我昔為歌利王割截身體
我於尒時无我相无人相无衆生相无壽者
相何以故我於往昔節節支解時若有我相
人相衆生相壽者相應生瞋恨須菩提又念
過去於五百世作忍辱仙人於尒所世无我
相无人相无衆生相无壽者相是故須菩提
菩薩應離一切相發阿耨多羅三藐三菩提心
不應住色生心不應住聲香味觸法生心
應生无所住心若心有住則為非住是故佛
說菩薩心不應住色布施須菩提菩薩為利
益一切衆生應如是布施如來說一切諸相
即是非相又說一切衆生則非衆生須菩提
如來是真語者實語者如語者不誑語者不
異語者須菩提如來所得法此法无實无
虛須菩提若菩薩心住於法而行布施如人入
闇則无所見若菩薩心不住法而行布施如
人有目日光明照見種種色須菩提當來之
世若有善男子善女人能於此經受持讀誦
則為如來以佛智慧悉知是人悉見是人皆
得成就无量无邊功德

BD00079號　金剛般若波羅蜜經　（13-6）

世尊若有善男子善女人能於此經受持讀誦
則為如來以佛智慧悉知是人悉見是人皆
得成就无量无邊功德
須菩提若有善男子善女人初日分以恒河沙
等身布施中日分復以恒河沙等身布施後
日分亦以恒河沙等身布施如是无量百千
萬億劫以身布施若復有人聞此經典信心
不逆其福勝彼何況書寫受持讀誦為人
解說須菩提以要言之是經有不可思議不
可稱量无邊功德如來為發大乘者說為發
最上乘者說若有人能受持讀誦廣為人說
如來悉知是人悉見是人皆得成就不可量
不可稱无有邊不可思議功德如是人等則
為荷擔如來阿耨多羅三藐三菩提何以故
須菩提若樂小法者著我見人見衆生見壽
者見則於此經不能聽受讀誦為人解說須
菩提在在處處若有此經一切世間天人阿
脩羅所應供養當知此處則為是塔皆應恭
敬作礼圍遶以諸華香而散其處
復次須菩提善男子善女人受持讀誦此經
若為人輕賤是人先世罪業應墮惡道以今
世人輕賤故先世罪業則為消滅當得阿耨
多羅三藐三菩提須菩提我念過去无量阿
僧祇劫於然燈佛前得值八百四千萬億那
由他諸佛悉皆供養承事无空過者若復有

BD00079 號　金剛般若波羅蜜經　（13–7）

僧祇劫於然燈佛前得值八百四千萬億那
由他諸佛悉皆供養承事无空過者若復有
人於後末世能受持讀誦此經所得功德於
我所供養諸佛功德百分不及一千萬億分
乃至筭數辟喻所不能及須菩提若善男子
善女人於後末世有受持讀誦此經所得功
德我若具說者或有人聞心則狂亂狐疑不
信須菩提當知是經義不可思議果報亦不
可思議
尒時須菩提白佛言世尊善男子善女人發阿
耨多羅三藐三菩提心云何應住云何降伏
其心佛告須菩提善男子善女人發阿耨多
羅三藐三菩提者當生如是心我應滅度
一切衆生滅度一切衆生已而无有一衆生
實滅度者何以故若菩薩有我相人相衆生
相壽者相則非菩薩所以者何須菩提實无
有法發阿耨多羅三藐三菩提者須菩提於
意云何如來於然燈佛所有法得阿耨多羅
三藐三菩提不不也世尊如我解佛所說義
佛於然燈佛所无有法得阿耨多羅三藐三
菩提佛言如是如是須菩提實无有法如來
得阿耨多羅三藐三菩提須菩提若有法如
來得阿耨多羅三藐三菩提者然燈佛則不
與我受記汝於來世當得作佛号釋迦牟尼
以實无有法得阿耨多羅三藐三菩提是故

BD00079 號　金剛般若波羅蜜經　（13–8）

與我受記汝於來世當得作佛号釋迦牟尼
以實无有法得阿耨多羅三藐三菩提是故
然燈佛與我受記作是言汝於來世當得作
佛号釋迦牟尼何以故如來者即諸法如義
若有人言如來得阿耨多羅三藐三菩提
須菩提實无有法佛得阿耨多羅三藐三菩
提須菩提如來所得阿耨多羅三藐三菩提
於是中无實无虛是故如來說一切法皆是佛
法須菩提所言一切法者即非一切法是故名
一切法須菩提譬如人身長大須菩提言
世尊如來說人身長大則為非大身是名大
身須菩提菩薩亦如是若作是言我當滅度
无量衆生則不名菩薩何以故須菩提實无
有法名為菩薩是故佛說一切法无我无人
无衆生无壽者須菩提若菩薩作是言我當
荘嚴佛土是不名菩薩何以故如來說荘嚴
佛土者即非荘嚴是名荘嚴須菩提若菩薩
通達无我法者如來說名真是菩薩
須菩提於意云何如來有肉眼不如是世尊
如來有肉眼須菩提於意云何如來有天眼
不如是世尊如來有天眼須菩提於意云何
如來有慧眼不如是世尊如來有慧眼須菩
提於意云何如來有法眼不如是世尊如來
有法眼須菩提於意云何如來有佛眼不如
是世尊如來有佛眼須菩提於意云何恒河

BD00079號　金剛般若波羅蜜經　（13–9）

有法眼須菩提於意云何如來有佛眼不如
是世尊如來有佛眼須菩提於意云何恒河
中所有沙佛說是沙不如是世尊如來說是
沙須菩提於意云何如一恒河中所有沙有
如是寺恒河是諸恒河所有沙數佛世界如
是寧為多不甚多世尊佛告須菩提尒所國
土中所有衆生若干種心如來悉知何以故
如來說諸心皆為非心是名為心所以者何
須菩提過去心不可得現在心不可得未來
心不可得須菩提於意云何若有人滿三千
大千世界七寶以用布施是人以是因緣得
福多不如是世尊此人以是因緣得福甚多
須菩提若福德有實如來不說得福德多
以福德无故如來說得福德多
須菩提於意云何佛可以具足色身見不不
也世尊如來不應以具足色身見何以故如來
說具足色身即非具足色身是名具足色身
須菩提於意云何如來可以具足諸相見不不
也世尊如來不應以具足諸相見何以故如
來說諸相具足即非具足是名諸相具足須
菩提汝勿謂如來作是念我當有所說法莫
作是念何以故若人言如來有所說法即為
謗佛不能解我所說故須菩提說法者无法
可說是名說法須菩提白佛言世尊佛得阿
耨多羅三藐三菩提為无所得耶如是如是

BD00079號　金剛般若波羅蜜經　（13–10）

可說是名說法須菩提白佛言世尊佛得阿
耨多羅三藐三菩提為无所得耶如是如是
須菩提我於阿耨多羅三藐三菩提乃至无
有少法可得是名阿耨多羅三藐三菩提復
次須菩提是法平等无有高下是名阿耨多
羅三藐三菩提以无我无人无衆生无壽者
脩一切善法則得阿耨多羅三藐三菩提須
菩提所言善法者如來說非善法是名善法
須菩提若三千大千世界中所有諸須弥山
王如是等七寶聚有人持用布施若人以此
般若波羅蜜經乃至四句偈等受持讀誦為
他人說於前福德百分不及一百千萬億分
乃至筭數譬喻所不能及
須菩提於意云何汝等勿謂如來作是念我
當度衆生須菩提莫作是念何以故實无有
衆生如來度者若有衆生如來度者如來則
有我人衆生壽者須菩提如來說有我者
則非有我而凡夫之人以為有我須菩提凡
夫者如來說則非凡夫須菩提於意云何可
以三十二相觀如來不須菩提言如是如是以
三十二相觀如來佛言須菩提若以三十二
相觀如來者轉輪聖王則是如來須菩提白
佛言世尊如我解佛所說義不應以三十二
相觀如來尒時世尊而說偈言

BD00079 號　金剛般若波羅蜜經　（13–11）

相觀如來尒時世尊而說偈言
若以色見我　以音聲求我　是人行邪道　不能見如來
須菩提汝若作是念如來不以具足相故得
阿耨多羅三藐三菩提須菩提莫作是念如
來不以具足相故得阿耨多羅三藐三菩提
須菩提汝若作是念發阿耨多羅三藐三菩
提者說諸法斷滅相莫作是念何以故發阿
耨多羅三藐三菩提者於法不說斷滅相須
菩提若菩薩以滿恒河沙等世界七寶布施
若復有人知一切法无我得成於忍此菩薩
勝前菩薩所得功德須菩提以諸菩薩不受
福德故須菩提白佛言世尊云何菩薩不受
福德須菩提菩薩所作福德不應貪著是故
說不受福德須菩提若有人言如來若來若
去若坐若卧是人不解我所說義何以故如
來者无所從來亦无所去故名如來
須菩提若善男子善女人以三千大千世界
碎為微塵於意云何是微塵衆寧為多不甚
多世尊何以故若是微塵衆實有者佛則不
說是微塵衆所以者何佛說微塵衆則非微
塵衆是名微塵衆世尊如來所說三千大千
世界則非世界是名世界何以故若世界實有
者則是一合相如來說一合相則非一合
相是名一合相須菩提一合相者則是不可

BD00079 號　金剛般若波羅蜜經　（13–12）

者則是一合相如來說一合相則非一合
相是名一合相須菩提一合相者則是不可
說但凡夫之人貪着其事須菩提若人言佛
說我見人見衆生見壽者見須菩提於意云
何是人解我所說義不世尊是人不解如來所
說義何以故世尊說我見人見衆生見壽者
見即非我見人見衆生見壽者見是名我
見人見衆生見壽者見須菩提發阿耨多
羅三藐三菩提心者於一切法應如是知如
是見如是信解不生法相須菩提所言法相
者如來說即非法相是名法相須菩提若有
人以滿无量阿僧祇世界七寶持用布施若有
善男子善女人發菩薩心者持於此經乃至
四句偈等受持讀誦為人演說其福勝彼云
何為人演說不取於相如如不動何以故
一切有為法　如夢幻泡影　如露亦如電　應作如是觀
佛說是經已長老須菩提及諸比丘比丘尼
優婆塞優婆夷一切世間天人阿脩羅聞佛
所說皆大歡喜信受奉行

金剛般若波羅蜜經

BD00079號　金剛般若波羅蜜經　（13–13）

親近
盡勿親近
若說法時　无得戲笑
入里乞食　將一比丘　若无比丘　一心念佛
是則名為　行處近處　以此二處　能安樂說
又復不行　上中下法　有為无為　實不實法
亦不分別　是男是女　不得諸法　不知不見
是則名為　菩薩行處　一切諸法　空无所有
无有常住　亦无起滅　是名智者　所親近處
顛倒分別　諸法有无　是實非實　是生非生
在於閑處　脩攝其心　安住不動　如須弥山
觀一切法　皆无所有　猶如虛空　无有堅固
不生不出　不動不退　常住一相　是名近處
若有比丘　於我滅後　入是行處　及親近處
說斯經時　无有怯弱　菩薩有時　入於靜室
以正憶念　隨義觀法　從禪定起　為諸國王
王子臣民　婆羅門等　開化演暢　說斯經典
其心安隱　无有怯弱　文殊師利　是名菩薩
安住初法　能於後世　說法華經
又文殊師利如來滅後於末法中欲說是經
應住安樂行若口宣說若讀經時不樂說人

BD00080號　妙法蓮華經卷五　（28–1）

安住初法 能於後世 說法華經
又文殊師利如来滅後於末法中欲說是經
應住安樂行若口宣說若讀經時不樂說人
及經典過亦不輕慢諸餘法師不說他人好
惡長短於聲聞人亦不稱名說其過惡亦不
稱名讚歎其美又亦不生怨嫌之心善脩如是
安樂心故諸有聽者不逆其意有所難問
不以小乘法荅但以大乘而為解說令得一
切種智尒時世尊欲重宣此義而說偈言
菩薩常樂 安隱說法 於清淨地 而施床座
以油塗身 澡浴塵穢 著新淨衣 内外俱淨
安處法座 隨問為說 若有比丘 及比丘尼
諸優婆塞 及優婆夷 國王王子 群臣士民
以微妙義 和顏為說 若有難問 隨義而荅
因緣譬喻 敷演分別 以是方便 皆使發心
漸漸增益 入於佛道 除嬾惰意 及懈怠想
離諸憂惱 慈心說法 晝夜常說 无上道教
以諸因緣 无量譬喻 開示衆生 咸令歡喜
衣服卧具 飲食醫藥 而於其中 无所悕望
但一心念 說法因緣 願成佛道 令衆亦尒
是則大利 安樂供養 我滅度後 若有比丘
能演說斯 妙法華經 心无嫉恚 諸惱障礙

BD00080 號　妙法蓮華經卷五　　（28–2）

是則大利 安樂供養 我滅度後 若有比丘
能演說斯 妙法華經 心无嫉恚 諸惱障礙
亦无憂愁 及罵詈者 又无怖畏 加刀杖等
亦无擯出 安住忍故 智者如是 善脩其心
能住安樂 如我上說 其人功德 千万億劫
筭數譬喻 說不能盡
又文殊師利菩薩摩訶薩於後末世法欲滅
時受持讀誦斯經典者无懷嫉妬諂誑之心
亦勿輕罵學佛道者求其長短若比丘比丘
尼優婆塞優婆夷求聲聞者求辟支佛者求
菩薩道者无得惱之令其疑悔語其人言汝
等去道甚遠終不能得一切種智所以者何
汝是放逸之人於道懈怠故又亦不應戲論
諸法有所諍競當於一切衆生起大悲想於
諸如来起慈父想於諸菩薩起大師想於十
方諸大菩薩常應深心恭敬礼拜於一切衆
生平等說法以順法故不多不少乃至深愛
法者亦不為多說文殊師利是菩薩摩訶薩
於後末世法欲滅時有成就是第三安樂行
者說是法時无能惱亂得好同學共讀誦是
經亦得大衆而来聽受聽已能持持已能誦
誦已能說說已能書若使人書供養經卷恭
敬尊重讚歎尒時世尊欲重宣此義而說偈
言

BD00080 號　妙法蓮華經卷五　　（28–3）

敬尊重讃歎尒時世尊欲重宣此義而說偈
言
若欲說是經　當捨嫉恚慢　諂誑邪偽心　常脩質直行
不輕蔑於人　亦不戲論法　不令他疑悔　云汝不得佛
是佛子說法　常柔和能忍　慈悲於一切　不生懈怠心
十方大菩薩　愍衆故行道　應生恭敬心　是則我大師
於諸佛世尊　生无上父想　破於憍慢心　說法无障礙
第三法如是　智者應守護　一心安樂行　无量衆所敬
又文殊師利菩薩摩訶薩於後末世法欲滅
時有持法華經者於在家出家人中生大慈
心於非菩薩人中生大悲心應作是念如是
之人則為大失如來方便隨宜說法不聞不
知不覺不問不信不解其人雖不問不信不
解是經我得阿耨多羅三藐三菩提時隨在
何地以神通力智慧力引之令得住是法中
文殊師利是菩薩摩訶薩於如來滅後有成
就此第四法者說是法時无有過失常為比
丘比丘尼優婆塞優婆夷國王王子大臣人
民婆羅門居士等供養恭敬尊重讃歎虛空
諸天為聽法故亦常隨侍若在聚落城邑空
閑林中有人來欲難問者諸天晝夜常為法
故而衛護之能令聽者皆得歡喜所以者何
此經是一切過去未來現在諸佛神力所護

故而衛護之能令聽者皆得歡喜所以者何
此經是一切過去未來現在諸佛神力所護
故文殊師利是法華經於无量國中乃至名
字不可得聞何況得見受持讀誦文殊師利
譬如強力轉輪聖王欲以威勢降伏諸國而
諸小王不順其命時轉輪王起種種兵而往
討伐王見兵衆戰有功者即大歡喜隨功賞
賜或與田宅聚落城邑或與衣服嚴身之具
或與種種珍寶金銀琉璃車磲馬瑙珊瑚虎
珀象馬車乘奴婢人民唯髻中明珠不以與
之所以者何獨王頂上有此一珠若以與之
王諸眷屬必大驚怪文殊師利如來亦復如
是以禪定智慧力得法國土王於三界而諸
魔王不肯順伏如來賢聖諸將與之共戰其
有功者心亦歡喜於四衆中為說諸經令其
心悅賜以禪定解脫无漏根力諸法之財又
復賜與涅槃之城言得滅度引導其心令皆
歡喜而不為說是法華經文殊師利如轉輪
王見諸兵衆有大功者心甚歡喜以此難信
之珠久在髻中不妄與人而今與之如來亦
復如是於三界中為大法王以法教化一切衆
生見賢聖軍與五陰魔煩惱魔死魔共戰
有大功勲滅三毒出三界破魔網尒時如來
亦大歡喜此法華經能令衆生至一切智一

有大功勳滅三毒出三界破魔網尒時如来
亦大歡喜此法華經能令衆生至一切智一
切世間多怨難信先所未說而今說之文殊
師利此法華經是諸如来第一之說於諸說
中最為甚深末後賜與如彼強力之王久護明
珠今乃與之文殊師利此法華經諸佛如
来秘密之藏於諸經中最在其上長夜守護
不妄宣說始於今日乃與汝等而敷演之尒
時世尊欲重宣此義而說偈言
常行忍辱 哀愍一切 乃能演說 佛所讚經
後末世時 持此經者 於家出家 及非菩薩
應生慈悲 斯等不聞 不信是經 則為大失
我得佛道 以諸方便 為說此法 令住其中
譬如強力 轉輪之王 兵戰有功 賞賜諸物
象馬車乘 嚴身之具 及諸田宅 聚落城邑
或與衣服 種種珍寶 奴婢財物 歡喜賜與
如有勇健 能為難事 王解髻中 明珠賜之
如来亦尒 為諸法王 忍辱大力 智慧寶藏
以大慈悲 如法化世 見一切人 受諸苦惱
欲求解脫 與諸魔戰 為是衆生 說種種法
以大方便 說此諸經 既知衆生 得其力已
末後乃為 說是法華 如王解髻 明珠與之
此經為尊 衆經中上 我常守護 不妄開示
今正是時 為汝等說 我滅度後 求佛道者

BD00080號　妙法蓮華經卷五　（28–6）

此經為尊 衆經中上 我常守護 不妄開示
今正是時 為汝等說 我滅度後 求佛道者
欲得安隱 演說斯經 應當親近 如是四法
讀是經者 常无憂惱 又无病痛 顏色鮮白
不生貧窮 卑賤醜陋 衆生樂見 如慕賢聖
天諸童子 以為給使 刀杖不加 毒不能害
若人惡罵 口則閉塞 遊行无畏 如師子王
智慧光明 如日之照 若於夢中 但見妙事
見諸如来 坐師子座 諸比丘衆 圍繞說法
又見龍神 阿脩羅等 數如恒沙 恭敬合掌
自見其身 而為說法 又見諸佛 身相金色
放无量光 照於一切 以梵音聲 演說諸法
佛為四衆 說无上法 見身處中 合掌讚佛
聞法歡喜 而為供養 得陁羅尼 證不退智
佛知其心 深入佛道 即為授記 成最正覺
汝善男子 當於来世 得无量智 佛之大道
國土嚴淨 廣大无比 亦有四衆 合掌聽法
又見自身 在山林中 脩習善法 證諸實相
深入禪定 見十方佛
諸佛身金色 百福相莊嚴 聞法為人說 常有是好夢
又夢作國王 捨宮殿眷屬 及上妙五欲 行詣於道場
在菩提樹下 而處師子座 求道過七日 得諸佛之智
成无上道已 起而轉法輪 為四衆說法 經千万億劫

BD00080號　妙法蓮華經卷五　（28–7）

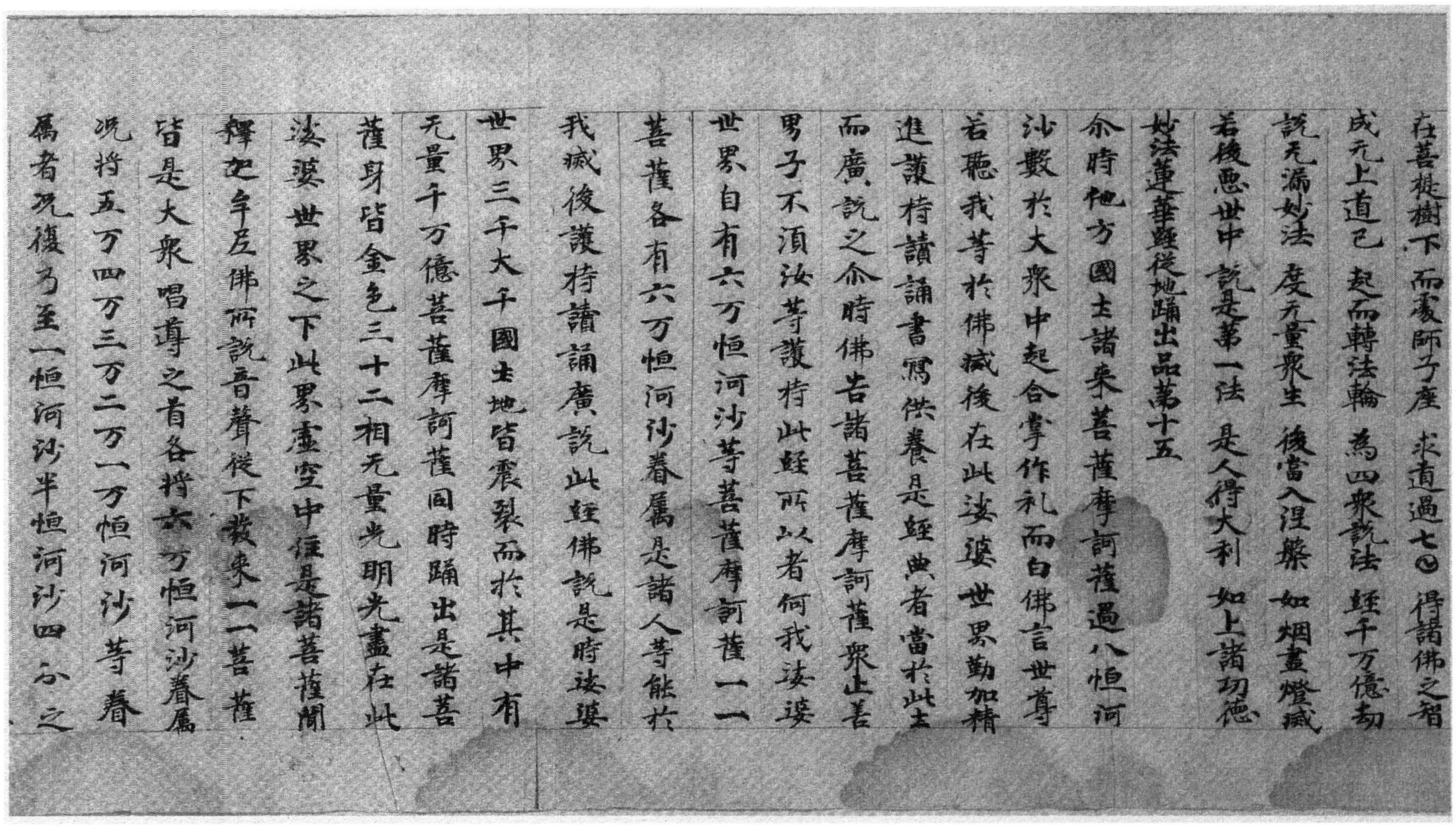

在菩提樹下　而處師子座　求道過七日　得諸佛之智
成无上道已　起而轉法輪　為四衆說法　經千万億劫
說无漏妙法　度无量衆生　後當入涅槃　如烟盡燈滅
若後惡世中　說是第一法　是人得大利　如上諸功德
妙法蓮華經從地踊出品第十五
尒時他方國土諸來菩薩摩訶薩過八恒河
沙數於大衆中起合掌作礼而白佛言世尊
若聽我等於佛滅後在此娑婆世界勤加精
進護持讀誦書寫供養是經典者當於此土
而廣說之尒時佛告諸菩薩摩訶薩衆止善
男子不須汝等護持此經所以者何我娑婆
世界自有六万恒河沙等菩薩摩訶薩一一
菩薩各有六万恒河沙眷屬是諸人等能於
我滅後護持讀誦廣說此經佛說是時娑婆
世界三千大千國土地皆震裂而於其中有
无量千万億菩薩摩訶薩同時踊出是諸菩
薩身皆金色三十二相无量光明先盡在此
娑婆世界之下此界虛空中住是諸菩薩聞
釋迦牟尼佛所說音聲從下發來一一菩薩
皆是大衆唱導之首各將六万恒河沙眷屬
況將五万四万三万二万一万恒河沙等眷
屬者況復乃至一恒河沙半恒河沙四分之

BD00080 號　妙法蓮華經卷五　（28–8）

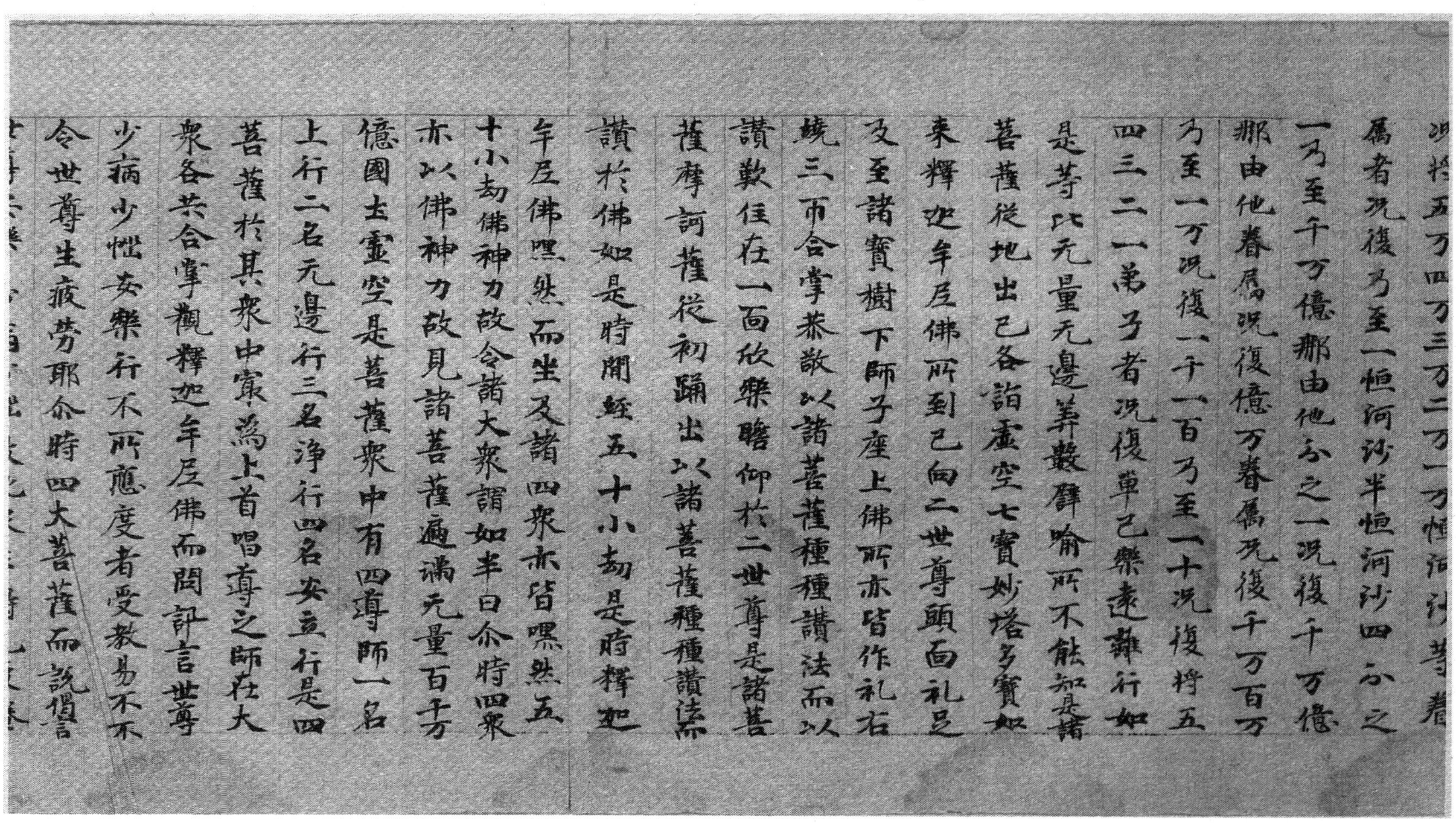

況將五万四万三万二万一万恒河沙等眷
屬者況復乃至一恒河沙半恒河沙四分之
一乃至千万億那由他分之一況復千万億
那由他眷屬況復億万眷屬況復千万百万
乃至一万況復一千一百乃至一十況復將五
四三二一弟子者況復單己樂遠離行如
是等比无量无邊筭數譬喻所不能知是諸
菩薩從地出已各詣虛空七寶妙塔多寶如
來釋迦牟尼佛所到已向二世尊頭面礼足
及至諸寶樹下師子座上佛所亦皆作礼右
繞三帀合掌恭敬以諸菩薩種種讚法而以
讚歎住在一面欣樂瞻仰於二世尊是諸菩
薩摩訶薩從初踊出以諸菩薩種種讚法
讚於佛如是時間經五十小劫是時釋迦
牟尼佛默然而坐及諸四衆亦皆默然五
十小劫佛神力故令諸大衆謂如半日尒時四衆
亦以佛神力故見諸菩薩遍滿无量百千万
億國土虛空是菩薩衆中有四導師一名
上行二名无邊行三名淨行四名安立行是四
菩薩於其衆中最為上首唱導之師在大
衆前各共合掌觀釋迦牟尼佛而問訊言世尊
少病少惱安樂行不所應度者受教易不不
令世尊生疲勞耶尒時四大菩薩而說偈言

BD00080 號　妙法蓮華經卷五　（28–9）

少病少惱安樂行不所應度者受教易不不
令世尊生疲勞耶尒時四大菩薩而說偈言
世尊安樂　少病少惱　教化衆生　得无疲惓
又諸衆生　受化易不　不令世尊　生疲勞耶
尒時世尊於菩薩大衆中而作是言如是如
是諸善男子如來安樂少病少惱諸衆生等
易可化度无有疲勞所以者何是諸衆生世
世已來常受我化亦於過去諸佛供養尊重
種諸善根此諸衆生始見我身聞我所說即
皆信受入如来慧除先脩習學小乘者如是
之人我今亦令得聞是經入於佛慧尒時諸
大菩薩而說偈言
善哉善哉　大雄世尊　諸衆生等　易可化度
能問諸佛　甚深智慧　聞已信行　我等隨喜
於時世尊讚歎上首諸大菩薩善哉善哉善
男子汝等能於如來發隨喜心尒時弥勒菩
薩及八千恒河沙諸菩薩衆皆作是念我等
從昔已來不見不聞如是大菩薩摩訶薩衆
從地踊出住世尊前合掌供養問訊如來時
弥勒菩薩摩訶薩知八千恒河沙諸菩薩等
心之所念并欲自決所疑合掌向佛以偈問
曰
无量千万億　大衆諸菩薩　昔所未曾見　願兩足尊說

BD00080號　妙法蓮華經卷五　（28–10）

曰
无量千万億　大衆諸菩薩　昔所未曾見　願兩足尊說
是從何所來　以何因緣集　巨身大神通　智慧叵思議
其志念堅固　有大忍辱力　衆生所樂見　為從何所来
一一諸菩薩　所將諸眷屬　其數无有量　如恒河沙等
或有大菩薩　將六万恒沙　如是諸大衆　一心求佛道
是諸大師等　六万恒河沙　俱来供養佛　及護持此經
將五万恒沙　其數過於是　四万及三万　二万至一万
一千一百等　乃至一恒沙　半及三四分　億万分之一
千万那由他　万億諸弟子　乃至於半億　其數復過上
百万至一万　一千及一百　五十與一十　乃至三二一
單已无眷屬　樂於獨處者　俱来至佛所　其數轉過上
如是諸大衆　若人行籌數　過於恒沙劫　猶不能盡知
是諸大威德　精進菩薩衆　誰為其說法　教化而成就
從誰初發心　稱揚何佛法　受持行誰經　脩習何佛道
如是諸菩薩　神通大智力　四方地震裂　皆從中踊出
世尊我昔来　未曾見是事　願說其所從　國土之名号
我常遊諸國　未曾見是衆　我於此衆中　乃不識一人
忽然從地出　願說其因緣　今此之大會　无量百千億
是諸菩薩等　皆欲知此事　是諸菩薩衆　本末之因緣
无量德世尊　唯願決衆疑
尒時釋迦牟尼佛分身諸佛從无量千万億
他方國土來者在於八方諸寶樹下師子座

BD00080號　妙法蓮華經卷五　（28–11）

无量德世尊 唯願决衆疑
尒時釋迦牟尼佛分身諸佛從无量千万億
他方國土來者在於八方諸寶樹下師子座
上結加趺坐其佛侍者各各見是菩薩大衆
於三千大千世界四方從地踊出住於虛空
各白其佛言世尊此諸无量无邊阿僧祇菩
薩大衆從何所來尒時諸佛各告侍者諸善
男子且待須臾有菩薩摩訶薩名弥勒釋迦
牟尼佛之所授記次後作佛已問斯事佛今
荅之汝等自當因是得聞尒時釋迦牟尼佛
告弥勒菩薩善哉善哉阿逸多乃能問佛如
是大事汝等當共一心被精進鎧發堅固意
如來今欲顯發宣示諸佛智慧諸佛自在神
通之力諸佛師子奮迅之力諸佛威猛大勢
之力尒時世尊欲重宣此義而說偈言
當精進一心 我欲說此事 勿得有疑悔 佛智叵思議
汝今出信力 住於忍善中 佛无不實語 智慧不可量
我今安慰汝 勿得懷疑懼 佛无不實語 智慧不可量
所得第一法 甚深叵分別 如是今當說 汝等一心聽
尒時世尊說此偈已告弥勒菩薩我今於此
大衆宣告汝等阿逸多是諸大菩薩摩訶薩
无量无數阿僧祇從地踊出汝等昔所未見

大衆宣告汝等阿逸多是諸大菩薩摩訶薩
无量无數阿僧祇從地踊出汝等昔所未見
者我於是娑婆世界得阿耨多羅三藐三菩
提已教化示導是諸菩薩調伏其心令發道
意此諸菩薩皆於是娑婆世界之下此界虛
空中住於諸經典讀誦通利思惟分別正憶
念阿逸多是諸善男子等不樂在衆多有所
說常樂靜處勤行精進未曾休息亦不依止
人天而住常樂深智无有障礙亦常樂於諸
佛之法一心精進求无上慧尒時世尊欲重
宣此義而說偈言
阿逸汝當知 是諸大菩薩 從无數劫來 修習佛智慧
悉是我所化 令發大道心 此等是我子 依止是世界
常行頭陀事 志樂於靜處 捨大衆憒鬧 不樂多所說
如是諸子等 學習我道法 晝夜常精進 為求佛道故
在娑婆世界 下方空中住 志念力堅固 常勤求智慧
說種種妙法 其心无所畏 我於伽耶城 菩提樹下坐
得成最正覺 轉无上法輪 尒乃教化之 令初發道心
今皆住不退 悉當得成佛 我今說實語 汝等一心信
我從久遠來 教化是等衆
尒時弥勒菩薩摩訶薩及无數諸菩薩等心
生疑惑怪未曾有而作是念云何世尊於少

尒時彌勒菩薩摩訶薩及无數諸菩薩等心
生疑惑怪未曾有而作是念云何世尊於少
時間教化如是无量无邊阿僧祇諸大菩薩
令住阿耨多羅三藐三菩提即白佛言世尊
如來為太子時出於釋宮去伽耶城不遠坐
於道場得成阿耨多羅三藐三菩提從是已
來始過四十餘年世尊云何於此少時大作
佛事以佛勢力以佛功德教化如是无量大
菩薩衆當成阿耨多羅三藐三菩提世尊此
大菩薩衆假使有人於千万億劫數不能盡
不得其邊斯等久遠已來於无量无邊諸佛
所殖諸善根成就菩薩道常脩梵行世尊如
此之事世所難信譬如有人色美髮黑年二
十五指百歲人言是我子其百歲人亦指年
少言是我父生育我等是事難信佛亦如是
得道已來其實未久而此大衆諸菩薩等已
於无量千万億劫為佛道故勤行精進善入
出住无量百千万億三昧得大神通久脩梵
行善能次第習諸善法巧於問荅人中之寶
一切世間甚為希有今日世尊方云得佛道
時初令發心教化示導令向阿耨多羅三藐
三菩提世尊得佛未久乃能作此大功德事
我等雖復信佛隨宜所說佛所出言未曾虛
妄佛所知者皆悉通達然諸新發意菩薩於

三菩提世尊得佛未久乃能作此大功德事
我等雖復信佛隨宜所說佛所出言未曾虛
妄佛所知者皆悉通達然諸新發意菩薩於
佛滅後若聞是語或不信受而起破法罪業
因緣唯然世尊願為解說除我等疑及未來
世諸善男子聞此事已亦不生疑尒時彌勒
菩薩欲重宣此義而說偈言
佛昔從釋種　出家近伽耶　坐於菩提樹　尒來尚未久
此諸佛子等　其數不可量　久已行佛道　住於神通力
善學菩薩道　不染世間法　如蓮華在水　從地而踊出
皆起恭敬心　住於世尊前　是事難思議　云何而可信
佛得道甚近　所成就甚多　願為除衆疑　如實分別說
譬如少壯人　年始二十五　示人百歲子　髮白而面皺
是等我所生　子亦說是父　父少而子老　舉世所不信
世尊亦如是　得道來甚近　是諸菩薩等　志固无怯弱
從无量劫來　而行菩薩道　巧於難問荅　其心无所畏
忍辱心決定　端正有威德　十方佛所讚　善能分別說
不樂在人衆　常好在禪定　為求佛道故　於下空中住
我等從佛聞　於此事无疑　願佛為未來　演說令開解
若有於此經　生疑不信者　即當墮惡道　願今為解說
是无量菩薩　云何於少時　教化令發心　而住不退地

妙法蓮華經如來壽量品第十六

尒時佛告諸菩薩及一切大衆諸善男子汝
等當信解如來誠諦之語復告大衆汝等當

尒時佛告諸菩薩及一切大衆諸善男子汝
等當信解如來誠諦之語復告大衆汝等當
信解如來誠諦之語又復告諸大衆汝等當
信解如來誠諦之語是時菩薩大衆弥勒為
首合掌白佛言世尊唯願說之我等當信受
佛語如是三白已復言唯願說之我等當信
受佛語尒時世尊知諸菩薩三請不止而告
之言汝等諦聽如來秘密神通之力一切世
間天人及阿脩羅皆謂今釋迦牟尼佛出釋
氏宮去伽耶城不遠坐於道場得阿耨多羅
三藐三菩提然善男子我實成佛已來无量
无邊百千万億那由他劫譬如五百千万億
那由他阿僧祇三千大千世界假使有人末
為微塵過於東方五百千万億那由他阿僧
祇國乃下一塵如是東行盡是微塵諸善男
子於意云何是諸世界可得思惟校計知其
數不弥勒菩薩等俱白佛言世尊是諸世界
无量无邊非筭數所知亦非心力所及一切
聲聞辟支佛以无漏知不能思惟知其限數
我等住阿惟越致地於是事中亦所不達世
尊如是諸世界无量无邊尒時佛告大菩薩
衆諸善男子今當分明宣語汝等是諸世界
若著微塵及不著者盡以為塵一塵一劫我

BD00080 號　妙法蓮華經卷五　（28–16）

衆諸善男子今當分明宣語汝等是諸世界
若著微塵及不著者盡以為塵一塵一劫我
成佛已來復過於此百千万億那由他阿僧
祇劫自從是來我常在此娑婆世界說法教
化亦於餘處百千万億那由他阿僧祇國導
利衆生諸善男子於是中間我說然燈佛等
又復言其入於涅槃如是皆以方便分別諸
善男子若有衆生來至我所我以佛眼觀其
信等諸根利鈍隨所應度處處自說名字不
同年紀大小亦復現言當入涅槃又以種種
方便說微妙法能令衆生發歡喜心諸善男
子如來見諸衆生樂於小法德薄垢重者為
是人說我少出家得阿耨多羅三藐三菩提
然我實成佛已來久遠若斯但以方便教化
衆生令入佛道作如是說諸善男子如來所
演經典皆為度脫衆生或說己身或說他身
或示己身或示他身或示己事或示他事諸
所言說皆實不虛所以者何如來如實知見
三界之相无有生死若退若出亦无在世及
滅度者非實非虛非如非異不如三界見於
三界如斯之事如來明見无有錯謬以諸衆
生有種種性種種欲種種行種種憶想分別
故欲令生諸善根以若干因緣譬喻言辭種

BD00080 號　妙法蓮華經卷五　（28–17）

生有種種性種種欲種種行種種憶想分別
故欲令生諸善根以若干因緣譬喻言辭種
種說法所作佛事未曾暫廢如是我成佛已
来甚大久遠壽命无量阿僧祇劫常住不滅
諸善男子我本行菩薩道所成壽命今猶未
盡復倍上數然今非實滅度而便唱言當取
滅度如来以是方便教化衆生所以者何若
佛久住於世薄德之人不種善根貧窮下賤
貪著五欲入於憶想妄見網中若見如来常
在不滅便起憍恣而懷猒怠不能生難遭之
想恭敬之心是故如来以方便說比丘當知
諸佛出世難可值遇所以者何諸薄德人過
无量百千万億劫或有見佛或不見者以此
事故我作是言諸比丘如来難可得見斯衆
生等聞如是語必當生於難遭之想心懷戀
慕渴仰於佛便種善根是故如来雖不實滅
而言滅度又善男子諸佛如来法皆如是為
度衆生皆實不虛譬如良醫智慧聰達明練
方藥善治衆病其人多諸子息若十二十乃
至百數以有事緣遠至餘國諸子於後飲他
毒藥藥發悶亂宛轉于地是時其父還来歸
家諸子飲毒或失本心或不失者遙見其父
皆大歡喜拜跪問訊善安隱歸我等愚癡誤

BD00080號　妙法蓮華經卷五　（28–18）

家諸子飲毒或失本心或不失者遙見其父
皆大歡喜拜跪問訊善安隱歸我等愚癡誤
服毒藥願見救療更賜壽命父見子等苦惱
如是依諸經方求好藥草色香美味皆悉具
足擣篩和合與子令服而作是言此大良藥
色香美味皆悉具足汝等可服速除苦惱无
復衆患其諸子中不失心者見此良藥色香
俱好即便服之病盡除愈餘失心者見其父
来雖亦歡喜問訊求索治病然與其藥而不
肯服所以者何毒氣深入失本心故於此好
色香藥而謂不美父作是念此子可愍為毒
所中心皆顛倒雖見我喜求索救療如是好
藥而不肯服我今當設方便令服此藥即作
是言汝等當知我今衰老死時已至是好良
藥今留在此汝可取服勿憂不差作是教已
復至他國遣使還告汝父已死是時諸子聞
父背喪心大憂惱而作是念若父在者慈愍
我等能見救護今者捨我遠喪他國自惟孤
露无復恃怙常懷悲感心遂醒悟乃知此藥
色味香美即取服之毒病皆愈其父聞子悉
已得差尋便来歸咸使見之諸善男子於意
云何頗有人能說此良醫虛妄罪不不也世
尊佛言我亦如是成佛已来无量无邊百千
万億那由他阿僧祇劫為衆生故以方便力

BD00080號　妙法蓮華經卷五　（28–19）

云何頗有人能說此良醫虛妄罪不不也世
尊佛言我亦如是成佛已来无量无邊百千
万億那由他阿僧祇劫為衆生故以方便力
言當滅度亦无有能如法說我虛妄過者尒
時世尊欲重宣此義而說偈言
自我得佛來　所經諸劫數　无量百千万　億載阿僧祇
常說法教化　无數億衆生　令入於佛道　尒来无量劫
為度衆生故　方便現涅槃　而實不滅度　常住此說法
我常住於此　以諸神通力　令顛倒衆生　雖近而不見
衆見我滅度　廣供養舍利　咸皆懷戀慕　而生渴仰心
衆生既信伏　質直意柔軟　一心欲見佛　不自惜身命
時我及衆僧　俱出靈鷲山　我時語衆生　常在此不滅
以方便力故　現有滅不滅　餘國有衆生　恭敬信樂者
我復於彼中　為說无上法　汝等不聞此　但謂我滅度
我見諸衆生　沒在於苦惱　故不為現身　令其生渴仰
因其心戀慕　乃出為說法　神通力如是　於阿僧祇劫
常在靈鷲山　及餘諸住處　衆生見劫盡　大火所燒時
我此土安隱　天人常充滿　園林諸堂閣　種種寶莊嚴
寶樹多華菓　衆生所遊樂　諸天擊天鼓　常作衆伎樂
雨曼陁羅華　散佛及大衆　我淨土不毀　而衆見燒盡
憂怖諸苦惱　如是悉充滿　是諸罪衆生　以惡業因緣
過阿僧祇劫　不聞三寶名　諸有脩功德　柔和質直者

BD00080號　妙法蓮華經卷五　（28–20）

憂怖諸苦惱　如是悉充滿　是諸罪衆生　以惡業因緣
過阿僧祇劫　不聞三寶名　諸有脩功德　柔和質直者
則皆見我身　在此而說法　或時為此衆　說佛壽无量
久乃見佛者　為說佛難值　我智力如是　慧光照无量
壽命无數劫　久脩業所得　汝等有智者　勿於此生疑
當斷令永盡　佛語實不虛　如醫善方便　為治狂子故
實在而言死　无能說虛妄　我亦為世父　救諸苦患者
為凡夫顛倒　實在而言滅　以常見我故　而生憍恣心
放逸著五欲　墮於惡道中　我常知衆生　行道不行道
隨應所可度　為說種種法　每自作是意　以何令衆生
得入无上道　速成就佛身
妙法蓮華經分別功德品第十七
尒時大會聞佛說壽命劫數長遠如是无量
无邊阿僧祇衆生得大饒益於時世尊告弥
勒菩薩摩訶薩阿逸多我說是如來壽命長
遠時六百八十万億那由他恒河沙衆生得
无生法忍復千倍菩薩摩訶薩得聞持陁羅
尼門復有一世界微塵數菩薩摩訶薩得樂
說无礙辯才復有一世界微塵數菩薩摩訶
薩得百千万億无量旋陁羅尼復有三千大千
世界微塵數菩薩摩訶薩能轉不退法輪復
有二千中國土微塵數菩薩摩訶薩能轉清

BD00080號　妙法蓮華經卷五　（28–21）

世界微塵數菩薩摩訶薩能轉不退法輪復
有二千中國土微塵數菩薩摩訶薩能轉清
淨法輪復有小千國土微塵數菩薩摩訶
薩八生當得阿耨多羅三藐三菩提復有四
四天下微塵數菩薩摩訶薩四生當得阿耨
多羅三藐三菩提復有三四天下微塵數菩
薩摩訶薩三生當得阿耨多羅三藐三菩提
復有二四天下微塵數菩薩摩訶薩二生當
得阿耨多羅三藐三菩提復有一四天下微
塵數菩薩摩訶薩一生當得阿耨多羅三藐
三菩提復有八世界微塵數衆生皆發阿耨
多羅三藐三菩提心佛說是諸菩薩摩訶薩
得大法利時於虛空中雨曼陀羅華摩訶曼
陀羅華以散无量百千万億寶樹下師子座
上諸佛并散七寶塔中師子座上釋迦牟尼
佛及久滅度多寶如來亦散一切諸大菩薩及
四部衆又雨細末栴檀沉水香等於虛空
中天鼓自鳴妙聲深遠又雨千種天衣垂諸
瓔珞真珠瓔珞摩尼珠瓔珞如意珠瓔珞遍
於九方衆寶香爐燒无價香自然周至供養
大會一一佛上有諸菩薩執持幡蓋次第而
上至于梵天是諸菩薩以妙音聲歌无量頌

大會一一佛上有諸菩薩執持幡蓋次第而
上至于梵天是諸菩薩以妙音聲歌无量頌
讚歎諸佛尒時弥勒菩薩從座而起偏袒右
肩合掌向佛而說偈言

佛說希有法　昔所未曾聞　世尊有大力　壽命不可量
无數諸佛子　聞世尊分別　說得法利者　歡喜充遍身
或住不退地　或得陀羅尼　或无礙樂說　万億旋總持
或有大千界　微塵數菩薩　各各皆能轉　不退之法輪
或有中千界　微塵數菩薩　各各皆能轉　清淨之法輪
復有小千界　微塵數菩薩　餘各八生在　當得成佛道
復有四三二　如是四天下　微塵諸菩薩　隨數生成佛
或一四天下　微塵數菩薩　餘有一生在　當成一切智
如是等衆生　聞佛壽長遠　得无量无漏　清淨之果報
復有八世界　微塵數衆生　聞佛說壽命　皆發无上心
世尊說无量　不可思議法　多有所饒益　如虛空无邊
雨天曼陀羅　摩訶曼陀羅　釋梵如恒沙　无數佛土來
雨栴檀沉水　繽紛而亂墜　如鳥飛空下　供散於諸佛
天鼓虛空中　自然出妙聲　天衣千万種　旋轉而來下
衆寶妙香爐　燒无價之香　自然悉周遍　供養諸世尊
其大菩薩衆　執七寶幡蓋　高妙万億種　次第至梵天
一一諸佛前　寶幢懸勝幡　亦以千万偈　歌詠諸如來
如是種種事　昔所未曾有　聞佛壽无量　一切皆歡喜
佛名聞十方　廣饒益衆生　一切具善根　以助无上心

尒時佛告弥勒菩薩摩訶薩阿逸多其有衆
生聞佛壽命

佛名聞十方　廣饒益衆生　一切具善根　以助无上心
尒時佛告弥勒菩薩摩訶薩阿逸多其有衆
生聞佛壽命長遠如是乃至能生一念信解
所得功德无有限量若有善男子善女人為
阿耨多羅三藐三菩提於八十万億那由他
劫行五波羅蜜檀波羅蜜尸羅波羅蜜羼提
波羅蜜毗梨耶波羅蜜禪波羅蜜除般若波
羅蜜以是功德比前功德百分千分百千万
億分不及其一乃至筭數譬喻所不能知若
善男子有如是功德於阿耨多羅三藐三菩
提退者无有是處尒時世尊欲重宣此義而
說偈言
若人求佛慧　於八十万億　那由他劫數　行五波羅蜜
於是諸劫中　布施供養佛　及緣覺弟子　并諸菩薩衆
珎異之飲食　上服與卧具　栴檀立精舍　以園林莊嚴
如是等布施　種種皆微妙　盡此諸劫數　以迴向佛道
若復持禁戒　清淨无缺漏　求於无上道　諸佛之所歎
若復行忍辱　住於調柔地　設衆惡來加　其心不傾動
諸有得法者　懷於增上慢　為此所輕惱　如是亦能忍
若復勤精進　志念常堅固　於无量億劫　一心不懈息
又於无數劫　住於空閑處　若坐若經行　除睡常攝心
以是因緣故　能生諸禪定　八十億万劫　安住心不亂
持此一心福　願求无上道　我得一切智　盡諸禪定際
是人於百千　万億劫數中　行此諸功德　如上之所說
有善男女等　聞我說壽命　乃至一念信　其福過於彼

BD00080號　妙法蓮華經卷五　（28–24）

是人於百千　万億劫數中　行此諸功德　如上之所說
有善男女等　聞我說壽命　乃至一念信　其福過於彼
若人悉无有　一切諸疑悔　深心須臾信　其福為如此
其有諸菩薩　无量劫行道　聞我說壽命　是則能信受
如是諸人等　頂受此經典　願我於未來　長壽度衆生
如今日世尊　諸釋中之王　道場師子吼　說法无所畏
我等未來世　一切所尊敬　坐於道場時　說壽亦如是
若有深心者　清淨而質直　多聞能摠持　隨義解佛語
如是諸人等　於此无有疑
又阿逸多若有聞佛壽命長遠解其言趣是
人所得功德无有限量能起如來无上之慧
何況廣聞是經若教人聞若自持若教人持
若自書若教人書若以華香瓔珞幢幡繒蓋
香油蘇燈供養經卷是人功德无量无邊能
生一切種智阿逸多若善男子善女人聞我
說壽命長遠深心信解則為見佛常在耆闍
崛山共大菩薩諸聲聞衆圍繞說法又見此
娑婆世界其地瑠璃坦然平正閻浮檀金以
界八道寶樹行列諸臺樓觀皆悉寶成其菩
薩衆咸處其中若有能如是觀者當知是為
深信解相又復如來滅後若聞是經而不毀
呰起隨喜心當知已為深信解相何況讀誦
受持之者斯人則為頂戴如來阿逸多是善
男子善女人不須為我復起塔寺及作僧坊
以四事供養衆僧所以者何是善男子善女
人受持讀誦是經典者為已起塔造立僧坊

BD00080號　妙法蓮華經卷五　（28–25）

善男子善女人不須為我復起塔寺及作僧坊
以四事供養衆僧所以者何是善男子善女
人受持讀誦是經典者為已起塔造立僧坊
供養衆僧則為以佛舍利起七寶塔高廣漸
小至于梵天懸諸幡蓋及衆寶鈴華香瓔珞
末香塗香燒香衆鼓伎樂簫笛箜篌種種儛
戲以妙音聲歌唄讚頌則為於无量千万億
劫作是供養已阿逸多若我滅後聞是經典
有能受持若自書若教人書則為起立僧坊
以赤栴檀作諸殿堂三十有二高八多羅樹
高廣嚴好百千比丘於其中止園林浴池經
行禪窟衣服飲食床褥湯藥一切樂具充滿
其中如是僧坊堂閣若干百千万億其數无
量以此現前供養於我及比丘僧是故我說
如來滅後若有受持讀誦為他人說若自書若
教人書供養經卷不須復起塔寺及造僧
坊供養衆僧況復有人能持是經兼行布施
持戒忍辱精進一心智慧其德最勝无量无
邊譬如虛空東西南北四維上下无量无邊
是人功德亦復如是无量无邊疾至一切種
智若人讀誦受持是經為他人說若自書若
教人書復能起塔及造僧坊供養讚歎聲聞
衆僧亦以百千万億讚歎之法讚歎菩薩功
德又為他人種種因緣隨義解說此法華經

BD00080 號　妙法蓮華經卷五　（28–26）

衆僧亦以百千万億讚歎之法讚歎菩薩功
德又為他人種種因緣隨義解說此法華經
復能清淨持戒與柔和者而共同止忍辱无
瞋志念堅固常貴坐禪得諸深定精進勇猛
攝諸善法利根智慧善答問難阿逸多若我
滅後諸善男子善女人受持讀誦是經典者
復有如是諸善功德當知是人已趣道場近
阿耨多羅三藐三菩提坐道樹下阿逸多是
善男子若坐若立若行處此中便應起塔一
切天人皆應供養如佛之塔尒時世尊欲重
宣此義而說偈言
若我滅度後　能奉持此經　斯人福无量　如上之所說
是則為具足　一切諸供養　以舍利起塔　七寶而莊嚴
表刹甚高廣　漸小至梵天　寶鈴千万億　風動出妙音
又於无量劫　而供養此塔　華香諸瓔珞　天衣衆伎樂
然香油蘇燈　周帀常照明　惡世法末時　能持是經者
則為已如上　具足諸供養　若能持此經　則如佛現在
以牛頭栴檀　起僧坊供養　堂有三十二　高八多羅樹
上饌妙衣服　床臥皆具足　百千衆住處　園林諸流池
經行及禪窟　種種皆嚴好　若有信解心　受持讀誦書
若復教人書　及供養經卷　散華香末香　以須曼瞻蔔
阿提目多伽　薰油常然之　如是供養者　得无量功德
如虛空无邊　其福亦如是　況復持此經　兼布施持戒
忍辱樂禪定　不瞋不惡口　恭敬於塔廟　謙下諸比丘

BD00080 號　妙法蓮華經卷五　（28–27）

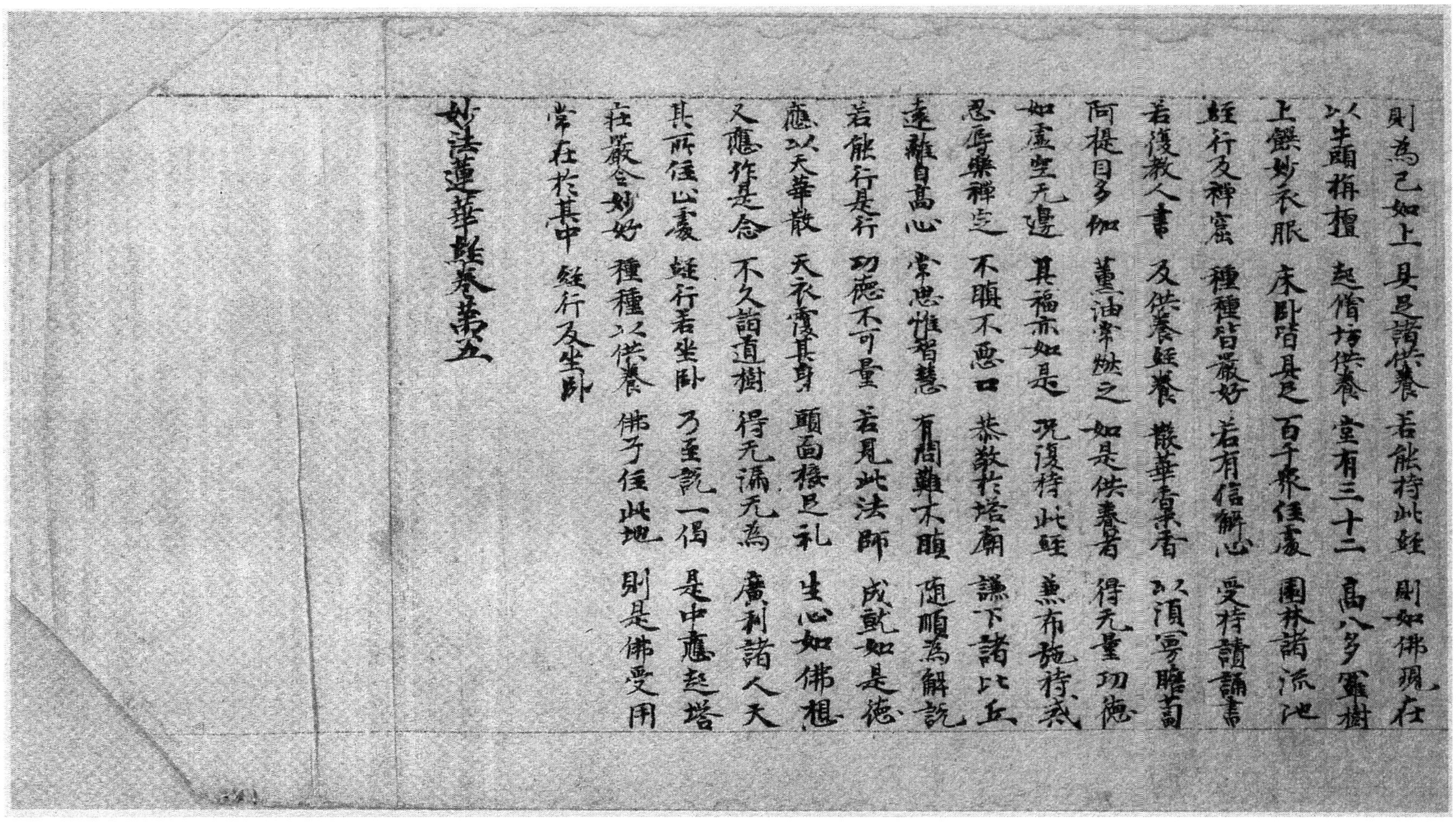
則為已如上 具足諸供養 若能持此經 則如佛現在
以牛頭栴檀 起僧坊供養 堂有三十二 高八多羅樹
上饌妙衣服 床臥皆具足 百千眾住處 園林諸浴池
經行及禪窟 種種皆嚴好 若有信解心 受持讀誦書
若復教人書 及供養經卷 散華香末香 以須曼瞻蔔
阿提目多伽 薰油常燃之 如是供養者 得无量功德
如虛空无邊 其福亦如是 況復持此經 兼布施持戒
忍辱樂禪定 不瞋不惡口 恭敬於塔廟 謙下諸比丘
遠離自高心 常思惟智慧 有問難不瞋 隨順為解說
若能行是行 功德不可量 若見此法師 成就如是德
應以天華散 天衣覆其身 頭面接足禮 生心如佛想
又應作是念 不久詣道樹 得无漏无為 廣利諸人天
其所住止處 經行若坐臥 乃至說一偈 是中應起塔
莊嚴令妙好 種種以供養 佛子住此地 則是佛受用
常在於其中 經行及坐臥
妙法蓮華經卷第五

BD00080號　妙法蓮華經卷五　（28–28）

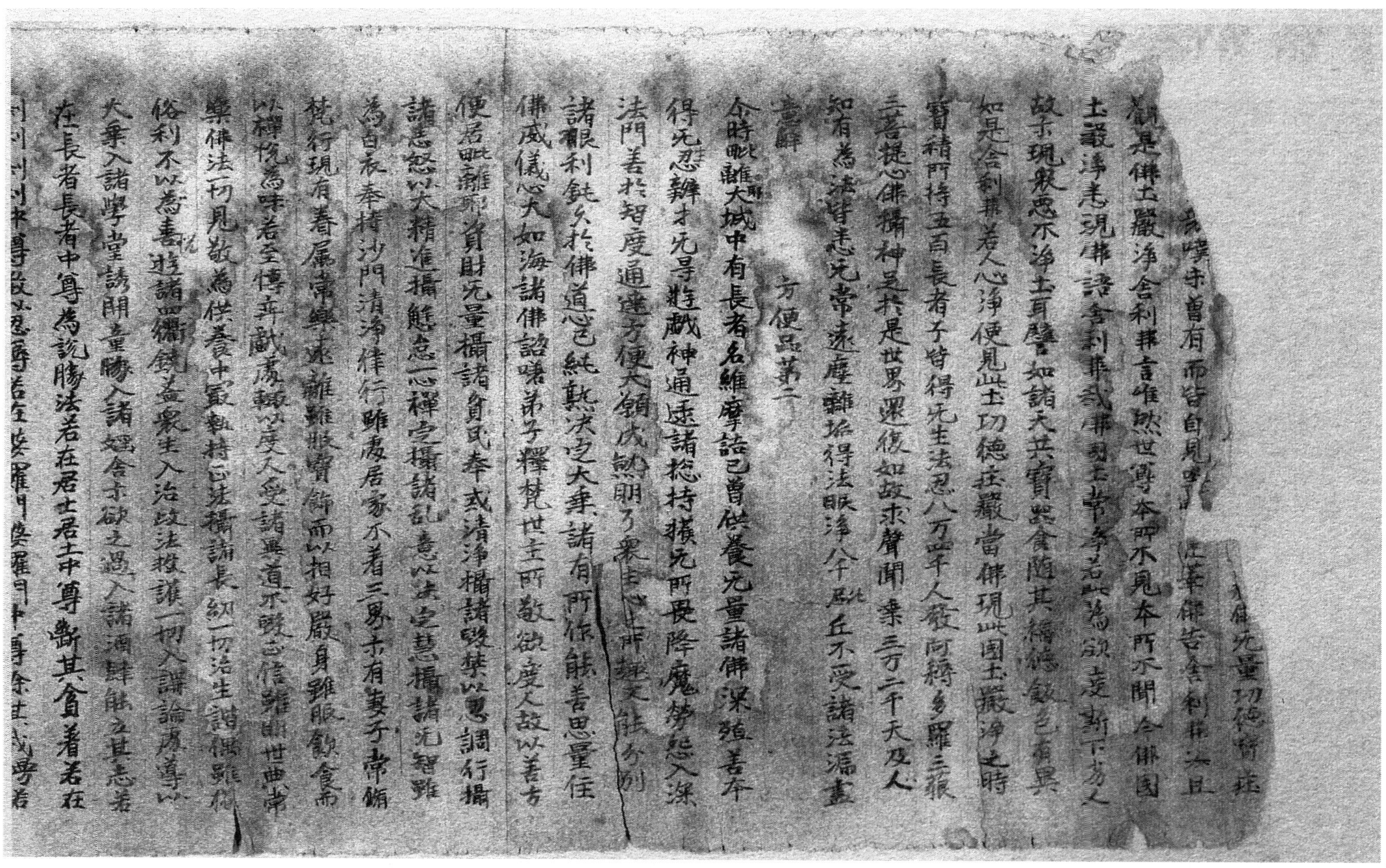
……佛无量功德寶莊
……歎未曾有而皆自見坐寶……華佛告舍利弗汝且
觀是佛土嚴淨舍利弗言唯然世尊本所不見本所不聞今佛國
土嚴淨悉現佛語舍利弗我佛國土常淨若此為欲度斯下劣人
故示是眾惡不淨土耳譬如諸天共寶器食隨其福德飯色有異
如是舍利弗若人心淨便見此土功德莊嚴當佛現此國土嚴淨之時
寶積所將五百長者子皆得无生法忍八万四千人發阿耨多羅三藐
三菩提心佛攝神足於是世界還復如故求聲聞乘三万二千天及人
知有為法皆悉无常遠塵離垢得法眼淨八千比丘不受諸法漏盡
意解
方便品第二
尒時毗耶離大城中有長者名維摩詰已曾供養无量諸佛深植善本
得无生忍辯才无㝵遊戲神通逮諸總持獲无所畏降魔勞怨入深
法門善於智度通達方便大願成就明了眾生心之所趣又能分別
諸根利鈍久於佛道心已純淑決定大乘諸有所作能善思量住
佛威儀心大如海諸佛咨嗟弟子釋梵世主所敬欲度人故以善方
便居毗耶離資財无量攝諸貧民奉戒清淨攝諸毀禁以忍調行攝
諸恚怒以大精進攝諸懈怠一心禪寂攝諸亂意以決定慧攝諸无智雖
為白衣奉持沙門清淨律行雖處居家不著三界示有妻子常脩
梵行現有眷屬常樂遠離雖服寶飾而以相好嚴身雖服飲食而
以禪悅為味若至博弈戲處輒以度人受諸異道不毀正信雖明世典常
樂佛法一切見敬為供養中最執持正法攝諸長幼一切治生諧偶雖獲
俗利不以喜悅遊諸四衢饒益眾生入治政法救護一切入講論處導以
大乘入諸學堂誘開童蒙入諸婬舍示欲之過入諸酒肆能立其志若
在長者長者中尊為說勝法若在居士居士中尊斷其貪著若在
剎利剎利中尊教以忍辱若在婆羅門婆羅門中尊除其我慢若

BD00081號 1　維摩詰所說經卷上　（16–1）

大乘入諸學堂誘開童蒙入諸婬舍示欲之過入諸酒肆能立其志若
在長者長者中尊為說勝法若在居士居士中尊斷其貪著若在
剎利剎利中尊教以忍辱若在婆羅門婆羅門中尊除其我慢若
在大臣大臣中尊教以正法若在王子王子中尊示以忠孝若在內官
內官中尊化正宮女若在庶民庶民中尊令興福力若在梵天梵天
中尊誨以勝慧若在帝釋帝釋中尊示現无常若在護世護世中
尊護諸眾生長者維摩詰以如是等无量方便饒益眾生其以方
便現身有疾以其疾故國王大臣長者居士婆羅門等及諸王子并餘
官屬无數千人皆往問疾其往者維摩詰因以身疾廣為說法諸仁
者是身无常无強无力无堅速朽之法不可信也為苦為惱眾病所
集諸仁者如此身明智者所不怙是身如聚沫不可撮摩是身如泡
不得久立是身如炎從渴愛生是身如芭蕉中无有堅是身如幻
從顛倒起是身如夢為虛妄見是身如影從業緣現是身如
響屬諸因緣是身如浮雲須臾變滅是身如電念念不住
是身无主為如地是身无我為如火是身无壽為如風是身
无人為如水是身不實四大為家是身為空離我我所是身
无知如草木瓦礫是身為虛偽雖假以澡浴衣食必歸
磨滅是身為災百一病惱是身如丘井為老所逼是身
无定為要當死是身如毒蛇如怨賊如空聚陰界諸
入所共合成諸仁者此可患厭當樂佛身所以者何佛身
者即法身也從无量功德智慧生從戒定慧解脫解
脫知見生從慈悲喜捨生從布施持戒忍辱柔和勤
行精進禪定解脫三昧多聞智慧諸波羅蜜生從方
便生從六通生從三明生從卅七道品生從止觀生從十力
四无所畏十八不共法生從斷一切不善法集一切善法生從
真實生從不放逸生從如是无量清淨法生如來身諸仁

BD00081 號 1　維摩詰所說經卷上　（16–2）

便生從六通生從三明生從卅七道品生從止觀生從十力
四无所畏十八不共法生從斷一切不善法集一切善法生從
真實生從不放逸生從如是无量清淨法生如來身諸仁
者欲得佛身斷一切眾生病者當發阿耨多羅三藐三
菩提心於是長者維摩詰為諸問疾者如應說法令无
數千人皆發阿耨多羅三藐三菩提心

弟子品第三

爾時長者維摩詰自念寢疾于床世尊大慈寧不垂愍佛知其意
即告舍利弗汝行詣維摩詰問疾舍利弗白佛言世尊我不堪任詣
彼問疾所以者何憶念我昔曾於林中宴坐樹下時維摩詰來謂我
言唯舍利弗不必是坐為宴坐也夫宴坐者不於三界而現身意是
為宴坐不起滅定而現諸威儀是為宴坐不捨道法而現諸夫事是為
宴坐心不住內亦不在外是為宴坐於諸見不動而脩行卅七品是為
宴坐不斷煩惱而入涅槃是宴坐若能如是坐者佛所印可時我世
聞尊是語以默然而止不能加報故我不任詣彼問疾
佛告大目揵連如行詣維詰摩問疾目連白佛言世尊我不堪任詣
彼問疾所以者何憶念我昔入毗耶離大城於里巷中為諸居士說法
時維摩詰來謂我言唯大目連為白衣居士說法不當如人者所說夫
說法者當如法說法无眾生離眾生垢故法无有我離我垢故法无壽
命離生死故法无有人前後際斷故法常寂然滅諸相故法離於相无
无緣故法无名字言語斷故法无有說離覺觀故法无形相如虛空故
法无戲論畢竟空故法无我所離我所故法无分別離諸識故法无有比
无相待故法不屬因不在緣故法同法性入諸法故法隨於如无所隨故法住
實際諸邊不動故法无動搖不依六塵故法无去來常不住故法順於空
隨无相應无作法離好醜法无增損法无生滅法无所歸法過眼耳鼻舌
身心法无高下法常住不動法離一切觀行唯大目連法相如是豈可說
乎夫說法者无說无示其聽法者无聞无得譬如幻士為幻人說法建當

BD00081 號 1　維摩詰所說經卷上　（16–3）

身心法无高下法常住不動法離一切觀行唯大目連法相如是豈可說
乎夫說法者无說无示其聽法者无聞无得譬如幻士為幻人說法當
是意而為說法當了眾生根有利鈍善於知見无所罣导以大慈心讚
于大乘念報佛恩不斷三寶然後說法維摩詰說是法時二百居士發
阿耨多羅三藐三菩提心我无此辯是故不任詣彼問疾
佛告大迦葉汝行詣維摩詰問疾迦葉白佛言世尊我不堪任詣彼問
疾所以者何憶念我昔於貧里而行乞食時維摩詰來謂我言唯大
迦葉有慈悲心而不能普捨豪富從貧乞迦葉住平等法應次行乞
食為不食故應行乞食為壞和合相故應取揣食為不受故應受
彼食以空聚相入於聚落所見色與盲等所聞聲與響等所嗅
香與風等所食味不分別受諸觸如智證知諸法如幻相无自性无
他性本自不然今則无滅迦葉若能不捨八邪入八解脫以邪相入正位以
食時一切供養諸佛及眾賢聖然後可食如是食者非有煩惱非
離煩惱非入定意非起定意非住世間非住涅槃有其施者无大福
无小福不為益不為損是為正入佛道不依聲聞迦葉若如是食為
不空食人之施也是我世尊聞說是語得未曾有即於一切菩薩深
起敬心復作是念斯有家名辯才智慧乃能如是其誰不發阿耨多
羅三藐三菩提心我從是來不復勸人以聲聞辟支佛行是故不任詣
彼問疾
佛告須菩提汝行詣維摩詰問疾須菩提白佛言世尊我不堪任詣
彼問疾所以者何憶念我昔入其舍從乞食時維摩詰取我鉢盛滿
飯謂我言唯須菩提若能於食等者諸法亦等諸法等者於食亦
等如是行乞乃可取食若須菩提不斷婬怒癡亦不與俱不壞於身
而隨一相不起癡愛起於明脫以五逆相而得解脫亦不解不縛不見四諦
非不見四諦非得果非不得果非凡夫非離凡夫法非聖人非不聖人雖成
就一切法而離諸法相乃可取食若須菩提不見佛不聞法彼道外六師

BD00081 號 1　維摩詰所說經卷上　（16–4）

而隨一相不起癡愛起於明脫以五逆相而得解脫亦不解不縛不見四諦
非不見四諦非得果非不得果非凡夫非離凡夫法非聖人非不聖人雖成
就一切法而離諸法相乃可取食若須菩提不見佛不聞法彼道外六師
富蘭那迦葉末伽梨拘賒梨子刪闍夜毗羅胝子阿耆多翅舍欽婆
羅迦羅鳩馱迦栴延尼揵陀若提子等是汝之師因其出家彼師所墮
汝亦隨墮乃可取食若須菩提入諸邪見不到彼岸住於八難不得无
難同於煩惱離清淨法汝得无諍三昧一切眾生亦得是定其施汝者不名
福田供養汝者墮三惡道為與眾魔共一手作諸勞侶汝與眾魔及
諸塵勞等无有異於一切眾生而有怨心謗諸佛毀於法不入眾數終
不得滅度汝若如是乃可取食時我世尊聞此語茫然不識是何言
不知以何答便置鉢欲出其舍維摩詰言唯須菩提取鉢勿懼於意云
何如來所作化人若以是事詰寧有懼不我言不也維摩詰言一切諸
法如幻化相汝今不應有所懼也所以者何一切言說不離是相至於智
者不著文字故无所懼何以故文字性離无有文字是則解脫解脫相者
則諸法也維摩詰說是語時二百天子得法眼淨故我不堪任詣彼問疾
佛告富樓那彌多羅尼子汝行詣維摩詰問疾富樓那白佛言世尊我
不堪任詣彼問疾所以者何憶念我昔於大林中在一樹下為諸新學
比丘說法時維摩詰來謂我言唯富樓那先當入定觀此人心然後說
法无以穢食置於寶器當知是比丘心之所念无以瑠璃同彼水精汝不
能知眾生根源不得發起以小乘法彼自无瘡勿傷之也欲行大道莫
示小徑无以大海內於牛跡无以日光等彼螢火富樓那此比丘久發大乘
心中忘此意如何以小乘法而教導之我觀小乘智慧微淺猶如盲人不
能分別一切眾生根之利鈍時維摩詰即入三昧令此比丘自識宿命曾於
五百佛所殖眾德本迴向阿耨多羅三藐三菩提即時豁然還得本心於
是諸比丘稽首禮維摩詰足時維摩詰因為說法於阿耨多羅三藐
三菩提不復退轉我念聲聞不觀人根不應說法是故不任詣彼問疾

BD00081 號 1　維摩詰所說經卷上　（16–5）

五百佛所殖衆德本迴向阿耨多羅三藐三菩提即時豁然還得本心於
是諸比丘稽首禮維摩詰足時維摩詰因為說法於阿耨多羅三藐
三菩提不復退轉我念聲聞不觀人根不應說法是故不任詣彼問疾
佛告摩訶迦旃延汝行詣維摩詰問疾迦旃延白佛言世尊我不堪任詣
彼問疾所以者何憶念昔者佛為諸比丘略說法要我即於後敷演其
義謂无常義苦義空義无我義寂滅義時維摩詰來謂我言唯
迦旃延无以生滅心行說實相法迦旃延諸法畢竟不生不滅是无常
五受陰洞達空无所起是苦義諸法究竟无所有是空義於我无我而
不二是无我義法本不然今則无滅是寂滅義說是法時彼諸比丘心
得解脫故我不任詣彼問疾
佛告阿那律汝行詣維摩詰問疾阿那律白佛言世尊我不堪任詣
彼問疾所以者何憶念我昔於一處經行時有梵王名曰嚴淨與万梵
俱放淨光明來詣我所稽首作禮問我言幾何阿那律天眼所見我
即答言仁者吾見此釋迦牟尼佛土三千大千世界如觀掌中菴摩勒
菓時維摩詰來謂我言唯阿那律天眼所見為作相耶无作相耶
假使作相則與外道五通等若无作相即是无為不應有見世尊我時
嘿然彼諸梵聞其言得未曾有即為作禮而問曰世孰有真天眼者維
摩詰言有佛世尊得真天眼常在三昧悉見諸佛國不以二相於是嚴淨
梵王及其眷屬五百梵天皆發阿耨多羅三藐三菩提心禮維摩詰足
已忽然不現故我不任詣彼問疾
佛告優波離汝行詣維摩詰問疾優波離白佛言世尊我不堪任詣
彼問疾所以者何憶念昔者有二比丘犯律行以為恥不敢問佛來問
我言唯優波離我等犯律誠以為恥不敢問佛願解疑悔得免斯咎我
即為其如法解說時維摩詰來謂我言唯優波離无重增此二比丘罪
當直除滅勿擾其心所以者何彼罪性不在內不在外不在中間如佛所
說心垢故衆生垢心淨故衆生淨心亦不在內不在外不在中間如其心然
罪垢亦然諸法亦然不出於如如優波離以心相得解脫時寧有垢不我

BD00081 號 1　維摩詰所說經卷上　（16–6）

當直除滅勿擾其心所以者何彼罪性不在內不在外不在中間如佛所
說心垢故衆生垢心淨故衆生淨心亦不在內不在外不在中間如其心然
罪垢亦然諸法亦然不出於如如優波離以心相得解脫時寧有垢不我
言不也維摩詰言一切衆生心相无垢亦復如是唯優波離妄想是垢
无妄想是淨顛倒是垢无顛倒是淨取我是垢不取我是淨優波離一切
法生滅不住如幻如電諸法不相待乃至一念不住諸法皆妄見如夢如炎
如水中月如鏡中像以妄想生其知此者是名奉律其知此者是名善解
於是二比丘言上智哉是優波離所不及持律之上而不能說我答言自
捨如來未有聲聞及菩薩能制其樂說之辯其智慧明達為若此
也時二比丘疑悔即除發阿耨多羅三藐三菩提心作是願言令一切衆生
得皆是辯故我不任詣彼問疾
佛告羅睺羅汝行詣維摩詰問疾羅睺羅白佛言世尊我不堪任詣
彼問疾所以者何憶念昔時毗耶離諸長者子來詣我所稽首作禮
問我言唯羅睺羅汝佛之子捨轉輪王位出家為道其出家者有
何等利我即如法為說出家功德之利時維摩詰來謂我言唯羅睺
羅不應說出家功德之利所以者何无利无功德是為出家有為法者
可說有利有功德夫出家者為无為法无為法中无利无功德羅睺羅夫
出家者无彼无此亦无中間離六十二見處於涅槃智者所受聖所行處
降伏衆魔度五道淨五眼得五力立五根不惱於彼離衆雜惡摧諸外
道超越假名出淤泥无繫著无我所无所受无擾亂內懷喜護彼意
隨禪定離衆過若能如是是真出家於是維摩詰語諸長者子汝等
於正法中宜共出家所以者何佛世難值諸長者子言居士我聞佛言父
母不聽不得出家維摩詰言然汝等便發阿耨多羅三藐三菩提心是
即出家是即具足今時三十二長者子皆發阿耨多羅三藐三菩提心故我不任
詣彼問疾
佛告阿難汝行詣維摩詰問疾阿難白佛
言世尊我不堪任詣彼問疾所以者何憶念昔時世尊身小有
疾當用牛乳我即持鉢詣大婆羅門家門下立時維摩詰來我

BD00081 號 1　維摩詰所說經卷上　（16–7）

詣彼問疾
佛告阿難汝行詣維摩詰問疾阿難白佛
言世尊我不堪任詣彼問疾所以者何憶念昔時世尊身小有
疾當用牛乳我即持鉢詣大婆羅門家門下立時維摩詰來謂我
言唯阿難何為晨朝持鉢住此我言居士世尊身小有疾
當用牛乳故來至此維摩詰言止止阿難莫作是語如來身者
金剛之體諸惡已斷衆善普會當有何疾當有何惱嘿往阿難勿
謗如來莫使異人聞此麁言无令大威德諸天及他方淨土諸來菩
薩得聞斯語阿難轉輪聖王以少福故尚得无病豈況如來无量福
會普勝者哉行矣阿難勿使我等受斯恥也外道梵志若聞此
語當作是念何名為師自疾不能救而能救諸疾人可密速去勿使
人聞當知阿難諸如來身即是法身非思欲身佛為世尊過於三界佛
身无漏諸漏已盡佛身无為不墮諸數如此之身當有何疾時我世尊實
懷慙愧得无近佛而謬聽耶即聞空中聲曰阿難如居士言但為佛
出五濁惡世現行斯法度脫衆生行矣阿難取乳勿慙世尊維摩
詰智慧辯才為若此也是故不任詣彼問疾如是五百大弟子各各向
佛說其本緣稱述維摩詰所言皆曰不任詣彼問疾

菩薩品第四

於是佛告彌勒菩薩汝行詣維摩詰問疾彌勒白佛言世尊我不堪
任詣彼問疾所以者何憶念我昔為兜率天王及其眷屬說不退
轉之行時維摩詰來謂我言彌勒世尊授仁者記一生當得阿耨
多羅三藐三菩提為用何生得授記乎過去耶未來耶現在耶若過
去生過去生已滅若未來生未來生未至若現在生現在生无住如佛所
說比丘汝今即時亦生亦老亦滅若以无生得受記者无生即是正位
於正位中亦无受記亦无得阿耨多羅三藐三菩提云何彌勒受一生記
乎為從如生得受記耶為從如滅得受記耶若以如生得受記者如无
有生若以如滅得受記者如无有滅一切衆生亦如也一切法亦如也衆聖賢
亦如也至於彌勒亦如也若彌勒得受記者一切衆生亦應受記所以者

BD00081 號 1　維摩詰所說經卷上　（16–8）

有生若以如滅得受記者如无有滅一切衆生亦如也一切法亦如也衆聖賢
亦如也至於彌勒亦如也若彌勒得受記者一切衆生亦應受記所以者
何夫如者不二不異若彌勒得阿耨多羅三藐三菩提者一切衆生皆
亦應得所以者何一切衆生即菩提相若彌勒得滅度者一切衆生當得
滅度所以者何諸佛知一切衆生畢竟空寂即涅槃相不復更滅是故
彌勒无以此法誘諸天子實无發阿耨多羅三藐三菩提心者亦无退
者彌勒當令此諸天子捨於分別菩提之見所以者何菩提者不可身
得不可心得寂滅是菩提滅諸相故不觀是菩提離諸緣故不行是
菩提无憶念故斷是菩提捨諸見故離是菩提離諸妄想故障是
菩提障諸願故不入是菩提无貪著故順是菩提順於如故住是菩
提住法性故至是菩提至實際故不二是菩提離意法故等是菩提等
虛空故无為是菩提无生住滅故知是菩提了衆生心行故不會是菩
提諸入不會故不合是菩提離煩惱習故无處是菩提无形色故假名是
菩提名字空故如化是菩提无取捨故无亂是菩提常自靜故善寂是
菩提性清淨故无取是菩提離攀緣故无異是菩提諸法等故无比
是菩提无可喻故微妙是菩提諸法難知故世尊維摩詰說是法時
二百天子得无生忍故我不任詣彼問疾
佛告光嚴童子汝行詣維摩詰問疾光嚴童子白佛言世尊我不堪任
詣彼問疾所以者何憶念我昔出毗耶離大城時維摩詰方入城我即為
作禮而問曰居士從何所來答我言吾從道場來我問道場者何所是答
曰直心是道場无虛假故發行是道場能辦事故深心是道場增益功
德故菩提心是道場无錯謬故布施是道場不望報故持戒是道場得願
具故忍辱是道場於諸衆生心无㝵故精進是道場不懈退故禪定是
道場心調柔故智慧是道場現見諸法故慈是道場等衆生故悲是道
場忍疲苦故喜是道場悅樂法故捨是道場憎愛斷故神通是道場
成就六通故解脫是道場能背捨故方便是道場教化衆生故四攝是

BD00081 號 1　維摩詰所說經卷上　（16–9）

場忍〻 言故喜是道場悅樂法故捨是道場憎愛斷故神通是道場
成就六通故解脫是道場能背捨故方便是道場教化眾生故四攝是
道場攝眾生故多聞是道場如聞行故伏心是道場正觀諸法故卅七品
是道場捨有為法故諦是道場不誑世間故緣起是道場无明乃至老
死皆无盡故諸煩惱是道場知如實故眾生是道場知无我故一切法是道
場知諸法空故降魔是道場不傾動故三界是道場无所趣故師子吼
是道場无所畏故无畏不共法是道場无諸過故三明是道場无餘㝵故
一念知一切法是道場成就一切智故如是善男子菩薩若應諸波羅蜜教
化眾生諸有所作舉足下足當知皆從道場來住於佛法矣說是法時五
百天人皆發阿耨多羅三藐三菩提心故我不任詣彼問疾
佛告持世菩薩汝行詣維摩詰問疾持世白佛言世尊我不任堪詣彼問
疾所以者何憶念我昔住於靜室時魔波旬從万二千天女狀如帝釋鼓
樂絃歌來詣我所與其眷屬稽首我足合掌恭敬於一面立我意謂是
帝釋而語之言善來憍尸迦雖福應有不當自恣當觀五欲无常以求
善本於身命財而修堅法即語我言正士受是万二千天女可備掃灑我
言憍尸迦无以此非法之物要我沙門釋子此非我宜所言未訖時維摩
詰來謂我言非帝釋也是為魔來嬈固汝耳即語魔言是諸女等可
以與我如我應受魔即驚懼念維摩詰將无惱我欲隱形去而不能
隱盡其神力亦不得去即聞空中聲曰波旬以女與之乃可得去魔以畏故俛
仰而去尒時維摩詰語諸女言魔以汝等與我今汝皆發阿耨多羅三
藐三菩提心即隨所應而為說法令發道意復言汝等已發道意有法
樂可以自娛不應復樂五欲樂也天女即問何謂法樂答曰樂常信佛
樂欲聽法樂供養眾樂離五欲樂觀五陰如怨賊樂觀四大如毒蛇樂
觀內入如空聚樂隨喜道意樂饒益眾生樂敬養師樂廣行施樂
堅持戒樂忍辱柔和樂勤集善根樂禪定不亂樂離垢明慧樂廣菩
提心樂降伏眾魔樂斷諸煩惱樂淨佛國土樂成就相好故修諸功德樂

BD00081 號 1　維摩詰所說經卷上

（16–10）

觀內入如空聚樂隨喜道意樂饒益眾生樂敬養師樂廣行施樂
堅持戒樂忍辱柔和樂勤集善根樂禪定不亂樂離垢明慧樂廣菩
提心樂降伏眾魔樂斷諸煩惱樂淨佛國土樂成就相好故修諸功德樂
嚴道場樂聞深法不畏樂三脫門不樂非時樂近同學樂於非同學中心无
恚礙樂將護惡知識樂近善知識樂心喜清淨樂修无量道品之法是為
菩薩法樂於是波旬告諸女言我欲與汝俱還天宮諸女言以我等與此居
士有法樂我等甚樂不復樂五欲樂也魔言居士可捨此女一切所有施於彼
者是為菩薩維摩詰言我已捨矣汝便將去令一切眾生得法願具足於是
諸女問維摩詰我等云何止於魔宮維摩詰言諸姊有法門名无盡燈
汝等當學无盡燈者譬如一燈燃百千燈冥者皆明明終不盡如是諸
姊夫一菩薩開道百千眾生令發阿耨多羅三藐三菩提心於其道意亦不
滅盡隨所說法而自增益一切善法是名无盡燈也汝等雖住魔宮以是无
盡燈令无數天子天女發阿耨多羅三藐三菩提心者為報佛恩亦大饒益
一切眾生尒時天女頭面禮維摩詰足隨魔還宮忽然不現世尊維摩詰有
如是自在神力智慧辯才故我不任詣彼問疾
佛告善德長者子汝行詣維摩詰問善德白佛言世尊我不堪任詣彼問疾
所以者何憶念我昔自於父舍設大施會供養一切沙門婆羅門及諸外道貧窮
下賤孤獨乞人期滿七日時維摩詰來會中謂我言長者子夫大施會不當如汝所
設當為法施之會何用是財施會為我言居士何謂法施之會法施會者无前无
後一時供養一切眾生是名法施之會何謂也謂以菩提起於慈心以救眾生起大悲
心以持正法起於喜心以攝智慧行於捨心以攝慳貪起檀波羅蜜以化犯戒起尸
波羅蜜以无我法起羼提波羅蜜以離身心相起毗離耶波羅蜜以菩提相起禪
波羅蜜以一切智起般若波羅蜜教化眾生而起於空不捨有為法而起无相示現
受生而起无作護持正法起方便力以度眾生起四攝法以敬事一切起除慢法
於身命財起三堅法於六念中起思念法於六和敬起質直心正行善法起於淨
命淨心歡喜起近賢聖不憎惡人起調伏心以出家法起於深心以如說行起於
多聞以无諍法起閑空處趣向佛慧起於宴坐解眾生縛起修行地以具好相

BD00081 號 1　維摩詰所說經卷上

（16–11）

於身命財起三堅法於六念中起思念法於六和敬起質直心正行善法起於淨
命淨歡喜起近賢聖不憎惡人起調伏心以出家法起於深心以如說行起於
多聞以無諍法起閑空處趣向佛慧起於宴坐解眾生縛起脩行地以具好相
及淨佛土起福德業知一切眾生心念如應說法起於智業知一切法不取不捨
入一相門起於慧業斷一切煩惱一切障礙一切不善法起一切善業以得一切智慧一切善法起於一切助佛道法如是善男子
是為法施之會若菩薩住是法施會者為大施主亦為一切世間福田世尊維摩
詰說是法時婆羅門中眾二百人皆發阿耨多羅三藐三菩提心我時心得清淨
歎未曾有稽首禮維摩詰足即解瓔珞眾寶珠瓔珞價直百千以上之不肯取
我言居士願必納受隨意所與維摩詰乃受瓔珞分作二分持一分施此會中一
最下乞人持一分奉彼難勝如來一切眾會皆見光明國土難勝如來又見珠瓔
在彼佛上變成四柱寶臺四面嚴飾不相障蔽時維摩詰現神變已作如是
言若施主等心施一最下乞人猶如如來福田之相無所分別等于大悲不求果報是則
名曰具足法施城中一最下乞人見是神力聞其所說皆發阿耨多羅三藐三菩提心故我
不任詣彼問疾如是諸菩薩各各向佛說其本緣稱述維摩詰所言皆曰不任
詣彼問疾

維摩詰經卷上

維摩詰經卷中

文殊師利問疾品第五

尒時佛告文殊師利汝行詣維摩詰問疾文殊師利白佛言世尊彼上人者難為酬
對深達實相善說法要辯才無滯智慧無㝵一切菩薩法式悉知諸佛秘
藏無不得入降伏眾魔遊戲神通其慧方便皆已得度雖然當承佛聖旨
詣彼問疾於是眾中諸菩薩大弟子釋梵四天王咸作是念今二大士文殊師利維
摩詰共談必說妙法即時八千菩薩五百聲聞百千天人皆欲隨從於是文殊師
利與諸菩薩大弟子眾及諸天人恭敬圍繞入毗耶離大城
尒時長者維摩詰心念今文殊師利與大眾俱來即以神力空其室內除去所有及
諸侍者唯置一床以疾而臥文殊師利既入其舍見其室空無諸所有獨寢一床
時維摩詰言善來文殊師利不來相而來不見相而見文殊師利言如是居士

BD00081 號 1　維摩詰所說經卷上　BD00081 號 2　維摩詰所說經卷中　（16–12）

尒時長者維摩詰心念今文殊師利與大眾俱來即以神力空其室內除去所有及
諸侍者唯置一床以疾而臥文殊師利既入其舍見其室空無諸所有獨寢一床
時維摩詰言善來文殊師利不來相而來不見相而見文殊師利言如是居士
若來已更不來若去已更不去所以者何來者無所從來去者無所至所可見者
更不可見且置是事居士是疾寧可忍不療治有損不至增乎世尊慇懃致
問無量居士是疾何所因起其生久如當云何滅維摩詰言從癡有愛則我病
生以一切眾生病是故我病若一切眾生得不病者則我病滅所以者何菩薩為眾
生故入生死有生死則有病若眾生得離病者則菩薩無復病譬如長者唯有一
子其子得病父母亦病若子病愈父母亦愈菩薩如是於諸眾生愛之若子眾
生病則菩薩病眾生病愈菩薩亦愈又言是疾何所因起菩薩病者以大悲起文
殊師利言居士此室何以空無侍者維摩詰言諸佛國土亦復皆空又問以何為空
答曰以空空又問空何用空答曰以無分別空故空又問空可分別耶答曰分別亦空又問空
當於何求答曰當於六十二見中求又問六十二見當於何求答曰當於諸佛解脫中求
又問諸佛解脫當於何求答曰當於一切眾生心行中求又仁所問何無侍者一切眾魔
及諸外道皆吾侍也所以者何眾魔者樂生死菩薩於生死而不捨外道者樂諸見
菩薩於諸見而不動文殊師利言居士所疾為何等相維摩詰言我病無形不可見
又問此病身合耶心合耶答曰非身合身相離故亦非心合心如幻故又問地大水大火大風
大於此四大何大之病答曰是病非地大亦不離地大水火風大亦復如是而眾生病從
四大起以其有病是故我病
尒時文殊師利問維摩詰言菩薩應云何慰
喻有疾菩薩維摩詰言說身無常不說厭離於身說身有苦不說樂於涅槃
說身無我而說教導眾生說身空寂不說畢竟寂滅說悔先罪而不說入於
過去以己之病愍於彼疾當識宿世無數劫苦當念饒益一切眾生憶所脩福念於淨命
勿生憂惱常起精進當作醫王療治眾病菩薩應如是慰喻有疾菩薩令
其歡喜
文殊師利言居士有疾菩薩云何調伏其心維摩詰言有疾菩
薩應作是念今我此病皆從前世妄想顛倒諸煩惱生無有實法誰受病者所以者
何四大合故假名為身四大無主身亦無我又此病起皆由著我是故於我不應生著
既知病本即除我想及眾生想當起法想應作是念但以眾法合成此身起唯法

BD00081 號 2　維摩詰所說經卷中　（16–13）

其歡喜　文殊師利言居士有疾菩
薩云何調伏其心維摩詰言有疾菩
薩應作是念今我此病皆從前世妄想顛倒諸煩惱生无有實法誰受病者所以者
何四大合故假名為身四大无主身亦无我又此病起皆由着我是故於我不應生着
既知病本即除我想及衆生想當起法想應作是念但以衆法合成此身起唯法
起滅唯法滅又此法者各不相知起時不言我起滅時不言我滅彼有疾菩薩為滅
法想當作是念此法想者亦是顛倒顛倒者是即大患我應離之云何為離離
我我所云何離我我所謂離二法云何離二法謂不念内外諸法行於平等云何平等
謂我等涅槃等所以者何我及涅槃此二皆空以何為空但以名字故空如此二法无决
定性得是平等无有餘病唯有空病空病亦空是有疾菩薩以无所受而受諸
受未具佛法亦不滅受而取證也設身有苦念惡趣衆生起大悲心我既調伏亦當
調伏一切衆生但除其病而不除法為斷病本而教導之何謂病本謂有攀緣從有
攀緣則為病本何所攀緣謂之三界云何斷攀緣以无所得若无所得則无攀
緣何謂无所得謂離二見何謂二見謂内見外見是无所得文殊師利是為有疾菩薩
調伏其心為斷老病死苦是菩薩菩提若不如是已所脩治為无惠利譬如勝怨
乃可為勇如是兼除老病死者菩薩之謂也彼有疾菩薩復應作是念如我此
病非真非有衆生病亦非真非有作是觀時於諸衆生若起愛見大悲即應捨
離所以者何菩薩斷除客塵煩惱而起大悲愛見悲者則於生死有疲猒心若能離
此无有疲猒在在所生不為愛見之所覆也所生无縛能為衆生說法解縛如佛所
說若自有縛能解彼縛无有是處若自无縛能解彼縛斯有是處是故菩薩
不應起縛何謂縛何謂解貪着禪味是菩薩縛以方便生是菩薩解又无方
便惠縛有方便惠解无惠方便縛有惠方便解何謂无方便惠縛謂菩薩以
愛見心莊嚴佛土成就衆生於空无相无作法中而自調伏是名无方便惠縛何謂
有方便惠解謂不以愛見心莊嚴佛土成就衆生於空无相无作法中以自調伏而不
疲猒是名有方便惠解何謂无慧方便縛謂菩薩住貪欲瞋恚邪見等諸煩惱
而殖衆德本是名无惠方便縛何謂有惠方便解謂離諸貪欲瞋恚邪見等諸
煩惱而殖衆德本迴向阿耨多羅三藐三菩提是名有惠方便解
文殊師利彼有疾菩薩應如是觀諸法又復觀身无常苦空非我是名為惠

BD00081 號 2　維摩詰所說經卷中　（16–14）

而殖衆德本是名无惠方便縛何謂有惠方便解謂離諸貪欲瞋恚邪見等諸
煩惱而殖衆德本迴向阿耨多羅三藐三菩提是名有惠方便解
文殊師利彼有疾菩薩應如是觀諸法又復觀身无常苦空非我是名為惠
雖身有疾常在生死饒益一切而不猒倦是名方便又復觀身身不離病病
不離身是病是身非新非故是名為惠設身有疾而不永滅是名方便文殊
師利有疾菩薩應如是調伏其心不住其中亦復不住不調伏心所以者何若住
不調伏心是愚人法若住調伏心是聲聞法是故菩薩不當住於調伏不調伏心離
此二法是菩薩行在於生死不為汙行住於涅槃不永滅度是菩薩行非凡夫行非
賢聖行是菩薩行非垢行非淨行是菩薩行雖過魔行而現降衆魔是
菩薩行求一切智无非時求是菩薩行雖觀諸法不生而不入正位是菩薩行
雖觀十二因緣而入諸邪見是菩薩行雖攝一切衆生而不愛着是菩薩行雖樂
遠離而不依身心盡是菩薩行雖行三界而不壞法性是菩薩行雖行於空而植
衆德本是菩薩行雖行无相而度衆生是菩薩行雖行无作而現受身是菩
薩行雖行无起而起一切善法是菩薩行雖行六波羅蜜而遍知衆生心心數法是
菩薩行雖行六通而不盡漏是菩薩行雖行四无量心而不貪着生於梵世是
菩薩行雖行禪定解脫三昧而不隨禪生是菩薩行雖行四念處而不永離身受
心法是菩薩行雖行四正勤而不捨身心精進是菩薩行雖行四如意足而得自在
神通是菩薩行雖行五根而分別衆生諸根利鈍是菩薩行雖行五力而樂求
佛十力是菩薩行雖行七覺分而分別佛之智惠是菩薩行雖行八正道而樂
行无量佛法是菩薩行雖行止觀助道之法而不畢竟墮於寂滅是菩薩行
雖行諸法不生不滅而以相好莊嚴其身是菩薩行雖現聲聞辟支佛威儀而不
捨佛法是菩薩行雖隨諸法究竟淨相而隨所應為現其身是菩薩行雖觀諸
佛國土永寂如空而現種種清淨佛土是菩薩行雖得佛道轉于法輪入於涅槃
而不捨於菩薩之道是菩薩行說是語時文殊師利所將大衆其中八千天子皆發
阿耨多羅三藐三菩提心

不可思議品第六

尒時舍利弗見此室中无有牀座作是念斯諸菩薩大弟子衆當於何坐長
者維摩詰知其意語舍利弗言云何仁者為法來耶求牀座耶舍利弗言

BD00081 號 2　維摩詰所說經卷中　（16–15）

行无量佛法是菩薩行雖行止觀助道之法而不畢竟墮於寂滅是菩薩行
雖行諸法不生不滅而以相好莊嚴其身是菩薩行雖現聲聞辟支佛威儀而不
捨佛法是菩薩行雖隨諸法究竟淨相而隨所應為現其身是菩薩行雖觀諸
佛國土永寂如空而現種種清淨國土是菩薩行雖得佛道轉于法輪入於涅槃
而不捨於菩薩之道是菩薩行說是語時文殊師利所將大衆其中八千天子皆發
阿耨多羅三藐三菩提心

不可思議品第六

爾時舍利弗見此室中无有床座作是念斯諸菩薩大弟子衆當於何坐長
者維摩詰知其意語舍利弗言云何仁者為法來耶求床座耶舍利弗言
我為法來非為床座維摩詰言唯舍利弗夫求法者不貪軀命何況床座夫
求法者非有色受想行識之求非有界入之求非有欲色无色之求唯舍利弗夫
求法者不著佛求不著法求不著衆求夫求法者无見苦求无斷集求无
造盡證修道之求所以者何法无戲論若言我當見苦斷集證滅修道是
則戲論非求法也唯舍利弗法名寂滅若行生滅是求生滅非求法也法名无染
若染於法乃至涅槃是則染著非求法也法无行處若行於法是則行處非求法
也法无取捨若取捨法是則取捨非求法也法无處所若著處所是則著處非
求法也法名无相若隨相識是則求相非求法也法不可住若住於法是則住法
非求法也法不可見聞覺知若行見聞覺知是則見聞覺知非求法也法名
无為若行有為是求有為非求法也是故舍利弗若求法者於一切法應无所
求說是語時五百天子於諸法中得法眼淨
爾時長者維摩詰問文殊師利仁者遊於无量千万億阿僧祇國何等佛土有好

BD00081 號 2　維摩詰所說經卷中　（16–16）

演暢如是義　教諸千億衆　令住大乘法　而自淨佛土
未來亦供養　无量无數佛　護助宣正法　亦自淨佛土
常以諸方便　說法无所畏　度不可計衆　成就一切智
供養諸如來　護持法寶藏　其後得成佛　号名曰法明
其國名善淨　七寶所合成　劫名為寶明　菩薩衆甚多
其數无量億　皆度大神通　威德力具足　充滿其國土
聲聞亦无數　三明八解脫　得四无礙智　以是等為僧
其國諸衆生　婬欲皆已斷　純一變化生　具相莊嚴身
法喜禪悅食　更无餘食想　无有諸女人　亦无諸惡道
富樓那比丘　功德悉成滿　當得斯淨土　賢聖衆甚多
如是无量事　我今但略說
爾時千二百阿羅漢心自在者作是念我等
歡喜得未曾有若世尊各見授記如餘大弟
子者不亦快乎佛知此等心之所念告摩訶
迦葉是千二百阿羅漢我今當現前次第與
受阿耨多羅三藐三菩提記於此衆中我大
弟子憍陳如比丘當供養六万二千億佛然
後得成為佛号曰普明如來應供正遍知明
行足善逝世間解无上士調御丈夫天人師
佛世尊其五百阿羅漢優樓頻螺迦葉伽耶
迦葉那提迦葉迦留陁夷優陁夷阿㝹樓馱
離婆多劫賓那薄拘羅周陁莎伽陁等皆當
得阿耨多羅三藐三菩提盡同一号名曰普
[illegible]

BD00082 號　妙法蓮華經卷四　（29–1）

佛世尊其五百阿羅漢優樓頻螺迦葉伽耶
迦葉那提迦葉迦留陁夷優陁夷阿㝹樓馱
離婆多劫賓那薄拘羅周陁莎伽陁等皆當
得阿耨多羅三藐三菩提盡同一号名曰普
明尒時世尊欲重宣此義而說偈言
憍陳如比丘　當見无量佛　過阿僧祇劫　乃成等正覺
常放大光明　具足諸神通　名聞遍十方　一切之所敬
常說无上道　故号為普明　其國土清淨　菩薩皆勇猛
咸昇妙樓閣　遊諸十方國　以无上供具　奉獻於諸佛
作是供養已　心懷大歡喜　須臾還本國　有如是神力
佛壽六万劫　正法住倍壽　像法復倍是　法滅天人憂
其五百比丘　次第當作佛　同号曰普明　轉次而授記
我滅度之後　某甲當作佛　其所化世間　亦如我今日
國土之嚴淨　及諸神通力　菩薩聲聞衆　正法及像法
壽命劫多少　皆如上所說　迦葉汝已知　五百自在者
餘諸聲聞衆　亦當復如是　其不在此會　汝當為宣說
尒時五百阿羅漢於佛前得受記已歡喜踊
躍即從座起到於佛前頭面礼足悔過自責
世尊我等常作是念自謂已得究竟滅度今
乃知之如无智者所以者何我等應得如來
智慧而便自以小智為足世尊譬如有人至
親友家醉酒而卧是時親友官事當行以无
價寶珠繫其衣裏與之而去其人醉卧都不
覺知起已遊行到於他國為衣食故懃力求
索甚大艱難若少有所得便以為足於後親

BD00082 號　妙法蓮華經卷四　（29–2）

覺知起已遊行到於他國為衣食故懃力求
索甚大艱難若少有所得便以為足於後親
友會遇見之而作是言咄哉丈夫何為衣食
乃至如是我昔欲令汝得安樂五欲自恣於
某年日月以无價寶珠繫汝衣裏今故現在
而汝不知懃苦憂惱以求自活甚為癡也汝
今可以此寶貿易所須常可如意无所乏短
佛亦如是為菩薩時教化我等令發一切智
心而尋廢忘不知不覺既得阿羅漢道自謂
滅度資生艱難得少為足一切智願猶在不
失今者世尊覺悟我等作如是言諸比丘汝
等所得非究竟滅我久令汝等種佛善根以
方便故示涅槃相而汝謂為實得滅度世尊
我今乃知實是菩薩得受阿耨多羅三藐三
菩提記以是因緣甚大歡喜得未曾有尒
時阿若憍陳如等欲重宣此義而說偈言
我等聞无上　安隱授記聲　歡喜未曾有　礼无量智佛
今於世尊前　自悔諸過咎　於无量佛寶　得少涅槃分
如无智愚人　便自以為足　譬如貧窮人　往至親友家
其家甚大富　具設諸餚饍　以无價寶珠　繫著內衣裏
嘿與而捨去　時卧不覺知　是人既已起　遊行詣他國
求衣食自濟　資生甚艱難　得少便為足　更不願好者
不覺內衣裏　有无價寶珠　與珠之親友　後見此貧人

BD00082 號　妙法蓮華經卷四　（29–3）

不覺內衣裏　有无價寶珠　與珠之親友　後見此貧人
苦切責之已　示以所繫珠　貧人見此珠　其心大歡喜
冨有諸財物　五欲而自恣　我等亦如是　世尊於長夜
常愍見教化　令種无上願　我等无智故　不覺亦不知
得少涅槃分　自足不求餘　今佛覺悟我　言非實滅度
得佛无上慧　尒乃為真滅　我今從佛聞　受記莊嚴事
及轉次受决　身心遍歡喜

妙法蓮華經授學无學人記品第九

尒時阿難羅睺羅而作是念我等每自思惟設得受記不亦快乎即從座起到於佛前頭面礼足俱白佛言世尊我等於此亦應有分唯有如来我等所歸又我等為一切世間天人阿脩羅所見知識阿難常為侍者護持法藏羅睺羅是佛之子若佛見授阿耨多羅三藐三菩提記者我願既滿衆望亦足尒時學无學聲聞弟子二千人皆從座起偏袒右肩到於佛前一心合掌瞻仰世尊如阿難羅睺羅所願住立一面尒時佛告阿難汝於来世當得作佛号山海慧自在通王如来應供正遍知明行足善逝世間解无上士調御丈夫天人師佛世尊當供養六十二億諸佛護持法藏然後得阿耨多羅三藐三菩提教化二十千万億恒河沙諸菩薩等令成阿耨多羅

BD00082 號　妙法蓮華經卷四　（29–4）

法藏然後得阿耨多羅三藐三菩提教化二十千万億恒河沙諸菩薩等令成阿耨多羅三藐三菩提國名常立勝幡其土清淨琉璃為地劫名妙音遍滿其佛壽命无量千万億阿僧祇劫若人於千万億无量阿僧祇劫中筭數校計不能得知正法住世倍於壽命像法住世復倍正法阿難是山海慧自在通王佛為十方无量千万億恒河沙等諸佛如来所共讚歎稱其功德尒時世尊欲重宣此義而說偈言

我今僧中說　阿難持法者　當供養諸佛　然後成正覺
号曰山海慧　自在通王佛　其國土清淨　名常立勝幡
教化諸菩薩　其數如恒沙　佛有大威德　名聞滿十方
壽命无有量　以愍衆生故　正法倍壽命　像法復倍是
如恒河沙等　无數諸衆生　於此佛法中　種佛道因緣

尒時會中新發意菩薩八千人咸作是念我等尚不聞諸大菩薩得如是記有何因緣而諸聲聞得如是決尒時世尊知諸菩薩心之所念而告之曰諸善男子我與阿難等於空王佛所同時發阿耨多羅三藐三菩提心阿難常樂多聞我常懃精進是故我已得成阿耨多羅三藐三菩提而阿難護持我法亦護将来諸佛法藏教化成就諸菩薩衆其

BD00082 號　妙法蓮華經卷四　（29–5）

阿耨多羅三藐三菩提而阿難護持我法亦
護将来諸佛法藏教化成就諸菩薩衆其
本願如是故獲斯記阿難面於佛前自聞受
記及國土莊嚴所願具足心大歡喜得未曾有
即時憶念過去无量千万億諸佛法藏通達
无礙如今所聞亦識本願尒時阿難而說偈言
世尊甚希有　令我念過去　无量諸佛法　如今日所聞
我今无復疑　安住於佛道　方便為侍者　護持諸佛法
尒時佛告羅睺羅汝於来世當得作佛号蹈
七寶華如来應供正遍知明行足善逝世間
解无上士調御丈夫天人師佛世尊當供養十世
界微塵等數諸佛如来常為諸佛而作長
子猶如今也是蹈七寶華佛國土莊嚴壽命
劫數所化弟子正法像法亦如山海慧自在
通王如来无異亦為此佛而作長子過是
已後當得阿耨多羅三藐三菩提尒時世尊
欲重宣此義而說偈言
我為太子時　羅睺為長子　我今成佛道　受法為法子
於未来世中　見无量億佛　皆為其長子　一心求佛道
羅睺羅密行　唯我能知之　現為我長子　以示諸衆生
无量億千万　功德不可數　安住於佛法　以求无上道
尒時世尊見學无學二千人其意柔軟寂然
清淨一心觀佛佛告阿難汝見是學无學二

清淨一心觀佛佛告阿難汝見是學无學二
千人不唯然已見阿難是諸人等當供養五
十世界微塵數諸佛如来恭敬尊重護持法
藏末後同時於十方國各得成佛皆同一号
名曰寶相如来應供正遍知明行足善逝世
間解无上士調御丈夫天人師佛世尊壽命
一劫國土莊嚴聲聞菩薩正法像法皆悉同
等尒時世尊欲重宣此義而說偈言
是二千聲聞　今於我前住　悉皆與授記　未来當成佛
所供養諸佛　如上說塵數　護持其法藏　後當成正覺
各於十方國　悉同一名号　俱時坐道場　以證无上慧
皆名為寶相　國土及弟子　正法與像法　悉等无有異
咸以諸神通　度十方衆生　名聞普周遍　漸入於涅槃
尒時學无學二千人聞佛授記歡喜踊躍而
說偈言
世尊慧燈明　我聞授記音　心歡喜充滿　如甘露見灌
妙法蓮華經法師品第十
尒時世尊因藥王菩薩告八万大士藥王汝見
是大衆中无量諸天龍王夜叉乾闥婆阿脩
羅迦樓羅緊那羅摩睺羅伽人與非人及比
丘比丘尼優婆塞優婆夷求聲聞者求辟
支佛者求佛道者如是等類咸於佛前聞妙
法華經一偈一句乃至一念隨喜者我皆與

丘比丘尼優婆塞優婆夷求聲聞者求辟
支佛者求佛道者如是等類咸於佛前聞妙
法華經一偈一句乃至一念隨喜者我皆與
授記當得阿耨多羅三藐三菩提佛告藥王
又如來滅度之後若有人聞妙法華經乃至
一偈一句一念隨喜者我亦與授阿耨多羅三
藐三菩提記若復有人受持讀誦解說書
寫妙法華經乃至一偈於此經卷敬視如佛
種種供養華香瓔珞抹香塗香燒香繒蓋
幢幡衣服伎樂乃至合掌恭敬藥王當知是
諸人等已曾供養十万億佛於諸佛所成就
大願愍衆生故生此人間藥王若有人問何等
衆生於未來世當得作佛應示是諸人等於未
來世必得作佛何以故若善男子善女人於
法華經乃至一句受持讀誦解說書寫種種
供養經卷華香瓔珞抹香塗香燒香繒蓋
幢幡衣服伎樂合掌恭敬是人一切世間所
應瞻奉應以如來供養而供養之當知此人
是大菩薩成就阿耨多羅三藐三菩提哀愍
衆生願生此間廣演分別妙法華經何況盡
能受持種種供養者藥王當知是人自捨清
淨業報於我滅度後愍衆生故生於惡世廣
演此經若是善男子善女人我滅度後能竊
為一人說法華經乃至一句當知是人則如來

BD00082號　妙法蓮華經卷四　（29-8）

淨業報於我滅度後愍衆生故生於惡世廣
演此經若是善男子善女人我滅度後能竊
為一人說法華經乃至一句當知是人則如來
使如來所遣行如來事何况於大衆中廣為人
說藥王若有惡人以不善心於一劫中現於
佛前常毀罵佛其罪尚輕若人以一惡言毀
呰在家出家讀誦法華經者其罪甚重藥
王其有讀誦法華經者當知是人以佛莊嚴
而自莊嚴則為如來肩所荷擔其所至方應
隨向礼一心合掌恭敬供養尊重讚歎華香
瓔珞抹香塗香燒香繒蓋幢幡衣服餚饌
作諸伎樂人中上供而供養之應持天寶而
以散之天上寶聚應以奉獻所以者何是人
歡喜說法須臾之聞即得究竟阿耨多羅三
藐三菩提故尒時世尊欲重宣此義而說偈言
若欲住佛道　成就自然智　常當勤供養　受持法華者
其有欲疾得　一切種智慧　當知佛所使　愍念諸衆生
諸有能受持　妙法華經者　捨於清淨土　愍衆故生此
當知如是人　自在所欲生　能於此惡世　廣說無上法
應以天華香　及天寶衣服　天上妙寶聚　供養說法者
吾滅後惡世　能持是經者　當合掌礼敬　如供養世尊
上饌衆甘美　及種種衣服　供養是佛子　冀得須臾聞
若能於後世　受持是經者　我遣在人中　行於如來事
若於一劫中　常懷不善心　作色而罵佛　獲无量重罪

BD00082號　妙法蓮華經卷四　（29-9）

若能於後世　受持是經者　我遣在人中　行於如來事
若於一劫中　常懷不善心　作色而罵佛　獲无量重罪
其有讀誦持　是法華經者　須臾加惡言　其罪復過彼
有人求佛道　而於一劫中　合掌在我前　以无數偈讚
由是讚佛故　得无量功德　歎美持經者　其福復過彼
於十八億劫　以最妙色聲　及與香味觸　供養持經者
如是供養已　若得須臾聞　則應自欣慶　我今獲大利
藥王今告汝　我所說諸經　而於此經中　法華最第一
尒時佛復告藥王菩薩摩訶薩我所說經典
无量千万億已說今說當說而於其中此法華
經最為難信難解藥王此經是諸佛秘要
之藏不可分布妄授與人諸佛世尊之所守
護從昔已來未曾顯說而此經者如來現在猶
多怨嫉況滅度後藥王當知如來滅後其能
書持讀誦供養為他人說者如來則為以衣
覆之又為他方現在諸佛之所護念是人有
大信力及志願力諸善根力當知是人與如
來共宿則為如來手摩其頭藥王在在處處
若說若讀若誦若書若經卷所住之處皆應
起七寶塔極令高廣嚴餝不須復安舍利所
以者何此中已有如來全身此塔應以一切華
香瓔珞繒蓋幢幡伎樂歌頌供養恭敬尊
重讚歎若有人得見此塔礼拜供養當知是

BD00082號　妙法蓮華經卷四　（29–10）

香瓔珞繒蓋幢幡伎樂歌頌供養恭敬尊
重讚歎若有人得見此塔礼拜供養當知是
等皆近阿耨多羅三藐三菩提藥王多有人
在家出家行菩薩道若不能得見聞讀誦書
持供養是法華經者當知是人未善行菩薩
道若有得聞是經典者乃能善行菩薩之道
其有衆生求佛道者若見若聞是法華經
聞已信解受持者當知是人得近阿耨多羅
三藐三菩提藥王譬如有人渴乏須水於彼高
原穿鑿求之猶見乾土知水尚遠施功不已
轉見濕土遂漸至泥其心決定知水必近菩薩
亦復如是若未聞未解未能修習是法華經
當知是人去阿耨多羅三藐三菩提尚遠若
得聞解思惟修習必知得近阿耨多羅三藐
三菩提所以者何一切菩薩阿耨多羅三藐三
菩提皆屬此經此經開方便門示真實相
是法華經藏深固幽遠无人能到今佛教化
成就菩薩而為開示藥王若有菩薩聞是法
華經驚疑怖畏當知是為新發意菩薩若
聲聞人聞是經驚疑怖畏當知是為增上慢
者藥王若有善男子善女人如來滅後欲為
四衆說是法華經者云何應說是善男子善
女人入如來室著如來衣坐如來座尒乃應為

BD00082號　妙法蓮華經卷四　（29–11）

四衆說是法華經者云何應說是善男子善
女人入如來室著如來衣坐如來座尒乃應為
四衆廣說斯經如來室者一切衆生中大慈
悲心是如來衣者柔和忍辱心是如來座者
一切法空是安住是中然後以不懈怠心為
諸菩薩及四衆廣說是法華經藥王我於餘
國遣化人為其集聽法衆亦遣化比丘比丘
尼優婆塞優婆夷聽其說法是諸化人聞
法信受隨順不逆若說法者在空閑處我
時廣遣天龍鬼神乾闥婆阿脩羅等聽其
說法我雖在異國時時令說法者得見我身
若於此經忘失句逗我還為說令得具足尒時
世尊欲重宣此義而說偈言
欲捨諸懈怠　應當聽此經　是經難得聞　信受者亦難
如人渴須水　穿鑿於高原　猶見乾燥土　知去水尚遠
漸見濕土泥　決定知近水　藥王汝當知　如是諸人等
不聞法華經　去佛智甚遠　若聞是深經　決了聲聞法
是諸經之王　聞已諦思惟　當知此人等　近於佛智慧
若人說此經　應入如來室　著於如來衣　而坐如來座
處衆无所畏　廣為分別說　大慈悲為室　柔和忍辱衣
諸法空為座　處此為說法　若說此經時　有人惡口罵
加刀杖瓦石　念佛故應忍　我千万億土　現淨堅固身
於无量億劫　為衆生說法　若我滅度後　能說此經者

加刀杖瓦石　念佛故應忍　我千万億土　現淨堅固身
於无量億劫　為衆生說法　若我滅度後　能說此經者
我遣化四衆　比丘比丘尼　及清信士女　供養於法師
引導諸衆生　集之令聽法　若人欲加惡　刀杖及瓦石
則遣變化人　為之作衛護　若說法之人　獨在空閑處
寂漠无人聲　讀誦此經典　我尒時為現　清淨光明身
若忘失章句　為說令通利　若人具是德　或為四衆說
空處讀誦經　皆得見我身　若人在空閑　我遣天龍王
夜叉鬼神等　為作聽法衆　是人樂說法　分別无罣礙
諸佛護念故　能令大衆喜　若親近法師　速得菩薩道
隨順是師學　得見恒沙佛

妙法蓮華經見寶塔品第十一

尒時佛前有七寶塔高五百由旬縱廣二百五
十由旬從地踊出住在空中種種寶物而莊
校之五千欄楯龕室千万无數幢幡以為嚴飾
垂寶瓔珞寶鈴万億而懸其上四面皆出多
摩羅跋栴檀之香充遍世界其諸幡蓋以金
銀琉璃車𤦲馬瑙真珠玫瑰七寶合成高至
四天王宮三十三天雨天曼陁羅華供養寶
塔餘諸天龍夜叉乾闥婆阿脩羅迦樓羅
緊那羅摩睺羅伽人非人等千万億衆以一
切華香瓔珞幡蓋伎樂供養寶塔恭敬尊
重讚歎尒時寶塔中出大音聲歎言善哉善
哉釋迦牟尼世尊能以平等大慧教菩薩法

重讚歎尒時寶塔中出大音聲歎言善哉善
哉釋迦牟尼世尊能以平等大慧教菩薩法
佛所護念妙法華經為大衆說如是如是釋
迦牟尼世尊如所說者皆是真實尒時四衆
見大寶塔住在空中又聞塔中所出音聲皆
得法喜怪未曾有從座而起恭敬合掌却住
一面尒時有菩薩摩訶薩名大樂說知一切世
間天人阿脩羅等心之所疑而白佛言世尊以
何因緣有此寶塔從地踊出又於其中發是
音聲尒時佛告大樂說菩薩此寶塔中有如
來全身乃往過去東方無量千万億阿僧祇
世界國名寶淨彼中有佛号曰多寶其佛
行菩薩道時作大誓願若我成佛滅度之後
於十方國土有說法華經處我之塔廟為
聽是經故踊現其前為作證明讚言善哉
彼佛成道已臨滅度時於天人大衆中告諸
比丘我滅度後欲供養我全身者應起一大塔其
佛以神通願力十方世界在在處處若有說法
華經者彼之寶塔皆踊出其前全身在於
塔中讚言善哉善哉大樂說今多寶如來塔
聞說法華經故從地踊出讚言善哉善哉
是時大樂說菩薩以如來神力故白佛言世尊
我等願欲見此佛身佛告大樂說菩薩摩訶

BD00082號　妙法蓮華經卷四　（29–14）

是時大樂說菩薩以如來神力故白佛言世尊
我等願欲見此佛身佛告大樂說菩薩摩訶
薩是多寶佛有深重願若我寶塔為聽法華
經故出於諸佛前時其有欲以我身示四衆
者彼佛分身諸佛在於十方世界說法盡
還集一處然後我身乃出現耳大樂說我
分身諸佛在於十方世界說法者今應當集
大樂說白佛言世尊我等亦願欲見世尊分身
諸佛禮拜供養尒時佛放白毫一光即見東方
五百万億那由他恒河沙等國土諸佛彼諸國
土皆以頗梨為地寶樹寶衣以為莊嚴無數
千万億菩薩充滿其中遍張寶幔寶網羅
上彼國諸佛以大妙音而說諸法及見無量千
万億菩薩遍滿諸國為衆說法南西北方四維
上下白毫相光所照之處亦復如是尒時十方
諸佛各告衆菩薩言善男子我今應往娑
婆世界釋迦牟尼佛所并供養多寶如來
寶塔時娑婆世界即變清淨琉璃為地寶
樹莊嚴黃金為繩以界八道無諸聚落村
營城邑大海江河山川林藪燒大寶香曼陁
羅華遍布其地以寶網幔羅覆其上懸諸
寶鈴唯留此會衆移諸天人置於他土是時
諸佛各將一大菩薩以為侍者至娑婆世界各
到寶樹下一一寶樹高五百由旬枝葉華菓

BD00082號　妙法蓮華經卷四　（29–15）

諸佛各將一大菩薩以爲侍者至娑婆世界各
到寶樹下一一寶樹高五百由旬枝葉華菓
次第莊嚴諸寶樹下皆有師子之座高五由
旬亦以大寶而校餝之尒時諸佛各於此座結
加趺坐如是展轉遍滿三千大世界而於釋
迦牟尼佛一方所分之身猶故未盡時釋迦
牟尼佛欲容受所分身諸佛故八方各更變
二百万億那由他國皆令清淨无有地獄餓
鬼畜生及阿脩羅又移諸天人置於他土所
化之國亦以琉璃爲地寶樹莊嚴樹高五百
由旬枝葉華菓次第嚴餝樹下皆有寶師
子座高五由旬種種諸寶以爲莊校亦无大
海江河及目真隣陁山摩訶目真隣陁山鐵
圍山大鐵圍山須弥山等諸山王通爲一佛國
土寶地平正寶交露幔遍覆其上懸諸幡蓋
燒大寶香諸天寶華遍布其地釋迦牟尼
佛爲諸佛當來坐故復於八方各變二百
万億那由他國皆令清淨无有地獄餓鬼畜
生及阿脩羅又移諸天人置於他土所化之國
亦以琉璃爲地寶樹莊嚴樹高五百由旬枝
葉華菓次第莊嚴樹下皆有寶師子座高
五由旬亦以大寶而校餝之亦无大海江河及
目真隣陁山摩訶目真隣陁山鐵圍山大鐵
圍山須弥山等諸山王通爲一佛國土寶地平

BD00082 號　妙法蓮華經卷四　（29–16）

目真隣陁山摩訶目真隣陁山鐵圍山大鐵
圍山須弥山等諸山王通爲一佛國土寶地平
正寶交露幔遍覆其上懸諸幡蓋燒大寶
香諸天寶華遍布其地尒時東方釋迦牟尼
所分之身百千万億那由他恒河沙等國土中
諸佛各各說法来集於此如是次第十方諸佛
皆悉来集坐於八方尒時一一方四百万億那由
他國土諸佛如来遍滿其中是時諸佛各在
寶樹下坐師子座皆遣侍者問訊釋迦牟
尼佛各賷寶華滿掬而告之言善男子汝
往詣耆闍崛山釋迦牟尼佛所如我辭曰少
病少惱氣力安樂及菩薩聲聞衆悉安隱不
以此寶華散佛供養而作是言彼某甲佛
與欲開此寶塔諸佛遣使亦復如是尒時釋
迦牟尼佛見所分身佛悉已来集各各坐於
師子之座皆聞諸佛與欲同開寶塔即從座
起住虛空中一切四衆起立合掌一心觀佛於
是釋迦牟尼佛以右指開七寶塔戶出大音
聲如却關鑰開大城門即時一切衆會皆見
多寶如来於寶塔中坐師子座全身不散如
入禪定又聞其言善哉善哉釋迦牟尼佛
快說是法華經我爲聽是經故而来至此尒
時四衆等見過去无量千万億劫滅度佛說如

BD00082 號　妙法蓮華經卷四　（29–17）

快說是法華經我為聽是經故而來至此尒
時四衆等見過去无量千万億劫滅度佛說如
是言歎未曾有以天寶華聚散多寶佛及釋
迦牟尼佛上尒時多寶佛於寶塔中分半座
與釋迦牟尼佛而作是言釋迦牟尼佛可就
此座即時釋迦牟尼佛入其塔中坐其半座
結跏趺坐尒時大衆見二如來在七寶塔中
師子座上結跏趺坐各作是念佛坐高遠唯願
如來以神通力令我等輩俱處虛空即時釋
迦牟尼佛以神通力接諸大衆皆在虛空以
大音聲普告四衆誰能於此娑婆國土廣說
妙法華經今正是時如來不久當入涅槃佛欲
以此妙法華經付囑有在尒時世尊欲重宣
此義而說偈言
聖主世尊　雖久滅度　在寶塔中　尚為法來
諸人云何　不懃為法　此佛滅度　无央數劫
處處聽法　以難遇故　彼佛本願　我滅度後
在在所往　常為聽法　又我分身　无量諸佛
如恒沙等　來欲聽法　及見滅度　多寶如來
各捨妙土　及弟子衆　天人龍神　諸供養事
令法久住　故來至此　為坐諸佛　以神通力
移无量衆　令國清淨　諸佛各各　詣寶樹下
如清淨地　蓮華莊嚴　其寶樹下　諸師子座
佛坐其上　光明嚴飾　如夜闇中　燃大炬火

BD00082號　妙法蓮華經卷四　（29–18）

移无量衆　令國清淨　諸佛各各　詣寶樹下
如清淨地　蓮華莊嚴　其寶樹下　諸師子座
佛坐其上　光明嚴飾　如夜闇中　燃大炬火
身出妙音　遍十方國　衆生蒙薰　喜不自勝
譬如大風　吹小樹枝　以是方便　令法久住
告諸大衆　我滅度後　誰能護持　讀誦斯經
今於佛前　自說誓言　其多寶佛　雖久滅度
以大誓願　而師子吼　多寶如來　及與我身
所集化佛　當知此意　諸佛子等　誰能護法
當發大願　令得久住　其有能護　此經法者
則為供養　我及多寶　此多寶佛　處於寶塔
常遊十方　為是經故　亦復供養　諸來化佛
莊嚴光飾　諸世界者　若說此經　則為見我
多寶如來　及諸化佛　諸善男子　各諦思惟
此為難事　宜發大願　諸餘經典　數如恒沙
雖說此等　未足為難　若接須彌　擲置他方
无數佛土　亦未為難　若以足指　動大千界
遠擲他國　亦未為難　若立有頂　為衆演說
无量餘經　亦未為難　若佛滅後　於惡世中
能說此經　是則為難　假使有人　手把虛空
而以遊行　亦未為難　於我滅後　若自書持
若使人書　是則為難　若以大地　置足甲上
升於梵天　亦未為難　佛滅度後　於惡世中
暫讀此經　是則為難　假使劫燒　擔負乾草

BD00082號　妙法蓮華經卷四　（29–19）

於梵天 亦未為難 佛滅度後 於惡世中
暫讀此經 是則為難 假使劫燒 擔負乾草
入中不燒 亦未為難 我滅度後 若持此經
為一人說 是則為難 若持八万 四千法藏
十二部經 為人演說 令諸聽者 得六神通
雖能如是 亦未為難 於我滅後 聽受此經
問其義趣 是則為難 若人說法 令千万億
无量无數 恒沙眾生 得阿羅漢 具六神通
雖有是益 亦未為難 於我滅後 若能奉持
如斯經典 是則為難 我為佛道 於无量土
從始至今 廣說諸經 而於其中 此經第一
若有能持 則持佛身 諸善男子 於我滅後
誰能受持 讀誦此經 今於佛前 自說誓言
此經難持 若暫持者 我則歡喜 諸佛亦然
如是之人 諸佛所歎 是則勇猛 是則精進
是名持戒 行頭陀者 則為疾得 无上佛道
能於來世 讀持此經 是真佛子 住淳善地
佛滅度後 能解其義 是諸天人 世間之眼
於恐畏世 能須臾說 一切天人 皆應供養

妙法蓮華經提婆達多品第十二

尒時佛告諸菩薩及天人四眾 吾於過去无
量劫中 求法華經 无有懈惓 於多劫中 常作
國王 發願求於无上菩提 心不退轉 為欲滿
足六波羅蜜 勤行布施 心无悋惜 象馬七珎

BD00082 號　妙法蓮華經卷四　（29–20）

國王發願求於无上菩提心不退轉為欲滿
足六波羅蜜勤行布施心无悋惜象馬七珎
國城妻子奴婢僕從頭目髓腦身肉手足不
惜軀命 時世人民壽命无量 為於法故 捐捨
國位 委政太子 擊鼓宣令 四方求法 誰能為
我說大乘者 吾當終身供給走使 時有仙人
來白王言 我有大乘 名妙法蓮華經 若不違
我當為宣說 王聞其言 歡喜踊躍 即隨仙人
供給所須 採菓汲水 拾薪設食 乃至以身而
為牀座 身心无惓 于時奉事 逕於千歲 為於
法故 精勤給侍 令无所乏 尒時世尊欲重宣
此義而說偈言
我念過去劫 為求大法故 雖作世國王 不貪五欲樂
搥鍾告四方 誰有大法者 若為我解說 身當為奴僕
時有阿私仙 來白於大王 我有微妙法 世間所希有
若能脩行者 吾當為汝說 時王聞仙言 心生大喜悅
即便隨仙人 供給於所須 採薪及菓蓏 隨時恭敬與
情存妙法故 身心无懈惓 普為諸眾生 勤求於大法
亦不為己身 及以五欲樂 故為大國王 勤求獲此法
遂致得成佛 今故為汝說
佛告諸比丘 尒時王者 則我身是 時仙人者 今
提婆達多是 由提婆達多善知識故 令我具
足六波羅蜜 慈悲喜捨 三十二相 八十種好紫

BD00082 號　妙法蓮華經卷四　（29–21）

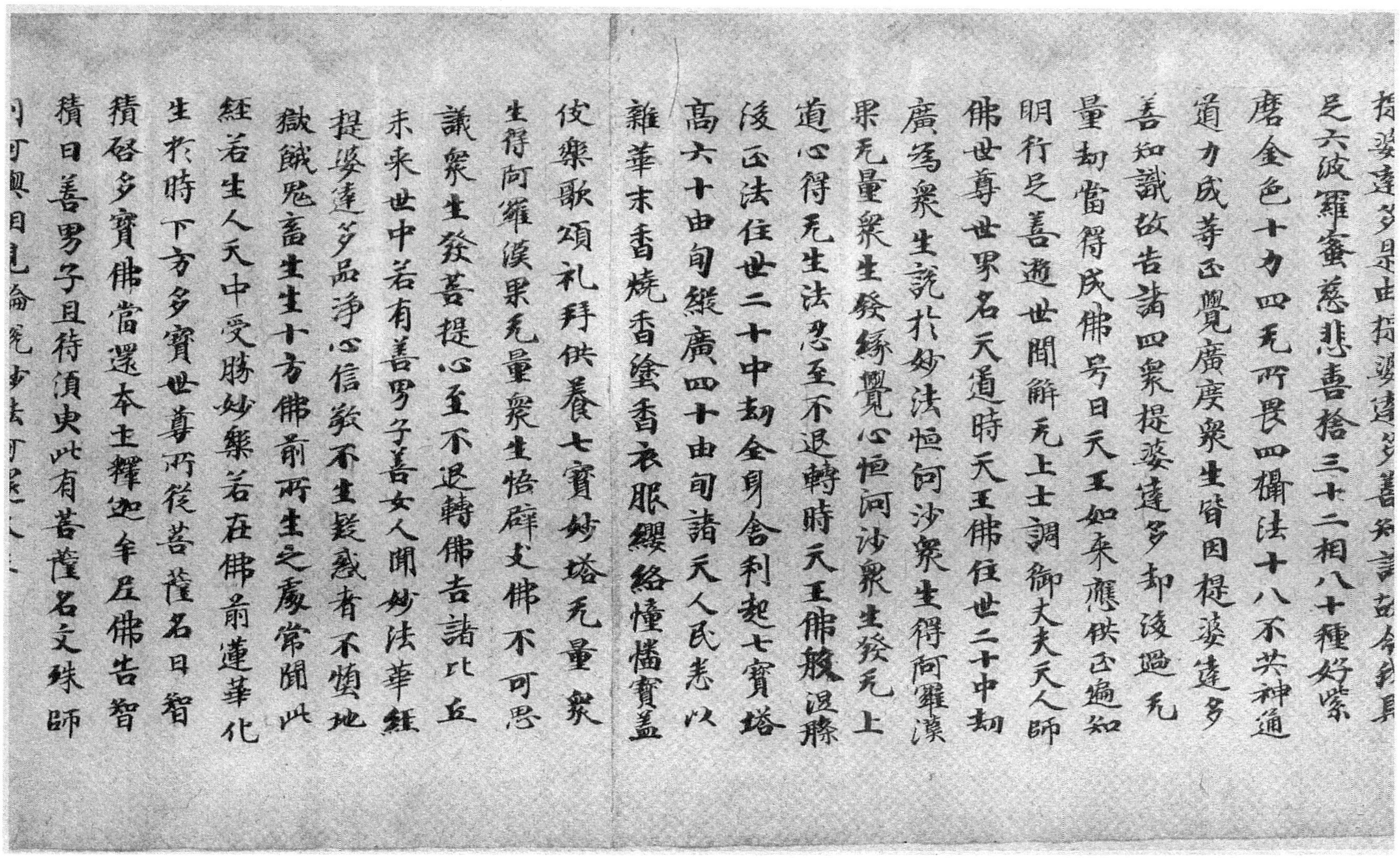

提婆達多是由提婆達多善知識故令我具
足六波羅蜜慈悲喜捨三十二相八十種好紫
磨金色十力四无所畏四攝法十八不共神通
道力成等正覺廣度衆生皆因提婆達多
善知識故告諸四衆提婆達多却後過无
量劫當得成佛号曰天王如來應供正遍知
明行足善逝世間解无上士調御丈夫天人師
佛世尊世界名天道時天王佛住世二十中劫
廣為衆生說於妙法恒河沙衆生得阿羅漢
果无量衆生發緣覺心恒河沙衆生發无上
道心得无生法忍至不退轉時天王佛般涅槃
後正法住世二十中劫全身舍利起七寶塔
高六十由旬縱廣四十由旬諸天人民悉以
雜華末香燒香塗香衣服瓔珞幢幡寶蓋
伎樂歌頌礼拜供養七寶妙塔无量衆
生得阿羅漢果无量衆生悟辟支佛不可思
議衆生發菩提心至不退轉佛告諸比丘
未來世中若有善男子善女人聞妙法華經
提婆達多品淨心信敬不生疑惑者不墮地
獄餓鬼畜生生十方佛前所生之處常聞此
經若生人天中受勝妙樂若在佛前蓮華化
生於時下方多寶世尊所從菩薩名曰智
積啓多寶佛當還本土釋迦牟尼佛告智
積曰善男子且待須臾此有菩薩名文殊師
利可與相見論說妙法可還本土

BD00082號　妙法蓮華經卷四　（29–22）

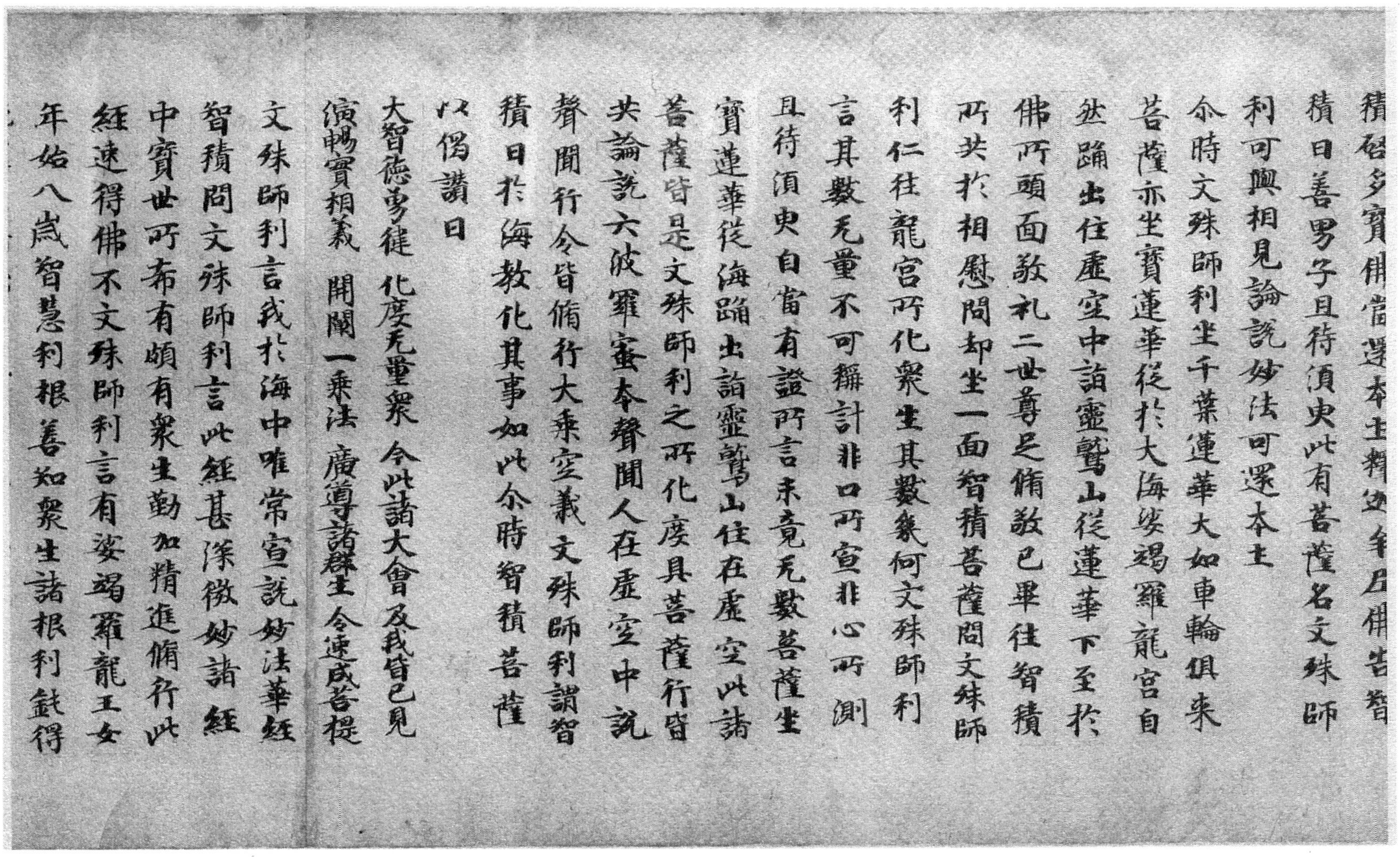

積啓多寶佛當還本土釋迦牟尼佛告智
積曰善男子且待須臾此有菩薩名文殊師
利可與相見論說妙法可還本土
尒時文殊師利坐千葉蓮華大如車輪俱來
菩薩亦坐寶蓮華從於大海娑竭羅龍宮自
然踊出住虛空中詣靈鷲山從蓮華下至於
佛所頭面敬礼二世尊足脩敬已畢往智積
所共相慰問却坐一面智積菩薩問文殊師
利仁往龍宮所化衆生其數幾何文殊師利
言其數无量不可稱計非口所宣非心所測
且待須臾自當有證所言未竟无數菩薩坐
寶蓮華從海踊出詣靈鷲山住在虛空此諸
菩薩皆是文殊師利之所化度具菩薩行皆
共論說六波羅蜜本聲聞人在虛空中說
聲聞行今皆脩行大乘空義文殊師利謂智
積曰於海教化其事如此尒時智積菩薩
以偈讚曰
大智德勇健　化度无量衆　今此諸大會　及我皆已見
演暢實相義　開闡一乘法　廣導諸群生　令速成菩提
文殊師利言我於海中唯常宣說妙法華經
智積問文殊師利言此經甚深微妙諸經
中寶世所希有頗有衆生勤加精進脩行此
經速得佛不文殊師利言有娑竭羅龍王女
年始八歲智慧利根善知衆生諸根利鈍得

BD00082號　妙法蓮華經卷四　（29–23）

經速得佛不文殊師利言有娑竭羅龍王女
年始八歲智慧利根善知衆生諸根利鈍得
陁羅尼諸佛所說甚深秘藏悉能受持深
入禪定了達諸法於剎那頃發菩提心得不
退轉辯才无礙慈念衆生猶如赤子功德具足
念口演微妙廣大慈悲仁讓志意和雅能至
菩提智積菩薩言我見釋迦如來於无量劫
難行苦行積功累德求菩薩道未曾止息觀
三千大千世界乃至无有如芥子許非是菩薩
捨身命處為衆生故然後乃得成菩提道不
信此女於須臾頃便成正覺言論未訖時龍
王女忽現於前頭面礼敬却住一面以偈讚曰
深達罪福相　遍照於十方　微妙淨法身　具相三十二
以八十種好　用莊嚴法身　天人所戴仰　龍神咸恭敬
一切衆生類　无不宗奉者　又聞成菩提　唯佛當證知
我闡大乘教　度脫苦衆生
時舍利弗語龍女言汝謂不久得无上道是
事難信所以者何女身垢穢非是法器云何
能得无上菩提佛道玄曠逕无量劫勤苦積
行具脩諸度然後乃成又女身猶有五鄣一
者不得作梵天王二者帝釋三者魔王四者轉
輪聖王五者佛身云何女身速得成佛
尒時龍女有寶珠價直三千大千世界持以
上佛佛即受之龍女謂智積菩薩尊者舍

BD00082 號　妙法蓮華經卷四　（29–24）

[illegible]
尒時龍女有寶珠價直三千大千世界持以
上佛佛即受之龍女謂智積菩薩尊者舍
利弗言我獻寶珠世尊納受是事疾不答言
甚疾女言以汝神力觀我成佛復速於此當時
衆會皆見龍女忽然之間變成男子具菩薩
行即往南方无垢世界坐寶蓮華成等正覺
三十二相八十種好普為十方一切衆生演說
妙法尒時娑婆世界菩薩聲聞天龍八部人
與非人皆遥見彼龍女成佛普為時會人
天說法心大歡喜悉遥礼敬无量衆生聞法
解悟得不退轉无量衆生得受道記无垢世
界六反震動娑婆世界三千衆生住不退地三
千衆生發菩提心而得受記智積菩薩及舍
利弗一切衆會嘿然信受
妙法蓮華經持品第十三
尒時藥王菩薩摩訶薩及大樂說菩薩摩
訶薩與二万菩薩眷屬俱皆於佛前作是誓
言唯願世尊不以為慮我等於佛滅後當奉
持讀誦說此經典後惡世衆生善根轉少多增
上慢貪利供養增不善根遠離解脫雖難
可教化我等當起大忍力讀誦此經持說書寫
種種供養不惜身命尒時衆中五百阿羅漢得
受記者白佛言世尊我等亦自誓願於異國
土廣說此經復有學无學八千人得受記者

BD00082 號　妙法蓮華經卷四　（29–25）

種種供養不惜身命尒時衆中五百阿羅漢得
受記者白佛言世尊我等亦自誓願於異國
土廣說此經復有學无學八千人得受記者
從座而起合掌向佛作是誓言世尊我等亦
當於他國土廣說此經所以者何是娑婆國中
人多弊惡懷增上慢功德淺薄瞋濁諂曲心
不實故
尒時佛姨母摩訶波闍波提比丘尼與學无
學比丘尼六千人俱從座而起一心合掌瞻仰
尊顔目不蹔捨於時世尊告憍曇弥何故憂
色而視如来汝心將无謂我不說汝名授阿耨
多羅三藐三菩提記耶憍曇弥我先揔說一
切聲聞皆已授記今汝欲知記者將来之世當
於六万八千億諸佛法中為大法師及六千學
无學比丘尼俱為法師汝如是漸漸具菩薩
道當得作佛号一切衆生喜見如来應供正
遍知明行足善逝世間解无上士調御丈夫
天人師佛世尊憍曇弥是一切衆生喜見佛
及六千菩薩轉次授記得阿耨多羅三藐三
菩提尒時羅睺羅母耶輸陁羅比丘尼作是
念世尊於授記中獨不說我名佛告耶輸陁
羅汝於来世百千万億諸佛法中脩菩薩
行為大法師漸具佛道於善國中當得作佛
号具足千万光相如来應供正遍知明行足

羅汝於来世百千万億諸佛法中脩菩薩
行為大法師漸具佛道於善國中當得作佛
号具足千万光相如来應供正遍知明行足
善逝世間解无上士調御丈夫天人師佛世
尊佛壽无量阿僧祇劫尒時摩訶波闍波
提比丘尼及耶輸陁羅比丘尼并其眷屬皆
大歡喜得未曾有即於佛前而說偈言
世尊導師　安隱天人　我等聞記　心安具足
諸比丘尼說是偈已白佛言世尊我等亦能
於他方國土廣宣此經
尒時世尊視八十万億那由他諸菩薩摩訶
薩是諸菩薩皆是阿惟越致轉不退法輪得
諸陁羅尼即從座起至於佛前一心合掌而
作是念若世尊告勅我等持說此經者當如
佛教廣宣斯法復作是念佛今嘿然不見告
勅我當云何時諸菩薩敬順佛意并欲自滿
本願便於佛前作師子吼而發誓言世尊我
等於如来滅後周旋往返十方世界能令衆
生書寫此經受持讀誦解說其義如法脩
行正憶念皆是佛之威力唯願世尊在於他方
遥見守護即時諸菩薩俱同發聲而說偈言
唯願不為慮　於佛滅度後　恐怖惡世中　我等當廣說
有諸无智人　惡口罵詈等　及加刀杖者　我等皆當忍
惡世中比丘　邪智心諂曲　未得謂為得　我慢心充滿
或有阿練若　納衣在空閑　自謂行真道　輕賤人間者

行正憶念皆是佛之威力唯願世尊在於他方
遥見守護即時諸菩薩俱同發聲而說偈言
唯願不為慮　於佛滅度後　恐怖惡世中　我等當廣說
有諸无智人　惡口罵詈等　及加刀杖者　我等皆當忍
惡世中比丘　邪智心諂曲　未得謂為得　我慢心充滿
或有阿練若　納衣在空閑　自謂行真道　輕賤人間者
貪著利養故　與白衣說法　為世所恭敬　如六通羅漢
是人懷惡心　常念世俗事　假名阿練若　好出我等過
而作如是言　此諸比丘等　為貪利養故　說外道論議
自作此經典　誑惑世間人　為求名聞故　分別於是經
常在大衆中　欲毀我等故　向國王大臣　婆羅門居士
及餘比丘衆　誹謗說我惡　謂是邪見人　說外道論議
我等敬佛故　悉忍是諸惡　為斯所輕言　汝等皆是佛
如此輕慢言　皆當忍受之
濁劫惡世中　多有諸恐怖　惡鬼入其身　罵詈毀辱我
我等敬信佛　當著忍辱鎧　為說是經故　忍此諸難事
我不愛身命　但惜无上道　我等於來世　護持佛所囑
世尊自當知　濁世惡比丘　不知佛方便　隨宜所說法
惡口而顰蹙　數數見擯出　遠離於塔寺　如是等衆惡
念佛告勑故　皆當忍是事
諸聚落城邑　其有求法者　我皆到其所　說佛所囑法
我是世尊使　處衆无所畏　我當善說法　願佛安隱住
我於世尊前　諸來十方佛　發如是誓言　佛自知我心

BD00082號　妙法蓮華經卷四　（29–28）

我等敬佛故　悉忍是諸惡　為斯所輕言　汝等皆是佛
如此輕慢言　皆當忍受之
濁劫惡世中　多有諸恐怖　惡鬼入其身　罵詈毀辱我
我等敬信佛　當著忍辱鎧　為說是經故　忍此諸難事
我不愛身命　但惜无上道　我等於來世　護持佛所囑
世尊自當知　濁世惡比丘　不知佛方便　隨宜所說法
惡口而顰蹙　數數見擯出　遠離於塔寺　如是等衆惡
念佛告勑故　皆當忍是事
諸聚落城邑　其有求法者　我皆到其所　說佛所囑法
我是世尊使　處衆无所畏　我當善說法　願佛安隱住
我於世尊前　諸來十方佛　發如是誓言　佛自知我心

華經卷第四

BD00082號　妙法蓮華經卷四　（29–29）

病若衆生得離
无復病譬如長者唯有一子其子
亦病若子病愈父母亦愈菩薩如是於諸衆
生愛之若子衆生病 則菩薩病衆生
薩亦愈又言是病何所因起菩薩病者
起文殊師利言居士此室何以空无侍者維
摩詰言諸佛國土亦復皆空又問以何爲空
荅曰以空空又問空何用空荅曰以无分別空
故空又問空可分別耶荅曰分別亦空又問空
當於何求荅曰當於六十二見中求又問六
十二見當於何求荅曰當於諸佛解脫中
求又問諸佛解脫當於何求荅曰當於一
切衆生心行中求又仁所問何无侍者一切
衆魔及諸外道皆吾侍也所以者何衆魔
者樂生死菩薩於生死而不捨外道者樂
諸見菩薩於諸見而不動文殊師利言居士
所疾爲何等相維摩詰言我病无形不可見
又問此病身合耶心合耶荅曰非身合身相
離故亦非心合心如幻故又問地大水大火大
風大於此四大何大之病荅曰是病非地大亦
不離地大水火風大亦復如是而衆生病從四
大起以其有病是故我病
尒時文殊師利問維摩詰言菩薩云何慰喻
有疾菩薩維摩詰言說身无常不說厭[illegible]

BD00083號　維摩詰所說經（兌廢稿）卷中　（7–1）

不離地大水火風大亦復如是而衆生病從四
大起以其有病是故我病
尒時文殊師利問維摩詰言菩薩云何慰喻
有疾菩薩維摩詰言說身无常不說厭利於
身說身有苦不說樂於涅槃說身无我而說
教導衆生說身空寂不說畢竟寂滅說悔
先罪而不說入於過去以己之疾愍於彼疾
當識宿世无數劫苦當念饒益一切衆生憶
所脩福念於淨命勿生憂惱常起精進當作
醫王療治衆病菩薩應如是慰喻有疾菩
薩令其歡喜文殊師利言居士有疾菩薩云何
調伏其心維摩詰言有疾菩薩應作是念今
我此病皆從前世妄想顛倒諸煩惱生无有實
法誰受病者所以者何四大合故假名爲身
四大無主身亦無我又此病起皆由著我是
故於我不應生著既知病本即除我想及衆
生想當起法想應作是念但以衆法合成此
身起唯法起滅唯法滅又此法者各不相知
起時不言我起滅時不言我滅彼有疾菩薩
爲滅法想當作是念此法想者亦是顛倒顛
倒者是即大患我應離之云何爲離離我我
所云何離我我所謂離二法云何離二法謂
不念內外諸法行於平等云何平等謂我等
涅槃等所以者何我及涅槃此二皆空以何
爲空但以名字故空如此二法无決定性得

BD00083號　維摩詰所說經（兌廢稿）卷中　（7–2）

涅槃等所以者何我及涅槃此二皆空以何
為空但以名字故空如此二法无決定性得
是平等无有餘病唯有空病空病亦空是有
疾菩薩以无所受而受諸受未具佛法亦不
滅受而取證也設身有苦念惡趣衆生起大
悲心我既調伏亦當調伏一切衆生但除其
病而不除法為斷病本而教導之何謂病本
謂有攀緣從有攀緣則為病本何所攀緣謂
之三界云何斷攀緣以无所得若无所得則无
攀緣何謂无所得謂二見何謂二見謂內見
外見是无所得文殊師利是名有疾菩薩調
伏其心為斷老病死苦是名菩薩菩提若不
如是已所脩治為无慧利譬如勝怨乃可為
勇如是兼除老病死者菩薩之謂也彼有疾
菩薩應復作是念如我此病非真非有衆生
病亦非真非有作是觀時於諸衆生若起
愛見大悲即應捨離所以者何菩薩斷除客
塵煩惱而起大悲愛見悲者則於生死有疲
厭心若能離此无有疲厭在在所生不為愛
見之所覆也所生无縛能為衆生說法解縛
如佛所說若自有縛能解彼縛无有是處若
自无縛能解彼縛斯有是處是故菩薩不應
起縛何謂縛何謂解貪著禪味是菩薩縛
以方便生是菩薩解又无方便慧縛有方便
慧解无慧方便縛有慧方便解何謂无方便

BD00083 號　維摩詰所說經（兌廢稿）卷中

（7–3）

以方便生是菩薩解又无方便慧縛有方便
慧解无慧方便縛有慧方便解何謂无方便
慧縛謂菩薩以愛見心莊嚴佛土成就衆生
於空无相无作法中而自調伏是名无方便
慧縛何謂有方便慧解謂不以愛見心莊嚴
佛土成就衆生於空无相无作法中以自調
伏而不疲厭是名有方便慧解何謂无慧方
便縛謂菩薩住貪欲瞋恚邪見等諸煩惱而
殖衆德本是名无慧方便縛何謂有慧方便
解謂離諸貪欲瞋恚邪見等諸煩惱而殖衆
德本迴向阿耨多羅三藐三菩提是名有慧方
便解文殊師利彼有疾菩薩應如是觀諸法
又復觀身无常苦空非我是名為慧雖身有
疾常在生死饒益一切而不厭倦是名方便
又復觀身身不離病病不離身是病是身非新
非故是名為慧設身有疾而不永滅是
名方便文殊師利有疾菩薩應如是調伏其
心不住其中亦復不住不調伏心所以者何若
住不調伏心是愚人法若住調伏心是聲聞法
是故菩薩不當住於調伏不調伏心離此二
法是菩薩行在於生死不為污行住於涅
槃不永滅度是菩薩行非凡夫行非賢聖行
是菩薩行非垢行非淨行是菩薩行雖過魔
行而現降伏衆魔是菩薩行求一切智无非時
求是菩薩行雖觀諸法不生而不入正位是

BD00083 號　維摩詰所說經（兌廢稿）卷中

（7–4）

行而現降衆魔是菩薩行求一切智无非時
求是菩薩行雖觀諸法不生而不入正位是
菩薩行雖觀十二緣起而入諸邪見是菩薩行雖攝一切衆生而不愛著是菩薩
行雖樂遠離而不依身心盡是菩薩行雖行三界而
不壞法性是菩薩行雖行於空而殖衆德本
是菩薩行雖行无相而度衆生是菩薩行雖
行无作而現受身是菩薩行雖行无起而起
一切善行是菩薩行雖行六波羅蜜而遍知衆
生心心數法是菩薩行雖行六通而不盡漏
是菩薩行雖行四无量心而不貪著生於梵
世是菩薩行雖行禪定解脫三昧而不隨禪
生是菩薩行雖行四念處而不永離身受心
法是菩薩行雖行四正勤而不捨身心精進是菩
薩行雖行四如意足而得自在神通是
菩薩行雖行五根而分別衆生諸根利鈍是
菩薩行雖行五力而樂求佛十力是菩薩行
雖行七覺分而分別佛之智慧是菩薩行雖
行八聖道而樂行无量佛道是菩薩行雖行
止觀助道之法而不畢竟墮於寂滅是菩薩
行雖行諸法不生不滅而以相好莊嚴其身
是菩薩行雖現聲聞辟支佛威儀而不捨
佛法是菩薩行雖隨諸法究竟淨相而隨所應
為現其身是菩薩行雖行觀諸佛國土永寂如
空而現種種清淨佛土是菩薩行雖得佛道

BD00083 號　維摩詰所說經（兌廢稿）卷中　（7–5）

為現其身是菩薩行雖行觀諸佛國土永寂如
空而現種種清淨佛土是菩薩行雖得佛道
轉於法輪入於涅槃而不捨於菩薩之道是菩
薩行說是法時文殊師利所將大衆其中
八千天子皆發阿耨多羅三藐三菩提心
維摩詰經不思議品第六
尒時舍利弗見此室中无有牀座作是念斯
諸菩薩大弟子衆當於何坐長者維摩詰知
其意語舍利弗言云何仁者為法來耶求牀
座耶舍利弗言我為法來非為牀座維摩詰
言唯舍利弗夫求法者不貪軀命何况牀座
夫求法者非有色受想行識之求非有界入
之求非有欲色无色之求唯舍利弗夫求法
者不著佛求不著法求不著衆求夫求法
者无見苦求无斷集求无造盡證脩道之求
所以者何法无戲論若言我當見苦斷集滅
證脩道是則戲論非求法也唯舍利弗法名
寂滅若行生滅是求生滅非求法也法名无
染若染於法乃至涅槃是則染著非求法也法
无行處若行於法是則行處非求法也法无
取捨若取捨法是則取捨非求法也法无處
所若著處所是則著處非求法也法名无相
若隨相識是則求相非求法也法不可住若
住於法是則住法非求法也法不可見聞覺
知若行見聞覺知是則見聞覺知非求法也

BD00083 號　維摩詰所說經（兌廢稿）卷中　（7–6）

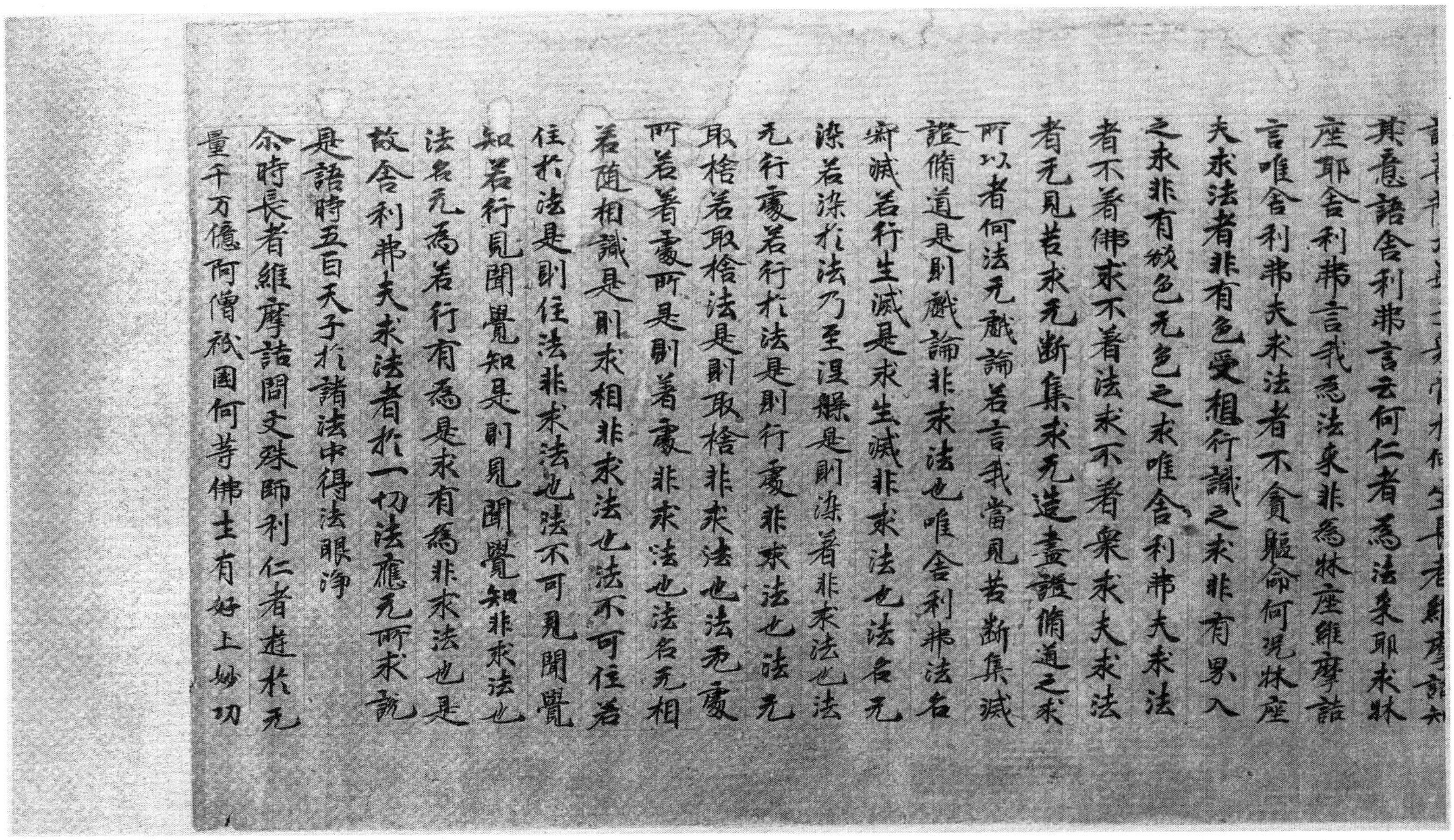
其意語舍利弗言云何仁者為法來耶求床
座耶舍利弗言我為法來非為床座維摩詰
言唯舍利弗夫求法者不貪軀命何況床座
夫求法者非有色受想行識之求非有界入
之求非有欲色无色之求唯舍利弗夫求法
者不著佛求不著法求不著衆求夫求法
者无見苦求无斷集求无造盡證脩道之求
所以者何法无戲論若言我當見苦斷集滅
證脩道是則戲論非求法也唯舍利弗法名
寂滅若行生滅是求生滅非求法也法名无
染若染於法乃至涅槃是則染著非求法也法
无行處若行於法是則行處非求法也法无
取捨若取捨法是則取捨非求法也法无處
所若著處所是則著處非求法也法名无相
若隨相識是則求相非求法也法不可住若
住於法是則住法非求法也法不可見聞覺
知若行見聞覺知是則見聞覺知非求法也
法名无為若行有為是求有為非求法也是
故舍利弗夫求法者於一切法應无所求說
是語時五百天子於諸法中得法眼淨
尒時長者維摩詰問文殊師利仁者遊於无
量千万億阿僧祇國何等佛土有好上妙功

BD00083 號　維摩詰所說經（兌廢稿）卷中　（7–7）

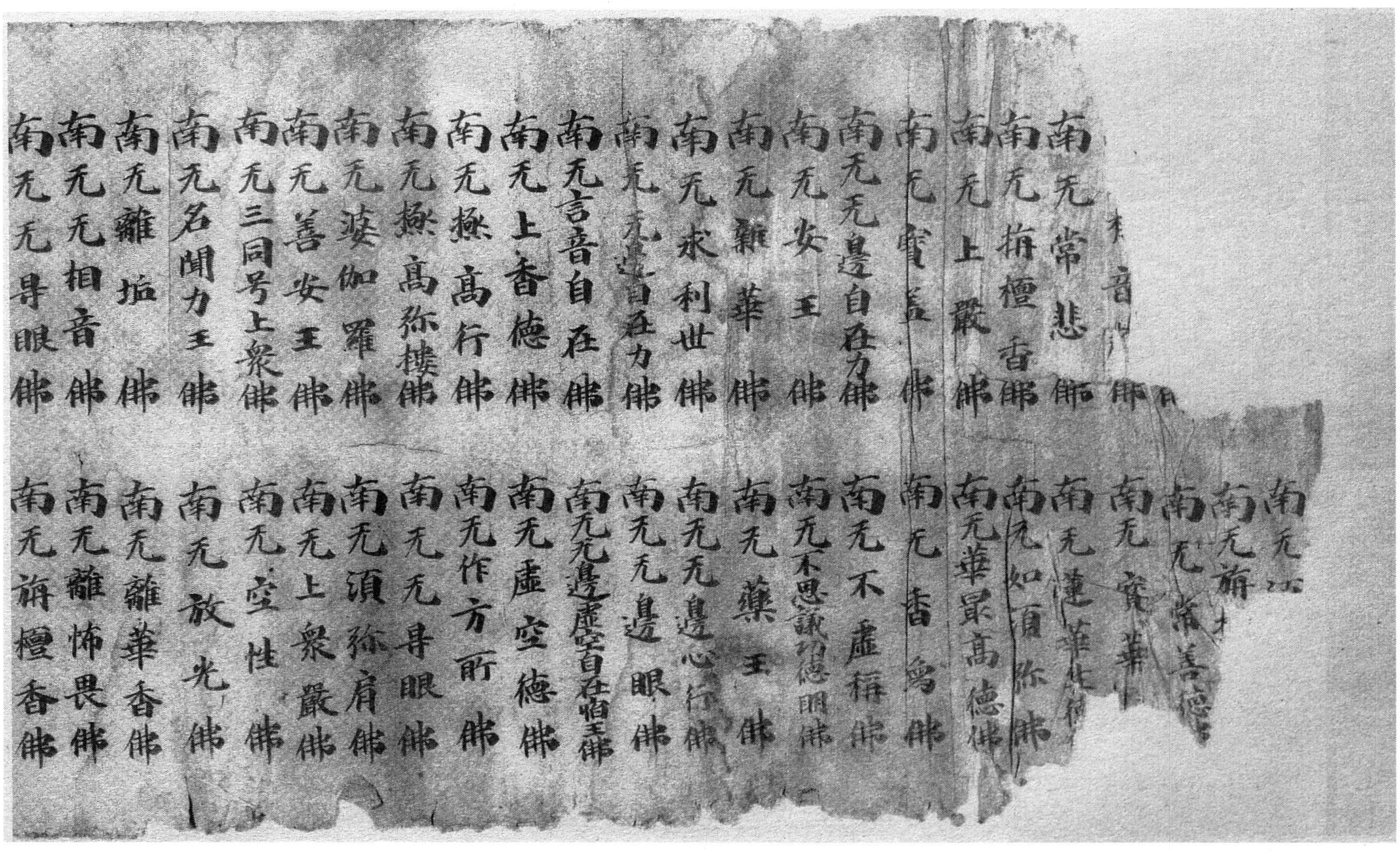
南无常悲佛
南无栴檀香佛
南无上嚴佛
南无寶蓋佛
南无无邊自在力佛
南无安王佛
南无雜華佛
南无求利世佛
南无无邊自在力佛
南无言音自在佛
南无上香德佛
南无撤高行佛
南无撤高弥樓佛
南无婆伽羅佛
南无善安王佛
南无三同号上衆佛
南无名聞力王佛
南无離垢佛
南无无相音佛
南无无导眼佛
南无寶華
南无如須弥佛
南无華最高德佛
南无香象佛
南无不虚稱佛
南无不思議功德明佛
南无藥王佛
南无无邊心行佛
南无无邊眼佛
南无无邊虚空自在焰王佛
南无虚空德佛
南无作方所佛
南无无导眼佛
南无須弥肩佛
南无上衆嚴佛
南无空性佛
南无放光佛
南无離華香佛
南无離怖畏佛
南无栴檀香佛

BD00084 號　賢劫十方千五百佛名經（二卷本）卷上　（20–1）

南无名聞力王佛　南无放光佛
南无離垢佛　南无離華香佛
南无无相音佛　南无離怖畏佛
南无无㝵眼佛　南无旃檀香佛
南无大聲眼佛　南无寶積佛
南无香烏王佛　南无一華善佛
南无二目号弥樓肩佛　南无綱明佛
南无寶華德佛　南无智華寶明德佛
南无增十光佛　南无增千光佛
南无智光佛　南无智出光佛
南无滅諸怖畏佛　南无无邊光明佛
南无无㝵智佛　南无綱光佛
南无寶意佛　南无善出光佛
南无无邊陳佛　南无邊自在佛
南无智住佛　南无優波羅德佛
南无釋迦文佛　南无智流布佛
南无調御佛　南无娑羅寶王佛
南无寶娑羅佛　南无寶行列佛
南无德王佛　南无不虛稱王佛
南无流布王佛　南无不虛力佛
南无香明佛　南无无㝵音佛
南无多安王佛　南无多聞力佛
南无須弥高頂王佛　南无蓮華上佛
南无寶高德佛　南无方流布嚴佛
南……　南无无邊……

BD00084號　賢劫十方千五百佛名經（二卷本）卷上　（20–2）

南无須弥高頂王佛　南无蓮華上佛
南无寶高德佛　南无方流布嚴佛
南无普守增上雲音王佛　南无无邊明佛
南无法積佛　南无无邊慧成佛
南无无邊功德智明佛　南无華生德佛
南无華出王佛　南无本淨佛
南无善德佛　南无寶光月殿妙尊音王佛
南无須弥燈光明佛
現在東南方一百五十佛名
佛告舍利弗若善男子善女人其有聞
此諸佛名号持諷誦念至心信樂无有疑
悔此諸如來皆授其決住不退地若有女
人聞諸佛名歡喜信樂礼敬之者從是
以後所生之處不受女身不為三毒之所
纏繫應受无量億劫之罪自然消滅如淨
天金獨步无畏魔鬼外道所不能壞所
得功德不可思議滅八千億生死之罪
南无東南方无憂德佛　南无入精進佛
南无精精進佛　南无德明王佛
南无除衆戚佛　南无師子音佛
南无師子相佛　南无阿閦佛
南无須弥頂佛　南无一切緣中能見佛
南无念離佛　南无畏手佛
南无无邊緣中現佛　南无蓮華數力佛
南无綱明佛　南无无邊明佛

BD00084號　賢劫十方千五百佛名經（二卷本）卷上　（20–3）

南无念離佛
南无畏手佛
南无无邊緣中現佛
南无蓮華敷力佛
南无網明佛
南无无邊明佛
南无寶花佛
南无娑羅佛
南无發心即轉法輪佛
南无華聚佛
南无增千光佛
南无无上光佛
南无不動力佛
南无无邊出力佛
南无无邊願佛
南无无邊自在力佛
南无无量願佛
南无无乏願佛
南无轉胎佛
南无轉諸難佛
南无一切緣脩行佛
南无三億同字不沙佛
南无无勝莊嚴佛
南无方无憂切德佛
南无法自在師子遊戲佛
南无虛空佛
南无有德佛
南无道自在佛
南无羅王佛
南无師子吼王佛
南无八辯勝雷佛
南无難俎壞王閻浮提佛
南无珎寶藏切德吼佛
南无大藏佛
南无星宿稱佛
南无切德力娑羅王佛
南无妙音自在佛
南无娑羅勝毗婆王佛
南无妙音自在寶佛
南无明自在佛
南无寶掌龍王佛
南无雨音自在法佛
南无月光明佛
南无燈光明佛
南无勝音山佛
南无稱音王佛
南无梵音王佛
南无堅音佛
南无快樂尊佛
南无導師佛

BD00084號　賢劫十方千五百佛名經（二卷本）卷上　（20–4）

南无梵音王佛
南无堅音佛
南无快樂尊佛
南无導師佛
南无普光佛
南无須弥燈王佛
南无寶莊嚴佛
南无无斷光言佛
南无離垢清光海葉佛
南无水王光佛
南无世界佛
南无樂蓮華首佛
南无離垢光佛
南无守解佛
南无須弥燈王佛
南无寶德佛
南无寶炎佛
南无藥王佛
南无寶願佛
南无寶嚴佛
南无難勝佛
南无師子響佛
南无一切利成佛
南无迦葉佛
南无寶莊嚴佛
南无尊伏欲王佛
南无普賢佛
南无一切智王佛
南无龍種尊佛
南无惟越莊嚴佛
南无一燈王佛
南无普現佛
南无賢王佛
南无日華佛
南无大香王佛
南无須曼那佛
南无持戒王佛
南无善淨王佛
南无梵增益佛
南无閻浮影佛
南无留樓那佛
南无勝妙佛
南无寶山佛
南无海藏佛
南无那羅達佛
南无尸棄佛
南无无足佛
南无覺尊佛
南无憍陳如佛
南无師子力佛

BD00084號　賢劫十方千五百佛名經（二卷本）卷上　（20–5）

南无无巨佛　南无覺尊佛
南无憍陳如佛　南无師子力佛
南无智幢佛　南无佛音聲佛
南无尊勝佛　南无離世尊佛
南无利益佛　南无師子尊佛
南无寂靜智佛　南无離陁佛
南无尸拘羅王佛　南无金色目佛
南无得自在佛　南无日樂佛
南无寶勝佛　南无善目佛
南无梵善樂佛　南无梵音佛
南无法月佛　南无示現義佛
南无稱樂佛　南无稱增益佛
南无端嚴佛　南无善香佛
南无眼勝佛　南无善觀佛
南无攝聚義佛　南无善意願佛
南无勝慧佛　南无金幢佛
南无善目佛　南无天明佛
南无淨飯佛　南无善見佛
南无毗琉離幢佛　南无毗樓博叉手佛
南无梵音佛　南无切德成佛
南无有切德淨佛　南无寶光明佛
南无師子稱佛　南无切德通王佛
南无雨法華佛　南无造光明佛
南无增益山王佛　南无普明佛
南无耶進勝葉佛　南无愛清淨佛

BD00084 號　賢劫十方千五百佛名經（二卷本）卷上　（20–6）

南无增益山王佛　南无普明佛
南无耶進勝葉佛　南无愛清淨佛
南无日月光佛　南无普光自在王佛
南无梵天佛　心歸命敬礼者却三万六百劫之罪
南无不退轉輪成首佛　心敬礼者却千億劫生死之罪
南无大興光明佛　心敬礼者却八万六千劫之罪
南无法種尊佛　心敬礼者却四百九劫之罪
南无成首佛　南无興光明佛
南无法種尊佛　南无寶蔵莊嚴佛
現在南方一百五十佛名
佛言若善男子善女人聞南方佛名不懐疑
結信吾道眼執持礼拜者於現在世中功德
具足逐得五法一者除去吾我常值佛世二
者獲尊世轉輪聖王三者逮得捴持執御
經典誠信无量四者成三十二大人之相至得
佛道衆行備悉五者逮五神通无所礙
㝵是為五事若有女人聞此佛名至心敬
礼則離女身生淨佛國土神通具足能
却七百万億劫生死之罪
南无南方紀寶蔵佛　南无旃檀德佛
南无日月燈明佛　南无名聞光佛
南无大炎肩佛　南无須弥燈佛
南无无量精進佛　南无虛空住佛
南无常滅佛　南无寶辯佛

BD00084 號　賢劫十方千五百佛名經（二卷本）卷上　（20–7）

南无无量精進佛
南无虛空住佛
南无常滅佛
南无寶辯佛
南无不捨精進佛
南无破煩惱光明佛
南无寶炎佛
南无无憂佛
南无无憂德佛
南无不退轉上手佛
南无樹根華王佛
南无二千億同号日月燈佛
南无无相嚴佛
南无明德聚佛
南无日意佛
南无耶羅延佛
南无離垢相佛
南无求金剛佛
南无淨意佛
南无求利安佛
南无善思嚴佛
南无壞怨賊佛
南无憂鉢德佛
南无流布力王佛
南无雜華佛
南无无邊明佛
南无轉男女相佛
南无上香德佛
南无寶高王佛
南无香弥樓佛
南无智見一切眾生所樂佛
南无智德佛
南无无㝵香嚴佛
南无紺弥寶藏佛
南无无動力佛
南无迦葉佛
南无示一切緣佛
南无調御佛
南无戍利佛
南无生德佛
南无德王佛
南无壞眾疑佛
南无德味佛
南无宿王佛
南无智德佛
南无无量相佛
南无栴檀佛
南无網明佛
南无无量性德佛

BD00084號　賢劫十方千五百佛名經（二卷本）卷上　（20–8）

南无智德佛
南无无量相佛
南无栴檀佛
南无網明佛
南无梵音佛
南无无量性德佛
南无不緣一切法佛
南无无能斷嚴佛
南无无邊自在佛
南无示一切法佛
南无普現諸法佛
南无无邊德生佛
南无智出光佛
南无華上佛
南无方生佛
南无華生德佛
南无於眾堅固佛
南无智明佛
南无智眾佛
南无離怡佛
南无醫王佛
南无壞諸煩惱佛
南无无邊智讃佛
南无栴檀窟佛
南无具佛
南无華生佛
南无婆羅王安力佛
南无月出光佛
南无調御佛
南无須弥堅佛
南无施名聞佛
南无轉諸難佛
南无名雜佛
南无名堅固佛
南无離憂佛
南无華生德王佛
南无演華相佛
南无普放香光佛
南无聲眼佛
南无放炎佛
南无名流十方佛
南无高明佛
南无寶照明佛
南无火然佛
南无三界自在力佛
南无名輪佛
南无空自在佛
南无盡自在佛
南无鼓音佛
南无普自在佛

BD00084號　賢劫十方千五百佛名經（二卷本）卷上　（20–9）

南无空自在佛　南无盡自在佛
南无鼓音佛　南无普自在佛
南无智流布佛　南无山王佛
南无明力高王佛　南无安立佛
南无自在嚴佛　南无積諸功德佛
南无寶德佛　南无智生德佛
南无智生明德佛　南无衆華生王佛
南无上法自在成就佛　南无半月光佛
南无香烏佛　南无无量明佛
南无蓮華衆佛　南无華生德佛
南无栴檀德佛　南无演衆佛
南无上名慧佛　南无作安佛
南无无邊德王佛　南无明相佛
南无无邊積佛　南无衆德生佛
南无一切德生佛　南无華德生佛
南无持炬佛　南无燃高王佛
南无宿王佛　南无无邊弥樓佛
南无虛淨王佛　南无无量音佛
南无无量明佛　南无寶弥樓佛
南无雜寶華嚴佛　南无上衆佛
南无離垢嚴佛　南无金華佛
南无寶窟佛　南无雜華生佛
南无放光佛　南无華生佛
南无華蓋佛　南无不嚴虛佛
南无流布力王佛　南无梵音佛

BD00084 號　賢劫十方千五百佛名經（二卷本）卷上　（20–10）

南无華蓋佛　南无不嚴虛佛
南无流布力王佛　南无梵音佛
南无自在力佛　南无无邊衆佛
南无調御佛　南无无导佛
南无无导眼佛　南无无量華佛
南无純寶藏佛　南无虛空住佛
南无常滅佛　南无栴檀德佛
南无樹根華生佛　南无栴檀摩尼光佛
現在西南方一百五十佛名
佛告舍利弗若有善男子善女人得聞此
諸如来名者曾已供養過去諸佛應當心
信樂持念當起廣遠无量歡喜安立其
令使真諦以千万億信樂之心念諸如来
其人當得无量之福永當遠離三厄之罪
命終之後皆當往生彼諸佛刹命終之時
彼諸如来將諸大衆住其人前説法教授
令不退轉必成正覺其有人聞稱揚讃歎
是諸如来功德名号而生誹謗當墮地
獄百万劫具受衆苦若有受持一心不捨
礼拜恭敬滅千万億劫生死之罪
南无西南方普明佛　南无善哀觀衆生佛
南无寶施佛　南无華德佛
南无法音吼佛　南无師子雷音佛
南无造王神通炎佛　南无普華佛
南无盡勝佛　南无毗婆葉佛

BD00084 號　賢劫十方千五百佛名經（二卷本）卷上　（20–11）

南无遮王神通炎佛　南无普華佛
南无盡勝佛　南无毗婆葉佛
南无迦葉佛　南无諦相佛
南无梵相佛　南无山海慧自在通王佛
南无踨梅檀香神通佛　南无須弥相佛
南无金華佛　南无雷音王佛
南无須弥佛　南无須弥光佛
南无尸棄佛　南无常精進佛
南无善住佛　南无无邊嚴佛
南无无相嚴佛　南无作嚴佛
南无作燈佛　南无作明佛
南无一藏佛　南无一聚佛
南无无邊像佛　南无无邊精進佛
南无網光佛　南无大神佛
南无明輪佛　南无觀智佛
南无不虛稱佛　南无壞衆怖畏佛
南无離怖畏佛　南无无邊德王明佛
南无壞諸怨賊佛　南无過諸魔界佛
南无无量華佛　南无持无量德佛
南无无量音聲佛　南无光聚明德佛
南无離二邊佛　南无无量覺華見佛
南无无量聲佛　南无明弥樓佛
南无沙羅王佛　南无日面佛
南无妙眼佛　南无上德佛
南无寶華佛　南无寶生佛

BD00084號　賢劫十方千五百佛名經（二卷本）卷上　（20–12）

南无沙羅王佛　南无日面佛
南无妙眼佛　南无上德佛
南无寶華佛　南无寶生佛
南无月華佛　南无一切衆生嚴佛
南无轉一切生死佛　南无无邊辯才佛
南无持炬佛　南无火相佛
南无智聚佛　南无善淨德光佛
南无六百芸方同字一切義佛　南无流布力王佛
南无一切德王明佛　南无現智佛
南无華高生德佛　南无寶火佛
南无赤蓮華德佛　南无壞一切疑佛
南无善衆佛　南无拘樓孫佛
南无相王佛　南无蓮華德生佛
南无放光佛　南无弥勒佛
南无蓮華光明佛　南无上法王相佛
南无无量力佛　南无勝山海佛
南无釋迦文佛　南无不虛見佛
南无无畏音聲佛　南无无量名德明佛
南无无分別嚴佛　南无无量光佛
南无妙眼佛　南无善利佛
南无吉利嚴佛　南无寶相佛
南无淨光佛　南无香尊王佛
南无出法无垢王佛　南无无垢自在大寶藏佛
南无力无邊界王佛　南无自知一切德力佛
南无衣服知足佛　南无得自在佛
南无邊界利益佛　南无智慧藏佛

BD00084號　賢劫十方千五百佛名經（二卷本）卷上　（20–13）

南无衣服知足佛　南无得自在佛
南无鄣㝵利益佛　南无智慧藏佛
南无大山王佛　南无日力藏佛
南无求功德佛　南无華幢波佛
南无衆生光明佛　南无无邊功德王佛
南无法相佛　南无尊音王佛
南无堅持金剛佛　南无堅自然幢佛
南无弥寶自在王佛　南无山劫佛
南无雨娱樂佛　南无增益善法佛
南无婆羅王佛　南无遍滿大海功德佛
南无智慧和合佛　南无智識佛
南无華衆佛　南无世間尊佛
南无優曇鉢華幢佛　南无法幢自在王佛
南无旃檀王佛　南无善住佛
南无精進力佛　南无幢菩光明佛
南无智步佛　南无海幢佛
南无法稱佛　南无壞魔王佛
南无衆光明佛　南无智出明佛
南无慧鎧稱佛　南无安隱王佛
南无智音佛　南无幢攝取佛
南无天金剛佛　南无无為思惟佛
南无種種莊嚴王佛　南无无勝像聚步佛
南无德聚威光佛　南无慧持群萌佛
南无思最尊意佛　南无須弥山意佛
南无覺善香薰佛　南无自在德威佛
南[illegible]　南[illegible]

BD00084號　賢劫十方千五百佛名經（二卷本）卷上　（20–14）

南无思最尊意佛　南无須弥山意佛
南无覺善香薰佛　南无自在德威佛
南无眼如蓮華超无為佛　南无方帝相佛
南无梵相佛　南无寶明佛
南无天帝金剛佛　南无金海自在王佛
南无寶照空佛　心敬礼者却六百劫生死之罪
南无妙寶佛　心敬礼者却八千劫生死之罪
南无諦幢佛　心敬礼者却百九十六劫生死之罪
南无梵幢佛　心敬礼者却六十七劫生死之罪
現在西方一百五十佛名
佛言若善男子善女人學菩薩道聞此佛
名不生疑网篤信敬事者所生之處致演光
明三昧正定尋復逮得无量三昧門臨終之
時亦見十方各十億佚諸佛正覺皆能啓
受甚深法言正成佛道終不癈忘能却千
億劫生死之罪永不棄不受耳
南无西方寶上佛　南无寶山佛
南无金剛步佛　南无无量明佛
南无无量壽佛　南无火光明佛
南无尊音王佛　南无音智藏佛
南无月藏光明垢尊佛　南无稱黃佛
南无寶山王佛　南无勝光无憂佛
南无遍藏華佛　南无千億周字雲自在燈王佛
南无梵華佛　南无勢進佛
南无[illegible]佛　南无寶[illegible]佛

BD00084號　賢劫十方千五百佛名經（二卷本）卷上　（20–15）

南无遍龍華佛　[illegible]
南无梵華佛　南无勢進佛
南无法燈勇佛　南无寶月佛
南无師子吼相尊佛　南无攝諸根淨目佛
南无世自在王佛　南无師子意佛
南无法意佛　南无梵相佛
南无世妙佛　南无慈悲佛
南无世主佛　南无人王佛
南无月德佛　南无寶德佛
南无相德佛　南无火相佛
南无珠蓋佛　南无師子髩佛
南无破无明佛　南无多摩羅跋旃檀香佛
南无持大功德佛　南无雨七寶佛
南无超勇佛　南无離瞋恨佛
南无大莊嚴佛　南无无相佛
南无寶藏佛　南无德頂佛
南无多伽羅香佛　南无旃檀香佛
南无蓮華佛　南无莊嚴道路佛
南无龍蓋佛　南无雨華佛
南无散華佛　南无華光明佛
南无日音聲佛　南无蘇日月佛
南无琉璃藏佛　南无梵音佛
南无淨明佛　南无金藏佛
南无須弥頂佛　南无山王佛
南无音聲自在佛　南无淨眼佛
[illegible]

BD00084 號　賢劫十方千五百佛名經（二卷本）卷上　（20–16）

南无淨明佛　南无金藏佛
南无須弥頂佛　南无山王佛
南无音聲自在佛　南无淨眼佛
南无月明佛　南无如須弥山佛
南无日明佛　南无得衆佛
南无華生佛　南无梵音聲佛
南无世主佛　南无師子行佛
南无妙法意佛　南无師子吼佛
南无珠寶蓋珊瑚色佛　南无破癡闇佛
南无水月佛　南无衆華佛
南无菩提佛　南无開智慧持雜寶佛
南无華超出佛　南无真琉璃明佛
南无蘇日月佛　南无持大功德佛
南无得正慧佛　南无勇健佛
南无離諂曲佛　南无除惡根栽佛
南无大音道央佛　南无水光佛
南无海雲慧遊佛　南无德頂華佛
南无莊嚴佛　南无日音聲佛
南无月勝佛　南无如琉璃佛
南无梵聲佛　南无光明佛
南无金藏佛　南无山王佛
南无音王佛　南无龍勝佛
南无无染佛　南无淨面佛
南无月面佛　南无如須弥佛
南无旃檀香佛　南无威勢佛
[illegible]

BD00084 號　賢劫十方千五百佛名經（二卷本）卷上　（20–17）

南无月面佛
南无旃檀香佛
南无燃燈佛
南无寶德佛
南无師子佛
南无力勝佛
南无光明佛
南无華齒佛
南无香頂佛
南无普華佛
南无上香佛
南无見一切緣佛
南无安立王佛
南无利一切衆佛
南无善嚴佛
南无威華生德佛
南无淨眼佛
南无大調御佛
南无最高德弥樓佛
南无天香弥樓佛
南无上弥樓佛
南无名聞弥樓佛
南无梵德佛
南无无邊德積佛

南无如須弥佛
南无威勢佛
南无難勝佛
南无離垢明佛
南无王王佛
南无喜音佛
南无龍勝佛
南无无畏明佛
南无普賢佛
南无寶相佛
南无施一切樂佛
南无壞諸魔畏佛
南无寶明佛
南无无邊空嚴德佛
南无空相佛
南无上德佛
南无无邊自在積佛
南无无邊相佛
南无衆歸佛
南无月聞王佛
南无寶生德佛
南无美德佛
南无无㝵眼佛
南无无量華佛

BD00084 號　賢劫十方千五百佛名經（二卷本）卷上　（20–18）

南无梵德佛
南无无邊德積佛
南无滅德王佛
南无寶火佛
南无淨月幢稱光明佛
南无向弥陁佛
南无殊勝佛
南无集音佛
南无金剛步精佛
南无遣王神通炎華佛
南无无量幡佛
南无度一切世間苦惱佛
南无善建立珠臺王佛
南无淨光佛
南无普賢華敷佛
南无普光外勝高王佛
南无疾神通佛
南无自在王神通佛
南无須弥相佛
南无大悲光明王佛
南无妙樂佛
南无无量幢幡佛
南无无量幡佛
南无大光普遍佛

南无无㝵眼佛
南无无量華佛
一心敬礼者其人獲得不退轉疾得成佛
一心敬礼者却百六十劫生死之罪
聞名一心信樂誦念歡喜得无量
福離三塗道臨終一心礼佛自來迎之
聞名歡喜信樂誦念能降魔
衆却六十劫生死之罪
聞名歡喜信樂誦念其人得佛前身
衆中說法能却八十劫生死之罪
一心敬礼者却百劫生死之罪
南无早王神通佛
南无淨日幢稱光明佛
南无大光普佛
南无寶幡佛
南无盧舍那佛
南无寶上佛
南无樹根華佛
南无維越莊嚴佛
南无度一切世間苦惱佛
南无多摩羅跋栴檀香佛
南无蓮華樹世界長精進佛
一心敬礼者却五百劫生死之罪
一心敬礼者却五百劫生死之罪
一心敬礼者却八十劫生死之罪
一心敬礼者却九十二劫生死之罪

BD00084 號　賢劫十方千五百佛名經（二卷本）卷上　（20–19）

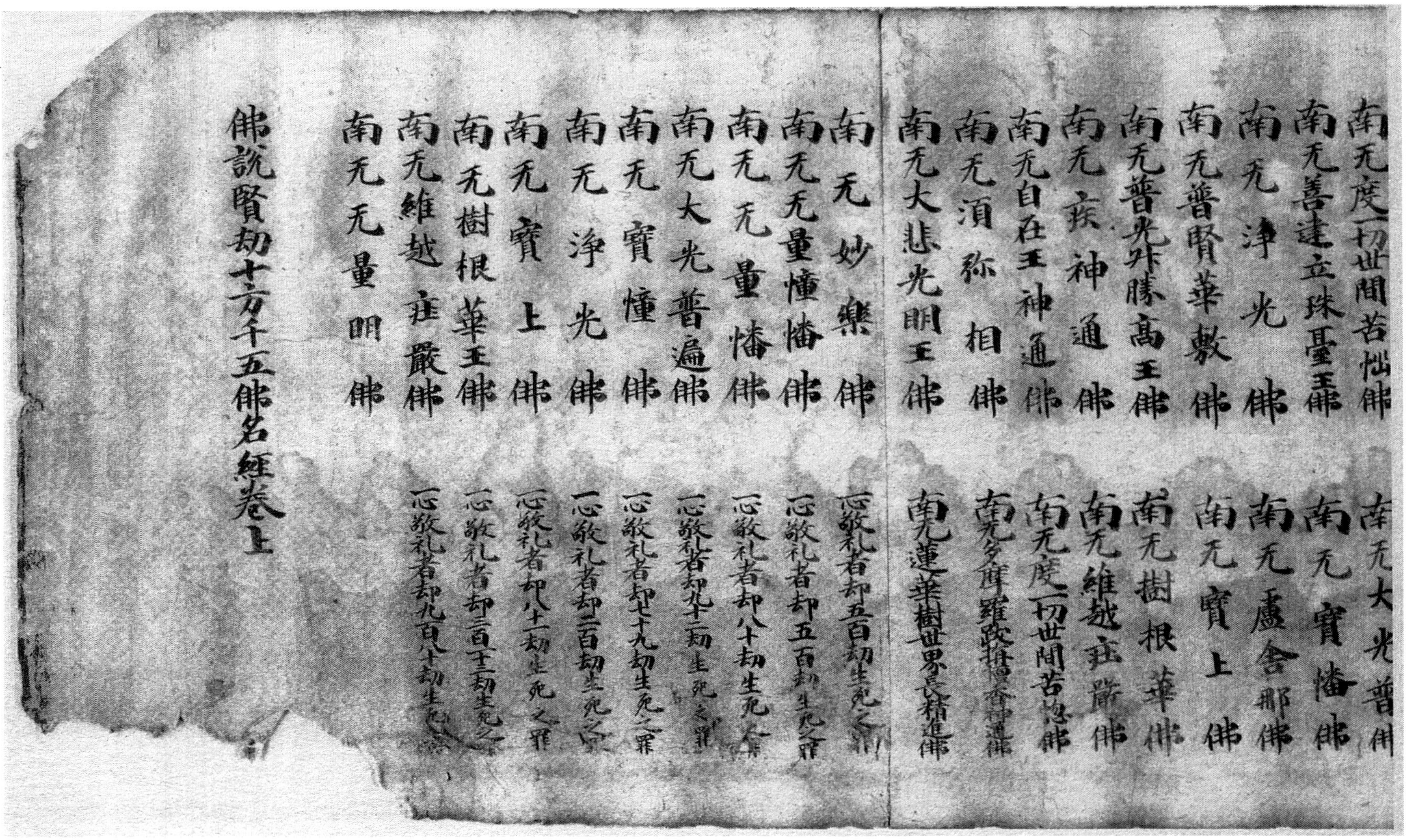

南无度一切世間苦惱佛
南无善建立珠臺王佛
南无淨光佛
南无普賢華敷佛
南无普光殊勝高王佛
南无疾神通佛
南无自在王神通佛
南无須彌相佛
南无大悲光明王佛
南无妙樂佛　一心敬礼者却五百劫生死之罪
南无无量幢幡佛　一心敬礼者却五百劫生死之罪
南无无量幡佛　一心敬礼者却八十劫生死之罪
南无大光普遍佛　一心敬礼者却九十一劫生死之罪
南无寶幢佛　一心敬礼者却七十九劫生死之罪
南无淨光佛　一心敬礼者却二百劫生死之罪
南无寶上佛　一心敬礼者却八十一劫生死之罪
南无樹根華王佛　一心敬礼者却二百三十劫生死之罪
南无維越莊嚴佛　一心敬礼者却九百八十劫生死之罪
南无无量明佛

南无大光普佛
南无寶幡佛
南无盧舍那佛
南无寶上佛
南无樹根華佛
南无維越莊嚴佛
南无度一切世間苦惱佛
南无多摩羅跋栴檀香神通佛
南无蓮華樹世界長精進佛

佛說賢劫十方千五百佛名經卷上

BD00084號　賢劫十方千五百佛名經（二卷本）卷上　　（20–20）

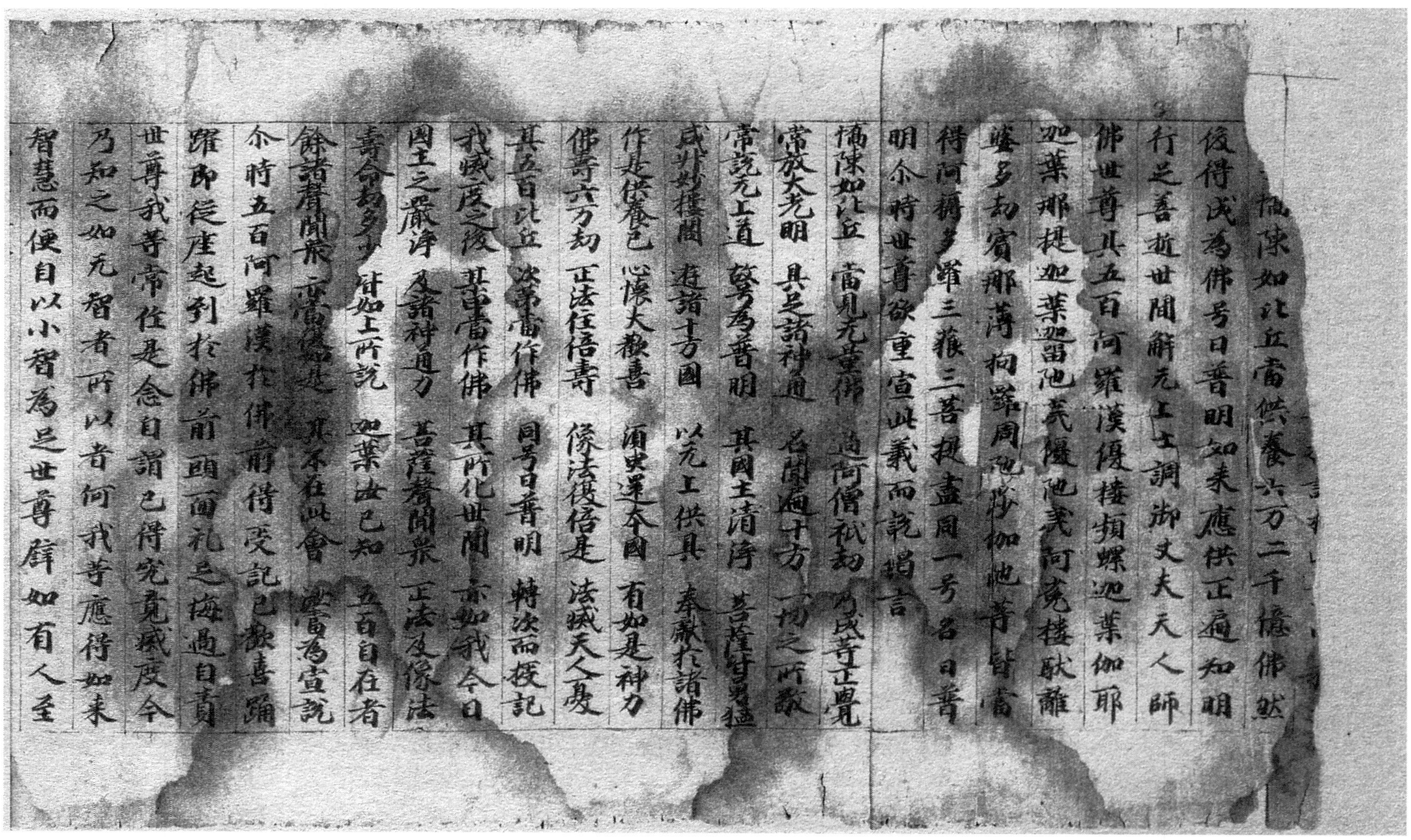

憍陳如比丘當供養六万二千億佛然
後得成為佛号曰普明如來應供正徧知明
行足善逝世間解无上士調御丈夫天人師
佛世尊其五百阿羅漢優樓頻螺迦葉伽耶
迦葉那提迦葉迦留陀夷優陀夷阿㝹樓馱離
婆多劫賓那薄拘羅周陀莎伽陀等皆當
得阿耨多羅三藐三菩提盡同一号名曰普
明尒時世尊欲重宣此義而說偈言
憍陳如比丘　當見无量佛　過阿僧祇劫　乃成等正覺
常放大光明　具足諸神通　名聞遍十方　一切之所敬
常說无上道　故号為普明　其國土清淨　菩薩皆勇猛
咸昇妙樓閣　遊諸十方國　以无上供具　奉獻於諸佛
作是供養已　心懷大歡喜　須臾還本國　有如是神力
佛壽六万劫　正法住倍壽　像法復倍是　法滅天人憂
其五百比丘　次第當作佛　同号曰普明　轉次而授記
我滅度之後　某甲當作佛　其所化世間　亦如我今日
國土之嚴淨　及諸神通力　菩薩聲聞眾　正法及像法
壽命劫多少　皆如上所說　迦葉汝已知　五百自在者
餘諸聲聞眾　亦當復如是　其不在此會　汝當為宣說
尒時五百阿羅漢於佛前得受記已歡喜踊
躍即從座起到於佛前頭面礼足悔過自責
世尊我等常作是念自謂已得究竟滅度今
乃知之如无智者所以者何我等應得如來
智慧而便自以小智為足世尊譬如有人至

BD00085號　妙法蓮華經卷四　　（13–1）

踊躍即從座起到於佛前頭面礼足悔過自責
世尊我等常作是念自謂已得究竟滅度今
乃知之如无智者所以者何我等應得如來
智慧而便自以小智為足世尊譬如有人至
親友家醉酒而卧是時親友官事當行以无
價寶珠繫其衣裏與之而去其人醉卧都不
覺知起已遊行到於他國為衣食故勤力求
索甚大艱難若少有所得便以為足於後親
友會遇見之而作是言咄哉丈夫何為衣食
乃至如是我昔欲令汝得安樂五欲自恣於
某年日月以无價寶珠繫汝衣裏今故現在
而汝不知勤苦憂惱以求自活甚為癡也汝
今可以此寶貿易所須常可如意无所乏短
佛亦如是為菩薩時教化我等令發一切智
心而尋廢忘不知不覺既得阿羅漢道自謂
滅度資生艱難得少為足一切智願猶在不
失今者世尊覺悟我等作如是言諸比丘汝
等所得非究竟滅我久令汝等種佛善根以
方便故示涅槃相而汝謂為實得滅度世尊
我今乃知實是菩薩得受阿耨多羅三藐三
菩提記以是因緣甚大歡喜得未曾有尒時
阿若憍陳如等欲重宣此義而說偈言
我等聞无上　安隱授記聲　歡喜未曾有　礼无量智佛
今於世尊前　自悔諸過咎　於无量佛寶　得少涅槃分
如无智愚人　便自以為足　譬如貧窮人　往至親友家
其家甚大富　具設諸餚饍　以无價寶珠　繫著內衣裏

BD00085號　妙法蓮華經卷四　（13-2）

如无智愚人　便自以為足　譬如貧窮人　往至親友家
其家甚大富　具設諸餚饍　以无價寶珠　繫著內衣裏
嘿與而捨去　時卧不覺知　是人既已起　遊行詣他國
求衣食自濟　資生甚艱難　得少便為足　更不願好者
不覺內衣裏　有无價寶珠　與珠之親友　後見此貧人
苦切責之已　示以所繫珠　貧人見此珠　其心大歡喜
富有諸財物　五欲而自恣　我等亦如是　世尊於長夜
常愍見教化　令種无上願　我等无智故　不覺亦不知
得少涅槃分　自足不求餘　今佛覺悟我　言非實滅度
得佛无上慧　尒乃為真滅　我今從佛聞　授記莊嚴事
及轉次受決　身心遍歡喜

妙法蓮華經授學无學人記品第九

尒時阿難羅睺羅而作是念我等每自思惟
設得受記不亦快乎即從座起到於佛前頭
面礼足俱白佛言世尊我等於此亦應有分
唯有如來我等所歸又我等為一切世間天
人阿脩羅所見知識阿難常為侍者護持法
藏羅睺羅是佛之子若佛見授阿耨多羅三
藐三菩提記者我願既滿眾望亦足尒時學
无學聲聞弟子二千人皆從座起偏袒右肩
到於佛前一心合掌瞻仰世尊如阿難羅睺
羅所願住立一面尒時佛告阿難汝於來世
當得作佛号山海慧自在通王如來應供正
遍知明行足善逝世間解无上士調御丈夫
天人師佛世尊當供養六十二億諸佛護持
法藏然後得阿耨多羅三藐三菩提教化二

BD00085號　妙法蓮華經卷四　（13-3）

天人師佛世尊當供養六十二億諸佛護持
法藏然後得阿耨多羅三藐三菩提教化二
十千万億恒河沙諸菩薩等令成阿耨多羅
三藐三菩提國名常立勝幡其土清淨瑠璃
爲地劫名妙音遍滿其佛壽命无量千万億
阿僧祇劫若人於千万億无量阿僧祇劫中
筭數校計不能得知正法住世倍於壽命像
法住世復倍正法阿難是山海慧自在通王
佛爲十方无量千万億恒河沙等諸佛如來
所共讚歎稱其功德尒時世尊欲重宣此義
而說偈言
我今僧中說　阿難持法者　當供養諸佛　然後成正覺
号曰山海慧　自在通王佛　其國土清淨　名常立勝幡
教化諸菩薩　其數如恒沙　佛有大威德　名聞滿十方
壽命无有量　以愍衆生故　正法倍壽命　像法復倍是
如恒河沙等　无量諸衆生　於此佛法中　種佛道因緣
尒時會中新發意菩薩八千人咸作是念我
等尚不聞諸大菩薩得如是記有何因緣而
諸聲聞得如是決尒時世尊知諸菩薩心之
所念而告之曰諸善男子我與阿難等於空
王佛所同時發阿耨多羅三藐三菩提心阿
難常樂多聞我常勤精進是故我已得成阿
耨多羅三藐三菩提而阿難護持我法亦護
將來諸佛法藏教化成就諸菩薩衆其本願
如是故獲斯記阿難面於佛前自聞授記及
國土莊嚴所願具足心大歡喜得未曾有即

BD00085號　妙法蓮華經卷四　（13–4）

將來諸佛法藏教化成就諸菩薩衆其本願
如是故獲斯記阿難面於佛前自聞授記及
國土莊嚴所願具足心大歡喜得未曾有即
時憶念過去无量千万億諸佛法藏通達无
礙如今所聞亦識本願尒時阿難而說偈言
世尊甚希有　令我念過去　无量諸佛法　如今日所聞
我今无復疑　安住於佛道　方便爲侍者　護持諸佛法
尒時佛告羅睺羅汝於來世當得作佛号蹈
七寶華如來應供正遍知明行足善逝世間
解无上士調御丈夫天人師佛世尊當供養
十世界微塵等數諸佛如來常爲諸佛而作
長子猶如今也是蹈七寶華佛國土莊嚴壽
命劫數所化弟子正法像法亦如山海慧自
在通王如來无異亦爲此佛而作長子過是
已後當得阿耨多羅三藐三菩提尒時世尊
欲重宣此義而說偈言
我爲太子時　羅睺爲長子　我今成佛道　受法爲法子
於未來世中　見无量億佛　皆爲其長子　一心求佛道
羅睺羅密行　唯我能知之　現爲我長子　以示諸衆生
无量億千万　功德不可數　安住於佛法　以求无上道
尒時世尊見學无學二千人其意柔軟寂然
清淨一心觀佛佛告阿難汝見是學无學二
千人不唯然已見阿難是諸人等當供養五
十世界微塵數諸佛如來恭敬尊重護持法
藏末後同時於十方國各得成佛皆同一号
名曰寶相如來應供正遍知明行足善逝世

BD00085號　妙法蓮華經卷四　（13–5）

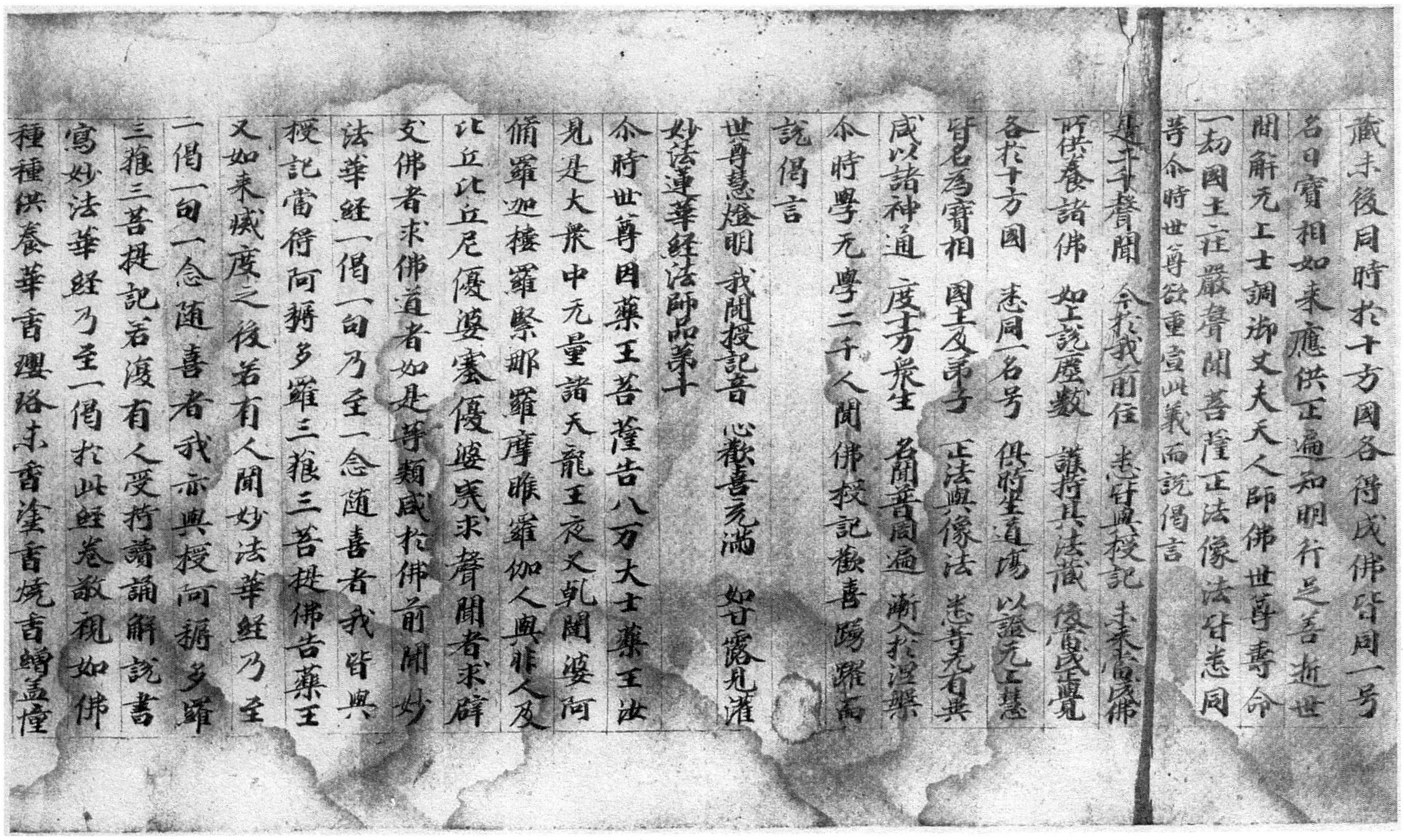

藏末後同時於十方國各得成佛皆同一号
名曰寶相如來應供正遍知明行足善逝世
間解无上士調御丈夫天人師佛世尊壽命
一劫國土莊嚴聲聞菩薩正法像法皆悉同
等尒時世尊欲重宣此義而說偈言
是二千聲聞　今於我前住　悉皆與授記　未來當成佛
所供養諸佛　如上說塵數　護持其法藏　後當成正覺
各於十方國　悉同一名号　俱時坐道場　以證无上慧
皆名為寶相　國土及弟子　正法與像法　悉等无有異
咸以諸神通　度十方衆生　名聞普周遍　漸入於涅槃
尒時學无學二千人聞佛授記歡喜踊躍而
說偈言
世尊慧燈明　我聞授記音　心歡喜充滿　如甘露見灌

妙法蓮華經法師品第十

尒時世尊因藥王菩薩告八万大士藥王汝
見是大衆中无量諸天龍王夜叉乾闥婆阿
脩羅迦樓羅緊那羅摩睺羅伽人與非人及
比丘比丘尼優婆塞優婆夷求聲聞者求辟
支佛者求佛道者如是等類咸於佛前聞妙
法華經一偈一句乃至一念隨喜者我皆與
授記當得阿耨多羅三藐三菩提佛告藥王
又如來滅度之後若有人聞妙法華經乃至
一偈一句一念隨喜者我亦與授阿耨多羅
三藐三菩提記若復有人受持讀誦解說書
寫妙法華經乃至一偈於此經卷敬視如佛
種種供養華香瓔珞末香塗香燒香繒蓋幢

BD00085 號　妙法蓮華經卷四　（13–6）

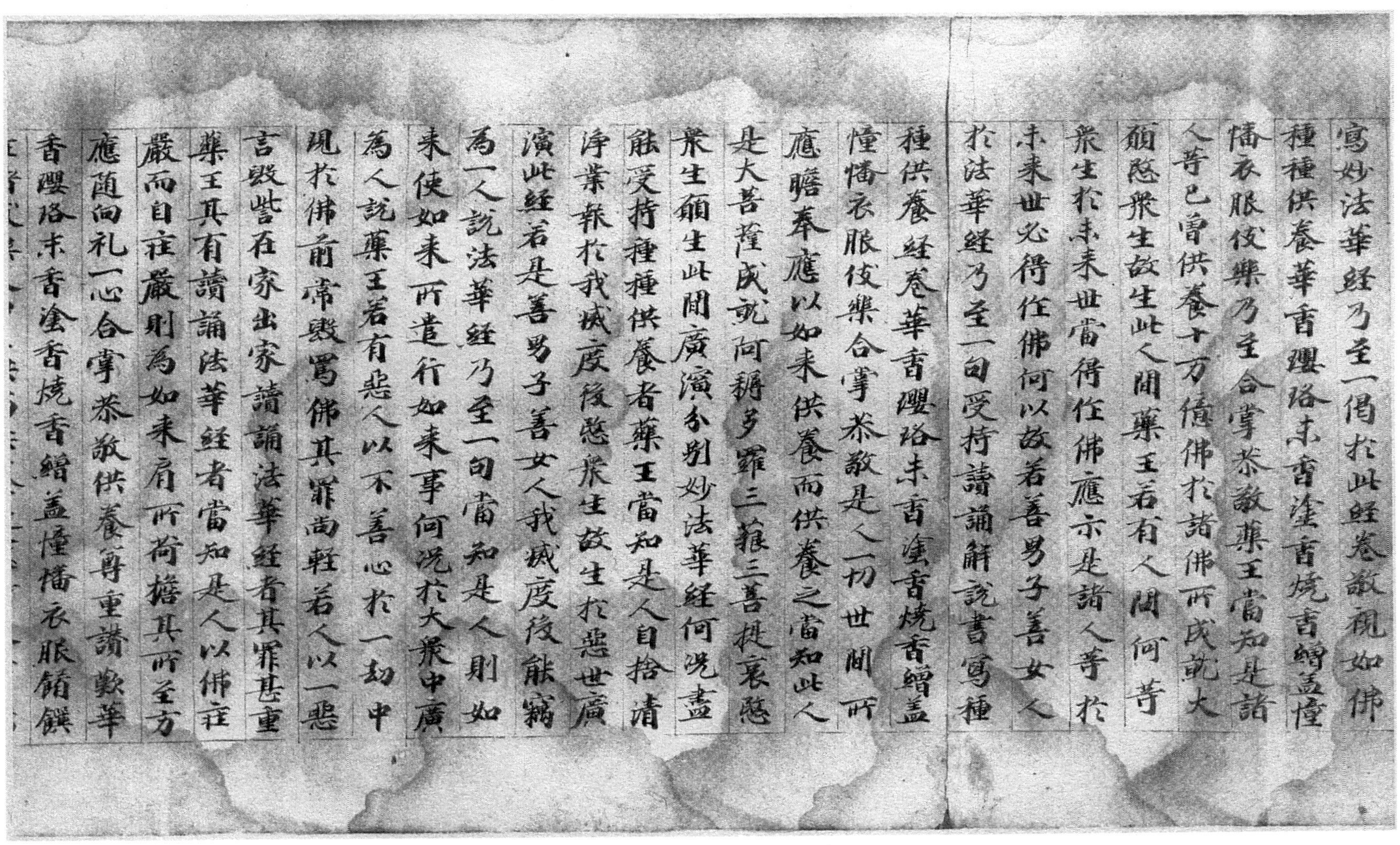

寫妙法華經乃至一偈於此經卷敬視如佛
種種供養華香瓔珞末香塗香燒香繒蓋幢
幡衣服伎樂乃至合掌恭敬藥王當知是諸
人等已曾供養十万億佛於諸佛所成就大
願愍衆生故生此人間藥王若有人問何等
衆生於未來世當得作佛應示是諸人等於
未來世必得作佛何以故若善男子善女人
於法華經乃至一句受持讀誦解說書寫種
種供養經卷華香瓔珞末香塗香燒香繒蓋
幢幡衣服伎樂合掌恭敬是人一切世間所
應瞻奉應以如來供養而供養之當知此人
是大菩薩成就阿耨多羅三藐三菩提哀愍
衆生願生此間廣演分別妙法華經何況盡
能受持種種供養者藥王當知是人自捨清
淨業報於我滅度後愍衆生故生於惡世廣
演此經若是善男子善女人我滅度後能竊
為一人說法華經乃至一句當知是人則如
來使如來所遣行如來事何況於大衆中廣
為人說藥王若有惡人以不善心於一劫中
現於佛前常毀罵佛其罪尚輕若人以一惡
言毀呰在家出家讀誦法華經者其罪甚重
藥王其有讀誦法華經者當知是人以佛莊
嚴而自莊嚴則為如來肩所荷擔其所至方
應隨向礼一心合掌恭敬供養尊重讚歎華
香瓔珞末香塗香燒香繒蓋幢幡衣服餚饌

BD00085 號　妙法蓮華經卷四　（13–7）

應隨向礼一心合掌恭敬供養尊重讚歎華
香瓔珞末香塗香燒香繒蓋幢幡衣服餚饌
作諸伎樂人中上供而供養之應持天寶而
以散之天上寶聚應以奉獻所以者何是人
歡喜說法須臾聞之即得究竟阿耨多羅三
藐三菩提故尒時世尊欲重宣此義而說偈言
若欲住佛道　成就自然智　常當勤供養　受持法華者
其有欲疾得　一切種智慧　當受持是經　并供養持者
若有能受持　妙法華經者　當知佛所使　愍念諸衆生
諸有能受持　妙法華經者　捨於清淨土　愍衆故生此
當知如是人　自在所欲生　能於此惡世　廣說无上法
應以天華香　及天寶衣服　天上妙寶聚　供養說法者
吾滅後惡世　能持是經者　當合掌礼敬　如供養世尊
上饌衆甘美　及種種衣服　供養是佛子　兾得須臾聞
若能於後世　受持是經者　我遣在人中　行於如來事
若於一劫中　常懷不善心　作色而罵佛　獲无量重罪
其有讀誦持　是法華經者　須臾加惡言　其罪復過彼
有人求佛道　而於一劫中　合掌在我前　以无數偈讚
由是讚佛故　得无量功德　歎美持經者　其福復過彼
於八十億劫　以取妙色聲　及與香味觸　供養持經者
如是供養已　若得須臾聞　則應自欣慶　我今獲大利
藥王今告汝　我所說諸經　而於此經中　法華最第一
尒時佛復告藥王菩薩摩訶薩我所說經典
无量千万億已說今說當說而於其中此法華
經最為難信難解藥王此經是諸佛祕要之
藏不可分布妄授與人諸佛世尊之所守護

BD00085號　妙法蓮華經卷四　（13-8）

无量千万億已說今說當說而於其中此法華
經最為難信難解藥王此經是諸佛祕要之
藏不可分布妄授與人諸佛世尊之所守護
從昔已來未曾顯說而此經者如來現在猶
多怨嫉况滅度後藥王當知如來滅後其能
書持讀誦供養為他人說者如來則為以衣
覆之又為他方現在諸佛之所護念是人有
大信力及志願力諸善根力當知是人與如
來共宿則為如來手摩其頭藥王在在處處
若說若讀若誦若書若經卷所住之處皆應起
七寶塔極令高廣嚴飾不須復安舍利所以
者何此中已有如來全身此塔應以一切華
香瓔珞繒蓋幢幡伎樂歌頌供養恭敬尊重
讚歎若有人得見此塔礼拜供養當知是等
皆近阿耨多羅三藐三菩提藥王多有人在
家出家行菩薩道若不能得見聞讀誦書持
供養是法華經者當知是人未善行菩薩道
若有得聞是經典者乃能善行菩薩之道其
有衆生求佛道者若見若聞是法華經聞已
信解受持者當知是人得近阿耨多羅三藐
三菩提藥王譬如有人渴乏須水於彼高原
穿鑿求之猶見乾土知水尚遠施功不已轉
見濕土遂漸至泥其心決定知水必近菩薩
亦復如是若未聞未解未能修習是法華經
當知是人去阿耨多羅三藐三菩提尚遠若
得聞解思惟修習必知得近阿耨多羅三藐

BD00085號　妙法蓮華經卷四　（13-9）

當知是人去阿耨多羅三藐三菩提尚遠若
得聞解思惟脩習必知得近阿耨多羅三藐
三菩提所以者何一切菩薩阿耨多羅三藐
三菩提皆屬此經此經開方便門示真實相
是法華經藏深固幽遠无人能到今佛教化
成就菩薩而為開示藥王若有菩薩聞是法
華經驚疑怖畏當知是為新發意菩薩若聲
聞人聞是經驚疑怖畏當知是為增上慢者
藥王若有善男子善女人如來滅後欲為四
衆說是法華經者云何應說是善男子善女
人入如來室著如來衣坐如來座尒乃應為
四衆廣說斯經如來室者一切衆生中大慈
悲心是如來衣者柔和忍辱心是如來座者
一切法空是安住是中然後以不懈怠心為
諸菩薩及四衆廣說是法華經藥王我於餘
國遣化人為其集聽法衆亦遣化比丘比丘
尼優婆塞優婆夷聽其說法是諸化人聞法
信受隨順不逆若說法者在空閑處我時廣
遣天龍鬼神乾闥婆阿脩羅等聽其說法我
雖在異國時時令說法者得見我身若於此
經忘失句逗我還為說令得具足尒時世尊
欲重宣此義而說偈言
欲捨諸懈怠　應當聽此經　是經難得聞　信受者亦難
如人渴須水　穿鑿於高原　猶見乾燥土　知去水尚遠
漸見濕土泥　決定知近水　藥王汝當知　如是諸人等
不聞法華經　去佛智甚遠　若聞是深經　決了聲聞法

BD00085號　妙法蓮華經卷四　（13–10）

漸見濕土泥　決定知近水　藥王汝當知　如是諸人等
不聞法華經　去佛智甚遠　若聞是深經　決了聲聞法
是諸經之王　聞已諦思惟　當知此人等　近於佛智慧
若人說此經　應入如來室　著於如來衣　而坐如來座
處衆无所畏　廣為分別說　大慈悲為室　柔和忍辱衣
諸法空為座　處此為說法　若說此經時　有人惡口罵
加刀杖瓦石　念佛故應忍　我千万億土　現淨堅固身
於无量億劫　為衆生說法　若我滅度後　能說此經者
我遣化四衆　比丘比丘尼　及清信士女　供養於法師
引導諸衆生　集之令聽法　若人欲加惡　刀杖及瓦石
則遣變化人　為之作衛護　若說法之人　獨在空閑處
寂漠无人聲　讀誦此經典　我尒時為現　清淨光明身
若忘失章句　為說令通利　若人具是德　或為四衆說
空處讀誦經　皆得見我身　若人在空閑　我遣天龍王
夜叉鬼神等　為作聽法衆　是人樂說法　分別无罣礙
諸佛護念故　能令大衆喜　若親近法師　速得菩薩道
隨順是師學　得見恒沙佛

妙法蓮華經見寶塔品第十一

尒時佛前有七寶塔高五百由旬縱廣二百
五十由旬從地踊出住在空中種種寶物而
莊校之五千欄楯龕室千万无數幢幡以為
嚴飾垂寶瓔珞寶鈴万億而懸其上四面皆
出多摩羅䟦栴檀之香充遍世界其諸幡蓋
以金銀瑠璃車𤦲馬瑙真珠玫瑰七寶合成
高至四天王宮三十三天雨天曼陀羅華供
養寶塔餘諸天龍夜叉乾闥婆阿脩羅迦樓

BD00085號　妙法蓮華經卷四　（13–11）

嚴飾垂寶瓔珞寶鈴万億而懸其上四面皆
出多摩羅跋栴檀之香充遍世界其諸幡蓋
以金銀瑠璃車𤦲馬瑙真珠玫瑰七寶合成
高至四天王宮三十三天雨天曼陁羅華供
養寶塔餘諸天龍夜叉乾闥婆阿脩羅迦樓
羅緊那羅摩睺羅伽人非人等千万億衆以
一切華香瓔珞幡蓋伎樂供養寶塔恭敬尊
重讚歎尒時寶塔中出大音聲歎言善哉善
哉釋迦牟尼世尊能以平等大慧教菩薩法
佛所護念妙法華經為大衆說如是如是釋
迦牟尼世尊如所說者皆是真實尒時四衆
見大寶塔住在空中又聞塔中所出音聲皆
得法喜恠未曾有從座而起恭敬合掌却住
一面尒時有菩薩摩訶薩名大樂說知一切
世間天人阿脩羅等心之所疑而白佛言世
尊以何因緣有此寶塔從地踊出又於其中
發是音聲尒時佛告大樂說菩薩此寶塔中
有如來全身乃往過去東方无量千万億阿
僧祇世界國名寶淨彼中有佛号曰多寶其
佛本行菩薩道時作大誓願若我成佛滅度之
後於十方國土有說法華經處我之塔廟為
聽是經故踊現其前為作證明讚言善哉彼
佛成道已臨滅度時於天人大衆中告諸比
丘我滅度後欲供養我全身者應起一大塔
其佛以神通願力十方世界在在處處若有說
法華經者彼之寶塔皆踊出其前全身在於

BD00085 號　妙法蓮華經卷四　（13–12）

重讚歎尒時寶塔中出大音聲歎言善哉善
哉釋迦牟尼世尊能以平等大慧教菩薩法
佛所護念妙法華經為大衆說如是如是釋
迦牟尼世尊如所說者皆是真實尒時四衆
見大寶塔住在空中又聞塔中所出音聲皆
得法喜恠未曾有從座而起恭敬合掌却住
一面尒時有菩薩摩訶薩名大樂說知一切
世間天人阿脩羅等心之所疑而白佛言世
尊以何因緣有此寶塔從地踊出又於其中
發是音聲尒時佛告大樂說菩薩此寶塔中
有如來全身乃往過去東方无量千万億阿
僧祇世界國名寶淨彼中有佛号曰多寶其
佛本行菩薩道時作大誓願若我成佛滅度之
後於十方國土有說法華經處我之塔廟為
聽是經故踊現其前為作證明讚言善哉彼
佛成道已臨滅度時於天人大衆中告諸比
丘我滅度後欲供養我全身者應起一大塔
其佛以神通願力十方世界在在處處若有說
法華經者彼之寶塔皆踊出其前全身在於
塔中讚言善哉善哉大樂說今多寶如來塔
聞說法華經故從地踊出讚言善哉善哉是
時大樂說以如來神力故白佛言世尊
我等願欲見此佛身佛告大樂說菩薩摩訶
薩是多寶佛有深重願若我寶塔為聽法華

BD00085 號　妙法蓮華經卷四　（13–13）

士調御丈夫天人師佛世尊
大莊嚴佛壽十二小劫正法住
像法亦住二十小劫國界嚴餝无諸穢惡
瓦礫荊蕀便利不淨其土平政无有高下坑坎
堆阜琉璃為地寶樹行列黃金為繩以界道
側散諸寶華周遍清淨其國菩薩无量千億
諸聲聞衆亦復无數无有魔事雖有魔及魔
民皆護佛法尒時世尊欲重宣此義而說偈
言
告諸比丘 我以佛眼 見是迦葉 於未來世
過无數劫 當得作佛
而於來世 供養奉覲 三百万億 諸佛世尊
為佛智慧 淨脩梵行 供養冣上 二足尊已
脩習一切 无上之慧 於冣後身 得成為佛
其土清淨 琉璃為地 多諸寶樹 行列道側
金繩界道 見者歡喜 常出好香 散衆名華
種種奇妙 以為莊嚴 其地平政 无有丘坑
諸菩薩衆 不可稱計 其心調柔 逮大神通
奉持諸佛 大乘經典 諸聲聞衆 无漏後身
法王之子 亦不可計 乃以天眼 不能數知
其佛當壽 十二小劫 正法住世 二十小劫
像法亦住 二十小劫 光明世尊 其事如是
尒時大目揵連須菩提摩訶迦栴延等皆悉
悚慄一心合掌瞻仰世尊目不蹔捨即共同

BD00086號　妙法蓮華經卷三　（21–1）

其佛當壽 十二小劫 正法住世 二十小劫
像法亦住 二十小劫 光明世尊 其事如是
尒時大目揵連須菩提摩訶迦栴延等皆悉
悚慄一心合掌瞻仰世尊目不蹔捨即共同
聲而說偈言
大雄猛世尊 諸釋之法王 哀愍我等故 而賜佛音聲
若知我深心 見為授記者 如以甘露灑 除熱得清涼
如從飢國來 忽遇大王饍 心猶懷疑懼 未敢即便食
若復得王教 然後乃敢食 我等亦如是 每惟小乘過
不知當云何 得佛无上慧 雖聞佛音聲 言我等作佛
心尚懷憂懼 如未敢便食 若蒙佛授記 尒乃快安樂
大雄猛世尊 常欲安世間 願賜我等記 如飢須教食
尒時世尊知諸大弟子心之所念告諸比丘
是須菩提於當來世奉覲三百万億那由他
佛供養恭敬尊重讚歎常脩梵行具菩薩道
於冣後身得成為佛号曰名相如來應供正
遍知明行足善逝世間解无上士調御丈夫
天人師佛世尊劫名有寶國名寶生其土平
政頗梨為地寶樹莊嚴无諸丘坑沙礫荊蕀
便利之穢寶華覆地周遍清淨其土人民皆
處寶臺珎妙樓閣聲聞弟子无量无邊筭數
譬喻所不能知諸菩薩衆无數千万億那由
他佛壽十二小劫正法住世二十小劫像法
亦住二十小劫其佛常處虛空為衆說法度
脫无量菩薩及聲聞衆尒時世尊欲重宣此

BD00086號　妙法蓮華經卷三　（21–2）

他佛壽十二小劫正法住世二十小劫像法
亦住二十小劫其佛常處虛空為衆說法度
脫无量菩薩及聲聞衆尒時世尊欲重宣此
義而說偈言
諸比丘衆　今告汝等　皆當一心　聽我所說
我大弟子　須菩提者　當得作佛　號曰名相
當供无數　万億諸佛　隨佛所行　漸具大道
最後身得　三十二相　端政殊妙　猶如寶山
其佛國土　嚴淨第一　衆生見者　无不愛樂
佛於其中　度无量衆　其佛法中　多諸菩薩
皆悉利根　轉不退輪　彼國常以　菩薩莊嚴
諸聲聞衆　不可稱數　皆得三明　具六神通
住八解脫　有大威德
其佛說法　現於无量　神通變化　不可思議
諸天人民　數如恒沙　皆共合掌　聽受佛語
其佛當轉十二小劫　正法住世　二十小劫
像法亦住　二十小劫
尒時世尊復告諸比丘衆我今語汝是大迦
旃延於當來世以諸供具供養奉事八千億
佛恭敬尊重諸佛滅後各起塔廟高千由旬
縱廣正等五百由旬以金銀瑠璃車𤦲馬瑙
真珠玫瑰七寶合成衆華瓔珞塗香末香燒
香繒蓋幢幡供養塔廟過是已後當復供養
二万億佛亦復如是供養是諸佛已具菩薩

BD00086號　妙法蓮華經卷三　(21-3)

香繒蓋幢幡供養塔廟過是已後當復供養
二万億佛亦復如是供養是諸佛已具菩薩
道當得作佛號曰閻浮那提金光如來應供
正遍知明行足善逝世間解无上士調御丈
夫天人師佛世尊其土平政頗梨為地寶樹
莊嚴黃金為繩以界道側妙華覆地周遍清
淨見者歡喜无四惡道地獄餓鬼畜生阿脩
羅道多有天人諸聲聞衆及諸菩薩无量万
億莊嚴其國佛壽十二小劫正法住世二十
小劫像法亦住二十小劫尒時世尊欲重宣
此義而說偈言
諸比丘衆　皆一心聽　如我所說　真實无異
是迦旃延　當以種種　妙好供具　供養諸佛
諸佛滅後　起七寶塔　亦以華香　供養舍利
其最後身　得佛智慧　成等正覺　國土清淨
度脫无量　万億衆生　皆為十方　之所供養
佛之光明　无能勝者　其佛號曰　閻浮金光
菩薩聲聞　斷一切有　无量无數　莊嚴其國
尒時世尊復告諸大衆我今語汝是大目揵
連當以種種供具供養八千諸佛恭敬尊重
諸佛滅後各起塔廟高千由旬縱廣正等五
百由旬以金銀瑠璃車𤦲馬瑙真珠玫瑰七
寶合成衆華瓔珞塗香末香燒香繒蓋幢幡
以用供養過是已後當復供養二百万億諸

BD00086號　妙法蓮華經卷三　(21-4)

寶合成衆華瓔珞塗香末香燒香繒蓋幢幡
以用供養過是已後當復供養二百万億諸
佛亦復如是當得成佛号曰多摩羅跋旃檀
香如来應供正遍知明行足善逝世間解无
上士調御丈夫天人師佛世尊劫名喜滿國
名意樂其土平正頗梨為地寶樹莊嚴散真
珠華周遍清淨見者歡喜多諸天人菩薩聲
聞其數无量佛壽二十四小劫正法住世四
十小劫像法亦住四十小劫尒時世尊欲重
宣此義而說偈言
我此弟子 大目揵連 捨是身已 得見八千
二百万億 諸佛世尊 為佛道故 供養恭敬
於諸佛所 常脩梵行 於无量劫 奉持佛法
諸佛滅後 起七寶塔 長表金剎 華香伎樂
而以供養 諸佛塔廟 漸漸具足 菩薩道已
於意樂國 而得作佛 号多摩羅 旃檀之香
其佛壽命 二十四劫 常為天人 演說佛道
聲聞无量 如恒河沙 三明六通 有大威德
菩薩无數 志固精進 於佛智慧 皆不退轉
佛滅度後 正法當住 四十小劫 像法亦尒
我諸弟子 威德具足 其數五百 皆當授記
於未来世 咸得成佛 我及汝等 宿世因緣
吾今當說 汝等善聽
妙法蓮華經化城喻品第七
佛告諸比丘乃往過去无量无邊不可思議

BD00086號 妙法蓮華經卷三 （21–5）

吾今當說 汝等善聽
妙法蓮華經化城喻品第七
佛告諸比丘乃往過去无量无邊不可思議
阿僧祇劫尒時有佛名大通智勝如来應供
正遍知明行足善逝世間无上士調御丈夫
天人師佛世尊其國名好成劫名大相諸比
丘彼佛滅度已来甚大久遠譬如三千大千
世界所有地種假使有人磨以為墨過於東
方千國土乃下一點大如微塵又過千國土
復下一點如是展轉盡地種墨於汝等意云
何是諸國土若筭師若筭師弟子能得邊際
知其數不不也世尊諸比丘是人所逕國土
若點不點盡末為塵一塵一劫彼佛滅度以
来復過是數无量无邊百千万億阿僧祇劫
我以如来知見力故觀彼久遠猶若今日尒
時世尊欲重宣此義而說偈言
我念過去世 无量无邊劫 有佛兩足尊 名大通智勝
如人以力磨 三千大千土 盡此諸地種 皆悉以為墨
過於千國土 乃下一塵點 如是展轉點 盡此諸塵墨
如是諸國土 點與不點等 復盡末為塵 一塵為一劫
此諸微塵數 其劫復過是 彼佛滅度来 如是无量劫
如来无㝵智 知彼佛滅度 及聲聞菩薩 如見今滅度
諸比丘當知 佛智淨微妙 无漏无所㝵 通達无量劫
佛告諸比丘大通智勝佛壽五百四十万億

BD00086號 妙法蓮華經卷三 （21–6）

諸比丘當知　佛智淨微妙　无漏无所㝵　通達无量劫
佛告諸比丘大通智勝佛壽五百四十万億
那由他劫其佛本坐道場破魔軍已垂得阿
耨多羅三藐三菩提而諸佛法不現在前如
是一小劫乃至十小劫結加趺坐身心不動
而諸佛法猶不在前尒時忉利諸天先為彼
佛於菩提樹下敷師子座高一由旬佛於此
坐當得阿耨多羅三藐三菩提適坐此座時
諸梵天王雨衆天華面百由旬香風時來吹
去萎華更雨新者如是不絕滿十小劫供養
於佛乃至滅度常雨此華四王諸天為供養
佛常擊天鼓其餘諸天作天伎樂滿十小劫
至于滅度亦復如是諸比丘大通智勝佛過
十小劫諸佛之法乃現在前成阿耨多羅三
藐三菩提其佛未出家時有十六子其第一
者名曰智積諸子各有種種珎異翫好之具
聞父得成阿耨多羅三藐三菩提皆捨所珎
往詣佛所諸母涕泣而隨送之其祖轉輪聖
王與一百大臣及餘百千万億人民皆共圍
遶隨至道場咸欲親近大通智勝如來供養
恭敬尊重讚歎到已頭面礼足遶佛畢已一
心合掌瞻仰世尊以偈頌曰
大威德世尊　為度衆生故　於无量億劫　尒乃得成佛
諸願已具足　善哉吉无上　世尊甚希有　一坐十小劫

BD00086號　妙法蓮華經卷三　（21–7）

大威德世尊　為度衆生故　於无量億劫　尒乃得成佛
諸願已具足　善哉吉无上　世尊甚希有　一坐十小劫
身體及手足　靜然安不動　其心常惔怕　未曾有散亂
究竟永寂滅　安住无漏法　今者見世尊　安隱成佛道
我等得善利　稱慶大歡喜　衆生常苦惱　盲冥无導師
不識苦盡道　不知求解脫　長夜增惡趣　減損諸天衆
從冥入於冥　永不聞佛名　今佛得最上　安隱无漏道
我等及天人　為得最大利　是故咸稽首　歸命无上尊
尒時十六王子偈讚佛已勸請世尊轉於法
輪咸作是言世尊說法多所安隱憐愍饒益
諸天人民重說偈言
世雄无等倫　百福自莊嚴　得无上智慧　願為世間說
度脫於我等　及諸衆生類　為分別顯示　令得是智慧
若我等得佛　衆生亦復然　世尊知衆生　深心之所念
亦知所行道　又知智慧力　欲樂及脩福　宿命所行業
世尊悉知已　當轉无上輪
佛告諸比丘大通智勝佛得阿耨多羅三藐
三菩提時十方各五百万億諸佛世界六種
震動其國中間幽冥之處日月威光所不能
照而皆大明其中衆生各得相見咸作是言
此中云何忽生衆生又其國界諸天宮殿乃
至梵宮六種震動大光普照遍滿世界勝諸
天光尒時東方五百万億諸國土中梵天宮
殿光明照耀倍於常明諸梵天王各作是念

BD00086號　妙法蓮華經卷三　（21–8）

天光尒時東方五百万億諸國土中梵天宮
殿光明照耀倍於常明諸梵天王各作是念
今者宮殿光明昔所未有以何因緣而現此
相是時諸梵天王即各相詣共議此事時彼
衆中有一大梵天王名救一切爲諸梵衆而
說偈言
我等諸宮殿　光明昔未有　此是何因緣　宜各共求之
爲大德天生　爲佛出世間　而此大光明　遍照於十方
尒時五百万億國土諸梵天王與宮殿俱各
以衣裓盛諸天華共詣西方推尋是相見大
通智勝如來處于道場菩提樹下坐師子座
諸天龍王乾闥婆緊那羅摩睺羅伽人非人
等恭敬圍遶及見十六王子請佛轉法輪即
時諸梵天王頭面礼佛遶百千匝即以天華
而散佛上其所散華如須弥山并以供養佛
菩提樹其菩提樹高十由旬華供養已各以
宮殿奉上彼佛而作是言唯見哀愍饒益我
等所獻宮殿願垂納受尒時諸梵天王即於
佛前一心同聲以偈頌曰
世尊甚希有　難可得值遇　具无量功德　能救護一切
天人之大師　哀愍於世間　十方諸衆生　普皆蒙饒益
我等所從來　五百万億國　捨深禪定樂　爲供養佛故
尒時諸梵天王偈讚佛已各作是言唯願世
尊轉於法輪度脫衆生開涅槃道時諸梵天

BD00086號　妙法蓮華經卷三　（21–9）

尒時諸梵天王偈讚佛已各作是言唯願世
尊轉於法輪度脫衆生開涅槃道時諸梵天
王一心同聲而說偈言
世雄兩足尊　唯願演說法　以大慈悲力　度苦惱衆生
尒時大通智勝如來黙然許之又諸比丘東
南方五百万億國土諸梵天王各自見宮殿
光明照曜昔所未有歡喜踊躍生希有心即
各相詣共議此事時彼衆中有一大梵天王
名曰大悲爲諸梵衆而說偈言
是事何因緣　而現如此相　我等諸宮殿　光明昔未有
爲大德天生　爲佛出世間　未曾見此相　當共一心求
過千万億土　尋光共推之　多是佛出世　度脫苦衆生
尒時五百万億諸梵天王與宮殿俱各以衣
裓盛諸天華共詣西北方推尋是相見大通
智勝如來處于道場菩提樹下坐師子座諸
天龍王乾闥婆緊那羅摩睺羅伽人非人等恭
敬圍遶及見十六王子請佛轉法輪時諸梵
天王頭面礼佛遶百千匝即以天華而散佛
上所散之華如須弥山并以供養佛菩提樹
華供養已各以宮殿奉上彼佛而作是言唯
見哀愍饒益我等所獻宮殿願垂納受尒時
諸梵天王即於佛前一心同聲以偈頌曰
聖主天中王　迦陵頻伽聲　哀愍衆生者　我等今敬礼
世尊甚希有　久遠乃一現　一百八十劫　空過无有佛

BD00086號　妙法蓮華經卷三　（21–10）

聖主天中王 迦陵頻伽聲 哀愍衆生者 我等今敬礼
世尊甚希有 久遠乃一現 一百八十劫 空過无有佛
三惡道充滿 諸天衆減少 今佛出於世 為衆生作眼
世間所歸趣 救護於一切 為衆生之父 哀愍饒益者
我等宿福慶 今得值世尊
尒時諸梵天王偈讚佛已各作是言唯願世
尊哀愍一切轉於法輪度脫衆生時諸梵天
王一心同聲而說偈言
大聖轉法輪 顯示諸法相 度苦惱衆生 令得大歡喜
衆生聞是法 得道若生天 諸惡道減少 忍善者增益
尒時大通智勝如來黙然許之又諸比丘南
方五百万億國土諸大梵王各自見宮殿光
明照曜昔所未有歡喜踊躍生希有心即各
相詣共議此事以何因緣我等宮殿有此光
曜而彼衆中有一大梵天王名曰妙法為諸
梵衆而說偈言
我等諸宮殿 光明甚威曜 此非无因緣 是相宜求之
過於百千劫 未曾見此相 為大德天生 為佛出世間
尒時五百万億諸梵天王與宮殿俱各以衣
裓盛諸天華共詣北方推尋是相見大通智
勝如來處于道場菩提樹下坐師子座諸天
龍王乾闥婆緊那羅摩睺羅伽人非人等恭
敬圍遶及見十六王子請佛轉法輪時諸梵
天王頭面礼佛遶百千匝即以天華而散佛

BD00086 號　妙法蓮華經卷三　（21–11）

敬圍遶及見十六王子請佛轉法輪時諸梵
天王頭面礼佛遶百千匝即以天華而散佛
上所散之華如須弥山并以供養佛菩提樹
華供養已各以宮殿奉上彼佛而作是言唯
見哀愍饒益我等所獻宮殿願垂納受尒時
諸梵天王即於佛前一心同聲以偈頌曰
世尊甚難見 破諸煩惱者 過百三十劫 今乃得一見
諸飢渴衆生 以法雨充滿 昔所未曾覩 无量智慧者
如優曇鉢華 今日乃值遇 我等諸宮殿 蒙光故嚴飾
世尊大慈愍 唯願垂納受
尒時諸梵天王偈讚佛已各作是言唯願世
尊轉於法輪令一切世間諸天魔梵沙門婆
羅門皆獲安隱而得度脫時諸梵天王一心
同聲以偈頌曰
唯願天人尊 轉无上法輪 擊于大法鼓 而吹大法蠡
普雨大法雨 度无量衆生 我等咸歸請 當演深遠音
尒時大通智勝如來黙然許之西南方乃至
下方亦復如是尒時上方五百万億國土諸
大梵王皆悉自覩所止宮殿光明威曜昔所
未有歡喜踊躍生希有心即各相詣共議此
事以何因緣我等宮殿有斯光明而彼衆中
有一大梵天王名曰尸棄為諸梵衆而說偈
言
今以何因緣 我等諸宮殿 威德光明曜 嚴飾未曾有

BD00086 號　妙法蓮華經卷三　（21–12）

言
今以何因緣　我等諸宮殿　威德光明曜　嚴飾未曾有
如是之妙相　昔所未曾見　為大德天生　為佛出世間
尒時五百万億諸梵天王與宮殿俱各以衣
裓盛諸天華共詣下方推尋此相見大通智
勝如來處于道場菩提樹下坐師子座諸天
龍王乾闥婆緊那羅摩睺羅伽人非人等恭
敬圍遶及見十六王子請佛轉於法輪時諸
梵天王頭面礼佛遶百千帀即以天華而散
佛上所散之華如須弥山并以供養佛菩提
樹華供養已各以宮殿奉上彼佛而作是言
唯見哀愍　饒益我等　所獻宮殿　願垂納受　尒
時諸梵天王即於佛前一心同聲以偈頌曰
善哉見諸佛　救世之聖尊　能於三界獄　勉出諸眾生
普智天人尊　哀愍群萌類　能開甘露門　廣度於一切
於昔无量劫　空過无有佛　世尊未出時　十方常闇冥
三惡道增長　阿脩羅亦盛　諸天眾轉減　死多墮惡道
不從佛聞法　常行不善事　色力及智慧　斯等皆減少
罪業因緣故　失樂及樂想　住於邪見法　不識善儀則
不蒙佛所化　常墮於惡道　佛為世間眼　久遠時乃出
哀愍諸眾生　故現於世間　超出成正覺　我等甚欣慶
及餘一切眾　喜歎未曾有　我等諸宮殿　蒙光故嚴飾
今以奉世尊　唯垂哀納受　願以此功德　普及於一切
我等與眾生　皆共成佛道

BD00086號　妙法蓮華經卷三　（21–13）

我等與眾生　皆共成佛道
尒時五百万億諸梵天王偈讚佛已各白佛
言唯願世尊轉於法輪多所安隱多所度脫
時諸梵天王而說偈言
世尊轉法輪　擊甘露法鼓　度苦惱眾生　開示涅槃道
唯願受我請　以大微妙音　哀愍而敷演　无量劫習法
尒時大通智勝如來受十方諸梵天王及十
六王子請即時三轉十二行法輪若沙門婆
羅門若天魔梵及餘世間所不能轉謂是苦
是苦集是苦滅是苦滅道及廣說十二因緣
法无明緣行行緣識識緣名色名色緣六入
六入緣觸觸緣受受緣愛愛緣取取緣有有
緣生生緣老死憂悲苦惱无明滅則行滅行
滅則識滅識滅則名色滅名色滅則六入滅
六入滅則觸滅觸滅則受滅受滅則愛滅愛
滅則取滅取滅則有滅有滅則生滅生滅則
老死憂悲苦惱滅佛於天人大眾之中說是
法時六百万億那由他人以不受一切法故
而於諸漏心得解脫皆得深妙禪定三明六
通具八解脫第二第三第四說法時千万億
恒河沙那由他等眾生亦以不受一切法故
而於諸漏心得解脫從是已後諸聲聞眾无
量无邊不可稱數
尒時十六王子皆以童子出家而為沙弥諸

BD00086號　妙法蓮華經卷三　（21–14）

尒時十六王子皆以童子出家而為沙弥諸
根通利智慧明了已曾供養百千万億諸佛
淨脩梵行求阿耨多羅三藐三菩提俱白佛
言世尊是諸无量千万億大德聲聞皆已成
就世尊亦當為我等說阿耨多羅三藐三菩
提法我等聞已皆共脩學世尊我等志願如
来知見深心所念佛自證知尒時轉輪聖王
所將衆中八万億人見十六王子出家亦求
出家王即聽許尒時彼佛受沙弥請過二萬
劫已乃於四衆之中說是大乘經名妙法蓮
華教菩薩法佛所護念說是經已十六沙弥
為阿耨多羅三藐三菩提故皆共受持諷誦
通利說是經時十六菩薩沙弥皆悉信受聲
聞衆中亦有信解其餘衆生千万億種皆生
疑惑佛說是經於八千劫未曾休廢說此經
已即入靜室住於禪定八万四千劫是時十
六菩薩沙弥知佛入室寂然禪定各昇法座
亦於八万四千劫為四部衆廣說分別妙法
華經一一皆度六百万億那由他恒河沙等
衆生示教利喜令發阿耨多羅三藐三菩提
心
大通知勝佛過八万四千劫已從三昧起往
詣法座安詳而坐普告大衆是十六菩薩沙
弥甚為希有諸根通利智慧明了已曾供養

BD00086號　妙法蓮華經卷三　　（21–15）

心
大通知勝佛過八万四千劫已從三昧起往
詣法座安詳而坐普告大衆是十六菩薩沙
弥甚為希有諸根通利智慧明了已曾供養
无量千万億數諸佛於諸佛所常脩梵行受
持佛智開示衆生令入其中汝等皆當數數
親近而供養之所以者何若聲聞辟支佛及
諸菩薩能信是十六菩薩所說經法受持不
毀者是人皆當得阿耨多羅三藐三菩提如
来之慧佛告諸比丘是十六菩薩常樂說是
妙法蓮華經一一菩薩所化六百万億那由
他恒河沙等衆生世世所生與菩薩俱從其
聞法悉皆信解以此因緣得值四万億諸佛
世尊于今不盡諸比丘我今語汝彼佛弟子
十六沙弥今皆得阿耨多羅三藐三菩提於
十方國土現在說法有无量百千万億菩薩
聲聞以為眷屬其二沙弥東方作佛一名阿
閦在歡喜國二名須弥頂東南方二佛一名
師子音二名師子相南方二佛一名虛空住
二名常滅西南方二佛一名帝相二名梵相
西方二佛一名阿弥陀二名度一切世間苦
惱西北方二佛一名多摩羅跋栴檀香神通
二名須弥相北方二佛一名雲自在二名雲
自在王東北方佛名壞一切世間怖畏第十

BD00086號　妙法蓮華經卷三　　（21–16）

二名須弥相北方二佛一名雲自在二名雲
自在王東北方佛名壞一切世間怖畏第十
六我釋迦牟尼佛於娑婆國土成阿耨多羅
三藐三菩提
諸比丘我等為沙弥時各各教化无量百千
万億恒河沙等衆生從我聞法為阿耨多羅
三藐三菩提此諸衆生于今有住聲聞地者
我常教化阿耨多羅三藐三菩提是諸人等
應以是法漸入佛道所以者何如來智慧難
信難解尒時所化无量恒河沙等衆生者汝
等諸比丘及我滅度後未來世中聲聞弟子
是也我滅度後復有弟子不聞是經不知不
覺菩薩所行自於所得功德生滅度想當入
涅槃我於餘國作佛更有異名是人雖生滅
度之想入於涅槃而於彼土求佛智慧得聞
是經唯以佛乘而得滅度更无餘乘除諸如
來方便說法諸比丘若如來自知涅槃時到
衆又清淨信解堅固了達空法深入禪定便
集諸菩薩及聲聞衆為說是經世間无有二
乘而得滅度唯一佛乘得滅度耳
比丘當知如來方便深入衆生之性知其志
樂小法深著五欲為是等故說於涅槃是人
若聞則便信受譬如五百由旬險難惡道曠
絕无人怖畏之處若有多衆欲過此道至珎

BD00086號　妙法蓮華經卷三　　（21–17）

若聞則便信受譬如五百由旬險難惡道曠
絕无人怖畏之處若有多衆欲過此道至珎
寶處有一導師聦慧明達善知險道通塞之
相將導衆人欲過此難所將人衆中路懈退
白導師言我等疲極而復怖畏不能復進前
路猶遠今欲退還導師多諸方便而作是念
此等可愍云何捨大珎寶而欲退還作是念
已以方便力於險道中過三百由旬化作一
城告衆人言汝等勿怖莫得退還今是大城
可於中止隨意所作若入是城快得安隱若
能前至寶所亦可得去是時疲極之衆心大
歡喜歎未曾有我等今者免斯惡道快得安
隱於是衆人前入化城生已度想生安隱想
尒時導師知此人衆既得止息无復疲惓即
滅化城語衆人言汝等去來寶處在近向者
大城我所化作為止息耳諸比丘如來亦復
如是今為汝等作大導師知諸生死煩惱惡
道險難長遠應去應度若衆生但聞一佛乘
者則不欲見佛不欲親近便作是念佛道長
遠久受勤苦乃可得成佛知是心怯弱下劣
以方便力而於中道為止息故說二涅槃若
衆生住於二地如來尒時即便為說汝等所
作未辦汝所住地近於於佛慧當觀察籌量所
得涅槃非真實也但是如來方便之力於一

BD00086號　妙法蓮華經卷三　　（21–18）

若眾生住於二地如來尒時即便為說汝等所
作未辦汝所住地近於於佛慧當觀察籌量所
得涅槃非真實也但是如來方便之力於一
佛乘分別說三如彼導師為止息故化作大
城既知息已而告之言寶處在近此城非實
我化作耳尒時世尊欲重宣此義而說偈言
大通智勝佛　十劫坐道場　佛法不現前　不得成佛道
諸天神龍王　阿修羅眾等　常雨於天華　以供養彼佛
諸天擊天鼓　并作眾伎樂　香風吹萎華　更雨新好者
過十小劫已　乃得成佛道　諸天及世人　心皆懷踊躍
彼佛十六子　皆與其眷屬　千萬億圍遶　俱行至佛所
頭面禮佛足　而請轉法輪　聖師子法雨　充我及一切
世尊甚難值　久遠時一現　為覺悟群生　震動於一切
東方諸世界　五百萬億國　梵宮殿光曜　昔所未曾有
諸梵見此相　尋來至佛所　散華以供養　并奉上宮殿
請佛轉法輪　以偈而讚歎　佛知時未至　受請默然坐
三方及四維　上下亦復尒　散華奉宮殿　請佛轉法輪
世尊甚難值　願以大慈悲　廣開甘露門　轉無上法輪
無量慧世尊　受彼眾人請　為宣種種法　四諦十二緣
無明至老死　皆從生緣有　如是眾過患　汝等應當知
宣暢是法時　六百萬億姟　得盡諸苦際　皆成阿羅漢
第二說法時　千萬恒沙眾　於諸法不受　亦得阿羅漢
從是後得道　其數無有量　萬億劫筭數　不能得其邊
時十六王子　出家作沙弥　皆共請彼佛　演說大乘法
我等及營從　皆當成佛道　願得如世尊　慧眼第一淨

BD00086 號　妙法蓮華經卷三　（21–19）

從是後得道　其數無有量　萬億劫筭數　不能得其邊
時十六王子　出家作沙弥　皆共請彼佛　演說大乘法
我等及營從　皆當成佛道　願得如世尊　慧眼第一淨
佛知童子心　宿世之所行　以無量因緣　種種諸譬喻
說六波羅蜜　及諸神通事　分別真實法　菩薩所行道
說是法華經　如恒河沙偈　彼佛說經已　靜室入禪定
一心一處坐　八万四千劫
是諸沙弥等　知佛禪未出　為無量億眾　說佛無上慧
各各坐法坐　說是大乘經　於佛宴寂後　宣揚助法化
一一沙弥等　所度諸眾生　有六百萬億　恒河沙等眾
彼佛滅度後　是諸聞法者　在在諸佛土　常與師俱生
是十六沙弥　具足行佛道　今現在十方　各得成正覺
尒時聞法者　各在諸佛所　其有住聲聞　漸教以佛道
我在十六數　曾亦為汝說　是故以方便　引汝趣佛慧
以是本因緣　今說法華經　令汝入佛道　慎勿懷驚懼
譬如險惡道　迥絕多毒獸　又復無水草　人所怖畏處
無數千萬眾　欲過此險道　其路甚曠遠　逕五百由旬
時有一導師　強識有智慧　明了心決定　在險濟眾難
眾人皆疲惓　而白導師言　我等今頓乏　於此欲退還
導師作是念　此輩甚可愍　如何欲退還　而失大珍寶
尋時思方便　當設神通力　化作大城郭　莊嚴諸舍宅
周匝有園林　渠流及浴池　重門高樓閣　男女皆充滿
即作是化已　慰眾言勿懼　汝等入此城　各可隨所樂
諸人既入城　心皆大歡喜　皆生安隱想　自謂已得度
導師知息已　集眾而告言　汝等當前進　此是化城耳

BD00086 號　妙法蓮華經卷三　（21–20）

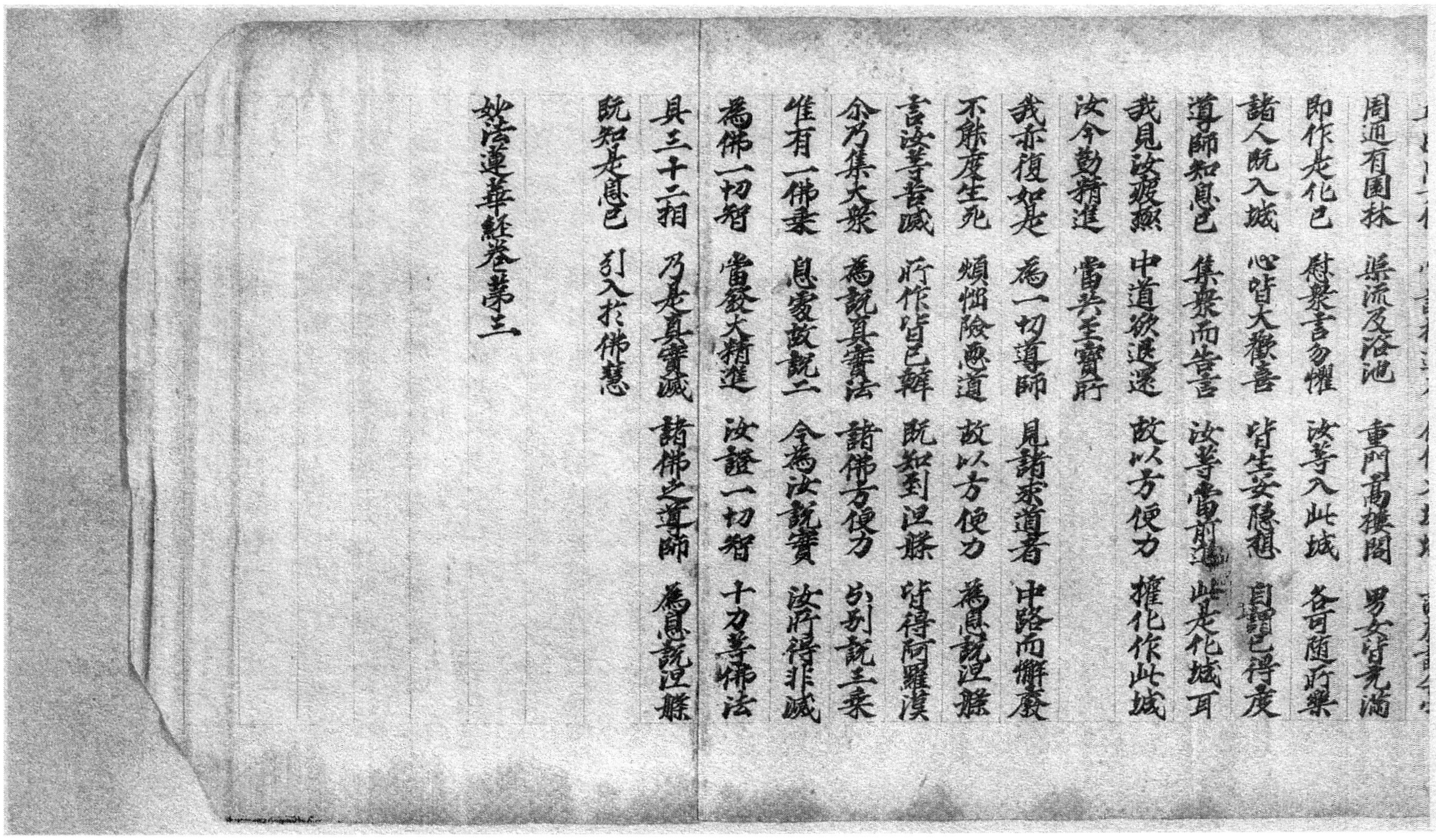
周匝有園林 渠流及浴池 重門高樓閣 男女皆充滿
即作是化已 慰眾言勿懼 汝等入此城 各可隨所樂
諸人既入城 心皆大歡喜 皆生安隱想 自謂已得度
導師知息已 集眾而告言 汝等當前進 此是化城耳
我見汝疲極 中道欲退還 故以方便力 權化作此城
汝今勤精進 當共至寶所
我亦復如是 為一切導師 見諸求道者 中路而懈廢
不能度生死 煩惱諸險道 故以方便力 為息說涅槃
言汝等苦滅 所作皆已辦 既知到涅槃 皆得阿羅漢
爾乃集大眾 為說真實法 諸佛方便力 分別說三乘
唯有一佛乘 息處故說二 今為汝說實 汝所得非滅
為佛一切智 當發大精進 汝證一切智 十力等佛法
具三十二相 乃是真實滅 諸佛之導師 為息說涅槃
既知是息已 引入於佛慧
妙法蓮華經卷第三

BD00086號　妙法蓮華經卷三　（21–21）

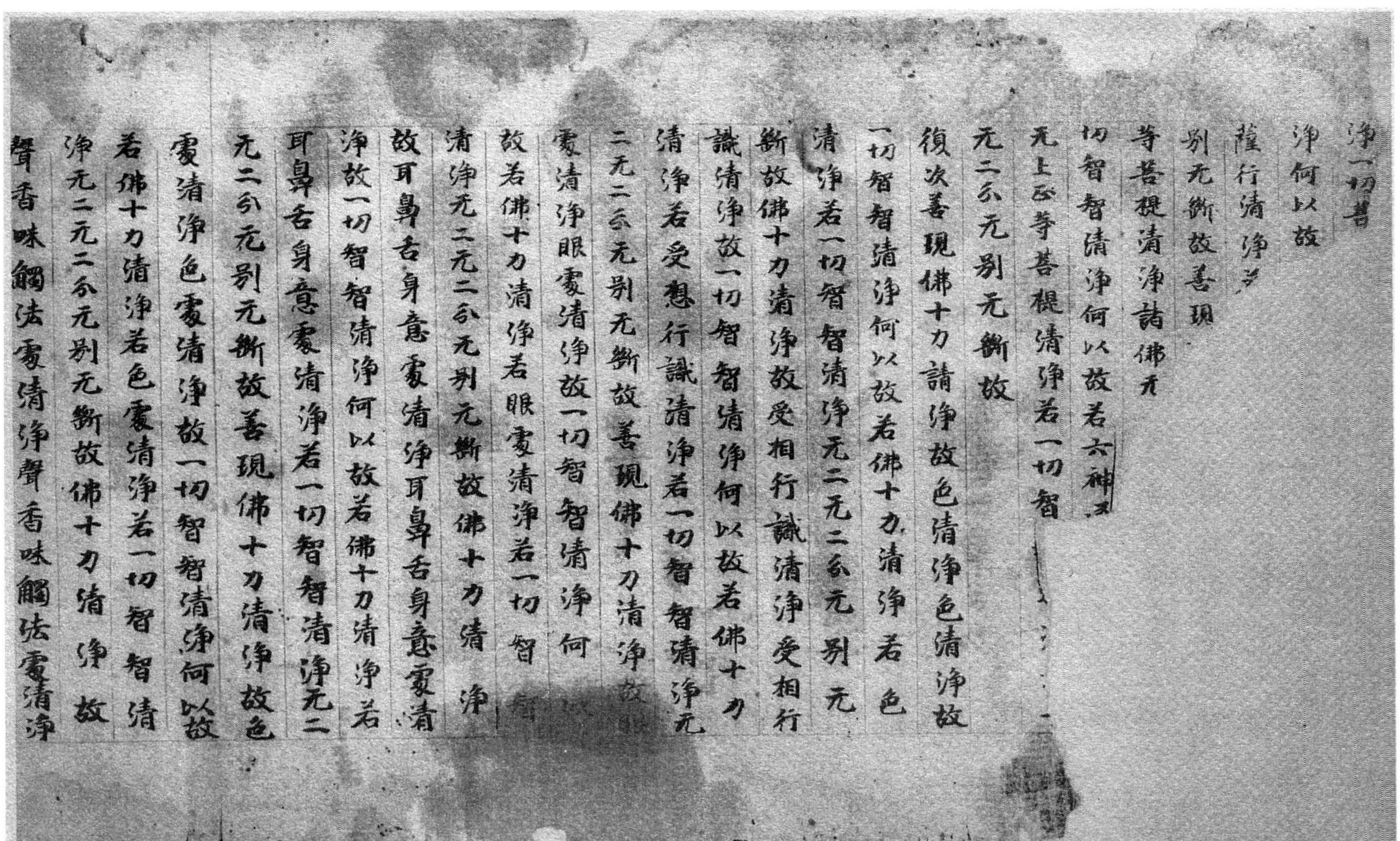
淨一切菩
淨何以故
薩行清淨
別无斷故善現
等菩提清淨諸佛无
切智智清淨何以故若六神
无上正等菩提清淨若一切智
无二分无別无斷故
復次善現佛十力清淨故色清淨色清淨故
一切智智清淨何以故若佛十力清淨若色
清淨若一切智智清淨无二无二分无別无
斷故佛十力清淨故受想行識清淨受想行
識清淨故一切智智清淨何以故若佛十力
清淨若受想行識清淨若一切智智清淨无
二无二分无別无斷故善現佛十力清淨故眼
處清淨眼處清淨故一切智智清淨何
故若佛十力清淨若眼處清淨若一切智
清淨无二无二分无別无斷故佛十力清淨
故耳鼻舌身意處清淨耳鼻舌身意處清
淨故一切智智清淨何以故若佛十力清淨若
耳鼻舌身意處清淨若一切智智清淨无二
无二分无別无斷故善現佛十力清淨故色
處清淨色處清淨故一切智智清淨何以故
若佛十力清淨若色處清淨若一切智智清
淨无二无二分无別无斷故佛十力清淨故
聲香味觸法處清淨聲香味觸法處清淨

BD00087號　大般若波羅蜜多經卷二三四　（11–1）

若佛十力清淨若色處清淨若一切智智清
淨无二无二分无別无斷故佛十力清淨故
聲香味觸法處清淨聲香味觸法處清淨
故一切智智清淨何以故若佛十力清淨若聲
香味觸法處清淨若一切智智清淨无二无
二分无別无斷故善現佛十力清淨故眼界
清淨眼界清淨故一切智智清淨何以故若
佛十力清淨若眼界清淨若一切智智清淨
无二无二分无別无斷故佛十力清淨故色
界眼識界及眼觸眼觸為緣所生諸受清淨
色界乃至眼觸為緣所生諸受清淨故一切
智智清淨何以故若佛十力清淨若色界
乃至眼觸為緣所生諸受清淨若一切智智
清淨无二无二分无別无斷故善現佛十力
清淨故耳界清淨耳界清淨故一切智智清
淨何以故若佛十力清淨若耳界清淨若一
切智智清淨无二无二分无別无斷故
佛十力清淨故聲界耳識界及耳觸耳觸為
緣所生諸受清淨聲界乃至耳觸為緣所生
諸受清淨故一切智智清淨何以故若佛十
力清淨若聲界乃至耳觸為緣所生諸受清
淨若一切智智清淨无二无二分无別无斷
故善現佛十力清淨故鼻界清淨鼻界清淨
故一切智智清淨何以故若佛十力清淨若
鼻界清淨若一切智智清淨无二无二分无
別无斷故佛十力清淨故香界鼻識界及鼻

鼻界清淨若一切智智清淨无二无二分无
別无斷故佛十力清淨故香界鼻識界及鼻
觸鼻觸為緣所生諸受清淨香界乃至鼻觸
為緣所生諸受清淨故一切智智清淨何以
故若佛十力清淨若香界乃至鼻觸為緣所
生諸受清淨若一切智智清淨无二无二分
无別无斷故善現佛十力清淨故香界清淨
舌界清淨故一切智智清淨何以故若佛十
力清淨若舌界清淨若一切智智清淨无二
无二分无別无斷故佛十力清淨故味界舌
識界及舌觸舌觸為緣所生諸受清淨味界
乃至舌觸為緣所生諸受清淨故一切智智
清淨何以故若佛十力清淨若味界乃至舌
觸為緣所生諸受清淨若一切智智清淨无
二无二分无別无斷故善現佛十力清淨故
身界清淨身界清淨故一切智智清淨何以
故若佛十力清淨若身界清淨若一切智智
清淨无二无二分无別无斷故佛十力清淨
故觸界身識界及身觸身觸為緣所生諸受
清淨觸界乃至身觸為緣所生諸受清淨
故一切智智清淨何以故若佛十力清淨若觸
界乃至身觸為緣所生諸受清淨若一切智
智清淨无二无二分无別无斷故善現佛十
力清淨故意界清淨意界清淨故一切智智
清淨何以故若佛十力清淨若意界清淨若
一切智智清淨无二无二分无別无斷故佛

清淨何以故若佛十力清淨若意界清淨若
一切智智清淨无二无二分无別无斷故佛
十力清淨故法界意識界及意觸意觸爲緣
所生諸受清淨法界乃至意觸爲緣所生諸
受清淨故一切智智清淨何以故若佛十力
清淨若法界乃至意觸爲緣所生諸受清
淨若一切智智清淨无二无二分无別无斷
故善現佛十力清淨故地界清淨地界清淨
故一切智智清淨何以故若佛十力清淨若
地界清淨若一切智智清淨无二无二分无
別无斷故佛十力清淨故水火風空識界清
淨水火風空識界清淨故一切智智清淨
何以故若佛十力清淨若水火風空識界
清淨若一切智智清淨无二无二分无別无斷
故善現佛十力清淨故无明清淨无明清淨
故一切智智清淨何以故若佛十力清淨若
无明清淨若一切智智清淨无二无二分无別
无斷故佛十力清淨故行識名色六處觸
受愛取有生老死愁歎苦憂惱清淨行乃至
老死愁歎苦憂惱清淨故一切智智清淨何
以故若佛十力清淨若行乃至老死愁歎若
憂惱清淨若一切智智清淨无二无二分无
別无斷故
善現佛十力清淨故布施波羅蜜多清淨布
施波羅蜜多清淨故一切智智清淨何以故

BD00087號　大般若波羅蜜多經卷二三四　（11-4）

善現佛十力清淨故布施波羅蜜多清淨布
施波羅蜜多清淨故一切智智清淨何以故
若佛十力清淨若布施波羅蜜多清淨若一
切智智清淨无二无二分无別无斷故佛十
力清淨故淨戒安忍精進靜慮般若波羅蜜
多清淨淨戒乃至般若波羅蜜多清淨故一
切智智清淨何以故若佛十力清淨若淨戒
乃至般若波羅蜜多清淨若一切智智清淨
无二无二分无別无斷故善現佛十力清淨
故內空清淨內空清淨故一切智智清淨何
以故若佛十力清淨若內空清淨若一切智
智清淨无二无二分无別无斷故佛十力清
淨故外空內外空空空大空勝義空有爲空
无爲空畢竟空无際空散空无變異空本
性空自相空共相空一切法空不可得空无性
空自性空无性自性空清淨外空乃至无性
自性空清淨故一切智智清淨何以故若佛十
力清淨若外空乃至无性自性空清淨若一切
智智清淨无二无二分无別无斷故善現佛
十力清淨故真如清淨真如清淨故一切智
智清淨何以故若佛十力清淨若真如清淨
若一切智智清淨无二无二分无別无斷故
佛十力清淨故法界法性不虛妄性不變異
性平等性離生性法定法住實際虛空界不
思議界清淨法界乃至不思議界清淨故一
切智智清淨何以故若佛十力清淨若法界

BD00087號　大般若波羅蜜多經卷二三四　（11-5）

性平等性離生性法定法住實際虛空界不
思議界清淨法界乃至不思議界清淨故一
切智智清淨何以故若佛十力清淨若法界
乃至不思議界清淨若一切智智清淨无二
无二分无別无斷故善現佛十力清淨故苦
聖諦清淨苦聖諦清淨故一切智智清
淨何以故若佛十力清淨若苦聖諦清淨若
一切智智清淨无二无二分无別无斷故佛
十力清淨故集滅道聖諦清淨集滅道聖諦
清淨故一切智智清淨何以故若佛十力清
淨若集滅道聖諦清淨若一切智智清淨无
二无二分无別无斷故善現佛十力清淨故
四靜慮清淨四靜慮清淨故一切智智清淨
何以故若佛十力清淨若四靜慮清淨若一
切智　清淨清淨无二无二分无別无斷故佛十
力清淨故四无量四无色定清淨四无量四
无色定清淨故一切智智清淨何以故若佛
十力清淨若四无量四无色定清淨若一切
智智清淨无二无二分无別无斷故善現佛
十力清淨故八解脫清淨八解脫清淨故一
切智智清淨何以故若佛十力清淨若八解
脫清淨若一切智智清淨无二无二分无別
无斷故佛十力清淨故八勝處九次第定十
遍處清淨八勝處九次第定十遍處清淨
故一切智智清淨何以故若佛十力清淨若八
勝處九次第定十遍處清淨若一切智智清

BD00087號　大般若波羅蜜多經卷二三四　（11–6）

故一切智智清淨何以故若佛十力清淨若八
勝處九次第定十遍處清淨若一切智智清
淨无二无二分无別无斷故善現佛十力清
淨故四念住清淨四念住清淨故一切智智
清淨何以故若佛十力清淨若四念住清淨
若一切智智清淨无二无二分无別无斷故
佛十力清淨故四正斷四神足五根五力七
等覺支八聖道支清淨四正斷乃至八聖道
支清淨故一切智智清淨何以故若佛十力
清淨若四正斷乃至八聖道支清淨若一切
智智清淨无二无二分无別无斷故善現佛
十力清淨故空解脫門清淨空解脫門清淨
故一切智智清淨何以故若佛十力清淨若
空解脫門清淨若一切智智清淨无二无二
分无別无斷故佛十力清淨故无相无願解
脫門清淨无相无願解脫門清淨故一切智
智清淨何以故若佛十力清淨若无相无願
解脫門清淨若一切智智清淨无二无二分
无別无斷故善現佛十力清淨故菩薩十地
清淨菩薩十地清淨故一切智智清淨何以
故若佛十力清淨若菩薩十地清淨若一
切智智清淨无二无二分无別无斷故善
現佛十力清淨故五眼清淨五眼清淨故一
切智智清淨何以故若佛十力清淨若五眼
清淨若一切智智清淨无二无二分无別无
斷故佛十力清淨故六神通清淨六神通清

BD00087號　大般若波羅蜜多經卷二三四　（11–7）

清淨若一切智智清淨无二无二分无別无
斷故佛十力清淨故六神通清淨六神通清
淨故一切智智清淨何以故若佛十力清淨
若六神通清淨若一切智智清淨无二无二
分无別无斷故善現佛十力清淨故四无所
畏清淨四无所畏清淨故一切智智清淨何
以故若佛十力清淨若四无所畏清淨若
一切智智清淨无二无二分无別无斷故佛
十力清淨故四无礙解大慈大悲大喜大捨
十八佛不共法清淨四无礙解乃至十八
不共法清淨故一切智智清淨何以故若佛
十力清淨若四无礙解乃至十八佛不共法
清淨若一切智智清淨无二无二分无別无
斷故善現佛十力清淨故无忘失法清淨无
忘失法清淨故一切智智清淨何以故若佛
十力清淨若无忘失法清淨若一切智智清
淨无二无二分无別无斷故佛十力清淨故
恒住捨性清淨恒住捨性清淨故一切智智
清淨何以故若佛十力清淨若恒住捨性清
淨若一切智智清淨无二无二分无別无斷
故善現佛十力清淨故一切智清淨一切智
清淨故一切智智清淨何以故若佛十力清
淨若一切智清淨若一切智智清淨无二无
二分无別无斷故佛十力清淨故道相智一
切相智清淨道相智一切相智清淨故一切
智智清淨何以故若佛十力清淨若道相智

BD00087號　大般若波羅蜜多經卷二三四　（11–8）

二分无別无斷故佛十力清淨故道相智一
切相智清淨道相智一切相智清淨故一切
智智清淨何以故若佛十力清淨若道相智
一切相智清淨若一切智智清淨无二无二
分无別无斷故善現佛十力清淨故一切陁
羅尼門清淨一切陁羅尼門清淨故一切智
智清淨何以故若佛十力清淨若一切陁羅
尼門清淨若一切智智清淨无二无二分无別
无斷故佛十力清淨故一切三摩地門清淨一
切三摩地門清淨故一切智智清淨何以故若
佛十力清淨若一切三摩地門清淨若一切智
智清淨无二无二分无別无斷故
善現佛十力清淨故預流果清淨預流果清
淨故一切智智清淨何以故若佛十力清淨
若預流果清淨若一切智智清淨无二无二
分无別无斷故佛十力清淨故一來不還阿
羅漢果清淨一來不還阿羅漢果清淨故一
切智智清淨何以故若佛十力清淨若一來
不還阿羅漢果清淨若一切智智清淨无二
无二分无別无斷故善現佛十力清淨故獨
覺菩提清淨獨覺菩提清淨故一切智智清
淨何以故若佛十力清淨若獨覺菩提清淨
若一切智智清淨无二无二分无別无斷故
善現佛十力清淨故一切菩薩摩訶薩行清
淨一切菩薩摩訶薩行清淨故一切智智清
淨何以故若佛十力清淨若一切菩薩摩訶

BD00087號　大般若波羅蜜多經卷二三四　（11–9）

若一切智智清淨无二无二分无別无斷故
善現佛十力清淨故一切菩薩摩訶薩行清
淨一切菩薩摩訶薩行清淨故一切智智清
淨何以故若佛十力清淨若一切菩薩摩訶
薩行清淨若一切智智清淨无二无二分无
別无斷故善現佛十力清淨故諸佛无上正
等菩提清淨諸佛无上正等菩提清淨故一
切智智清淨何以故若佛十力清淨若諸佛
无上正等菩提清淨若一切智智清淨无二
无二分无別无斷故
復次善現四无所畏清淨故色清淨色清淨
故一切智智清淨何以故若四无所畏清淨
若色清淨若一切智智清淨无二无二分无
別无斷故四无所畏清淨故受想行識清淨
受想行識清淨故一切智智清淨何以故若四
无所畏清淨若受想行識清淨若一切智智
清淨无二无二分无別无斷故善現四无所
畏清淨故眼處清淨眼處清淨故一切智智
清淨何以故若四无所畏清淨若眼處清淨
若一切智智清淨无二无二分无別无斷故
四无所畏清淨故耳鼻舌身意處清淨耳鼻
舌身意處清淨故一切智智清淨何以故若
四无所畏清淨若耳鼻舌身意處清淨若一
切智智清淨无二无二分无別无斷故善現
四无所畏清淨故色處清淨色處清淨故一
切智智清淨何以故若四无所畏清淨若色

BD00087 號　大般若波羅蜜多經卷二三四　（11–10）

故一切智智清淨何以故若四无所畏清淨
若色清淨若一切智智清淨无二无二分无
別无斷故四无所畏清淨故受想行識清淨
受想行識清淨故一切智智清淨何以故若四
无所畏清淨若受想行識清淨若一切智智
清淨无二无二分无別无斷故善現四无所
畏清淨故眼處清淨眼處清淨故一切智智
清淨何以故若四无所畏清淨若眼處清淨
若一切智智清淨无二无二分无別无斷故
四无所畏清淨故耳鼻舌身意處清淨耳鼻
舌身意處清淨故一切智智清淨何以故若
四无所畏清淨若耳鼻舌身意處清淨若一
切智智清淨无二无二分无別无斷故善現
四无所畏清淨故色處清淨色處清淨故一
切智智清淨何以故若四无所畏清淨若色
處清淨若一切智智清淨无二无二分无別
无斷故四无所畏清淨故聲香味觸法處清
淨聲香味觸法處清淨故一切智智清淨何
以故若四无所畏清淨若聲香味觸法處清
淨若一切智智清淨无二无二分无別无斷
善現四无所畏清淨故眼界清淨眼界清
淨故一切智智清淨何以故若四无所畏清
淨若眼界清淨若一切智智清淨无二
分无別无斷故四无所畏清淨故色界眼
界及眼觸眼觸為緣所生諸受清淨色界乃

BD00087 號　大般若波羅蜜多經卷二三四　（11–11）

若讀若誦若解說
功德千二百耳功德八
千二百舌功德八百身功德千二
以是功德莊嚴六根皆令清淨是
善女人父母所生清淨肉眼見於三
千世界內外所有山林河海下至阿鼻
至有頂亦見其中一切衆生及業因
緣果報生處悉見悉知尒時世尊欲重宣此
義而說偈言
若於大衆中　以无所畏心　說是法華經　汝聽其功德
是人得八百　功德殊勝眼　以是莊嚴故　其目甚清淨
父母所生眼　悉見三千界　內外弥樓山　須弥及鐵圍
并諸餘山林　大海江河水　下至阿鼻獄　上至有頂處
其中諸衆生　一切皆悉見　雖未得天眼　肉眼力如是
復次常精進若善男子善女人受持此經若
讀若誦若解說若書寫得千二百耳功德以
是清淨耳聞三千大千世界下至阿鼻地獄
上至有頂其中內外種種語言音聲象聲馬
聲牛聲車聲啼哭聲愁歎聲螺聲鼓聲鍾聲
鈴聲笑聲語聲男聲女聲童子聲童女聲法
聲非法聲苦聲樂聲凡夫聲聖人聲喜聲不
喜聲天聲龍聲夜叉聲乾闥婆聲阿脩羅聲
迦樓羅聲緊那羅聲摩睺羅伽聲火聲水聲
風聲地獄聲畜生聲餓鬼聲比丘聲比丘尼
聲聲聞聲辟支佛聲菩薩聲佛聲以要言之

BD00088號　妙法蓮華經卷六

（13–1）

喜聲天聲龍聲夜叉聲乾闥婆聲阿脩羅聲
迦樓羅聲緊那羅聲摩睺羅伽聲火聲水聲
風聲地獄聲畜生聲餓鬼聲比丘聲比丘尼
聲聲聞聲辟支佛聲菩薩聲佛聲以要言之
三千大千世界中一切內外所有諸聲雖未
得天耳以父母所生清淨常耳皆悉聞知如
是分別種種音聲而不壞耳根尒時世尊欲
重宣此義而說偈言
父母所生耳　清淨无濁穢　以此常耳聞　三千世界聲
象馬車牛聲　鍾鈴螺鼓聲　琴瑟箜篌聲　簫笛之音聲
清淨好歌聲　聽之而不著　无數種人聲　聞悉能解了
又聞諸天聲　微妙之歌音　及聞男女聲　童男童女聲
山川險谷中　迦陵頻伽聲　命命等諸鳥　悉聞其音聲
地獄衆苦痛　種種楚毒聲　餓鬼飢渴逼　求索飲食聲
諸阿脩羅等　居在大海邊　自共語言時　出于大音聲
如是說法者　安住於此間　遙聞是衆聲　而不壞耳根
十方世界中　禽獸鳴相呼　其說法之人　於此悉聞之
其諸梵天上　光音及遍淨　乃至有頂天　言語之音聲
法師住於此　悉皆得聞之　一切比丘衆　及諸比丘尼
若讀誦經典　若為他人說　法師住於此　悉皆得聞之
復有諸菩薩　讀誦於經法　若為他人說　撰集解其義
如是諸音聲　悉皆得聞之　諸佛大聖尊　教化衆生者
於諸大衆中　演說微妙法　持此法華者　悉皆得聞之
三千大千界　內外諸音聲　下至阿鼻獄　上至有頂天
皆聞其音聲　而不壞耳根　其耳聰利故　悉能分別知
持是法華者　雖未得天耳　但用所生耳　功德已如是
復次常精進若善男子善女人受持是經若
讀若誦若解說若書寫成就八百鼻功德以
是清淨鼻根聞於三千大千世界上下內外

BD00088號　妙法蓮華經卷六

（13–2）

讀若誦若解說若書寫成就八百鼻功德以
是清淨鼻根聞於三千大千世界上下內外
種種諸香須曼那華香闍提華香末利華香
瞻蔔華香波羅羅華香赤蓮華香青蓮華香
白蓮華香華樹香果樹香栴檀香沈水香多
摩羅跋香多伽羅香及千万種和香若末若
丸若塗香持是經者於此閒住悉能分別又
復別知衆生之香象香馬香牛羊等香男香
女香童子香童女香及草木叢林香若近若
遠所有諸香悉皆得聞分別不錯持是經者
雖住於此亦聞天上諸天之香波利質多羅
拘鞞陁羅樹香及曼陁羅華香摩訶曼陁羅
華香曼殊沙華香摩訶曼殊沙華香栴檀沈
水種種末香諸雜華香如是等天香和合所
出之香无不聞知又聞諸天身香釋提桓因
在勝殿上五欲娛樂嬉戲時香若在妙法堂
上為忉利諸天說法時香若於諸園遊戲時
香及餘天等男女身香皆悉遙聞如是展轉
乃至梵世上至有頂諸天身香亦皆聞之并
聞諸天所燒之香及聲聞香辟支佛香菩薩
香諸佛身香亦皆遙聞知其所在雖聞此香
然於鼻根不壞不錯若欲分別為他人說憶
念不謬尒時世尊欲重宣此義而說偈言
是人鼻清淨　於此世界中　若香若臭物　種種悉聞知
須曼那闍提　多摩羅栴檀　沈水及桂香　種種華果香
及知衆生香　男子女人香　說法者遠住　聞香知所在
大勢轉輪王　小轉輪及子　群臣諸宮人　聞香知所在
身所著珍寶　及地中寶藏　轉輪王寶女　聞香知所在
諸人嚴身具　衣服及瓔珞　種種所塗香　聞則知其身
諸天若行坐　遊戲及神變　持是法華者　聞香悉能知

BD00088號　妙法蓮華經卷六　（13–3）

身所著珍寶　及地中寶藏　轉輪王寶女　聞香知所在
諸人嚴身具　衣服及瓔珞　種種所塗香　聞則知其身
諸天若行坐　遊戲及神變　持是法華者　聞香悉能知
諸樹華果實　及蘇油香氣　持經者住此　悉知其所在
諸山深險處　栴檀樹華敷　衆生在中者　聞香皆能知
鐵圍山大海　地中諸衆生　持經者聞香　悉知其所在
阿脩羅男女　及其諸眷屬　鬪諍遊戲時　聞香皆能知
曠野險隘處　師子象虎狼　野牛水牛等　聞香知所在
若有懷妊者　未辯其男女　无根及非人　聞香悉能知
以聞香力故　知其初懷妊　成就不成就　安樂產福子
以聞香力故　知男女所念　染欲癡恚心　亦知脩善者
地中衆伏藏　金銀諸珍寶　銅器之所盛　聞香悉能知
種種諸瓔珞　无能識其價　聞香知貴賤　出處及所在
天上諸華等　曼陁曼殊沙　波利質多樹　聞香悉能知
天上諸宮殿　上中下差別　衆寶華莊嚴　聞香悉能知
天園樹勝殿　諸觀妙法堂　在中而娛樂　聞香悉能知
諸天若聽法　或受五欲時　來往行坐卧　聞香悉能知
天女所著衣　好華香莊嚴　周旋遊戲時　聞香悉能知
如是展轉上　乃至於梵世　入禪出禪者　聞香悉能知
光音遍淨天　乃至于有頂　初生及退沒　聞香悉能知
諸比丘衆等　於法常精進　若坐若經行　及讀誦經法
或在樹樹下　專精而坐禪　持經者聞香　悉知其所在
菩薩志堅固　坐禪若讀誦　或為人說法　聞香悉能知
在在方世尊　一切所恭敬　愍衆而說法　聞香悉能知
衆生在佛前　聞經皆歡喜　如法而脩行　聞香悉能知
雖未得菩薩　无漏法生鼻　而是持經者　先得此鼻相
復次常精進若善男子善女人受持是經若
讀若誦若解說若書寫得千二百舌功德若
好若醜若美不美及諸苦澀物在其舌根皆

BD00088號　妙法蓮華經卷六　（13–4）

讀若誦若解說若書寫得千二百舌功德若
好若醜若美不美及諸苦澀物在其舌根皆
變成上味如天甘露无不美者若以舌根於
大衆中有所演說出深妙聲能入其心皆令
歡喜快樂又諸天子天女釋梵諸天聞是深
妙音聲有所演說言論次第皆悉來聽及諸
龍龍女夜叉夜叉女乾闥婆乾闥婆女阿脩
羅阿脩羅女迦樓羅迦樓羅女緊那羅緊那
羅女摩睺羅伽摩睺羅伽女為聽法故皆來
親近恭敬供養及比丘比丘尼優婆塞優婆
夷國王王子群臣眷屬小轉輪王大轉輪王
七寶千子內外眷屬乘其宮殿俱來聽法以
是菩薩善說法故婆羅門居士國內人民盡
其形壽隨侍供養又諸聲聞辟支佛菩薩諸
佛常樂見之是人所在方面諸佛皆向其處
說法悉能受持一切佛法又能出於深妙法
音尒時世尊欲重宣此義而說偈言
是人舌根淨　終不受惡味　其有所食噉　悉皆成甘露
以深淨妙音　於大衆說法　以諸因緣喻　引導衆生心
聞者皆歡喜　設諸上供養　諸天龍夜叉　及阿脩羅等
皆以恭敬心　而共來聽法　是說法之人　若欲以妙音
遍滿三千界　隨意即能至　大小轉輪王　及千子眷屬
合掌恭敬心　常來聽受法　諸天龍夜叉　羅刹毗舍闍
亦以歡喜心　常樂來供養　梵天王魔王　自在大自在
如是諸天衆　常來至其所　諸佛及弟子　聞其說法音
常念而守護　或時為現身
復次常精進若善男子善女人受持是經若
讀若誦若解說若書寫得八百身功德得清
淨身如淨瑠璃衆生憙見其身淨故三千大
千世界衆生生時死時上下好醜生善處惡

讀若誦若解說若書寫得八百身功德得清
淨身如淨瑠璃衆生憙見其身淨故三千大
千世界衆生生時死時上下好醜生善處惡
處悉於中現及鐵圍山大鐵圍山弥樓山摩
訶弥樓山等諸山及其中衆生悉於中現下
至阿鼻地獄上至有頂所有及衆生悉於中
現若聲聞辟支佛菩薩諸佛說法皆於身中
現其色像尒時世尊欲重宣此義而說偈言
若持法華者　其身甚清淨　如彼淨瑠璃　衆生皆憙見
又如淨明鏡　悉見諸色像　菩薩於淨身　皆見世所有
唯獨自明了　餘人所不見　三千世界中　一切諸群萌
天人阿脩羅　地獄鬼畜生　如是諸色像　皆於身中現
諸天等宮殿　乃至於有頂　鐵圍及弥樓　摩訶弥樓山
諸大海水等　皆於身中現　諸佛及聲聞　佛子菩薩等
若獨若在衆　說法悉皆現　雖未得无漏　法性之妙身
以清淨常體　一切於中現
復次常精進若善男子善女人如來滅後受
持是經若讀若誦若解說若書寫得千二百
意功德以是清淨意根乃至聞一偈一句通
達无量无邊之義解是義已能演說一句一
偈至於一月四月乃至一歲諸所說法隨其
義趣皆與實相不相違背若說俗閒經書治
世語言資生業等皆順正法三千大千世界
六趣衆生心之所行心所動作心所戲論皆
悉知之雖未得无漏智慧而其意根清淨如
此是人有所思惟籌量言說皆是佛法无不
真實亦是先佛經中所說尒時世尊欲重宣
此義而說偈言
是人意清淨　明利无穢濁　以此妙意根　知上中下法

真實亦是先佛經中所說[illegible]
此義而說偈言
是人意清淨　明利无穢濁　以此妙意根　知上中下法
乃至聞一偈　通達无量義　次第如法說　月四月至歲
是世界內外　一切諸衆生　若天龍及人　夜叉鬼神等
其在六趣中　所念若干種　持法華之報　一時皆悉知
十方无數佛　百福莊嚴相　為衆生說法　悉聞能受持
思惟无量義　說法亦无量　終始不忘錯　以持法華故
悉知諸法相　隨義識次第　達名字語言　如所知演說
此人有所說　皆是先佛法　以演此法故　於衆无所畏
持法華經者　意根淨若斯　雖未得无漏　先有如是相
是人持此經　安住希有地　為一切衆生　歡喜而愛敬
能以千万種　善巧之語言　分別而說法　持法華經故
妙法蓮華經常不輕菩薩品第二十
尒時佛告得大勢菩薩摩訶薩汝今當知若
比丘比丘尼優婆塞優婆夷持法華經者若
有惡口罵詈誹謗獲大罪報如前所說其所
得功德如向所說眼耳鼻舌身意清淨得大
勢乃往古昔過无量无邊不可思議阿僧祇
劫有佛名威音王如來應供正遍知明行足
善逝世間解无上士調御丈夫天人師佛世
尊劫名離衰國名大成其威音王佛於彼世
中為天人阿脩羅說法為求聲聞者說應四
諦法度生老病死究竟涅槃為求辟支佛者
說應十二因緣法為諸菩薩因阿耨多羅三
藐三菩提說應六波羅蜜法究竟佛慧得大
勢是威音王佛壽四十万億那由他恒河沙
劫正法住世劫數如一閻浮提微塵像法住
世劫數如四天下微塵其佛饒益衆生已然
後滅度正法像法滅盡之後於此國土復有

BD00088號　妙法蓮華經卷六

（13–7）

世劫數如四天下微塵其佛饒益衆[illegible]
後滅度正法像法滅盡之後於此國土復有
佛出亦号威音王如來應供正遍知明行足
善逝世間解无上士調御丈夫天人師佛世
尊如是次第有二万億佛皆同一号冣初威
音王如來既已滅度正法滅後於像法中增
上慢比丘有大勢力尒時有一菩薩比丘名
常不輕得大勢以何因緣名常不輕是比丘
凡有所見若比丘比丘尼優婆塞優婆夷皆
悉礼拜讚歎而作是言我深敬汝等不敢輕
慢所以者何汝等皆行菩薩道當得作佛而
是比丘不專讀誦經典但行礼拜乃至遠見
四衆亦復故往礼拜讚歎而作是言我不敢
輕於汝等汝等皆當作佛故四衆之中有生
瞋恚心不淨者惡口罵詈言是无智比丘從
何所来自言我不輕汝而與我等受記當得
作佛我等不用如是虛妄受記如此經歷多
年常被罵詈不生瞋恚常作是言汝當作佛
說是語時衆人或以杖木瓦石而打擲之避
走遠住猶高聲唱言我不敢輕於汝等汝等
皆當作佛以其常作是語故增上慢比丘比
丘尼優婆塞優婆夷号之為常不輕是比丘
臨欲終時於虛空中具聞威音王佛先所說
法華經二十千万億偈悉能受持即得如上
眼根清淨耳鼻舌身意根清淨得是六根清
淨已更增壽命二百万億那由他歲廣為人
說是法華經於時增上慢四衆比丘比丘尼
優婆塞優婆夷輕賤是人為作不輕名者見
其得大神通力樂說辯力大善寂力聞其所
說皆信伏隨從是菩薩復化千万億衆令住

BD00088號　妙法蓮華經卷六

（13–8）

說皆信伏隨從是菩薩復化千万億衆令住
阿耨多羅三藐三菩提命終之後得值二千
億佛皆号日月燈明於其法中說是法華經
以是因緣復值二千億佛同号雲自在燈王
於此諸佛法中受持讀誦為諸四衆說此經
典故得是常眼清淨耳鼻舌身意諸根清淨
於四衆中說法心无所畏得大勢是常不輕
菩薩摩訶薩供養如是若干諸佛恭敬尊重
讚歎種諸善根於後復值千万億佛亦於諸
佛法中說是經典功德成就當得作佛得大
勢於意云何尒時常不輕菩薩豈異人乎則
我身是若我於宿世不受持讀誦此經為他
人說者不能疾得阿耨多羅三藐三菩提我
於先佛所受持讀誦此經為人說故疾得阿
耨多羅三藐三菩提得大勢彼時四衆比丘
比丘尼優婆塞優婆夷以瞋恚意輕賤我故
二百億劫常不值佛不聞法不見僧千劫於
阿鼻地獄受大苦惱畢是罪已復遇常不輕
菩薩教化阿耨多羅三藐三菩提得大勢於
汝意云何尒時四衆常輕是菩薩者豈異人
乎今此會中跋陁婆羅等五百菩薩師子月
等五百比丘尼思佛等五百優婆塞皆於阿
耨多羅三藐三菩提不退轉者是得大勢當
知是法華經大饒益諸菩薩摩訶薩能令至
於阿耨多羅三藐三菩提是故諸菩薩摩訶
薩於如來滅後常應受持讀誦解說書寫是
經尒時世尊欲重宣此義而說偈言
過去有佛　号威音王　神智无量　將導一切
天人龍神　所共供養　是佛滅後　法欲盡時

BD00088 號　妙法蓮華經卷六　（13–9）

過去有佛　号威音王　神智无量　將導一切
天人龍神　所共供養　是佛滅後　法欲盡時
有一菩薩　名常不輕　時諸四衆　計著於法
不輕菩薩　往到其所　而語之言　我不輕汝
汝等行道　皆當作佛　諸人聞已　輕毀罵詈
不輕菩薩　能忍受之　其罪畢已　臨命終時
得聞此經　六根清淨　神通力故　增益壽命
復為諸人　廣說是經　諸著法衆　皆蒙菩薩
教化成就　令住佛道　不輕命終　值无數佛
說是經故　得无量福　漸具功德　疾成佛道
彼時不輕　則我身是　時四部衆　著法之者
聞不輕言　汝當作佛　以是因緣　值无數佛
此會菩薩　五百之衆　并及四部　清信士女
令於我前　聽法者是　我於前世　勸是諸人
聽受斯經　第一之法　開示教人　令住涅槃
世世受持　如是經典　億億万劫　至不可議
時乃得聞　是法華經　億億万劫　至不可議
諸佛世尊　時說是經　是故行者　於佛滅後
聞如是經　勿生疑惑　應當一心　廣說此經
世世值佛　疾成佛道
妙法蓮華經如來神力品第二十一
尒時千世界微塵等菩薩摩訶薩從地踊出
者皆於佛前一心合掌瞻仰尊顏而白佛言
世尊我等於佛滅後世尊分身所在國土滅
度之處當廣說此經所以者何我等亦自欲
得是真淨大法受持讀誦解說書寫而供養
之尒時世尊於文殊師利等无量百千万億
舊住娑婆世界菩薩摩訶薩及諸比丘比丘
尼優婆塞優婆夷天龍夜叉乾闥婆阿脩羅

BD00088 號　妙法蓮華經卷六　（13–10）

舊住娑婆世界菩薩摩訶薩及諸比丘比丘
尼優婆塞優婆夷天龍夜叉乾闥婆阿脩羅
迦樓羅緊那羅摩睺羅伽人非人等一切衆
前現大神力出廣長舌上至梵世一切毛孔
放於无量无數色光皆悉遍照十方世界衆
寶樹下師子座上諸佛亦復如是出廣長舌
放无量光釋迦牟尼佛及寶樹下諸佛現神
力時滿百千歲然後還攝舌相一時謦欬俱
共彈指是二音聲遍至十方諸佛世界地皆
六種震動其中衆生天龍夜叉乾闥婆阿脩
羅迦樓羅緊那羅摩睺羅伽人非人等以佛
神力故皆見此娑婆世界无量无邊百千万
億衆寶樹下師子座上諸佛及見釋迦牟尼
佛共多寶如來在寶塔中坐師子座又見无
量无邊百千万億菩薩摩訶薩及諸四衆恭
敬圍繞釋迦牟尼佛既見是已皆大歡喜得
未曾有即時諸天於虛空中高聲唱言過此
无量无邊百千万億阿僧祇世界有國名娑
婆是中有佛名釋迦牟尼今為諸菩薩摩訶
薩說大乘經名妙法蓮華教菩薩法佛所護
念汝等當深心隨喜亦當礼拜供養釋迦牟
尼佛彼諸衆生聞虛空中聲已合掌向娑婆
世界作如是言南无釋迦牟尼佛南无釋迦
牟尼佛以種種華香瓔珞幡蓋及諸嚴身之
具珎寶妙物皆共遙散娑婆世界所散諸物
從十方來譬如雲集變成寶帳遍覆此間諸
佛之上于時十方世界通達无礙如一佛土
尒時佛告上行等菩薩大衆諸佛神力如是
无量无邊不可思議若我以是神力於无量

无量无邊不可思議若我以是神力於无量
无邊百千万億阿僧祇劫為囑累故說此經
功德猶不能盡以要言之如來一切所有之
法如來一切自在神力如來一切祕要之藏
如來一切甚深之事皆於此經宣示顯說是
故汝等於如來滅後應一心受持讀誦解說
書寫如說脩行所在國土若有受持讀誦解
說書寫如說脩行若經卷所住之處若於園
中若於林中若於樹下若於僧坊若白衣舍
若在殿堂若山谷曠野是中皆應起塔供養
所以者何當知是處即是道場諸佛於此得
阿耨多羅三藐三菩提諸佛於此轉于法輪
諸佛於此而般涅槃尒時世尊欲重宣此義
而說偈言
諸佛救世者　住於大神通　為悅衆生故　現无量神力
舌相至梵天　身放无數光　為求佛道者　現此希有事
諸佛謦欬聲　及彈指之聲　周聞十方國　地皆六種動
以佛滅度後　能持是經故　諸佛皆歡喜　現无量神力
囑累是經故　讚美受持者　於无量劫中　猶故不能盡
是人之功德　无邊无有窮　如十方虛空　不可得邊際
能持是經者　則為已見我　亦見多寶佛　及諸分身者
又見我今日　教化諸菩薩　能持是經者　令我及分身
滅度多寶佛　一切皆歡喜　十方現在佛　并過去未來
亦見亦供養　亦令得歡喜　諸佛坐道場　所得祕要法
能持是經者　不久亦當得　能持是經者　於諸法之義
名字及言辭　樂說无窮盡　如風於空中　一切无障礙
於如來滅後　知佛所說經　因緣及次第　隨義如實說
如日月光明　能除諸幽冥　斯人行世間　能滅衆生闇
教无量菩薩　畢竟住一乘　是故有智者　聞此功德利

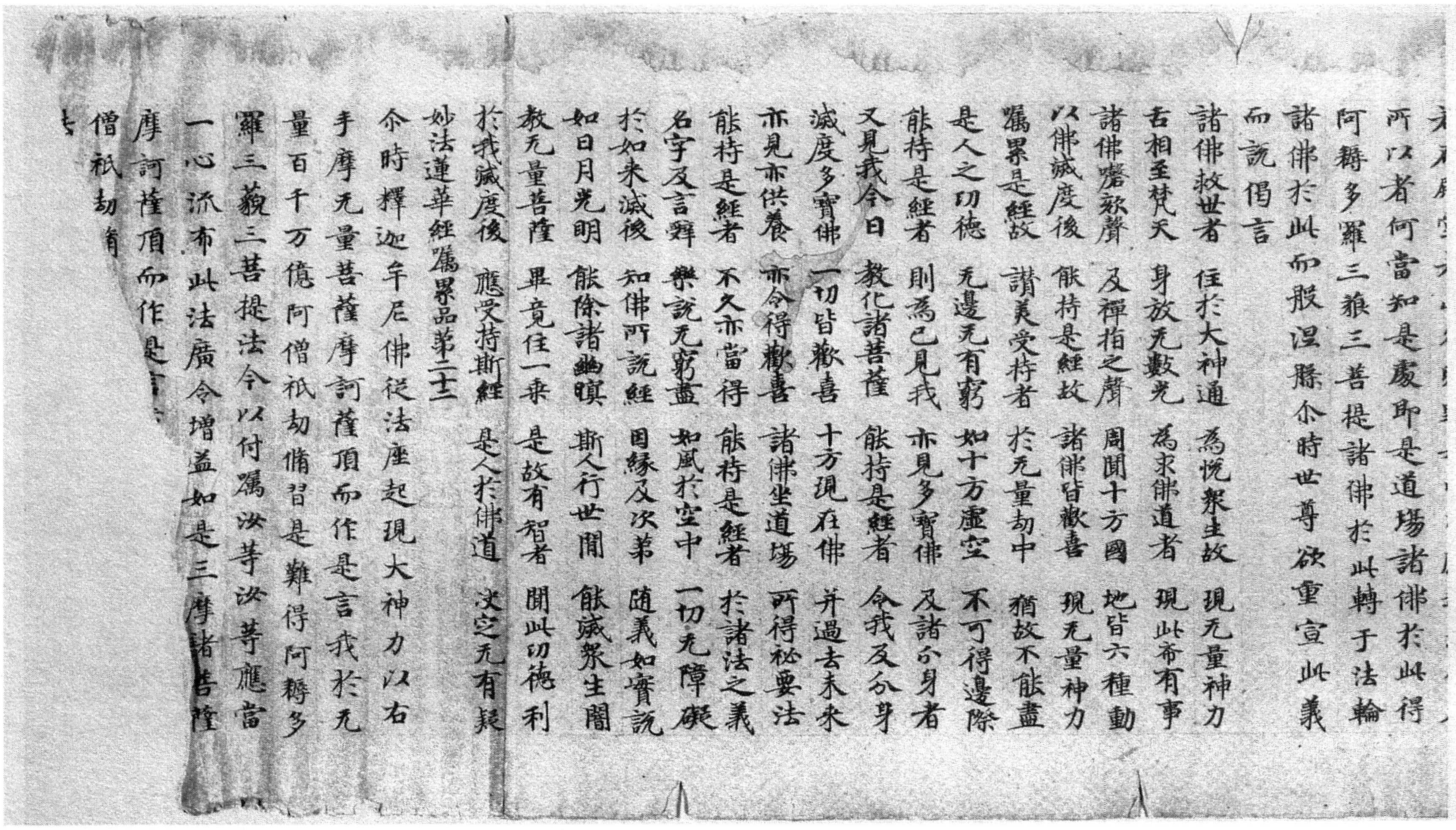

所以者何當知是處即是道場諸佛於此得
阿耨多羅三藐三菩提諸佛於此轉于法輪
諸佛於此而般涅槃尒時世尊欲重宣此義
而說偈言
諸佛救世者　住於大神通　為悅衆生故　現无量神力
舌相至梵天　身放无數光　為求佛道者　現此希有事
諸佛謦欬聲　及彈指之聲　周聞十方國　地皆六種動
以佛滅度後　能持是經故　諸佛皆歡喜　現无量神力
囑累是經故　讚美受持者　於无量劫中　猶故不能盡
是人之功德　无邊无有窮　如十方虛空　不可得邊際
能持是經者　則為已見我　亦見多寶佛　及諸分身者
又見我今日　教化諸菩薩　能持是經者　令我及分身
滅度多寶佛　一切皆歡喜　十方現在佛　并過去未來
亦見亦供養　亦令得歡喜　諸佛坐道場　所得祕要法
能持是經者　不久亦當得　能持是經者　於諸法之義
名字及言辭　樂說无窮盡　如風於空中　一切无障礙
於如來滅後　知佛所說經　因緣及次第　隨義如實說
如日月光明　能除諸幽冥　斯人行世間　能滅衆生闇
教无量菩薩　畢竟住一乘　是故有智者　聞此功德利
於我滅度後　應受持斯經　是人於佛道　決定无有疑
妙法蓮華經囑累品第二十二
尒時釋迦牟尼佛從法座起現大神力以右
手摩无量菩薩摩訶薩頂而作是言我於无
量百千万億阿僧祇劫脩習是難得阿耨多
羅三藐三菩提法今以付囑汝等汝等應當
一心流布此法廣令增益如是三摩諸菩薩
摩訶薩頂而作是…
僧祇劫脩…

BD00088 號　妙法蓮華經卷六　（13–13）

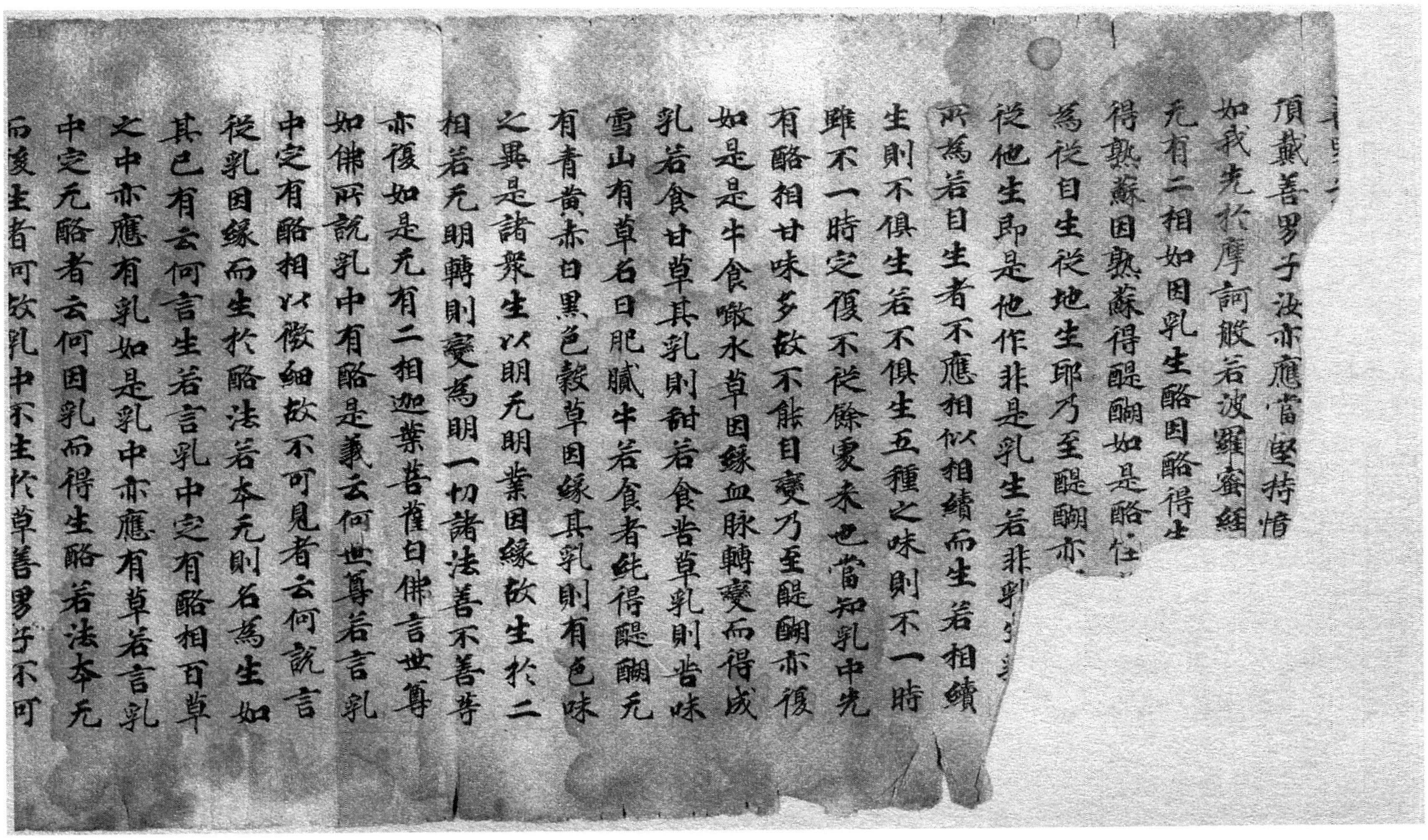

頂戴善男子汝亦應當堅持憶
如我先於摩訶般若波羅蜜經
无有二相如因乳生酪因酪得生…
得熟蘇因熟蘇得醍醐如是酪性…
為從自生從他生耶乃至醍醐亦…
從他生即是他作非是乳生若非乳…
所為若自生者不應相似相續而生若相續
生則不俱生若不俱生五種之味則不一時
雖不一時定復不從餘處來也當知乳中先
有酪相甘味多故不能自變乃至醍醐亦復
如是牛食噉水草因緣血脉轉變而得成
乳若食甘草其乳則甜若食苦草乳則苦味
雪山有草名曰肥膩牛若食者純得醍醐无
有青黃赤白黑色穀草因緣其乳則有色味
之異是諸衆生以明无明業因緣故生於二
相若无明轉則變為明一切諸法善不善等
亦復如是无有二相迦葉菩薩白佛言世尊
如佛所說乳中有酪是義云何世尊若言乳
中定有酪相以微細故不可見者云何說言
從乳因緣而生於酪法若本无則名為生如
其已有云何言生若言乳中定有酪相百草
之中亦應有乳如是乳中亦應有草若言乳
中定无酪者云何因乳而得生酪若法本无
而後生者何故乳中不生於草善男子不可

BD00089 號　大般涅槃經（北本異卷）卷八　（24–1）

之中亦應有乳如是乳中亦應有草若言乳
中定无酪者云何因乳而得生酪若法本无
而後生者何故乳中不生於草善男子不可
定言乳中有酪乳中无酪亦不可說從他而
生若言乳中定有酪者云何而得體味各異
是故不可說言乳中定有酪性若言乳中定
无酪者乳中何故不生菟角置毒乳中酪則
殺人是故不可說言乳中定无酪性若言是
酪從他生者何故水中不生於酪是故不可
說言酪從他生善男子是牛食噉草因緣故
血則變白草血滅已衆生福力變而成乳是
乳雖從草血而出不得言二唯得名為從因
緣生酪至醍醐亦復如是以是義故得名牛
味是乳滅已因緣成酪何等因緣若酢若煖
是故得名從因緣有乃至醍醐亦復如是是
故不得定名乳中无有酪相從他生者離乳
而有无有是處善男子明與无明亦復如是
若與煩惱諸結俱者名為无明若與一切善
法俱者名之為明是故我言无有二相以是
因緣我先說言雪山有草名曰肥膩牛若食
者即成醍醐佛性亦尒善男子衆生薄福不
見是草佛性亦尒煩惱覆故衆生不見譬如
大海雖同一醎其中亦有上妙之水味同於
乳喻如雪山雖復成就種種功德多生諸藥
亦有毒草諸衆生身亦復如是雖有四大毒

BD00089號　大般涅槃經（北本異卷）卷八　（24–2）

乳喻如雪山雖復成就種種功德多生諸藥
亦有毒草諸衆生身亦復如是雖有四大毒
虵之種其中亦有妙藥大王所謂佛性非是
作法但為煩惱客塵所覆若剎利婆羅門毗
舍首陁能斷除者即見佛性成无上道譬如
虛空震雷起雲一切為牙上皆生華若无雷
震華則不生亦无名字衆生佛性亦復如是
常為一切煩惱所覆不可得見是故我說衆
生无我若得聞是大般涅槃微妙經典則見
佛性如為牙華雖聞契經一切三昧不聞是
經不知如來微妙之相如无雷時為牙上華
不可得見聞是經已即知一切如來所說秘
藏佛性喻如天雷見為牙華聞是經已即知
一切无量衆生皆有佛性以是義故說大涅
槃名為如來秘密之藏增長法身猶如雷時
為牙上華以能長養如是大義故得名為大
般涅槃若有善男子善女人有能習學是大
涅槃微妙經典當知是人能報佛恩真佛弟
子迦葉菩薩復白佛言甚奇世尊所言佛性
甚深甚深難見難入聲聞緣覺不能伏佛言
善男子如是如是如汝所歎不違我說迦葉菩
薩白佛言世尊佛性者云何甚深難見難
入佛言善男子如百盲人為治目故造詣良
醫是時良醫即以金錍決其眼膜以一指示
[illegible]

BD00089號　大般涅槃經（北本異卷）卷八　（24–3）

入佛言善男子如百盲人為治目故造詣良
醫是時良醫即以金錍決其眼膜以一指示
問言見不盲人荅言我猶未見復以二指三
指示之乃言少見善男子是大涅槃微妙經
典如來未說亦復如是无量菩薩雖具足行
諸波羅蜜乃至十住猶未能見所有佛性如
來既說即便少見是菩薩摩訶薩既得見已
咸作是言甚奇世尊我等流轉无量生死常
為无我之所惑亂善男子如是菩薩位階十
地尚不了了知見佛性何況聲聞緣覺之人
能得見耶復次善男子譬如仰觀虛空鵝鴈
為是虛空為是鵝鴈諦觀不已髣髴見之十
住菩薩於如來性知見少分亦復如是況復
聲聞緣覺之人能得知見善男子譬如醉人
欲涉遠路矇矓見道十住菩薩於如來性知
見少分亦復如是善男子譬如渴人行於曠
野是人渴逼遍行求水見有叢樹樹有白鶴
是人迷悶不能分別是樹是水諦觀不已乃
見白鶴及以叢林善男子十住菩薩於如來性
知見少分亦復如是善男子譬如有人在
大海中乃至无量百千由旬遠望大舶樓櫓
堂閣即作是念彼是樓櫓為是虛空久視乃
生畢定之心如是樓櫓十住菩薩於自身中
見如來性亦復如是善男子譬如王子身極
濡弱通夜遊戲至明清旦目視一切悉不明
了十住菩薩雖於己身見如來性亦復如是

BD00089號　大般涅槃經（北本異卷）卷八　（24–4）

見如來性亦復如是善男子譬如王子身極
濡弱通夜遊戲至明清旦目視一切悉不明
了十住菩薩雖於己身見如來性亦復如是
不大明了復次善男子譬如臣吏王事所拘
逼夜還家電明暫發因見牛叢即作是念為
是牛耶聚雲屋舍是人久視雖生牛想猶不
審定十住菩薩雖於己身見如來性未能審
定亦復如是復次善男子如持戒比丘觀无
虫水而見虫相即作是念此中動者為是虫
耶是塵土耶久視不已雖知是塵亦不明了
十住菩薩於己身中見如來性亦復如是不
大明了復次善男子譬如有人於陰暗中遠
見小兒即作是念彼為是牛鸗鳥人耶久觀
不已雖見小兒猶不明了十住菩薩於己身
分見如來性亦復如是不大明了復次善男
子譬如有人於夜暗中見畫菩薩像即作是
念是菩薩像自在天像大梵天像成染衣耶
是人久觀雖復意謂是菩薩像亦不明了十住
菩薩於己身分見如來性亦復如是不大明
了善男子所有佛性如是甚深難得知見唯
佛能知非諸聲聞緣覺所及善男子智者應
作如是分別知如來性迦葉菩薩白佛言世
尊佛性如是微細難知云何肉眼而能得見
佛告迦葉善男子如彼非想非非想天亦非
二乘所能得知隨順契經以信故知善男子

BD00089號　大般涅槃經（北本異卷）卷八　（24–5）

佛告迦葉善男子如彼非想非非想天亦非
二乘所能得知隨順契經以信故知善男子
聲聞緣覺信順如是大涅槃經自知己身有
如來性亦復如是善男子是故應當精勤脩
集大涅槃經善男子如是佛性唯佛能知非
諸聲聞緣覺所及迦葉菩薩白佛言世尊非
聖凡夫有衆生性皆說有我佛言譬如二人
共為親友一是王子一是貧賤如是二人互
相往反是時貧人見是王子有一好刀淨妙
第一心中貪著王子後時捉持是刀逃至他
國於是貧人後於他家寄卧止宿即於眠中
讇語刀刀傍人聞之收至王所時王問言汝言
刀者何處得耶是人具以上事荅王王今
設使屠割臣身分張手足欲得刀者實不可
得臣與王子素為親厚先與一處雖曾眼見
乃至不敢以手棠觸況當故取王復問言卿
見刀時相貌何類荅言大王臣所見者如羖
羊角王聞是已欣然而笑語言汝今隨意所
至莫生憂怖我庫藏中都无是刀況汝乃於
王子邊見時王即問諸羣臣言汝等曾見如
是刀不言已崩背尋立餘子紹繼王位復問
輔臣卿等曾於官藏之中見是刀不諸臣荅
言臣等曾見仍復問言其狀何似荅言大王
如羖羊角王言我官藏中何處當有如是相
刀次第四王皆悉撿挍求索不得却後數時

BD00089號　大般涅槃經（北本異卷）卷八　（24–6）

如羖羊角王言我官藏中何處當有如是相
刀次第四王皆悉撿挍求索不得却後數時
先逃王子從他國還來至本土復得為王既
登王位復問諸臣汝見刀不荅言大王臣等
皆見仍復問言其狀何似荅言天子其色清
淨如優鉢羅華復有荅言形如羊角復有說
言其色紅赤猶如火聚復有荅言猶如黑蛇
時王大笑卿等皆悉不見我刀真實之相善
男子菩薩摩訶薩亦復如是出現於世說我
真相說已捨去喻如王子持淨妙刀逃至他
國凡夫愚人說言一切有我有我如彼貧人
止宿他舍讇語刀刀聲聞緣覺問諸衆生我
有何相荅言我見我相大如拇指或言如米
或如稗子有言我相住在心中熾然如日如
是衆生不知我相喻如諸臣不知刀相菩薩
如是說於我法凡夫不知種種分別妄作我
相如是刀相荅似羊角是諸凡夫次第相續
而起耶見為斷如是諸耶見故如來示現說
於无我喻如王子語諸臣言我庫藏中无如
是刀善男子今日如來所說真我名曰佛性
如是佛性我佛法中喻如淨刀善男子若有
凡夫能善說者即是隨順无上佛法若有善
能分別隨順宣說是者當知即是菩薩相貌
善男子所有種種異論呪術言語文字皆是

BD00089號　大般涅槃經（北本異卷）卷八　（24–7）

能分別隨順宣説是者當知即是菩薩相貌
善男子所有種種異論呪術言語文字皆是
佛説非外道説迦葉菩薩白佛言世尊云何
如来説字根本佛言善男子説初半字以為
根本持諸記論呪術文章諸陰實法凡夫之
人學是字本然後能知是法非法迦葉菩薩
復白佛言世尊所言字者其義云何善男子
有十四音名為字義所言字者名曰涅槃常
故不流若不流者則為无盡夫无盡者即是
如来金剛之身是十四音名曰字本悪者不
破壞故不破壞者名曰三寶喻如金剛又復
悪者不流故不流者即是如来如来九孔无
所流故是故不流又无九孔是故不流不流
即常常即如来如来无作是故不流又復悪
者名為功德功德者即是三寶是故名悪阿
者名阿闍梨阿闍梨者義何謂耶於世間中
得名聖者何謂為聖聖名无著少欲知足亦名
清淨能度衆生於三有流生死大海是名為
聖又復阿者名曰制度脩持淨戒隨順威儀
又復阿者名依聖人應學威儀進止舉動供
養恭敬礼拜三尊孝養父母及學大乘善男
女等具持禁戒及諸菩薩摩訶薩等是名聖
人又復阿者名曰教誨如言如来如是應作
如是莫作若有能遮非威儀法是名聖人是
故名阿億者即是佛法梵行廣大清淨无垢

如是莫作若有能遮非威儀法是名聖人是
故名阿億者即是佛法梵行廣大清淨无垢
喻如滿月汝等如是應作不作是義非義此
是佛説此是魔説是故名億伊者佛法微妙
甚深難得如自在天大梵天王法名自在若
能持者則名護法又自在者名四護世是四
自在則能攝護大涅槃經亦能自在敷揚宣
説又復伊者能為衆生自在説法復次伊者
為自在故説何等是也所謂脩集方等經典
復次伊者為斷嫉妬如除稗穢皆悉能令變
成吉祥是故名伊郁者於諸經中最上最勝
增長上上謂大涅槃復次郁者如来之性聲
聞緣覺所未曾聞如一切處北欝單曰最為
殊勝菩薩若能聽受是經於一切衆生最為
殊勝以是義故得名最上最勝是故名郁優
者喻如牛乳諸味中上如来之性亦復如是
於諸經中最尊最上若有誹謗當知是人與
牛无別復次優者是人名為无慧正念誹謗
如来微密秘藏當知是人甚可憐愍遠離如
来秘密之藏説无我法是故名優哩者即是
諸佛法性涅槃是故名哩野者謂如来義復
次野者如来進止屈申舉動无不利益一
切衆生是故名野烏者名煩惱義煩惱者名
曰諸漏如来永斷一切煩惱是故名烏炮者
謂大乘義於十四音是究竟義大乘經典亦

日諸漏如来永斷一切煩惱是故名烏炮者
謂大乘義於十四音是究竟義大乘經典亦
復如是於諸經論最爲究竟是故名炮菴者
能遮一切諸不淨物於佛法中能捨一切金
銀寶物是故名菴阿者名勝乘義何以故此
大乘典大涅槃經於諸經中最爲殊勝是故
名阿迦者於諸衆生起大慈悲生於子想如
羅睺羅作妙善義是故名迦呿者名非善友
非善友者名爲雜穢不信如来秘密之藏是
故名呿伽者名藏藏者即是如来秘藏一切
衆生皆有佛性是故名伽恒者如来常音何
等名爲如来常音所謂如来常住不變是故
名恒俄者一切諸行破壞之相是故名俄遮
者即是脩義調伏一切諸衆生故名爲脩義
是故名遮車者如来覆蔭一切衆生喻如大
蓋是故名車闍者是正解脫无有老相是故
名闍膳者煩惱繁茂喻如稠林是故名膳若
者是智慧義知真法性是故名若吒者於閻
浮提示現半身而演說法喻如半月是故名
吒咃者法身具足喻如滿月是故名咃荼者
是愚癡僧不知常與无常喻如小兒是故名
荼袒者不知師恩喻如羖羊是故名袒拏者
非是聖義喻如外道是故名拏多者如来於
彼告諸比丘宜離驚畏當爲汝等說微妙法
是故名多他者名愚癡義衆生流轉生死纏

彼告諸比丘宜離驚畏當爲汝等說微妙法
是故名多他者名愚癡義衆生流轉生死纏
裹如蠶蜣蜋是故名他陁者名曰大施所謂
大乘是故名陁彈者稱讚功德所謂三寶如須
弥山高峻廣大无有傾倒是故名彈那者三
寶安住无有傾動喻如門閫是故名那波者
名顛倒義若言三寶悉皆滅盡當知是人爲
自疑惑是故名波頗者是世間災若言世間
災起之時三寶亦盡當知是人愚癡无智違
失聖旨是故名頗婆者名佛十力是故名婆
滼者名爲重擔堪任荷負无上正法當知是
人是大菩薩是故名滼摩者是諸菩薩嚴峻
制度所謂大乘大般涅槃是故名摩虵者是
諸菩薩在在處處爲諸衆生說大乘法是故
名虵囉者能壞貪欲瞋恚愚癡說真實法是
故說囉羅者名聲聞乘動轉不住大乘安固
无有傾動捨聲聞乘精進脩集无上大乘是
故名羅和者如来世尊爲諸衆生雨大法雨
所謂世間呪術經書是故名和奢者遠離三
箭是故名奢沙者名具足義若能聽是大涅
槃經則爲已得聞持一切大乘經典是故名
沙娑者爲諸衆生演說正法令心歡喜是故
名娑呵者名心歡喜奇哉世尊離一切行怯
哉如来入般涅槃是故名呵荼者名曰魔義
无量諸魔不能毀壞如来秘藏是故名荼復

哉如来入般涅槃是故名呵荼者名曰魔義
无量諸魔不能毀壞如来秘藏是故名荼復
次荼者乃至示現隨順世間有父母妻子是
故名荼魯流盧樓如是四字說有四義謂佛
法僧及以對法言對法者隨順世間如調婆
達示現壞僧化作種種形貌色像為制戒故
智者了達不應於此而生怖畏是名隨順世
間之行以是故名魯流盧樓吸氣舌根隨鼻
之聲長短超聲隨音解義皆因舌齒而有差
別如是字義能令衆生口業清淨衆生佛性
則不如是假於文字然後清淨何以故性本
淨故雖復處在陰界入中則不同於陰界入
也是故衆生悉應歸依諸菩薩等以佛性故
等視衆生无有差別是故半字於諸經書記
論文章而為根本又半字義皆是煩惱言說
之本故名半字滿字者乃是一切善法言說
之根本也譬如世間為惡之者名為半人脩
善之者名為滿人如是一切經書記論皆因
半字而為根本若言如来及正解脫入於半
字是事不然何以故離文字故是故如来於
一切法无礙无著真得解脫何等名為解了
字義有知如来出現於世能滅半字是故名
為解了字義若有隨逐半字義者是人不知
如来之性何等名為无字義也親近脩進不
善法者是名无字又无字者雖能親近脩集

BD00089號　大般涅槃經（北本異卷）卷八　（24–12）

如来之性何等名為无字義也親近脩進不
善法者是名无字又无字者雖能親近脩集
善法不知如来常與无常恒與非恒及法僧
二實律與非律經與非經魔說佛說若有不
能如是分別是名隨逐无字義也我今已說
如是隨逐无字之義善男子是故汝今應離
半字善解滿字迦葉菩薩白佛言世尊我等
應當善學字數今我值遇无上之師已受如
来殷勤誨勑佛讚迦葉善哉善哉樂正法者
應如是學
尒時佛告迦葉菩薩善男子鳥有二種一名
迦鄰提二名鴛鴦遊止共俱不相捨離是苦
无常无我等法亦復如是不得相離迦葉菩
薩白佛言世尊云何是苦无常无我如彼鴛
鴦迦鄰提鳥佛言善男子異法是苦異法是
樂異法是常異法无常異法是我異法无我
譬如稻米異於麻麦麻麦復異豆粟甘蔗如
是諸種從其萌牙乃至華葉皆是无常菓實
成熟人受用時乃名為常何以故性真實故
迦葉白佛言世尊如是等物若是常者同如
来耶佛言善男子汝今不應作如是說何以
故若言如来如須弥山劫壞之時須弥崩倒
如来尒時豈同壞耶善男子汝今不應受持
是義善男子一切諸法唯除涅槃更无一法
而是常者直以世諦言菓實常迦葉菩薩白
佛言世尊[illegible]

BD00089號　大般涅槃經（北本異卷）卷八　（24–13）

是義善男子一切諸法唯除涅槃更无一法
而是常者直以世諦言藥實常迦葉菩薩白
佛言世尊善哉善哉如佛所說佛告迦葉如
是如是善男子雖脩一切契經諸定乃至未
聞大般涅槃皆言一切悉是无常聞是經已
雖有煩惱如无煩惱即能利益一切人天何
以故曉了已身有佛性故是名常爲復次善
男子譬如菴羅樹其華始敷名无常相若成
菓實多所利益乃名爲常如是善男子雖脩
一切契經諸定未聞如是大涅槃時咸言一
切悉是无常聞是經已雖有煩惱如无煩惱
即能利益一切人天何以故曉了自身有佛
性故是名爲常復次善男子譬如金鑛消融
之時是无常相融已成金多所利益乃名爲
常如是善男子雖脩一切契經諸定未聞如
是大涅槃時咸言一切悉是无常聞是經已
雖有煩惱如无煩惱即能利益一切人天何
以故曉了自身有佛性故是名爲常復次善
男子譬如胡麻未被押時名曰无常既押成
油多有利益乃名爲常善男子雖脩一切契
經諸定未聞如是大涅槃經咸言一切悉是
无常聞是經已雖有煩惱如无煩惱即能利
益一切人天何以故曉了已身有佛性故是
名爲常復次善男子譬如衆流皆歸于海一
切契經諸定三昧皆歸大乘大涅槃經何以

名爲常復次善男子譬如衆流皆歸于海一
切契經諸定三昧皆歸大乘大涅槃經何以
故究竟善說有佛性故善男子是故我言異
法是常異法无常乃至无我亦復如是迦葉
菩薩白佛言世尊如來已離憂悲毒箭夫憂
悲者名之爲天如來非天有憂悲者名之爲
人如來非人是憂悲者名廿五有如來非廿五有
是故如來无有憂悲何故稱言如來憂悲善
男子无想天者名爲无想若无想者則无壽命
若无壽命云何而有陰界諸入以是義故无想
天壽不可說言有所住處善男子譬如樹神
依樹而住不得定言依枝依節依華依葉雖
无定所不得言无无想天壽亦復如是善男
子佛性亦尒甚深難解如來實无憂愁苦惱
而於衆生起大慈悲現有憂悲視諸衆生如
羅睺羅復次善男子无想天中所有壽命唯
佛能知非餘所及乃至非想非非想處亦復
如是迦葉如來之性清淨无染猶如化身何
處當有憂悲苦惱若言如來无憂悲者云何
能利一切衆生弘廣佛法若言无者云何而
言等視衆生如羅睺羅若不等視如羅睺羅
如是之言則爲虛妄以是義故善男子佛不
可思議法不可思議衆生佛性不可思議无
想天壽不可思議如來有憂及以无憂是佛
境界非諸聲聞緣覺所知善男子譬如空中

可思議法不可思議衆生佛性不可思議无
想天壽不可思議如来有憂及以无憂是佛
境界非諸聲聞緣覺所知善男子譬如空中
舍宅微塵不可住立若言舍宅不因空住无
有是處以是義故不可說舍住於虛空不住
虛空凡夫之人雖復說言舍住虛空而是虛
空實无所住何以故性无住故善男子心亦如
是不可說言住陰界入及以不住无想天壽
亦復如是如来憂悲亦復如是若无憂悲云
何說言等視衆生如羅睺羅若言有者復云
何言性同虛空善男子譬如幻師雖復化作
種種宮殿煞生長養繫縛放捨及作金銀琉
璃寶物叢林樹木都无實性如来亦尒隨順
世間示現憂悲无有真實善男子如来已入
於般涅槃云何當有憂悲苦惱若謂如来入
般涅槃是无常者當知是人則有憂悲若謂
如来不入涅槃常住不變當知是人无有憂
愁如来有愁及以无愁无能知者復次善男
子譬如下人能知下法不知中上中者知中
不知於上上者知上及知中下聲聞緣覺亦
復如是齊知自地如来不尒悉知自地及以
他地是故如来名无礙智示現幻化隨順世
間凡夫肉眼謂是真實而欲盡知如来无礙
无上智者无有是處有愁无愁唯佛能知以
是因緣異法有我異法无我是名鴛鴦迦鄰

无上智者无有是處有愁无愁唯佛能知以
是因緣異法有我異法无我是名鴛鴦迦鄰
提鳥性復次善男子佛法猶如鴛鴦共行是
迦鄰提及鴛鴦鳥盛夏水漲撰擇高原安處
其子爲長養故然後隨本安隱而遊如来出
世亦復如是化无量衆令住正法如彼鴛鴦
迦鄰提鳥撰擇高原安置其子如来亦尒令
諸衆生所作已辦即便入於大般涅槃善男
子是名異法是苦異法是樂諸行是苦涅槃
是樂第一微妙壞諸行故迦葉菩薩白佛言
世尊云何衆生得涅槃者名第一樂佛言善
男子如我所說諸行和合名爲老死
謹慎莫放逸　是處名甘露　放逸不謹慎　是名爲死句
若不放逸者　則得不死處　如其放逸者　常趣於死路
若放逸者名有爲法是有爲法爲第一苦不
放逸者則名涅槃彼涅槃者名爲甘露第一
最樂若趣諸行是名死處受第一苦若至涅
槃則名不死受最妙樂若不放逸雖集諸行
是亦名爲常樂不死不破壞身云何放逸云
何不放逸非聖凡夫是名放逸常死之法出
世聖人是不放逸无有老死何以故入於第
一常樂涅槃以是義故異法是苦異法是樂
異法是我異法无我如人在地仰觀虛空不
見鳥跡善男子衆生亦尒无有天眼在煩惱
中而不自見有如来性是故我說无我密教

見鳥跡善男子衆生亦尒无有天眼在煩惱
中而不自見有如来性是故我說无我密教
所以者何无天眼者不知真我横計我故因
諸煩惱所造有為即是无常是故我說異法
是常異法无常
精勤勇健者若處於山頂平地及曠野常見諸凡夫
昇大智慧殿 无上微妙臺既自除憂患亦見衆生憂
如来悉斷无量煩惱住智慧山見諸衆生常
在无量億煩惱中迦葉菩薩白佛言世尊如
偈所說是義不然何以故入涅槃者无憂无
喜云何得昇智慧臺殿復當云何住在山頂
而見衆生佛言善男子智慧殿者即名涅槃
无憂愁者謂如来也有憂愁者名凡夫人以
凡夫憂故如来无憂須弥山頂者謂正解脫
勤精進者喻須弥山无有動轉地謂有為行
也是諸凡夫安住是地造作諸行其智慧者
則名正覺離有常住故名如来如来愍念无
量衆生常為諸有毒箭所中是故名為如来
有憂迦葉菩薩白佛言世尊若使如来有憂
戚者則不得稱為等正覺佛言迦葉皆有因
緣隨有衆生應受化處如来於中示現受生
雖現受生而實无生是故如来名常住法如
迦鄰提鷰鷲等鳥
復次善男子譬如有人見月不現皆言月沒
而作沒想而此月性實无沒也轉現他方彼

復次善男子譬如有人見月不現皆言月沒
而作沒想而此月性實无沒也轉現他方彼
處衆生復謂月出而此月性實无出也何以
故以須弥山鄣故不現其月常生性无出沒
如来應正遍知亦復如是出於三千大千世
界或閻浮提示有父母衆生皆謂如来生於
閻浮提內或閻浮提示現涅槃而如来性實
无涅槃而諸衆生皆謂如来實般涅槃喻如
月沒善男子如来之性實无生滅為化衆生
故示現生滅善男子如此滿月餘方見半此
方半月餘方見滿閻浮提人若見初月皆謂
一日起初月想見月盛滿謂十五日生盛滿
想而此月性實无虧盈因須弥山而有增減
善男子如来亦尒於閻浮提或現初生或現
涅槃現始生時猶如月初一切皆謂童子初
生行於七步如二日月或復示現入於學堂
如三日月示現出家如八日月放大智慧微
妙光明能破无量衆生魔業如十五日盛滿
之月或復示現卅二相八十種好以自莊嚴
而現涅槃喻如月蝕如是衆生所見不同或
見半月或見滿月或見月蝕而此月性實无
增減蝕敢之者常是滿月如来之身亦復如
是是故名為常住不變復次善男子喻如滿
月一切悉現在在處處城邑聚落山澤水中
若井若池若瓮若鑊一切皆現有諸衆生行

月一切悉現在在處處城邑聚落山澤水中
若井若池若瓮若鍑一切皆現有諸衆生行
百由旬百千由旬見月常隨凡夫愚人妄生
憶想言我本於城邑屋宅見如是月今復於
此空澤而見為是本月為異於本各作是念
月形大小或如鍑口或復有言大如車輪或
言猶如卌九由旬一切皆見月之光明或見
團圓喻如金槃是月性一種種衆生各見異
相善男子如來亦介出現於世或有人天而
作是念如來今者在我前住復有衆生亦生
是念如來今者在我前住或有聾瘂亦見如
來有聾瘂想衆生雜類言音各異皆謂如來
悉同己語亦各生念在我舍宅受我供養或
有衆生見如來身廣大无量有見微小或有
見佛是聲聞像或復有見為緣覺像有諸外
道復各念言如來今者在我法中出家學道
或有衆生復作是念如來今者獨為我故出
現於世如來實性喻如彼月即是法身是无
生身方便之身隨順於世示現无量本業因
緣在在處處示現有生猶如彼月以是義故
如來常住无有變異復次善男子如羅睺羅
阿脩羅王以手遮月世間諸人咸謂月蝕阿
脩羅王實不能蝕以阿脩羅鄣其明故是月
團圓无有虧損但以手鄣故使不現若攝手
時世間咸謂月已還生皆言是月多受苦惱

BD00089 號　大般涅槃經（北本異卷）卷八　　（24–20）

團圓无有虧損但以手鄣故使不現若攝手
時世間咸謂月已還生皆言是月多受苦惱
假使百千阿脩羅王不能惱之如來亦介亦
有衆生於如來所生麁惡心出佛身血起五
逆罪至一闡提為未來世諸衆生故如是示
現破僧斷法而作留難假使百千无量諸魔
不能得出如來身血所以者何如來之身无
有肉血筋脉骨髓如來真實實无惱壞衆生
皆謂法僧毀壞如來滅盡而如來性真實无
變无有破壞隨順世間如是示現復次善男
子如二人鬪若以刀杖傷身出血雖至於死
不起殺想如是業相輕而不重於如來所本
无殺心雖出身血是業亦介輕而不重如來
如是於未來世為化衆生示現業報復次善
男子猶如良醫勤教其子醫方根本此是根
藥此是莖味藥此是色藥種種相貌汝當善
知其子敬奉父之所勅精勤習學善解諸藥
是醫後時壽盡命終其子號咷而作是言父
本教我根藥如是莖藥如是華藥如是色相
如是如來亦介為化衆生亦現制戒應當如
是受持莫犯作五逆罪誹謗正法及一闡提
為未來世起是事者是故示現欲令比丘於
佛滅後作如是知此是契經甚深之義此是
戒律輕重之相此是阿毗曇分別法句如彼
醫子復次善男子如人知月六月一蝕而上

BD00089 號　大般涅槃經（北本異卷）卷八　　（24–21）

式律輕重之相此是阿毗曇分別法句如彼
鏧子復次善男子如人知月六月一蝕而上
諸天須臾之間已見月蝕何以故彼天日長
人間短故善男子如来亦尒天人咸謂如来
壽短如彼天人須臾之間頻見月蝕如来又
於須臾之間示現百千万億涅槃斷煩惱魔
陰魔死魔是故百千万億天魔悉知如来入
般涅槃又復示現无量百千先業因緣隨順
世間種種性相示現如是无量无邊不可思
議是故如来常住无變復次善男子譬如明
月衆生樂見是故稱月号為樂見衆生若有
貪恚愚癡則不得稱為樂見也如来如是其
性純善清淨无垢是寂可稱為樂見也樂法
衆生覩之无猒惡心之人不喜瞻覩以是義
故故言如来喻如明月復次善男子譬如日
出有三時異謂春夏冬冬日則短春日處中
夏日極長如来亦尒於此三千大千世界為
短壽者及諸聲聞示現壽短斯等見已咸謂
如来壽命短促喻如冬日為諸菩薩示現中
壽若至一劫若減一劫喻如春日唯佛覩佛
其壽无量喻如夏日善男子如来所說方等
大乘微密之教示現世間雨大法雨於未来
世若有人能護持是典開示分別利益衆生
當知是輩真是菩薩喻如盛夏天降甘雨若
有聲聞緣覺之人聞佛如来微密之教喻如

世若有人能護持是典開示分別利益衆生
當知是輩真是菩薩喻如盛夏天降甘雨若
有聲聞緣覺之人聞佛如来微密之教喻如
冬日多過冷患菩薩之人若聞如是微密教
誨如来常住性无變易喻如春日萠牙開敷
而如来性實无長短為世間故示現如是即
是諸佛真實法性復次善男子譬如衆星晝
則不現而人皆謂晝星滅沒其實不沒所以
不現日光暎故如来亦尒聲聞緣覺不能得
見喻如世人不見晝星復次善男子譬如陰
暗日月不現愚夫謂言日月失沒而是日月
實不失沒如来正法滅盡之時三寶現沒亦
復如是非為永滅是故當知如来常住无有
變易何以故三寶真性不為諸垢之所染故
復次善男子譬如黑月彗星夜現其明炎熾
暫出還沒衆生見已生不祥想諸辟支佛亦
復如是出无佛世衆生見已皆謂如来真實
滅度生憂悲想而如来身實不滅沒如彼日
月无有滅沒復次善男子譬如日出衆霧悉
除此大涅槃微妙經典亦復如是出興於世
若有衆生一逕耳者悉能滅除一切諸惡无
間罪業是大涅槃甚深境界不可思議善說
如来微密之性以是義故諸善男子善女人
等應於如来生常住心无有變易正法不斷
僧寶不滅是故應當多脩方便勤學是典是
人不久當得成於阿耨多羅三藐三菩提是

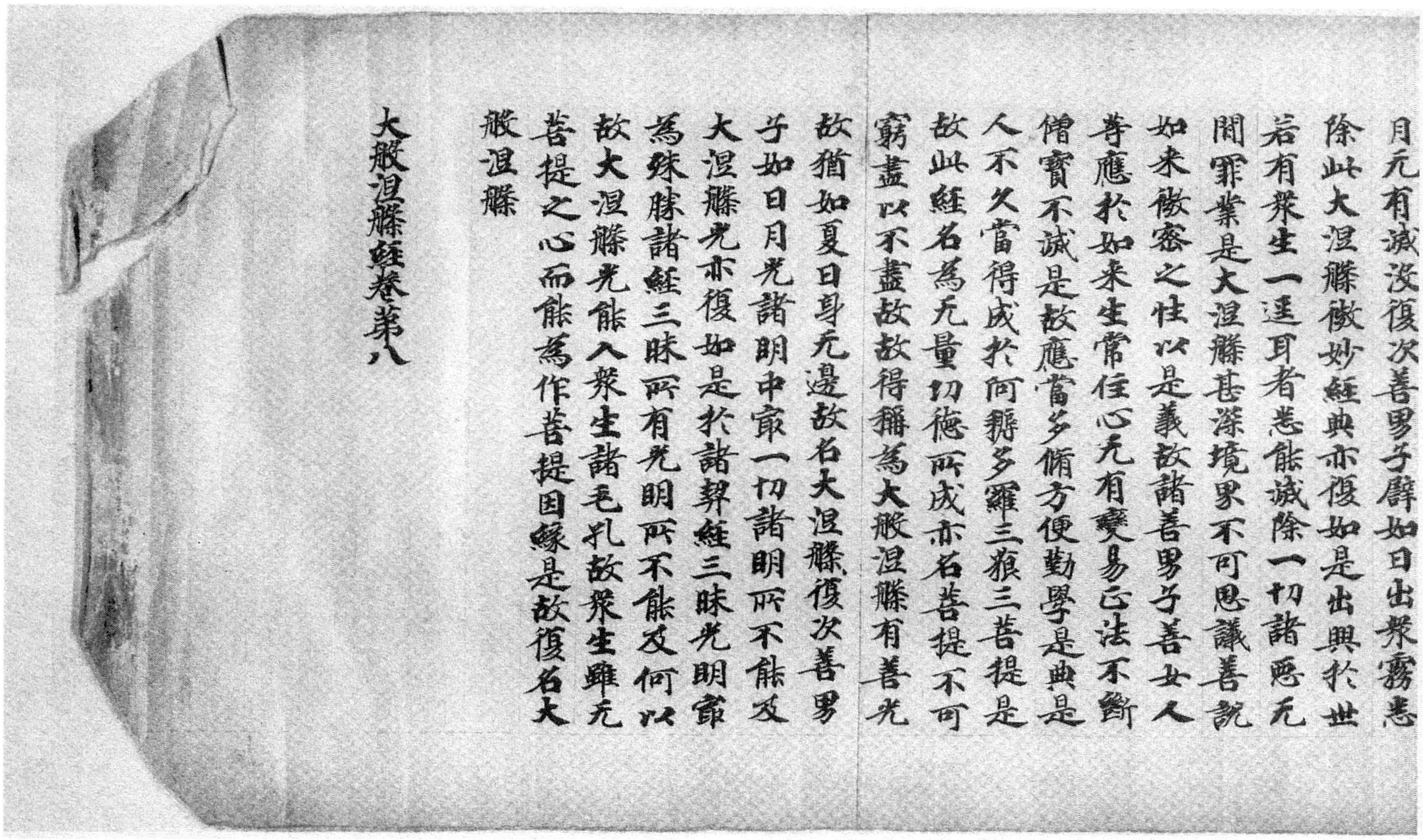

月无有滅沒復次善男子譬如日出衆霧悉
除此大涅槃微妙經典亦復如是出興於世
若有衆生一逕耳者悉能滅除一切諸惡无
閒罪業是大涅槃甚深境界不可思議善說
如来微密之性以是義故諸善男子善女人
等應於如来生常住心无有變易正法不斷
僧寶不滅是故應當多脩方便勤學是典是
人不久當得成於阿耨多羅三藐三菩提是
故此經名為无量功徳所成亦名菩提不可
窮盡以不盡故故得稱為大般涅槃有善光
故猶如夏日身无邊故名大涅槃復次善男
子如日月光諸明中最一切諸明所不能及
大涅槃光亦復如是於諸契經三昧光明最
為殊勝諸經三昧所有光明所不能及何以
故大涅槃光能入衆生諸毛孔故衆生雖无
菩提之心而能為作菩提因緣是故復名大
般涅槃

大般涅槃經卷第八

BD00089 號　大般涅槃經（北本異卷）卷八　　（24–24）

BD00089 號背　勘記　　（1–1）

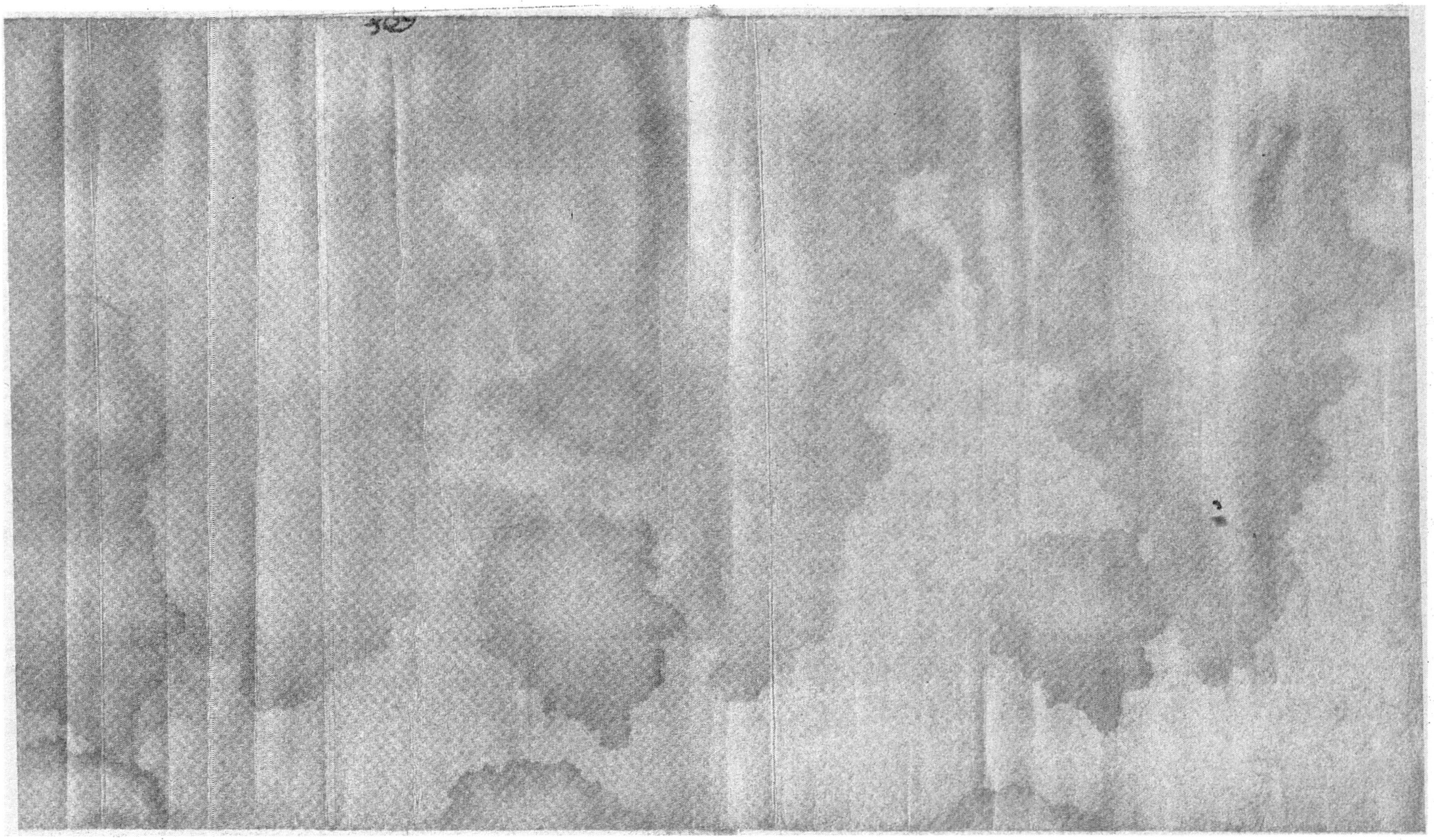

BD00089 號背　雜寫　　（6–1）

BD00089 號背　雜寫　　（6–2）

BD00089 號背　雜寫　（6–3）

BD00089 號背　雜寫　（6–4）

BD00089 號背　雜寫　　　　（6–5）

BD00089 號背　雜寫　　　　（6–6）

能斷煩惱衆苦流　貪瞋癡等皆除滅
若有衆生處惡趣　大火猛燄周遍身
若得聞是妙鼓音　即能離苦歸依佛
皆得成就宿命智　能憶過去百千生
悉皆正念牟尼尊　得聞如來甚深教
由聞金鼓勝妙音　常得親近於諸佛
悉能捨離諸惡業　純修清淨諸善品
一切天人有情類　慇重至誠祈願者
得聞金鼓妙音聲　能令所求皆滿足
衆生墮在无間獄　猛火炎熾苦焚身
无有救護處輪迴　聞者能令苦除滅
人天餓鬼傍生中　所有現受諸苦難
得聞金鼓發妙響　皆蒙離苦得解脫
現在十方界　常住兩足尊　願以大悲心　哀愍憶念我
衆生无歸依　亦无有救護　為如是等類　能作大歸依
我先所作罪　極重諸惡業　今對十力前　至心皆懺悔
我不信諸佛　亦不敬尊親　不務修衆善　常造諸惡業
或自恃尊高　種姓及財位　盛年行放逸　常造諸惡業
心恒起邪念　口陳於惡言　不見於過罪　常造諸惡業
恒作愚夫行　无明闇覆心　隨順不善友　常造諸惡業
或因諸戲樂　或復懷憂惱　為貪瞋所纏　故我造諸惡
親近不善人　及由慳嫉意　貧窮行諂誑　故我造諸惡
雖不樂衆過　由有怖畏故　及不得自在　故我造諸惡
或為躁動心　或因瞋恚恨　及以飢渴惱　故我造諸惡
由飲食衣服　及貪愛女人　煩惱火所燒　故我造諸惡

BD00090 號　金光明最勝王經卷二　（3–1）

或因諸戲樂　或復懷憂惱　為貪瞋所纏　故我造諸惡
親近不善人　及由慳嫉意　貧窮行諂誑　故我造諸惡
雖不樂衆過　由有怖畏故　及不得自在　故我造諸惡
或為躁動心　或因瞋恚恨　及以飢渴惱　故我造諸惡
由飲食衣服　及貪愛女人　煩惱火所燒　故我造諸惡
於佛法僧衆　不生恭敬心　作如是衆罪　我今悉懺悔
於獨覺菩薩　亦无恭敬心　作如是衆罪　我今悉懺悔
无知謗正法　不孝於父母　作如是衆罪　我今悉懺悔
由愚癡憍慢　及以貪瞋力　作如是衆罪　我今悉懺悔
我於十方界　供養无數佛　當願拔衆生　令離諸苦難
願一切有情　皆令住十地　福智圓滿已　成佛導群迷
我為諸衆生　苦行百千劫　以大智慧力　皆令出苦海
我為諸含識　演說甚深經　最勝金光明　能除諸惡業
若人百千劫　造諸極重罪　暫時能發露　衆惡盡消除
依此金光明　作如是懺悔　由斯能速盡　一切諸苦業
勝定百千種　不思議總持　根力覺道支　修習常无倦
我當至十地　具足珍寶處　圓滿佛功德　濟度生死流
我於諸佛海　甚深功德藏　妙智難思議　皆令得具足
唯願十方佛　觀察護念我　皆以大悲心　哀受我懺悔
我於多劫中　所造諸惡業　由斯生苦惱　哀愍願消除
我造諸惡業　常生憂怖心　於四威儀中　曾无歡樂想
諸佛具大悲　能除衆生怖　願受我懺悔　令得離憂苦
我有煩惱障　及以諸報業　願以大悲水　洗濯令清淨
我先作諸罪　及現造惡業　至心皆發露　咸願得蠲除
未來諸惡業　防護令不起　設令有違者　終不敢覆藏
身三語四種　意業復有三　繫縛諸有情　无始恒相續
由斯三種行　造作十惡業　如是衆多罪　我今皆懺悔

BD00090 號　金光明最勝王經卷二　（3–2）

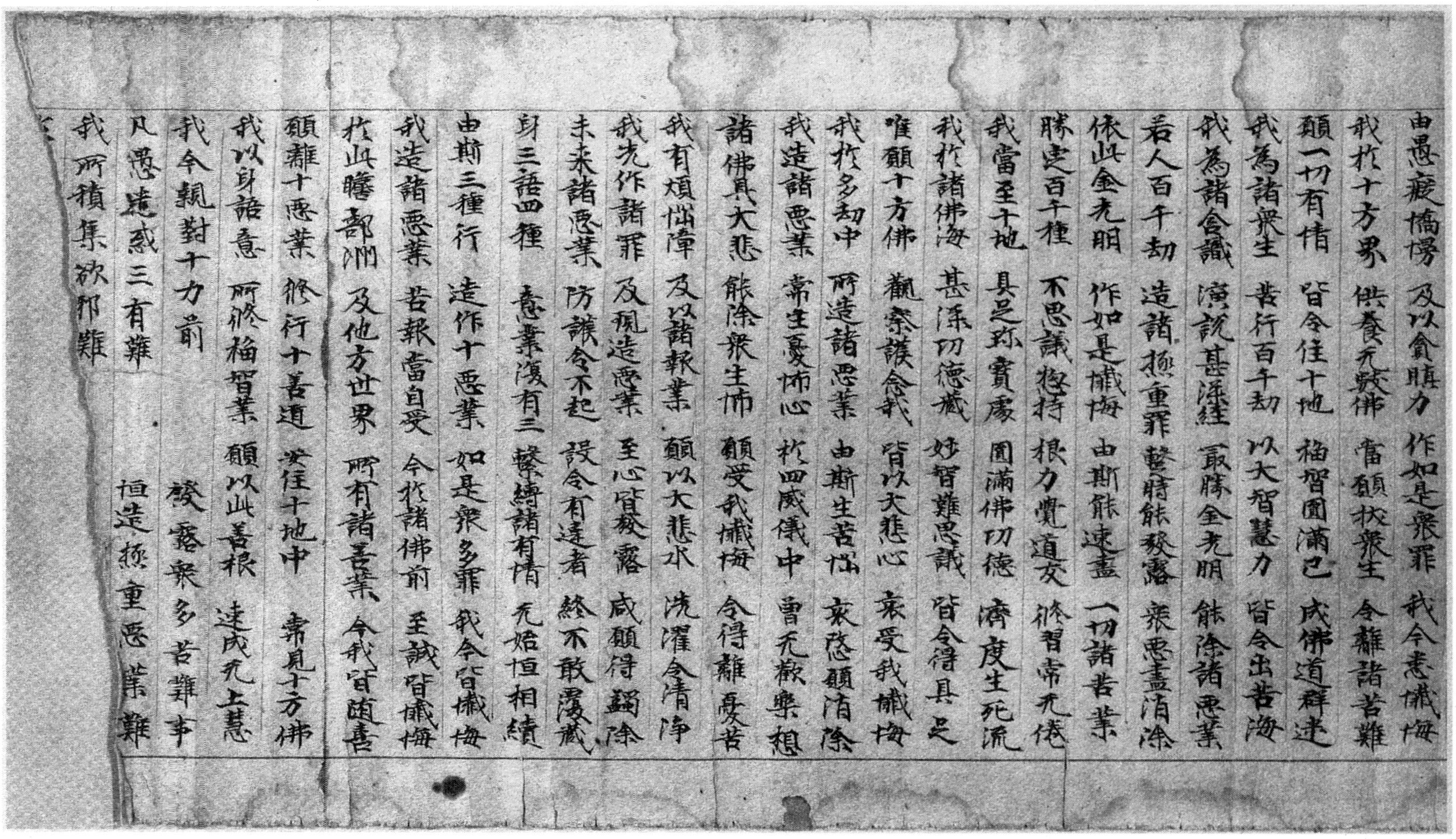
由愚癡憍慢　及以貪瞋力　作如是衆罪　我今悉懺悔
我於十方界　供養無數佛　當願拔衆生　令離諸苦難
願一切有情　皆令住十地　福智圓滿已　成佛道群迷
我為諸衆生　苦行百千劫　以大智慧力　皆令出苦海
我為諸含識　演說甚深經　最勝金光明　能除諸惡業
若人百千劫　造諸極重罪　暫時能發露　衆惡盡消除
依此金光明　作如是懺悔　由斯能速盡　一切諸苦業
勝定百千種　不思議總持　根力覺道支　修習常無倦
我當至十地　具足珍寶處　圓滿佛功德　濟度生死流
我於諸佛海　甚深功德藏　妙智難思議　皆令得具足
唯願十方佛　觀察護念我　皆以大悲心　哀受我懺悔
我於多劫中　所造諸惡業　由斯生苦惱　哀愍願消除
我造諸惡業　常生憂怖心　於四威儀中　曾無歡樂想
諸佛具大悲　能除衆生怖　願受我懺悔　令得離憂苦
我有煩惱障　及以諸報業　願以大悲水　洗濯令清淨
我先作諸罪　及現造惡業　至心皆發露　咸願得蠲除
未來諸惡業　防護令不起　設令有違者　終不敢覆藏
身三語四種　意業復有三　繫縛諸有情　無始恒相續
由斯三種行　造作十惡業　如是衆多罪　我今皆懺悔
我造諸惡業　苦報當自受　今於諸佛前　至誠皆懺悔
於此贍部洲　及他方世界　所有諸善業　今我皆隨喜
願離十惡業　修行十善道　安住十地中　常見十方佛
我以身語意　所修福智業　願以此善根　速成無上慧
我今親對十力前　發露衆多苦難事
凡愚迷惑三有難　恒造極重惡業難
我所積集欲邪難

BD00090 號　金光明最勝王經卷二　（3–3）

BD00090 號背　雜寫　（1–1）

處波逸提若比丘在中若寄宿處若寶若以寶莊
飾自捉教人捉當有主識者當取作如是因緣非餘
若比丘非時入聚落不比丘者波逸提
若比丘作繩牀木牀足指除入陛孔上截竟過者波
逸提
若比丘作兜羅綿貯作繩牀木牀大小褥成者波逸提
若比丘作骨牙角鍼筒刳刮者波逸提
若比丘作尼師壇當應量作是中量者長佛二磔手廣一磔
手半更增廣長各半磔手若過者裁竟波逸提
若比丘作覆瘡衣當應量作是中量者長佛四磔手廣二磔手
裁竟過者波逸提
若比丘作雨浴衣當應量作是中量者長佛六磔手廣二磔手
半過者裁竟過者波逸提
若比丘與如來等量作衣或過量者作波逸提是中如來衣量
長佛十磔手廣六磔是謂如來衣量 九十
諸大德我已說九十波逸提法今問諸大德是中清淨不 三說
諸大德是中清淨嘿然故是事如是持
諸大德是四波羅提提舍尼法半月半月說戒經中來
若比丘入村中從非親里比丘尼若無病自手受食食者是
比丘應向餘比丘悔過言大德我犯可呵法所不應為我
今向大德悔過是名悔過法
若比丘至白衣家內食是中有比丘尼指示與某甲羹某甲飯
比丘應語彼比丘尼如是言大姊且止須比丘食竟若無一比
丘語彼比丘尼如是言大姊且止須比丘食竟者是比丘應向餘
比丘悔過言大德我犯可呵法所不應為我今向大德悔
過是名悔過法
若先作學家若比丘如是學家先不請无病自手

BD00091號　四分律比丘戒本

（8–1）

丘語彼比丘
比丘悔過言大德我犯可呵法所不應為我今向大德悔
過是名悔過法
若先作學家若比丘如是學家先不請无病自手
受食食者是比丘應向餘比丘悔過言大德我犯可呵法所
不應為我今向大德悔過是名悔過法
若比丘在阿蘭若迥遠有疑恐怖處住若比丘在如是阿蘭
若處住先不語檀越若僧伽藍外不受食在僧伽藍
內无病自手受食食者應向餘比丘悔過言大德我犯可
呵法所不為我今向大德悔過是名悔過法
諸大德我已說四波羅提提舍尼法今問諸大德是中清淨不 三說
諸大德是中清淨嘿然故是事如是持
諸大德是眾學戒法半月半月說戒經中來
當齊整著涅槃僧應當學　當齊整著三衣應當學
不得反抄衣入白衣舍應當學
不得反抄衣入白衣舍坐應當學
不得衣纏頸入白衣舍應當學
不得衣纏頸入白衣舍坐應當學
不得覆頭入白衣舍應當學
不得覆頭入白衣舍坐應當學
不得跳行入白衣舍應當學
不得跳行入白衣舍坐應當學 十
不得白衣舍內蹲坐應當學
不得叉腰行入白衣舍應當學
不得叉腰行入白衣舍坐應當學
不得搖身行入白衣舍應當學
不得搖身行入白衣舍坐應當學
不得掉臂行入白衣舍應當學
不得掉臂行入白衣舍坐應當學

BD00091號　四分律比丘戒本

（8–2）

不得搖身行入白衣舍坐應當學
不得掉臂行入白衣舍應當學
不得掉臂行入白衣舍坐應當學
不得　好覆身入白衣舍應當學
好覆身入白衣舍坐應當學
不得左右顧視行入白衣舍應當學 卅
不得左右顧視行入白衣坐應當學
靜默入白衣舍應當學
靜默入白衣舍坐應當學
不得戲笑行入白衣舍應當學
不得戲笑行入白衣舍應當學
用意受食應當學　　平鉢受食應當學
平鉢受羹應當學　　羹飯等食應當學
以次食應當學 卌　　不得挑鉢中而食應當學
若比丘无病不得為己索羹飯應當學
不得以飯覆羹更望得應當學
不得視比坐鉢中應當學
當繫鉢想食應當學
不得大摶飯食應當學
不得大張口待飯食應當學
不得含飯語應當學
不得摶飯遥擲口中應當學
不得遺落飯食應當學 卌
不得頰食食應當學
不得嚼飯作聲食應當學
不得大噏飯食應當學
不得舌舐食應當學
不得振手食應當學

BD00091號　四分律比丘戒本　（8-3）

不得舌舐食應當學
不得振手食應當學
不得手把散飯食應當學
不得汙手捉飲器應當學
不得洗鉢水棄白衣舍內應當學
不得生草菜上大小便應當學
不得淨水中大小便涕唾除病應當學 五十
不得立大小便除病應當學
不得與反抄衣不恭敬人說法除病應當學
不得為衣纏頸者說法除病應當學
不得為覆頭者說法除病應當學
不得為裹頭者說法除病應當學
不得為叉腰者說法除病應當學
不得為著革屣者說法除病應當學
不得為著木屐者說法除病應當學
不得為騎乘者說法除病應當學
不得佛在塔中止宿除為守護故應當學 六十
不得藏財物置佛塔中除為堅牢應當學
不得著革屣入佛塔中應當學
不得手提革屣入佛塔中應當學
不得著革屣繞佛塔行應當學
不得著富羅入佛塔中應當學
不得手提富羅入佛塔中應當學
不得塔下坐食留草及飯汙地應當學
不得擔死尸從塔下過應當學
不得塔下埋死尸應當學
不得在塔下燒死尸應當學 七十
不得向塔燒死尸應當學
不得佛塔四邊燒死尸使臭氣來入應當學

BD00091號　四分律比丘戒本　（8-4）

不得在塔下燒死尸應當學卄
不得向塔燒死尸應當學
不得佛塔四邊燒死尸使臭氣來入應當學
不得持死人衣及床從塔下過除浣染香薰應當學
不得佛塔下大小便應當學
不得向佛塔大小便應當學
不得佛塔四邊大小便使臭氣來入應當學
不得持佛像至大小便處應當學
不得在佛塔下嚼楊枝應當學
不得向佛塔嚼楊枝應當學
不得佛塔四邊嚼楊枝應當學卅
不得在佛塔下涕唾應當學
不得向佛塔涕唾應當學
不得向佛塔四邊涕唾應當學　不得向佛塔舒腳坐應當學
不得安佛塔在下房已在上房住應當學
人坐已立不得為說法除病應當學
人臥已坐不得為說法除病應當學
人在座已在非座不得為說法除病應當學
人在高坐已在下坐不得為說法除病應當學
人在前行已在後行不得為說法除病應當學卌
人在高經行處已在下經行處不應為說法除病應當學
人在道已在非道不應為說法除病應當學
不得攜手在道行應當學
不得上樹過人頭除時因緣應當學
不得絡囊盛鉢貫杖頭著肩上而行應當學
人持杖不恭敬不應為說法除病應當學
人持劍不應為說除法病應為當學
人持鉾不應為說法除病應當學
人持刀不應為說法除病當應學

BD00091號　四分律比丘戒本　（8–5）

人持鉾不應為說法除病應當學
人持刀不應為說法除病當應學
人持蓋不應為說法除病應當學
諸大德我已說眾學法今問諸大德是中清淨不三說
諸大德是中清淨默然故是事如是持
諸大德是七滅諍法半月半月戒經中來
若比丘有諍事起即應除滅
應與現前毗尼當與現前毗尼
應與憶念毗尼當與憶念毗尼
應與不癡毗尼當與不癡毗尼
應與自言治當與自言治
應與不癡毗尼當與不癡毗尼　應與自言治當與自言治
應與多人語當與多人語　應與覓罪相當與覓罪相
應與如草覆地當與如草覆地
諸大德我已說七滅諍法今問諸大德是中清淨不如是三說諸大
德是中清淨默然故是事如是持
諸大德我已說戒經序說四波羅夷法已說十三僧伽婆尸沙法
已說二不定法已說三十尼薩耆波逸提法已說九十波逸提法
已說四波羅提提舍尼法已說眾學戒法已說七滅諍法此是
佛所說戒經中來若更有餘佛法是中皆共和合應當學
忍辱第一道　佛說無為最　出家惱他人　不名為沙門
此是毗婆尸如來無所著等正覺說是戒經
譬如明眼人　能避險惡道　世有聰明人　能遠離諸惡
此是尸棄如來無所著等正覺說是戒經
不謗亦不嫉　當奉行於戒　飲食知止足　常樂在空閑
心定樂精進　是名諸佛教
此是毗葉羅如來無所著等正覺說是戒經

BD00091號　四分律比丘戒本　（8–6）

此是尸棄如來無所著等正覺說是戒經
不謗亦不嫉　當奉行於戒　飲食知止足　常樂在空閑
心定樂精進　是名諸佛教
此是毗葉羅如來無所著等正覺說是戒經
譬如蜂採華　不壞色與香　但取其味去　比丘入聚然　不違戾他事
不觀作不作　但自觀身行　若正若不正
此是拘樓孫如來無所著等正覺說是戒經
心莫作放逸　聖法當勤學　如是無憂愁　心定入涅槃
此是拘那含牟尼如來無所著等正覺說是戒經
一切惡莫作　當奉行諸善　自淨其志意　是則諸佛教
此是迦葉如來無所著等正覺說是戒經
善護於口言　自淨其志意　身莫作諸惡　此三業道淨
能得如是行　是大仙人道
此是釋迦牟尼如來無所著等正覺於十二年中為無事僧
說是戒經從是已後廣分別說諸比丘自為樂法樂沙門者
有慚有愧樂學戒者當於中學
明人能護戒　能得三種樂　名譽及利養　死得生天上　當觀是處
有智勤護戒　戒淨有智慧　便得第一道　如過去諸佛　及以未來者
現在諸世尊　能勝一切憂　皆共尊敬戒　此是諸佛法　若有自為身
欲求於佛道　當尊重正法　此是諸佛教　七佛為世尊　滅除諸結使
說是七戒經　諸縛得解脫　已入於涅槃　諸戲永滅盡　尊行大仙說
聖賢稱譽戒　弟子之所行　入寂滅涅槃　世尊涅槃時　興起於大悲
集諸比丘眾　與如是教誡　莫謂我涅槃　淨行者無護　我今說戒經
亦善說毗尼　我雖般涅槃　當視如世尊　此經久住世　佛法得熾盛
以是熾盛故　得入於涅槃　若不持此戒　如所應布薩　喻如日沒時

BD00091 號　四分律比丘戒本　（8–7）

不觀作不作　但自觀身行　若正若不正
此是拘樓孫如來無所著等正覺說是戒經
心莫作放逸　聖法當勤學　如是無憂愁　心定入涅槃
此是拘那含牟尼如來無所著等正覺說是戒經
一切惡莫作　當奉行諸善　自淨其志意　是則諸佛教
此是迦葉如來無所著等正覺說是戒經
善護於口言　自淨其志意　身莫作諸惡　此三業道淨
能得如是行　是大仙人道
此是釋迦牟尼如來無所著等正覺於十二年中為無事僧
說是戒經從是已後廣分別說諸比丘自為樂法樂沙門者
有慚有愧樂學戒者當於中學
明人能護戒　能得三種樂　名譽及利養　死得生天上　當觀是處
有智勤護戒　戒淨有智慧　便得第一道　如過去諸佛　及以未來者
現在諸世尊　能勝一切憂　皆共尊敬戒　此是諸佛法　若有自為身
欲求於佛道　當尊重正法　此是諸佛教　七佛為世尊　滅除諸結使
說是七戒經　諸縛得解脫　已入於涅槃　諸戲永滅盡　尊行大仙說
聖賢稱譽戒　弟子之所行　入寂滅涅槃　世尊涅槃時　興起於大悲
集諸比丘眾　與如是教誡　莫謂我涅槃　淨行者無護　我今說戒經
亦善說毗尼　我雖般涅槃　當視如世尊　此經久住世　佛法得熾盛
以是熾盛故　得入於涅槃　若不持此戒　如所應布薩　喻如日沒時
世界皆闇冥　當護持是戒　如犛牛愛尾　和合一處坐　如佛之所說
我已說戒經　眾僧布薩竟　我今說戒經　所說諸功德　施一
皆共成佛道
子戒

BD00091 號　四分律比丘戒本　（8–8）

虛空中行住坐卧身上出水身下出火身
下出水身上出火或現大身滿虛空中而復
現小小復現大於空中滅忽然在地入地如
水履水如地現如是種種神變令其父王
心淨信解時父見子神力如是心大歡喜得未
曾有合掌向子言汝等師為是誰誰之弟子
二子白言大王彼雲雷音宿王華智佛今在
七寶菩提樹下法座上坐於一切世間天人
衆中廣說法華經是我等師我是弟子父
語子言我今亦欲見汝等師可共俱往於是二
子從空中下到其母所合掌白母父王今已
信解堪任發阿耨多羅三藐三菩提心我等
為父已作佛事願母見聽於彼佛所出家修
道尒時二子欲重宣其意以偈白母
願母放我等　出家作沙門　諸佛甚難值　我等隨佛學
如優曇波羅　值佛復難是　脫諸難亦難　願聽我出家
母即告言聽汝出家所以者何佛難值故於
是二子白父母言善哉父母願時往詣雲雷
音宿王華智佛所親近供養所以者何佛難
得值如優曇波羅華又如一眼之龜值浮木孔
而我等宿福深厚生值佛法是故父母當聽
我等令得出家所以者何諸佛難值時亦
難遇彼時妙莊嚴王後宮八万四千人皆悉堪
任受持是法華經淨眼菩薩已於法華三昧
久已通達淨藏菩薩已於无量百千万億劫
通達離諸惡趣三昧欲令一切衆生離諸

BD00092號　妙法蓮華經卷七　（5–1）

難遇彼時妙莊嚴王後宮八万四千人皆悉堪
任受持是法華經淨眼菩薩已於法華三昧
久已通達淨藏菩薩已於无量百千万億劫
通達離諸惡趣三昧欲令一切衆生離諸惡
趣故其王夫人得諸佛集三昧能知諸佛秘
密之藏二子如是以方便力善化其父令心信
解好樂佛法於是妙莊嚴王與羣臣眷屬俱
淨德夫人與後宮采女眷屬俱其王二子與
四万二千人俱一時共詣佛所到已頭面礼足
繞佛三帀却住一面尒時彼佛為王說法示
教利喜王大歡悅尒時妙莊嚴王及其夫
人解頸真珠瓔珞價直百千以散佛上於
虛空中化成四柱寶臺臺中有大寶床敷百千
万天衣其上有佛結加趺坐放大光明尒時妙
莊嚴王作是念佛身希有端嚴殊特成就第
一微妙之色時雲雷音宿王華智佛告四衆言
汝等見是妙莊嚴王於我前合掌立不此王於
我法中作比丘精勤修習助佛道法當得作佛
號娑羅樹王國名大光劫名大高王其娑羅樹王佛
有无量菩薩衆及无量聲聞其國平正功德如是其
王即時以國付弟與夫人二子并諸眷屬於佛法中
出家修道王出家已於八万四千歲常勤精進修
行妙法華經過是已後得一切淨功德莊嚴三
昧即昇虛空高七多羅樹而白佛言世尊此
我二子已作佛事以神通變化轉我邪心令得
安住於佛法中得見世尊此二子者是我善
知識為欲發起宿世善根饒益我故來生我
家尒時雲雷音宿王華智佛告妙莊嚴王言

BD00092號　妙法蓮華經卷七　（5–2）

知識爲欲發起宿世善根饒益我故來生我
家尒時雲雷音宿王華智佛告妙莊嚴王言
如是如是如汝所言若善男子善女人種諸
善根故世世得善知識其善知識能作佛事
示教利喜令入阿耨多羅三藐三菩提大王
當知善知識者是大因緣所謂化導令得見
佛發阿耨多羅三藐三菩提心大王汝見此
二子不此二子已曾供養六十五百千万億
那由他恒河沙諸佛親近恭敬於諸佛所受
持法華經愍念邪見衆生令住正見妙莊嚴
王即從虛空中下而白佛言世尊如來甚希
有以功德智慧故頂上肉髻光明顯照其眼
長廣而紺青色眉間豪相白如珂月齒白齊密
常有光明脣色赤好如頻婆果尒時妙莊嚴王
讚歎佛如是等无量百千万億功德已於如
來前一心合掌復白佛言世尊未曾有也
如來之法具足成就不可思議微妙功德教
戒所行安隱快善我從今日不復自隨心行
不生耶見憍慢瞋恚諸惡之心說是語已礼
佛而出佛告大衆於意云何妙莊嚴王豈
異人乎今華德菩薩是其淨德夫人今佛前
光照莊嚴相菩薩是哀愍妙莊嚴王及諸眷
屬故於彼中生其二子者今藥王菩薩藥上
菩薩是藥王藥上菩薩成就如此諸大功
德已於无量百千万億諸佛所植衆德本成
就不可思議諸善功德若有人識是二菩薩
名字者一切世間諸天人民亦應礼拜佛說
是妙莊嚴王本事品時八万四千人遠

BD00092 號　妙法蓮華經卷七

（5–3）

百千万億諸佛所植衆德本成
就不可思議諸善功德若有人識是二菩薩
名字者一切世間諸天人民亦應礼拜佛說
是妙莊嚴王本事品時八万四千人遠塵離垢
於諸法中得法眼淨

妙法蓮華經普賢菩薩勸發品第二十八

尒時普賢菩薩以自在神通力威德名聞與
大菩薩无量无邊不可稱數從東方來所經
諸國普皆震動雨寶蓮華作无量百千万億
種種伎樂又與无數諸天龍夜叉乾闥婆阿
脩羅迦樓羅緊那羅摩睺羅伽人非人等大衆
圍繞各現威德神通之力到娑婆世界耆闍
崛山中頭面礼釋迦牟尼佛右繞七帀白佛言世
尊我於寶威德上王佛國遙聞此娑婆世界
說法華經與无量无邊百千万億諸菩薩衆
共來聽受唯願世尊當爲說之若善男子
善女人於如來滅後云何能得是法華經佛
告普賢菩薩若善男子善女人成就四法於
如來滅後當得是法華經一者爲諸佛護念
二者植衆德本三者入正定聚四者發救一切
衆生之心善男子善女人如是成就四法於
如來滅後必得是經尒時普賢菩薩白佛
言世尊於後五百歲濁惡世中其有受持
是經典者我當守護除其衰患令得安隱使
无伺求得其便者若魔若魔子若魔女若魔
民若爲魔所著者若夜叉若羅刹若鳩槃
茶若毗舍闍若吉蔗若富單那若韋陁羅等
諸惱人者皆不得便是人若行若立讀誦

BD00092 號　妙法蓮華經卷七

（5–4）

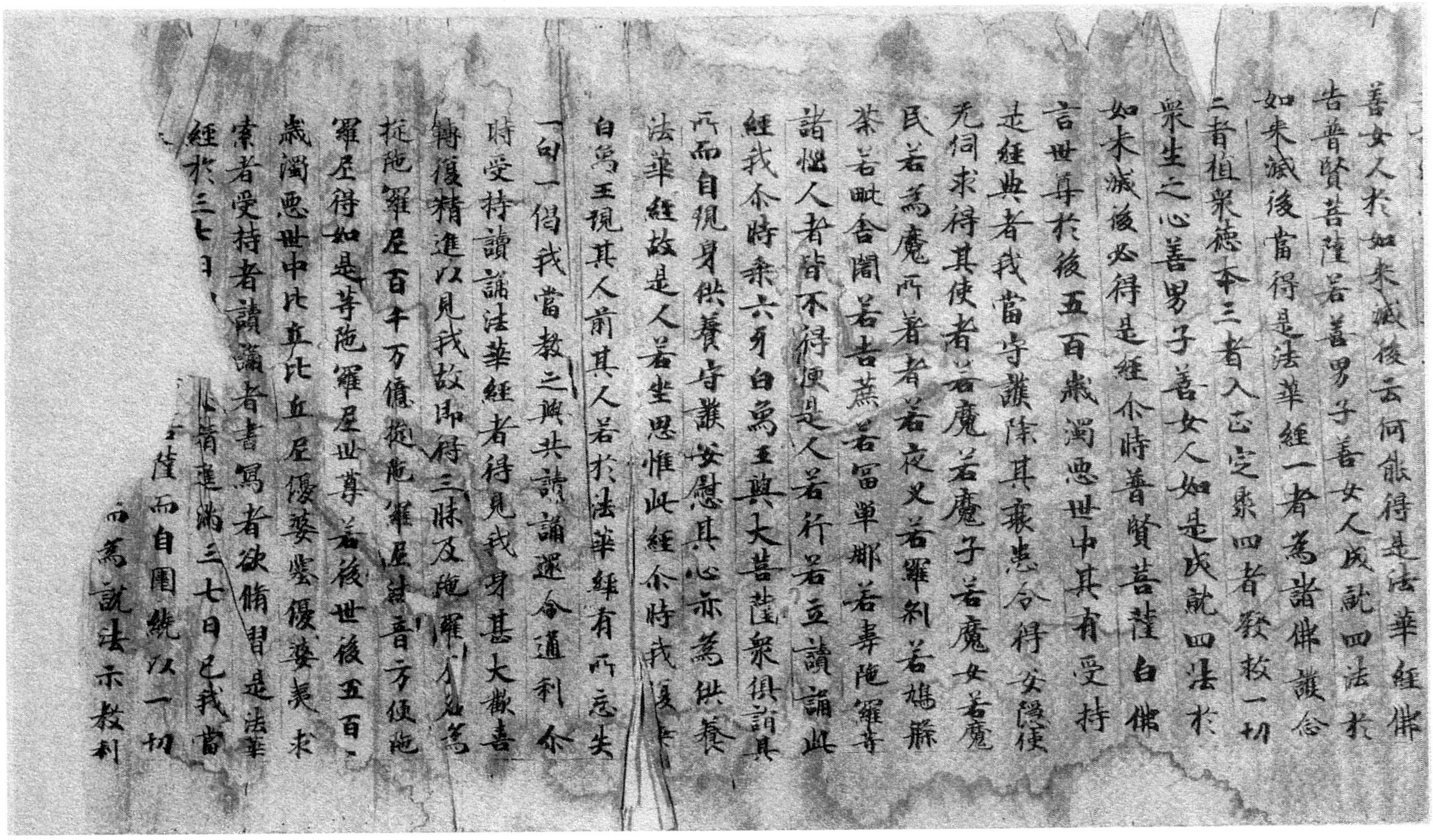
善女人於如來滅後云何能得是法華經佛
告普賢菩薩若善男子善女人成就四法於
如來滅後當得是法華經一者為諸佛護念
二者植衆德本三者入正定聚四者發救一切
衆生之心善男子善女人如是成就四法於
如來滅後必得是經尒時普賢菩薩白佛
言世尊於後五百歲濁惡世中其有受持
是經典者我當守護除其衰患令得安隱使
无伺求得其便者若魔若魔子若魔女若魔
民若為魔所著者若夜叉若羅刹若鳩槃
茶若毗舍闍若吉蔗若富單那若韋陁羅等
諸惱人者皆不得便是人若行若立讀誦此
經我尒時乘六牙白象王與大菩薩衆俱詣其
所而自現身供養守護安慰其心亦為供養
法華經故是人若坐思惟此經尒時我復乘
白象王現其人前其人若於法華經有所忘失
一句一偈我當教之與共讀誦還令通利尒
時受持讀誦法華經者得見我身甚大歡喜
轉復精進以見我故即得三昧及陁羅尼名為
旋陁羅尼百千万億旋陁羅尼法音方便陁
羅尼得如是等陁羅尼世尊若後世後五百
歲濁惡世中比丘比丘尼優婆塞優婆夷求
索者受持者讀誦者書寫者欲脩習是法華
經於三七日　精進滿三七日已我當
　薩而自圍繞以一切
　而為說法示教利

BD00092 號　妙法蓮華經卷七　（5–5）

眼不見實有真常非肉眼見
金剛身品　答金剛不壞身[illegible]
生滅不迎物其能踐真作湛然故不可壞非身者[illegible]
是真法身然可是應身諸句類不得一法相者乃至无法相可[illegible]
除也以護法故得金剛身者明因緣得堅固力以護法故者[illegible]
常存流教天下由法宣故万善備果獲得法身不可壞者明道[illegible]
緣護法勸白衣持刀杖護法持比丘也葉謂多無犯善以為高節隨刀
杖行則傷清葉故來說有三種比丘雖在閑居備於戒定但能為人說世業善
及无常善法不能宣示廣大大乘常住利天人不名護法二能宣常住九部經
典熏治破戒是名治[illegible]
法責人制諸比丘不畜不淨物者律中已[illegible]
住者為不淨為物現有實无可著[illegible]
為不淨為說常住且據來以知本也[illegible]
聽說无常也覺得有得言是四依現為聽開引往證今勸令[illegible]
有說法者應當勸護共持刀杖者行達於戒律為有師得為无師得若
有師得則是治戒可為法應當勸護无德破戒則不須護問所述也
其謂破戒者明說法人若是四依不假衆護為防開律制故兼欲護之實
无所犯者費須護所[illegible]
此為人故須護也聽為伴侶者開制无[illegible]
然弟一治戒者能護可護然[illegible]
者四依人也衆有二種已下明護法之人能調惡衆[illegible]
大乘律也一字者為常也解經者可說常說[illegible]
名善持也答我處覺初問竟　一名字功德品　此品答第二問初云何
於此經究竟到彼岸善持是經文字章句者大般涅槃名字句也能知
此經万善圓足得經理盡便備知經久證見功德到彼岸也但聞經名
不生四趣況盡受治持[illegible]得其首叡[illegible]到彼岸功德也

BD00093號　大般涅槃經疏（擬）　(12–1)

BD00093號　大般涅槃經疏（擬）　(12–2)

[illegible]
種者性種性名大慈病開悟彼四方便以去習諸至習種性中土習
種性得性種性名食少不慈无由得入聖性故言遊慈種也不應同彼辰邪
見者明所受之物生愚者其輕重淺及與供身次有制不當食之
人令物生怖畏理如此也下列僧法比丘行非法者為明大施不放此人之
可為章此人不能斷也備常住也亦於後有以下遂舉上諸惡名能
離者名為常住猶應遮令出大施可被真心弟子也如來之義何故不
為應王說者明因緣義也善星經律開全守護法榮妙之義者問經何不持
說深理而初識後深戒名為犯不犯者問戒律何不須制律犯乃集
方何名律本叉皆為應須制戒若令隨惡名墮眾隨叉持應一時論
若律名法格制必須軌若木叉名處處解說開必持戒應須制也經
來解三戒其問意名知足者解處處解脫隨四趣者名重長養地獄
為輕罪身口意者重制於三業處得彼解脫名處處也ㄙ可舉來
明了律果一名處處解脫一名遮止不應起惡走以異也雖戒其雖而非
其難若名並制則不能持破一切戒若闡提說不解生誘及闡提者
破戒謗法俱成闡提盡善法相須漸制也如來久知是事何不先制
者何言若頓說經律棄成闡提故須漸以令明成闡提者可不名
聞而能行應名說也若不好惡之人不知祭行惡得罪則傷惡道故
言將無欲令墮諸惡也能說增上功得者明應為實說也若言能說
十善舉難而答師表意心平等豈令墮惡也經言豈使闡提為作
行者應須說經律是不然更无別人若闡提制破戒謗其闡提
者為漸說能持不謗名善行者亦是一人何得難之也置其善也詮
其漸制便能除過備行善法見聖法身而此說者即是善解因緣義
也故須自正得涅槃者上來遂事廣說今總結四事唯一涅槃以涅槃自正
乃至得涅槃故解成涅槃之因緣也如來即涅槃具足四相善權皆解名得言
具即應反質四名唯一聖義自正等四名一涅槃无差別也非如是言如
來无常者向明涅槃常住具有四相執昔二種涅槃无復常住唯具
四世滅諸煩惱明有餘涅槃煩惱滅處更无有法以何為常而誰有者法
難无餘涅槃身盡无法亦无其常而言常住具彼四也壞衣不名四者
[illegible]

四也滅諸煩惱明有餘涅槃煩惱滅處更无有法以何為常雖有者法
執无餘涅槃身盡无法亦无其常亦言常住是復以也燒衣不名物者
成有餘難斬首是流成无餘難離煩惱身亡智定名為滅已度竟者被
滅欲界身諸有者廿五有得役度身不動二處无法可至指讓為有是
四相也滅煩惱者不名有為雲為之物乃名无為畢竟常住答初問也滅
盡諸相廿五有為身无遺有真法身鮮白常住常住身智是大涅槃
滑其四相但以法常故諸仏常者向來廣明異盡故常此論會彼仏性偈
迷可以常也煩惱火滅如來亦滅不異於有訖根本解故重問也身及煩二
俱滅盡則无可至則非是有誰為常也答意滅故常住不滅非常鐵者
名諸凡夫凡夫有身是縛結盡无常也如來相盡然竟不起唯有法
身湛然常住也鐵置火中赤色還生者知言凡夫有身是縛生結如來
有身亦應起或同有身故如復然木木盡有灰灰應為木木可更然
煩惱滅已便有涅槃更不起或故常住也壞衣寧喻皆名涅槃是有
鐵冷可令還熱如來不尒一滅常滅故清涼也雖无或熱有智惠火
能燒衆生煩惱也何由生雜食者猶明有身則有煩惱何以知其鋼處
生子即有有煩煩惱惱故无常生滅為有四相各意現息則有擇處亦常
故清常住是四相也列燈喻者欲令如來還正其宗雖於前喻燈滅燈住
諸煩惱油十地智明二俱滅盡法身常住煩惱亦滅不異生死是故
名為能含也作有密諸无密藏者領解无煩惱義前明語有覆疵
名之為密遠答國意旨无可説故非密藏非覆藏故无煩惱也如
來是成无煩惱故費无覆藏諸煩惱故常理是旨恒欲示人豈有秘也猶
捨无常身无覆藏何故說常說无常也答意為教半字非有隱也无
所積聚者不覆藏故亦无積聚亦是須彼亦問積聚名財物者
明不積聚煩惱非法万善圓足是大積聚有為積聚是藏閉僧
者雖是二種无漏塗經向二名有為也藏常二積聚非法方盡去无
所去至況无為僧亦有積聚覆藏煩惱无煩惱故有不能常住猶四
相也其性廣博者此明涅槃衆善萬惠亦消餘緣物患故常住也
也下則明脫乎有相相盡常住之可上列生羅睺羅引有頌[illegible]問來廣
[illegible]

BD00093號　大般涅槃經疏（擬）　(12–4)

相也其性廣博者此明涅槃衆善普萬德雨消餘涂物患故常住也
也下別明脫乎有相ゝ盡常住之可上引生羅睺羅引有煩惱同等廣
明无彼煩惱說於此也前不應有伏難是畏不盡應是无常今答
大涅槃中廿五有創斷彼等身我盡无解是故常住也是色非色難ゝ
明脫乎百相竟問其解了ゝ可見不可見即或是色明可見或非是色明
不可見ゝ指了ゝ見彼解ゝ脫名色ゝ二乘猶昧不能了ゝ見於解脫名爲非色
言郎是者是所緣也說爲非色者聲聞不見說非色也亦色非色者結
見不見二乘不見爲非色者云何摺心得緣住也非相亦色非色者上見因
殊ゝ非相名色下人不覩名爲非色爲下人故說爲非色答問非色云何得緣
知其行住唯ゝ境界非下所知解脫亦今下人不知說爲非色郎問非无
形云何而住非相四陰ゝ見了ゝ爲色下人不見爲非色亦說非青黃色答
問非相无色云何得住无色是ゝ貴界解脫之無也名不空ゝ者若有
常住名不空万相俱泯爲空ゝ者名反執解脫者所計誰无所計盡亡
因果得果无果可得因果俱處故言空ゝ誰孚常樂者絶下累相无
其孚者故言空也總諸有今死以下會解脫爲三歸令人依止生死
怖果終得安息也亦可上來論雨常住則具四相自此以下明涅槃云
何爲四引三歸依解一而三類四相也下問果義三歸若一云何得有三殊
依也三歸不別四相亦然答意歸三寶悉知有別也有法名一義果名者
是解ゝ一義異ゝ涅槃解脩有三義ゝ常法常者以常故ゝ若是无常解
有果分常則是一解離是一而義有異故言三歸名一義異也名義俱異者
以義爲解ゝ名爲覺即是覺義之是覺解法名不覺法是義非是覺
也諸以義爲解故名ゝ義俱異三歸與別四相之一無一同解一言不[illegible]
傳者以別說一三義殊也說一爲三體一義殊說二爲一果義同解三歸說不
四相以相捨其智者明義持周還正其宗吐部積惱諸纏說盡涅槃常樂
四相義滿不生不滅是解脫者上明解脫妙絶衆相雖有諸聲述不即[illegible]
方便時情絶乎攢仰今以擬真雖不即真而有少同欲令其情欲有
在虛空无其生滅解脫亦然可以爲喻虛空雖解脫妙有下无移絶
不可爲喻其猶二鳥同是有蔵處妙天飛亭ゝ于虛空亦如是也引

方便時情絶，千積仰今以擬真，雖不即真，而有少同，欲令衆情敬有
在虛空无其生滅，解脱亦然，可以為喻。虛空雖解脱妙有一九殊絶
不可為喻。其猶二鳥同是有，處處妙天飛，事亦可虛空，亦如是也。引
諸少喻，辟皆名少同，不全取也。非喻為是二種說，若是可喻，不應言
非喻，不得言可，故言云何二種說也。更引喻以况之，如人窟山逢非差者
非彼惡心，得无閒罪，不可非逢山身不壞，不得言是法相理然，不可
定說虛空，定說解脱，亦復如是也。下喻亦然也。頌涅槃者无量功德
集此涅槃中，故言經典微妙。經中有四種人者，荅第十三問中第十三句
先荅下半偈實非羅漢了羅漢等，明人雖有殊，為依義同，故言等
也。有四種人，明而不同，能護正法，依義齊也。住下性也以上為初依。證
依煩惱未得无漏，无道故言具也。須陀洹名為達流，是初住盡三住
信為菩薩，斷德名薄煩惱，是四住盡六住，順忍菩薩，但未出三界為
第二依。阿那含不還三界，是七住盡九住，菩薩為第三依。阿羅漢名
不生。十住菩薩生分將盡，學地滿足，當知如此，為第四依。云何為具煩
惱性。能為依上，循治禁戒說法者，益時勸為人依，是名凡夫。菩薩三
非第八人者，龍住前有漏法中皆差作七，初住通此國，得无漏以為
第八。初依在住前，故非第八人者，有漏凡夫名重。菩薩雖聞无漏教
學地，故不名為此。分十住為三國，從初盡六名為遠國。七住非有煩惱名
離惡國，八住盡十，能有煩惱，名為淨國。第二依是惡國菩薩，故亦言不得
第三，第二住實能三界中衆或，若若細或常在心中，名為阿那含
出離三界。若復但止，不為衆世前二依不言无者，雖現不起，初依伏
而未斷，不起，第二斷而未盡，並有或龍之義。第三離或初盡，故言无
也。謂得顯示是人不還如上所說者，上明不還廿五有名阿那含，已寬離三界，但能
法返因起化物，得受七往无生記也。七往菩薩因地滿之，所作已辦，名羅漢也。我今不亦
是四人也。謂引佛事，為作此像，然說行者，况不能作四種，四種之事有，寶難知不能信受
為依止世，於我所說，有宛不了，尚不應受，况復餘人。離善分別，令知真僞
如彼偷狗者，廣論昔日，教彼世聲聞辟廣究方法，魔僞偷狗，彼不識之
識謗。謗為魔，現作此像，為人人舍說第五諦等，以或行入其家，婢使者驚
聞得方方之菩薩為禪[illegible]

BD00093號　大般涅槃經疏（擬）

(12–6)

如彼偷蔔者廣論昔日教被世聲聞降魔方法魔僞偷蔔業不識之
識謗為魔現作仏像為入人舍說苦五諦等以玄行入其家婬從者誓
聞得菩方之菩薩為婬使知无常理而觀无神諦不空名默知世癡
彼旬不癃於稱哉乱正理若更為者神力伏汝令魔道不行即是断命
昔聲聞聲能降於魔令亦應亦也如仏為罪師説頃无常理觀知神諦非
理即能降魔更无所假令此經中能識真常知卯常力槃自能降
魔近大涅槃不假四依善不別真必入魔綏四依所不能化亦不須也亦
復如是者若真為自能降魔堪為人依豈有所假非不亦也而復
不介何以故雖我有慶開説言降魔非為菩薩汝言若不識真為
魔所得何須四依此語非也敵用説无常如理而解知也説是諦自能降魔今日聞
常理深隱物聞似解後事魔忘聞耶必從為魔得便致四依教已降魔方能
信故故須四依也雖有天耶不識真常名為
子仏同見名為仏眼自下明二人降魔一如來令在雙樹教聲聞降魔
勇健猛威譬是也如彼健人不從他習者明四依自能降魔不假外教而
鵄陀藥者明四依所以能自降魔得常故也譬如有龍者是遮魔
也明依四未世来中降伏惡魔魔令從正道能使二乘習魔教者捨邪
從正信樂大乘亦令堅固以是義故須四依也當有衆生誹謗是經
者為明四依於末世中處惡流通顯其得也久近當謗是經者問何
時中當須四依流通是經若我正法四十年後人不流行大法捨從須
彼四依更興不空此明於正法中能流通也譬如荷惡善士人以為惡
者前明四依善薩所出之處宜通常道有得聞者深味其旨純
食粟稗名者善明四依不出之處不聞常法昧著小乘亦言弟一有
粉不聞粟稗名者亦聞也説无常聞而不行為不聞也雖味大乘稻
粮善也有王者是習種性中菩薩未能深悟處也雖有菩薩等習
亦微解常經也難得者經旨難得也貪惜積聚者煩在心也不散
食噉者不能演散令人受行也懼其有盡者懼難不通也雖食粟
稗者但宜无常經也異國王者四依菩薩聞而歎嗟者實生憐
愍爭各可嘆世車載稻粮送與者以知常之智運彼常理天下國

BD00093號　大般涅槃經疏（擬）

(12–7)

禪者但宜无常經世異國王者四依菩薩聞而辯嘆者實生憐
愍爭合可嗟也車乘輜糧送与者以知常之智運放常理天下同
行即是共食歡喜加數本由四依也爲利養故者有種性菩薩不專
利養但爲利傾懷未能滌復依故言爲也下列皆並不傳易解經者
純循无常不言傳易說常解反彼无常故言易也及地說經能離
无常地爲金剛人能踏行二同金剛小菩薩聞未常增道行微見也
後久近溲當還出二時不須四依餘八十年前四十年廣洒法而不敬四依後四
十年通其像法溲須四依此明像法流通也正法滅時雖能聽受奉持者弱緣
法中能聽受者是何人也宜說經者故是四依更有人也聽人二偏何得行
也善哉善哉因汝所問得彰四依廣大之德得能聽受者雙受其厚利故言
善二哉二即若前云何得廣大爲衆作依此從郎連蓋四種未得八分涅槃難
爲人說二不異是不勘爲依所以列者一爲形四依得大二明四來來流通
通被此五品即出聽人兼明行也十六分者或明昧皆在六十非常理有分
也得八分以上明四依得大般具足該堪爲依也若始發心者從四依
聞法發心來二來二堪爲依也勸未發者應發心也有惠比丘者明四
依福化不被此人亦可善惠相形以顯四依之能流通四依弟子受持之者是
久行也彼我者如來在世道得高勝顯發供養不在於我今无遮鄣
故言彼也成就无量功得乃能信者向論惠者不信此明善者能信
廣宜說也自下廣彰善惠二人俱得果數所有聲聞弟子者菩薩聲
聞即是四依也譬如霜露者四依所化聞常消惠也頭僧數者聞常
消惠解同大行故言在數亦可明下三依雖同得不及弟四依廣宜說初弟
四也或是弟子內凡夫或非弟子外凡夫心有退沒聞而不謗近菩提也
涉應供養以下明四依處專知經其功絲大福聞經者應請來說廣談供
養說信者教供養方法也今有所疑者善者若皆應供養有差昔
制故發此問二說相違將非虛妄也我爲未來學大乘說不爲聲聞能知
大乘俗年難身貨是猶得亦似破戒內无戰犯雖現處俗名真出家學
大乘者應當盡受供養敬請當有一人出現於世者明四依未來爲受
乘現處光不同惠也彼非道是之故不舉處護法同不名破戒應供

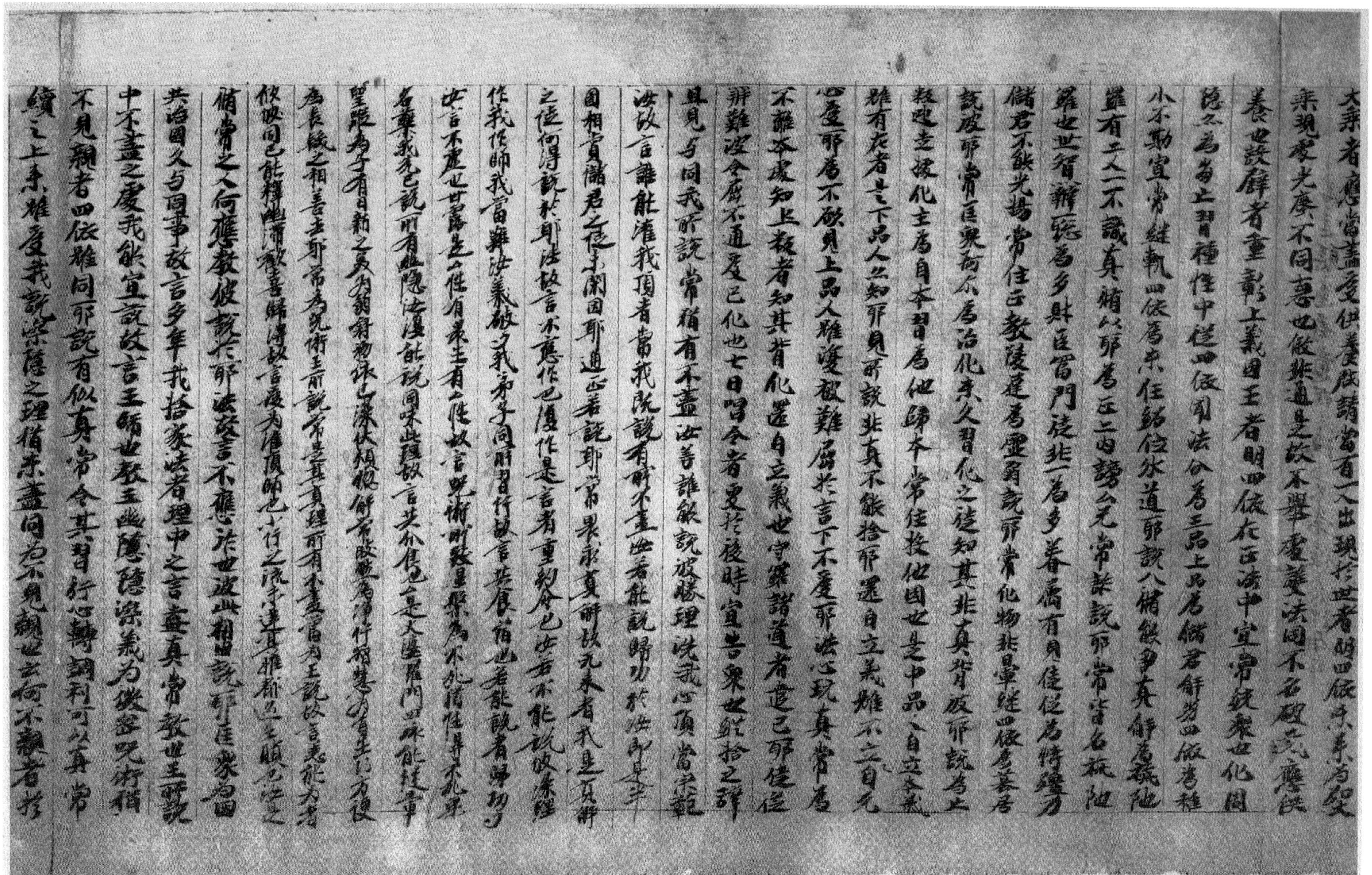
大乘者應當盡受供養慶讚當有一人出現於世者明四依非大乘爲受
乘現愛光庚不同惡也假非通是之故不舉處護法因不名破戒應供
養也鼓譬者重彰上義國王者明四依在正法中宜常統衆也化周
總名爲爲上習種性中從四依司法分爲三品上品爲備君餅爲四依者雖
小不勤宜常維軌四依爲未住鄰位外道邪說八備飲爭真餅爲藏陁
羅有二人一不識真贗以邪爲正二內謗外无常誅說邪常皆名藏陁
羅也世智辯聰爲多財臣留門徒非一爲多眷屬有見徒從爲恃鐵刀
備君不能光揚常住正教謗毀建爲靈窮說邪常化物非量繼四依爲善居
說破邪常匡衆爲不爲治化來久習化之徒知其非真背破所說爲上
教迹之被化主爲自本習爲他歸本常住投他國也是中品人自立本義
雖有在者是下品人不知邪見所說非真不能捨邪還自立義雖不立自死
心受邪爲不啟見上品人雖復破難屈於言下不受邪法心現真常爲
不離本處知上教者知其背他還自立義也守羅諸道者違己邪徒從
辨難汝今所不通受已化也七日唱令者更於後時宜告衆也能捨之辭
且見与同我所說常猶有不盡汝善誰能說破勝理洗我心頂當宗範
汝故言誰能灌我頂者當我既說有所不盡此者能說歸功於汝即是半
國相貴備君之徒未閑國耶通正者說耶常果求真耶故死來者我是負衡
之徒何得說於耶法故言不應作也復作是言者重勅今已汝若不能說破深理
作我僕師我當難汝義破之我弟子同所習行故言其使猶也若能說者歸功子
安言不違也世露是一性有來生有二性故言呪術所數量聚爲不死猶性身不死果
名藥我先已說所有幽隱法復能說同味此經故言其亦使也是大婆羅門四味能徒常
望服爲子有日新之美爲翻身初餘之深伏類抱餅常喉要爲淨行稱慧爲自生於方便
爲長穢之相善去耶常爲呪術王所說常是其真理所有不盡當爲王說故言更能爲者
彼彼同已能釋幽微喜歸得故言復爲灌頂師也八行之流至達真雅都名之順己法之
備常之人何應教彼說於耶法故言不應惡於世復此相出說耶匡衆爲國
共治國久与同事故言多年我捨家法者理中之言無真常教世王所說
中不盡之處我能宜說故言王師世教王幽隱隱涅槃義爲微密呪術猶
不見觀者四依雖同耶說有似真常今其習行心轉調利可以真常
續之上來雖受我說涅槃之理猶未盡何爲不見觀也云何不親者于

BD00093號　大般涅槃經疏（擬）　(12–9)

中不盡之處我能宣說故言王師也教王幽隱涅槃義為微密咒術稱
不見親者四依雖同邪說有似真常令其習行心轉調利可以真常
續之上來雖度我說涅槃之理猶未盡同為不見親也云何不親者於
何不同解也先王不死藥者以及四依所說真常未同解也已度其教心轉
附理聞說信從故言善哉我實不知者不知更有真常理也若須說真
常隨師所說為須者持去也師聚歸家者攝理在心也先為邪徒利根
者說俱味真理為諸共食也聞說知真向師讚歎故言快哉也獨与諸
匠者但教我弟子真常之理而不見与共同解也真理曾邪為雜毒
為王說之名与服聞說順從為服已知真常是理已說為非即是謗也
涅槃生悔熱為藥發悶乱闡提是死邪說謗也近於闡提故言如死立本
儲君者四依為說生解轉涅槃堪為法師故還立也說真常之坐不癃令
破邪說畢也來曾聞見說邪常人堪為師也邪說之人不應治理以法
故言无是處也勸彼儲君說真常理継四依也後以解藥者重宣常
理令生涅槃能除謗罪故言快悟雖後生解未堪為師驗出因緣
為邪說為顯真常不失法也見其作已方知權導嘆善哉也爾時並音
薩者三品人善若見有人雖多犯戒者四依現因有犯為持戒禁應退免
所須恭給其人應當八種者四依人也先有罪發露剋无壽薩本來无罪
常因發露也是故說偈者上來法崙二門明彼四依為大乘之因破戒内實
无犯其得孫高剎勿虜重勸諸供養其事以問舉偈結也本所受戒
具在不者上發露之言由隱意謂同時有犯後還悔情而得清淨故發
問有如本不失者雖復亡同不曾有失悔還更得也設有所犯可令悔還得
得清淨本來无犯不須悔也有孔漏名犯治水不出名悔清淨菩薩
尔亦同其不漏言不如者不如堤塘治已不漏本來清淨故有不同也若和光
有犯无清淨之得自有其疾不能救人猶有清得能使犯者悔已還得故
言不失本戒能宣真常運物為乘也抜邪說謗之名戒不能光揚常住
通人名於乘緩雖同邪說借非通正於戒似緩而不緩也有四種人為宜大乘
心无懈怠戒不失也常水衆浴戒體轉明不名緩也有四種人如菴羅菓
生熟難知者一大邪見内謗无常口說邪常是内生外熟二四依人內解
真常口同外道說破邪常是内熟外生三五品人内信常住口亦說常是

BD00093號　大般涅槃經疏（擬）　(12–10)

BD00093號　大般涅槃經疏（擬）　(12–11)

不聽者知非公說也是不聽者知聽耶說為非已解為是善惡越亦
不同真常大乘義也解性亦殊不同飲水也解常既殊猶善惡與利養是不
同也公天中天雖渡度之者公所說常更有有世不應受者不應從聞辭詐
解常也若有受者謗度耶常不同大乘僧事也同解耶常皆真解今譬
藥道也譬如城市者前明此人貴不信常耶說誑人城市者多來誑也有賣
藥者說耶常人也好藥出雪山者真常出彼涅槃也多賣雜草者
純說耶常也味寸相似者常名相濫也處欲買者欲聞常也至說法之
所問有法真常不也答有真常餘雜藥者為說耶常數言是真實藥者
水凡夫實眼不識真偽即受耶常自謂得真假名傳者二種耶見真實傳
者四依菩薩知名傳者五品人也等應供養之者凡夫實眼不別言等不復言是
誰是持戒者五品人欲共小耶見人貪傳是四依假傳人耶見人有天眼者前二品人能分別
故不等供養諸受耶常也當依四法者引證四依依者不依人今日何故勸依四人而不依法
說今會道也昔為始行今以法要故今依法今教依人欲使從人學彼勝法依人即是
依法故說依人依法者即大涅槃一切公法是真法性依人即依此法故教依人
四人出世應當依者若解常住寂滅之法能依此人即得其法名如來者
同公解也尚可依者明五品人猶尚可依況四依也義者名曰滿足了者上明
涅槃是真法性今論一涅槃法而有衆義四人能達一法衆義依之得義故
勸依也依智者即是如來解常之智明四依智亦能解常教人依之故言
如是之真智所應依止名為菩薩真實智慧者真智能達是昔來
衆經雖復異致皆詮常住法次依義者前就一法以義明衆義今學衆義以
明法質直是義即是法質直常義即是之常法既明依法次列依
義義前已列但言不依語也既明前二次第列四更又不異上也隣發衆生
善知時宜者明昔日四依為於始行實眼者說今明四依為於大乘惠眼
說也知輕重等即是其法輕重之差名了義經所以為義能達名智即
四依也即是法性者結會四依即大涅槃備有四也四依能知此法欲令隨人取法
故依人有四魔說公說真者答第二問中第四句云何知天魔為衆作留難
偈明說公說真真為難知云何說令諦四依　能辯真為四魔者不
魔是之二魔說經律為二魔弟子為三弟子所說為四也所言言者不名

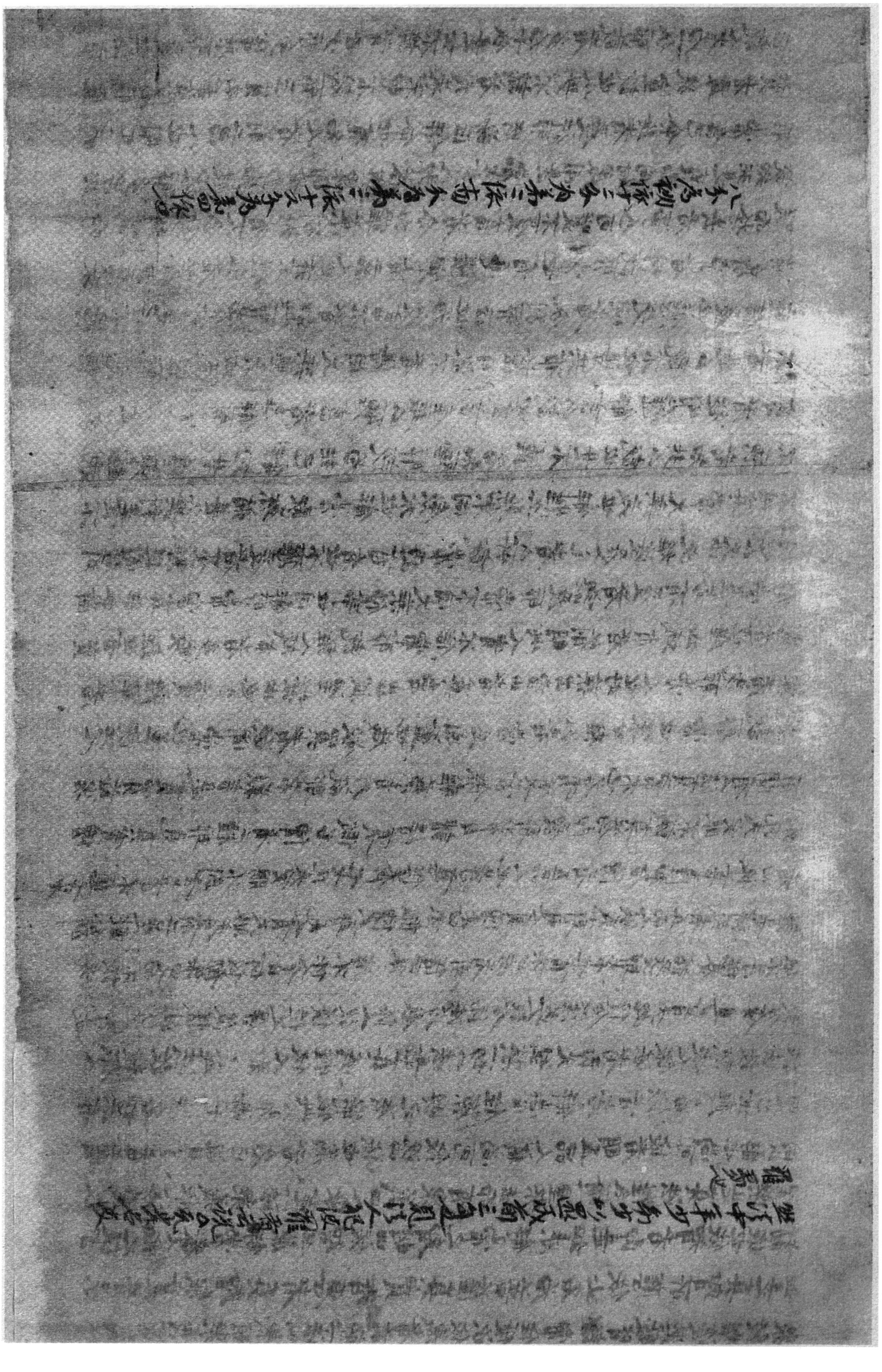

BD00093號背　大般涅槃經疏校補文　(8–1)

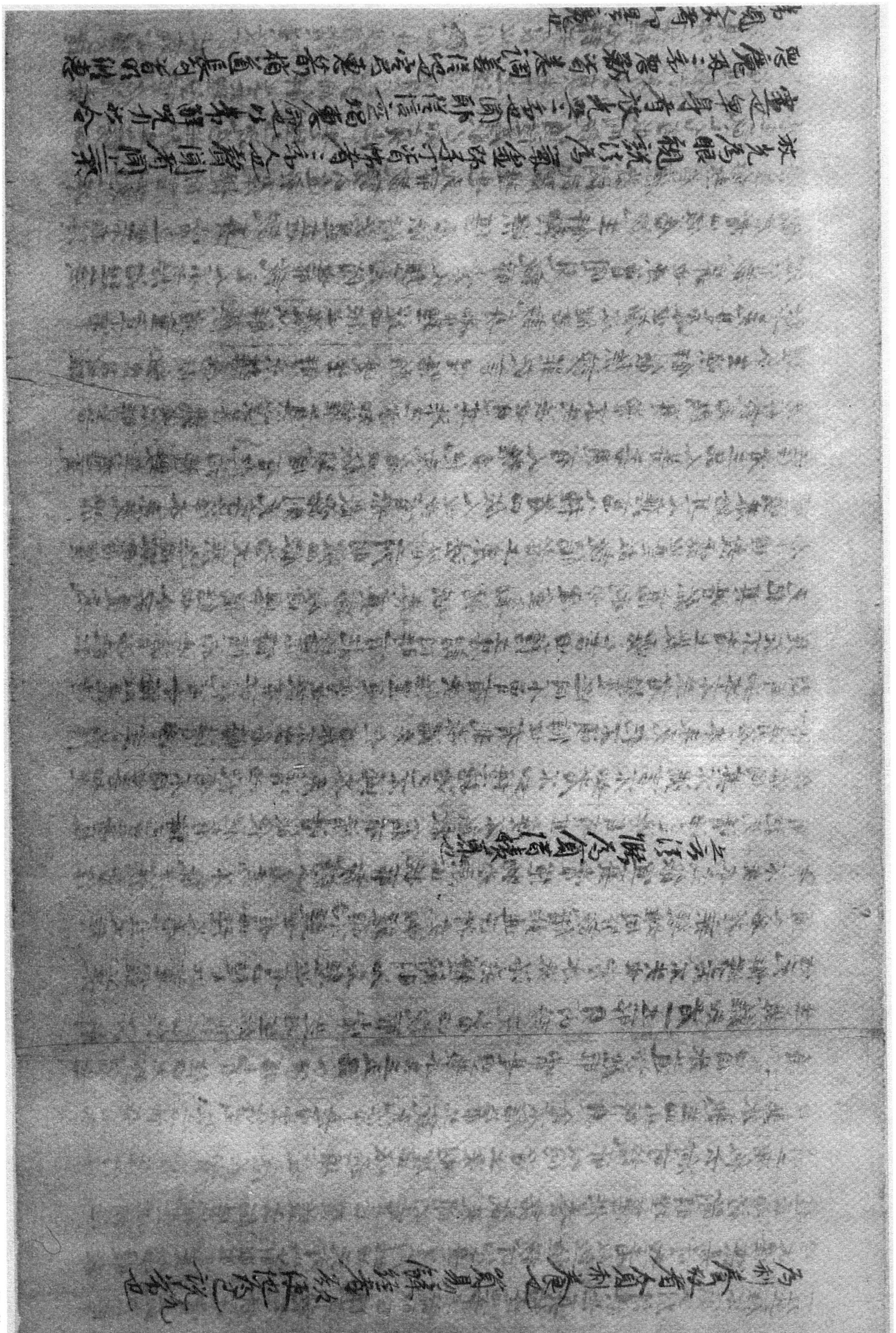

(8–2)

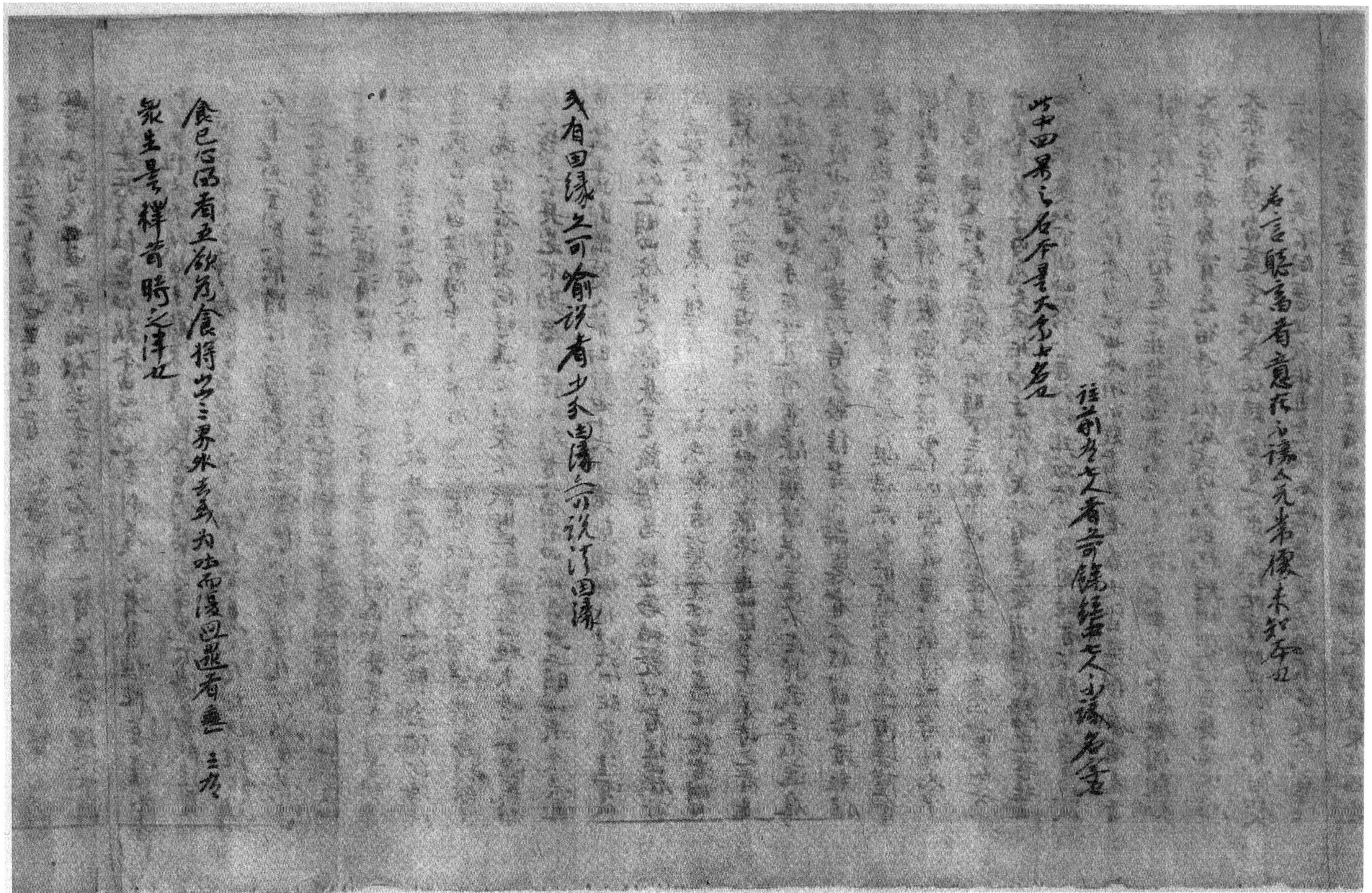

BD00093號背　大般涅槃經疏校補文　(8–3)

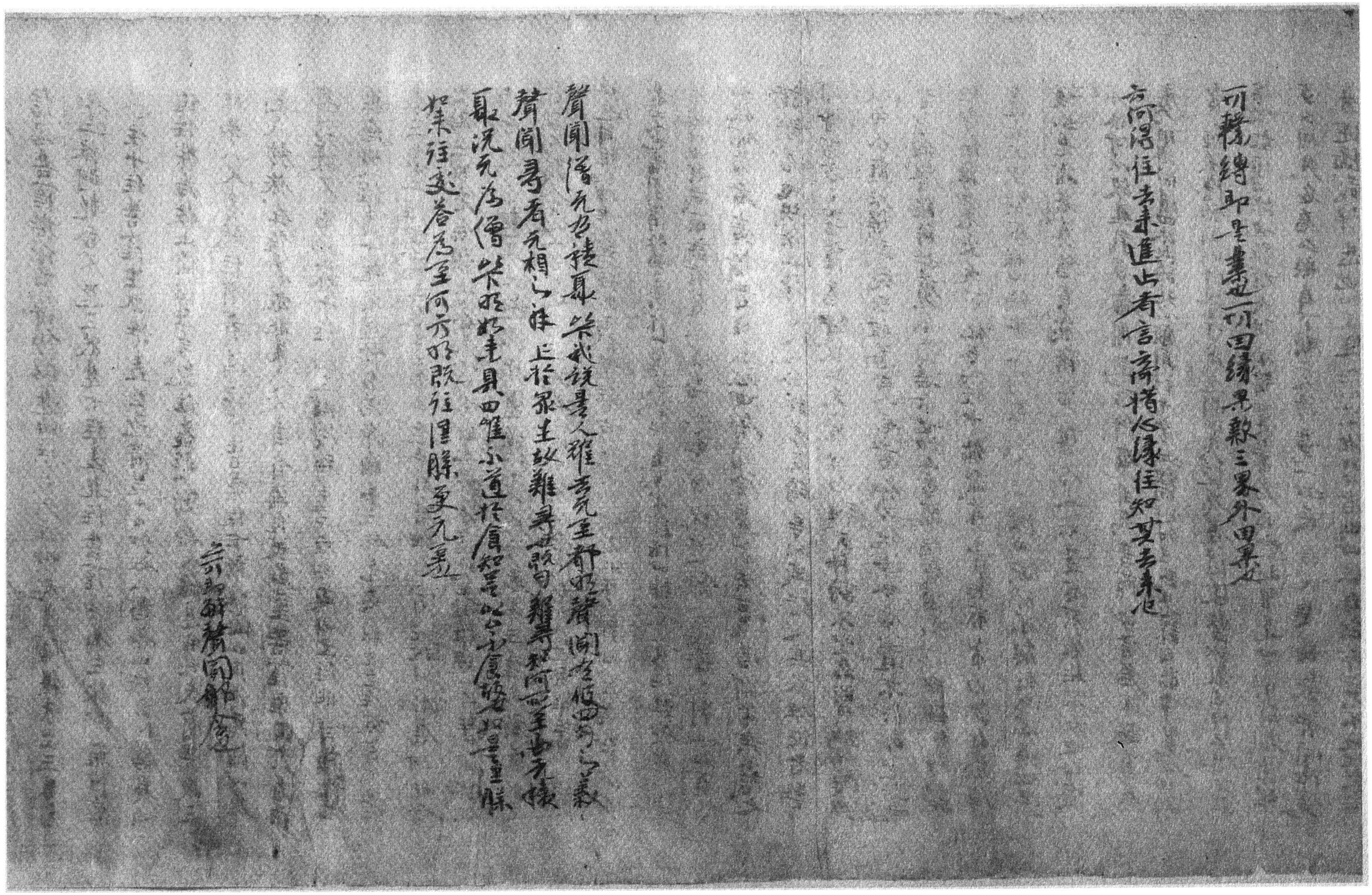
切煩縛取是盡也一切因緣果報三界外因果也
言阿得住者未進止者言齊猶心緣住知者未是也
聲聞僧无名稱取　然我說是人雅言无生者非聲聞是假名之義
聲聞尋者无相之法上從衆生故離身之頭離身知何所至者无據
取況无為僧　然不非非生具四唯小道於會知畢然亦處於如是涅槃
如來往返答為至何方非說往涅槃更无處也
言取解聲聞解念

BD00093 號背　大般涅槃經疏校補文　(8–4)

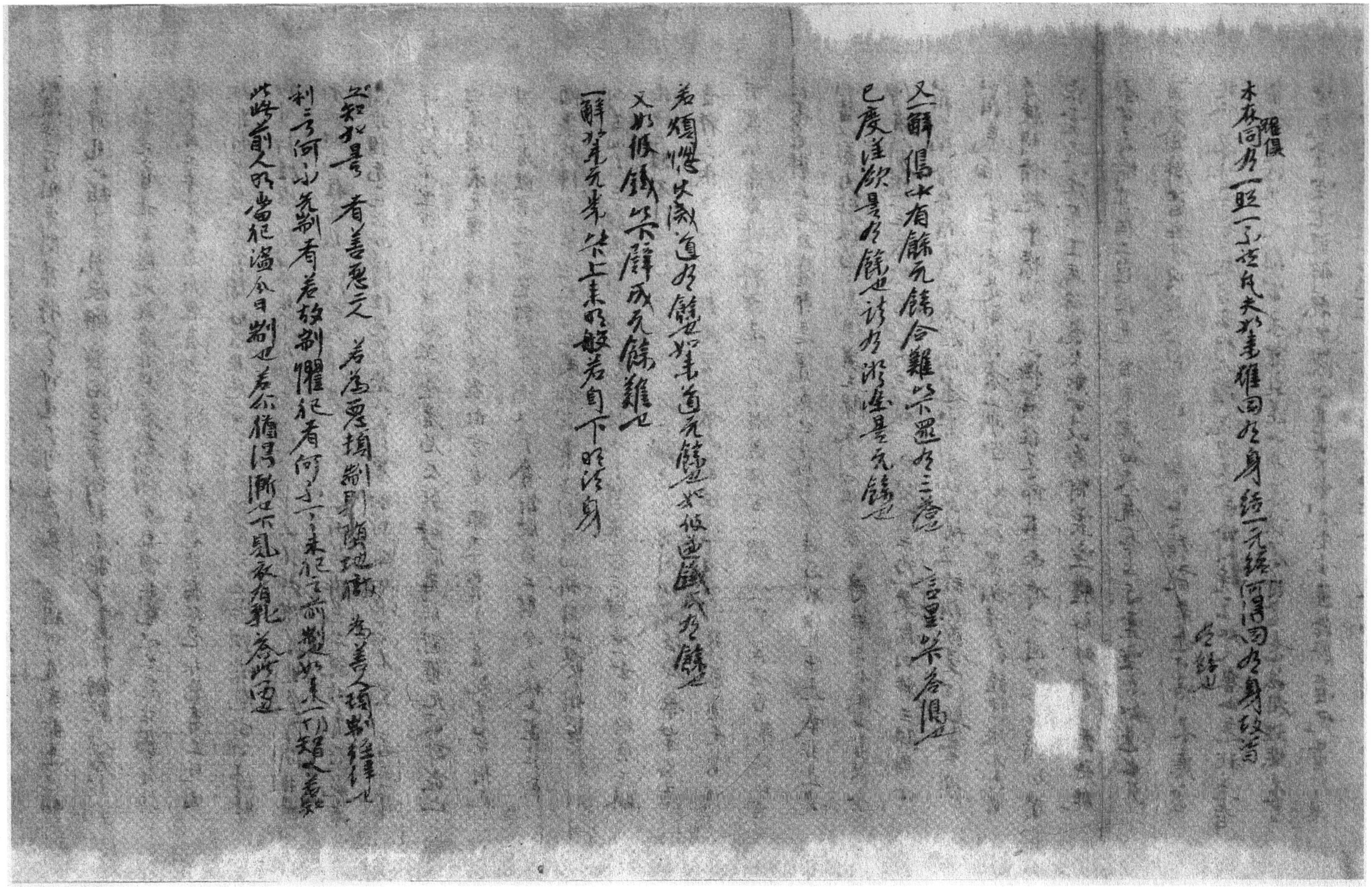

BD00093號背　大般涅槃經疏校補文　(8–5)

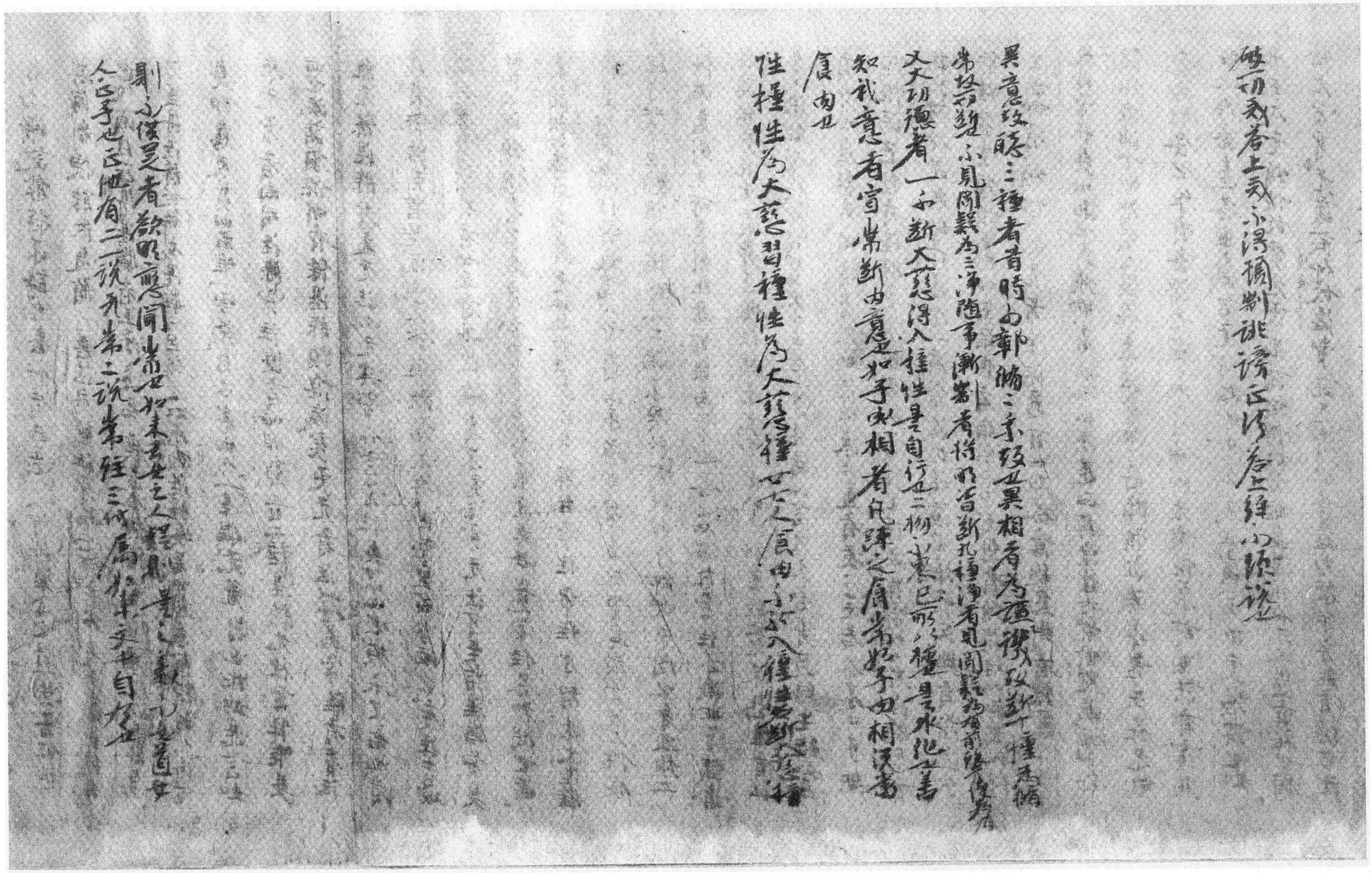

BD00093號背　大般涅槃經疏校補文

(8–6)

BD00093號背　大般涅槃經疏校補文　(8–7)

BD00093號背　大般涅槃經疏校補文　(8–8)

故學何以故以意界等無二分故憍尸迦若菩
薩摩訶薩不為地界增減故學無二分故不
為水火風空識界增減故學無二分故是菩
薩摩訶薩不為地界攝受壞滅故學不為水
火風空識界攝受壞滅故學何以故以地界等
無二分故憍尸迦若菩薩摩訶薩不為苦聖
諦增減故學無二分故不為集滅道聖諦增
減故學無二分故是菩薩摩訶薩不為苦聖
諦攝受壞滅故學不為集滅道聖諦攝受壞
滅故學何以故以苦聖諦等無二分故憍尸
迦若菩薩摩訶薩不為無明增減故學無二
分故不為行識名色六處觸受愛取有生老
死愁歎苦憂惱增減故學無二分故是菩薩
摩訶薩不為無明攝受壞滅故學不為行乃
至老死愁歎苦憂惱攝受壞滅故學何以
故以無明等無二分故憍尸迦若菩薩摩訶
薩不為內空增減故學無二分故不為外空
內外空空空大空勝義空有為空無為空畢
竟空無際空散空無變異空本性空自相空
共相空一切法空不可得空無性空自性空
無性自性空增減故學無二分故是菩薩摩
訶薩不為內空攝受壞滅故學不為外空乃
至無性自性空攝受壞滅故學何以故以內
空等無二分故憍尸迦若菩薩摩訶薩不為
真如增減故學無二分故不為法界法性不

BD00094 號　大般若波羅蜜多經卷八七　（7–1）

訶薩不為內空攝受壞滅故學不為外空乃
至無性自性空攝受壞滅故學何以故以內
空等無二分故憍尸迦若菩薩摩訶薩不為
真如增減故學無二分故不為法界法性不
虛妄性不變異性平等性離生性法定法住
實際虛空界不思議界增減故學無二分故
是菩薩摩訶薩不為真如攝受壞滅故學不
為法界乃至不思議界攝受壞滅故學何以
故以真如等無二分故
憍尸迦若菩薩摩訶薩不為布施波羅蜜多
增減故學無二分故不為淨戒安忍精進靜
慮般若波羅蜜多增減故學無二分故是菩
薩摩訶薩不為布施波羅蜜多攝受壞滅
故學不為淨戒安忍精進靜慮般若波羅蜜
多攝受壞滅故學何以故以布施波羅蜜多
等無二分故憍尸迦若菩薩摩訶薩不為四
靜慮增減故學無二分故不為四無量四無
色定增減故學無二分故是菩薩摩訶薩不
為四靜慮攝受壞滅故學不為四無量四無
色定攝受壞滅故學何以故以四靜慮等無
二分故憍尸迦若菩薩摩訶薩不為八解脫
增減故學無二分故不為八勝處九次第定
十遍處增減故學無二分故是菩薩摩訶薩
不為八解脫攝受壞滅故學不為八勝處九
次第定十遍處攝受壞滅故學何以故以八
解脫等無二分故憍尸迦若菩薩摩訶薩不

BD00094 號　大般若波羅蜜多經卷八七　（7–2）

次第定十遍處攝受壞滅故學何以故以八
解脫等無二分故憍尸迦若菩薩摩訶薩不
為四念住增減故學無二分故不為四正斷四
神足五根五力七等覺支八聖道支增減故
學無二分故是菩薩摩訶薩不為四念住
攝受壞滅故學不為四正斷乃至八聖道支
攝受壞滅故學何以故以四念住等無二分
故憍尸迦若菩薩摩訶薩不為空解脫門增
減故學無二分故不為無相無願解脫門增
減故學無二分故是菩薩摩訶薩不為空解
脫門攝受壞滅故學不為無相無願解脫門
攝受壞滅故學何以故以空解脫門等無二
分故憍尸迦若菩薩摩訶薩不為五眼增減
故學無二分故不為六神通增減故學無二
分故是菩薩摩訶薩不為五眼攝受壞滅故
學不為六神通攝受壞滅故學何以故以五
眼等無二分故憍尸迦若菩薩摩訶薩不為
佛十力增減故學無二分故不為四無所畏
四無礙解大慈大悲大喜大捨十八佛不共
法增減故學無二分故是菩薩摩訶薩不為
佛十力攝受壞滅故學不為四無所畏乃至
十八佛不共法攝受壞滅故學何以故以佛
十力等無二分故憍尸迦若菩薩摩訶薩不
為無忘失法增減故學無二分故不為恒住
捨性增減故學無二分故是菩薩摩訶薩不
為無忘失法攝受壞滅故學不為恒住捨

BD00094號　大般若波羅蜜多經卷八七　（7–3）

捨性增減故學無二分故是菩薩摩訶薩不
為無忘失法攝受壞滅故學不為恒住捨
性攝受壞滅故學何以故以無忘失法等
無二分故憍尸迦若菩薩摩訶薩不為一切
智增減故學無二分故不為道相智一切相
智增減故學無二分故是菩薩摩訶薩不為
一切智攝受壞滅故學不為道相智一切相
智攝受壞滅故學何以故以一切智等無二
分故憍尸迦若菩薩摩訶薩不為一切陁羅
尼門增減故學無二分故不為一切三摩地門
增減故學無二分故是菩薩摩訶薩不為
一切陁羅尼門攝受壞滅故學不為一切三摩
地門攝受壞滅故學何以故以一切陁羅尼
門等無二分故憍尸迦若菩薩摩訶薩不為預
流增減故學無二分故不為一來不還阿羅
漢增減故學無二分故是菩薩摩訶薩不
為預流攝受壞滅故學不為一來不還阿羅漢
攝受壞滅故學何以故以預流等無二分故憍
尸迦若菩薩摩訶薩不為預流向預流果增
減故學無二分故不為一來向一來果不還
向不還果阿羅漢向阿羅漢果增減故學無
二分故是菩薩摩訶薩不為預流向預流果
攝受壞滅故學不為一來向一來果不還向
不還果阿羅漢向阿羅漢果攝受壞滅故學
何以故以預流向預流果等無二分故憍尸
迦若菩薩摩訶薩不為獨覺增減故學无二

BD00094號　大般若波羅蜜多經卷八七　（7–4）

不還果阿羅漢向阿羅漢果攝受壞滅故學
何以故以預流向預流果等無二分故憍尸
迦若菩薩摩訶薩不為獨覺獨覺增減故學无二
分故不為獨覺向獨覺果增減故學無二分
故是菩薩摩訶薩不為獨覺攝受壞滅故
學不為獨覺向獨覺果攝受壞滅故學何以
故以獨覺等無二分故憍尸迦若菩薩摩訶
薩不為菩薩摩訶薩增減故學無二分故不
為三藐三佛陀增減故學無二分故是菩薩
摩訶薩不為菩薩摩訶薩攝受壞滅故學不
為三藐三佛陀攝受壞滅故學何以故以菩
薩摩訶薩等無二分故憍尸迦若菩薩摩訶
薩不為菩薩法增減故學無二分故
不為無上正等菩提增減故學無二分故是
菩薩摩訶薩不為菩薩法攝受壞滅故學何
以故以菩薩摩訶薩法等無二分故憍尸迦
若菩薩摩訶薩不為聲聞乘增減故學無二
分故不為獨覺乘無上乘增減故學無二分
故是菩薩摩訶薩不為聲聞乘攝受壞滅故
學不為獨覺乘無上乘攝受壞滅故學何以
故以聲聞乘等無二分故
時舍利子問善現言善現菩薩摩訶薩如是
學時不為色攝受壞滅故學不為受想行識
攝受壞滅故學耶善現菩薩摩訶薩如是學時
不為眼處攝受壞滅故學不為耳鼻舌身意

BD00094號　大般若波羅蜜多經卷八七　（7–5）

攝受壞滅故學耶善現菩薩摩訶薩如是學時
不為眼處攝受壞滅故學不為耳鼻舌身意
處攝受壞滅故學耶善現菩薩摩訶薩如是
學時不為色處攝受壞滅故學不為聲香
味觸法處攝受壞滅故學耶善現菩薩摩訶
薩如是學時不為眼界攝受壞滅故學不為
色界眼識界及眼觸眼觸為緣所生諸受攝
受壞滅故學耶善現菩薩摩訶薩如是學
時不為耳界攝受壞滅故學不為聲界耳識
界及耳觸耳觸為緣所生諸受攝受壞滅故
學耶善現菩薩摩訶薩如是學時不為鼻界
攝受壞滅故學不為香界鼻識界及鼻觸鼻
觸為緣所生諸受攝受壞滅故學耶善現菩
薩摩訶薩如是學時不為舌界攝受壞滅故
學不為味界舌識界及舌觸舌觸為緣所生
諸受攝受壞滅故學耶善現菩薩摩訶薩如
是學時不為身界攝受壞滅故學不為觸界
身識界及身觸身觸為緣所生諸受攝受壞
滅故學耶善現菩薩摩訶薩如是學時不為
意界攝受壞滅故學不為法界意識界及意
觸意觸為緣所生諸受攝受壞滅故學耶善
現菩薩摩訶薩如是學時不為地界攝受壞
滅故學不為水火風空識界攝受壞滅故學
耶善現菩薩摩訶薩如是學時不為苦聖諦
攝受壞滅故學耶善現菩薩摩訶薩如是學時
不為佛十力攝受壞滅故學不為四無所畏四

BD00094號　大般若波羅蜜多經卷八七　（7–6）

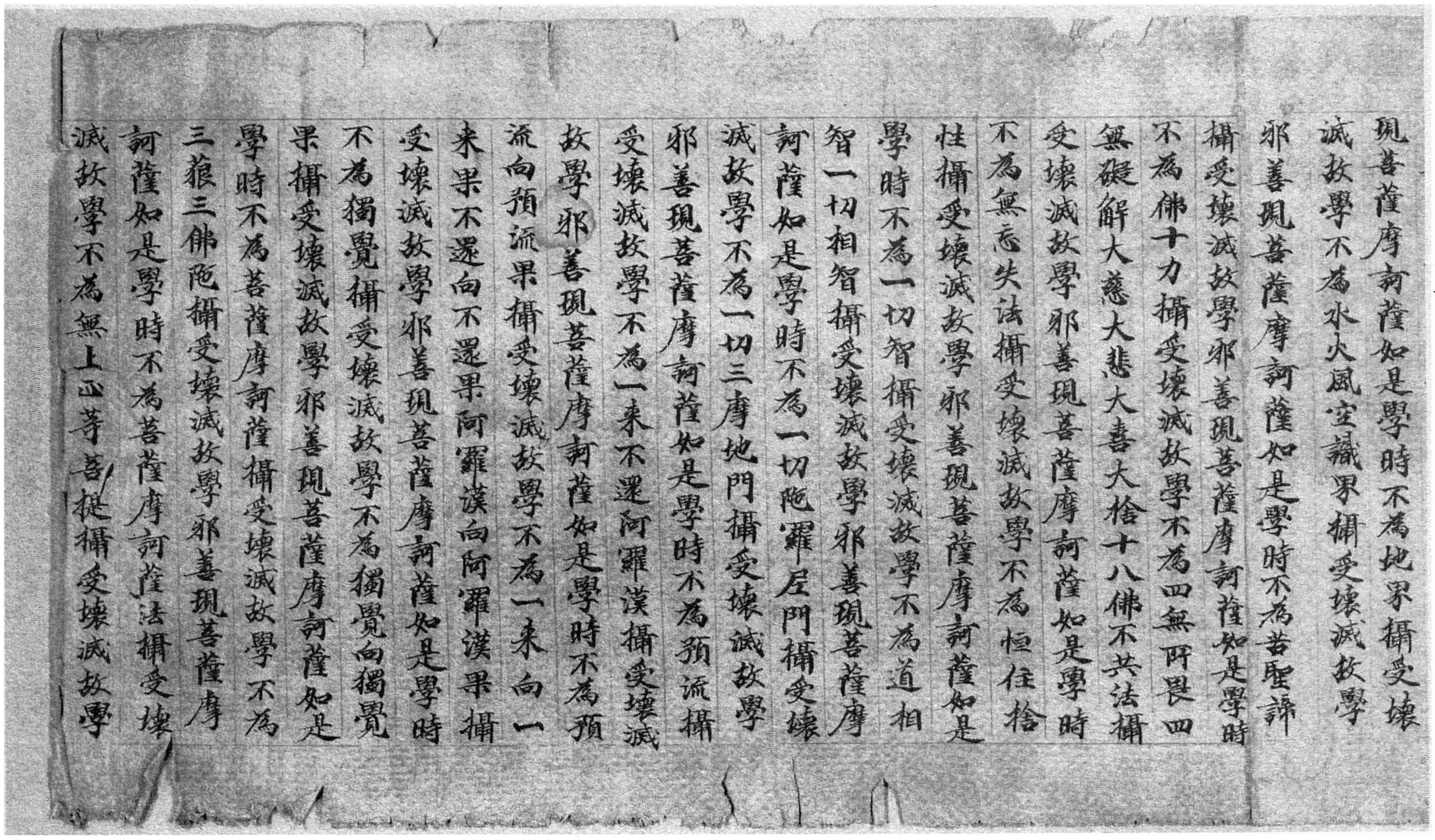

現菩薩摩訶薩如是學時不為地界攝受壞
滅故學不為水火風空識界攝受壞滅故學
邪善現菩薩摩訶薩如是學時不為苦聖諦
攝受壞滅故學邪善現菩薩摩訶薩如是學時
不為佛十力攝受壞滅故學不為四無所畏四
無礙解大慈大悲大喜大捨十八佛不共法攝
受壞滅故學邪善現菩薩摩訶薩如是學時
不為無忘失法攝受壞滅故學不為恒住捨
性攝受壞滅故學邪善現菩薩摩訶薩如是
學時不為一切智攝受壞滅故學不為道相
智一切相智攝受壞滅故學邪善現菩薩摩
訶薩如是學時不為一切陁羅尼門攝受壞
滅故學不為一切三摩地門攝受壞滅故學
邪善現菩薩摩訶薩如是學時不為預流攝
受壞滅故學不為一來不還阿羅漢攝受壞滅
故學邪善現菩薩摩訶薩如是學時不為預
流向預流果攝受壞滅故學不為一來向一
來果不還向不還果阿羅漢向阿羅漢果攝
受壞滅故學邪善現菩薩摩訶薩如是學時
不為獨覺攝受壞滅故學不為獨覺向獨覺
果攝受壞滅故學邪善現菩薩摩訶薩如是
學時不為菩薩摩訶薩攝受壞滅故學不為
三藐三佛陁攝受壞滅故學邪善現菩薩摩
訶薩如是學時不為菩薩摩訶薩法攝受壞
滅故學不為無上正等菩提攝受壞滅故學

BD00094 號　大般若波羅蜜多經卷八七　（7–7）

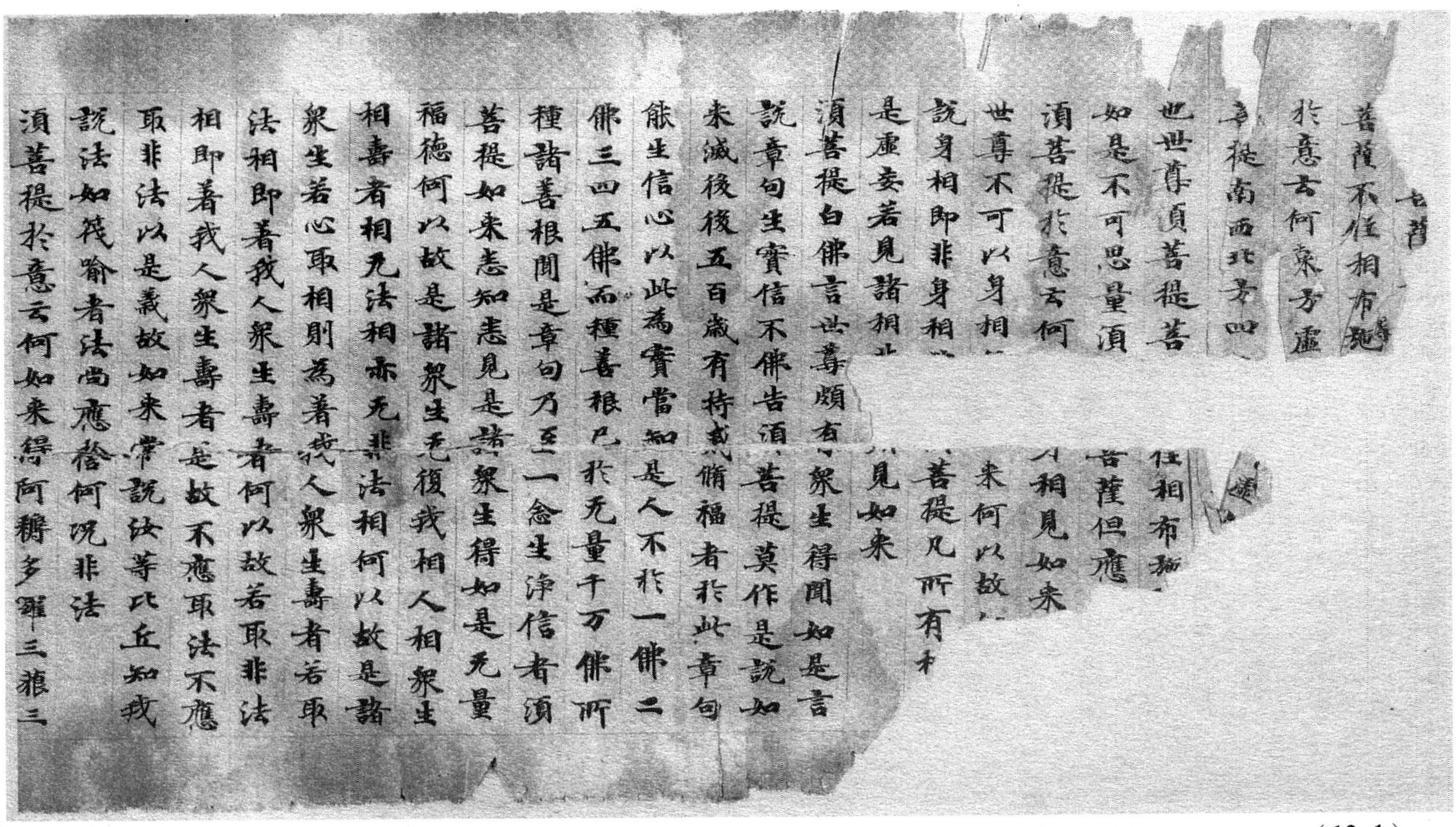

七菩
菩薩不住相布施……
於意云何東方虛……
提南西北方四……
世世尊須菩提菩……住相布施
如是不可思量須……菩薩但應
須菩提於意云何……相見如來
世尊不可以身相……來何以故
說身相即非身相……菩提凡所有
是虛妄若見諸相非……見如來
須菩提白佛言世尊頗有衆生得聞如是言
說章句生實信不佛告須菩提莫作是說如
來滅後後五百歲有持戒脩福者於此章句
能生信心以此為實當知是人不於一佛二
佛三四五佛而種善根已於无量千万佛所
種諸善根聞是章句乃至一念生淨信者須
菩提如來悉知悉見是諸衆生得如是无量
福德何以故是諸衆生无復我相人相衆生
相壽者相无法相亦无非法相何以故是諸
衆生若心取相則為著我人衆生壽者若取
法相即著我人衆生壽者何以故若取非法
相即著我人衆生壽者是故不應取法不應
取非法以是義故如來常說汝等比丘知我
說法如筏喻者法尚應捨何況非法
須菩提於意云何如來得阿耨多羅三藐三

BD00095 號　金剛般若波羅蜜經　（13–1）

取非法以是義故如來常說汝等比丘知我
說法如筏喻者法尚應捨何況非法
須菩提於意云何如來得阿耨多羅三藐三
菩提耶如來有所說法耶須菩提言如我解
佛所說義无有定法名阿耨多羅三藐三菩
提亦无有定法如來可說何以故如來所說
法皆不可取不可說非法非非法所以者何
一切賢聖皆以无為法而有差別
須菩提於意云何若人滿三千大千世界七
寶以用布施是人所得福德寧為多不須菩
提言甚多世尊何以故是福德即非福德性
是故如來說福德多若復有人於此經中受
持乃至四句偈等為他人說其福勝彼何以
故須菩提一切諸佛及諸佛阿耨多羅三
藐三菩提法皆從此經出須菩提所謂佛法
者即非佛法
須菩提於意云何須陁洹能作是念我得須
陁洹果不須菩提言不也世尊何以故須陁
洹名為入流而无所入不入色聲香味觸法
是名須陁洹須菩提於意云何斯陁含能作
是念我得斯陁含果不須菩提言不也世尊
何以故斯陁含名一往來而實无往來是名
斯陁含須菩提於意云何阿那含能作是念
我得阿那含果不須菩提言不也世尊何以
故阿那含名為不來而實无來是故名阿那

BD00095號　金剛般若波羅蜜經　（13–2）

斯陁含須菩提於意云何阿那含能作是念
我得阿那含果不須菩提言不也世尊何以
故阿那含名為不來而實无來是故名阿那
含須菩提於意云何阿羅漢能作是念我得
阿羅漢道不須菩提言不也世尊何以故實
无有法名阿羅漢世尊若阿羅漢作是念我
得阿羅漢道即為著我人衆生壽者世尊佛
說我得无諍三昧人中最為第一是第一離
欲阿羅漢我不作是念我是離欲阿羅漢
世尊我若作是念我得阿羅漢道世尊則不說
須菩提是樂阿蘭那行者以須菩提實无所
行而名須菩提是樂阿蘭那行
佛告須菩提於意云何如來昔在然燈佛所
於法有所得不世尊如來在然燈佛所於法
實无所得須菩提於意云何菩薩莊嚴佛土
不不也世尊何以故莊嚴佛土者則非莊嚴
是名莊嚴是故須菩提諸菩薩摩訶薩應如
是生清淨心不應住色生心不應住聲香味
觸法生心應无所住而生其心須菩提譬如
有人身如須弥山王於意云何是身為大不
須菩提言甚大世尊何以故佛說非身是名
大身須菩提如恒河中所有沙數如是沙等
恒河於意云何是諸恒河沙寧為多不須菩
提言甚多世尊但諸恒河尚多无數何況其
沙須菩提我今實言告汝若有善男子善女

BD00095號　金剛般若波羅蜜經　（13–3）

提言甚多世尊但諸恒河尚多无數何況其
沙須菩提我今實言告汝若有善男子善女
人以七寶滿尒所恒河沙數三千大千世界
以用布施得福多不須菩提言甚多世尊佛
告須菩提若善男子善女人於此經中乃至
受持四句偈等為他人說而此福德勝前福
德復次須菩提隨說是經乃至四句偈等當
知此處一切世間天人阿脩羅皆應供養如
佛塔廟何況有人盡能受持讀誦須菩提當
知是人成就最上第一希有之法若是經典
所在之處則為有佛若尊重弟子
尒時須菩提白佛言世尊當何名此經我等
云何奉持佛告須菩提是經名為金剛般若
波羅蜜以是名字汝當奉持所以者何須菩
提佛說般若波羅蜜則非般若波羅蜜須菩
提於意云何如來有所說法不須菩提白佛
言世尊如來无所說須菩提於意云何三千
大千世界所有微塵是為多不須菩提言甚
多世尊須菩提諸微塵如來說非微塵是名
微塵如來說世界非世界是名世界須菩提
於意云何可以三十二相見如來不不也世
尊不可以三十二相得見如來何以故如來
說三十二相即是非相是名三十二相須菩
提若有善男子善女人以恒河沙等身命布
施若復有人於此經中乃至受持四句偈等

BD00095 號　金剛般若波羅蜜經　（13–4）

提若有善男子善女人以恒河沙等身命布
施若復有人於此經中乃至受持四句偈等
為他人說其福甚多
尒時須菩提聞說是經深解義趣涕淚悲泣
而白佛言希有世尊佛說如是甚深經典我
從昔來所得慧眼未曾得聞如是之經世尊
若復有人得聞是經信心清淨則生實相當
知是人成就第一希有功德世尊是實相者
則是非相是故如來說名實相世尊我今得
聞如是經典信解受持不足為難若當來世
後五百歲其有衆生得聞是經信解受持是
人則為第一希有何以故此人无我相人相
衆生相壽者相所以者何我相即是非相人
相衆生相壽者相即是非相何以故離一切
諸相則名諸佛佛告須菩提如是如是若復
有人得聞此經不驚不怖不畏當知是人甚
為希有何以故須菩提如來說第一波羅蜜
非第一波羅蜜是名第一波羅蜜
須菩提忍辱波羅蜜如來說非忍辱波羅蜜
何以故須菩提如我昔為歌利王割截身體
我於尒時无我相无人相无衆生相无壽者
相何以故我於往昔節節支解時若有我相
人相衆生相壽者相應生瞋恨須菩提又念
過去於五百世作忍辱仙人於尒所世无我
相无人相无衆生相无壽者相是故須菩提

BD00095 號　金剛般若波羅蜜經　（13–5）

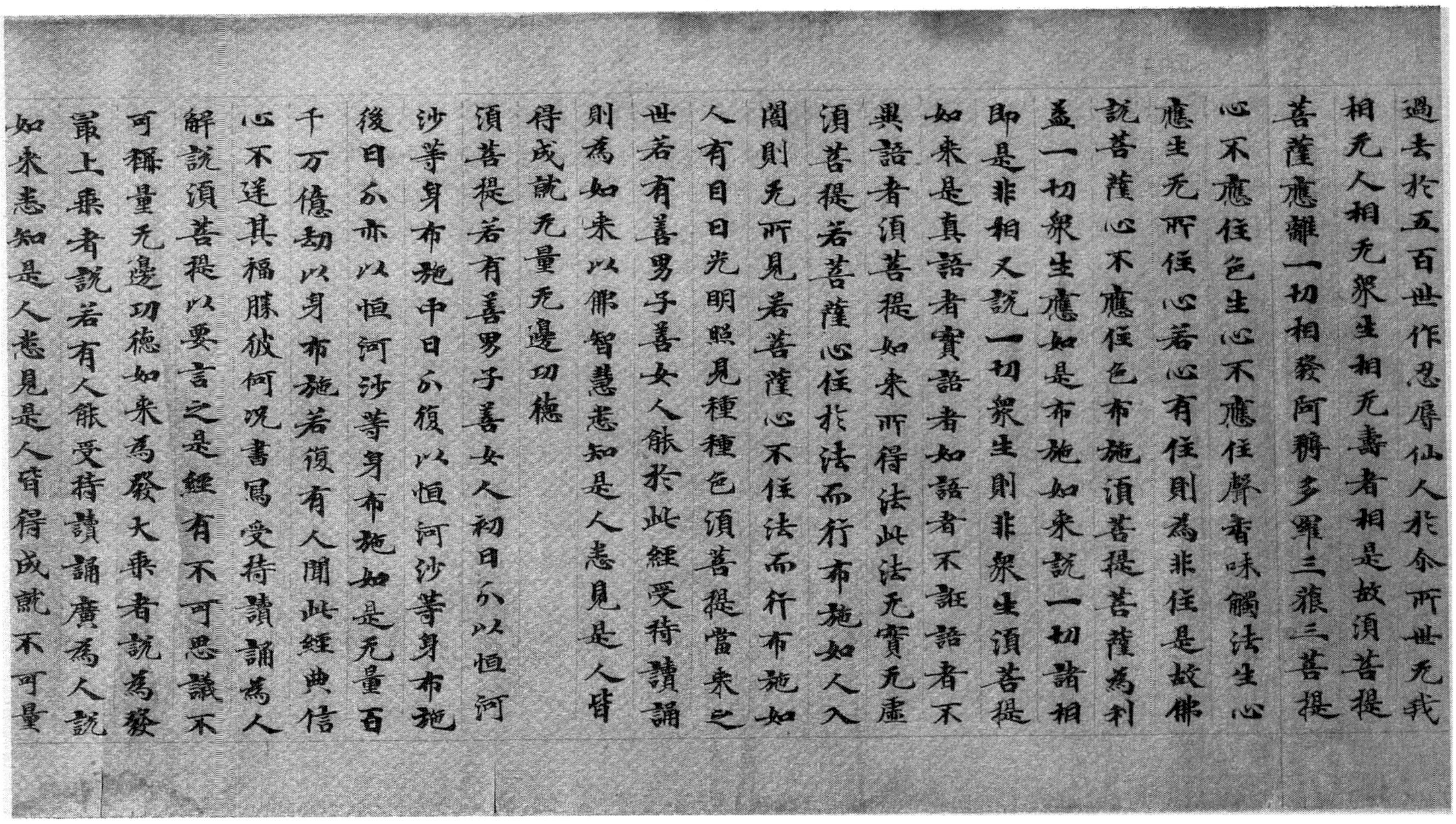

過去於五百世作忍辱仙人於尒所世无我
相无人相无衆生相无壽者相是故須菩提
菩薩應離一切相發阿耨多羅三藐三菩提
心不應住色生心不應住聲香味觸法生心
應生无所住心若心有住則為非住是故佛
說菩薩心不應住色布施須菩提菩薩為利
益一切衆生應如是布施如來說一切諸相
即是非相又說一切衆生則非衆生須菩提
如來是真語者實語者如語者不誑語者不
異語者須菩提如來所得法此法无實无虛
須菩提若菩薩心住於法而行布施如人入
闇則无所見若菩薩心不住法而行布施如
人有目日光明照見種種色須菩提當來之
世若有善男子善女人能於此經受持讀誦
則為如來以佛智慧悉知是人悉見是人皆
得成就无量无邊功德
須菩提若有善男子善女人初日分以恒河
沙等身布施中日分復以恒河沙等身布施
後日分亦以恒河沙等身布施如是无量百
千万億劫以身布施若復有人聞此經典信
心不逆其福勝彼何況書寫受持讀誦為人
解說須菩提以要言之是經有不可思議不
可稱量无邊功德如來為發大乘者說為發
最上乘者說若有人能受持讀誦廣為人說
如來悉知是人悉見是人皆得成就不可量

BD00095號　金剛般若波羅蜜經　（13–6）

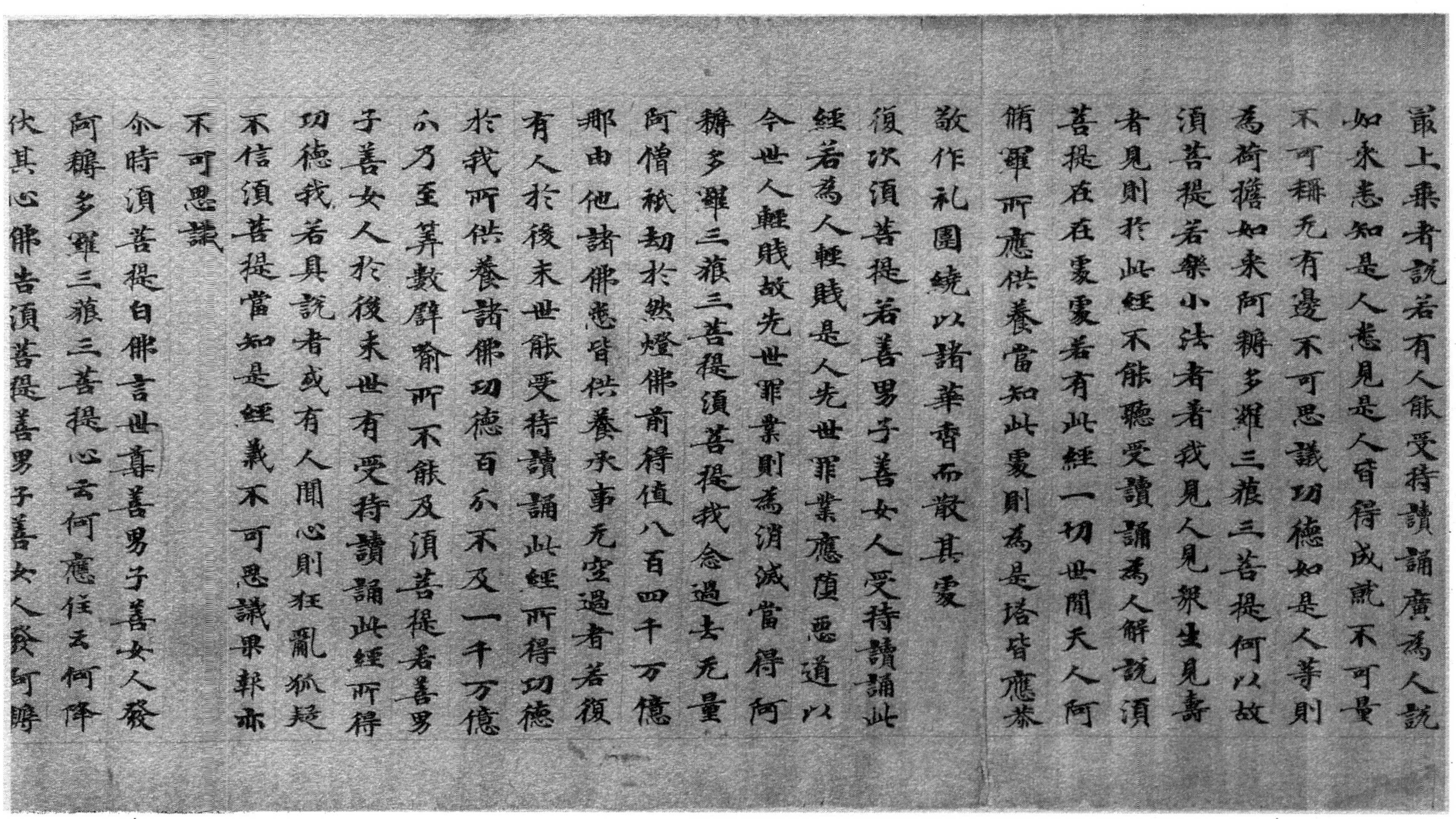

最上乘者說若有人能受持讀誦廣為人說
如來悉知是人悉見是人皆得成就不可量
不可稱无有邊不可思議功德如是人等則
為荷擔如來阿耨多羅三藐三菩提何以故
須菩提若樂小法者著我見人見衆生見壽
者見則於此經不能聽受讀誦為人解說須
菩提在在處處若有此經一切世間天人阿
脩羅所應供養當知此處則為是塔皆應恭
敬作禮圍繞以諸華香而散其處
復次須菩提若善男子善女人受持讀誦此
經若為人輕賤是人先世罪業應墮惡道以
今世人輕賤故先世罪業則為消滅當得阿
耨多羅三藐三菩提須菩提我念過去无量
阿僧祇劫於然燈佛前得值八百四千万億
那由他諸佛悉皆供養承事无空過者若復
有人於後末世能受持讀誦此經所得功德
於我所供養諸佛功德百分不及一千万億
分乃至筭數譬喻所不能及須菩提若善男
子善女人於後末世有受持讀誦此經所得
功德我若具說者或有人聞心則狂亂狐疑
不信須菩提當知是經義不可思議果報亦
不可思議
尒時須菩提白佛言世尊善男子善女人發
阿耨多羅三藐三菩提心云何應住云何降
伏其心佛告須菩提善男子善女人發阿耨

BD00095號　金剛般若波羅蜜經　（13–7）

阿耨多羅三藐三菩提心云何應住云何降
伏其心佛告須菩提善男子善女人發阿耨
多羅三藐三菩提者當生如是心我應滅度
一切衆生滅度一切衆生已而无有一衆生
實滅度者何以故若菩薩有我相人相衆生
相壽者相則非菩薩所以者何須菩提實无
有法發阿耨多羅三藐三菩提者須菩提於
意云何如來於然燈佛所有法得阿耨多羅
三藐三菩提不不也世尊如我解佛所說義
佛於然燈佛所无有法得阿耨多羅三藐三
菩提佛言如是如是須菩提實无有法如來
得阿耨多羅三藐三菩提
須菩提若有法如來得阿耨多羅三藐三菩
提者然燈佛則不與我受記汝於來世當
得作佛号釋迦牟尼以實无有法得阿耨多
羅三藐三菩提是故然燈佛與我受記作是
言汝於來世當得作佛号釋迦牟尼何以故
如來者即諸法如義若有人言如來得阿耨
多羅三藐三菩提須菩提實无有法佛得阿
耨多羅三藐三菩提須菩提如來所得阿耨
多羅三藐三菩提於是中无實无虛是故如
來說一切法皆是佛法須菩提所言一切法
者即非一切法是故名一切法須菩提譬如
人身長大須菩提言世尊如來說人身長大
則為非大身是名大身須菩提菩薩亦如是

BD00095號　金剛般若波羅蜜經　（13-8）

人身長大須菩提言世尊如來說人身長大
則為非大身是名大身須菩提菩薩亦如是
若作是言我當滅度无量衆生則不名菩薩
何以故須菩提以實无有法名為菩薩是故
佛說一切法无我无人无衆生无壽者須菩提
若菩薩作是言我當莊嚴佛土是不名菩薩
何以故如來說莊嚴佛土者即非莊嚴是名
莊嚴須菩提若菩薩通達无我法者如來說
名真是菩薩
須菩提於意云何如來有肉眼不如是世尊
如來有肉眼須菩提於意云何如來有天眼
不如是世尊如來有天眼須菩提於意云何
如來有慧眼不如是世尊如來有慧眼須菩
提於意云何如來有法眼不如是世尊如來
有法眼須菩提於意云何如來有佛眼不如
是世尊如來有佛眼須菩提於意云何恒河
中所有沙佛說是沙不如是世尊如來說是
沙須菩提於意云何如一恒河中所有沙有
如是等恒河是諸恒河所有沙數佛世界如
是寧為多不甚多世尊佛告須菩提爾所國
土中所有衆生若干種心如來悉知何以故
如來說諸心皆為非心是名為心所以者何
須菩提過去心不可得現在心不可得未來
心不可得須菩提於意云何若有人滿三千
大千世界七寶以用布施是人以是因緣得

BD00095號　金剛般若波羅蜜經　（13-9）

心不可得須菩提於意云何若有人滿三千
大千世界七寶以用布施是人以是因緣得
福多不如是世尊此人以是因緣得福甚多
須菩提若福德有實如來不說得福德多以
福德无故如來說得福德多
須菩提於意云何佛可以具足色身見不不
也世尊如來不應以具足色身見何以故如來說
具足色身即非具足色身是名具足色身須
菩提於意云何如來可以具足諸相見不不
也世尊如來不應以具足諸相見何以故如
來說諸相具足即非具足是名諸相具足須
菩提汝等勿謂如來作是念我當有所說法
莫作是念何以故若人言如來有所說法即
為謗佛不能解我所說故須菩提說法者无
法可說是名說法須菩提白佛言世尊佛得
阿耨多羅三藐三菩提為无所得耶如是如
是須菩提我於阿耨多羅三藐三菩提乃至
无有少法可得是名阿耨多羅三藐三菩提
復次須菩提是法平等无有高下是名阿耨
多羅三藐三菩提以无我无人无眾生无壽
者脩一切善法則得阿耨多羅三藐三菩提
須菩提所言善法者如來說非善法是名善
法須菩提若三千大千世界中所有諸須彌
山王如是等七寶聚有人持用布施若人以
此般若波羅蜜經乃至四句偈等受持讀誦

BD00095 號　金剛般若波羅蜜經　（13–10）

山王如是等七寶聚有人持用布施若人以
此般若波羅蜜經乃至四句偈等受持讀誦
為他人說於前福德百分不及一百千万億
分乃至筭數譬喻所不能及
須菩提於意云何汝等勿謂如來作是念我
當度眾生須菩提莫作是念何以故實无有
眾生如來度者若有眾生如來度者如來則
有我人眾生壽者須菩提如來說有我者則
非有我而凡夫之人以為有我須菩提凡夫
者如來說則非凡夫須菩提於意云何可以
三十二相觀如來不須菩提言如是如是以
三十二相觀如來佛告須菩提若以三十二
相觀如來者轉輪聖王則是如來須菩提白
佛言世尊如我解佛所說義不應以三十二
相觀如來尒時世尊而說偈言
若以色見我　以音聲求我　是人行邪道　不能見如來
須菩提汝若作是念如來不以具足相故得
阿耨多羅三藐三菩提須菩提莫作是念
如來不以具足相故得阿耨多羅三藐三菩提
須菩提汝若作是念發阿耨多羅三藐三菩
提者說諸法斷滅相莫作是念何以故發阿
耨多羅三藐三菩提者於法不說斷滅相須
菩提若菩薩以滿恒河沙等世界七寶布施
若復有人知一切法无我得成於忍此菩薩
勝前菩薩所得功德須菩提以諸菩薩不

BD00095 號　金剛般若波羅蜜經　（13–11）

菩提若菩薩以滿恒河沙等世界七寶布施
若復有人知一切法无我得成於忍此菩薩
勝前菩薩所得功德須菩提以諸菩薩不
受福德故須菩提白佛言世尊云何菩薩
不受福德須菩提菩薩所作福德不應貪著
是故說不受福德須菩提若有人言如來若
來若去若坐若卧是人不解我所說義何以
故如來者无所從來亦无所去故名如來
須菩提若善男子善女人以三千大千世界
碎為微塵於意云何是微塵衆寧為多不甚
多世尊何以故若是微塵衆實有者佛則不
說是微塵衆所以者何佛說微塵衆則非微
塵衆是名微塵衆世尊如來所說三千大千
世界則非世界是名世界何以故若世界實
有者則是一合相如來說一合相則非一合
相是名一合相須菩提一合相者則是不可
說但凡夫之人貪著其事
須菩提若人言佛說我見人見衆生見壽者
見須菩提於意云何是人解我所說義不世
尊是人不解如來所說義何以故世尊說
我見人見衆生見壽者見即非我見人見
衆生見壽者見是名我見人見衆生見壽者
見須菩提發阿耨多羅三藐三菩提心者於
一切法應如是知如是見如是信解不生法
相須菩提所言法相者如來說即非法相是

BD00095號　金剛般若波羅蜜經　（13–12）

說但凡夫之人貪著其事
須菩提若人言佛說我見人見衆生見壽者
見須菩提於意云何是人解我所說義不世
尊是人不解如來所說義何以故世尊說
我見人見衆生見壽者見即非我見人見
衆生見壽者見是名我見人見衆生見壽者
見須菩提發阿耨多羅三藐三菩提心者於
一切法應如是知如是見如是信解不生法
相須菩提所言法相者如來說即非法相是
名法相須菩提若有人以滿无量阿僧祇世
界七寶持用布施若有善男子善女人發菩
薩心者持於此經乃至四句偈等受持讀誦
為人演說其福勝彼云何為人演說不取於
相如如不動何以故
一切有為法　如夢幻泡影　如露亦如電　應作如是觀
佛說是經已長老須菩提及諸比丘比丘尼
優婆塞優婆夷一切世間天人阿脩羅聞佛
所說皆大歡喜信受奉行

金剛般若波羅蜜經

BD00095號　金剛般若波羅蜜經　（13–13）

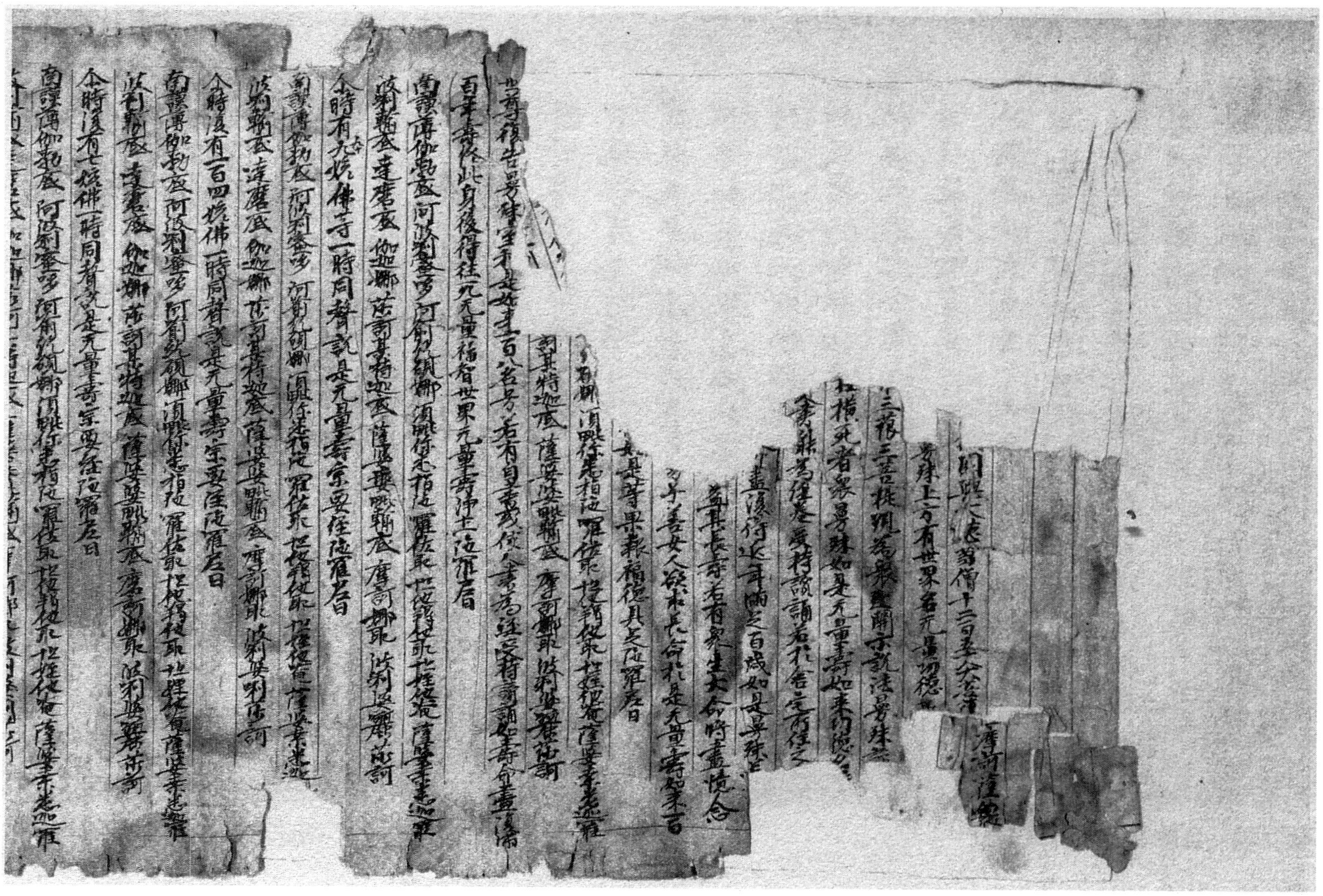

BD00096 號　無量壽宗要經　　（5–1）

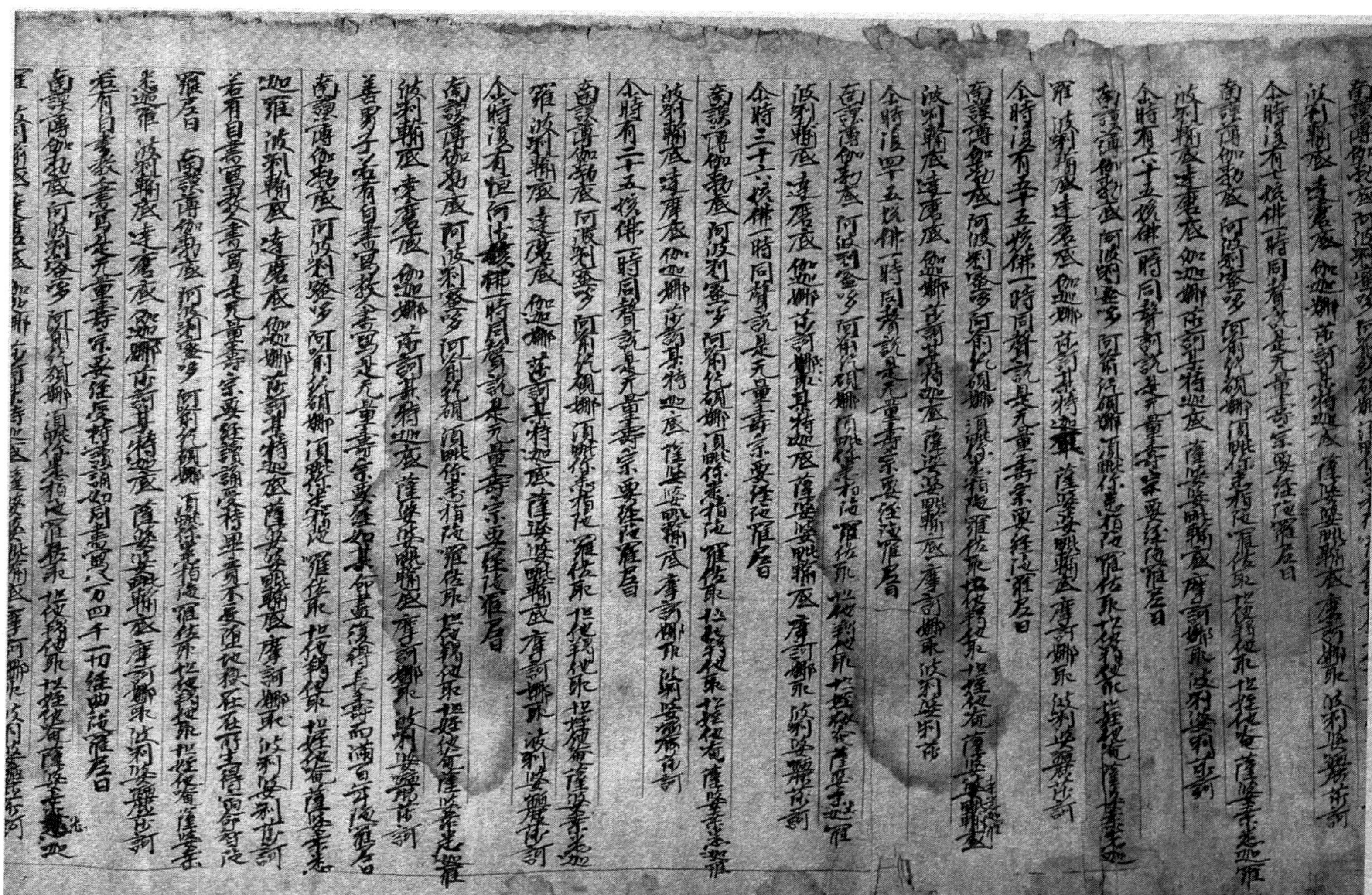

BD00096 號　無量壽宗要經　　（5–2）

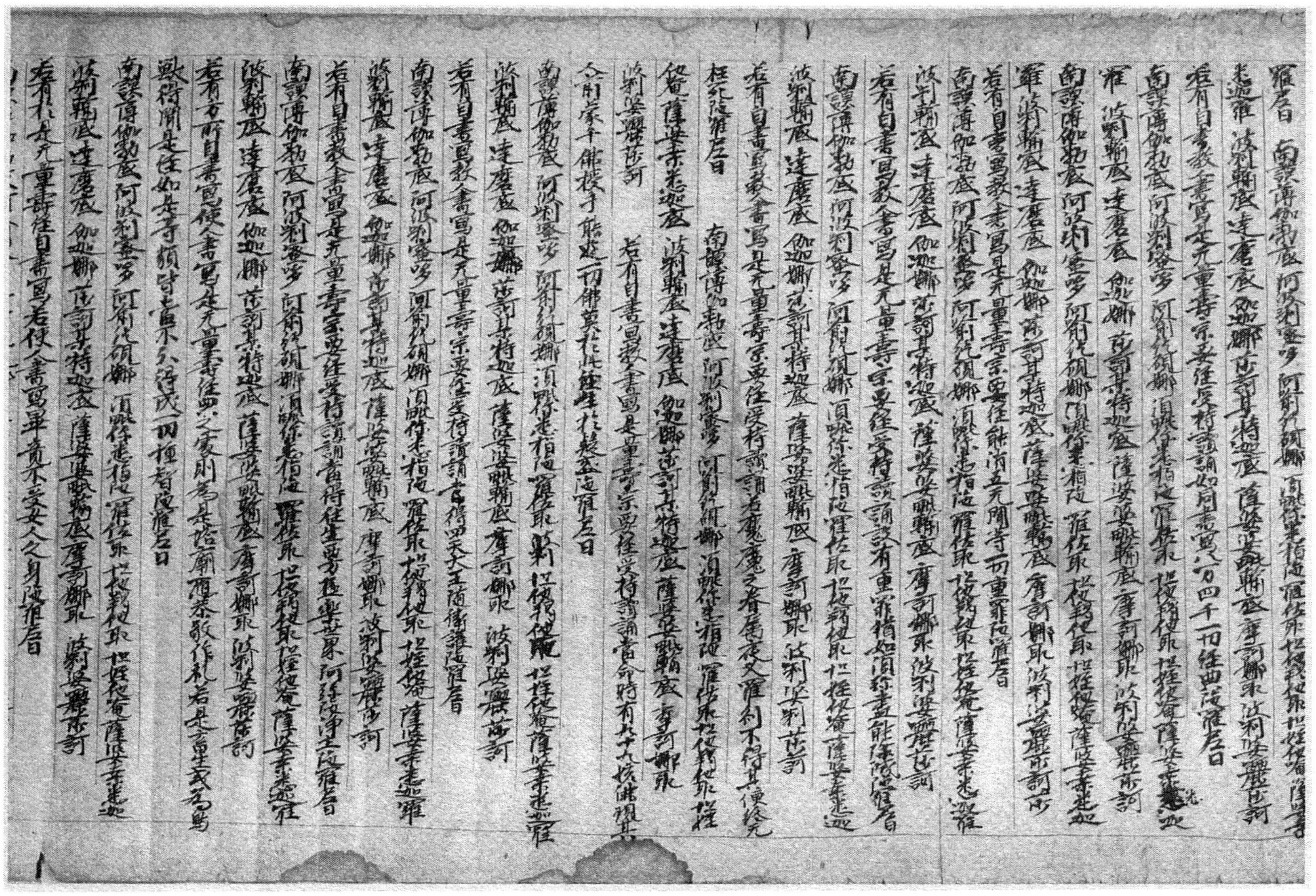

BD00096號　無量壽宗要經　　（5–3）

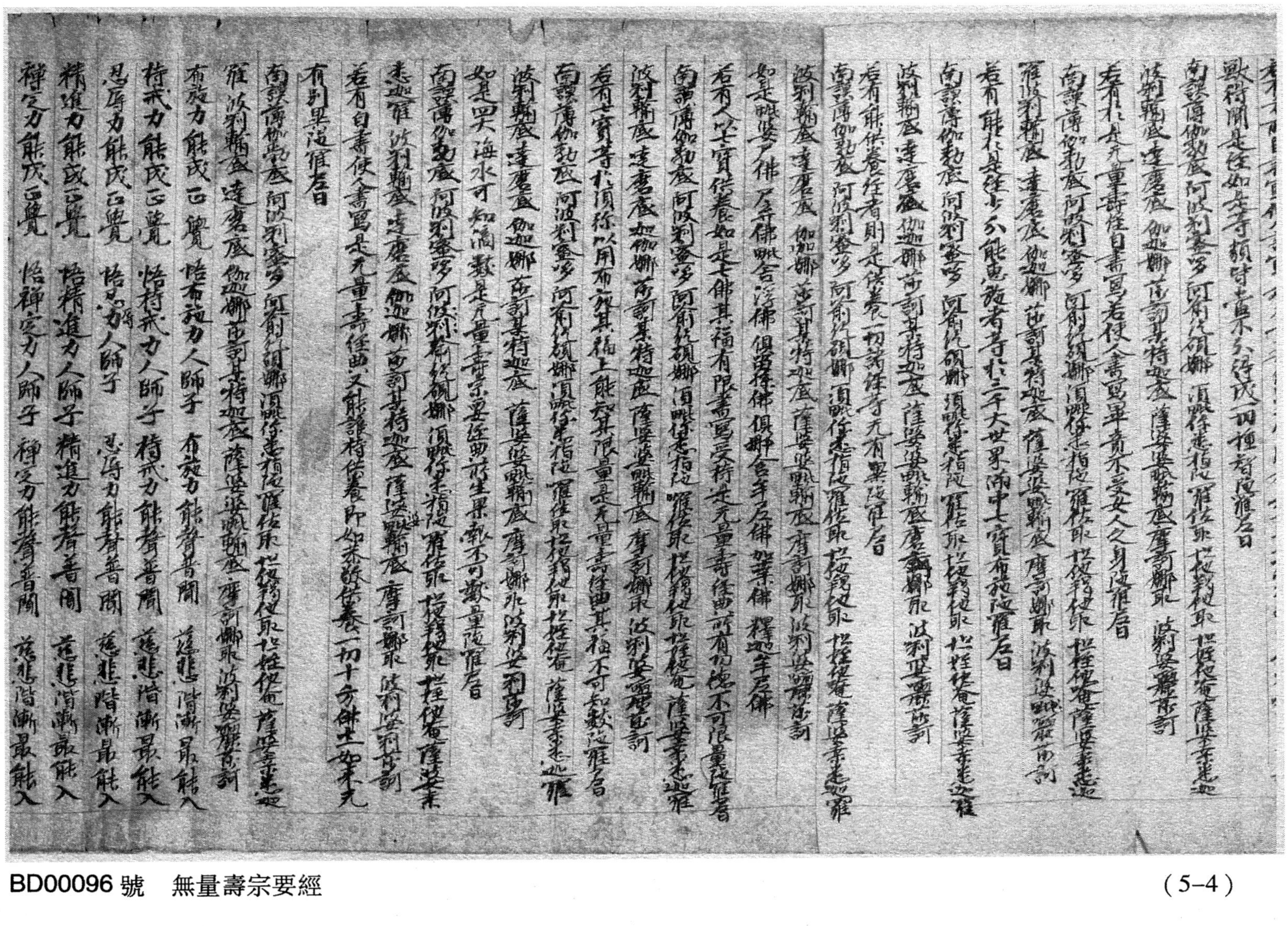

BD00096號　無量壽宗要經　　（5–4）

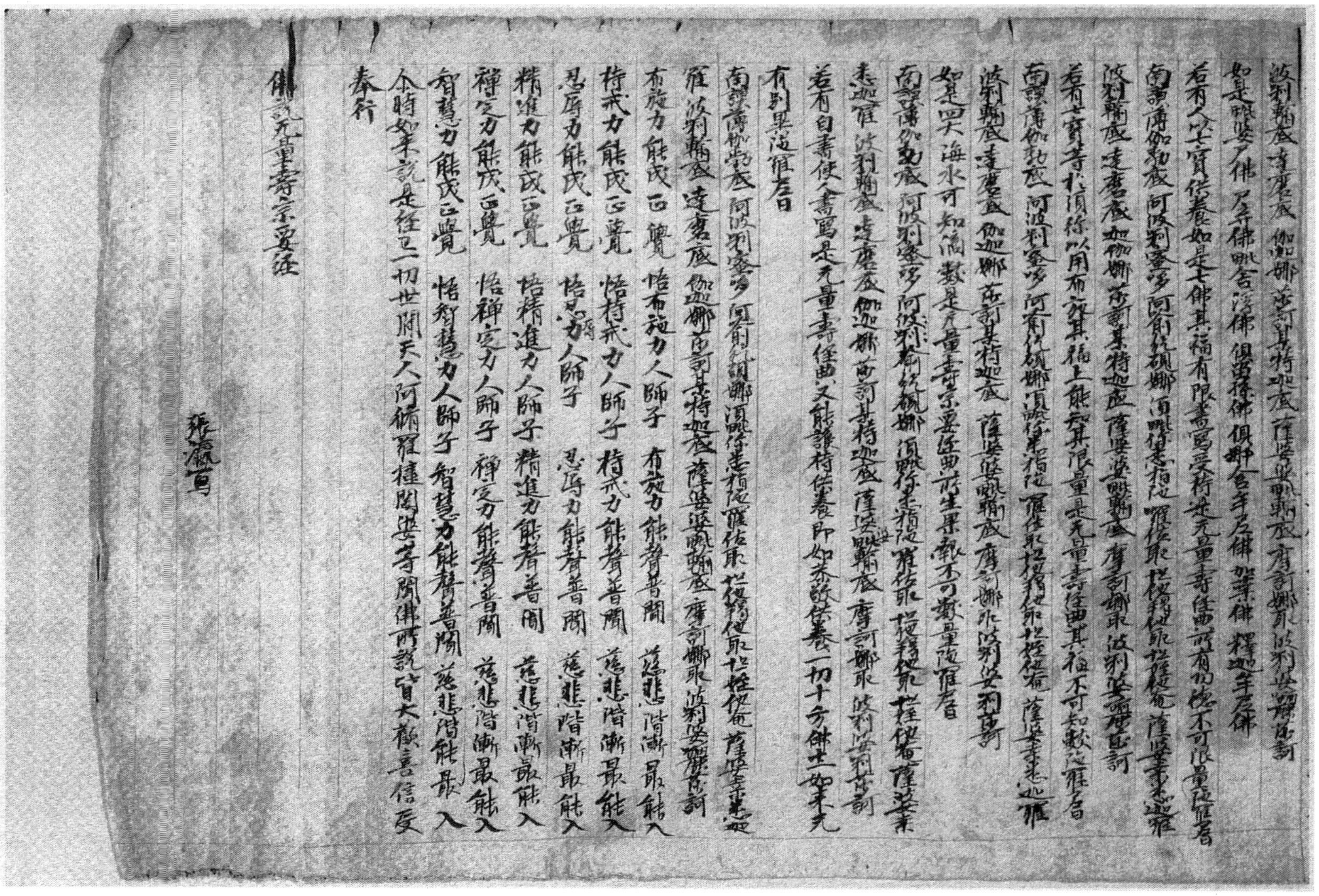

BD00096 號　無量壽宗要經　（5–5）

BD00096 號背　雜寫　（1–1）

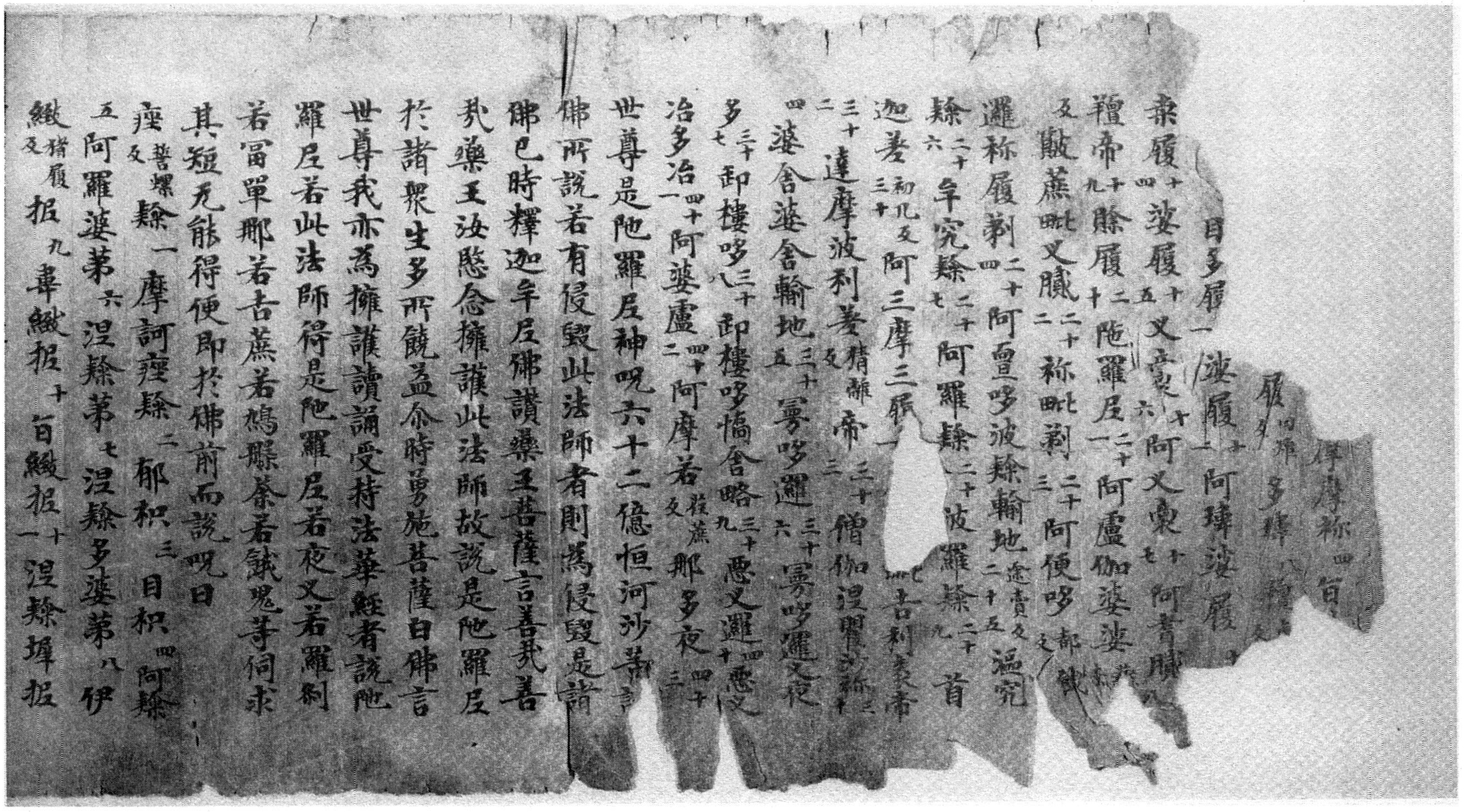

伊摩祢四旨
履　多肆八
目多履一波履十一阿瑋婆履
桒履十四婆履十五叉奝叉十六阿叉裔十七阿耆膩十八
穜帝十九賒履二十陁羅尼二十一阿盧伽婆婆
叉皺蔗毗叉膩二十二祢毗剃二十三阿便哆都
邏祢履剃二十四阿亶哆波隸輸地二十五漚究
隸二十六牟究隸二十七阿羅隸二十八波羅隸二十九首
迦差三十阿三摩三履三十一佛馱毗吉利袠帝
三十二達摩波利差三十二僧伽涅瞿沙祢三十
四婆舍婆舍輸地三十五曼哆邏三十六曼哆邏叉夜
多三十七郵樓哆三十八郵樓哆憍舍略三十九惡叉邏四十惡叉
冶多冶四十一阿婆盧四十二阿摩若那多夜四十三
世尊是陁羅尼神呪六十二億恒河沙等
佛所說若有侵毀此法師者則為侵毀是諸
佛已時釋迦牟尼佛讚藥王菩薩言善哉善
哉藥王汝愍念擁護此法師故說是陁羅尼
於諸衆生多所饒益尒時勇施菩薩白佛言
世尊我亦為擁護讀誦受持法華經者說陁
羅尼若此法師得是陁羅尼若夜叉若羅剎
若冨單那若吉蔗若鳩槃茶若餓鬼等伺求
其短无能得便即於佛前而說呪曰
痤隸一摩訶痤隸二郁枳三目枳四阿隸
五阿羅婆第六涅隸第七涅隸多婆第八伊
緻柅九韋緻柅十旨緻柅十一涅隸墀柅

BD00097號　妙法蓮華經卷七　（12–1）

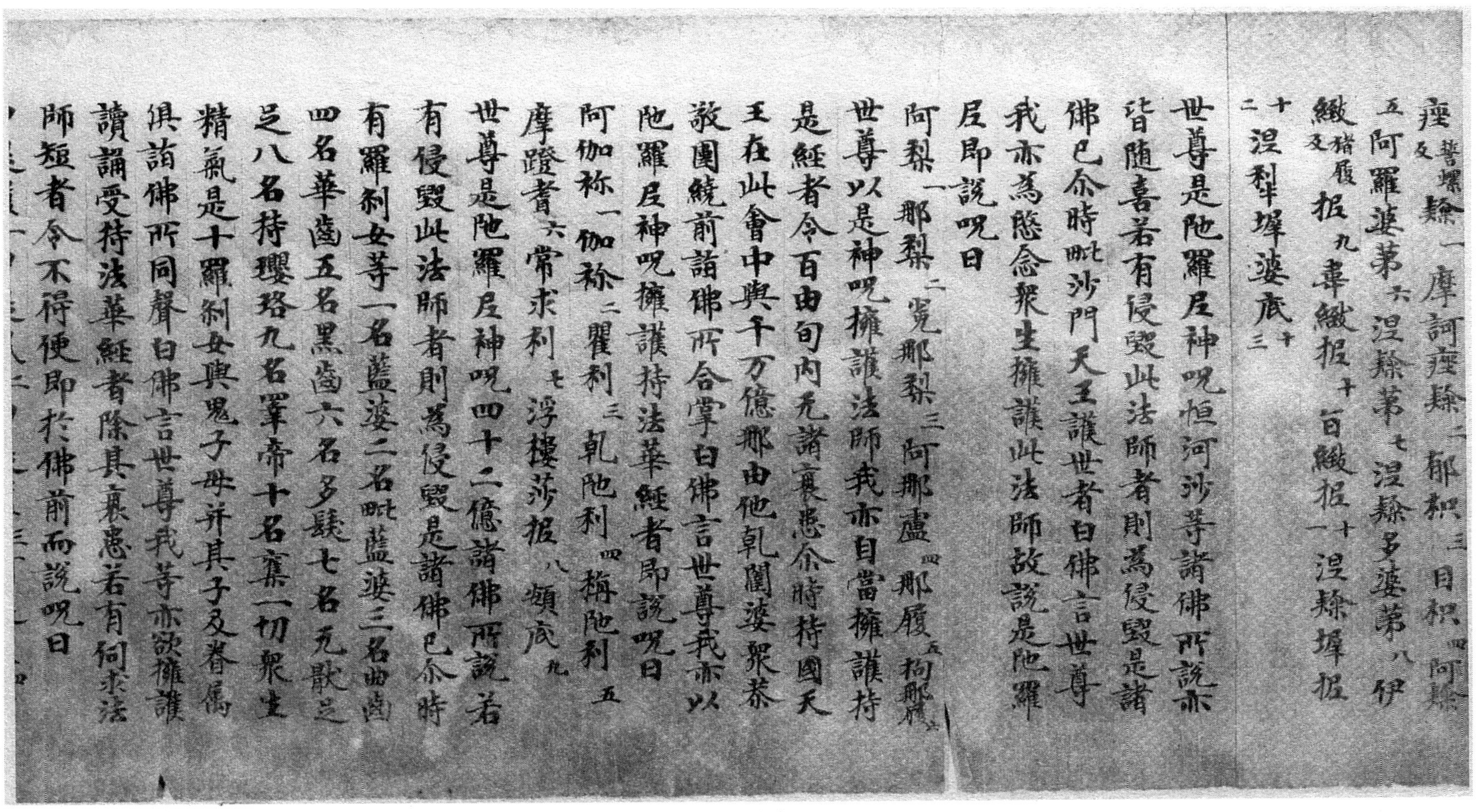

痤隸一摩訶痤隸二郁枳三目枳四阿隸
五阿羅婆第六涅隸第七涅隸多婆第八伊
緻柅九韋緻柅十旨緻柅十一涅隸墀柅
十二涅犁墀婆底十三
世尊是陁羅尼神呪恒河沙等諸佛所說亦
皆隨喜若有侵毀此法師者則為侵毀是諸
佛已尒時毗沙門天王護世者白佛言世尊
我亦為愍念衆生擁護此法師故說是陁羅
尼即說呪曰
阿梨一那梨二㝹那梨三阿那盧四那履五拘那履
世尊以是神呪擁護法師我亦自當擁護持
是經者令百由旬内无諸衰患尒時持國天
王在此會中與千万億那由他乾闥婆衆恭
敬圍繞前詣佛所合掌白佛言世尊我亦以
陁羅尼神呪擁護持法華經者即說呪曰
阿伽祢一伽祢二瞿利三乾陁利四栴陁利五
摩蹬耆六常求利七浮樓莎柅八頞底九
世尊是陁羅尼神呪四十二億諸佛所說若
有侵毀此法師者則為侵毀是諸佛已尒時
有羅剎女等一名藍婆二名毗藍婆三名曲齒
四名華齒五名黒齒六名多髮七名无猒足
八名持瓔珞九名睪帝十名奪一切衆生
精氣是十羅剎女與鬼子母并其子及眷屬
俱詣佛所同聲白佛言世尊我等亦欲擁護
讀誦受持法華經者除其衰患若有伺求法
師短者令不得便即於佛前而說呪曰

BD00097號　妙法蓮華經卷七　（12–2）

讀誦受持法華經者除其衰患若有伺求法
師短者令不得便即於佛前而說呪曰
伊提履一 伊提泯二 伊提履三 阿提履四 伊
提履五 泥履六 泥履七 泥履八 泥履九 泥履
十 樓醯十一 樓醯十二 樓醯十三 樓醯十四 多醯十五 多
醯十六 多醯十七 兜醯十八 㝹醯十九
寧上我頭上莫惱於法師若夜叉若羅剎若
餓鬼若富單那若吉蔗若毗陁羅若揵馱若
烏摩勒伽若阿跋摩羅若夜叉吉蔗若人吉
蔗若熱病若一日若二日若三日若四日若
至七日若常熱病若男形若女形若童男形
若童女形乃至夢中亦復莫惱即於佛前而
說偈言
若不順我呪　惱亂說法者　頭破作七分　如阿梨樹枝
如殺父母罪　亦如壓油殃　斗秤欺誑人　調達破僧罪
犯此法師者　當獲如是殃
諸羅剎女說此偈已白佛言世尊我等亦當
身自擁護受持讀誦脩行是經者令得安隱
離諸衰患消衆毒藥佛告諸羅剎女善哉善
哉汝等但能擁護受持法華名者福不可量
何況擁護具足受持供養經卷華香瓔珞末
香塗香燒香幡蓋伎樂然種種燈蘇燈油燈
諸香油燈蘇摩那華油燈瞻蔔華油燈婆師
迦華油燈優鉢羅華油燈如是等百千種供
養者睪帝汝等及眷屬應當擁護如是法師
說是陁羅尼品時六万八千人得无生法忍
妙法蓮華經妙莊嚴王本事品第二十七

BD00097 號　妙法蓮華經卷七　（12–3）

說是陁羅尼品時六万八千人得无生法忍
妙法蓮華經妙莊嚴王本事品第二十七
尒時佛告諸大衆乃往古世過无量无邊不
可思議阿僧祇劫有佛名雲雷音宿王華智
多陁阿伽度阿羅呵三藐三佛陁國名光明
莊嚴劫名憙見彼佛法中有王名妙莊嚴其
王夫人名曰淨德有二子一名淨藏二名淨
眼是二子有大神力福德智慧久脩菩薩所
行之道所謂檀波羅蜜尸羅波羅蜜羼提波
羅蜜毗梨耶波羅蜜禪波羅蜜般若波羅蜜
方便波羅蜜慈悲喜捨乃至三十七助道法
皆悉明了通達又得菩薩淨三昧日星宿三
昧淨光三昧淨色三昧淨照明三昧長莊嚴
三昧大威德藏三昧於此三昧亦悉通達尒
時彼佛欲引導妙莊嚴王及愍念衆生故說
是法華經時淨藏淨眼二子到其母所合十
指爪掌白言願母往詣雲雷音宿王華智佛
所我等亦當侍從親近供養礼拜所以者何
此佛於一切天人衆中說法華經宜應聽受
母告子言汝父信受外道深著婆羅門法汝
等應往白父與共俱去淨藏淨眼合十爪指
掌白母我等是法王子而生此耶見家母告
子言汝等當憂念汝父為現神變若得見者
心必清淨或聽我等往至佛所於是二子念
其父故踊在虛空高七多羅樹現種種神變
於虛空中行住坐卧身上出水身下出火身

BD00097 號　妙法蓮華經卷七　（12–4）

其父故踊在虛空高七多羅樹現種種神變
於虛空中行住坐臥身上出水身下出火身
下出水身上出火或現大身滿虛空中而復
現小小復現大於空中滅忽然在地入地如
水履水如地現如是等種種神變令其父王
心淨信解時父見子神力如是心大歡喜得
未曾有合掌向子言汝等師為是誰誰之弟
子二子白言大王彼雲雷音宿王華智佛今
在七寶菩提樹下法座上坐於一切世間天
人衆中廣說法華經是我等師我是弟子父
語子言我今亦欲見汝等師可共俱往於是
二子從空中下到其母所合掌白母父王今
已信解堪任發阿耨多羅三藐三菩提心我
等為父已作佛事願母見聽於彼佛所出家
脩道尒時二子欲重宣其意以偈白母
願母放我等 出家作沙門 諸佛甚難值 我等隨佛學
如優曇波羅 值佛復難是 脫諸難亦難 願聽我出家
母即告言聽汝出家所以者何佛難值故於
是二子白父母言善哉父母願時往詣雲雷
音宿王華智佛所親近供養所以者何佛難
得值如優曇波羅華又如一眼之龜值浮木
孔而我等宿福深厚生值佛法是故父母當
聽我等令得出家所以者何諸佛難值時亦
難遇彼時妙莊嚴王後宮八万四千人皆悉
堪任受持是法華經淨眼菩薩於法華三昧
久已通達淨藏菩薩已於无量百千万億劫
通達離諸惡趣三昧欲令一切衆生離諸惡

BD00097 號　妙法蓮華經卷七　（12–5）

久已通達淨藏菩薩已於无量百千万億劫
通達離諸惡趣三昧欲令一切衆生離諸惡
趣故其王夫人得諸佛習三昧能知諸佛祕
密之藏二子如是以方便力善化其父令心
信解好樂佛法於是妙莊嚴王與群臣眷屬
俱淨德夫人與後宮采女眷屬俱其王二子
與四万二千人俱一時共詣佛所到已頭面
礼足繞佛三帀却住一面尒時彼佛為王說
法示教利喜王大歡悅尒時妙莊嚴王及其
夫人解頸真珠瓔珞價直百千以散佛上於
虛空中化成四柱寶臺臺中有大寶床敷百
千万天衣其上有佛結跏趺坐放大光明尒
時妙莊嚴王作是念佛身希有端嚴殊特成
就第一微妙之色時雲雷音宿王華智佛告
四衆言汝等見是妙莊嚴王於我前合掌立
不此王於我法中作比丘精勤脩習助佛道
法當得作佛号娑羅樹王國名大光劫名大
高王其娑羅樹王佛有无量菩薩衆及无量
聲聞其國平正功德如是其王即時以國付
弟與夫人二子并諸眷屬於佛法中出家脩
道王出家已於八万四千歲常勤精進脩行
妙法華經過是已後得一切淨功德莊嚴三
昧即昇虛空高七多羅樹而白佛言世尊此
我二子已作佛事以神通變化轉我邪心令
得安住於佛法中得見世尊此二子者是我
善知識為欲發起宿世善根饒益我故來生

BD00097 號　妙法蓮華經卷七　（12–6）

得安住於佛法中得見世尊此二子者是我
善知識為欲發起宿世善根饒益我故來生
我家尒時雲雷音宿王華智佛告妙莊嚴王
言如是如是如汝所言若善男子善女人種
善根故世世得善知識其善知識能作佛事
示教利喜令入阿耨多羅三藐三菩提大王
當知善知識者是大因緣所謂化導令得見
佛發阿耨多羅三藐三菩提心大王汝見此
二子不此二子已曾供養六十五百千万億
那由他恒河沙諸佛親近恭敬於諸佛所受
持法華經愍念邪見眾生令住正見妙莊嚴
王即從虛空中下而白佛言世尊如來甚希
有以功德智慧故頂上肉髻光明顯照其眼
長廣而紺青色眉間毫相白如珂月齒白齊
密常有光明脣色赤好如頻婆菓尒時妙莊
嚴王讚歎佛如是等无量百千万億功德已
於如來前一心合掌復白佛言世尊未曾有
也如來之法具足成就不可思議微妙功德
教戒所行安隱快善我從今日不復自隨心
行不生邪見憍慢瞋恚諸惡之心說是語已
礼佛而出佛告大眾於意云何妙莊嚴王豈
異人乎今華德菩薩是其淨德夫人今佛前
光照莊嚴相菩薩是哀愍妙莊嚴王及諸眷
屬故於彼中生其二子者今藥王菩薩藥上
菩薩是是藥王藥上菩薩成就如此諸大功
德已於无量百千万億諸佛所殖眾德本成

BD00097號　妙法蓮華經卷七　（12–7）

菩薩是是藥王藥上菩薩成就如此諸大功
德已於无量百千万億諸佛所殖眾德本成
就不可思議諸善功德若有人識是二菩薩
名字者一切世間諸天人民亦應礼拜佛說
是妙莊嚴王本事品時八万四千人遠塵離
垢於諸法中得法眼淨

妙法蓮華經普賢菩薩勸發品第二十八

尒時普賢菩薩以自在神通威德名聞與大
菩薩无量无邊不可稱數從東方來所經諸
國普皆震動雨寶蓮華作无量百千万億種
種伎樂又與无數諸天龍夜叉乾闥婆阿脩
羅迦樓羅緊那羅摩睺羅伽人非人等大眾
圍繞各現威德神通之力到娑婆世界耆闍
崛山中頭面礼釋迦牟尼佛右繞七帀白佛
言世尊我於寶威德上王佛國遙聞此娑婆
世界說法華經與无量无邊百千万億諸菩
薩眾共來聽受唯願世尊當為說之若善男
子善女人於如來滅後云何能得是法華經
佛告普賢菩薩若善男子善女人成就四法
於如來滅後當得是法華經一者為諸佛護
念二者殖眾德本三者入正定聚四者發救
一切眾生之心善男子善女人如是成就四
法於如來滅後必得是經尒時普賢菩薩白
佛言世尊於後五百歲濁惡世中其有受持
是經典者我當守護除其衰患令得安隱使
无伺求得其便者若魔若魔子若魔女若魔
民若為魔所著者若夜叉若羅剎若鳩槃荼

BD00097號　妙法蓮華經卷七　（12–8）

无伺求得其便者若魔若魔子若魔女若魔
民若為魔所著者若夜叉若羅剎若鳩槃荼
若毗舍闍若吉蔗若富單那若韋陁羅等諸
惱人者皆不得便是人若行若立讀誦此經
我尒時乘六牙白象王與大菩薩衆俱詣其
所而自現身供養守護安慰其心亦為供養
法華經故是人若坐思惟此經尒時我復乘
白象王現其人前其人若於法華經有所忘
失一句一偈我當教之與共讀誦還令通利
尒時受持讀誦法華經者得見我身甚大歡
喜轉復精進以見我故即得三昧及陁羅尼
名為旋陁羅尼百千万億旋陁羅尼法音方
便陁羅尼得如是等陁羅尼世尊若後世後
五百歲濁惡世中比丘比丘尼優婆塞優婆
夷求索者受持者讀誦者書寫者欲脩習是
法華經於三七日中應一心精進滿三七日
已我當乘六牙白象與无量菩薩而自圍繞
以一切衆生所憙見身現其人前而為說法
示教利喜亦復與其陁羅尼呪得是陁羅尼
故无有非人能破壞者亦不為女人之所惑
亂我身亦自常護是人唯願世尊聽我說此
陁羅尼即於佛前而說呪曰
阿檀地 途賣反 一 檀陁婆地 二 檀陁婆帝 三 檀陁
鳩舍隸 四 檀陁脩陁隸 五 脩陁隸 六 脩陁羅
婆底 七 佛䭾波羶祢 八 薩婆陁羅尼阿婆多
尼 九 薩婆婆沙阿婆多尼 十 脩阿婆多尼 十一
僧伽婆履叉尼 十二 僧伽涅伽陁尼 十三 阿僧祇 十四

BD00097號　妙法蓮華經卷七　（12–9）

婆底 佛䭾波羶祢 薩婆陁羅尼阿婆多
尼 九 薩婆婆沙阿婆多尼 十 脩阿婆多尼 十一
僧伽婆履叉尼 十二 僧伽涅伽陁尼 十三 阿僧祇 十四
僧伽波伽地 十五 帝隸阿惰僧伽兜略 盧遮反 波
羅帝 十六 薩婆僧伽三摩地伽蘭地 十七 薩婆達
磨脩波利剎帝 十八 薩婆薩埵樓䭾憍舍略阿
㝹伽地 十九 辛阿毗吉利地帝 二十
世尊若有菩薩得聞是陁羅尼者當知普賢
神通之力若法華經行閻浮提有受持者應
作此念皆是普賢威神之力若有受持讀誦
正憶念解其義趣如說脩行當知是人行普
賢行於无量无邊諸佛所深種善根為諸如
來手摩其頭若但書寫是人命終當生忉利
天上是時八万四千天女作衆伎樂而來迎
之其人即著七寶冠於采女中娛樂快樂何
況受持讀誦正憶念解其義趣如說脩行若
有人受持讀誦解其義趣是人命終為千佛
授手令不恐怖不墮惡趣即往兜率天上彌
勒菩薩所彌勒菩薩有三十二相大菩薩衆
所共圍繞有百千万億天女眷屬而於中生
有如是等功德利益是故智者應當一心自
書若使人書受持讀誦正憶念如說脩行世
尊我今以神通力守護是經於如來滅後閻
浮提內廣令流布使不斷絕尒時釋迦牟尼
佛讚言善哉善哉普賢汝能護助是經令多
所衆生安樂利益汝已成就不可思議功德
深大慈悲從久遠來發阿耨多羅三藐三菩

BD00097號　妙法蓮華經卷七　（12–10）

所衆生安樂利益汝已成就不可思議功德
深大慈悲從久遠來發阿耨多羅三藐三菩
提意而能作是神通之願守護是經我當以
神通力守護能受持普賢菩薩名者普賢若
有受持讀誦正憶念脩習書寫是法華經者
當知是人則見釋迦牟尼佛如從佛口聞此
經典當知是人供養釋迦牟尼佛當知是人
佛讃善哉當知是人為釋迦牟尼佛手摩其
頭當知是人為釋迦牟尼佛衣之所覆如是
之人不復貪著世樂不好外道經書手筆亦
復不憙親近其人及諸惡者若屠兒若畜猪
羊雞狗若獵師若衒賣女色是人心意質直
有正憶念有福德力是人不為三毒所惱亦
不為嫉妬我慢邪慢增上慢所惱是人少欲
知足能脩普賢之行普賢若如來滅後後五
百歲若有人見受持讀誦法華經者應作是
念此人不久當詣道場破諸魔衆得阿耨多
羅三藐三菩提轉法輪擊法鼓吹法螺雨法
雨當坐天人大衆中師子法座上普賢若於
後世受持讀誦是經典者是人不復貪著衣
服卧具飲食資生之物所願不虛亦於現世
得其福報若有人輕毀之言汝狂人耳空作
是行終无所獲如是罪報當世世无眼若有
供養讃歎之者當於今世得現果報若復見
受持是經者出其過惡若實若不實此人現
世得白癩病若輕咲之者當世世牙齒踈缺
醜脣平鼻手脚繚戾眼目角睞身體臭穢惡

BD00097 號　妙法蓮華經卷七

(12–11)

念此人不久當詣道場破諸魔衆得阿耨多
羅三藐三菩提轉法輪擊法鼓吹法螺雨法
雨當坐天人大衆中師子法座上普賢若於
後世受持讀誦是經典者是人不復貪著衣
服卧具飲食資生之物所願不虛亦於現世
得其福報若有人輕毀之言汝狂人耳空作
是行終无所獲如是罪報當世世无眼若有
供養讃歎之者當於今世得現果報若復見
受持是經者出其過惡若實若不實此人現
世得白癩病若輕咲之者當世世牙齒踈缺
醜脣平鼻手脚繚戾眼目角睞身體臭穢惡
瘡膿血水腹短氣諸惡重病是故普賢若見
受持是經典者當起遠迎當如敬佛說是普
賢勸發品時恒河沙等无量无邊菩薩得百
千億旋陁羅尼三千大千世界微塵等諸菩
薩具普賢道佛說是經時普賢等諸菩薩舍
利弗等諸聲聞及諸天龍人非人等一切大
會皆大歡喜受持佛語作礼而去

妙法蓮華經卷第七

BD00097 號　妙法蓮華經卷七

(12–12)

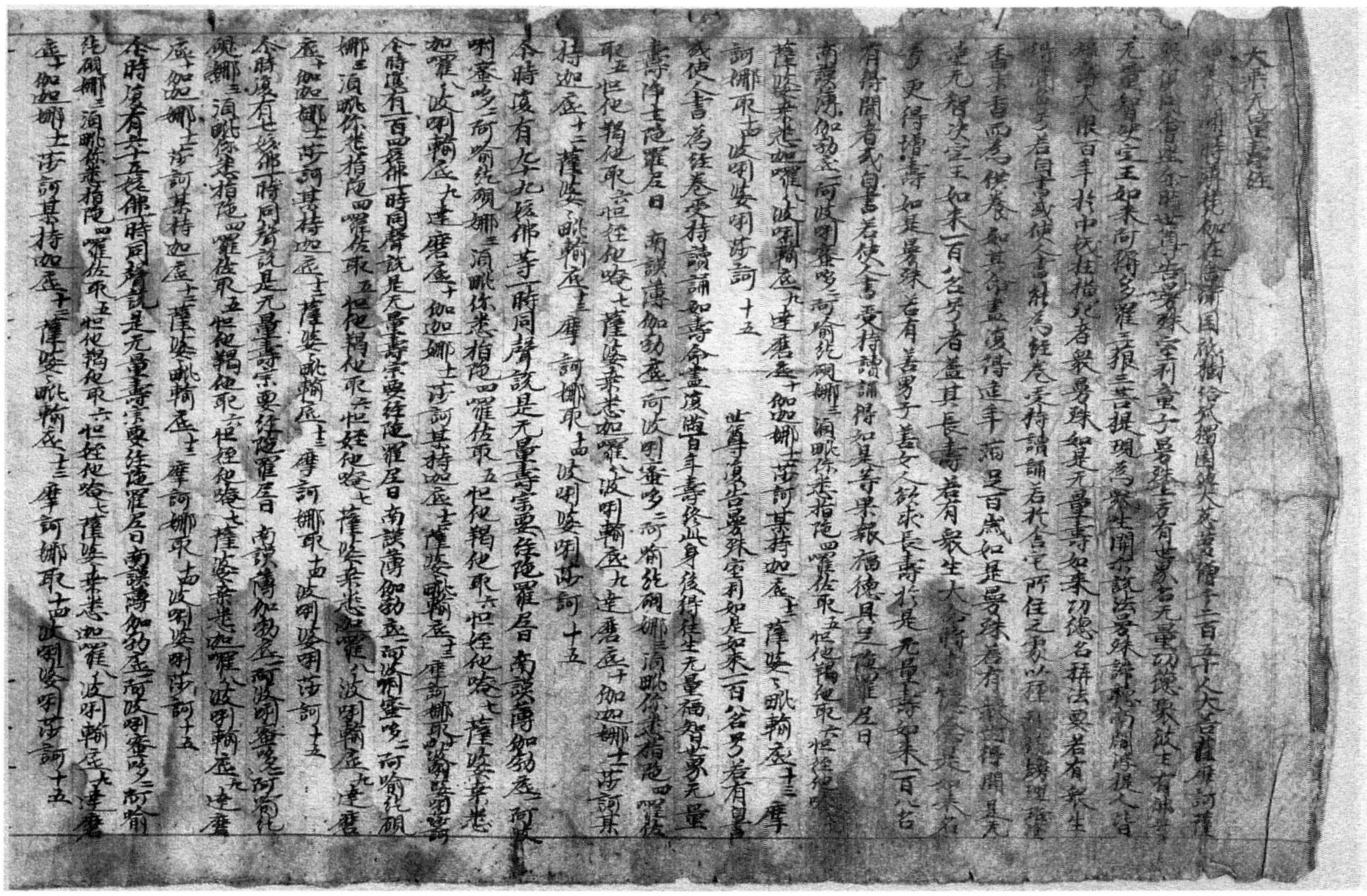

BD00098 號　無量壽宗要經　　（5–1）

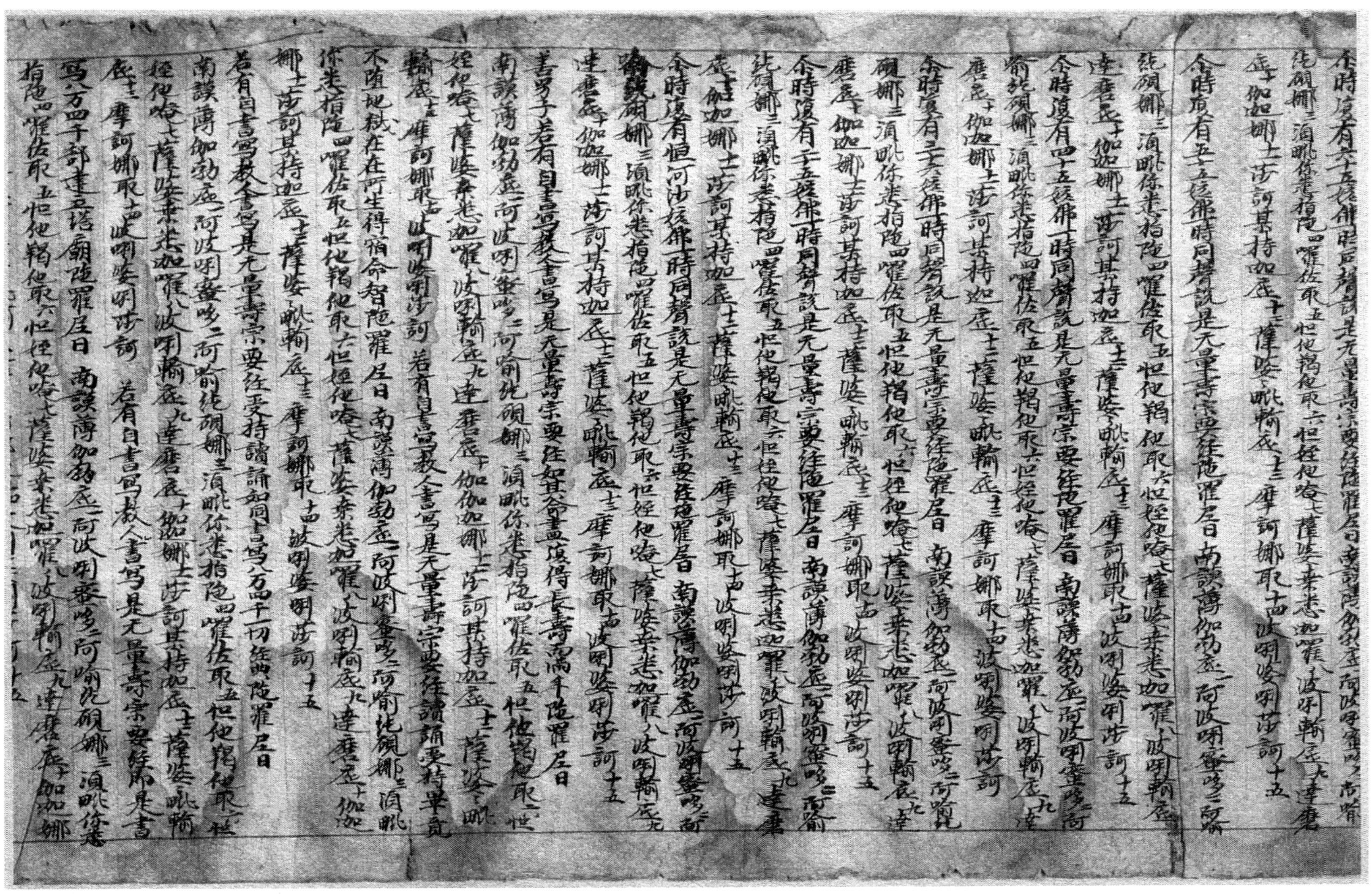

BD00098 號　無量壽宗要經　　（5–2）

姪他唵七薩婆桑悉迦囉八波唎輸底九達磨底十伽伽娜十一莎訶其持伽底十二薩婆毗輸
底十三摩訶娜耶十四波唎婆唎莎訶　若有自書寫教人書寫是无量壽宗要經即是書
寫八万四千部建立塔廟陀羅尼曰　南謨薄伽勃底一阿波唎蜜哆二阿喻紇硯娜三須毗你悉
指陀四囉佐耶五怛他羯他耶六怛姪他唵七薩婆桑悉迦囉八波唎輸底九達磨底十伽伽娜
莎訶其持伽底十二薩婆毗輸底十三摩訶娜耶十四波唎婆唎莎訶十五
若有自書寫教人書寫是无量壽宗要經能消五无間等一切重罪陀羅尼曰南謨薄伽勃底
阿波唎蜜哆二阿喻紇硯娜三須毗你悉指陀四囉佐耶五怛他羯他耶六怛姪他唵七薩婆桑悉迦囉
波唎輸底九達磨底十伽伽娜十一莎訶其持伽底十二薩婆毗輸底十三　摩訶娜耶十四波唎婆唎莎訶
若有自書寫教人書寫是无量壽宗要經受持讀誦設有重罪猶如須弥盡能除滅陀羅尼曰
南謨薄伽勃底一阿波唎蜜哆二阿喻紇硯娜三須毗你悉指陀四囉佐耶五怛他羯他耶六怛姪他
唵七薩婆桑悉迦囉八波唎輸底九達磨底十伽伽娜十一莎訶其持伽底十二薩婆毗輸底十三
摩訶娜耶十四波唎婆唎莎訶十五　若有自書寫教人書寫是无量壽宗要經受持讀誦若魔
之眷屬夜叉羅剎不得其便終无枉死陀羅尼曰　南謨薄伽勃底一阿波唎蜜哆二阿喻紇硯娜
須毗你悉指陀四囉佐耶五怛他羯他耶六怛姪他唵七薩婆桑悉迦囉八波唎輸底九達磨底十
伽伽娜十一莎訶其持伽底十二薩婆毗輸底十三　摩訶娜耶十四波唎婆唎莎訶十五
若有自書寫教人書寫是无量壽宗要經受持讀誦當命終時有九十九俱胝佛現其人前千佛
授手能遊一切佛剎莫於此經生於疑惑陀羅尼曰　南謨薄伽勃底一阿波唎蜜哆二阿喻紇硯
娜三須毗你悉指陀四囉佐耶五怛他羯他耶六怛姪他唵七薩婆桑悉迦囉八波唎輸底九達磨
底十伽伽娜十一莎訶其持伽底十二薩婆毗輸底十三摩訶娜耶十四波唎婆唎莎訶十五
若有自書寫教人書寫是无量壽宗要經受持讀誦常得四天大王隨其衛護陀羅尼曰
南謨薄伽勃底一阿波唎蜜哆二阿喻紇硯娜三須毗你悉指陀四囉佐耶五怛他羯他耶六怛
姪他唵七薩婆桑悉迦囉八波唎輸底九達磨底十伽伽娜十一莎訶其持伽底十二薩婆毗輸
底十三摩訶娜耶十四波唎婆唎莎訶十五　若有自書寫教人書寫是无量壽宗要經受持讀誦當
得往生西方極樂世界阿弥陀淨土陀羅尼曰　南謨薄伽勃底一阿波唎蜜哆二阿喻紇硯娜三
須毗你悉指陀四囉佐耶五怛他羯他耶六怛姪他唵七薩婆桑悉迦囉八波唎輸底九達磨底
伽伽娜十一莎訶其持伽底十二薩婆毗輸底十三摩訶娜耶十四波唎婆唎莎訶十五
若有方所自書寫使人書寫是无量壽經典之處則爲是塔皆應恭敬作礼若是畜生禽鳥
獸得聞是經如是等類皆當不久得成一切種智陀羅尼曰　南謨薄伽勃底一阿波唎蜜哆
阿喻紇硯娜三須毗你悉指陀四囉佐耶五怛他羯他耶六怛姪他唵七薩婆桑悉迦囉八波唎輸底
達磨底十伽伽娜十一莎訶其持伽底十二薩婆毗輸底十三摩訶娜耶十四波唎婆唎莎訶十五
若有於是无量壽經自書寫若使人書畢竟不受女人之身陀羅尼曰南謨薄伽勃底一阿波

BD00098號　無量壽宗要經　（5–3）

獸得聞是經如是等類皆當不久得成一切種智陀羅尼曰南謨薄伽勃底一阿波唎蜜哆
阿喻紇硯娜三須毗你悉指陀四囉佐耶五怛他羯他耶六怛姪他唵七薩婆桑悉迦囉八波唎輸底
達磨底十伽伽娜十一莎訶其持伽底十二薩婆毗輸底十三摩訶娜耶十四波唎婆唎莎訶十五
若有於是无量壽經自書寫若使人書畢竟不受女人之身陀羅尼曰南謨薄伽勃底一阿波
唎蜜哆二阿喻紇硯娜三須毗你悉指陀四囉佐耶五怛他羯他耶六怛姪他唵七薩婆桑悉迦囉八
波唎輸底九達磨底十伽伽娜十一莎訶其持伽底十二薩婆毗輸底十三摩訶娜耶十四波唎婆唎莎訶
若有能於是經少分能惠施者等於三千大千世界滿中七寶布施陀羅尼曰南謨薄伽勃底一阿波
唎蜜哆二阿喻紇硯娜三須毗你悉指陀四囉佐耶五怛他羯他耶六怛姪他唵七薩婆桑悉迦囉八波唎輸
底九達磨底十伽伽娜十一莎訶其持伽底十二薩婆毗輸底十三摩訶娜耶十四波唎婆唎莎訶十五
若有能供養是經者則是供養一切諸經等无有異陀羅尼曰　南謨薄伽勃底一阿波唎蜜哆
南謨薄伽勃底一阿波唎蜜哆二阿喻紇硯娜三須毗你悉指陀四囉佐耶五怛他羯他耶六怛姪他唵七
薩婆桑悉迦囉八波唎輸底九達磨底十伽伽娜十一莎訶其持伽底十二薩婆毗輸底十三摩訶娜耶十四波唎婆唎莎訶
如是毗婆尸佛　尸弃佛　毗舍浮佛　俱留孫佛　俱那含牟尼佛　迦葉佛　釋迦牟尼佛
若有人以七寶供養如是七佛其福有限書寫受持是无量壽經典所有功德不可限量陀羅尼曰
南謨薄伽勃底一阿波唎蜜哆二阿喻紇硯娜三須毗你悉指陀四囉佐耶五怛他羯他耶六怛姪
他唵七薩婆桑悉迦囉八波唎輸底九達磨底十伽伽娜十一莎訶其持伽底十二薩婆毗輸底
摩訶娜耶十四波唎婆唎莎訶　若有七寶等於須弥以用布施其福上能知其限量是无量
壽經典其福不可知數陀羅尼曰　南謨薄伽勃底一阿波唎蜜哆二阿喻紇硯娜三須毗你悉指
陀四囉佐耶五怛他羯他耶六怛姪他唵七薩婆桑悉迦囉八波唎輸底九達磨底十伽伽娜十一莎訶其
持伽底十二薩婆毗輸底十三　摩訶娜耶十四　波唎婆唎莎訶十五
如是四大海水可知滴數是无量壽經典所生果報不可數量陀羅尼曰
南謨薄伽勃底一阿波唎蜜哆二阿喻紇硯娜三須毗你悉指陀四囉佐耶五怛他羯他耶六怛姪
他唵七薩婆桑悉迦囉八波唎輸底九達磨底十伽伽娜十一莎訶其持伽底十二薩婆毗輸底
摩訶娜耶十四波唎婆唎莎訶十五　若有自書使人書寫是无量壽經典又能讃持
供養即如恭敬供養一切十方佛土如來无有別異陀羅尼曰南謨薄伽勃底一阿波唎蜜哆
阿喻紇硯娜三須毗你悉指陀四囉佐耶五怛他羯他耶六怛姪他唵七薩婆桑悉迦囉八波唎輸底九達
磨底十伽伽娜十一莎訶其持伽底十二薩婆毗輸底十三摩訶娜耶十四波唎婆唎莎訶十五
布施力能成正覺　悟布施力人師子　布施力能聲普聞　慈悲階漸最能入
持戒力能成正覺　悟持戒力人師子　持戒力能聲普聞　慈悲階漸最能入
忍辱力能成正覺　悟忍辱力人師子　忍辱力能聲普聞　慈悲階漸最能入
精進力能成正覺　悟精進力人師子　精進力能聲普聞　慈悲階漸最能入

BD00098號　無量壽宗要經　（5–4）

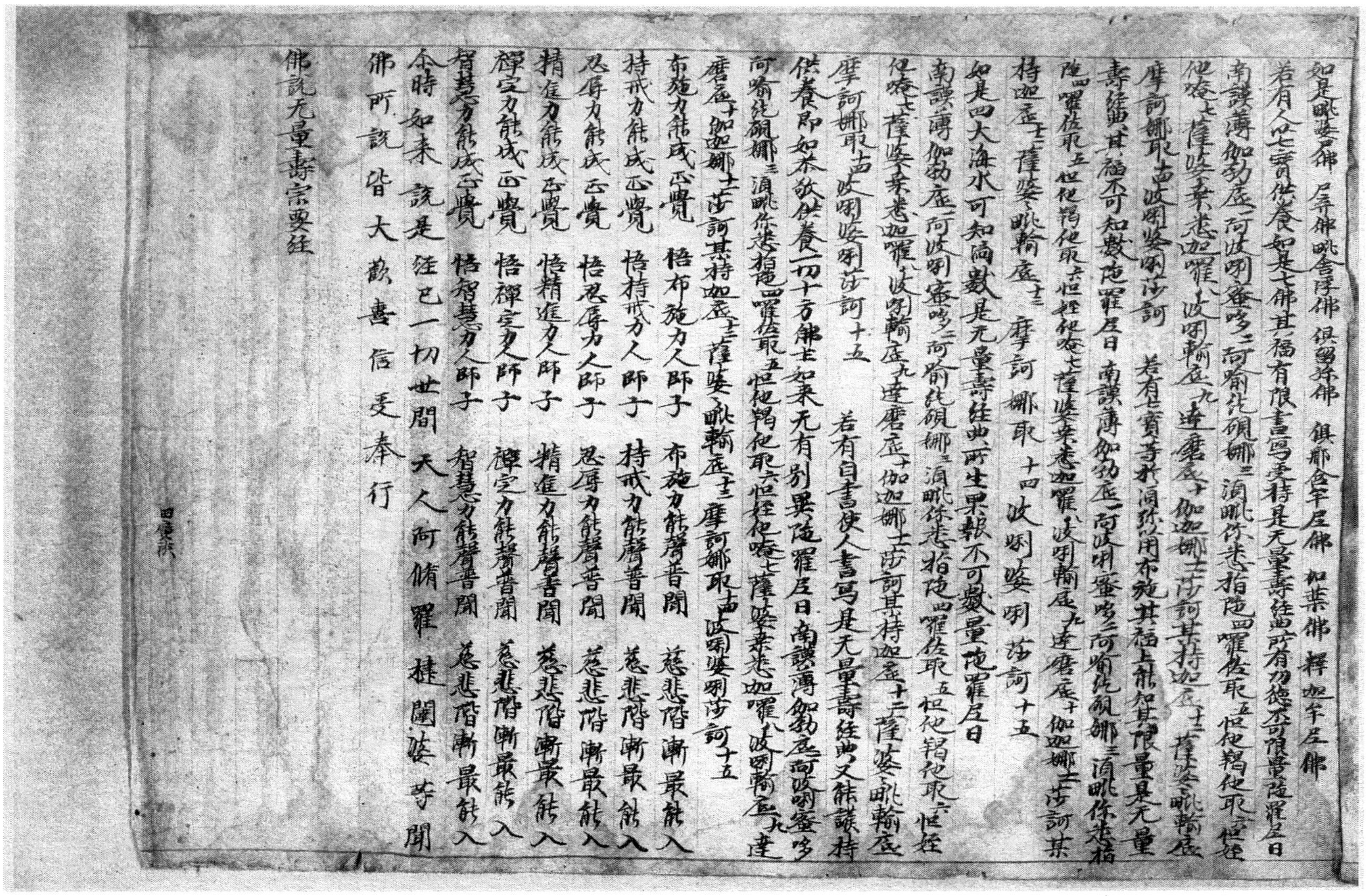

如是毗婆尸佛　尸棄佛　毗舍浮佛　俱留孫佛　俱那含牟尼佛　迦葉佛　釋迦牟尼佛
若有人以七寶供養如是七佛，其福有限；書寫受持是无量壽經典，所有功德不可限量。陁羅尼曰：
南謨薄伽勃底一　阿波唎蜜哆二　阿喻紇硯娜三　須毗你悉指陁四　囉佐耶五　怛他羯他耶六　怛姪
他唵七　薩婆桑悉迦囉八　波唎輸底九　達磨底十　伽迦娜十一　莎訶其持迦底十二　薩婆毗輸底
摩訶娜耶十四　波唎婆唎莎訶　　若有七寶等於須彌山用布施，其福上能知其限量，是无量
壽經典，其福不可知數。陁羅尼曰：南謨薄伽勃底一　阿波唎蜜哆二　阿喻紇硯娜三　須毗你悉指
陁四　囉佐耶五　怛他羯他耶六　怛姪他唵七　薩婆桑悉迦囉八　波唎輸底九　達磨底十　伽迦娜十一　莎訶其
持迦底十二　薩婆毗輸底十三　摩訶娜耶十四　波唎婆唎莎訶十五
如是四大海水可知滴數，是无量壽經典所生果報不可數量。陁羅尼曰：
南謨薄伽勃底一　阿波唎蜜哆二　阿喻紇硯娜三　須毗你悉指陁四　囉佐耶五　怛他羯他耶六　怛姪
他唵七　薩婆桑悉迦囉八　波唎輸底九　達磨底十　伽迦娜十一　莎訶其持迦底十二　薩婆毗輸底
摩訶娜耶十四　波唎婆唎莎訶十五　　若有自書使人書寫是无量壽經典，又能謙持
供養，即如承欲供養一切十方佛土。如來无有別異。陁羅尼曰：南謨薄伽勃底一　阿波唎蜜哆
阿喻紇硯娜三　須毗你悉指陁四　囉佐耶五　怛他羯他耶六　怛姪他唵七　薩婆桑悉迦囉八　波唎輸底九　達
磨底十　伽迦娜十一　莎訶其持迦底十二　薩婆毗輸底十三　摩訶娜耶十四　波唎婆唎莎訶十五
布施力能成正覺　悟布施力人師子　布施力能聲普聞　慈悲階漸最能入
持戒力能成正覺　悟持戒力人師子　持戒力能聲普聞　慈悲階漸最能入
忍辱力能成正覺　悟忍辱力人師子　忍辱力能聲普聞　慈悲階漸最能入
精進力能成正覺　悟精進力人師子　精進力能聲普聞　慈悲階漸最能入
禪定力能成正覺　悟禪定力人師子　禪定力能聲普聞　慈悲階漸最能入
智慧力能成正覺　悟智慧力人師子　智慧力能聲普聞　慈悲階漸最能入
尒時如來說是經已，一切世間天人阿脩羅揵闥婆等聞
佛所說，皆大歡喜，信受奉行
佛說无量壽宗要經

田廣談

BD00098號　無量壽宗要經　（5–5）

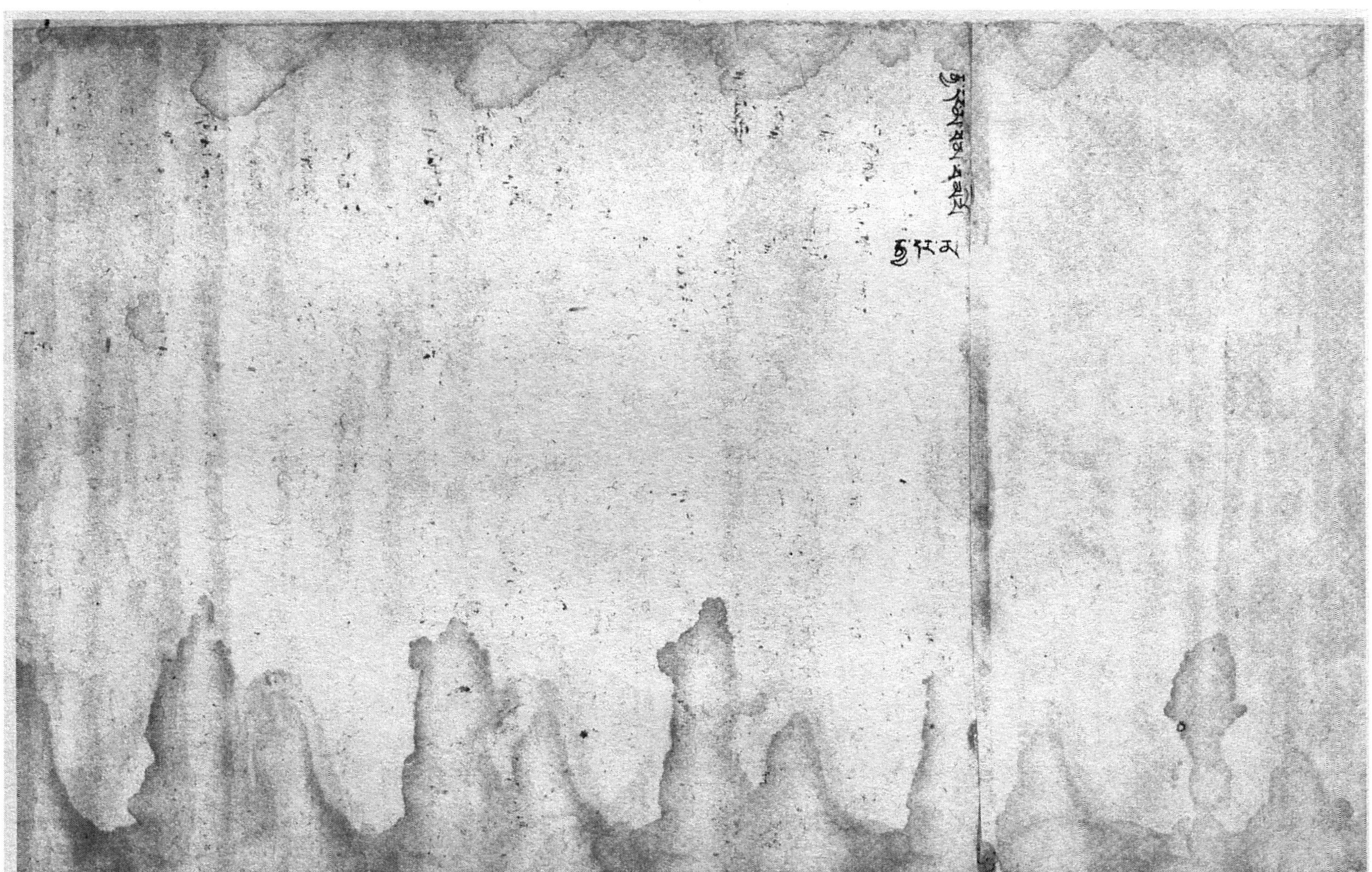

BD00098號背　雜寫　（2–1）

社司轉帖 右緣年支春座局

BD00098 號背　雜寫　　（2–2）

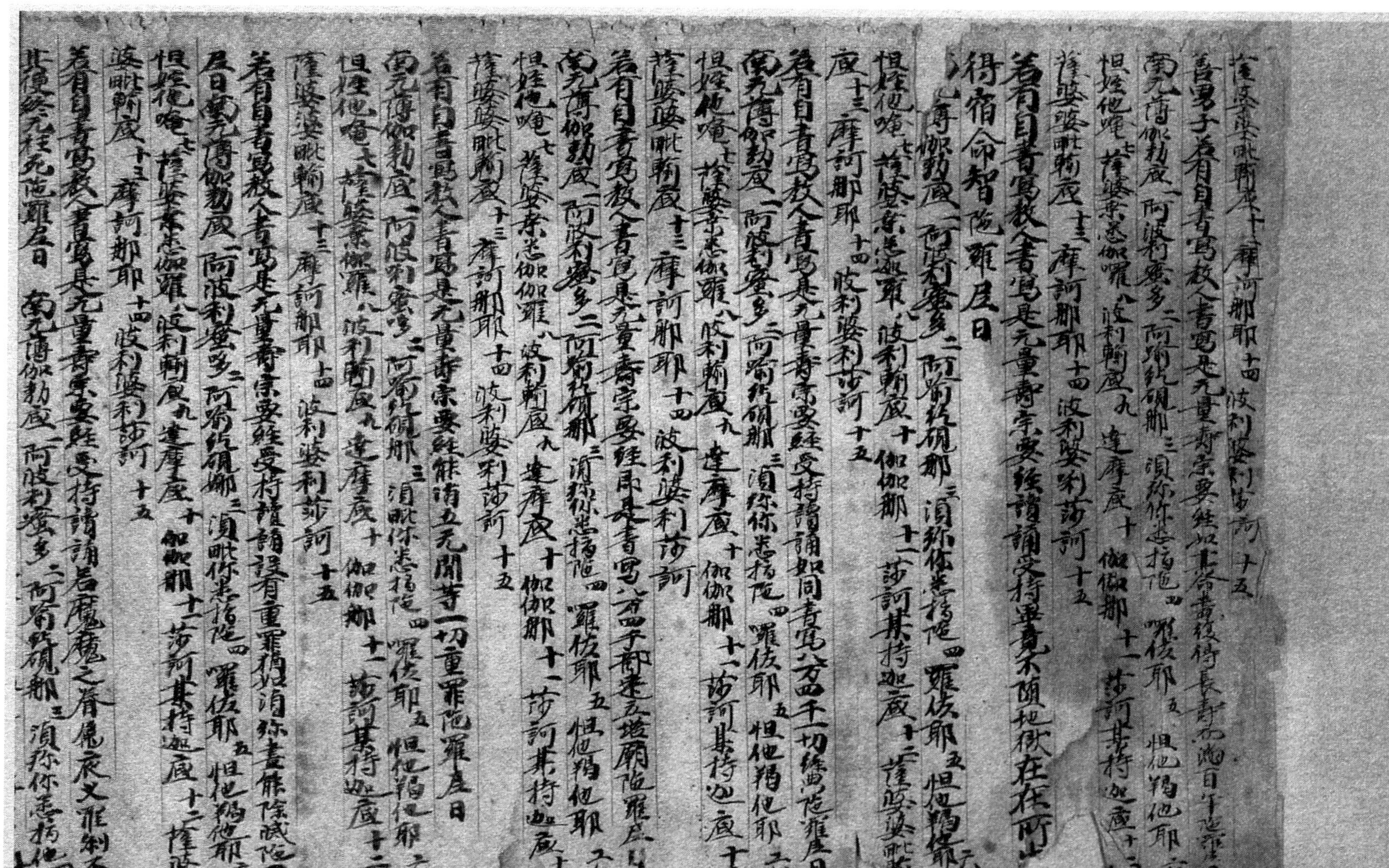

BD00099 號 1　無量壽宗要經　　（9–1）

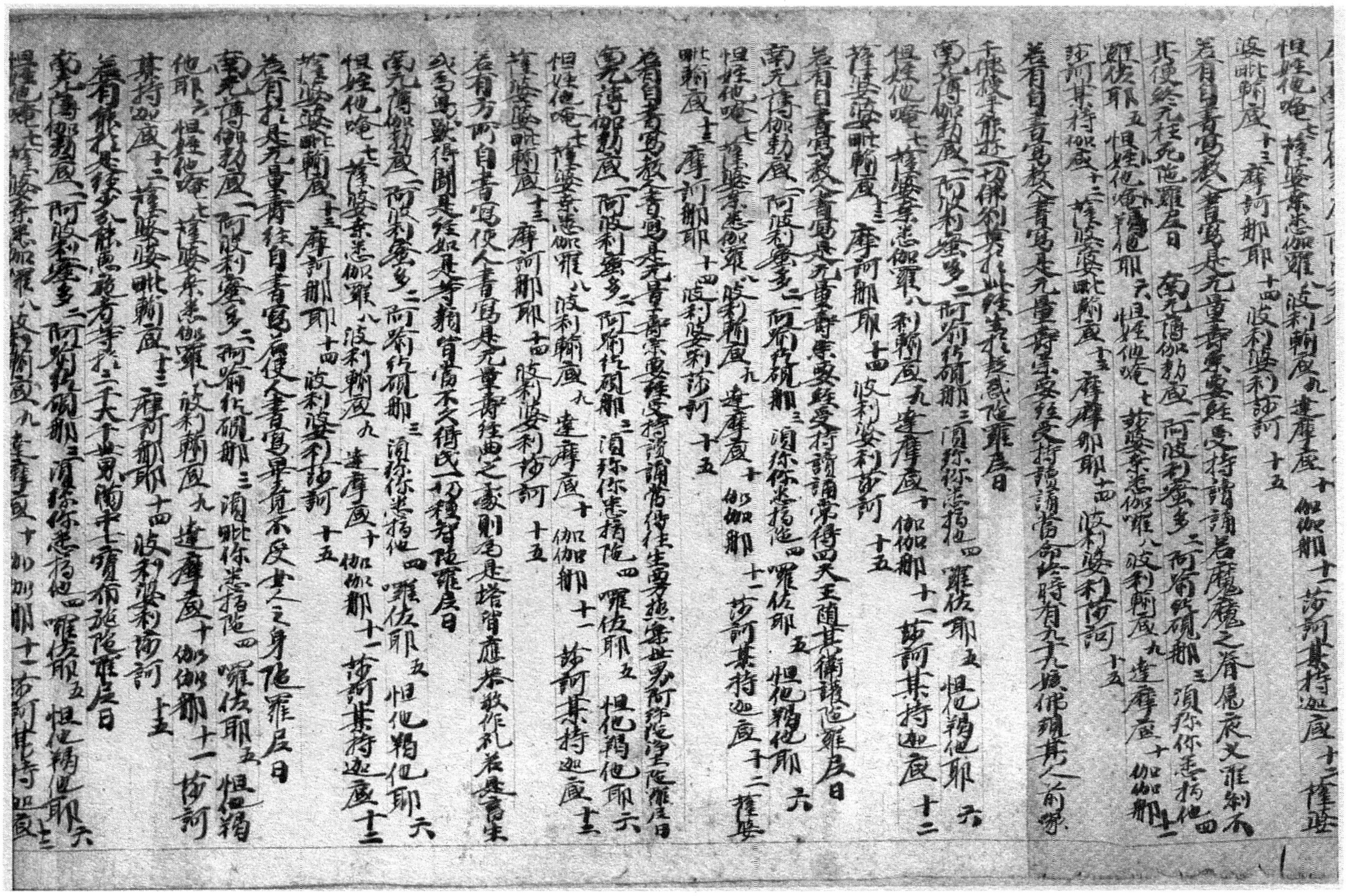

怛姪他唵七 薩婆桑悉伽羅八 波利輸底九 達摩底十 伽伽那十一 莎訶其持迦底十二 薩婆
婆毗輸底十三 摩訶娜耶十四 波利婆利莎訶 十五
若有自書寫教人書寫是无量壽宗要經受持讀誦者魔魔之眷屬夜叉羅刹不
其便終无枉死陁羅尼曰 南无薄伽勃底一 阿波利蜜多二 阿喻紇硯那三 須弥你悉指陁四
囉佐耶五 怛姪他羯他耶六 怛姪他唵七 薩婆桑悉伽囉八 波利輸底九 達摩底十 伽伽那十一
莎訶其持伽底十二 薩婆婆毗輸底十三 摩訶娜耶十四 波利婆利莎訶 十五
若有自書寫教人書寫是无量壽宗要經受持讀誦當命終時有九十九億佛現其人前來
千佛授手遊一切佛刹莫於此經生於疑惑陁羅尼曰
南无薄伽勃底一 阿波利蜜多二 阿喻紇硯那三 須弥你悉指陁四 羅佐耶五 怛他羯他耶六
怛姪他唵七 薩婆桑悉伽羅八 利輸底九 達摩底十 伽伽那十一 莎訶其持迦底十二
薩婆婆毗輸底十三 摩訶娜耶十四 波利婆利莎訶 十五
若有自書寫教人書寫是无量壽宗要經受持讀誦常得四天王隨其衛護陁羅尼曰
南无薄伽勃底一 阿波利蜜多二 阿喻紇硯那三 須弥你悉指陁四 囉佐耶五 怛他羯他耶六
怛姪他唵七 薩婆桑悉伽羅八 波利輸底九 達摩底十 伽伽那十一 莎訶其持迦底十二 薩婆
婆毗輸底十三 摩訶娜耶十四 波利婆利莎訶 十五
若有自書寫教人書寫是无量壽宗要經受持讀誦當往生西方極樂世界阿弥陁淨土陁羅尼曰
南无薄伽勃底一 阿波利蜜多二 阿喻紇硯那三 須弥你悉指陁四 囉佐耶五 怛他羯他耶六
怛姪他唵七 薩婆桑悉伽羅八 波利輸底九 達摩底十 伽伽那十一 莎訶其持迦底十二
薩婆婆毗輸底十三 摩訶娜耶十四 波利婆利莎訶 十五
若有方何自書寫使人書寫是无量壽經典之處則為是塔皆應恭敬作禮若是畜生
或為鳥獸得聞是經如是等類皆當不久得成一切種智陁羅尼曰
南无薄伽勃底一 阿波利蜜多二 阿喻紇硯那三 須弥你悉指陁四 囉佐耶五 怛他羯他耶六
怛姪他唵七 薩婆桑悉伽羅八 波利輸底九 達摩底十 伽伽那十一 莎訶其持迦底十二
薩婆婆毗輸底十三 摩訶娜耶十四 波利婆利莎訶 十五
若有於是无量壽經自書寫使人書寫是竟不受女人之身陁羅尼曰
南无薄伽勃底一 阿波利蜜多二 阿喻紇硯那三 須毗你悉指陁四 囉佐耶五 怛他羯
他耶六 怛姪他唵七 薩婆桑悉伽羅八 波利輸底九 達摩底十 伽伽那十一 莎訶
其持迦底十二 薩婆婆毗輸底十三 摩訶娜耶十四 波利婆利莎訶 十五
若有能於是經少分布施爲者等於三千大千世界滿中七寶布施陁羅尼曰
南无薄伽勃底一 阿波利蜜多二 阿喻紇硯那三 須弥你悉指陁四 囉佐耶五 怛他羯他耶六
怛姪他唵七 薩婆桑悉伽羅八 波利輸底九 達摩底十 伽伽那十一 莎訶其持迦底十二

BD00099 號 1　無量壽宗要經　（9–2）

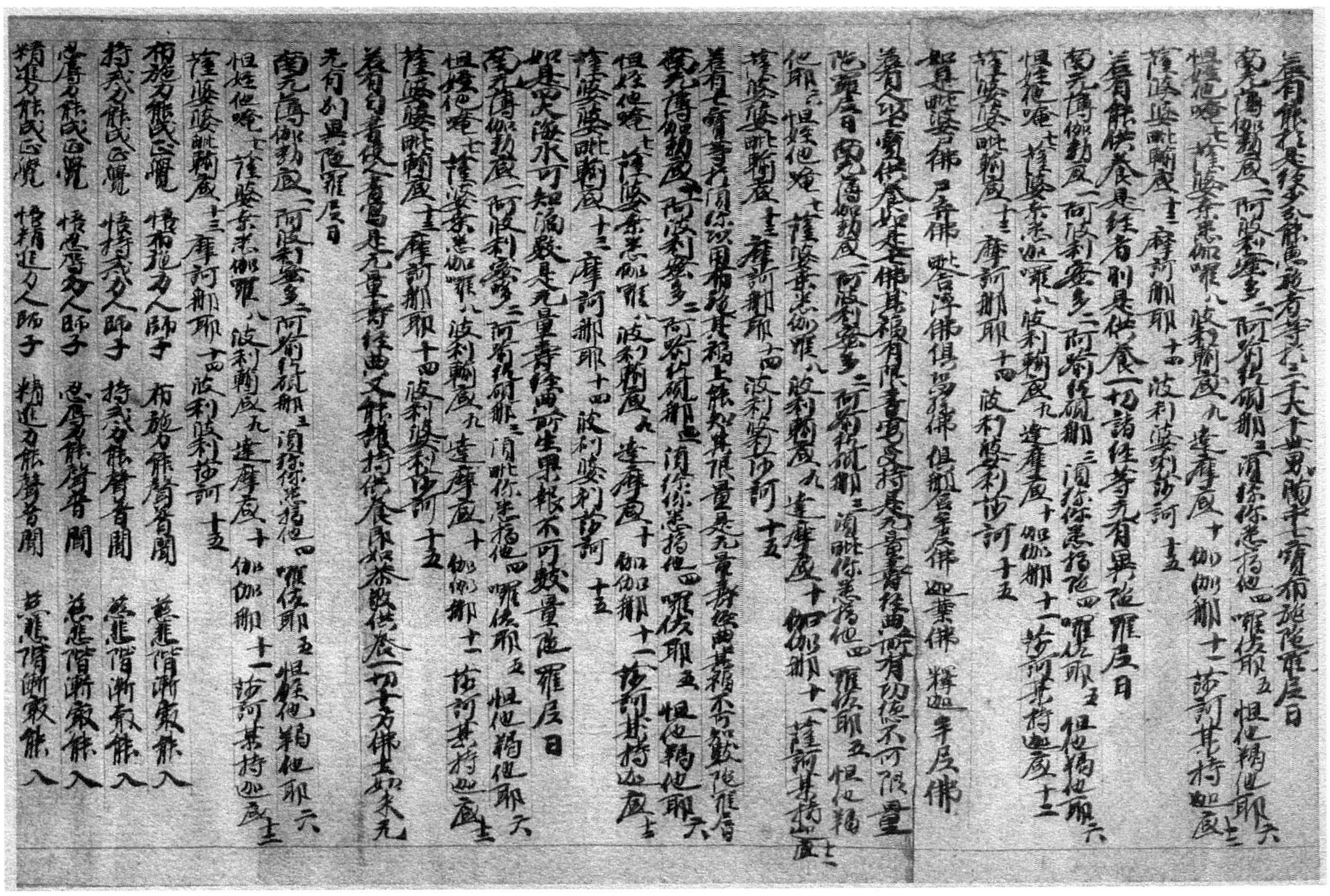

若有能於是經少分布施爲者等於三千大千世界滿中七寶布施陁羅尼曰
南无薄伽勃底一 阿波利蜜多二 阿喻紇硯那三 須弥你悉指陁四 囉佐耶五 怛他羯他耶六
怛姪他唵七 薩婆桑悉伽囉八 波利輸底九 達摩底十 伽伽那十一 莎訶其持迦底十二
薩婆婆毗輸底十三 摩訶娜耶十四 波利婆利莎訶 十五
若有能供養是經者則是供養一切諸經等无有異陁羅尼曰
南无薄伽勃底一 阿波利蜜多二 阿喻紇硯那三 須弥你悉指陁四 囉佐耶五 怛他羯他耶六
怛姪他唵七 薩婆桑悉迦囉八 波利輸底九 達摩底十 伽伽那十一 莎訶其持迦底十二
薩婆婆毗輸底十三 摩訶娜耶十四 波利婆利莎訶 十五
如毗婆尸佛 尸棄佛 毗舍浮佛 俱留孫佛 俱那含牟尼佛 迦葉佛 釋迦牟尼佛
若有人以七寶供養如是七佛其福有限書寫受持是无量壽經典所有功德不可限量
陁羅尼曰 南无薄伽勃底一 阿波利蜜多二 阿喻紇硯那三 須毗你悉指陁四 囉佐耶五 怛他羯
他耶六 怛姪他唵七 薩婆桑悉伽羅八 波利輸底九 達摩底十 伽伽那十一 莎訶其持迦底十二
薩婆婆毗輸底十三 摩訶娜耶十四 波利婆利莎訶 十五
若有七寶等須弥山用布施其福上能知其限量是无量壽經典其福不可稱數陁羅尼曰
南无薄伽勃底一 阿波利蜜多二 阿喻紇硯那三 須弥你悉指陁四 囉佐耶五 怛他羯他耶六
怛姪他唵七 薩婆桑悉伽羅八 波利輸底九 達摩底十 伽伽那十一 莎訶其持迦底十二
薩婆婆毗輸底十三 摩訶娜耶十四 波利婆利莎訶 十五
如四大海水可知滴數是无量壽經典所生果報不可數量陁羅尼曰
南无薄伽勃底一 阿波利蜜多二 阿喻紇硯那三 須毗你悉指陁四 囉佐耶五 怛他羯他耶六
怛姪他唵七 薩婆桑悉伽羅八 波利輸底九 達摩底十 伽伽那十一 莎訶其持迦底十二
薩婆婆毗輸底十三 摩訶娜耶十四 波利婆利莎訶 十五
若有自書使人書寫是无量壽經典又能持供養即如恭敬供養一切十方佛土如來无
有別異陁羅尼曰
南无薄伽勃底一 阿波利蜜多二 阿喻紇硯那三 須弥你悉指陁四 囉佐耶五 怛他羯他耶六
怛姪他唵七 薩婆桑悉伽羅八 波利輸底九 達摩底十 伽伽那十一 莎訶其持迦底十二
薩婆婆毗輸底十三 摩訶娜耶十四 波利婆利莎訶 十五
布施力能成正覺 悟布施力人師子 布施力能聲音聞 慈悲暗漸衆能入
持戒力能成正覺 悟持戒力人師子 持戒力能聲音聞 慈悲暗漸衆能入
忍辱力能成正覺 悟忍辱力人師子 忍辱力能聲音聞 慈悲暗漸衆能入
精進力能成正覺 悟精進力人師子 精進力能聲音聞 慈悲暗漸衆能入

BD00099 號 1　無量壽宗要經　（9–3）

持戒力能成正覺　悟持戒力人師子　持戒力能聲音聞　慈悲門中有能入
忍辱力能成正覺　悟忍辱力人師子　忍辱力能聲音聞　慈悲門中衆能入
精進力能成正覺　悟精進力人師子　精進力能聲音聞　慈悲門中衆能入
禪定力能成正覺　悟禪定力人師子　禪定力能聲音聞　慈悲門中衆能入
智慧力能成正覺　悟智慧力人師子　智慧力能聲音聞　慈悲門中衆能入
尒時如來說是經已一切世間天人阿修羅健闥婆等聞佛所說皆大歡喜
信受奉行

佛說大乘無量壽宗要陀羅尼經一卷

大乘無量壽經
如是我聞一時佛薄伽梵在舍衛國祇樹給孤獨園與大苾蒭俱千二百五十人大菩
薩摩訶薩衆俱同會坐尒時世尊告曼殊室利童子曼殊上方有世界名無
量功德聚彼土有佛名號無量智決定王如來阿耨多羅三藐三菩提現爲衆
生開示說法曼殊諦聽南閻浮提人皆短壽大限百年於中夭枉横死者衆
曼殊如是無量壽如來功德名稱法要若有衆生得聞名号若自書或使人
書能爲經卷受持讀誦若於舍宅所住之處以種種花鬘瓔珞塗香末
香而爲供養如其命盡復得延年滿足百歲如是曼殊若有衆生得是無量
壽智決定王如來一百八名号者益其長壽若有衆生大命將盡憶念是如來
名号更得增壽如是曼殊若有善男子善女人欲求長壽於是無量壽如來
一百八名号有得聞者或自書若使人書受持讀誦得如是等果報福得具足陀
羅尼曰
南無薄伽勅底一阿波利蜜哆二阿喻紇硯那三須彌你悉指陀四囉佐耶五怛他羯
他耶六怛姪他唵七薩婆桑悉伽囉八波利輸底九達摩底十伽伽那十一莎訶莫持
伽底十二薩婆婆毗輸底十三摩訶那耶十四波利波利莎訶十五
世尊復告曼殊室利如是如來一百八名号若有自書或使人書爲經卷受持
讀誦如壽命盡復滿百年壽終此身後得往生無量福智世界無量壽淨土

BD00099號1　無量壽宗要經　BD00099號2　無量壽宗要經　（9–4）

世尊復告曼殊室利如是如來一百八名号若有自書或使人書爲經卷受持
讀誦如壽命盡復滿百年壽終此身後得往生無量福智世界無量壽淨土
陀羅尼曰
南無薄伽勅底一阿波利蜜多二阿喻紇硯那三須彌你悉指他四囉佐耶五怛他羯他耶六
怛姪他唵七薩婆桑悉伽囉八波利輸底九達摩底十伽伽那十一莎訶莫持迦底十二
薩婆婆毗輸底十三摩訶那耶十四波利婆利莎訶十五
尒時有八十九姟佛一時同聲說是無量壽宗要經陀羅尼曰
南無薄伽勅底一阿波利蜜多二阿喻紇硯那三須彌你悉指哆四囉佐耶五怛他羯他耶六
怛姪他唵七薩婆桑悉伽囉八波利輸底九達摩底十伽伽那十一莎訶莫持迦底十二
薩婆婆毗輸底十三摩訶那耶十四波利婆利莎訶十五
尒時復有一百四姟佛一時同聲說是無量壽宗要經陀羅尼曰
南無薄伽勅底一阿波利蜜多二阿喻紇硯那三須彌你悉指多四囉佐耶五怛他羯他耶六
怛姪他唵七薩婆桑悉伽囉八波利輸底九達摩底十伽伽那十一莎訶莫持迦底十二
薩婆婆毗輸底十三摩訶那耶十四波利婆利莎訶十五
尒時復有七姟佛一時同聲說是無量壽宗要經陀羅尼曰
南無薄伽勅底一阿波利蜜多二阿喻紇硯那三須彌你悉指他四囉佐耶五怛他羯他耶六
怛姪他唵七薩婆桑悉伽囉八波利輸底九達摩底十莎訶莫持迦底十二薩婆婆毗輸底十三
摩訶那耶　波利婆利莎訶十三
尒時復有六十五姟佛一時同聲說是無量壽宗要經陀羅尼曰
南無薄伽勅底一阿婆利蜜多二阿喻紇硯那三須毗你悉指陀四囉佐耶五怛他羯他耶六
怛姪他唵七薩婆桑悉伽囉八波利輸底九達摩底十伽伽那十一莎訶莫持迦底十二
薩婆婆毗輸底十三摩訶那耶十四波利婆利莎訶十五
尒時復有五十五姟佛一時同聲說是無量壽宗要經陀羅尼曰
南無薄伽勅底一阿婆利蜜多二阿喻紇硯那三須彌你悉指他四囉佐耶五怛他羯他耶六
怛姪他唵七薩婆桑悉迦囉八波利輸底九達摩底十伽伽那十一莎訶莫持迦底十二
薩婆婆毗輸底十三摩訶那耶十四波利波利莎訶十五
尒時復有四十五姟佛一時同聲說是無量壽宗要經陀羅尼曰
南無薄伽勅底一阿婆利蜜哆二阿喻紇硯那三須彌你悉指哆四囉佐耶五怛他羯他耶六
怛姪他唵七薩婆桑悉伽囉八波利輸底九達摩底十伽伽那十一莎訶莫持迦底十二薩
婆婆毗輸底十三摩訶那耶十四波利婆利莎訶十五

BD00099號2　無量壽宗要經　（9–5）

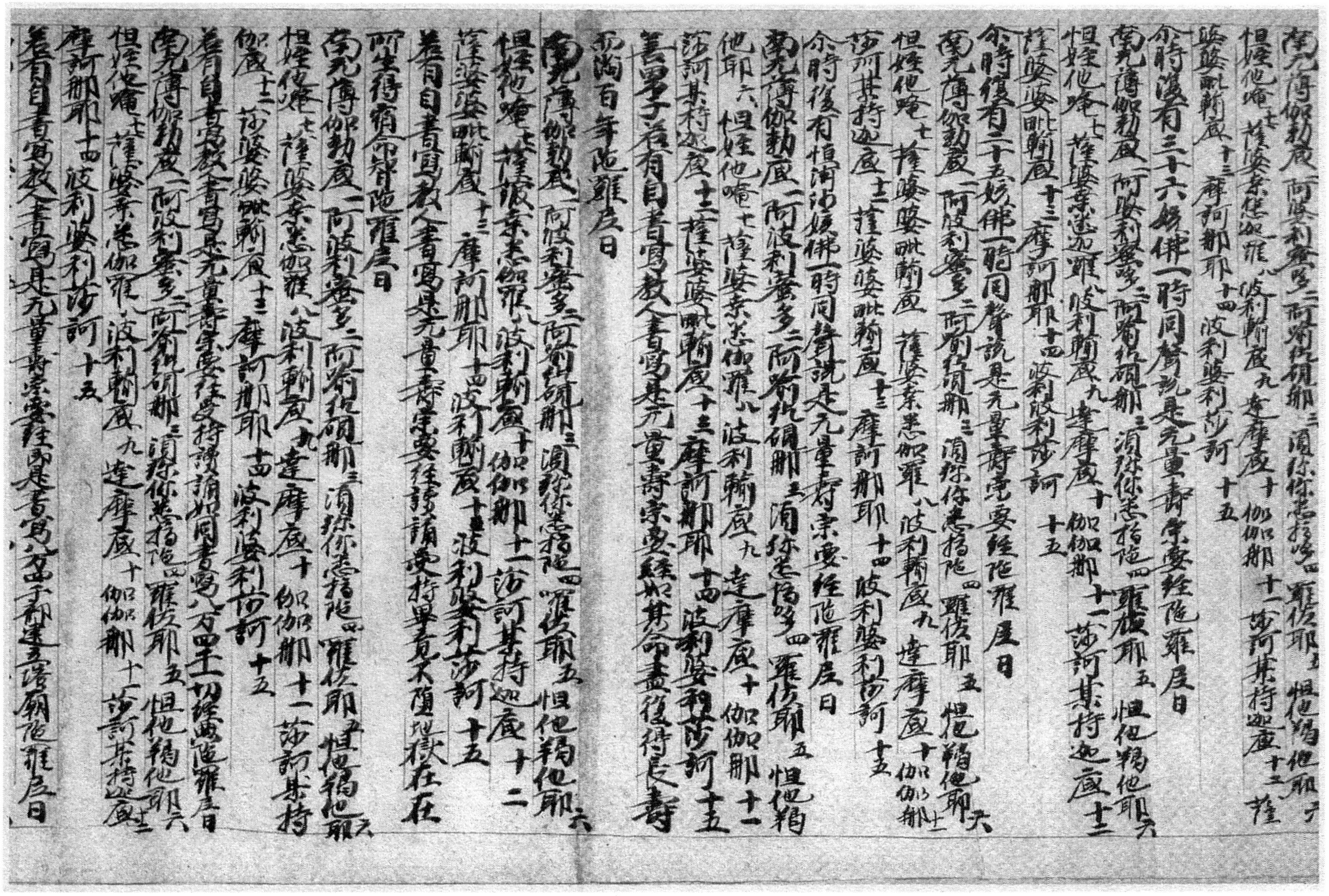
南謨薄伽勃底一阿波唎蜜多二阿喻紇硯那三須毗你悉指陀四囉佐耶五怛他羯他耶六
怛姪他唵七薩婆桑悉迦囉八波唎輸底九達磨底十伽伽那十一莎訶某持迦底十二薩
婆婆毗輸底十三摩訶那耶十四波唎婆唎莎訶十五
爾時復有三十六姟佛一時同聲說是無量壽宗要經陀羅尼曰
南謨薄伽勃底一阿波唎蜜多二阿喻紇硯那三須毗你悉指陀四囉佐耶五怛他羯他耶六
怛姪他唵七薩婆桑悉迦囉八波唎輸底九達磨底十伽伽那十一莎訶某持迦底十二
薩婆婆毗輸底十三摩訶那耶十四波唎婆唎莎訶十五
爾時復有二十五姟佛一時同聲說是無量壽宗要經陀羅尼曰
南謨薄伽勃底一阿波唎蜜多二阿喻紇硯那三須毗你悉指陀四囉佐耶五怛他羯他耶六
怛姪他唵七薩婆桑悉迦囉八波唎輸底九達磨底十伽伽那十一
莎訶某持迦底十二薩婆婆毗輸底十三摩訶那耶十四波唎婆唎莎訶十五
爾時復有恒河沙姟佛一時同聲說是無量壽宗要經陀羅尼曰
南謨薄伽勃底一阿波唎蜜多二阿喻紇硯那三須毗你悉指陀四囉佐耶五怛他羯
他耶六怛姪他唵七薩婆桑悉迦囉八波唎輸底九達磨底十伽伽那十一
莎訶某持迦底十二薩婆婆毗輸底十三摩訶那耶十四波唎婆唎莎訶十五
善男子善女人自書寫教人書寫是無量壽宗要經如其命盡復得長壽
滿百年陀羅尼曰
南謨薄伽勃底一阿波唎蜜多二阿喻紇硯那三須毗你悉指陀四囉佐耶五怛他羯他耶六
怛姪他唵七薩婆桑悉迦囉八波唎輸底九達磨底十伽伽那十一莎訶某持迦底十二
薩婆婆毗輸底十三摩訶那耶十四波唎婆唎莎訶十五
若有自書寫教人書寫是無量壽宗要經讀誦受持畢竟不墮地獄在在
所生得宿命智陀羅尼曰
南謨薄伽勃底一阿波唎蜜多二阿喻紇硯那三須毗你悉指陀四囉佐耶五怛他羯他耶六
怛姪他唵七薩婆桑悉迦囉八波唎輸底九達磨底十伽伽那十一莎訶某持
伽底十二薩婆婆毗輸底十三摩訶那耶十四波唎婆唎莎訶十五
若有自書寫教人書寫是無量壽宗要經受持讀誦如同書寫八萬四千一切經典陀羅尼曰
南謨薄伽勃底一阿波唎蜜多二阿喻紇硯那三須毗你悉指陀四囉佐耶五怛他羯他耶六
怛姪他唵七薩婆桑悉迦囉八波唎輸底九達磨底十伽伽那十一莎訶某持迦底十二
摩訶那耶十四波唎婆唎莎訶十五
若有自書寫教人書寫是無量壽宗要經而是書寫八萬四千部建立塔廟陀羅尼曰

BD00099 號 2　無量壽宗要經　　（9–6）

摩訶那耶十四波唎婆唎莎訶十五
若有自書寫教人書寫是無量壽宗要經而是書寫八萬四千部建立塔廟陀羅尼曰
南謨薄伽勃底一阿波唎蜜多二阿喻紇硯那三須毗你悉指陀四囉佐耶五怛他羯他耶六
怛姪他唵七薩婆桑悉迦囉八波唎輸底九達磨底十伽伽那十一莎訶某持迦底十二
薩婆婆毗輸底十三摩訶那耶十四波唎婆唎莎訶十五
若有自書寫教人書寫是無量壽宗要經能除五無間等一切重罪陀羅尼曰
南謨薄伽勃底一阿波唎蜜多二阿喻紇硯那三須毗你悉指陀四囉佐耶五怛他羯他耶六
怛姪他唵七薩婆桑悉迦囉八波唎輸底九達磨底十伽伽那十一莎訶某持迦底十二
薩婆婆毗輸底十三摩訶那耶十四波唎婆唎莎訶十五
若有自書寫教人書寫是無量壽宗要經受持讀誦設有重罪猶如須彌盡能除滅陀
羅尼曰南謨薄伽勃底一阿波唎蜜多二阿喻紇硯那三須毗你悉指陀四囉佐耶五怛他羯他耶六
怛姪他唵七薩婆桑悉迦囉八波唎輸底九達磨底十伽伽那十一莎訶某持迦底十二
薩婆婆毗輸底十三摩訶那耶十四波唎婆唎莎訶十五
若有自書寫教人書寫是無量壽宗要經受持讀誦若魔魔之眷屬夜叉羅剎不
得其便終無枉死陀羅尼曰南謨薄伽勃底一阿波唎蜜多二阿喻紇硯那三須毗你悉指陀四
囉佐耶五怛他羯他耶六怛姪他唵七薩婆桑悉迦囉八波唎輸底九達磨底十伽伽那十一
莎訶某持迦底十二薩婆婆毗輸底十三摩訶那耶十四波唎婆唎莎訶十五
若有自書寫教人書寫是無量壽宗要經受持讀誦者命終時有九十九姟佛現其前
來千佛授手勸進一切佛剎莫於此經生疑惑陀羅尼曰
南謨薄伽勃底一阿波唎蜜多二阿喻紇硯那三須毗你悉指陀四囉佐耶五怛他羯他耶六
薩婆婆毗輸底十三摩訶那耶十四波唎婆唎莎訶十五
若有自書寫教人書寫是無量壽宗要經受持讀誦當得往生西方極樂世界阿彌
陀淨土陀羅尼曰南謨薄伽勃底一阿波唎蜜多二阿喻紇硯那三須毗你悉指陀四囉
佐耶五怛他羯他耶六薩婆桑悉迦囉八波唎輸底九達磨底十伽伽那十一莎訶
某持迦底十二薩婆婆毗輸底十三摩訶那耶十四波唎婆唎莎訶十五
若有為自書寫使人書寫是無量壽經典之處則為是塔皆應恭敬作禮若是書

BD00099 號 2　無量壽宗要經　　（9–7）

佉耶五 怛他羯他耶六 薩婆桑悉迦囉八 波利輸底九 達摩底十 伽伽那十一 莎婆
甚持迦底十二 薩婆婆毗輸底十三 摩訶那耶十四 波利婆利莎訶十五
若有自書寫使人書寫是无量壽經典之處則爲是塔皆應恭敬作禮若畜
生禽獸得聞是經如是等類皆當不久得成一切種智陀羅尼曰
南无薄伽勃底一 阿波利蜜多二 阿喻紇硯那三 須毗你悉指陀四 囉佐耶五 怛他羯他耶六
怛姪他唵七 薩婆桑悉迦囉八 波利輸底九 達摩底十 伽伽那十一 莎訶甚持迦底十二
薩婆婆毗輸底十三 摩訶那耶十四 波利婆利莎訶十五
若有於是无量壽經自書寫若使人書寫畢竟不受女人之身陀羅尼曰
南无薄伽勃底一 阿波利蜜多二 阿喻紇硯那三 須毗你悉指陀四 囉佐耶五 怛他羯他耶六
怛姪他唵七 薩婆桑悉迦囉八 波利輸底九 達摩底十 伽伽那十一 莎訶甚持迦底十二
薩婆婆毗輸底十三 摩訶那耶十四 波利婆利莎訶十五
若有能於是經少分錢財布施者等於三千大千世界滿中七寶布施陀羅尼曰
南无薄伽勃底一 阿波利蜜多二 阿喻紇硯那三 須毗你悉指陀四 囉佐耶五 怛他羯他耶六
怛姪他唵七 薩婆桑悉迦囉八 波利輸底九 達摩底十 伽伽那十一 莎訶甚持迦底十二
薩婆婆毗輸底十三 摩訶那耶十四 波利婆利莎訶十五
若有能供養是經者則是供養一切諸經等无有異陀羅尼曰
南无薄伽勃底一 阿波利蜜多二 阿喻紇硯那三 須毗你悉指陀四 囉佐耶五 怛他羯他耶六
怛姪他唵七 薩婆桑悉迦囉八 波利輸底九 達摩底十 伽伽那十一 莎訶甚持迦底十二
薩婆婆毗輸底十三 摩訶那耶十四 波利婆利莎訶十五
若有人以七寶供養是七佛其有限量書寫受持是无量壽經典所有功德不可
其毗婆尸佛 尸棄佛 毗舍浮佛 俱留孫佛 俱那含牟尼佛 迦葉佛 釋迦牟尼佛
限量陀羅尼曰 南无薄伽勃底一 阿波利蜜多二 阿喻紇硯那三 須毗你悉指陀四 囉佐耶五
怛他羯他耶六 怛姪他唵七 薩婆桑悉迦囉八 波利輸底九 達摩底十 伽伽那十一
莎訶甚持迦底十二 薩婆婆毗輸底十三 摩訶那耶十四 波利輸底十五
若有七寶等於須弥以用布施其福上能知其限量是无量壽經典其福不可
知數陀羅尼曰 南无薄伽勃底一 阿波利蜜多二 阿喻紇硯那三 須彌你悉指陀四 囉佐耶五
怛他羯他耶六 怛姪他唵七 薩婆桑悉迦囉八 波利輸底九 達摩底十 伽伽那十一 莎訶
甚持迦底十二 薩婆婆毗輸底十三 摩訶那耶十四 波利婆利莎訶十五
如是四大海水可知滴數是无量壽經典所生果報不可數量陀羅尼曰
南无薄伽勃底一 阿波利蜜多二 阿喻紇硯那三 須毗你悉指陀四 囉佐耶五 揭他羯他耶

BD00099 號 2　無量壽宗要經　（9–8）

知數陀羅尼曰 南无薄伽勃底一 阿波利蜜多二 阿喻紇硯那三 須彌你悉指陀四 囉佐耶五
怛他羯他耶六 怛姪他唵七 薩婆桑悉迦囉八 波利輸底九 達摩底十 伽伽那十一 莎訶
甚持迦底十二 薩婆婆毗輸底十三 摩訶那耶十四 波利婆利莎訶十五
如是四大海水可知滴數是无量壽經典所生果報不可數量陀羅尼曰
南无薄伽勃底一 阿波利蜜多二 阿喻紇硯那三 須毗你悉指陀四 囉佐耶五 揭他羯他耶六
怛姪他唵七 薩婆桑悉迦囉八 波利輸底九 達摩底十 伽伽那十一 莎訶甚持迦底十二
薩婆婆毗輸底十三 摩訶那耶十四 波利婆利莎訶十五
若有自書寫使人書寫是无量壽經典亦能讀誦持供養恭敬如來於十方佛土如
來无有別異陀羅尼曰
南无薄伽勃底一 阿波利蜜多二 阿喻紇硯那三 須毗你悉指陀四 囉佐耶五 怛他羯他耶六
怛姪他唵七 薩婆桑悉迦囉八 波利輸底九 達摩底十 伽伽那十一 莎訶甚持迦底十二
薩婆婆毗輸底十三 摩訶那耶十四 波利婆利莎訶十五
布施力能成正覺 悟布施力人師子 布施力能聲普聞 慈悲階漸竅能入
持戒力能成正覺 悟持戒力人師子 持戒力能聲普聞 慈悲階漸竅能入
忍辱力能成正覺 悟忍辱力人師子 忍辱力能聲普聞 慈悲階漸竅能入
精進力能成正覺 悟精進力人師子 精進力能聲普聞 慈悲階漸竅能入
禪定力能成正覺 悟禪定力人師子 禪定力能聲普聞 慈悲階漸竅能入
爾時如來說是經已一切世間天人阿修羅乾闥婆等聞佛所說皆大歡
喜信受奉行

佛說大乘无量壽宗要經一卷

巳前六卷紙卅張　王瀚寫　眼闇書不得不發之

BD00099 號 2　無量壽宗要經　（9–9）

真名
菩薩定自在王菩薩法自在王
菩薩光相菩薩光嚴菩薩大嚴菩薩寶積菩薩辯
積菩薩寶手菩薩寶印手菩薩常舉手菩
薩常下手菩薩常慘菩薩喜根菩薩喜王
菩薩辯音菩薩虛空藏菩薩執寶炬菩薩
寶勇菩薩寶見菩薩帝網菩薩明網菩薩
無緣觀菩薩慧積菩薩寶勝菩薩天王菩薩壞
魔菩薩電得菩薩自在王菩薩功德相嚴菩薩
師子吼菩薩雷音菩薩山相擊音菩薩香象
菩薩白香象菩薩常精進菩薩不休息菩薩
妙生菩薩華嚴菩薩觀世音菩薩得大勢菩
薩梵網菩薩寶杖菩薩無勝菩薩嚴土菩薩
金髻菩薩珠髻菩薩彌勒菩薩文殊師利法
王子菩薩如是等三万二千人俱
復有万梵天王尸棄等從餘四天下來詣佛
所而聽法復有万二千天帝亦從餘四天下
來在會坐并餘大威力諸天龍神夜叉乾闥
婆阿脩羅迦樓羅緊那羅摩睺羅伽等悉來
會坐諸比丘比丘尼優婆塞優婆夷俱來會
坐彼時佛與无量百千之衆恭敬圍繞而為
說法譬如須弥山王顯于大海安處衆寶師

BD00100號　維摩詰所說經卷上　（26–1）

婆阿脩羅迦樓羅緊那羅摩睺羅伽等悉來
會坐諸比丘比丘尼優婆塞優婆夷俱來會
坐彼時佛與无量百千之衆恭敬圍繞而為
說法譬如須弥山王顯于大海安處衆寶師
子之座蔽於一切諸來大衆
尒時毗耶離城有長者子名曰寶積與五百
長者子俱持七寶蓋來詣佛所頭面礼足各
以其蓋共供養佛佛之威神令諸寶蓋合成
一蓋遍覆三千大千世界而此世界廣長之
相悉於中現又此三千大千世界諸須弥山
雪山目真鄰陁山摩訶目真鄰陁山香山寶
山金山黑山鐵圍山大鐵圍山大海江河川流
泉源及日月星辰天宮龍宮諸尊神宮悉現
於寶蓋中又十方諸佛諸佛說法亦現於寶
蓋中尒時一切大衆覩佛神力歎未曾有
合掌礼佛瞻仰尊顏目不暫捨長者子
寶積即於佛前以偈頌曰
目淨脩廣如青蓮　心淨已度諸禪定
久積淨業稱无量　導衆以寂故稽首
既見大聖以神變　普現十方无量土
其中諸佛演說法　於是一切悉見聞
法王法力超群生　常以法財施一切
能善分別諸法相　於第一義而不動
已於諸法得自在　是故稽首此法王
說法不有亦不無　以因緣故諸法生

BD00100號　維摩詰所說經卷上　（26–2）

説法不有亦不無　以因緣故諸法生
無我無造無受者　善惡之業亦不亡
始在佛樹力降魔　得甘露滅覺道成
已無心意無受行　而悉摧伏諸外道
三轉法輪於大千　其輪本來常清淨
天人得道此為證　三寶於是現世間
以斯妙法濟群生　一受不退常寂然
度老病死大醫王　當禮法海德無邊
毀譽不動如須彌　於善不善等以慈
心行平等如虛空　孰聞人寶不敬承
今奉世尊此微蓋　於中現我三千界
諸天龍神所居宮　乾闥婆等及夜叉
悉見世間諸所有　十力哀現是變化
衆覩希有皆嘆佛　今我稽首三界尊
大聖法王衆所歸　淨心觀佛靡不欣
各見世尊在其前　斯則神力不共法
佛以一音演說法　衆生隨類各得解
皆謂世尊同其語　斯則神力不共法
佛以一音演說法　衆生各各隨所解
普得受行獲其利　斯則神力不共法
佛以一音演說法　或有恐畏或歡喜
或生猒離或斷疑　斯則神力不共法
稽首十力大精進　稽首已得無所畏
稽首住於不共法　稽首一切大道師
稽首能斷衆結縛　稽首已到於彼岸

BD00100 號　維摩詰所說經卷上　（26–3）

稽首住於不共法　稽首一切大道師
稽首能斷衆結縛　稽首已到於彼岸
稽首能度諸世間　稽首永離生死道
悉知衆生來去相　善於諸法得解脫
不著世間如蓮華　常善入於空寂行
達諸法相無罣閡　稽首如空無所依
尒時長者子寶積說此偈已白佛言世尊是
五百長者子皆已發阿耨多羅三藐三菩提
心願聞得佛國土清淨唯願世尊說諸菩
薩淨土之行佛言善哉寶積乃能為諸菩
薩問於如來淨土之行諦聽諦聽善思念之當為
汝說於是寶積及五百長者子受教而聽佛
言寶積衆生之類是菩薩佛土所以者何菩
薩隨所化衆生而取佛土隨所調伏衆生而
取佛土隨諸衆生應以何國入佛智慧而取
佛土隨諸衆生應以何國起菩薩根而取佛
土所以者何菩薩取於淨國皆為饒益諸衆
生故譬如有人欲於空地造立宮室隨意無
导若於虛空終不能成菩薩如是為成就衆
生故願取佛國願取佛國者非於空也寶積
當知直心是菩薩淨土菩薩成佛時不諂衆
生來生其國深心是菩薩淨土菩薩成佛時
具足功德衆生來生其國發大乘心是菩薩淨
土菩薩成佛時大乘衆生來生其國布施是
菩薩淨土菩薩成佛時一切能捨衆生來生
其國持戒是菩薩淨土菩薩成佛時行十善

BD00100 號　維摩詰所說經卷上　（26–4）

菩薩淨土菩薩成佛時一切能捨衆生來生
其國持戒是菩薩淨土菩薩成佛時行十善
道滿願衆生來生其國忍辱是菩薩淨土菩
薩成佛時卅二相莊嚴衆生來生其國精進
是菩薩淨土菩薩成佛時懃脩一切功德衆
生來生其國禪定是菩薩淨土菩薩成佛時
攝心不亂衆生來生其國智慧是菩薩淨土
菩薩成佛時正定衆生來生其國四无量心
是菩薩淨土菩薩成佛時成就慈悲喜捨衆
生來生其國四攝法是菩薩淨土菩薩成佛
時解脫所攝衆生來生其國方便是菩薩淨
土菩薩成佛時於一切法方便无㝵衆生來
生其國卅七道品是菩薩淨土菩薩成佛時
念處正勤神足根力覺道衆生來生其國迴
向心是菩薩淨土菩薩成佛時時一切具足功
德國土說除八難是菩薩淨土菩薩成佛
時國土無有三惡八難自守戒行不譏彼闕
是菩薩淨土菩薩成佛時國土無有犯禁之
名十善道是菩薩淨土菩薩成佛時命不中
夭大富梵行所言誠諦常以濡語眷屬不離
善和諍訟言必饒益不嫉不恚正見衆生來
生其國如是寶積菩薩隨其直心則能發行
隨其發行則得深心隨其深心則意調伏隨
意調伏則如說行隨如說行則能迴向隨其
迴向則有方便隨其方便則成就衆生隨成

BD00100號　維摩詰所說經卷上　（26–5）

意調伏則如說行隨如說行則能迴向隨其
迴向則有方便隨其方便則成就衆生隨成
就衆生則佛土淨隨佛土淨則說法淨隨說
法淨則智慧淨隨智慧淨則其心淨隨其
心淨則一切功德淨是故寶積若菩薩欲得
淨土當淨其心隨其心淨則佛土淨
尒時舍利弗承佛威神作是念若菩薩心淨
則佛土淨者我世尊本為菩薩時意豈不
淨而是佛土不淨若此佛知其念即告之言於
意云何日月豈不淨耶而盲者不見對曰不
也世尊是盲者過非日月咎舍利弗衆生罪
故不見如來佛國嚴淨非如來咎舍利弗我見
此土清淨而汝不見尒時螺髻梵王語舍利弗
勿作是意謂此佛土以為不淨所以者何我見
釋迦牟尼佛土清淨譬如自在天宮舍利
弗言我見此土丘陵坑坎荊蕀沙礫土石諸
山穢惡充滿螺髻梵王言仁者心有高下不依
佛慧故見此土為不淨耳舍利弗菩薩於一
切衆生悉皆平等深心清淨依佛智慧則能
見此佛土清淨於是佛以足指案地即時三
千大千世界若干百千珍寶嚴飾譬如寶莊
嚴佛无量功德寶莊嚴土一切大衆歎未曾
有而皆自見坐寶蓮華佛告舍利弗汝且
觀是佛土嚴淨舍利弗言唯然世尊本所不見
本所不聞今佛國土嚴淨悉現佛語舍利弗

BD00100號　維摩詰所說經卷上　（26–6）

觀是佛土嚴淨舍利弗言唯然世尊本所不見
本所不聞今佛國土嚴淨悉現佛語舍利弗
我佛國土常淨若此為欲度斯下劣人故示
是眾惡不淨土耳譬如諸天共寶器食隨其
福德飯色有異如是舍利弗若人心淨便見
此土功德莊嚴當佛現此國土嚴淨之時寶
積所將五百長者子皆得無生法忍八万四
千人發阿耨多羅三藐三菩提心佛攝神足
於是世界還復如故求聲聞乘三万二千天
及人知有為法皆悉無常遠塵離垢得法
眼淨八千比丘不受諸法漏盡意解

方便品第二

尒時毗耶離大城中有長者名維摩詰已曾
供養无量諸佛深殖善本得無生忍辯才無
导遊戲神通逮諸總持獲無所畏降魔勞
怨入深法門善於智度通達方便大願成就明
了眾生心之所趣又能分別諸根利鈍久於
佛道心已純淑決定大乘諸有所作能善思
量住佛威儀心大如海諸佛咨嗟弟子釋梵
世主所敬欲度人故以善方便居毗耶離資
財无量攝諸貧民奉戒清淨攝諸毀禁以忍
調行攝諸恚怒以大精進攝諸懈怠一心禪
寂攝諸亂意以決定慧攝諸無智雖為白衣
奉持沙門清淨律行雖處居家不著三界
示有妻子常修梵行現有眷屬常樂遠離雖服
寶飾而以相好嚴身雖復飲食而以禪悅為

BD00100 號　維摩詰所說經卷上　（26–7）

奉持沙門清淨律行雖處居家不著三界
示有妻子常修梵行現有眷屬常樂遠離雖服
寶飾而以相好嚴身雖復飲食而以禪悅為
味若至博弈戲處輒以度人受諸異道不毀
正信雖明世典常樂佛法一切見敬為供養中
最執持正法攝諸長幼一切治生諧偶雖獲
俗利不以喜悅遊諸四衢饒益眾生入治政
法救護一切入講論處導以大乘入諸學堂
誘開童蒙入諸婬舍示欲之過入諸酒肆
能立其志若在長者長者中尊為說勝法若
在居士居士中尊斷其貪著若在剎利剎利
中尊教以忍辱若在婆羅門婆羅門中尊除
其我慢若在大臣大臣中尊教以正法若在
王子王子中尊示以忠孝若在內官內官中
尊化政宮女若在庶民庶民中尊令興福力
若在梵天梵天中尊誨以勝慧若在帝釋帝
釋中尊示現無常若在護世護世中尊護
護眾生長者維摩詰以如是等无量方便饒
益眾生其以方便現身有疾以其疾故國王大
臣長者居士婆羅門等及諸王子并餘官屬
無數千人皆往問疾其往者維摩詰因以身
疾廣為說法諸仁者是身無常無強無力無
堅速朽之法不可信也為苦為惱眾病所集
諸仁者如此身明智者所不怙是身如聚沫
不可撮摩是身如泡不得久立是身如炎從

BD00100 號　維摩詰所說經卷上　（26–8）

不可撮摩是身如泡不得久立是身如炎從
渴愛生是身如芭蕉中無有堅是身如幻從
顛倒起是身如夢為虛妄見是身如影從業
緣現是身如響屬諸因緣是身如浮雲須臾
變滅是身如電念念不住是身無主為如地
是身無我為如火是身無壽為如風是身無
人為如水是身不實四大為家是身為空離
我我所是身無知如草木瓦礫是身無作風
力所轉是身不淨穢惡充滿是身為虛偽雖
假以澡浴衣食必歸磨滅是身為災百一病
惱是身如丘井為老所逼是身無定為要當
死是身如毒虵如怨賊如空聚陰界諸入所
共合成諸仁者此可患厭當樂佛身所以者
何佛身者即法身也從無量功德智慧生從
戒定慧解脫解脫知見生從慈悲喜捨生從
布施持戒忍辱柔和懃行精進禪定解脫三
昧多聞智慧諸波羅蜜生從方便生從六通
生從三明生從卅七道品生從止觀生從十力
四無所畏十八不共法生從斷一切不善法
集一切善法生從真實生從不放逸生從如
是無量清淨法生如來身諸仁者欲得佛
身斷一切眾生病者當發阿耨多羅三藐三
菩提心如是長者維摩詰為諸問疾者如
應說法令無數千人皆發阿耨多羅三藐
三菩提心

應說法令無數千人皆發阿耨多羅三藐
三菩提心
弟子品第三
尒時長者維摩詰自念寢疾于床世尊大慈
寧不垂愍佛知其意即告舍利弗汝行詣維
摩詰問疾舍利弗白佛言世尊我不堪任詣
彼問疾所以者何憶念我昔曾於林中宴坐
樹下時維摩詰來謂我言唯舍利弗不必是
坐為宴坐也夫宴坐者不於三界現身意是
為宴坐不起滅定而現諸威儀是為宴坐不
捨道法而現凡夫事是為宴坐心不住內亦
不住外是為宴坐於諸見不動而脩行三十
七品是為宴坐不斷煩惱而入涅槃是為宴
坐若能如是坐者佛所印可時我世尊聞是
語已默然而止不能加報故我不任詣彼問疾
佛告大目揵連汝行詣維摩詰問疾目連白
佛言世尊我不堪任詣彼問疾所以者何憶
念我昔入毗耶離大城於里巷中為諸居士
說法時維摩詰來謂我言唯大目連為白衣
居士說法不當如仁者所說夫說法者當如
法說法無眾生離眾生垢故法無有我離
我垢故法無壽命離生死故法無有人前後際
斷故法常寂然滅諸相故法離於相無所緣
故法無名字言語斷故法無有說離覺觀故
法無形相如虛空故法無戲論畢竟空故法

居士說法不當如仁者所說夫說法者當如
法說法無衆生離衆生垢故法無有我離
我垢故法無壽命離生死故法無有人前後際
斷故法常寂然滅諸相故法離於相無所緣
故法無名字言語斷故法無有說離覺觀故
法無形相如虛空故法無戲論畢竟空故法
無我所離我所故法無分別離諸識故法無
有比無相待故法不屬因不在緣故法同法
性入諸法故法隨於如無所隨故法住實際
諸邊不動故法無動搖不依六塵故法無去
來常不住故法順空隨無相應無作法離好
醜法無增損法無生滅法無所歸法過眼耳
鼻舌身心法無高下法常住不動法離一切觀
行唯大目連法相如是豈可說乎夫說法者
無說無示其聽法者無聞無得譬如幻士為幻
人說法當建是意而為說法當了衆生根有
利鈍善於知見無所罣礙以大悲心讚于大
乘念報佛恩不斷三寶然後說法維摩詰說
是法時八百居士發阿耨多羅三藐三菩提
心我無此辯是故不任詣彼問疾
佛告大迦葉汝行詣維摩詰問疾迦葉白佛
言世尊我不堪任詣彼問疾所以者何憶念
我昔於貧里而行乞食時維摩詰來謂我言
唯大迦葉有慈悲心而不能普捨豪富從貧乞
迦葉住平等法應次行乞食為不食故應行

唯大迦葉有慈悲心而不能普捨豪富從貧乞
迦葉住平等法應次行乞食為不食故應行
乞食為壞和合相故應取揣食為不受故應
受彼食以空聚想入於聚落所見色與盲等
所聞聲與響等所嗅香與風等所食味不分
別受諸觸如智證知諸法如幻相無自性無
他性本自不然今則無滅迦葉若能不捨八
邪入八解脫以邪相入正法以一食施一切供
養諸佛及衆賢聖然後可食如是食者非
有煩惱非離煩惱非入定意非起定意非住
世間非住涅槃其有施者無大福無小福不
為益不為損是為正入佛道不依聲聞迦
葉若如是食為不空食人之施也時我世尊
聞說是語得未曾有即於一切菩薩深起敬心
復作是念斯有家名辯才智慧乃能如是其
誰不發阿耨多羅三藐三菩提心我從是來
不復勸人以聲聞辟支佛行是故我不任詣彼問疾
佛告須菩提汝行詣維摩詰問疾須菩提
白佛言世尊我不堪任詣彼問疾所以者
何憶念我昔入其舍從乞食時維摩詰取我
鉢盛滿飯謂我言唯須菩提若能於食等者
諸法亦等諸法等者於食亦等如是行乞乃
可取食若須菩提不斷婬怒癡亦不與俱不
壞於身而隨一相不滅癡愛起於明脫以五
逆相而得解脫亦不解不縛不見四諦非不見

壞於身而隨一相不滅癡愛起於明脫以五
逆相而得解脫亦不解不縛不見四諦非不見
諦非得果非不得果非凡夫非離凡夫法非聖人
非不聖人雖成就一切法而離諸法相乃可食
若須菩提不見佛不聞法彼外道六師富樓
那迦葉末迦梨拘賒梨子刪闍夜毗羅胝子
阿耆多翅舍欽婆羅迦羅鳩馱迦旃延尼揵
陀若提子等是汝之師因其出家彼師所墮
汝亦隨墮乃可取食若須菩提入諸邪見不到
彼岸住於八難不得無難同於煩惱離清淨
法汝得無諍三昧一切衆生亦得是定其施汝
者不名福田供養汝者墮三惡道為與衆
魔共一手作諸勞侶汝與衆魔及諸塵勞等
無有異於一切衆生而有怨心謗諸佛毀於
法不入衆數終不得滅度汝若如是乃可取
食時我世尊聞說此語茫然不識是何言不
知以何荅便置鉢欲出其舍維摩詰言唯須菩
提取鉢勿懼於意云何如來所作化人若以是
事詰寧有懼不我言不也維摩詰言一切諸法
如幻化相汝今不應有所懼也所以者何一
切言說不離是相至於智者不著文字故無
所懼何以故文字性離無有文字是則解脫
解脫相者則諸法也維摩詰說是法時二百天
子得法眼淨故我不任詣彼問疾
佛告富樓那彌多羅尼子汝行詣維摩詰問疾

BD00100 號　維摩詰所說經卷上　　（26–13）

子得法眼淨故我不任詣彼問疾
佛告富樓那彌多羅尼子汝行詣維摩詰問疾
富樓那白佛言世尊我不堪任詣彼問疾
所以者何憶念我昔於大林中在一樹下為
諸新學比丘說法時維摩詰來謂我言唯富
樓那先當入定觀此人心然後說法無以穢
食置於寶器當知是比丘心之所念無以琉
璃同彼水精汝不能知衆生根原無得發起
以小乘法彼自無瘡勿傷之也欲行大道莫
示小徑無以大海內於牛跡無以日光等彼螢
大富樓那此比丘久發大乘心中忘此意汝
何以小乘法而教導之我觀小乘智慧微淺
猶如盲人不能分別一切衆生根之利鈍時
維摩詰即入三昧令此比丘自識宿命曾於
五百佛所殖衆德本迴向阿耨多羅三藐三
菩提即時豁然還得本心於是諸比丘稽
首礼維摩詰足時維摩詰因為說法於阿
耨多羅三藐三菩提不復退轉我念聲聞不
觀人根不應說法是故不任詣彼問疾
佛告摩訶迦旃延汝行詣維摩詰問疾迦旃
延白佛言世尊我不堪任詣彼問疾所以者
何憶念昔者佛為諸比丘略說法要我即於
後敷演其義謂無常義苦義空義無我義
寂滅義時維摩詰來謂我言唯迦旃延無以
生滅心行說實相法迦旃延諸法畢竟不生不

BD00100 號　維摩詰所說經卷上　　（26–14）

後敷演其義謂無常義苦義空義無我義
寂滅義時維摩詰来謂我言唯迦旃延無以
生滅心行說實相法迦旃延諸法畢竟不生
不滅是無常義五受陰通達空無所起是苦
義諸法究竟無所有是空義於我無我而不
二是無我義法本不然今則無滅是寂滅義
說是法時彼諸比丘心得解脫故我不任詣
彼問疾
佛告阿那律汝行詣維摩詰問疾阿那律白
佛言世尊我不堪任詣彼問疾所以者何憶
念我昔於一處經行時有梵王名曰嚴淨與
万梵俱放淨光明来詣我所稽首作礼問我
言幾何阿那律天眼所見我即荅言仁者吾
見此釋迦牟尼佛土三千大千世界如觀掌中
菴摩勒菓時維摩詰来謂我言唯阿那律天
眼所見為作相耶無作相耶假使作相則與外道
五通等若無作相即是無為不應有見世尊
我時默然彼諸梵聞其言得未曾有即為
作礼而問曰世孰有真天眼者維摩詰言有
佛世尊得真天眼常在三昧悉見諸佛國不
以二相於是嚴淨梵王及其眷屬五百梵天
皆發阿耨多羅三藐三菩提心礼維摩詰足
已忽然不現故我不任詣彼問疾
佛告優波離汝行詣維摩詰問疾優婆離白
佛言世尊我不堪任詣彼問疾所以者何憶
念昔者有二比丘犯律行以為恥不敢問佛

佛言世尊我不堪任詣彼問疾所以者何憶
念昔者有二比丘犯律行以為恥不敢問佛
来問我言唯優波離我等犯律誠以為恥不
敢問佛願解疑悔得免斯咎我即為其如法
解說時維摩詰来謂我言唯優波離无重增
此二比丘罪當直除滅勿擾其心所以者何彼
罪性不在內不在外不在中間如佛所說心
垢故衆生垢心淨故衆生淨心亦不在內不
在外不在中間如其心然罪垢亦然諸法亦
然不出於如如優波離以心相得解脫時寧
有垢不我言不也維摩詰言一切衆生心相
無垢亦復如是唯優波離妄想是垢無妄想
是淨顛倒是垢無顛倒是淨取我是垢不取我
是淨優波離一切法生滅不住如幻如電諸
法不相待乃至一念不住諸法皆妄見如夢
如炎如水中月如鏡中像以妄相生其知此
者是名奉律其知此者是名善解於是二比
丘言上智哉是優波離所不能及持律之上而不
能說我荅言自捨如来未有聲聞及菩薩能
制其樂說之辯其智慧明達為若此也時二
比丘疑悔即除發阿耨多羅三藐三菩提心
作是願言令一切衆生皆得是辯故我不
任詣彼問疾
佛告羅睺羅汝行詣維摩詰問疾羅睺羅白
佛言世尊我不堪任詣彼問疾所以者何憶

佛告羅睺羅汝行詣維摩詰問疾羅睺羅白
佛言世尊我不堪任詣彼問疾所以者何憶
念昔時毗耶離諸長者子來詣我所稽首作
礼問我言唯羅睺羅汝佛之子捨轉輪王位
出家爲道其出家者有何等利我即如法爲說
出家功德之利時維摩詰來謂我言唯羅睺
羅不應說出家功德之利所以者何無利無
功德是爲出家有爲法者可說有利有功德
夫出家者爲無爲法無爲法中無利無功德
羅睺羅夫出家者無彼無此亦無中間離六十
二見處於涅槃智者所受聖所行處降伏衆
魔度五道淨五眼得五力立五根不惱於彼
離衆雜惡摧諸外道超越假名出淤泥無
繫著無我所無所受無擾亂內懷喜護彼意
隨禪定離衆過若能如是是真出家於是維
摩詰語諸長者子汝等於正法中宜共出家
所以者何佛世難值諸長者子言居士我聞
佛言父母不聽不得出家維摩詰言然汝等
便發阿耨多羅三藐三菩提心是即出家是
即具足尒時諸長者子皆發阿耨多羅三
藐三菩提心故我不任詣彼問疾
佛告阿難汝行詣維摩詰問疾阿難白佛言
世尊我不堪任詣彼問疾所以者何憶念昔
時世尊身小有疾當用牛乳我即持鉢詣大

時世尊身小有疾當用牛乳我即持鉢詣大
婆羅門家門下立時維摩詰來謂我言唯阿
難何爲晨朝持鉢住此我言居士世尊身小有
疾當用牛乳故來至此維摩詰言止止阿難
莫作是語如來身者金剛之體諸惡已斷衆
善普會當有何疾當有何惱默往阿難勿謗
如來莫使異人聞此麁言無令大威德諸天
及他方淨土諸來菩薩得聞斯語阿難轉
輪聖王以少福故尚得無病豈况如來无量福
會普勝者哉行矣阿難勿使我等受斯恥也
外道梵志若聞此語當作是念何名爲師
自疾不能救而能救諸疾人可密速去勿使
人聞當知阿難諸如來身即是法身非思欲
身佛爲世尊過於三界佛身無漏諸漏已盡
佛身無爲不墮諸數如此之身當有何疾時
我世尊實懷慚愧得無近佛而謬聽耶即聞
空中聲曰阿難如居士言但爲佛出五濁惡
世現行斯法度脫衆生行矣阿難取乳勿慚
世尊維摩詰智慧辯才爲若此也是故不任
詣彼問疾如是五百大弟子各各向佛說其本
緣稱述維摩詰所言皆曰不任詣彼問疾
菩薩品第四
於是佛告弥勒菩薩汝行詣維摩詰問疾弥
勒白佛言世尊我不堪任詣彼問疾所以者

於是佛告彌勒菩薩汝行詣維摩詰問疾
勒白佛言世尊我不堪任詣彼問疾所以者
何憶念我昔為兜率天王及其眷屬說不退
轉地之行時維摩詰來謂我言彌勒世尊授
仁者記一生當得阿耨多羅三藐三菩提為用
何生得受記乎過去耶未來耶現在耶若過
去生過去生已滅若未來生未來生未至若
現在生現在生無住如佛所說比丘汝今即時
亦生亦老亦滅若以無生得受記者無生即
是正位於正位中亦無受記亦無得阿耨多
羅三藐三菩提云何彌勒受一生記乎為
從如生得受記耶為從如滅得受記耶若以
如生得受記者如無有生若以如滅得受記
者如無有滅一切衆生皆如也一切法亦如
也衆賢聖亦如也至於彌勒亦如也若彌
勒得受記者一切衆生亦應受記所以者何
夫如者不二不異若彌勒得阿耨多羅三藐
三菩提者一切衆生皆亦應得所以者何一切
衆生即菩提相若彌勒滅度者一切衆生
亦當滅度所以者何諸佛知一切衆生畢竟
寂滅即涅槃相不復更滅是故彌勒無以此
法誘諸天子實無發阿耨多羅三藐三菩提
心者亦無退者彌勒當令此諸天子捨於分
別菩提之見所以者何菩提者不可以身得
不可以心得寂滅是菩提滅諸相故不觀是

別菩提之見所以者何菩提者不可以身得
不可以心得寂滅是菩提滅諸相故不觀是
菩提離諸緣故不行是菩提無憶念故斷是
菩提捨諸見故離是菩提離諸妄想故鄣是
菩提鄣諸願故不入是菩提無貪著故順是
菩提順於如故住是菩提住法性故至是菩
提至實際故不二是菩提離意法故等是菩
提等虛空故無為是菩提無生住滅故智是
菩提了衆生心行故不會是菩提諸入不會
故不合是菩提離煩惱習故無處是菩提無
形色故假名是菩提名字空故如化是菩提
無取捨故無亂是菩提常自靜故善寂是菩
提性清淨故無取是菩提離攀緣故無異
是菩提諸法等故無比是菩提無可喻故微
妙是菩提諸法難知故世尊維摩詰說是
法時二百天子得無生法忍故我不任詣彼
問疾
佛告光嚴童子汝行詣維摩詰問疾光嚴白
佛言世尊我不堪任詣彼問疾所以者何憶
念我昔出毗耶離大城時維摩詰方入城我
即為作禮而問言居士從何所來荅我言
吾從道場來我問道場者何所是荅曰直心
是道場無虛假故發行是道場能辯事故深
心是道場增益功德故菩提心是道場無錯
謬故布施是道場不望報故持戒是道場得

諮故布施是道場不望報故持戒是道場得
願具故忍辱是道場於諸衆生心無㝵故精
進是道場不懈退故禪定是道場心調柔故
智慧是道場現見諸法故慈是道場等衆生故
悲是道場忍疲苦故喜是道場悅樂法故捨
是道場憎愛斷故神通是道場成就六通故
解脫是道場能背捨故方便是道場教化
衆生故四攝法是道場攝衆生故多聞是道
場如聞行故伏心是道場正觀諸法故三十
七品是道場捨有為法故諦是道場不誑世
間故緣起是道場無明乃至老死皆無盡故諸
煩惱是道場知如實故衆生是道場知無我
故一切法是道場知諸法空故降魔是道場
不傾動故三界是道場無所趣故師子吼是
道場無所畏故力無畏不共法是道場無諸
過故三明是道場無餘㝵故一念知一切法是
道場成就一切智故如是善男子菩薩若應
諸波羅蜜教化衆生諸有所作舉足下足
當知皆從道場來住於佛法矣說是法時五
百天人皆發阿耨多羅三藐三菩提心故我
不任詣彼問疾
佛告持世菩薩汝行詣維摩詰問疾持世白
佛言世尊我不堪任詣彼問疾所以者何憶
念我昔住於靜室時魔波旬從万二千天女
狀如帝釋鼓樂絃歌來詣我所與其眷屬稽

BD00100 號　維摩詰所說經卷上　（26–21）

狀如帝釋鼓樂絃歌來詣我所與其眷屬稽
首我足合掌恭敬於一面立我意謂是帝釋
而語之言善來憍尸迦雖福應有不當自恣
當觀五欲無常以求善本於身命財而脩堅
法即語我言正士受是万二千天女可備掃
灑我言憍尸迦無以此非法之物要我沙門
釋子此非我宜所言未訖時維摩詰來謂
我言非帝釋也是為魔來嬈固汝耳即語魔
言是諸女等可以與我如我應受魔即驚懼
念維摩詰將無惱我欲隱形去而不能隱盡其
神力亦不得去即聞空中聲曰波旬以女與
之乃可得去魔以畏故俛仰而與尒時維摩
詰語諸女言魔以汝等與我今汝皆當發
阿耨多羅三藐三菩提心即隨所應而為說
法令發道意復言汝等已發道意有法樂
可以自娛不應復樂五欲樂也天女即問何
謂法樂荅言樂常信佛樂欲聽法樂供養
衆樂離五欲樂觀五陰如怨賊樂觀四大如毒蛇
樂觀內入如空聚樂隨護道意樂饒益衆生
樂敬養師樂廣行布施樂堅持戒樂忍辱柔
和樂勤集善根樂禪定不亂樂離垢明慧樂
廣菩提心樂降伏衆魔樂斷諸煩惱樂淨佛
國土樂成就相好故脩諸功德樂莊嚴道場樂
聞深法不畏樂三脫門不樂非時樂近同學

BD00100 號　維摩詰所說經卷上　（26–22）

[illegible]
聞深法不畏樂三脫門不樂非時樂近同學
樂於非同學中心無恚㝵樂將護惡知識樂
近善知識樂心喜清淨樂脩无量道品之法是
為菩薩法樂於是波旬告諸女言我欲與
汝俱還天宮諸女言以我等與此居士有法
樂我等甚樂不復樂五欲樂也魔言居士
可捨此女一切所有施於彼者是為菩薩維
摩詰言我以捨矣汝便將去令一切衆生得
法願具足於是諸女問維摩詰我等云何止
於魔宮維摩詰言諸姊有法門名無盡燈汝
等當學無盡燈者譬如一燈燃百千燈冥者
皆明明終不盡如是諸姊夫一菩薩開道百
千衆生令發阿耨多羅三藐三菩提心於其
道意亦不滅盡隨所說法而自增益一切善
法是名無盡燈也汝等雖住魔宮以是無盡
燈令無數天子天女皆發阿耨多羅三藐三菩
提心者為報佛恩亦大饒益一切衆生尒時
天女頭面礼維摩詰足隨魔還宮忽然不現
世尊維摩詰有如是自在神力智慧辯才
故我不任詣彼問疾
佛告長者子善得汝行詣維摩詰問疾善得
白佛言世尊我不堪任詣彼問疾所以者何
憶念我昔自於父舍設大施會供養一切沙
門婆羅門及諸外道貧窮下賤孤獨乞人期
滿七日時維摩詰來入會中謂我言長者子

BD00100號　維摩詰所説經卷上　（26–23）

門婆羅門及諸外道貧窮下賤孤獨乞人期
滿七日時維摩詰來入會中謂我言長者子
夫大施會不當如汝所設當為法施之會何
用是財施會為我言居士何謂法施之會法
施會者無前無後一時供養一切衆生是名
法施之會曰何謂也謂以菩提起於慈心以救
衆生起大悲心以持正法起於喜心以攝智
慧行於捨心以攝慳貪起檀波羅蜜以化犯
戒起尸波羅蜜以無我法起羼提波羅蜜以
離身心相起毗梨耶波羅蜜以菩提相起禪
波羅蜜以一切智起般若波羅蜜教化衆生
而起於空不捨有為法而起無相示現受生
而起無作護持正法起方便力以度衆生起
四攝法以敬事一切起除慢法於身命財起
三堅法於六念中起思念法於六和敬起質
直心正行善法起於淨命心淨歡喜起近賢
聖不憎惡人起調伏心以出家法起於深心以
如說行起於多聞以無諍法起空閑處趣向
佛慧起於宴坐解衆生縛起脩行地以具
相好及淨佛土起福德業知一切衆生心念
如應說法起於智業知一切法不取不捨入
一相門起於慧業斷一切煩惱一切鄣㝵一
切不善法起一切善業以得一切智慧一切
善法起於一切助佛道法如是善男子是為
法施之會若菩薩住是法施會者為大施主

BD00100號　維摩詰所説經卷上　（26–24）

法施之會若菩薩住是法施會者爲大施主
亦爲一切世間福田世尊維摩詰說是法時
婆羅門衆中二百人皆發阿耨多羅三藐三
菩提心我時心得清淨嘆未曾有稽首礼維
摩詰足即解瓔珞價直百千以上之不肯取
我言居士願必納受隨意所與維摩詰乃受
瓔珞分作二分持一分施此會中一最下乞
人持一分奉彼難勝如來一切衆會皆見光
明國土難勝如來又見珠瓔在彼佛上變成
四柱寶臺四面嚴飾不相鄣蔽時維摩詰
現神通變已作是言若施主等心施一最下乞
人猶如如來福田之相無所分別等于大悲
不求果報是則名曰具足法施城中一最下乞
人見是神力聞其所說即發阿耨多羅三藐
三菩提心故我不任詣彼問疾如是諸菩薩
各各向佛說其本緣稱述維摩詰所言皆
日不任詣彼問疾

維摩詰經卷第一

BD00100 號　維摩詰所說經卷上　（26–25）

明國土難勝
四柱寶臺四面嚴飾不相鄣蔽時維摩詰
現神通變已作是言若施主等心施一最下乞
人猶如如來福田之相無所分別等于大悲
不求果報是則名曰具足法施城中一最下乞
人見是神力聞其所說即發阿耨多羅三藐
三菩提心故我不任詣彼問疾如是諸菩薩
各各向佛說其本緣稱述維摩詰所言皆
日不任詣彼問疾

維摩詰經卷第一

BD00100 號　維摩詰所說經卷上　（26–26）

[illegible]
南无心自在佛
南无式光佛
南无无邊光王佛
南无寶兩頭佛
南无智波婆羅佛　南无毗[illegible]稱佛
南无智成就佛　南无无[illegible]帶佛
南无无邊切德王佛　南无法華婆師佛
南无光佛　南无妙山王佛
從此以上九千六百佛十二部經一切賢聖
南无轉法轉勝王佛　南无无垢目佛
南无住持大般若佛　南无不住力精進王佛
南无自在識佛　南无現念佛
南无福德力精進佛　南无智袈裟王佛
南无智自在佛　南无安隱衆生无障佛
南无智集佛　南无摩訶弥留力藏佛
南无虛空光明佛　南无離癡切德聲王佛
南无向伽樓切德精進佛
南无法施荘嚴佛　南无聲自在王佛
南无護門佛　南无自在力精進王佛
南无寶光明勝王佛　南无勝一切須弥山王佛
南无羅多耶弥留佛　南无不可得動法佛
南无陁羅㞧自在王佛
南无普切德王佛　南无法莎羅王弥留佛

BD00101 號　佛名經（十六卷本）卷一三　（28–1）

南无寶光明勝王佛　南无勝一切須弥山王佛
南无羅多耶弥留佛　南无不可得動法佛
南无陁羅㞧自在王佛
南无普切德王佛　南无法莎羅王弥留佛
南无智集切德聚佛　南无智炎華樹王佛
南无一切世間自在佛　南无善華王佛
南无金于遮耶王佛　南无法幢奮迅王佛
南无旃檀波婆羅圍遶佛
南无住法分稱佛　南无隨衆生心奮迅佛
南无堅心意精進佛　南无照一切世間燈佛
南无无邊稱莎羅幢佛
南无過去稱法雨佛　南无切德炎華佛
南无智行佛　南无樂威德燈佛
南无離諸障无畏佛　南无智照聲佛
南无二藏成就佛　南无集妙行佛
南无樂荘嚴王佛　南无阿僧祇荘嚴王佛
南无師子坐善住佛　南无放栴檀華王佛
舍利弗我於此坐以清淨无障㝵過人天
眼見東方多百佛多千佛多百千佛多百
千万佛多百千億佛多百千万億那由他佛
无量阿僧祇佛不可思議佛不可量佛
種種名種種姓種種世界種種佛國土種種
比丘比丘㞧優婆塞優婆夷圍遶種種天
龍夜叉乾闥婆阿脩羅迦樓羅緊那羅摩
睺羅伽人非人等圍遶供養我悉現見如觀
掌中菴摩勒菓舍利弗若有善男子善

BD00101 號　佛名經（十六卷本）卷一三　（28–2）

龍夜叉乾闥婆阿脩羅迦樓羅緊那羅摩
睺羅伽人非人等圍遶供養我悉現見如觀
掌中菴摩勒菓舍利弗若有善男子善
女人比丘比丘尼優婆塞優婆夷信我語受
持讀誦是諸佛名當洗浴著新淨衣
於晝日初分時中分時後分時夜前分時
中分時後分時從坐起偏袒右肩右膝
著地一心稱是佛名供養礼拜作如是言
如來所知十方諸佛我敬礼舍利弗是
善男子善女人比丘比丘尼優婆塞優婆
夷如是供養礼拜得无量福
舍利弗若欲得聲聞地欲得辟支佛地欲
得阿耨多羅三藐三菩提者當礼十方諸
佛一切皆得
復作是言是諸福德聚諸佛如來所知
我悉迴向阿耨多羅三藐三菩提
舍利弗應當歸命東方一切諸佛
南无師子奮迅王佛　南无力士自在王佛
南无法自在奮迅佛　南无脩行堅固自在佛
南无法山勝佛　南无寶山佛
南无自在陁羅集佛　南无樹提藏佛
南无量宿稱佛　南无切德力堅固王佛
南无人聲自在增長佛　南无勝一切世間佛
南无三世法界佛　南无妙聲吼佛
南无寶地龍王佛　南无法疾吼聲佛

南无人聲自在增長佛　南无勝一切世間佛
南无三世法界佛　南无妙聲吼佛
南无寶地龍王佛　南无法疾吼聲佛
南无香波頭摩檡自在寶城佛
南无光輪佛　南无寶蓮佛
南无切德華佛　南无多供養佛
南无无邊德王佛　南无增長喜佛
南无師子龍奮迅佛　南无莎羅藏師子步佛
南无觀諸法佛　南无法華智佛
南无時法清淨佛　南无堅固精進言語佛
南无聲精進佛　南无炎摩尼佛
南无山光明佛　南无清淨无垢藏佛
南无无垢月佛　南无清淨根佛
南无多智佛　南无能作智佛
南无廣智佛　南无力意佛
南无勝意佛　南无法堅固歡喜佛
南无堅固行自在佛　南无等須弥面佛
南无觀成就佛　南无清淨藏佛
南无烏自在佛　南无現摩葉淨葉佛
南无智自在佛　南无精進奮迅佛
南无无畏精進佛　南无世間自在佛
南无法行廣意佛　南无福德成就佛
南无不怯弱成就佛　南无勝成就佛
南无龍觀佛　南无須禰檀佛
南无作衣王佛　南无聚集寶佛

南无龍觀佛 南无酒旃檀佛
南无作武王佛 南无聚集寶佛
南无龍王聲佛 南无大智精進佛
南无无孤獨精進佛
從此以上九千七百佛十二部經一切賢聖
南无不減莊嚴佛 南无不動尼他佛
南无百切德莊嚴佛 南无自在諸相好稱佛
南无自在因陁羅月佛 南无法華山佛
南无法界莊嚴佛 南无滿足願佛
南无大師莊嚴佛 南无師子平等精進佛
南无脩行自在堅固佛 南无樂法脩行佛
南无勝慧佛 南无海步佛
南无大如脩行佛 南无高光明佛
南无諍智佛 南无師子聲佛
南无善報佛 南无善住佛
南无日光佛 南无甘露增上佛
南无道上首佛 南无勝自在親佛
南无善見佛 南无无獨義佛
南无勝意佛 南无人月佛
南无威德光佛 南无普明佛
南无大莊嚴佛 南无師子奮迅去佛
南无摩樓多愛佛 南无寂心佛
南无大步佛 南无可聞聲佛
南无積切德佛 南无摩尼向佛
南无愛照佛 南无名稱佛

BD00101號　佛名經（十六卷本）卷一三　（28–5）

南无大步佛 南无可聞聲佛
南无積切德佛 南无摩尼向佛
南无愛照佛 南无名稱佛
南无信切德佛 南无清淨智佛
南无寶切德佛 南无妙信香佛
南无熱園佛 南无勝仙佛
南无寶智佛 南无甘露威德佛
南无藏信佛 南无月上勝佛
南无龍步佛 南无信黠慧佛
南无愛寶語佛 南无憂波羅香佛
南无旃檀自在佛 南无歒勝佛
南无普行佛 南无切德勝佛
南无大威德佛 南无種種色日佛
南无過諸過佛 南无无量眼佛
南无慚愧智佛 南无切德供養佛
南无種種聲佛 南无切德可樂佛
南无住清淨佛 南无妙香佛
南无月光佛 南无武分佛
南无華智佛 南无憂多摩意佛
南无不闇意佛 南无山自在積佛
南无寂王佛 南无解脫王佛
南无阿踰弥留王佛 南无如意力釋去佛
南无姓向提遮佛 南无不讚歎世間勝佛
南无法无涂佛 南无寶星宿解脫王佛
南无白寶勝佛 南无法行自在佛

BD00101號　佛名經（十六卷本）卷一三　（28–6）

南无法无染佛　南无寶星宿解脫王佛
南无白寶勝佛　南无法行自在佛
南无陁羅尼自在佛　南无向難陁聲佛
從此以上九千八百佛十二部經一切賢聖
南无智步王佛　南无弥留平等奮迅王佛
南无智奮迅佛
南无法華通樹提佛
南无多波尼體佛　南无向尼伽陁路摩勝佛
南无憂多羅勝法佛　南无大智念縛佛
南无閻伽提自在一切世間擁佛
南无見无畏佛　南无自畏作佛
南无自在量佛
舍利弗我見南方如是等无量諸佛種
種名種種姓種種佛國土汝等應當至
心一心歸命舍利弗應當歸命西方无
量佛
南无向婆羅炎婆羅華佛
南无摩光沙口聲去佛
南无智勝增長稱佛　南无莎湯多波尸佛
南无歌羅毗羅炎華光佛　南无法行燈佛
南无无等等勝佛　南无智奮迅名稱王佛
南无梵聲奮迅妙鼓聲佛
南无波頭摩尸利藏眼佛
南无向僧伽意炎佛　南无千月光明藏佛
南无樂法行佛　南无摩尼婆他光佛

BD00101 號　佛名經（十六卷本）卷一三　（28–7）

南无向僧伽意炎佛　南无千月光明藏佛
南无樂法行佛　南无摩尼婆他光佛
南无師子廣眼佛　南无十力生勝佛
南无智作佛　南无无邊精進降佛
南无一切諸怨佛　南无大勝起法佛
南无向无荷見佛　南无无邊命佛
南无不利他意佛　南无觀法智佛
南无无畏精進日善思惟奮迅王佛
南无无見佛　南无智見法佛
南无一切善根種子佛
南无憂多智勝發行切德佛
南无智香勝佛　南无智上尸棄王佛
南无福德勝智去佛　南无不思議法華吼王佛
南无法清淨勝佛　南无不可思議弥留勝佛
南无能開法門佛
南无毗盧遮那法海香王佛
南无力王善住法王佛
南无勝力散一切惡王佛
南无見无邊樂佛
南无善化切德炎華王佛
南无見彼岸佛　南无善化莊嚴佛
南无見樂處佛　南无尼拘律王勝佛
南无妙勝佛　南无大力智慧奮迅王佛
南无法樹提佛　南无堅固蓋成就佛
南无一切種智資生勝佛

BD00101 號　佛名經（十六卷本）卷一三　（28–8）

南无法樹提佛　南无堅固蓋成就佛
南无一切種智資生勝佛
南无入勝智自在山佛
南无一切世間得自在有槗梁勝佛
南无盡合勝佛　南无清淨一切德王佛
南无波頭摩散湯撈知多莊嚴佛
南无一王佛　南无大多人安隱佛
南无二勝聲切德佛　南无圓堅佛
南无力士佛　南无寶来磨尼火佛
南无大海弥留佛　南无勝王佛
南无不住佛　南无不空切德佛
南无初遠離不濁王佛　南无虛空行佛
南无无骨稱佛　南无聲山佛
南无不可思議起三昧稱佛
南无諸天梵王雜兜佛
南无示无義王佛　南无護垢王佛
南无照切德佛　南无自在眼佛
南无智府成就性佛　南无无障智成就佛
南无說決定義佛　南无莊嚴法燈妙稱佛
南无三寶法燈佛　南无大炎藏佛
南无自師子上身莊嚴佛
南无智寶因緣莊嚴佛
南无眼諸根清淨眼佛
南无善香隨香波頭摩佛
南无法佛　南无……

BD00101號　佛名經（十六卷本）卷一三　（28–9）

南无眼諸根清淨眼佛
南无善香隨香波頭摩佛
南无法佛　南无廣佛
從此以上九千九百佛十二部經一切賢聖
南无一切德佛　南无常鏡佛
南无隨順稱佛　南无法自在佛
南无如意莊嚴佛　南无藏佛
南无情貪佛　南无思妙義堅固願佛
南无一切德輪光佛
南无法吼智明佛　南无甘露光佛
南无无邊莊嚴佛　南无勝福田佛
南无善決定諸佛法莊嚴佛
舍利弗西方如是等无量无邊佛汝當
至心歸命
次礼十二部尊經大藏法輪
南无治身經　南无菩首章經
南无衆祐經　南无泫方等經
南无獨居思惟自念經　南无長者須達經
南无獨思惟意中念生經　南无无本經
南无檀若經　南无月明童子經
南无无憂施經　南无无思議孩童經
南无隋藍經　南无法律三昧經
南无給孤獨四生家門受施經
南无禪行法相經
南无法受塵經　南无頻多和多經
南无羅云母經　南无最……

BD00101號　佛名經（十六卷本）卷一三　（28–10）

南无禪行法相經
南无法受塵經　南无頞多和多經
南无羅云母經　南无嚴調經
南无七處三觀經　南无貧女經
次礼十方諸大菩薩
南无金剛色世界法首菩薩
南无頗梨色世界智首菩薩
南无如寶色世界賢首菩薩
南无因陁羅世界法慧菩薩
南无蓮華世界一切慧菩薩
南无衆寶世界勝慧菩薩
南无憂鉢羅世界功德慧菩薩
南无妙行世界精進慧菩薩
南无善行世界善慧菩薩
南无歡喜世界智慧菩薩
南无星宿世界真實菩薩
南无无猒足世界无上慧菩薩
南无虚空世界堅固慧菩薩
南无衆寶金剛藏世界觀勝法妙請
淨王菩薩
南无无量慧世界功德菩薩
南无幢慧世界慧林菩薩
南无地慧世界勝林菩薩
南无勝慧世界无界菩薩
南无燈慧世界慙愧林菩薩
南无[illegible]

南无地慧世界勝林菩薩
南无勝慧世界无界菩薩
南无燈慧世界慙愧林菩薩
南无金剛慧世界精進菩薩
南无安樂慧世界力成就林菩薩
南无日慧世界堅固林菩薩
南无清淨慧世界如来林菩薩
南无梵慧世界　智林菩薩
次礼聲聞緣覺一切賢聖
南无善吉辟支佛　南无不可心辟支佛
南无善住辟支佛　南无无比辟支佛
南无憍慢辟支佛　南无幼多辟支佛
南无斷愛辟支佛　南无耳辟支佛
南无心得解脫辟支佛　南无優波耳辟支佛
南无吉辟支佛　南无毳摩辟支佛
歸命如是等无量无邊辟支佛
礼三寶已次復懺悔
已懺地獄報竟今當復次懺悔三惡道
報經中佛說多欲之人多求利故苦惱亦
多知足之人雖卧地上猶以爲樂不知足者
雖處天堂猶不稱意但世間人忽有急難
便能捨財不計多少而不知此身臨於
三塗深坑之上一息不還便應墮落忽
有知識營功福德令備未来善法資粮
執此慳心无肯作理夫如此者極爲愚
[illegible]

有知識營切福德令脩未來善法資粮
執此慳心无肯作理夫如此者極為愚
惑何以故尒經中佛說生時不賫一文
而来死亦不持一文而去苦身積聚為
之憂惱於已無益徒爲他有无善可恃
无德可怙致使命終墮於惡道是故弟
子等今日稽顙懇到歸依佛
南无東方大光明曜佛　南无南方虗空住佛
南无西方金剛步佛　南无北方无邊力佛
南无東南方无邊王佛　南无西南方壞諸怨賊佛
南无西北方離垢光佛　南无東北方金色光[illegible]
南无下方師子遊戲佛　南无上方月幢王佛
如是十方盡虗空界一切三寶至心歸命
常住三寶
弟子今日次復懺悔畜生道中无所識
知罪報懺悔畜生道中負重牽犁償
他宿債罪報懺悔畜生道中不得自在
為他所剉屠割罪報懺悔畜生无足二
足四足多足罪報懺悔畜生道中身諸
毛羽鱗甲之内為諸小虫之所唼食罪報
如是畜生道中有无量罪報今日至誠
皆悉懺悔至心歸命常住三寶
次復懺悔餓鬼道中長飢罪報懺悔餓
鬼百千万歲初不曾聞漿水之名罪報
懺悔餓鬼食噉膿血糞穢罪報懺悔餓

次復懺悔餓鬼道中長飢罪報懺悔餓
鬼百千万歲初不曾聞漿水之名罪報
懺悔餓鬼食噉膿血糞穢罪報懺悔餓
鬼動身之時一切枝節火然罪報懺悔餓
鬼腹大咽小罪報如是餓鬼道中无量苦
報今日稽顙皆悉懺悔至心頂礼常住三寶
次復懺悔一切鬼神脩羅道中諂
詐稱罪報懺悔鬼神道中擔沙負石填
河塞海罪報懺悔鬼神道中羅剎鳩槃荼
諸惡鬼神生噉肉受此醜陋罪報如是鬼神
道中无量无邊一切罪報今日稽顙向十方
佛大地菩薩求哀懺悔悉令消滅至心頂
礼常住三寶
願弟子等承是懺悔畜生等報所生功德
生生世世滅愚癡垢自識業緣智慧明照
斷惡道身願以懺悔餓鬼等報所生功德
生生世世永離慳貪飢渴之苦常食甘露
解脫之味願以懺悔鬼神脩羅等報所生
功德生生世世質直无諂離耶命因除
醜陋果福利人天願弟子等從今以去乃
至道場決定不受四惡道報唯除大悲為
衆生故以誓願力處之无猒至心頂礼
常住三寶
舍利弗汝當至心歸命北方佛
南无勝藏佛　南无自在藏佛

舍利弗汝當至心歸命北方佛
南无勝藏佛　南无自在藏佛
南无无邊華龍一俱蘊摩生佛
南无降伏諸魔勇猛佛
南无定諸魔佛　南无法像佛
南无功德勝佛　南无山峰光佛
南无法王佛　南无普恭敬燈佛
從此以上一万佛十二部經一切賢聖
南无地勝佛　南无成就如來家佛
南无一切寶成就佛　南无陁羅尼文句決定義佛
南无忍自在王佛　南无成就一切稱佛
南无三世智自在佛　南无勝歸依德善住佛
南无種種摩尼光佛　南无勝功德佛
南无佛功德勝佛　南无无餘證佛
南无得佛眼佛　南无隨過去佛
南无大慈成就悲勝佛　南无住持師子智佛
南无无衆生住實際王佛　南无自家法得成就佛
南无大智莊嚴身佛　南无智稱佛
南无佛法首佛　南无一切衆生德佛
南无過一切法間佛　南无自在回陁羅佛
南无滿足意佛　南无大瑠璃佛
南无菩提光明佛　南无不可思議法智光明佛
南无真檀不空王佛　南无不染波頭摩幢佛
南无法財聲王佛　南无釋法善知稱佛
南无智顯劫佛　南无佛眼清淨分陁利佛

BD00101 號　佛名經（十六卷本）卷一三　（28–15）

南无真檀不空王佛　南无不染波頭摩幢佛
南无法財聲王佛　南无釋法善知稱佛
南无智顯劫佛　南无佛眼清淨分陁利佛
南无智自在稱佛　南无斷无邊畏佛
南无衆生方便自在王佛
南无无邊覺奮迅无畏思惟佛
南无法行地善住佛　南无普衆生男廣佛
南无降伏諸魔力堅意佛
南无天王自在寶合王佛
南无如寶脩行藏佛
南无能生一切歡喜月見佛
南无大迅覺迅佛
南无種種摩尼聲吼王佛
南无无歡王佛　南无不退了勇猛佛
南无佛土莊嚴身佛　南无智根本華幢佛
南无化身无畏稱佛　南无一切龍摩尼藏佛
南无法聲自在佛　南无法甘露莎剎羅佛
南无无邊實福德藏佛　南无清淨華行佛
南无大法王華勝佛　南无一切盡无盡藏佛
南无花山藏佛　南无智虛空山佛
南无智力不可破壞佛　南无无畏堅固隨順智佛
南无无邊大海藏佛　南无智王无盡稱佛
南无奮迅心意王佛　南无自清淨智佛
南无智自在法王佛　南无勝行佛
南无金剛見佛　南无法滿足隨香見佛

BD00101 號　佛名經（十六卷本）卷一三　（28–16）

南无奮迅心意王佛 南无自清淨智佛
南无智自在法王佛 南无勝行佛
南无金剛見佛 南无法滿足隨香見佛
南无龍月佛 南无目𨹔羅園佛
南无无㝵王佛 南无寶目𨹔羅輪王佛
南无能生一切衆生敬稱佛 南无火威德光明輪王佛
南无无障㝵波羅佛 南无无垢髻佛
南无放光明佛 南无山力月藏佛
南无心自在王佛 南无堅固无畏上首佛
南无堅固勇猛寶佛 南无堅固心善住王佛
南无能破闇曀王佛 南无勝大丈夫分陁利佛
南无百聖藏佛 南无妙蓮華藏佛
南无見平等法身佛 南无衆生月佛
南无師子去佛 南无大威德佛
南无妙聲佛 南无无邊光佛
南无見愛佛 南无大首佛
南无勝首佛 南无樂聲佛
南无見寶佛 南无清稱佛
從此以上一万一百佛十二部經一切賢聖
南无師子慧佛 南无德聲佛
南无脩樓毗香佛 南无電燈佛
南无波頭摩光佛 南无大光佛
南无梵聲佛 南无无疑佛
南无无邊勢力佛 南无月面佛
南无无邊光佛 南无愛威德佛
南无[illegible]佛 南无[illegible]燈佛

BD00101號　佛名經（十六卷本）卷一三　（28–17）

南无无邊勢力佛 南无月面佛
南无无邊光佛 南无愛威德佛
南无散疑佛 南无切德燈佛
南无不藏威德佛 南无无邊藏佛
南无光明奮迅王佛 南无廣稱佛
南无遠離幢佛 南无增長聖佛
南无普見佛 南无不可勝佛
南无威德聚佛 南无堅固步佛
南无摩究睒稱佛 南无无邊色佛
南无大光明佛 南无妙聲佛
南无不動步佛 南无无邊莊嚴佛
南无大清淨佛 南无威德聚光明佛
南无住智佛 南无堅佛
南无愛觧脫佛 南无愛无畏佛
南无甘露藏佛 南无普觀察佛
南无大脩行佛 南无細威德佛
南无十方恭敬佛 南无光明勝佛
南无重說佛 南无光明莊嚴佛
南无師子奮迅佛 南无善見佛
南无甘露步佛 南无月光明佛
南无切德稱佛 南无去根佛
南无清淨聲佛 南无无㝵輪佛
南无甘露聲佛 南无衆生可敬佛
南无如意威德佛 南无无邊色佛
南无大力佛 南无決莊嚴佛

BD00101號　佛名經（十六卷本）卷一三　（28–18）

南无如意威德佛　南无无邊色佛
南无大力佛　南无决定嚴佛
南无普照觀佛　南无奮迅德佛
南无妙色佛　南无稱意佛
南无寶定嚴佛　南无高光明佛
南无解脫步佛　南无功德定嚴佛
南无畢竟智佛　南无生雞兜佛
南无不動智佛　南无行竟佛
南无妙色佛　南无寶色佛
南无火聲佛　南无善思惟佛
南无功德華佛　南无思惟世間佛
南无大高光佛　南无无譬喻奮迅佛
南无清淨覺佛　南无无月重佛
南无月燈佛　南无无邊光佛
南无種種日佛　南无天城佛
南无心清淨佛　南无波頭摩藏佛
南无常擇智佛　南无師子聲佛
南无无邊光佛　南无勝聲佛
南无可樂意智光佛　南无功德光佛
南无自在光佛　南无淨嚴身佛
南无无濁義佛　南无應威德佛
南无成就義智佛　南无得大聲佛
南无婆藪陁聲佛　南无鞞哆光佛
從此以上一万二百佛　十二部經一切賢聖
南无决定思惟佛　南无薩遮婆毘佛

BD00101號　佛名經（十六卷本）卷一三　（28–19）

從此以上一万二百佛　十二部經一切賢聖
南无决定思惟佛　南无薩遮婆毘佛
南无鳴闍光明佛　南无毗弗波威德佛
南无憂多羅魔吒佛　南无夜舍雞兜佛
南无功德清淨佛　南无法燈佛
南无勝功德佛　南无仙荷波提愛面佛
南无心荷步去佛　南无思惟衆生佛
南无莎伽羅智佛　南无波頭摩藏佛
南无善仙佛　南无莎羅王佛
南无脩利耶光佛　南无菩提味佛
南无舜諸根佛　南无婆毘光佛
南无荼陁利光佛　南无弥留光佛
南无旃陁面佛　南无莎利荼去佛
南无諸方眼佛　南无法光明佛
南无尸羅波散耶佛　南无阿難陁智佛
南无阿難陁色佛　南无地荼毗梨耶佛
南无提婆弥多佛　南无莎謨多智佛
南无舜靜光佛　南无摩毘舍威德佛
南无善分若提陁佛　南无稱聖佛
南无稱幢佛　南无輪面佛
南无普清淨佛　南无摩訶提闍佛
南无阿羅訶應佛　南无優多耶勝佛
南无悉達他思惟佛　南无愛供養佛
南无三謨多護佛　南无尼弥佛
南无言菩提佛　南无波[illegible]佛

BD00101號　佛名經（十六卷本）卷一三　（28–20）

南无患達他思惟佛　南无愛伊養佛
南无三湧多誰佛　南无尼弥佛
南无信善提佛　南无破意佛
南无出智佛　南无勝聲佛
南无質多羅婆兆佛　南无弥荷聲佛
南无大炎騫陁佛　南无勝拘吒佛
南无阿舒伽愛佛　南无天國土佛
南无師子難提拘羅佛　南无阿難陁波破佛
南无見愛佛　南无波提波王佛
南无勝雞兜佛　南无方聞聲佛
南无愛眼佛　南无蒱陁雞兜佛
南无阿婆夜達多佛　南无耶刹多王佛
南无蘊摩提婆佛　南无日光明佛
南无大稱佛　南无真聲佛
南无訑愛佛　南无稱憂多羅佛
南无摩頭羅光明佛　南无脩佉聲佛
南无質多意佛　南无婆藪陁清淨佛
南无㝈瞋佛　南无破意佛
南无宿王佛　南无毗伽陁畏佛
南无勝憂多摩佛　南无波薩耶智佛
南无慈勝種光佛　南无普見佛
南无見月佛　南无降伏諸魔威德佛
南无摩訶羅他佛　南无心荷步去佛
南无樂光佛　南无普護佛
南无清淨意佛　南无戌毗義佛
南无普…　南无摩…

BD00101號　佛名經（十六卷本）卷一三　（28–21）

南无樂光佛　南无普護佛
南无清淨意佛　南无戌毗義佛
南无香山佛　南无摩尼清淨佛
南无切德光佛　南无日光佛
南无戌毗光佛　南无見愛佛
南无善思惟佛　南无婆湧多見佛
從此以上一万三百佛十二部經一切賢聖
南无師子幢佛　南无普行佛
南无大步佛　南无阿羅頻頭波頭摩眼佛
南无日光佛　南无阿弥多清淨佛
南无阿難多摟波佛　南无蓋天佛
南无羅多耶光佛　南无莎羅梯羅多佛
南无善見佛　南无親味佛
南无婆耆羅莎佛　南无脩利耶耶耶佛
南无无障㝵眼佛　南无莎荷去佛
南无大然燈佛　南无盧荷伽佛
南无清淨切德佛　南无切德藏佛
南无法佛　南无摩摟多愛佛
南无向婆耶愛佛　南无慧幢佛
南无威德光佛　南无月德佛
南无求耶婆藪佛　南无无邊光佛
南无安樂佛　南无稱雞兜佛
南无光明吼佛　南无普切德佛
南无勝雞兜佛　南无耶羅延佛
南无寶清淨佛　南无普心佛

BD00101號　佛名經（十六卷本）卷一三　（28–22）

南无勝雞兜佛　南无那羅延佛
南无寶清淨佛　南无普心佛
南无善意佛　南无　佛
南无不量威德佛　南无師子辟佛
南无光明意佛　南无那羅延天佛
南无薩遮雞兜佛　南无善住意佛
南无阿弥多天佛　南无大慧德佛
南无大幢佛　南无光明日佛
南无法佛　南无善法佛
南无旃陁婆羌佛　南无菴摩羅勝佛
南无解脫觀佛　南无羅多那光佛
南无无羅聲佛　南无普心擇佛
南无成就光佛　南无甘露眼佛
南无稱愛佛　南无善讃佛
南无天信佛　南无善量步佛
南无提婆多羅佛　南无滌智佛
南无斯那步佛　南无旃陁跋陁佛
南无提闍積佛　南无大勝佛
南无大步佛　南无闍耶天佛
南无悲達他意佛　南无質多憂佛
南无師子聲佛　南无信提舍那佛
南无智光佛　南无拘蘊摩提闍佛
南无提闍羅尸佛　南无如意光佛
南无无邊威德佛　南无无邊光佛
南无勝藏佛　南无盧遮那稱佛

BD00101號　佛名經（十六卷本）卷一三　（28–23）

南无提闍羅尸佛　南无如意光佛
南无无邊威德佛　南无无邊光佛
南无勝藏佛　南无盧遮那稱佛
南无寶鷄兜佛　南无郁伽提闍佛
南无日雞兜佛　南无摩訶弥留佛
南无摩訶馥荷佛　南无世間得名佛
南无郁伽德佛　南无憂多摩稱佛
南无成就義步佛　南无提婆摩醯多佛
次礼十二部尊經大藏法輪
南无决捻持經　南无七智經
南无所祇經　南无七車經
南无耆闍掘山解經　南无留多經
南无未生王經　南无三乘經
從此以上一万四百佛十二部經一切賢聖
南无便賢者旃經　南无颰陁悔過經
南无三轉月明經　南无聽施經
南无是時自梵自守經　南无三品脩行經
南无句義經　南无鷹王經
南无須摩經　南无和道三昧經
南无義决律經　南无須耶越國貧人經
南无齊經　南无菩入法嚴經
次礼十方諸大菩薩
南无堅固寶世界金剛幢菩薩
南无堅固寶王世界孟猛幢菩薩
南无堅固樂世界堅固幢菩薩
南无堅固金世界夜光幢菩薩

BD00101號　佛名經（十六卷本）卷一三　（28–24）

南无堅固樂世界堅固幢菩薩
南无堅固金世界夜光幢菩薩
南无堅固摩世界智幢菩薩
南无堅固金剛世界寶幢菩薩
南无堅固蓮華世界精進幢菩薩
南无堅固青蓮華世界離垢幢菩薩
南无堅固旃檀世界宜寶幢菩薩
南无堅固香世界法幢菩薩
南无南方善思議菩薩
現在西方菩薩名
南无善吉世界成一切利菩薩
南无善吉世界金光焰菩薩
南无寶樹世界精進首菩薩
南无寶揚世界明首菩薩
南无善覩照世界思於大哀菩薩
南无无優世界普曜菩薩
南无香勝離垢光明世界普智光明慧
燈菩薩
南无金剛慧世界淨光菩薩
南无善行世界无勝意菩薩
南无善吉世界明星菩薩
南无寶樹世界无言菩薩
南无歡喜世界蓮華菩薩
南无歡喜世界山王菩薩

BD00101 號　佛名經（十六卷本）卷一三　（28-25）

南无歡喜世界蓮華菩薩
南无歡喜世界山王菩薩
次礼聲聞緣覺一切賢聖
南无十同名婆羅辟支佛　南无火身辟支佛
南无月菩提辟支佛　南无摩訶男辟支佛
南无心上辟支佛　南无駃淨辟支佛
南无善快辟支佛　南无圍陁辟支佛
南无吉沙辟支佛　南无優波吉沙辟支佛
南无斷有辟支佛　南无優波羅辟支佛
南无斷愛辟支佛　南无施婆羅辟支佛
礼三寶已次復懺悔。
已懺三塗等報今當復次稽𩒐懺悔人
天餘報相與禀此閻浮壽命雖日百年
滿者无幾於其中間或年狂夭其數无量
但有衆苦煎迫形心愁憂怯未曾蹔
離如此皆是善根微弱惡業滋多致使現
在心有所為皆不稱意當知悉是過去已
来惡業餘報是故弟子今日至誠歸
依佛
南无東方蓮華上佛　南无南方調伏佛
南无西方无量明佛　南无北方勝諸根佛
南无東南方蓮華藏佛　南无西南方无量華佛
南无西北方自在智佛　南无東北方赤蓮華花德佛
南无下方分別佛　南无上方伏怨智佛
如是十方盡虛空界一切三寶至心歸命

BD00101 號　佛名經（十六卷本）卷一三　（28-26）

南无下方分別佛　南无上方伏怨智佛
如是十方盡虚空界一切三寶至心歸命
常住三寶弟子等无始以來至於今日
所有現在及以未來人天之中无量餘報流
殃宿對癰殘百疾六根不具罪報懺悔人
間邊地耶見三惡八難罪報懺悔人間多
病消瘦促命夭枉罪報懺悔人間六親眷
屬不能得常相保守罪報懺悔人間親
舊彫喪愛別離苦罪報懺悔人間怨家
聚會愁憂怖畏罪報懺悔人間水火盜賊刀
兵危嶮驚恐怯弱罪報懺悔人間孤獨困
苦流離波迸亡失國土罪報懺悔人間牢
獄繫閉幽執側立鞭撻考楚罪報懺
悔人間公私口舌更相羅染更相誣謗罪報
懺悔人間惡病連年累月不差抗臥床席
不能起居罪報懺悔人間冬溫夏疫毒厲
傷寒罪報懺悔人間賊風腫滿否塞罪
報懺悔人間為諸惡神伺求其便欲作
禍祟罪報懺悔人間有鳥鳴百怪飛
屍耶鬼為作妖異罪報懺悔人間為
虎豹豺狼水陸一切諸惡禽獸所傷罪
報懺悔人間自經自刺自煞罪報懺悔人
間投坑赴水自沉自墜罪報懺悔人間无有
威德名聞罪報懺悔人間衣服資生不稱
心罪報懺悔人間行來出入有所云為值惡

BD00101 號　佛名經（十六卷本）卷一三　（28–27）

獄繫閉幽執側立鞭撻考楚罪報懺
悔人間公私口舌更相羅染更相誣謗罪報
懺悔人間惡病連年累月不差抗臥床席
不能起居罪報懺悔人間冬溫夏疫毒厲
傷寒罪報懺悔人間賊風腫滿否塞罪
報懺悔人間為諸惡神伺求其便欲作
禍祟罪報懺悔人間有鳥鳴百怪飛
屍耶鬼為作妖異罪報懺悔人間為
虎豹豺狼水陸一切諸惡禽獸所傷罪
報懺悔人間自經自刺自煞罪報懺悔人
間投坑赴水自沉自墜罪報懺悔人間无有
威德名聞罪報懺悔人間衣服資生不稱
心罪報懺悔人間行來出入有所云為值惡
知識為作留難罪報如是現在未來人天
之中无量禍橫災疫厄難衰惱罪報第
子今日向十方佛尊賢聖僧求哀懺悔
至心頂礼常住三寶

佛說佛名經卷第十三

BD00101 號　佛名經（十六卷本）卷一三　（28–28）

……佉与欲見維摩詰衆言
佉言可往攝汝身香无令彼諸衆生
起惑著心又當捨汝本形勿使彼國求菩薩者
而自彼恥又汝於彼莫懷輕賤而作㝵想所以
者何十方國土皆如虛空又諸佛為欲化諸
樂小法者不盡現其清淨土耳時化菩薩既
受鉢飯與彼九百万菩薩俱承佛威神及維摩
詰力於彼世界忽然不現須臾之間至維
詰舍維摩詰即化作九百万師子之座嚴好
如前諸菩薩皆坐其上化菩薩以滿鉢香飯
與維摩詰飯香普薰毗耶離城及三千大千
世界時毗耶離婆羅門居士等聞是香氣身
意快然嘆未曾有於是長者主月蓋從八万
四千人来入維摩詰舍見其室中菩薩甚多
諸師子座高廣嚴好皆大歡喜礼衆菩薩
及大弟子却住一面諸地神虛空神及欲色界
諸天聞此香氣亦皆來入維摩詰舍時維摩
詰語舍利弗等諸大聲聞仁者可食如來甘
露味飯大悲所薰无以限意食之使不消也
有異聲聞念是飯少而此大衆人人當食化
菩薩曰勿以聲聞小德小智稱量如來无量
福慧四海有竭此飯无盡使一切人食揣若須
弥乃至一劫猶不能盡所以者何无盡戒定智
慧解脫解脫知見功德具足者所食之餘終

BD00102號　維摩詰所說經卷下　（18-1）

菩薩曰勿以聲聞小德小智稱量如來无量
福慧四海有竭此飯无盡使一切人食揣若須
弥乃至一劫猶不能盡所以者何无盡戒定智
慧解脫解脫知見功德具足者所食之餘終
不可盡於是鉢飯悉飽衆會猶尚不賜其諸
菩薩聲聞天人食此飯者身安快樂譬如一切
樂莊嚴國諸菩薩也又諸毛孔皆出妙香亦
如衆香國土諸樹之香
尒時維摩詰問衆香菩薩香積如來以何說
法彼菩薩曰我土如來无文字說但以衆香
令諸天人得入律行菩薩各各坐香樹下聞斯
妙香即獲一切德藏三昧得是三昧者菩薩
所有功德皆悉具足彼諸菩薩問維摩詰
今世尊釋迦牟尼佛以何說法維摩詰言此
土衆生剛強難化故佛為說剛強之語以調
伏之言是地獄是畜生是餓鬼是諸難處
是愚人生處是身耶行是身耶行報是口
耶行是口耶行報是意耶行是意耶行報
是煞生是煞生報是不與取是不與取報
是耶婬是耶婬報是妄語是妄語報是兩
舌是兩舌報是惡口是惡口報是无義語是
无義語報是貪嫉是貪嫉報是瞋惱是瞋
惱報是耶見是耶見報是慳悋是慳悋報
是毀戒是毀戒報是瞋恚是瞋恚報是懈
怠是懈怠報是亂意是亂意報是愚癡是
愚癡報是結戒是持戒是犯戒是應作是
不應作是鄣㝵是不鄣㝵是㝵罪是離罪

BD00102號　維摩詰所說經卷下　（18-2）

愚癡邪是結戒是持戒是犯戒是應作是
不應作是鄣㝵是不鄣㝵是得罪是離罪
是淨是垢是有漏是无漏是耶道是正道
是有為是无為是世間是涅槃以難化之人
心如猨猴故以若干種法制御其心乃可調伏
辟如象馬憹悷不調加諸楚毒乃至徹骨然
後調伏如是剛強難化衆生故以一切苦切之
言乃可入律彼諸菩薩聞說是以皆曰未曾
有也如世尊釋迦牟尼佛隱其无量自在之
力乃以貧所樂法度脫衆生斯諸菩薩亦
能勞謙以无量大悲生是佛土維摩詰言
此土菩薩於諸衆生大悲堅固誠如所言然
其一世饒益衆生多於彼國百千劫行所以
者何此娑婆世界有十事善法諸餘淨土之
所无有何等為十以布施攝貧窮以淨戒攝
毀禁以忍辱攝瞋恚以精進攝懈怠以禪定
攝乱意以智慧攝愚癡說除難法度八難者
以大乘法度樂小乘者以諸善根濟无德者
常以四攝成就衆生是為十彼菩薩曰菩薩
成就幾法於此世界行无瘡疣生於淨土維
摩詰言菩薩成就八法於此世界行无瘡疣
生于淨土何等為八饒益衆生而不望報代
一切衆生受諸苦惱所作功德盡以施之等心
衆生謙下无㝵於諸菩薩視之如佛所未聞
經聞之不疑不與聲聞而相違背不嫉彼供
不高已利而於其中調伏其心常省已過不

經聞之不疑不與聲聞而相違背不嫉彼供
不高已利而於其中調伏其心常省已過不
訟彼短恒以一心求諸功德是為八維摩詰文
殊師利於大衆中說是法時百千天人皆發
阿耨多羅三藐三菩提心十千菩薩得无生
法忍

菩薩行品第十一

是時佛說法於菴羅樹園其地忽然廣博
嚴事一切衆會皆作金色阿難白佛言世尊
以何因緣有此瑞應是處忽然廣博嚴事
一切衆會皆作金色佛告阿難是維摩詰文
殊師利與諸大衆恭敬圍遶發意欲來故
先為此瑞應於是維摩詰語文殊師利可
共見佛與諸菩薩礼事供養文殊師利言
善哉行矣今正是時維摩詰即以神力持諸
大衆并師子座置於右掌往詣佛所到已
着地稽首佛足右遶七帀一心合掌在一面立
其諸菩薩即皆避坐稽首佛足亦遶七帀
於一面立諸大弟子釋梵四天王等亦皆避
坐稽首佛足在一面立於是世尊如法慰問
諸菩薩已各令復坐即皆受教衆坐已定
佛語舍利弗汝見菩薩大自在神力之所
為乎唯然已見於意云何世尊我覩其為
不可思議非意所圖非度所測尒時阿難
白佛言世尊今所聞香自昔未有是為何
香佛告阿難是彼菩薩毛孔之香於是舍

不可思議非意所圖非度所測尒時阿難
白佛言世尊今所聞香自昔未有是爲何
香佛告阿難是彼菩薩毛孔之香於是舍
利弗語阿難言我等毛孔亦出是香阿難
言此所從來曰是長者維摩詰從衆香國
取佛餘飯於舍食者一切毛孔皆香若此阿
難問維摩詰是香氣住當久如維摩詰言
此至飯消曰此飯久如當消曰此飯勢力
至于七日然後乃消又阿難若聲聞人未入
正位食此飯者得入正位然後乃消已入正
位食此飯者得心解脫然後乃消若未發大
乘意食此飯者至發意乃消已發意食
此飯者得无生忍然後乃消已得无生忍食
此飯者至一生補處然後乃消譬如有藥名
曰上味其有服者身諸毒滅然後乃消此飯
如是滅除一切諸煩惱毒然後乃消阿難白
佛言未曾有也世尊如此香飯能作佛事
佛言如是如是阿難或有佛土以佛光明而
作佛事有以諸菩薩而作佛事有以佛所化
人而作佛事有以佛菩提樹而作佛事有以
佛衣服卧具而作佛事有以飯食而作佛事
有以園林臺觀而作佛事有以三十二相八十
隨形好而作佛事有以佛身而作佛事有
以虛空而作佛事衆生應以此緣得入律行
有以夢幻影響鏡中像水中月熱時炎如是
等喻而作佛事有以音聲語言文字而作佛
事或有清淨佛土寂寞无言无說无示无識

有以夢幻影響鏡中像水中月熱時炎如是
等喻而作佛事有以音聲語言文字而作佛
事或有清淨佛土寂寞无言无說无示无識
无作无爲而作佛事如是阿難諸佛威儀進
止諸所施爲无非佛事阿難有此四魔八万
四千諸煩惱門而諸衆生爲之疲勞諸佛即
以此法而作佛事是名入一切諸佛法門菩薩
入此門者若見一切淨妙佛土不以爲喜不貪
不高若見一切不淨佛土不以爲憂不㝵不沒
但於諸佛生清淨心歡喜恭敬未曾有也
諸佛如來功德平等爲教化衆生故而現佛
土不同阿難汝見諸佛國土地有若干而虛
空无若干也如是見諸佛色身有若干耳
其无㝵慧无若干也阿難諸佛色身威相種
性戒定智慧解脫解脫知見力无所畏不共
之法大慈大悲威儀所行及其壽命說法教
化成就衆生淨佛國土具諸佛法悉皆同等
是故名爲三藐三佛陁名爲多陁阿伽度名
爲佛陁阿難若我廣說此三句義汝以劫壽
不能盡受正使三千大千世界滿中衆生皆
如阿難多聞第一得念總持此諸人等以劫之
壽亦不能受如是阿難諸佛阿耨多羅三藐
三菩提无有限量智慧辯才不可思議阿
難白佛我從今已往不敢自謂以爲多聞佛
告阿難勿起退意所以者何我說汝於聲聞
中爲最多聞非謂菩薩且止阿難其有智
者不應限度諸菩薩也一切海淵尚可測量

歎曰佛我從今已往不敢自謂以為多聞佛
告阿難勿起退意所以者何我說汝於聲聞
中為最多聞非謂菩薩且止阿難其有智
者不應限度諸菩薩也一切海淵尚可測量
菩薩禪定智慧揔持辯才一切功德不可量
也阿難汝等捨置菩薩所行是維摩詰一時
所現神通之力一切聲聞辟支佛於百千劫
盡力變化所不能作
尒時衆香世界菩薩来者合掌白佛言世尊我
等初見此土生下劣想今自悔責捨離是心
所以者何諸佛方便不可思議為度衆生故
隨其所應現佛國異唯然世尊願賜少法
還於彼土當念如来佛告諸菩薩有盡无
盡解脫法門汝等當學何謂為盡謂有為
法何謂无盡謂无為法如菩薩者不盡有
為不住无為何謂不盡有為謂不離大慈不
捨大悲深發一切智心而不忽忘教化衆生終
不猒惓於四攝法常念順行護持正法不惜
軀命種諸善根无有疲猒志常安住方便
迴向求法不懈說法不悋勤供養佛故入生
死而无所畏於諸榮辱心无憂喜不輕未學
敬學如佛墮煩惱者令發正念於遠離樂不
以為貴不著己樂慶於彼樂在諸禪定如地
獄想於生死中如園觀想見來求者為善
師想捨諸所有具一切智想見毀戒人起救護
想諸波羅蜜為父母想道品法為眷屬想殖
衆德本而无猒足以諸淨國嚴飾之事佛土

師想捨諸所有具一切智想見毀戒人起救護
想諸波羅蜜為父母想道品法為眷屬想殖
衆德本而无猒足以諸淨國嚴飾之事佛土
行不限施具足相好除一切惡淨身口意業故
生死无數劫意而有勇聞佛无量德志而不
惓以智慧劒破煩惱賊出陰界入荷負衆生
永使解脫以大精進摧伏魔軍常求无念實
相智慧於世間法少欲知足於出世間法求
之无猒不壞威儀而能隨俗起神通慧引導
衆生得念揔持所聞不忘善別諸根斷衆生
疑以樂說辯演法无㝵淨十善道受天人福
脩四无量開梵天道勸請說法隨喜讚善得
佛音聲身口意善得佛威儀深脩善法所行
轉勝以大乘教成菩薩僧心无放逸不失衆善
行如此法是名菩薩不盡有為何謂菩薩不
住无為謂脩學空不以空為證脩學无相
无作不以无相无作為證脩學无起不以无起
為證觀於无常而不猒善本觀世間苦而不
惡生死觀於无我而誨人不惓觀於寂滅而不
永寂滅觀於遠離而身心脩善觀无所歸而
歸趣善法觀於无生而以生法荷負一切觀於
无漏而不斷諸漏觀无所行而以行法教化衆
生觀於空无而不捨大悲觀正法位而不隨
小乘觀諸法虛妄无牢无人无主无相本願
未滿而不虛福德禪定智慧脩如此法是名
菩薩不住无為又具福德故不住无為具智

小乘顯諸法虛妄无牢无人无主无相本願
未滿而不虛福德禪定智慧脩如此法是名
菩薩不住无為又具福德故不住无為具智
慧故不盡有為大慈悲故不住无為滿本願
故不盡有為集法藥故不住无為隨授藥故
不盡有為知衆生病故不住无為滅衆生病
故不盡有為諸正士菩薩已脩此法不盡有
為不住无為是名盡无盡解脫法門汝等當
學尒時彼諸菩薩聞說是法皆大歡喜以衆
妙華若干種色若干種香散遍三千大千
世界供養於佛及此經法并諸菩薩已稽首
佛足歎未曾有言釋迦牟尼佛乃能於此善
行方便言已忽然不現還到彼國
見阿閦佛品第十二
尒時世尊問維摩詰汝欲見如來為以何等
觀如來乎維摩詰言如自觀身實相觀佛亦
然我觀如來前際不來後際不去今則不住不
觀色不觀色如不觀色性不觀受想行識不
觀識如不觀識性非四大起同於虛空六入
无積眼耳鼻舌身心已過不在三界三垢已
離順三解脫門三明與无明等不一相不異
相不自相不他相非无相非取相不此岸不彼
岸不中流教化衆生而觀寂滅亦不永滅不
此不彼不在此不在彼不可以智知不可以識
識无晦无明无名无相无强无弱非淨非穢
不在方不離方非有為非无為无示无說不

諸无晦无明无名无相无强无弱非淨非穢
不在方不離方非有為非无為无示无說不
施不慳不戒不犯不忍不恚不進不怠不定
不亂不智不愚不誠不欺不來不去不出不
入一切言語道斷非福田非不福田非應供養
非不應供養非取非捨非相非无相同真
際等法性不可稱不可量過諸稱量非大
非小非見非聞非覺非知離衆結縛等諸
智同衆生於諸法无分別一切无失无濁无惱
无作无起无生无滅无畏无憂无喜无猒无
着无已有无當有无今有不可以一切言說分別
顯示世尊如來身為若此作如是觀以斯觀
者名為正觀若他觀者名為耶觀尒時舍
利弗問維摩詰汝於何沒而來生此維摩詰
言汝所得法有沒生乎舍利弗言无沒生也
若諸法无沒生相云何問言汝於何沒而來
生此於意云何譬如幻師幻作男女寧沒生
耶舍利弗言无沒生也汝豈不聞佛說諸法
如幻相乎答曰如是若一切法如幻相者云何
問言汝於何沒而來生此舍利弗沒者為虛
誑法壞敗之相生者為虛誑法相續之相
菩薩雖沒不盡善本雖生不長諸惡
是時佛告舍利弗有國名妙喜佛号无動
是維摩詰於彼國沒而來生此舍利弗言
未曾有也世尊是人乃能捨清淨土而來
樂此多怒害處維摩詰語舍利弗於意云

未曾有也世尊是人乃能捨清淨土而来
樂此多怒害處維摩詰語舍利弗於意云
何日光出時與冥合乎荅曰不也日光出時
則无衆冥維摩詰言夫日何故行閻浮提
荅曰欲以明照為之除冥維摩詰言菩薩
如是雖生不淨佛土為化衆生不與愚闇而
共合也但滅衆生煩惱闇耳
是時大衆渇仰欲見妙喜世界不動如来及
其菩薩聲聞之衆佛知一切衆會所念告
維摩詰言善男子為此衆會現妙喜國不
動如来及諸菩薩聲聞之衆皆欲見於是
維摩詰心念吾當不起于坐接妙喜國鐵
圍山川溪谷江河大海泉源須弥諸山及日
月星宿天龍鬼神梵天等宮并諸菩薩聲
聞之衆城邑聚落男女大小乃至无動如来
及菩提樹諸妙蓮華能於十方作佛事者三
道寶階從閻浮提至忉利天以此寶階諸
天下来悉為礼敬无動如来聽受經法閻浮
提人亦登其階上昇忉利天見彼諸天妙喜
世界成就如是无量功德上至阿迦膩吒天
下至水際以右手斷取如陶家輪入此世界猶
持華鬘示一切衆作是念已入於三昧現神通
力以其右手斷取妙喜世界置於此土彼得
神通菩薩及聲聞衆并餘天人俱發聲言
唯然世尊誰取我去願見救護无動佛言
非我所為是維摩詰神力所作其餘未得

BD00102號 維摩詰所說經卷下 （18–11）

神通菩薩及聲聞衆并餘天人俱發聲言
唯然世尊誰取我去願見救護无動佛言
非我所為是維摩詰神力所作其餘未得
神通者不覺不知已之所往妙喜世界雖入
此土而不增減於是世界亦不迫隘如本无
異
尒時釋迦牟尼佛告諸大衆汝等且觀妙喜
世界无動如来其國嚴飾菩薩行淨弟子
清白皆曰唯然已見佛言若菩薩欲得如是
清淨佛土當學无動如来所行之道現此妙
喜國時娑婆世界十四那由他人發阿耨多羅
三藐三菩提心皆願生於妙喜佛土釋迦牟
尼佛即記之曰當生彼國時妙喜世界於此
國土所應饒益其事訖已還復本處舉衆
衆見佛告舍利弗汝見此妙喜世界及无動
佛不唯然已見世尊願使一切衆生得清淨
土如无動佛獲神通力如維摩詰世尊我等
快得善利得見是人親近供養其諸衆生
若今現在若佛滅後聞此經者亦得善利况
復聞已信解受持讀誦解說如法脩行若
有手得是經典者便為已得法寶之藏若有
讀誦解釋其義如說脩行則為諸佛之所
護念其有供養如是人者當知則為供養於
佛其有書持此經卷者當知其室則有如来
若聞是經能隨喜者斯人則為趣一切智若
能信解此經乃至一四句偈為他說者當知此

BD00102號 維摩詰所說經卷下 （18–12）

佛其有書持此經卷者當知其室則有如来
若聞是經能随喜者斯人則爲趣一切智若
能信解此經乃至一四句偈爲他説者當知此
人即是受阿耨多羅三藐三菩提記
法供養品第十三
尒時釋提桓因於大衆中白佛言世尊我雖
從佛及文殊師利聞百千經未曽聞此不可
思議自在神通决定實相經典如我解佛所
説義趣若有衆生聞是經法信解受持讀
誦之者必得是法不疑何况如説脩行斯人則
爲閉衆悪趣開諸善門常爲諸佛之所護
念降伏外學摧滅魔怨脩治菩提安處道場
履踐如来所行之跡世尊若有受持讀誦如
説脩行者我當與諸眷屬供養給事所在
聚落城邑山林曠野有是經處我亦與諸
眷屬聽受法故共到其所其未信者當令生
信其已信者當爲作護佛言善哉善哉天帝
如汝所説吾助尒喜此經廣説過去未来現
在諸佛不可思議阿耨多羅三藐三菩提是
故天帝若善男子善女人受持讀誦供養是
經者則爲供養去来今佛天帝正使三千大
千世界如来満中譬如甘蔗竹葦稻麻叢林
若有善男子善女人或一劫或減一劫恭敬尊
重讃歎供養奉諸所安至諸佛滅後以二全
身舍利起七寶塔縦廣一四天下高至梵天
表刹莊嚴以一切華香瓔珞幢幡伎樂微妙

重讃歎供養奉諸所安至諸佛滅後以二全
身舍利起七寶塔縦廣一四天下高至梵天
表刹莊嚴以一切華香瓔珞幢幡伎樂微妙
第一若一劫若減一劫而供養之於天帝意云
何其人殖福寧爲多不釋提桓因言多矣世
尊彼之福徳若以百千億劫説不能盡佛
告天帝當知是善男子善女人聞是不可思
議解脱經典信解受持讀誦脩行福多於
彼所以者何諸佛菩提皆從是生菩提之相
不可限量以是因縁福不可量
佛告天帝過去无量阿僧祇劫時世有佛号
曰藥王如来應供正遍知明行足善逝世間
解无上士調御丈夫天人師佛世尊世界曰
大莊嚴劫曰莊嚴佛壽二十小劫其聲聞僧
三十六億那由他菩薩僧有十二億天帝是
時有轉輪聖王名曰寶蓋七寶具足王四天
下王有千子端正勇健能伏怨敵尒時寶
蓋與其眷屬供養藥王如来施諸所安至
五満劫過五劫已告其千子汝等亦當如我
以深心供養於佛於是千子受父王命供養
藥王如来復満五劫一切施安其王一子名曰
月蓋獨坐思惟寧有供養殊過此者以佛神
力中有天曰善男子法之供養勝諸供養即
問何謂法之供養天曰汝可往問藥王如来當
廣爲汝説法之供養即時月蓋王子行詣藥
王如来稽首佛足却住一面白佛言世尊諸供
養中法供養勝云何爲法供養佛言善男子

問何謂法之供養天曰汝可往問藥王如来當
廣為汝說法之供養即時月蓋王子行詣藥
王如来稽首佛足却住一面白佛言世尊諸供
養中法供養勝云何為法供養佛言善男子
法供養者諸佛所說深經一切世間難信難
受微妙難見清淨无染非但分別思惟之所
能得菩薩法藏所攝陁羅尼印印之至不退
轉成就六度善分別義順菩提法衆經之上
入大慈悲離衆魔事及諸邪見順因緣法无
我无衆生无壽命空无相无作无起能令衆
生坐於道場而轉法輪諸天龍神乹闥婆等
所共歎譽能令衆生入佛法藏攝諸賢聖一切
智慧說衆菩薩所行之道依於諸法實相之
義明宣无常苦空无我寂滅能救一切毀禁
衆生諸魔外道及貪著者能使怖畏諸佛
賢聖所共稱歎背生死苦示涅槃樂十方三
世諸佛所說若聞如是等經信解受持讀誦
以方便力為諸衆生分別解說顯示分明守
護法故是名法之供養又於諸法如說脩行
隨順十二因緣離諸邪見得无生忍決定无
我无有衆生而於因緣果報无違无諍離諸
我所依於義不依語依於智不依識依了義
經不依不了義經依於法不依人隨順法相无
所入无所歸无明畢竟滅故諸行亦畢竟滅
乃至生畢竟滅故老死亦畢竟滅作如是觀
十二因緣无有盡相不復起見是名最上法
之供養

BD00102號　維摩詰所說經卷下　（18–15）

乃至生畢竟滅故老死亦畢竟滅作如是觀
十二因緣无有盡相不復起見是名最上法
之供養
佛告天帝王子月蓋從藥王佛聞如是法得
柔順忍即解寶衣嚴身之具以供養佛白佛
言世尊如来滅後我當行法供養之守護正
法願以威神加哀建立令我得降魔怨脩菩
薩行佛知其深心所念而記之曰汝於末後守
護法城天帝時王子月蓋見法清淨聞佛受
記以信出家脩集善法精進不久得五神通
具菩薩道得陁羅尼无斷辯才於佛滅後以
其所得神通揔持辯才之力滿十小劫藥王
如来所轉法輪隨而分布月蓋比丘以守護法
勤行精進即於此身化百万億人於阿耨多羅
三藐三菩提立不退轉十四那由他人深發聲
聞辟支佛心无量衆生得生天上天帝時王
寶蓋豈異人乎今現得佛号寶炎如来其
王千子即賢劫中千佛是也從迦羅鳩村馱
為始得佛最後如来号曰樓至月蓋比丘則
我身是如是天帝當知此要以法供養於諸
供養為上為最第一无比是故天帝當以法之
供養供養於佛

囑累品第十四

於是佛告祢勒菩薩言祢勒我今以是无量
億阿僧祇劫所集阿耨多羅三藐三菩提付
囑於汝如是輩經於佛滅後末世之中汝等
當以神力廣宣流布於閻浮提无令斷

BD00102號　維摩詰所說經卷下　（18–16）

億阿僧祇劫所集阿耨多羅三藐三菩提付
屬於汝如是輩經於佛滅後末世之中汝等
當以神力廣宣流布於閻浮提无令斷絕所
以者何未來世中當有善男子善女人及天
龍鬼神乾闥婆羅刹等發阿耨多羅三藐
三菩提心樂于大法若使不聞如是等經則
失善利如此輩人聞是等經必多信樂發希
有心當以頂受隨諸衆生所應得利而為廣
說弥勒當知菩薩有二相何謂為二一者好於
雜句文飾之事二者不畏深義如實能入若
好雜句文飾事者當知是為新學菩薩若於
如是无染无著甚深經典无有恐畏能入其
中聞已心淨受持讀誦如說脩行當知是為
久脩道行弥勒復有二法名新學者不得決
定於甚深法何等為二一者所未聞深經聞
之驚怖生疑不能隨順毀謗不信而作是言
我初不聞從何所來二者若有護持解說如
是深經者不肯親近供養恭敬或時於中說
其過惡有此二法當知是新學菩薩為自毀
傷不能於深法中調伏其心弥勒復有二法菩
薩雖信解深法猶自毀傷而不能得无生法
忍何等為二一者輕慢新學菩薩而不教誨
二者雖解深法而取相分別是為二法弥勒
菩薩聞說是已白佛言世尊未曾有也如
佛所說我當遠離如斯之惡奉持如來无數
阿僧祇劫所集阿耨多羅三藐三菩提法若

BD00102號　維摩詰所說經卷下　（18–17）

二者雖解深法而取相分別是為二法弥勒
菩薩聞說是已白佛言世尊未曾有也如
佛所說我當遠離如斯之惡奉持如來无數
阿僧祇劫所集阿耨多羅三藐三菩提法若
未來世善男子善女人求大乘者當令手得
如是等經與其念力使受持讀誦為他廣說
（世尊若後末世有能受持讀誦為他人說）
者當知是弥勒神力之所建立佛言善哉善
哉弥勒如汝所說佛助尒喜於是一切菩薩合
掌白佛我等亦於如來滅後十方國土廣宣
流布阿耨多羅三藐三菩提復當開道諸說
法者令得是經
尒時四天王白佛言世尊在在處處城邑聚
落山林曠野有是經卷讀誦解說者我當率
諸官屬為聽法故往詣其所擁護其人面百
由旬令无伺求得其便者是時佛告阿難受
持是經廣宣流布阿難言唯我已受持要者
世尊當何名斯經佛言阿難是經名為維摩
詰所說亦名不可思議解脫法門如是受
持佛說是經已長者維摩詰文殊師利舍利
弗阿難等及諸天人阿脩羅一切大衆聞佛所
說皆大歡喜

維摩詰卷下

BD00102號　維摩詰所說經卷下　（18–18）

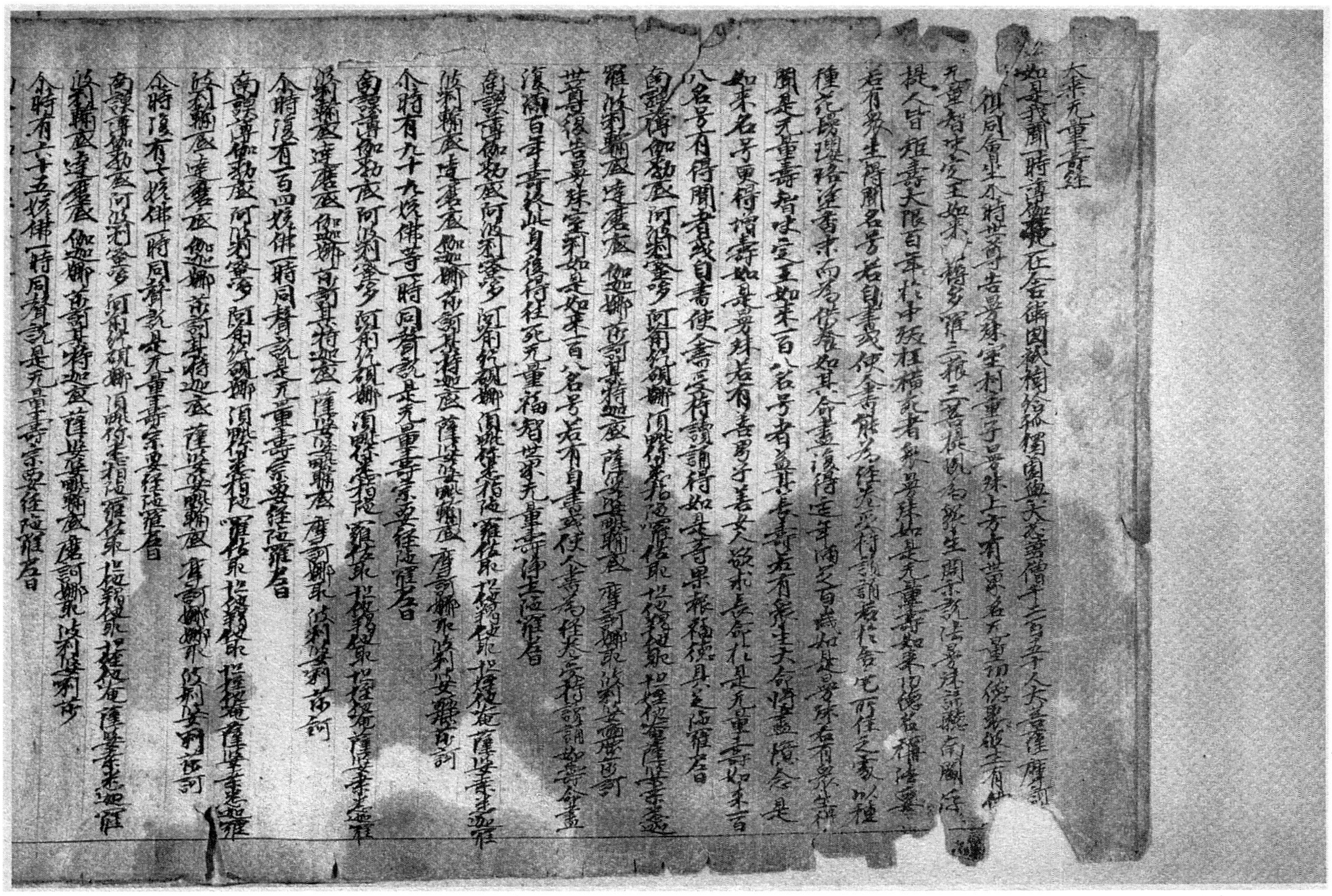

BD00103號　無量壽宗要經　　　　（5–1）

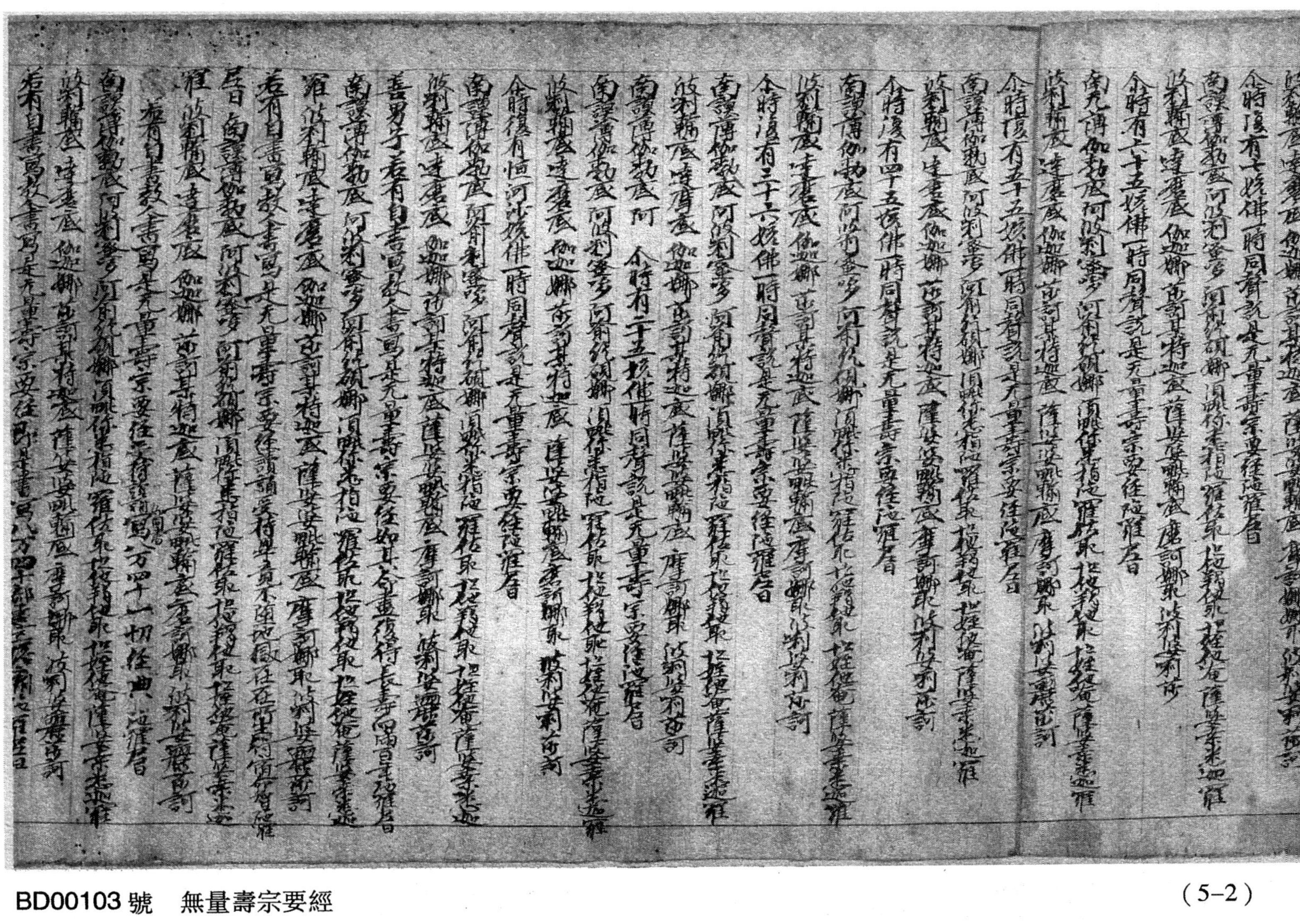

BD00103號　無量壽宗要經　　　　（5–2）

[illegible]

若有自書教人書寫是無量壽宗要經受持讀誦寫八万四千一切經典陁羅尼曰

南謨薄伽勃底阿波唎蜜多阿喻紇硯娜須毗你悉指陀囉佐耶怛他羯他耶怛姪他唵薩婆桑悉迦囉波唎輸底達磨底伽伽那娑謨迦底莎婆婆毗輸底摩訶娜耶波唎婆唎莎訶

若有自書寫教人書寫是無量壽宗要經即同書寫八万四千部建立塔廟陁羅尼曰

南謨薄伽勃底阿波唎蜜多阿喻紇硯娜須毗你悉指陀囉佐耶怛他羯他耶怛姪他唵薩婆桑悉迦囉波唎輸底達磨底伽伽那娑謨迦底莎婆婆毗輸底摩訶娜耶波唎婆唎莎訶

若有自書寫教人書寫是無量壽宗要經能消五無間等一切重罪陁羅尼曰

南謨薄伽勃底阿波唎蜜多阿喻紇硯娜須毗你悉指陀囉佐耶怛他羯他耶怛姪他唵薩婆桑悉迦囉波唎輸底達磨底伽伽那娑謨迦底莎婆婆毗輸底摩訶娜耶波唎婆唎莎訶

若有自書寫教人書寫是無量壽宗要經受持讀誦設有重罪猶如須彌盡能除滅陁羅尼曰

南謨薄伽勃底阿波唎蜜多阿喻紇硯娜須毗你悉指陀囉佐耶怛他羯他耶怛姪他唵薩婆桑悉迦囉波唎輸底達磨底伽伽那娑謨迦底莎婆婆毗輸底摩訶娜耶波唎婆唎莎訶

若有自書寫教人書寫是無量壽宗要經受持讀誦者魔魔之眷屬夜叉羅刹不得其便終無枉死陁羅尼曰

南謨薄伽勃底阿波唎蜜多阿喻紇硯娜須毗你悉指陀囉佐耶怛他羯他耶怛姪他唵薩婆桑悉迦囉波唎輸底達磨底伽伽那娑謨迦底莎婆婆毗輸底摩訶娜耶波唎婆唎莎訶

若有自書教人書寫是無量壽宗要經受持讀誦當命終時九十九億佛現其人前千佛授手能遊一切佛剎勿於此經生疑惑陁羅尼曰

南謨薄伽勃底阿波唎蜜多阿喻紇硯娜須毗你悉指陀囉佐耶怛他羯他耶怛姪他唵薩婆桑悉迦囉波唎輸底達磨底伽伽那娑謨迦底莎婆婆毗輸底摩訶娜耶波唎婆唎莎訶

若有自書寫教人書寫是無量壽宗要經受持讀誦當得四天大王隨其衛護陁羅尼曰

南謨薄伽勃底阿波唎蜜多阿喻紇硯娜須毗你悉指陀囉佐耶怛他羯他耶怛姪他唵薩婆桑悉迦囉波唎輸底達磨底伽伽那娑謨迦底莎婆婆毗輸底摩訶娜耶波唎婆唎莎訶

若有自書教人書寫是無量壽宗要經受持讀誦當得往生西方極樂世界阿彌陁淨土陁羅尼曰

南謨薄伽勃底阿波唎蜜多阿喻紇硯娜須毗你悉指陀囉佐耶怛他羯他耶怛姪他唵薩婆桑悉迦囉波唎輸底達磨底伽伽那娑謨迦底莎婆婆毗輸底摩訶娜耶波唎婆唎莎訶

若有方所自書寫使人書寫是無量壽經典之處則為是塔廟應當作禮若是畜生或為鳥獸得聞是經者皆當不久得成一切種智陁羅尼曰

南謨薄伽勃底阿波唎蜜多阿喻紇硯娜須毗你悉指陀囉佐耶怛他羯他耶怛姪他唵薩婆桑悉迦囉波唎輸底達磨底伽伽那娑謨迦底莎婆婆毗輸底摩訶娜耶波唎婆唎莎訶

若有於是無量壽經自書寫若使人書寫畢竟不受女人之身陁羅尼曰

南謨薄伽勃底阿波唎蜜多阿喻紇硯娜須毗你悉指陀囉佐耶怛他羯他耶怛姪他唵薩婆桑悉迦囉波唎輸底達磨底伽伽那娑謨迦底莎婆婆毗輸底摩訶娜耶波唎婆唎莎訶

BD00103號　無量壽宗要經　（5–3）

為鳥獸得聞是經者皆當不久得成一切種智陁羅尼曰

南謨薄伽勃底阿波唎蜜多阿喻紇硯娜須毗你悉指陀囉佐耶怛他羯他耶怛姪他唵薩婆桑悉迦囉波唎輸底達磨底伽伽那娑謨迦底莎婆婆毗輸底摩訶娜耶波唎婆唎莎訶

若有於是無量壽經自書寫若使人書寫畢竟不受女人之身陁羅尼曰

南謨薄伽勃底阿波唎蜜多阿喻紇硯娜須毗你悉指陀囉佐耶怛他羯他耶怛姪他唵薩婆桑悉迦囉波唎輸底達磨底伽伽那娑謨迦底莎婆婆毗輸底摩訶娜耶波唎婆唎莎訶

若有能於是經少分能惠施者等於三千大千世界滿中七寶布施陁羅尼曰

南謨薄伽勃底阿波唎蜜多阿喻紇硯娜須毗你悉指陀囉佐耶怛他羯他耶怛姪他唵薩婆桑悉迦囉波唎輸底達磨底伽伽那娑謨迦底莎婆婆毗輸底摩訶娜耶波唎婆唎莎訶

若有能供養是經者則是供養一切諸經等無有異陁羅尼曰

南謨薄伽勃底阿波唎蜜多阿喻紇硯娜須毗你悉指陀囉佐耶怛他羯他耶怛姪他唵薩婆桑悉迦囉波唎輸底達磨底伽伽那娑謨迦底莎婆婆毗輸底摩訶娜耶波唎婆唎莎訶

如毗婆尸佛尸棄佛毗舍浮佛俱留孫佛俱那含牟尼佛迦葉佛釋迦牟尼佛

若有人以七寶供養如是七佛其福有限書寫是無量壽經典所得功德不可限量陁羅尼曰

南謨薄伽勃底阿波唎蜜多阿喻紇硯娜須毗你悉指陀囉佐耶怛他羯他耶怛姪他唵薩婆桑悉迦囉波唎輸底達磨底伽伽那娑謨迦底莎婆婆毗輸底摩訶娜耶波唎婆唎莎訶

若有寶積如須彌山盡持布施其福尚能知其限量是無量壽經其福不可知數陁羅尼曰

南謨薄伽勃底阿波唎蜜多阿喻紇硯娜須毗你悉指陀囉佐耶怛他羯他耶怛姪他唵薩婆桑悉迦囉波唎輸底達磨底伽伽那娑謨迦底莎婆婆毗輸底摩訶娜耶波唎婆唎莎訶

如是四大海水可知滴數是無量壽經典其福不可數量陁羅尼曰

南謨薄伽勃底阿波唎蜜多阿喻紇硯娜須毗你悉指陀囉佐耶怛他羯他耶怛姪他唵薩婆桑悉迦囉波唎輸底達磨底伽伽那娑謨迦底莎婆婆毗輸底摩訶娜耶波唎婆唎莎訶

若有自書使人書寫是無量壽宗要經受持讀誦供養即如供養一切十方佛土無有別異陁羅尼曰

南謨薄伽勃底阿波唎蜜多阿喻紇硯娜須毗你悉指陀囉佐耶怛他羯他耶怛姪他唵薩婆桑悉迦囉波唎輸底達磨底伽伽那娑謨迦底莎婆婆毗輸底摩訶娜耶波唎婆唎莎訶

布施力能成正覺　悟布施力人師子　布施力能聲普聞　慈悲階漸最能入
持戒力能成正覺　悟持戒力人師子　持戒力能聲普聞　慈悲階漸最能入
忍辱力能成正覺　悟忍辱力人師子　忍辱力能聲普聞　慈悲階漸最能入
精進力能成正覺　悟精進力人師子　精進力能聲普聞　慈悲階漸最能入
禪定力能成正覺　悟禪定力人師子　禪定力能聲普聞　慈悲階漸最能入
智慧力能成正覺　悟智慧力[illegible]

BD00103號　無量壽宗要經　（5–4）

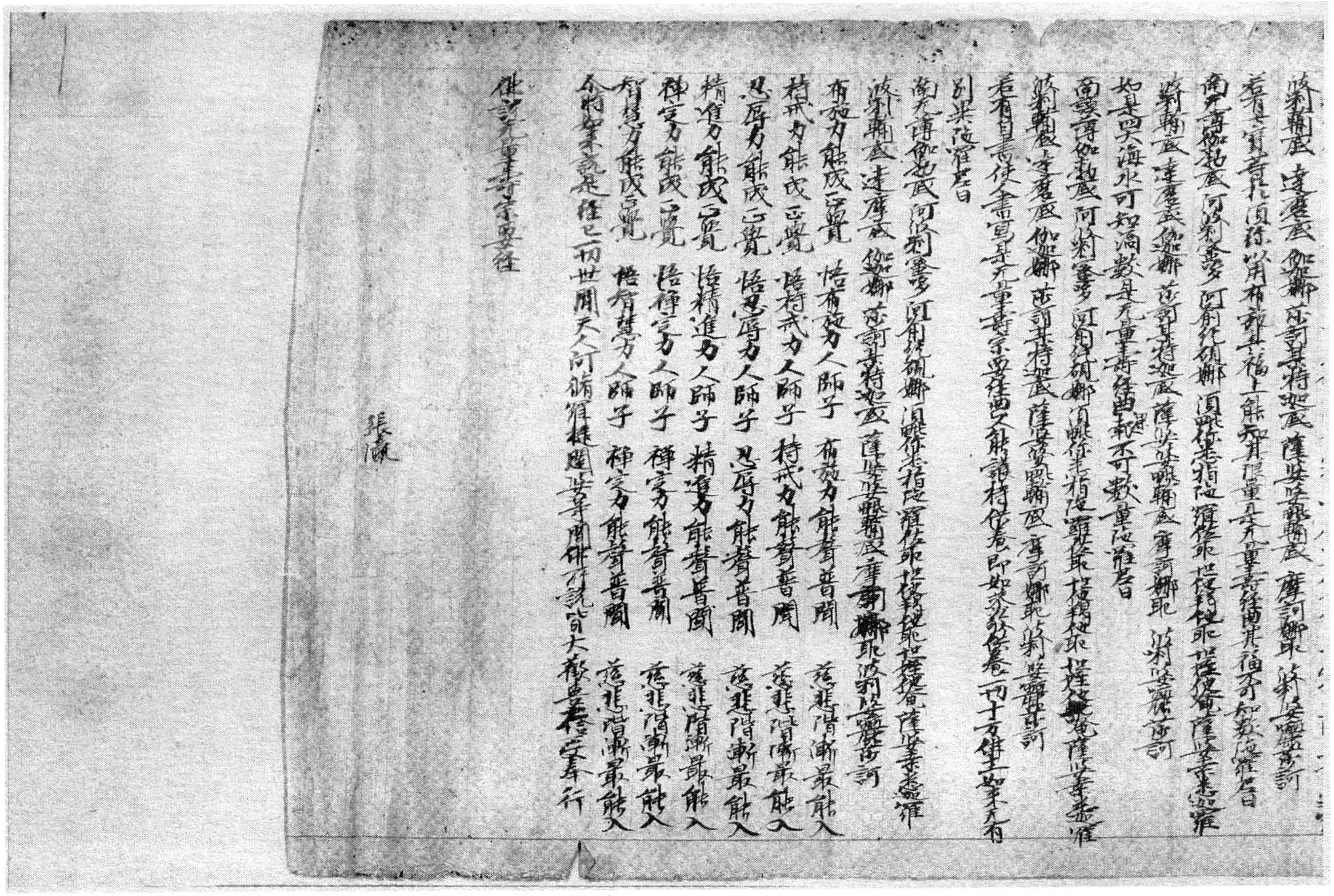
波唎輸底 達磨底 伽伽娜 莎訶娜揭帝 莎婆婆毗秫底 摩訶娜耶 波唎婆唎莎訶
若有七寶積如須彌山用布施者其福上能知其限量若有書寫是無量壽宗要經典其福不可知數 陁羅尼曰
南謨薄伽勃底 阿波唎蜜多 阿喻紇硯娜 須毗你悉指陁 囉佐耶 怛他揭他耶 怛姪他 唵 薩婆桑悉迦囉
波唎輸底 達磨底 伽伽娜 莎訶娜揭帝 莎婆婆毗秫底 摩訶娜耶 波唎婆唎莎訶
如是四大海水可知滴數是無量壽經典福報不可數量 陁羅尼曰
南謨薄伽勃底 阿波唎蜜多 阿喻紇硯娜 須毗你悉指陁 囉佐耶 怛他揭他耶 怛姪他 唵 薩婆桑悉迦囉
波唎輸底 達磨底 伽伽娜 莎訶娜揭帝 莎婆婆毗秫底 摩訶娜耶 波唎婆唎莎訶
若有自書寫使人書寫是無量壽宗要經典能讀持供養者即如供養一切十方佛土諸經典無有
別異 陁羅尼曰
南謨薄伽勃底 阿波唎蜜多 阿喻紇硯娜 須毗你悉指陁 囉佐耶 怛他揭他耶 怛姪他 唵 薩婆桑悉迦囉
波唎輸底 達磨底 伽伽娜 莎訶娜揭帝 莎婆婆毗秫底 摩訶娜耶 波唎婆唎莎訶
布施力能成正覺 悟布施力人師子 布施力能聲普聞 慈悲門漸最能入
持戒力能成正覺 悟持戒力人師子 持戒力能聲普聞 慈悲門漸最能入
忍辱力能成正覺 悟忍辱力人師子 忍辱力能聲普聞 慈悲門漸最能入
精進力能成正覺 悟精進力人師子 精進力能聲普聞 慈悲門漸最能入
禪定力能成正覺 悟禪定力人師子 禪定力能聲普聞 慈悲門漸最能入
智慧力能成正覺 悟智慧力人師子 禪定力能聲普聞 慈悲門漸最能入
佛說是經已一切世間天人阿脩羅乾闥婆等聞佛所說皆大歡喜信受奉行
佛說無量壽宗要經
張瀛

BD00103 號　無量壽宗要經　（5–5）

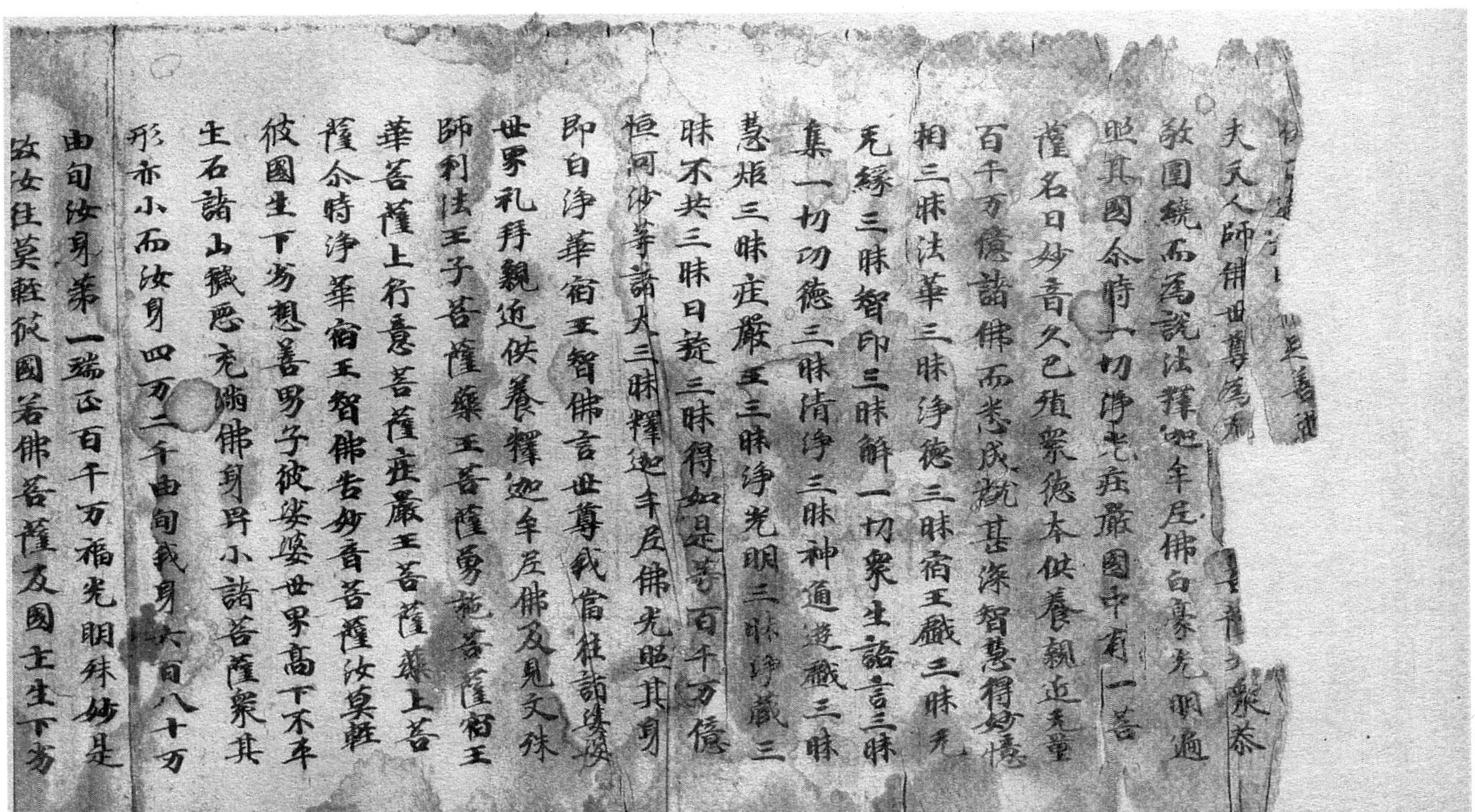
天人師佛世尊為無量無邊菩薩大眾恭
敬圍繞而為說法釋迦牟尼佛白毫光明遍
照其國尒時一切淨光莊嚴國中有一菩
薩名曰妙音久已殖眾德本供養親近無量
百千万億諸佛而悉成就甚深智慧得妙幢
相三昧法華三昧淨德三昧宿王戲三昧無
緣三昧智印三昧解一切眾生語言三昧
集一切功德三昧清淨三昧神通遊戲三昧
慧炬三昧莊嚴王三昧淨光明三昧淨藏三
昧不共三昧日旋三昧得如是等百千万億
恒河沙等諸大三昧釋迦牟尼佛光照其身
即白淨華宿王智佛言世尊我當往詣娑婆
世界礼拜親近供養釋迦牟尼佛及見文殊
師利法王子菩薩藥王菩薩勇施菩薩宿王
華菩薩上行意菩薩莊嚴王菩薩藥上菩
薩尒時淨華宿王智佛告妙音菩薩汝莫輕
彼國生下劣想善男子彼娑婆世界高下不平
土石諸山穢惡充滿佛身卑小諸菩薩眾其
形亦小而汝身四万二千由旬我身六百八十万
由旬汝身第一端正百千万福光明殊妙是
故汝往莫輕彼國若佛菩薩及國土生下劣

BD00104 號　妙法蓮華經卷七　（5–1）

土石諸山穢惡充滿佛身卑小諸菩薩眾其
形亦小而汝身四万二千由旬我身六百八十万
由旬汝身弟一端正百千万福光明殊妙是
故汝往莫輕彼國若佛菩薩及國土生下劣
想妙音菩薩白其佛言世尊我今詣娑婆世
界皆是如來之力如來神通遊戲如來功德
智慧莊嚴於是妙音菩薩不起于座身不動
搖而入三昧以三昧力於耆闍崛山去法座不遠
化作八万四千眾寶蓮華閻浮檀金為莖白
銀為葉金剛為鬚甄叔迦寶以為其臺
尒時文殊師利法王子見是蓮華而白佛言
世尊是何因緣先現此瑞有若干千万蓮華
閻浮檀金為莖白銀為葉金剛為鬚甄叔迦
寶以為其臺尒時釋迦牟尼佛告文殊師利
是妙音菩薩摩訶薩欲從淨華宿王智佛國
與八万四千菩薩圍繞而來至此娑婆世界供
養親近禮拜於我亦欲供養聽法華經文
殊師利白佛言世尊是菩薩種何善本脩何
功德而能有是大神通力行何三昧願為我
等說是三昧名字我等亦欲勤脩行之行此
三昧乃能見是菩薩色相大小威儀進止唯願
世尊以神通力彼菩薩來令我得見尒時釋
迦牟尼佛告文殊師利此久滅度多寶如來當
為汝等而現其相時多寶佛告彼菩薩善男

BD00104 號　妙法蓮華經卷七

（5–2）

迦牟尼佛告文殊師利此久滅度多寶如來當
為汝等而現其相時多寶佛告彼菩薩善男
子來文殊師利法王子欲見汝身于時妙音
菩薩於彼國沒與八万四千菩薩俱共發來
所經諸國六種震動皆悉雨於七寶蓮華
百千天樂不鼓自鳴是菩薩目如廣大青蓮
華葉正使和合百千万月其面貌端正復過
於此身真金色无量百千功德莊嚴威德熾
盛光明照曜諸相具足如那羅延堅固之身
入七寶臺上昇虛空去地七多羅樹諸菩薩
眾恭敬圍繞而來詣此娑婆世界耆闍崛山
到已下七寶臺以價直百千瓔珞持至釋迦
牟尼佛所頭面禮足奉上瓔珞而白佛言世
尊淨華宿王智佛問訊世尊少病少惱起居
輕利安樂行不四大調和不世事可忍不眾生
易度不无多貪欲瞋恚愚癡嫉妬慳慢不无
不孝父母不敬沙門邪見不善心不攝五
情不世尊眾生能降伏諸魔怨不久滅度
多寶如來在七寶塔中來聽法不又問訊多
寶如來安隱少惱堪忍久住不世尊我今欲見
多寶佛身唯願世尊示我令見尒時釋迦
牟尼佛語多寶佛是妙音菩薩欲得相
見時多寶佛告妙音言善哉善哉汝能為供
養釋迦牟尼佛及聽法華經并見文殊師利

BD00104 號　妙法蓮華經卷七

（5–3）

多寶佛身唯願世尊示我令見尒時釋迦
牟尼佛語多寶佛是妙音菩薩欲得相
見時多寶佛告妙音言善哉善哉汝能為供
養釋迦牟尼佛及聽法華經并見文殊師利
等故來至此尒時華德菩薩白佛言世尊是
妙音菩薩種種何善根脩何功德有是神力
佛告華德菩薩過去有佛名雲雷音王多陁
阿伽度阿羅訶三藐三佛陁國名現一切世間劫
名憙見妙音菩薩於万二千歲以十万種伎
樂供養雲雷音王佛并奉上八万四千七寶鉢
以是因緣果報今生淨華宿王智佛國有是
神力華德於汝意云何尒時雲雷音王佛所
妙音菩薩伎樂供養奉上寶器者豈異人乎今
此妙音菩薩摩訶薩是華德是妙音菩薩
已曾供養親近无量諸佛久殖德本又值恒河
沙等百千万億那由他佛華德汝但見妙音
菩薩其身在此而是菩薩現種種身處處
為諸衆生說是經典或現梵王身或現帝釋
身或現自在天身或現大自在天身或現天大
將軍身或現毗沙門天王身或現轉輪聖王身
或現諸小王身或現長者身或現居士身或
現宰官身或現婆羅門身或現比丘比丘
尼優婆塞優婆夷身或現長者居士婦女
身或現宰官婦女身或現婆羅門婦女身

BD00104 號　妙法蓮華經卷七　（5–4）

為諸衆生說是經典或現梵王身或現帝釋
身或現自在天身或現大自在天身或現天大
將軍身或現毗沙門天王身或現轉輪聖王身
或現諸小王身或現長者身或現居士身或
現宰官身或現婆羅門身或現比丘比丘
尼優婆塞優婆夷身或現長者居士婦女
身或現宰官婦女身或現婆羅門婦女身
或現童男童女身或現天龍夜叉乾闥婆阿
脩羅迦樓羅緊那羅摩睺羅伽人非人等身而
說是經諸有地獄餓鬼畜生及衆難處皆能
救濟乃至於王後宮變為女身而說是經華
德是妙音菩薩能救護娑婆世界諸衆生者
是妙音菩薩如是種種變化現身在此娑婆
國土為諸衆生說是經典於神通變化智慧
无所損減是菩薩以若干智慧明照娑婆世界
令一切衆生各得所知於十方恒河沙世界中
亦復如是若應以聲聞形得度者現聲聞
形而為說法應以辟支佛形得度者現辟支
佛形而為說法應以菩薩形得度者現菩薩
形而為說法應以佛形得度者即現佛形而
為說法如是種種隨所應度者而為現形

BD00104 號　妙法蓮華經卷七　（5–5）

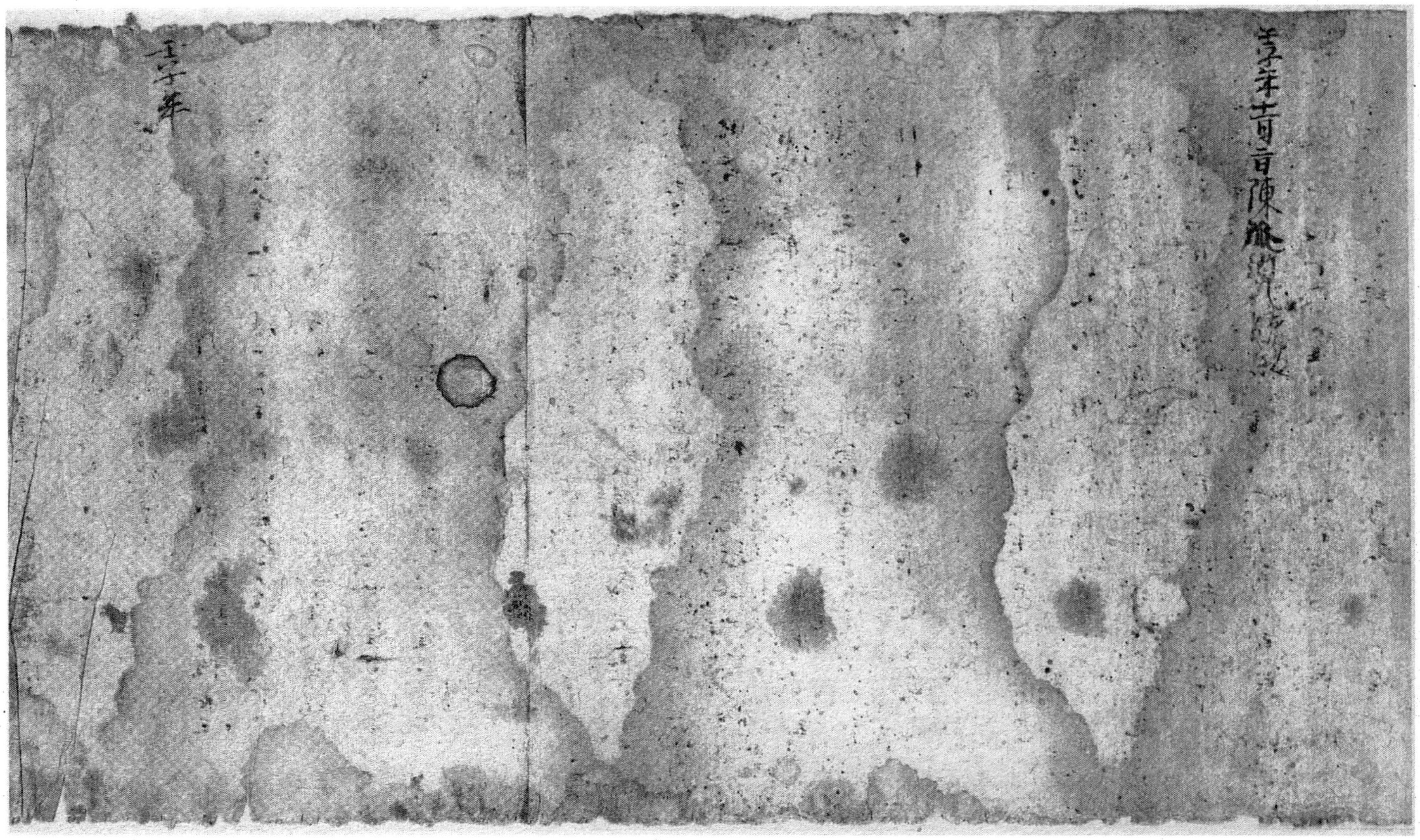

BD00104 號背　雜寫　（2–1）

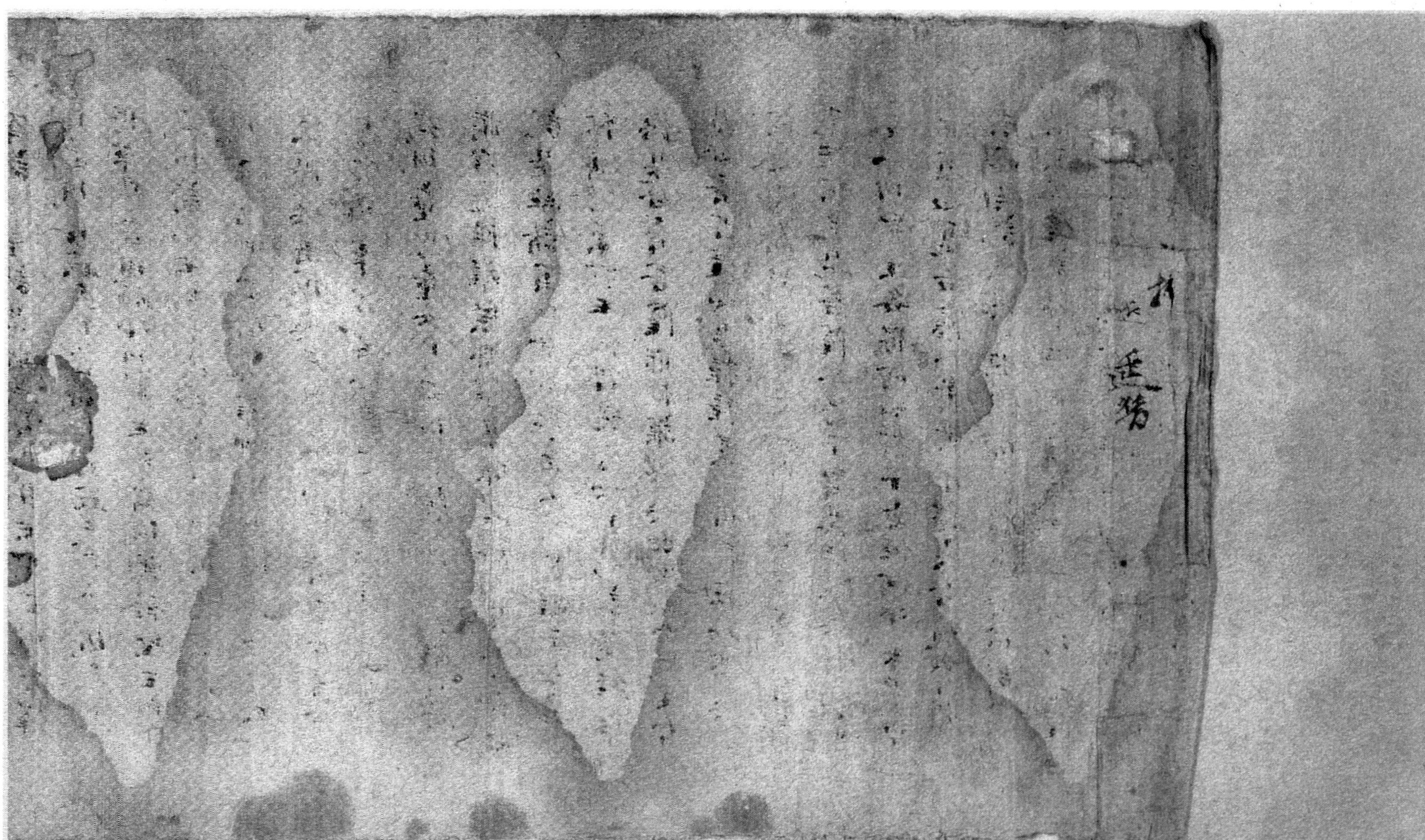

BD00104 號背　雜寫　（2–2）

世尊演說法
佛未出家時　所生八王子　見大聖出
時佛說大乘　經名无量義　於諸大衆中　而為廣
佛說此經已　即於法座上　跏趺坐三昧　名无量義處
天雨曼陁華　天鼓自然鳴　諸天龍鬼神　供養人中尊
一切諸佛土　即時大震動　佛放眉間光　現諸希有事
此光照東方　万八千佛土　示一切衆生　生死業報處
有見諸佛土　以衆寶莊嚴　瑠璃頗梨色　斯由佛光照
及見諸天人　龍神夜叉衆　乾闥緊那羅　各供養其佛
又見諸如来　自然成佛道　身色如金山　端嚴甚微妙
如淨瑠璃中　内現真金像　世尊在大衆　敷演深法義
一一諸佛土　聲聞衆无數　因佛光所照　悉見彼大衆
或有諸比丘　在於山林中　精進持淨戒　猶如護明珠
又見諸菩薩　行施忍辱等　其數如恒沙　斯由佛光照
又見諸菩薩　深入諸禪定　身心寂不動　以求无上道
又見諸菩薩　知法寂滅相　各於其國土　說法求佛道
尒時四部衆　見日月燈佛　現大神通力　其心皆歡喜
各各自相問　是事何因緣　天人所奉尊　適從三昧起
讚妙光菩薩　汝為世間眼　一切所歸信　能奉持法藏
如我所說法　唯汝能證知　世尊既讚歎　令妙光歡喜
說是法華經　滿六十小劫　不起於此座　所說上妙法
是妙光法師　悉皆能受持　佛說是法華　令衆歡喜已
尋即於是日　告於天人衆　諸法實相義　已為汝等說

BD00105號　妙法蓮華經卷一　（14–1）

如我所說法　唯汝能證知　世尊既讚歎　令妙光歡喜
說是法華經　滿六十小劫　不起於此座　所說上妙法
是妙光法師　悉皆能受持　佛說是法華　令衆歡喜已
尋即於是日　告於天人衆　諸法實相義　已為汝等說
我今於中夜　當入於涅槃　汝一心精進　當離於放逸
諸佛甚難值　億劫時一遇　世尊諸子等　聞佛入涅槃
各各懷悲惱　佛滅一何速　聖主法之王　安慰无量衆
我若滅度時　汝等勿憂怖　是德藏菩薩　於无漏實相
心已得通達　其次當作佛　号曰為淨身　亦度无量衆
佛此夜滅度　如薪盡火滅　分布諸舍利　而起无量塔
比丘比丘尼　其數如恒沙　倍復加精進　以求无上道
是妙光法師　奉持佛法藏　八十小劫中　廣宣法華經
是諸八王子　妙光所開化　堅固无上道　當見无數佛
供養諸佛已　隨順行大道　相繼得成佛　轉次而授記
最後天中天　号曰然燈佛　諸仙之導師　度脫无量衆
是妙光法師　時有一弟子　心常懷懈怠　貪著於名利
求名利无猒　多遊族姓家　棄捨所習誦　廢忘不通利
以是因緣故　号之為求名　亦行衆善業　得見无數佛
供養於諸佛　隨順行大道　具六波羅蜜　今見釋師子
其後當作佛　号名曰弥勒　廣度諸衆生　其數无有量
彼佛滅度後　懈怠者汝是　妙光法師者　今則我身是
我見燈明佛　本光瑞如此　以是知今佛　欲說法華經
今相如本瑞　是諸佛方便　今佛放光明　助發實相義
諸人今當知　合掌一心待　佛當雨法雨　充足求道者
諸求三乘人　若有疑悔者　佛當為除斷　令盡无有餘
妙法蓮華經方便品第二
尒時世尊從三昧安詳而起告舍利弗諸佛
智慧甚深无量其智慧門難解難入一切聲

BD00105號　妙法蓮華經卷一　（14–2）

諸求三乘人　若有疑悔者　佛當為除斷　令盡无有餘
妙法蓮華經方便品第二
尒時世尊從三昧安詳而起告舍利弗諸佛
智慧甚深无量其智慧門難解難入一切聲
聞辟支佛所不能知所以者何佛曾親近百
千万億无數諸佛盡行諸佛无量道法勇猛
精進名稱普聞成就甚深未曾有法隨宜所
說意趣難解舍利弗吾從成佛已來種種因
緣種種譬喻廣演言教无數方便引導衆生
令離諸著所以者何如來方便知見波羅蜜
皆已具足舍利弗如來知見廣大深遠无量
无礙力无所畏禪定解脫三昧深入无際成
就一切未曾有法舍利弗如來能種種分別
巧說諸法言辭柔軟悅可衆心舍利弗取要
言之无量无邊未曾有法佛悉成就止舍利
弗不須復說所以者何佛所成就第一希有
難解之法唯佛與佛乃能究盡諸法實相所
謂諸法如是相如是性如是體如是力如是
作如是因如是緣如是果如是報如是本末
究竟等尒時世尊欲重宣此義而說偈言
世雄不可量　諸天及世人　一切衆生類　无能知佛者
佛力无所畏　解脫諸三昧　及佛諸餘法　无能測量者
本從无數佛　具足行諸道　甚深微妙法　難見難可了
於无量億劫　行此諸道已　道場得成果　我已悉知見
如是大果報　種種性相義　我及十方佛　乃能知是事
是法不可示　言辭相寂滅　諸餘衆生類　无有能得解
除諸菩薩衆　信力堅固者　諸佛弟子衆　曾供養諸佛

BD00105號　妙法蓮華經卷一　（14-3）

是法不可示　言辭相寂滅　諸餘衆生類　无有能得解
除諸菩薩衆　信力堅固者　諸佛弟子衆　曾供養諸佛
一切漏已盡　住是最後身　如是諸人等　其力所不堪
假使滿世間　皆如舍利弗　盡思共度量　不能測佛智
盡思共度量　亦復不能知　辟支佛利智　无漏最後身
亦滿十方界　其數如竹林　斯等共一心　於億无量劫
欲思佛實智　莫能知少分　新發意菩薩　供養无數佛
了達諸義趣　又能善說法　如稻麻竹葦　充滿十方剎
一心以妙智　於恒河沙劫　咸皆共思量　不能知佛智
不退諸菩薩　其數如恒沙　一心共思求　亦復不能知
又告舍利弗　无漏不思議　甚深微妙法　我今已具得
唯我知是相　十方佛亦然　舍利弗當知　諸佛語无異
於佛所說法　當生大信力　世尊法久後　要當說真實
告諸聲聞衆　及求緣覺乘　我令脫苦縛　逮得涅槃者
佛以方便力　示以三乘教　衆生處處著　引之令得出
尒時大衆中有諸聲聞漏盡阿羅漢阿若憍
陳如等千二百人及發聲聞辟支佛心比丘
比丘尼優婆塞優婆夷各作是念今者世尊
何故慇懃稱歎方便而作是言佛所得法甚
深難解有所言說意趣難知一切聲聞辟支
佛所不能及佛說一解脫義我等亦得此法
到於涅槃而今不知是義所趣尒時舍利弗
知四衆心疑自亦未了而白佛言世尊何因
何緣慇懃稱歎諸佛第一方便甚深微妙難
解之法我自昔來未曾從佛聞如是說今者
四衆咸皆有疑唯願世尊敷演斯事世尊何
故慇懃稱歎甚深微妙難解之法尒時舍利

BD00105號　妙法蓮華經卷一　（14-4）

解之法我自昔來未曾從佛聞如是說今者
四衆咸皆有疑唯願世尊敷演斯事世尊何
故慇懃稱歎甚深微妙難解之法尒時舍利
弗欲重宣此義而說偈言
慧日大聖尊　久乃說是法　自說得如是　力无畏三昧
禪定解脫等　不可思議法　道場所得法　无能發問者
我意難可測　亦无能問者　无問而自說　稱歎所行道
智慧甚微妙　諸佛之所得　无漏諸羅漢　及求涅槃者
今皆墮疑網　佛何故說是　其求緣覺者　比丘比丘尼
諸天龍鬼神　及乾闥婆等　相視懷猶豫　瞻仰兩足尊
是事爲云何　願佛爲解說　於諸聲聞衆　佛說我第一
我今自於智　疑惑不能了　爲是究竟法　爲是所行道
佛口所生子　合掌瞻仰待　願出微妙音　時爲如實說
諸天龍神等　其數如恒沙　求佛諸菩薩　大數有八万
又諸万億國　轉輪聖王至　合掌以敬心　欲聞具足道
尒時佛告舍利弗止止不須復說若說是事
一切世間諸天及人皆當驚疑舍利弗重白
佛言世尊唯願說之唯願說之所以者何是
會无數百千万億阿僧祇衆生曾見諸佛諸
根猛利智慧明了聞佛所說則能敬信尒時
舍利弗欲重宣此義而說偈言
法王无上尊　唯說願勿慮　是會无量衆　有能敬信者
佛復止舍利弗若說是事一切世間天人阿
脩羅皆當驚疑增上慢比丘將墜於大坑尒
時世尊重說偈言
止止不須說　我法妙難思　諸增上慢者　聞必不敬信
尒時舍利弗重白佛言世尊唯願說之唯願

BD00105號　妙法蓮華經卷一　（14–5）

止止不須說　我法妙難思　諸增上慢者　聞必不敬信
尒時舍利弗重白佛言世尊唯願說之唯願
說之今此會中如我等比百千万億世世已
曾從佛受化如此人等必能敬信長夜安隱多
所饒益尒時舍利弗欲重宣此義而說偈言
无上兩足尊　願說第一法　我爲佛長子　唯垂分別說
是會无量衆　能敬信此法　佛已曾世世　教化如是等
皆一心合掌　欲聽受佛語　我等千二百　及餘求佛者
願爲此衆故　唯垂分別說　是等聞此法　則生大歡喜
尒時世尊告舍利弗汝已慇懃三請豈得不
說汝今諦聽善思念之吾當爲汝分別解說
說此語時會中有比丘比丘尼優婆塞優婆
夷五千人等即從座起禮佛而退所以者何
此輩罪根深重及增上慢未得謂得未證謂
證有如此失是以不住世尊黙然而不制止
尒時佛告舍利弗我今此衆无復枝葉純有
貞實舍利弗如是增上慢人退亦佳矣汝今
善聽當爲汝說舍利弗言唯然世尊願樂欲
聞佛告舍利弗如是妙法諸佛如來時乃說
之如優曇鉢華時一現耳舍利弗汝等當信
佛之所說言不虛妄舍利弗諸佛隨宜說法
意趣難解所以者何我以无數方便種種因
緣譬喻言辭演說諸法是法非思量分別之
所能解唯有諸佛乃能知之所以者何諸佛
世尊唯以一大事因緣故出現於世舍利弗
云何名諸佛世尊唯以一大事因緣故出現
於世諸佛世尊欲令衆生開佛知見使得清

BD00105號　妙法蓮華經卷一　（14–6）

云何名諸佛世尊唯以一大事因緣故出現
於世諸佛世尊欲令衆生開佛知見使得清
淨故出現於世欲示衆生佛知見故出現於
世欲令衆生悟佛知見故出現於世欲令衆
生入佛知見道故出現於世舍利弗是為諸
佛以一大事因緣故出現於世佛告舍利弗
諸佛如来但教化菩薩諸有所作常為一事
唯以佛之知見示悟衆生舍利弗如来但以
一佛乘故為衆生說法无有餘乘若二若三
舍利弗一切十方諸佛法亦如是舍利弗過
去諸佛以无量无數方便種種因緣譬喻言
辭而為衆生演說諸法是法皆為一佛乘故
是諸衆生從諸佛聞法究竟皆得一切種智
舍利弗未来諸佛當出於世亦以无量无數
方便種種因緣譬喻言辭而為衆生演說諸
法是法皆為一佛乘故是諸衆生從佛聞法
究竟皆得一切種智舍利弗現在十方无量
百千万億佛土中諸佛世尊多所饒益安樂
衆生是諸佛亦以无量无數方便種種因緣
譬喻言辭而為衆生演說諸法是法皆為一
佛乘故是諸衆生從佛聞法究竟皆得一切
種智舍利弗是諸佛但教化菩薩欲以佛之
知見示衆生故欲以佛之知見悟衆生故欲
令衆生入佛之知見故舍利弗我今亦復如
是知諸衆生有種種欲深心所著隨其本性
以種種因緣譬喻言辭方便力故而為說法
舍利弗如此皆為得一佛乘一切種智故舍

BD00105號　妙法蓮華經卷一　（14-7）

是知諸衆生有種種欲深心所著隨其本性
以種種因緣譬喻言辭方便力故而為說法
舍利弗如此皆為得一佛乘一切種智故舍
利弗十方世界中尚无二乘何况有三舍利
弗諸佛出於五濁惡世所謂劫濁煩惱濁衆
生濁見濁命濁如是舍利弗劫濁亂時衆生
垢重慳貪嫉妬成就諸不善根故諸佛以方
便力於一佛乘分別說三舍利弗若我弟子
自謂阿羅漢辟支佛者不聞不知諸佛如来
但教化菩薩事此非佛弟子非阿羅漢非辟
支佛又舍利弗是諸比丘比丘尼自謂已得
阿羅漢是最後身究竟涅槃便不復志求阿
耨多羅三藐三菩提當知此輩皆是增上慢
人所以者何若有比丘實得阿羅漢若不信
此法无有是處除佛滅度後現前无佛所以
者何佛滅度後如是等經受持讀誦解義者
是人難得若遇餘佛於此法中便得決了舍
利弗汝等當一心信解受持佛語諸佛如来
言无虛妄无有餘乘唯一佛乘尒時世尊欲
重宣此義而說偈言
比丘比丘尼　有懷增上慢　優婆塞我慢　優婆夷不信
如是四衆等　其數有五千　不自見其過　於戒有缺漏
護惜其瑕疵　是小智已出　衆中之糟糠　佛威德故去
斯人尠福德　不堪受是法　此衆无枝葉　唯有諸貞實
舍利弗善聽　諸佛所得法　无量方便力　而為衆生說
衆生心所念　種種所行道　若干諸欲性　先世善惡業
佛悉知是已　以諸緣譬喻　言辭方便力　令一切歡喜

BD00105號　妙法蓮華經卷一　（14-8）

舍利弗善聽 諸佛所得法 无量方便力 而為眾生說
眾生心所念 種種所行道 若干諸欲性 先世善惡業
佛悉知是已 以諸緣譬喻 言辭方便力 令一切歡喜
或說修多羅 伽陀及本事 本生未曾有 亦說於因緣
譬喻并祇夜 優波提舍經 鈍根樂小法 貪著於生死
於諸无量佛 不行深妙道 眾苦所惱亂 為是說涅槃
我設是方便 令得入佛慧 未曾說汝等 當得成佛道
所以未曾說 說時未至故 今正是其時 決定說大乘
我此九部法 隨順眾生說 入大乘為本 以故說是經
有佛子心淨 柔軟亦利根 无量諸佛所 而行深妙道
為此諸佛子 說是大乘經 我記如是人 來世成佛道
以深心念佛 修持淨戒故 此等聞得佛 大喜充遍身
佛知彼心行 故為說大乘 聲聞若菩薩 聞我所說法
乃至於一偈 皆成佛无疑 十方佛土中 唯有一乘法
无二亦无三 除佛方便說 但以假名字 引導於眾生
說佛智慧故 諸佛出於世 唯此一事實 餘二則非真
終不以小乘 濟度於眾生 佛自住大乘 如其所得法
定慧力莊嚴 以此度眾生 自證无上道 大乘平等法
若以小乘化 乃至於一人 我則墮慳貪 此事為不可
若人信歸佛 如來不欺誑 亦无貪嫉意 斷諸法中惡
故佛於十方 而獨无所畏 我以相嚴身 光明照世間
无量眾所尊 為說實相印 舍利弗當知 我本立誓願
欲令一切眾 如我等无異 如我昔所願 今者已滿足
化一切眾生 皆令入佛道 若我遇眾生 盡教以佛道
无智者錯亂 迷惑不受教 我知此眾生 未曾修善本
堅著於五欲 癡愛故生惱 以諸欲因緣 墜墮三惡道
輪迴六趣中 備受諸苦毒 受胎之微形 世世常增長
薄德少福人 眾苦所逼迫 入邪見稠林 若有若无等

BD00105 號　妙法蓮華經卷一　（14–9）

无智者錯亂 迷惑不受教 我知此眾生 未曾修善本
堅著於五欲 癡愛故生惱 以諸欲因緣 墜墮三惡道
輪迴六趣中 備受諸苦毒 受胎之微形 世世常增長
薄德少福人 眾苦所逼迫 入邪見稠林 若有若无等
依止此諸見 具足六十二 深著虛妄法 堅受不可捨
我慢自矜高 諂曲心不實 於千万億劫 不聞佛名字
亦不聞正法 如是人難度 是故舍利弗 我為設方便
說諸盡苦道 示之以涅槃 我雖說涅槃 是亦非真滅
諸法從本來 常自寂滅相 佛子行道已 來世得作佛
我有方便力 開示三乘法 一切諸世尊 皆說一乘道
今此諸大眾 皆應除疑惑 諸佛語无異 唯一无二乘
過去无數劫 无量滅度佛 百千万億種 其數不可量
如是諸世尊 種種緣譬喻 无數方便力 演說諸法相
是諸世尊等 皆說一乘法 化无量眾生 令入於佛道
又諸大聖主 知一切世間 天人群生類 深心之所欲
更以異方便 助顯第一義 若有眾生類 值諸過去佛
若聞法布施 或持戒忍辱 精進禪智等 種種修福德
如是諸人等 皆已成佛道 諸佛滅度已 若人善軟心
如是諸眾生 皆已成佛道 諸佛滅度已 供養舍利者
起万億種塔 金銀及頗梨 車𤦲與馬瑙 玫瑰琉璃珠
清淨廣嚴飾 莊校於諸塔 或有起石廟 栴檀及沈水
木櫁并餘材 塼瓦泥土等 若於曠野中 積土成佛廟
乃至童子戲 聚沙為佛塔 如是諸人等 皆已成佛道
若人為佛故 建立諸形像 刻雕成眾相 皆已成佛道
或以七寶成 鍮石赤白銅 白鑞及鉛錫 鐵木及與泥
或以膠漆布 嚴飾作佛像 如是諸人等 皆已成佛道
綵畫作佛像 百福莊嚴相 自作若使人 皆已成佛道
乃至童子戲 若草木及筆 或以指爪甲 而畫作佛像

BD00105 號　妙法蓮華經卷一　（14–10）

或以七寶成 鍮石赤白銅 白鑞及鉛錫 鐵木及與泥
或以膠漆布 嚴飾作佛像 如是諸人等 皆已成佛道
綵畫作佛像 百福莊嚴相 自作若使人 皆已成佛道
乃至童子戲 若草木及筆 或以指爪甲 而畫作佛像
如是諸人等 漸漸積功德 具足大悲心 皆已成佛道
但化諸菩薩 度脫无量衆 若人於塔廟 寶像及畫像
以華香幡蓋 敬心而供養 若使人作樂 擊鼓吹角貝
簫笛琴箜篌 琵琶鐃銅鈸 如是衆妙音 盡持以供養
或以歡喜心 歌唄頌佛德 乃至一小音 皆已成佛道
若人散亂心 乃至以一華 供養於畫像 漸見无數佛
或有人禮拜 或復但合掌 乃至舉一手 或復小低頭
以此供養像 漸見无量佛 自成无上道 廣度无數衆
入无餘涅槃 如薪盡火滅 若人散亂心 入於塔廟中
一稱南无佛 皆已成佛道 於諸過去佛 在世或滅後
若有聞是法 皆已成佛道 未來諸世尊 其數无有量
是諸如來等 亦方便說法 一切諸如來 以无量方便
度脫諸衆生 入佛无漏智 若有聞法者 无一不成佛
諸佛本誓願 我所行佛道 普欲令衆生 亦同得此道
未來世諸佛 雖說百千億 无數諸法門 其實為一乘
諸佛兩足尊 知法常无性 佛種從緣起 是故說一乘
是法住法位 世間相常住 於道場知已 導師方便說
天人所供養 現在十方佛 其數如恒沙 出現於世間
安隱衆生故 亦說如是法 知第一寂滅 以方便力故
雖示種種道 其實為佛乘 知衆生諸行 深心之所念
過去所習業 欲性精進力 及諸根利鈍 以種種因緣
譬喻亦言辭 隨應方便說 今我亦如是 安隱衆生故
以種種法門 宣示於佛道 我以智慧力 知衆生性欲
方便說諸法 皆令得歡喜 舍利弗當知 我以佛眼觀

BD00105號　妙法蓮華經卷一　（14–11）

譬喻亦言辭 隨應方便說 今我亦如是 安隱衆生故
以種種法門 宣示於佛道 我以智慧力 知衆生性欲
方便說諸法 皆令得歡喜 舍利弗當知 我以佛眼觀
見六道衆生 貧窮无福慧 入生死險道 相續苦不斷
深著於五欲 如犛牛愛尾 以貪愛自蔽 盲瞑无所見
不求大勢佛 及與斷苦法 深入諸邪見 以苦欲捨苦
為是衆生故 而起大悲心 我始坐道場 觀樹亦經行
於三七日中 思惟如是事 我所得智慧 微妙最第一
衆生諸根鈍 著樂癡所盲 如斯之等類 云何而可度
尒時諸梵王 及諸天帝釋 護世四天王 及大自在天
并餘諸天衆 眷屬百千万 恭敬合掌礼 請我轉法輪
我即自思惟 若但讚佛乘 衆生沒在苦 不能信是法
破法不信故 墜於三惡道 我寧不說法 疾入於涅槃
尋念過去佛 所行方便力 我今所得道 亦應說三乘
作是思惟時 十方佛皆現 梵音慰喻我 善哉釋迦文
第一之導師 得是无上法 隨諸一切佛 而用方便力
我等亦皆得 最妙第一法 為諸衆生類 分別說三乘
少智樂小法 不自信作佛 是故以方便 分別說諸果
雖復說三乘 但為教菩薩 舍利弗當知 我聞聖師子
深淨微妙音 喜稱南无佛 復作如是念 我出濁惡世
如諸佛所說 我亦隨順行 思惟是事已 即趣波羅柰
諸法寂滅相 不可以言宣 以方便力故 為五比丘說
是名轉法輪 便有涅槃音 及以阿羅漢 法僧差別名
從久遠劫來 讚示涅槃法 生死苦永盡 我常如是說
舍利弗當知 我見佛子等 志求佛道者 无量千万億
咸以恭敬心 皆來至佛所 曾從諸佛聞 方便所說法
我即作是念 所以出於世 為說佛慧故 今正是其時

BD00105號　妙法蓮華經卷一　（14–12）

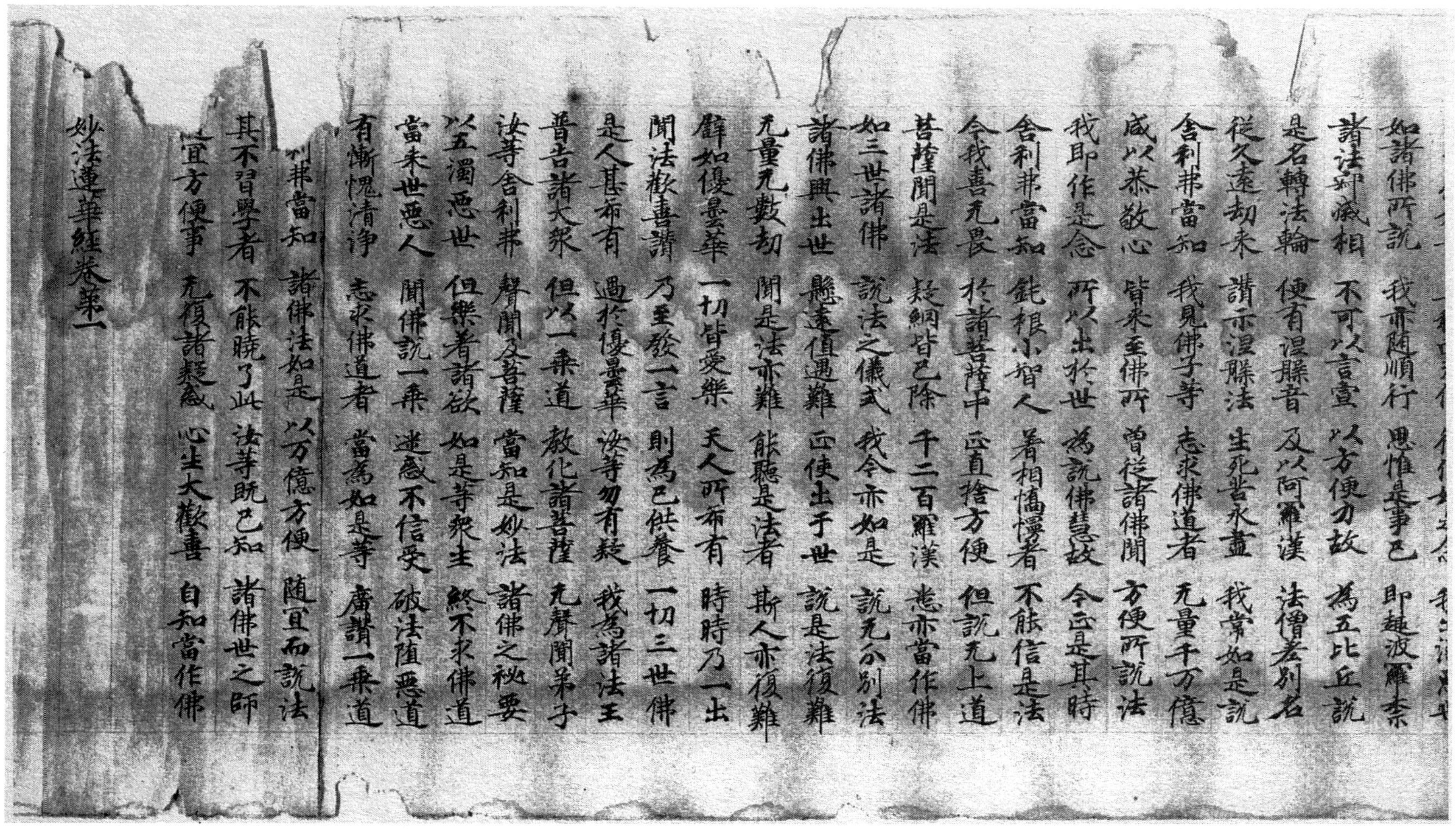
如諸佛所說　我亦隨順行　思惟是事已　即趣波羅柰
諸法寂滅相　不可以言宣　以方便力故　為五比丘說
是名轉法輪　便有涅槃音　及以阿羅漢　法僧差別名
從久遠劫來　讚示涅槃法　生死苦永盡　我常如是說
舍利弗當知　我見佛子等　志求佛道者　无量千万億
咸以恭敬心　皆來至佛所　曾從諸佛聞　方便所說法
我即作是念　如來所以出　為說佛慧故　今正是其時
舍利弗當知　鈍根小智人　著相憍慢者　不能信是法
今我喜无畏　於諸菩薩中　正直捨方便　但說无上道
菩薩聞是法　疑網皆已除　千二百羅漢　悉亦當作佛
如三世諸佛　說法之儀式　我今亦如是　說无分別法
諸佛興出世　懸遠值遇難　正使出于世　說是法復難
无量无數劫　聞是法亦難　能聽是法者　斯人亦復難
譬如優曇華　一切皆愛樂　天人所希有　時時乃一出
聞法歡喜讚　乃至發一言　則為已供養　一切三世佛
是人甚希有　過於優曇華　汝等勿有疑　我為諸法王
普告諸大眾　但以一乘道　教化諸菩薩　无聲聞弟子
汝等舍利弗　聲聞及菩薩　當知是妙法　諸佛之秘要
以五濁惡世　但樂著諸欲　如是等眾生　終不求佛道
當來世惡人　聞佛說一乘　迷惑不信受　破法墮惡道
有慚愧清淨　志求佛道者　當為如是等　廣讚一乘道
利弗當知　諸佛法如是　以万億方便　隨宜而說法
其不習學者　不能曉了此　汝等既已知　諸佛世之師
宜方便事　无復諸疑惑　心生大歡喜　自知當作佛
妙法蓮華經卷第一

BD00105 號　妙法蓮華經卷一　（14–13）

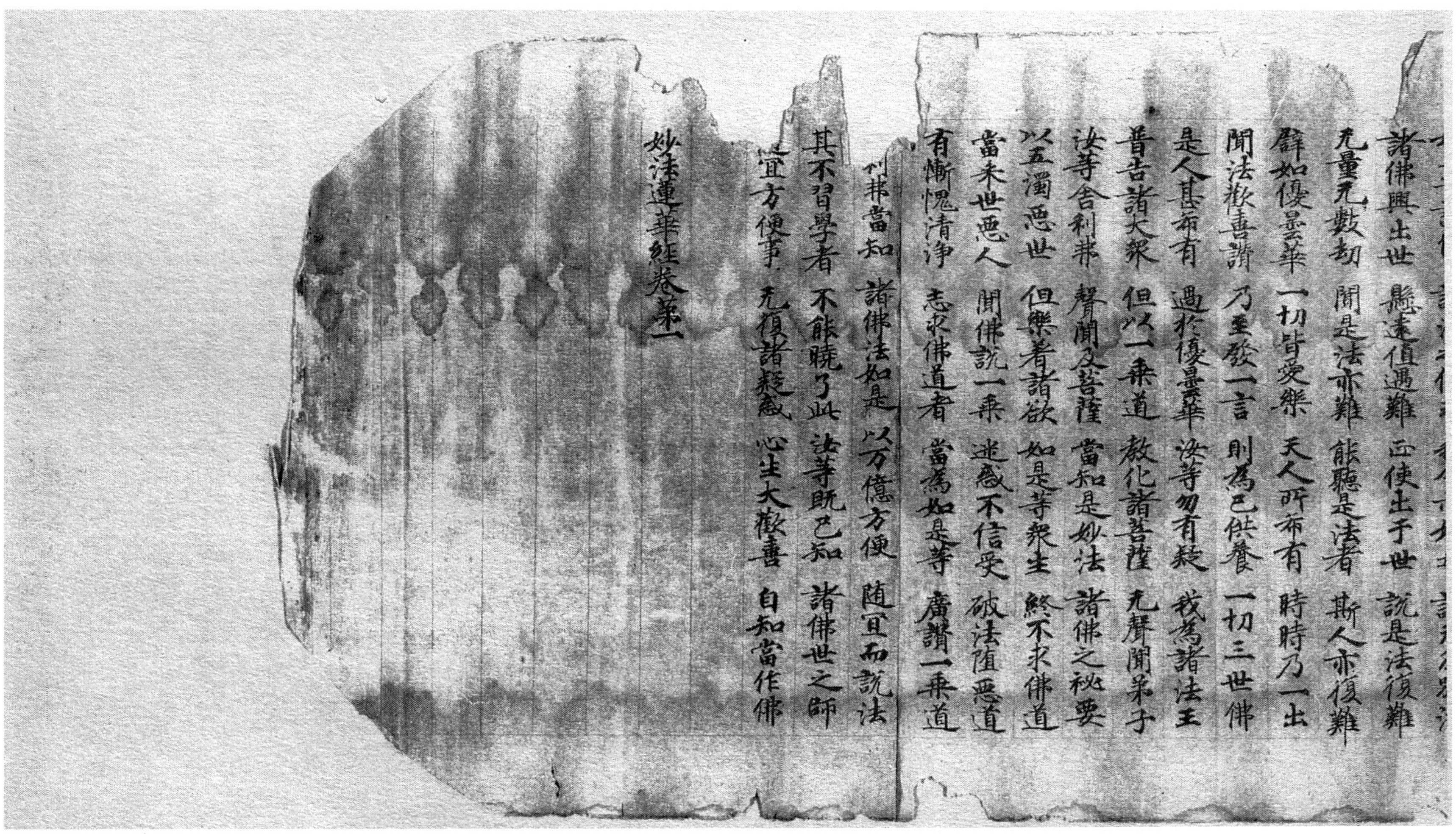
諸佛興出世　懸遠值遇難　正使出于世　說是法復難
无量无數劫　聞是法亦難　能聽是法者　斯人亦復難
譬如優曇華　一切皆愛樂　天人所希有　時時乃一出
聞法歡喜讚　乃至發一言　則為已供養　一切三世佛
是人甚希有　過於優曇華　汝等勿有疑　我為諸法王
普告諸大眾　但以一乘道　教化諸菩薩　无聲聞弟子
汝等舍利弗　聲聞及菩薩　當知是妙法　諸佛之秘要
以五濁惡世　但樂著諸欲　如是等眾生　終不求佛道
當來世惡人　聞佛說一乘　迷惑不信受　破法墮惡道
有慚愧清淨　志求佛道者　當為如是等　廣讚一乘道
利弗當知　諸佛法如是　以万億方便　隨宜而說法
其不習學者　不能曉了此　汝等既已知　諸佛世之師
宜方便事　无復諸疑惑　心生大歡喜　自知當作佛
妙法蓮華經卷第一

BD00105 號　妙法蓮華經卷一　（14–14）

施其福德不可思量須菩
東方虛空可思量不不也世尊
提南西北方四維上下虛空可思量不不
也世尊須菩提菩薩无住相布施福德亦復
如是不可思量須菩提菩薩但應如所教住
須菩提於意云何可以身相見如來不不也
世尊不可以身相得見如來何以故如來所
說身相即非身相佛告須菩提凡所有相皆
是虛妄若見諸相非相則見如來
須菩提白佛言世尊頗有衆生得聞如是言
說章句生實信不佛告須菩提莫作是說如
來滅後後五百歲有持戒脩福者於此章句
能生信心以此為實當知是人不於一佛二
佛三四五佛而種善根已於无量千萬佛所
種諸善根聞是章句乃至一念生淨信者須
菩提如來悉知悉見是諸衆生得如是无量
福德何以故是諸衆生无復我相人相衆生
相壽者相无法相亦无非法相何以故是諸
衆生若心取相則為著我人衆生壽者若取
法相即著我人衆生壽者何以故若取非法
相即著我人衆生壽者是故不應取法不應
取非法以是義故如來常說汝等比丘知我說
法如栰喻者法尚應捨何況非法
須菩提於意云何如來得阿耨多羅三藐三

BD00106號　金剛般若波羅蜜經

(5-1)

取非法以是義故如來常說汝等比丘知我說
法如栰喻者法尚應捨何況非法
須菩提於意云何如來得阿耨多羅三藐三
菩提耶如來有所說法耶須菩提言如我解
佛所說義无有定法名阿耨多羅三藐三菩
提亦无有定法如來可說何以故如來所說法
皆不可取不可說非法非非法所以者何一切
賢聖皆以无為法而有差別
須菩提於意云何若人滿三千大千世界七
寶以用布施是人所得福德寧為多不須菩
提言甚多世尊何以故是福德即非福德性
是故如來說福德多若復有人於此經中受
持乃至四句偈等為他人說其福勝彼何以故
須菩提一切諸佛及諸佛阿耨多羅三藐
三菩提法皆從此經出須菩提所謂佛法者
即非佛法
須菩提於意云何須陁洹能作是念我得須
陁洹果不須菩提言不也世尊何以故須陁
洹名為入流而无所入不入色聲香味觸法是
名須陁洹須菩提於意云何斯陁含能作
是念我得斯陁含果不須菩提言不也世尊
何以故斯陁含名一往來而實无往來是名
斯陁含須菩提於意云何阿那含能作是念
我得阿那含果不須菩提言不也世尊何以
故阿那含名為不來而實无來是故名阿那
含須菩提於意云何阿羅漢能作是念我得

BD00106號　金剛般若波羅蜜經

(5-2)

斯陀含須菩提於意云何阿那含能作是念
我得阿那含果不須菩提言不也世尊何以
故阿那含名為不來而實无來是故名阿那
含須菩提於意云何阿羅漢能作是念我得
阿羅漢道不須菩提言不也世尊何以故實
无有法名阿羅漢世尊若阿羅漢作是念我
得阿羅漢道即為著我人衆生壽者世尊佛
說我得无諍三昧人中最為第一是第一離
欲阿羅漢我不作是念我是離欲阿羅漢世
尊我若作是念我得阿羅漢道世尊則不說
須菩提是樂阿蘭那行者以須菩提實无
所行而名須菩提是樂阿蘭那行
佛告須菩提於意云何如來昔在然燈佛所
於法有所得不世尊如來在然燈佛所於法
實无所得須菩提於意云何菩薩莊嚴佛土
不不也世尊何以故莊嚴佛土者則非莊嚴
是名莊嚴是故須菩提諸菩薩摩訶薩應
如是生清淨心不應住色生心不應住聲香
味觸法生心應无所住而生其心須菩提譬
如有人身如須弥山王於意云何是身為大不
須菩提言甚大世尊何以故佛說非身是名
大身須菩提如恒河中所有沙數如是沙等
恒河於意云何是諸恒河沙寧為多不須菩
提言甚多世尊但諸恒河尚多无數何況其
沙須菩提我今實言告汝若有善男子善女
人以七寶滿尒所恒河沙數三千大千世界

BD00106 號　金剛般若波羅蜜經　（5–3）

提言甚多世尊但諸恒河尚多无數何況其
沙須菩提我今實言告汝若有善男子善女
人以七寶滿尒所恒河沙數三千大千世界
以用布施得福多不須菩提言甚多世尊佛
告須菩提若善男子善女人於此經中乃至
受持四句偈等為他人說而此福德勝前福
德復次須菩提隨說是經乃至四句偈等當
知此處一切世間天人阿脩羅皆應供養如佛
塔廟何況有人盡能受持讀誦須菩提當
知是人成就最上第一希有之法若是經典
所在之處則為有佛若尊重弟子
尒時須菩提白佛言世尊當何名此經我等
云何奉持佛告須菩提是經名為金剛般若
波羅蜜以是名字汝當奉持所以者何須菩
提佛說般若波羅蜜則非般若波羅蜜須菩
提於意云何如來有所說法不須菩提白佛
言世尊如來无所說須菩提於意云何三千
大千世界所有微塵是為多不須菩提言甚
多世尊須菩提諸微塵如來說非微塵是名
微塵如來說世界非世界是名世界須菩提
於意云何可以三十二相見如來不不也世尊
何以故如來說三十二相即是非相是名
三十二相須菩提若有善男子善女人以恒
河沙等身命布施若復有人於此經中乃至
受持四句偈等為他人說其福甚多
尒時須菩提聞說是經深解義趣涕淚悲泣

BD00106 號　金剛般若波羅蜜經　（5–4）

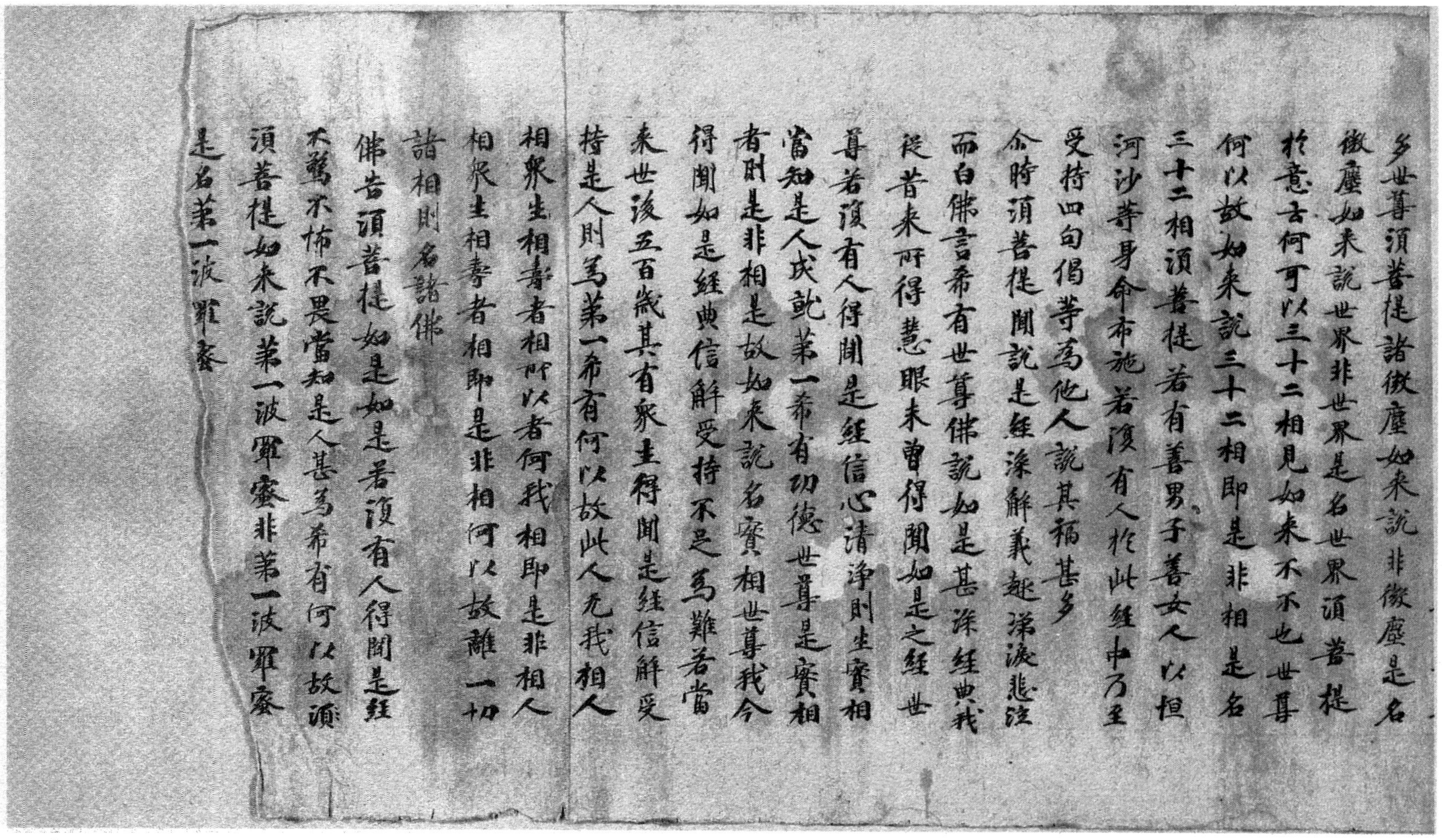

多世尊須菩提諸微塵如來說非微塵是名
微塵如來說世界非世界是名世界須菩提
於意云何可以三十二相見如來不不也世尊
何以故如來說三十二相即是非相是名
三十二相須菩提若有善男子善女人以恒
河沙等身命布施若復有人於此經中乃至
受持四句偈等為他人說其福甚多
尒時須菩提聞說是經深解義趣涕淚悲泣
而白佛言希有世尊佛說如是甚深經典我
從昔來所得慧眼未曾得聞如是之經世
尊若復有人得聞是經信心清淨則生實相
當知是人成就第一希有功德世尊是實相
者則是非相是故如來說名實相世尊我今
得聞如是經典信解受持不足為難若當
來世後五百歲其有眾生得聞是經信解受
持是人則為第一希有何以故此人无我相人
相眾生相壽者相所以者何我相即是非相人
相眾生相壽者相即是非相何以故離一切
諸相則名諸佛
佛告須菩提如是如是若復有人得聞是經
不驚不怖不畏當知是人甚為希有何以故須
菩提如來說第一波羅蜜非第一波羅蜜
是名第一波羅蜜

BD00106 號　金剛般若波羅蜜經　（5–5）

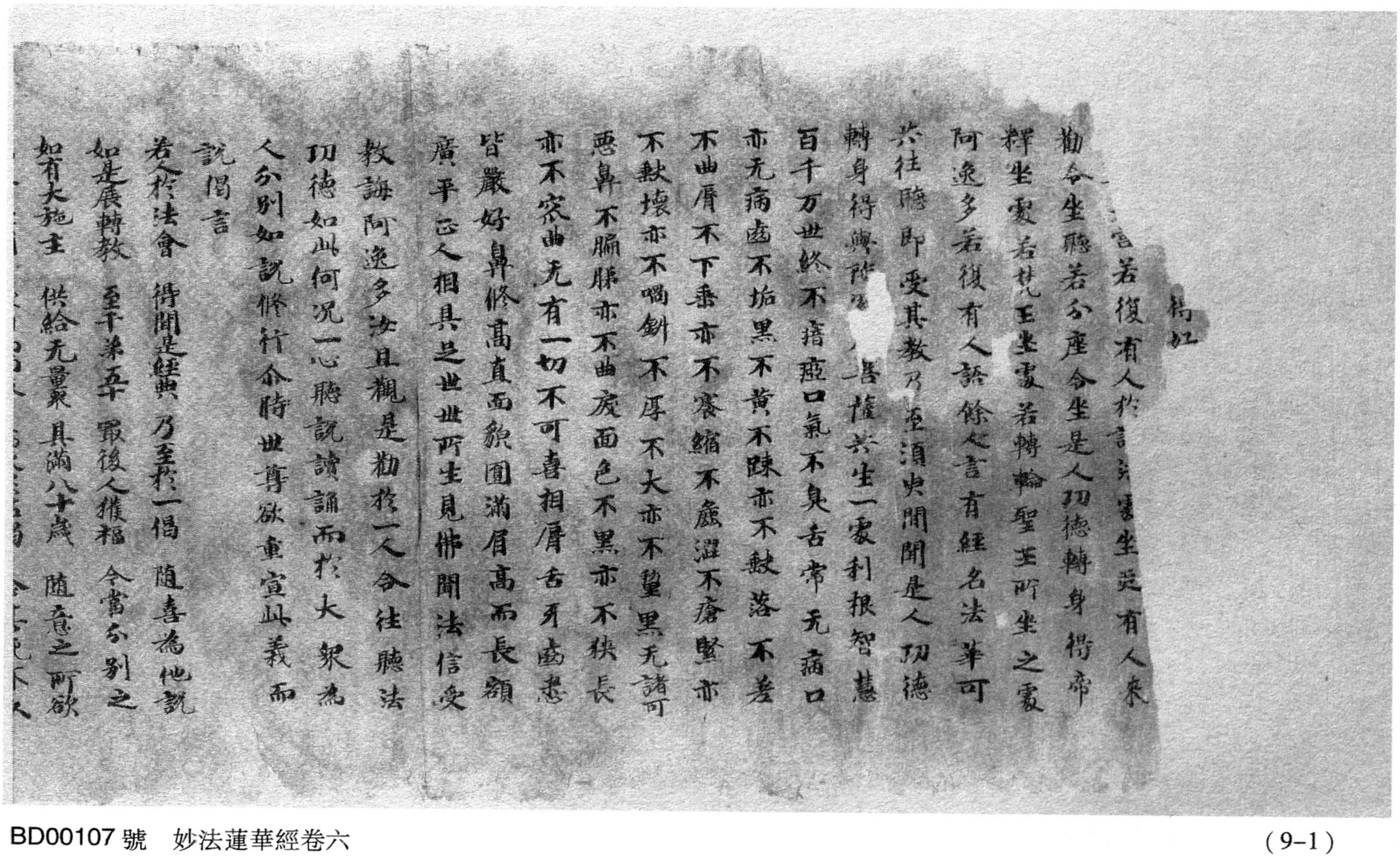

言若復有人於講法處坐更有人來
勸令坐聽若分座令坐是人功德轉身得帝
釋坐處若梵王坐處若轉輪聖王所坐之處
阿逸多若復有人語餘人言有經名法華可
共往聽即受其教乃至須臾間聞是人功德
轉身得與陀羅尼菩薩共生一處利根智慧
百千万世終不瘖瘂口氣不臭舌常无病口
亦无病齒不垢黑不黃不踈亦不缺落不差
不曲脣不下垂亦不褰縮不麁澀不瘡胗亦
不缺壞亦不喎斜不厚不大亦不黧黑无諸可
惡鼻不匾㔸亦不曲戾面色不黑亦不狹長
亦不窊曲无有一切不可喜相脣舌牙齒悉
皆嚴好鼻脩高直面貌圓滿眉高而長額
廣平正人相具足世世所生見佛聞法信受
教誨阿逸多汝且觀是勸於一人令往聽法
功德如此何況一心聽說讀誦而於大眾為
人分別如說修行尒時世尊欲重宣此義而
說偈言
若人於法會　得聞是經典　乃至於一偈　隨喜為他說
如是展轉教　至于第五十　最後人獲福　今當分別之
如有大施主　供給无量眾　具滿八十歲　隨意之所欲

BD00107 號　妙法蓮華經卷六　（9–1）

言佛

若人於法會　得聞是經典　乃至於一偈　隨喜為他說
如是展轉教　至于第五十　最後人獲福　今當分別之
如有大施主　供給无量衆　具滿八十歲　隨意之所欲
見彼衰老相　髮白而面皺　齒踈形枯竭　念其死不久
我今應當教　令得於道果　即為方便說　涅槃真實法
世皆不牢固　如水沫泡焰　汝等咸應當　疾生猒離心
諸人聞是法　皆得阿羅漢　具足六神通　三明八解脫
最後第五十　聞一偈隨喜　是人福勝彼　不可為譬喻
如是展轉聞　其福尚无量　何况於法會　初聞隨喜者
若有勸一人　將引聽法華　言此經深妙　千万劫難遇
即受教往聽　乃至須臾聞　斯人之福報　今當分別說
世世无口患　齒不踈黃黑　脣不厚褰缺　无有可惡相
舌不乾黑短　鼻高脩且直　額廣而平正　面目悉端嚴
為人所喜見　口氣无臭穢　優鉢華之香　常從其口出
若故詣僧坊　欲聽法華經　須臾聞歡喜　今當說其福
後生天人中　得妙象馬車　珎寶之輦轝　及乘天宮殿
若於講法處　勸人坐聽經　是福因緣得　釋梵轉輪座
何况一心聽　解說其義趣　如說而脩行　其福不可量

妙法蓮華經法師功德品第十九

尒時佛告常精進菩薩摩訶薩若善男子善
女人受持是法華經若讀若誦若解說若書
寫是人當得八百眼功德千二百耳功德八
百鼻功德千二百舌功德八百身功德千二
百意功德以是功德莊嚴六根皆令清淨是
善男子善女人父母所生清淨肉眼見於三

寫是人當得八百眼功德千二百耳功德八
百鼻功德千二百舌功德八百身功德千二
百意功德以是功德莊嚴六根皆令清淨是
善男子善女人父母所生清淨肉眼見於三
千大千世界內外所有山林河海下至阿鼻
地獄上至有頂亦見其中一切衆生及業因
緣果報生處悉見悉知尒時世尊欲重宣此
義而說偈言

若於大衆中　以无所畏心　說是法華經　汝聽其功德
是人得八百　功德殊勝眼　以是莊嚴故　其目甚清淨
父母所生眼　悉見三千界　內外弥樓山　須弥及鐵圍
并諸餘山林　大海江河水　下至阿鼻獄　上至有頂處
其中諸衆生　一切皆悉見　雖未得天眼　肉眼力如是

復次常精進若善男子善女人受持此經若
讀若誦若解說若書寫得千二百耳功德以
是清淨耳聞三千大千世界下至阿鼻地獄
上至有頂其中內外種種語言音聲象聲馬
聲牛聲車聲啼哭聲愁歎聲螺聲鼓聲鍾
聲鈴聲咲聲語聲男聲女聲童子聲童女聲
法聲非法聲苦聲樂聲凡夫聲聖人聲喜聲
不喜聲天聲龍聲夜叉聲乾闥婆聲阿修羅
聲迦樓羅聲緊那羅聲摩睺羅伽聲火聲水
聲風聲地獄聲畜生聲餓鬼聲比丘聲比丘尼
聲聲聞聲辟支佛聲菩薩聲佛聲以要言
之三千大千世界中一切內外所有諸聲雖未
得天耳以父母所生清淨常耳皆悉聞知如

聲風聲地獄聲畜生聲餓鬼聲比丘聲比丘尼
聲聲聞聲辟支佛聲菩薩聲佛聲以要言
之三千大千世界中一切內外所有諸聲雖未
得天耳以父母所生清淨常耳皆悉聞知如
是分別種種音聲而不壞耳根尒時世尊欲
重宣此義而說偈言
父母所生耳　清淨无濁穢　以此常耳聞　三千世界聲
象馬車牛聲　鍾鈴螺鼓聲　琴瑟箜篌聲　簫笛之音聲
清淨好歌聲　聽之而不著　无數種人聲　聞悉能解了
又聞諸天聲　微妙之歌音　及聞男女聲　童子童女聲
山川嶮谷中　迦陵頻伽聲　命命等諸鳥　悉聞其音聲
地獄衆苦痛　種種楚毒聲　餓鬼飢渴逼　求索飲食聲
諸阿脩羅等　居在大海邊　自共語言時　出于大音聲
如是說法者　安住於此間　遙聞是衆聲　而不壞耳根
十方世界中　禽獸鳴相呼　其說法之人　於此悉聞之
其諸梵天上　光音及遍淨　乃至有頂天　言語之音聲
法師住於此　悉皆得聞之　一切比丘衆　及諸比丘尼
若讀誦經典　若為他人說　法師住於此　悉皆得聞之
復有諸菩薩　讀誦於經法　若為他人說　撰集解其義
如是諸音聲　悉皆得聞之　諸佛大聖尊　教化衆生者
於諸大會中　演說微妙法　持此法華者　悉皆得聞之
三千大千界　內外諸音聲　下至阿鼻獄　上至有頂天
皆聞其音聲　而不壞耳根　其耳聰利故　悉能分別知
持是法華者　雖未得天耳　但用所生耳　功德已如是
復次常精進若善男子善女人受持是經若
讀若誦若解說若書寫成就八百鼻功德以

BD00107 號　妙法蓮華經卷六　（9–4）

持是法華者　雖未得天耳　但用所生耳　功德已如是
復次常精進若善男子善女人受持是經若
讀若誦若解說若書寫成就八百鼻功德以
是清淨鼻根聞於三千大千世界上下內外
種種諸香須曼那華香闍提華香末利華
香瞻蔔華香波羅羅華香赤蓮華香青蓮華
香白蓮華香華樹香菓樹香栴檀香沈水香
多摩羅跋香多伽羅香及千万種和香若末若
丸若塗香持是經者於此間住悉能分別又
復別知衆生之香象香馬香牛羊等香男香
女香童子香童女香及草木叢林香若近若
遠所有諸香悉皆得聞分別不錯持是經者
雖住於此亦聞天上諸天之香波利質多羅
拘鞞陁羅樹香及曼陁羅華香摩訶曼陁
羅華香曼殊沙華香摩訶曼殊沙華香栴檀
沈水種種末香諸雜華香如是等天香和合所
出之香无不聞知又聞諸天身香釋提桓因在
勝殿上五欲娛樂嬉戲時香若在妙法堂上
為忉利諸天說法時香若於諸園遊戲時香
及餘天等男女身香皆悉遙聞如是展轉
乃至梵世上至有頂諸天身香亦皆聞之并
聞諸天所燒之香及聲聞香辟支佛香菩薩
香諸佛身香亦皆遙聞知其所在雖聞此香
然於鼻根不壞不錯若欲分別為他人說憶
念不謬尒時世尊欲重宣此義而說偈言
是人鼻清淨　於此世界中　若香若臭物　種種悉聞知

BD00107 號　妙法蓮華經卷六　（9–5）

然於鼻根不壞不錯若欲分別為他人說憶
念不謬尒時世尊欲重宣此義而說偈言
是人鼻清淨　於此世界中　若香若臭物　種種悉聞知
須曼那闍提　多摩羅栴檀　沉水及桂香　種種華菓香
及知衆生香　男子女人香　說法者遠住　聞香知所在
大勢轉輪王　小轉輪及子　群臣諸宮人　聞香知所在
身所著珍寶　及地中寶藏　轉輪王寶女　聞香知所在
諸人嚴身具　衣服及瓔珞　種種所塗香　聞香知其身
諸天若行坐　遊戲及神變　持是法華經　聞香悉能知
諸樹華菓實　及蘇油香氣　持經者住此　悉知其所在
諸山深嶮處　栴檀樹華敷　衆生在中者　聞香皆能知
鐵圍山大海　地中諸衆生　持經者聞香　悉知其所在
阿修羅男女　及其諸眷屬　鬪諍遊戲時　聞香皆能知
曠野險隘處　師子象虎狼　野牛水牛等　聞香知所在
若有懷姙者　未辯其男女　无根及非人　聞香悉能知
以聞香力故　知其初懷姙　成就不成就　安樂產福子
以聞香力故　知男女所念　染欲癡恚心　亦知修善者
地中衆伏藏　金銀諸珍寶　銅器之所盛　聞香悉能知
種種諸瓔珞　无能識其價　聞香知貴賤　出處及所在
天上諸華等　曼陁曼殊沙　波利質多樹　聞香悉能知
天上諸宮殿　上中下差別　衆寶華莊嚴　聞香悉能知
天園林勝殿　諸觀妙法堂　在中而娛樂　聞香悉能知
諸天若聽法　或受五欲時　來往行坐卧　聞香悉能知
天女所著衣　好華香莊嚴　周旋遊戲時　聞香悉能知
如是展轉上　乃至於梵世　入禪出禪者　聞香悉能知
光音遍淨天　乃至于有頂　初生及退沒　聞香悉能知

BD00107號　妙法蓮華經卷六　（9–6）

天女所著衣　好華香莊嚴　周旋遊戲時　聞香悉能知
如是展轉上　乃至於梵世　入禪出禪者　聞香悉能知
光音遍淨天　乃至于有頂　初生及退沒　聞香悉能知
諸比丘衆等　於法常精進　若坐若經行　及讀誦經法
或在林樹下　專精而坐禪　持經者聞香　悉知其所在
菩薩志堅固　坐禪若讀經　或為人說法　聞香悉能知
在在方世尊　一切所恭敬　愍衆而說法　聞香悉能知
衆生在佛前　聞經皆歡喜　如法而修行　聞香悉能知
雖未得菩薩　无漏法生鼻　而是持經者　先得此鼻相
復次常精進若善男子善女人受持是經若
讀若誦若解說若書寫得千二百舌功德若
好若醜若美不美及諸苦澀物在其舌根皆
變成上味如天甘露无不美者若以舌根於
大衆中有所演說出深妙聲能入其心皆令
歡喜快樂又諸天子天女釋梵諸天聞是深
妙音聲有所演說言論次第皆悉來聽及諸
龍龍女夜叉夜叉女乾闥婆乾闥婆女阿修羅
阿修羅女迦樓羅迦樓羅女緊那羅緊那羅
女摩睺羅伽摩睺羅伽女為聽法故皆來
親近恭敬供養及比丘比丘尼優婆塞優婆夷
國王王子群臣眷屬小轉輪王大轉輪王七寶
千子內外眷屬乘其宮殿俱來聽法以是菩
薩善說法故婆羅門居士國內人民盡其
形壽隨侍供養又諸聲聞辟支佛菩薩諸
佛常樂見之是人所在方面諸佛皆向其處
說法悉能受持一切佛法又能出於深妙法

BD00107號　妙法蓮華經卷六　（9–7）

形壽隨侍供養。又諸聲聞辟支佛菩薩諸
佛常樂見之。是人所在方面，諸佛皆向其處
說法。悉能受持一切佛法，又能出於深妙法
音。尒時世尊欲重宣此義而說偈言：
是人舌根淨　終不受惡味　其有所食噉　悉皆成甘露
以深淨妙聲　於大衆說法　以諸因緣喻　引導衆生心
聞者皆歡喜　設諸上供養　諸天龍夜叉　及阿修羅等
皆以恭敬心　而共來聽法　是說法之人　若欲以妙音
遍滿三千界　隨意即能至　大小轉輪王　及千子眷屬
合掌恭敬心　常來聽受法　諸天龍夜叉　羅刹毗舍闍
亦以歡喜心　常樂來供養　梵天王魔王　自在大自在
如是諸天衆　常來至其所　諸佛及弟子　聞其說法音
常念而守護　或時為現身
復次常精進，若善男子善女人受持是經，若
讀若誦若解說若書寫，得八百身功德，得清
淨身如淨瑠璃，衆生憙見。其身淨故，三千大
千世界衆生生時死時，上下好醜，生善處惡
處，悉於中現。及鐵圍山大鐵圍山彌樓山摩
訶彌樓山等諸山，及其中衆生，悉於中現。下至
阿鼻地獄，上至有頂，所有及衆生，悉於中現。若
聲聞辟支佛菩薩諸佛說法，皆於身中現
其色像。尒時世尊欲重宣此義而說偈言：
若持法華者　其身甚清淨　如彼淨瑠璃　衆生皆憙見
又如淨明鏡　悉見諸色像　菩薩於淨身　皆見世所有
唯獨自明了　餘人所不見　三千世界中　一切諸群萌
天人阿修羅　地獄鬼畜生　如是諸色像　皆於身中現

BD00107 號　妙法蓮華經卷六　（9–8）

若持法華者　其身甚清淨　如彼淨瑠璃　衆生皆憙見
又如淨明鏡　悉見諸色像　菩薩於淨身　皆見世所有
唯獨自明了　餘人所不見　三千世界中　一切諸群萌
天人阿修羅　地獄鬼畜生　如是諸色像　皆於身中現
諸天等宮殿　乃至於有頂　鐵圍及彌樓　摩訶彌樓山
諸大海水等　皆於身中現　諸佛及聲聞　佛子菩薩等
若獨若在衆　說法悉皆現　雖未得无漏　法性之妙身
以清淨常體　一切於中現
復次常精進，若善男子善女人，如來滅後受
持是經，若讀若誦若解說若書寫，得千二百
意功德。以是清淨意根，乃至聞一偈一句，通達
无量无邊之義。解是義已，能演說一句一偈
至於一月四月乃至一歲，諸所說法，隨其義趣，
皆與實相不相違背。若說俗間經書、治世
語言、資生業等，皆順正法。三千大千世界六
趣衆生，心之所行，心所動作，心所戲論，皆悉知
之。雖未得无漏智慧，而其意根清淨如此。是
人有所思惟籌量言說，皆是佛法，无不真實，
亦是先佛經中所說。尒時世尊欲重宣此義
而說偈言：
是人意清淨　明利无穢濁　以此妙意根　知上中下法
乃至聞一偈　通達无量義　次第如法說　月四月至歲
是世界內外　一切諸衆生　若天龍及人　夜叉鬼神等
其在六趣中　所念若干種　持[illegible]
[illegible]百福莊嚴相　為衆生說[illegible]
[illegible]終始不忘[illegible]

BD00107 號　妙法蓮華經卷六　（9–9）

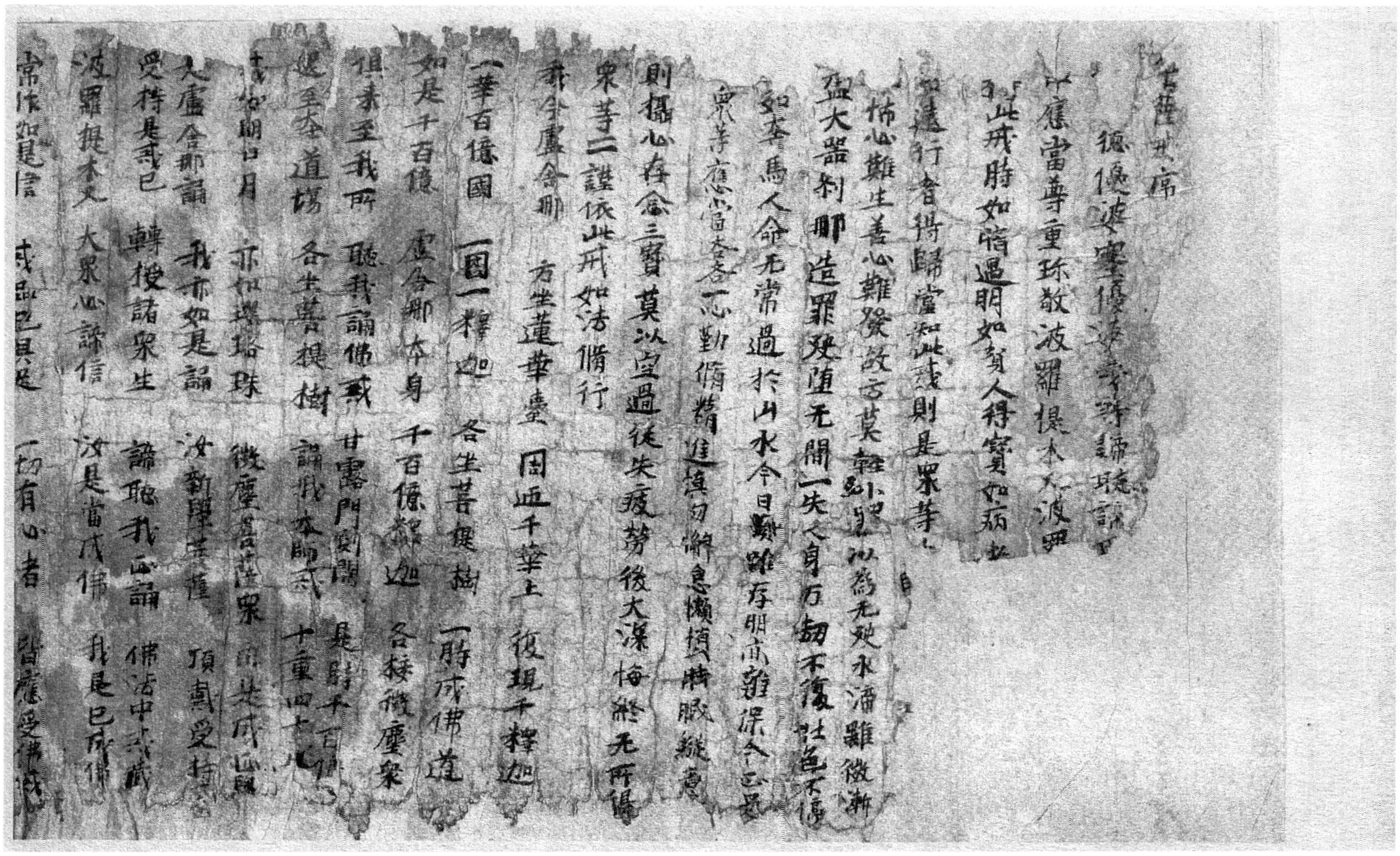

BD00108 號 1　梵網經盧舍那佛說菩薩心地戒品第十序　　（20–1）
BD00108 號 2　梵網經盧舍那佛說菩薩心地戒品第十卷下

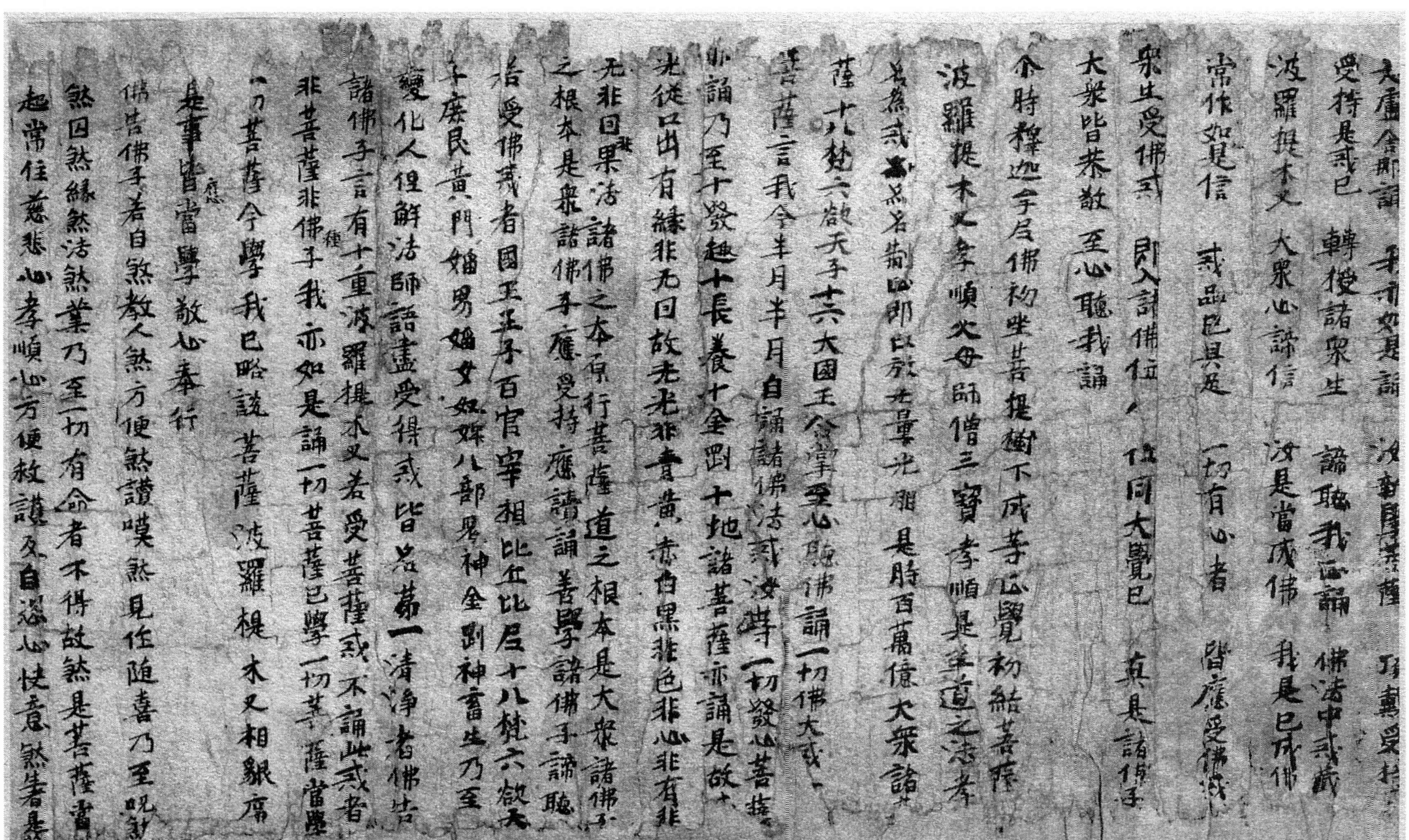

BD00108 號 2　梵網經盧舍那佛說菩薩心地戒品第十卷下　　（20–2）

佛告佛子若自煞教人煞方便煞讚嘆煞見作隨喜乃至呪煞
煞因煞緣煞法煞業乃至一切有命者不得故煞是菩薩應
起常住慈悲心孝順心方便救護而反自恣心快意煞生者是
菩薩波羅夷罪
若佛子自盜教人盜方便盜呪盜盜因盜緣盜法盜業乃至
鬼神有主物劫賊物一切財物一針一草不得故盜而菩薩應
生佛性孝順心慈悲心常助一切人生福生樂而反更盜人
物者是菩薩波羅夷罪
若佛子自婬教人婬婬因婬緣婬法婬業乃至一切女人不得故婬
而菩薩應生孝順心救度一切衆生以淨法與人而反更起一切
人婬不擇畜生乃至母女姊妹六親行婬无慈悲心者是菩薩
波羅夷罪
若佛子自妄語教人妄語方便妄語妄語因妄語緣妄語法
妄語業乃至不見言見見言不見身心妄語而菩薩常生正語
亦生一切衆生正語正見而反更生一切衆生耶語耶見耶業
者是菩薩波羅夷罪
若佛子自酤酒教人酤酒酤酒因酤酒緣酤酒法酤酒業一切
酒不得酤是酒起罪因緣而菩薩應生一切衆生明達之慧
而反更生衆生顛倒心者是菩薩波羅夷罪
若佛子口自說出家在家菩薩比丘比丘尼罪過教人說罪過
罪過因罪過緣罪過法罪過業而菩薩聞外道惡人及二乘
人說佛法中非法非律常生悲心教化是惡人輩令生大乘善
信而菩薩反更自說佛法中罪過者是菩薩波羅夷罪
若佛子口自讚毀他亦教人自讚毀他毀他因毀他緣毀他法毀
他業而菩薩應代一切衆生受加毀辱惡事自向己好事
與他人若自揚己德隱他人好事令他人受毀者是菩薩
波羅夷罪
若佛子自慳教人慳慳因慳緣慳法慳業

BD00108 號 2　梵網經盧舍那佛說菩薩心地戒品第十卷下　（20–3）

他業而菩薩應代一切衆生受加毀辱惡事自向己好事
與他人若自揚己德隱他人好事令他人受毀者是菩薩
波羅夷罪
若佛子自慳教人慳慳因慳緣慳法慳業而菩薩見一切貧
窮人來乞者隨前人須一切給與而菩薩以惡心瞋心乃至
不施一錢一針一草有求法者不爲說一句一偈一微塵許法
而反更罵辱者是菩薩波羅夷罪
若佛子自瞋教人瞋瞋因瞋緣瞋法瞋業而菩薩應生一切
衆生善根无諍之事常生悲心孝順心而反更於一切衆生中
乃至於非衆生中以惡口罵辱加以手打及以刀杖意猶不
息前人求悔善言懺謝猶瞋不解者是菩薩波羅夷罪
若佛子自謗三寶教人謗三寶謗因謗緣謗法謗業而菩薩
見外道及以惡人一言謗佛音聲如三百鉾刺心況口自謗不
信心孝順心而反更助惡人耶見人謗者是菩薩波羅夷
善學諸人者是菩薩十波羅提木叉應當學
於中不應一一犯如微塵許何況具足犯十戒
若有犯者不得現身發菩提心亦失國王位亦
失轉輪王位亦失比丘比丘尼位失十發趣十
長養十金剛十地佛性常住妙果一切皆失墮
三惡道中二劫三劫不聞父母三寶名字以
是不應一一犯汝等一切諸菩薩已學當學
今學如是十戒應當學敬心奉持
八万威儀品當廣明
佛告諸菩薩言已說十波羅提木叉竟四十八
輕戒今當說
若佛子欲受國王位時受轉輪

BD00108 號 2　梵網經盧舍那佛說菩薩心地戒品第十卷下　（20–4）

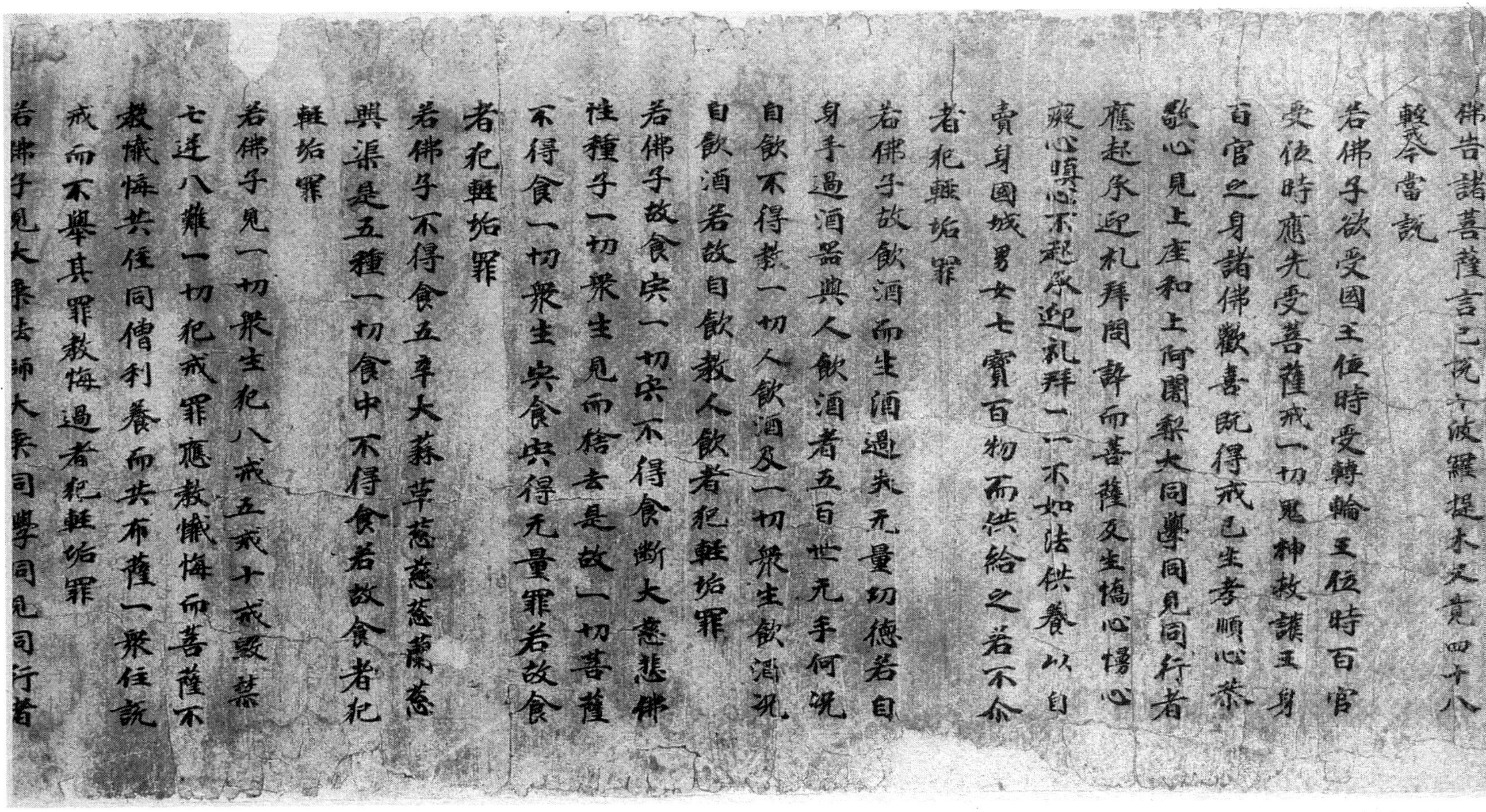

佛告諸菩薩言已說十波羅提木叉竟四十八
輕今當說
若佛子欲受國王位時受轉輪王位時百官
受位時應先受菩薩戒一切鬼神救護王身
百官之身諸佛歡喜既得戒已生孝順心恭
敬心見上座和上阿闍梨大同學同見同行者
應起承迎礼拜問訊而菩薩反生憍心慢心
癡心瞋心不起承迎礼拜一一不如法供養以自
賣身國城男女七寶百物而供給之若不尒
者犯輕垢罪
若佛子故飲酒而生酒過失无量若自
身手過酒器與人飲酒者五百世无手何况
自飲不得教一切人飲酒及一切衆生飲酒况
自飲酒若故自飲教人飲者犯輕垢罪
若佛子故食肉一切肉不得食斷大慈悲佛
性種子一切衆生見而捨去是故一切菩薩
不得食一切衆生肉食肉得无量罪若故食
者犯輕垢罪
若佛子不得食五辛大蒜茖葱慈葱蘭葱
興渠是五種一切食中不得食若故食者犯
輕垢罪
若佛子見一切衆生犯八戒五戒十戒毀禁
七逆八難一切犯戒罪應教懺悔而菩薩不
教懺悔共住同僧利養而共布薩一衆住說
戒而不舉其罪教悔過者犯輕垢罪
若佛子見大乘法師大乘同學同見同行者

BD00108號2　梵網經盧舍那佛說菩薩心地戒品第十卷下　（20–5）

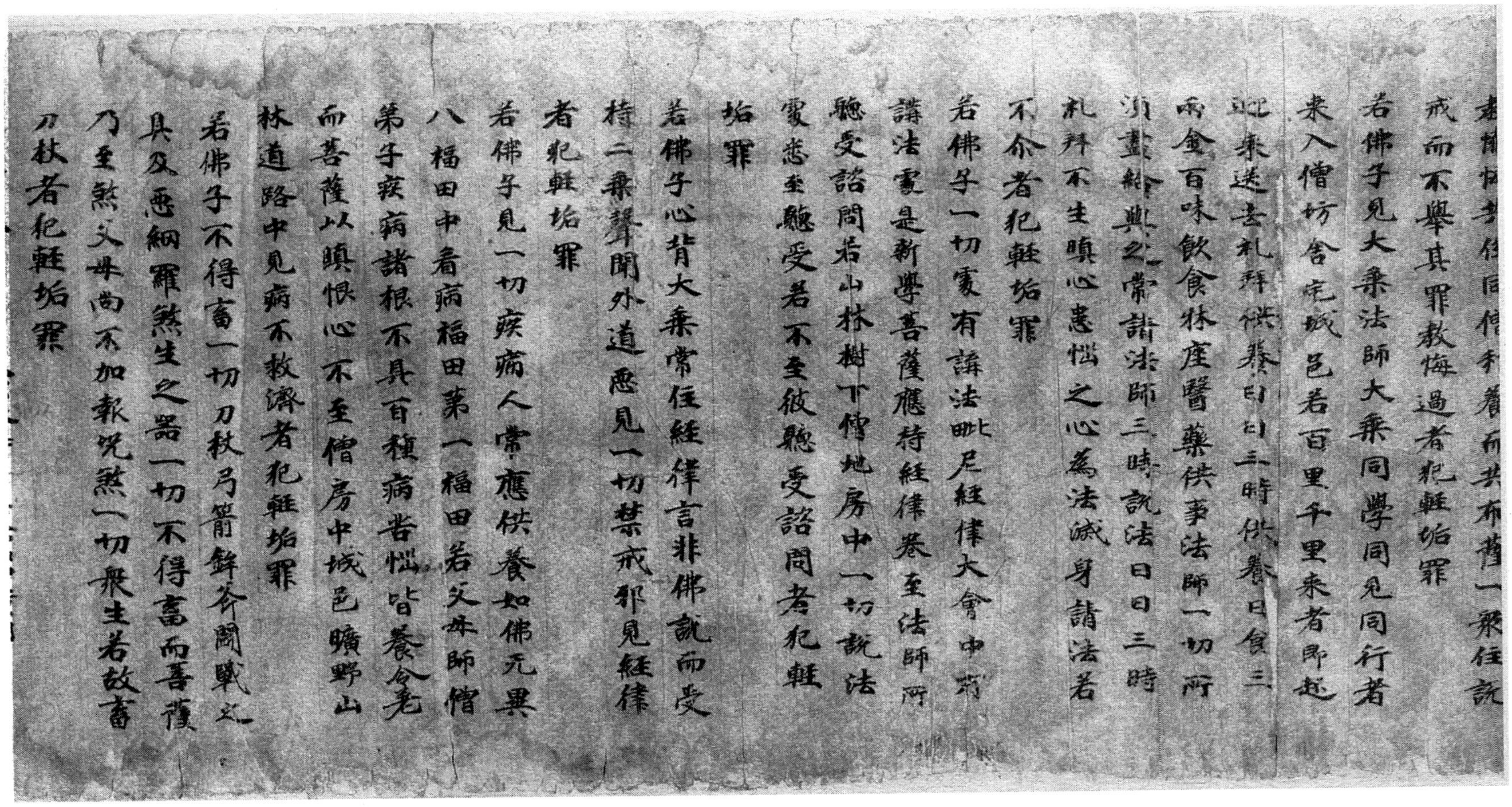

教懺悔共住同僧利養而共布薩一衆住說
戒而不舉其罪教悔過者犯輕垢罪
若佛子見大乘法師大乘同學同見同行者
来入僧坊舍宅城邑若百里千里来者即起
迎来送去礼拜供養日日三時供養日食三
兩金百味飲食牀座醫藥供事法師一切所
須盡給與之常請法師三時說法日日三時
礼拜不生瞋心患惱之心為法滅身請法若
不尒者犯輕垢罪
若佛子一切處有講法毗尼經律大會中有
講法處是新學菩薩應持經律卷至法師所
聽受諮問若山林樹下僧地房中一切說法
處悉至聽受若不至彼聽受諮問者犯輕
垢罪
若佛子心背大乘常住經律言非佛說而受
持二乘聲聞外道惡見一切禁戒邪見經律
者犯輕垢罪
若佛子見一切疾病人常應供養如佛无異
八福田中看病福田第一福田若父母師僧
弟子疾病諸根不具百種病苦惱皆養令差
而菩薩以瞋恨心不至僧房中城邑曠野山
林道路中見病不救濟者犯輕垢罪
若佛子不得畜一切刀杖弓箭鉾斧鬪戰之
具及惡網羅煞生之器一切不得畜而菩薩
乃至煞父母尚不加報况煞一切衆生若故畜
刀杖者犯輕垢罪

BD00108號2　梵網經盧舍那佛說菩薩心地戒品第十卷下　（20–6）

具足惡網羅殺生之器一切不得畜而菩薩
乃至殺父母尚不加報況殺一切眾生若故畜
刀杖者犯輕垢罪
如是十戒應當學敬心奉持　下六品中廣明
佛言佛子不得為利養惡心故通國使命軍
陣合會興師相伐殺无量眾生而菩薩不得
入軍中往來況故作國賊若故作者犯輕垢罪
若佛子故販賣良人奴婢六畜市易棺材板
木盛死之具尚不應自作況教人作若故作
者犯輕垢罪
若佛子以惡心故无事謗他良人善人法師眾
僧國王貴人言犯七逆十重於父母兄弟六
親中應生孝順心慈悲心而反更加於逆害
墮不如意處者犯輕垢罪
若佛子以惡心故放大大燒山林曠野田四月
乃至九月放火若燒他人家屋宅城邑僧房
田木及鬼神官物一切有主物不得故燒若
故燒者犯輕垢罪
若佛子自佛弟子及外道人六親一切善知
識應一一教受持大乘經律應教解義理使
發菩提心十發趣心十長養心十金剛心三十心
一一解其次第法用而菩薩以惡心瞋心橫教
他二乘聲聞外道邪見經律者犯輕垢罪
若佛子應以好心出家先學大乘威儀經律廣
開解義味見後新學菩薩有從百里千里來
求大乘經律應如法為說一切苦行若燒

他二乘聲聞外道邪見經律者犯輕垢罪
若佛子應以好心出家先學大乘威儀經律廣
開解義味見後新學菩薩有從百里千里來
求大乘經律應如法為說一切苦行若燒身
燒臂燒指若不燒身臂指供養諸佛非出家
菩薩乃至餓虎狼師子口中一切餓鬼悉應
捨身宍手足而供養之然後一一次第為說正
法使心開意解而菩薩為利養故應答不答
到說經律文字无前无後謗三寶說者犯
輕垢罪
若佛子自為飲食錢物利養名譽故親近國
王王子大臣百官恃作形勢乞索打拍牽挽
橫取錢物一切求利名為惡求多求教他人
求都无慈心无孝順心者犯輕垢罪
若佛子學誦戒者日日六時持菩薩戒解其
義理佛性之性而菩薩不解一句一偈戒律因
緣詐言能解者即為自欺誑亦欺誑他人
一一不解一切法而為他人作師受戒者犯
輕垢罪
若佛子以惡心故見持戒比丘手捉香爐行菩
薩行而鬬遘兩頭謗欺賢人无惡不造若故
作者犯輕垢罪
若佛子以慈心故行放生業應作是念一切
男子是我父一切女人是我母我生生无不
從之受生故六道眾生皆是我父母而殺

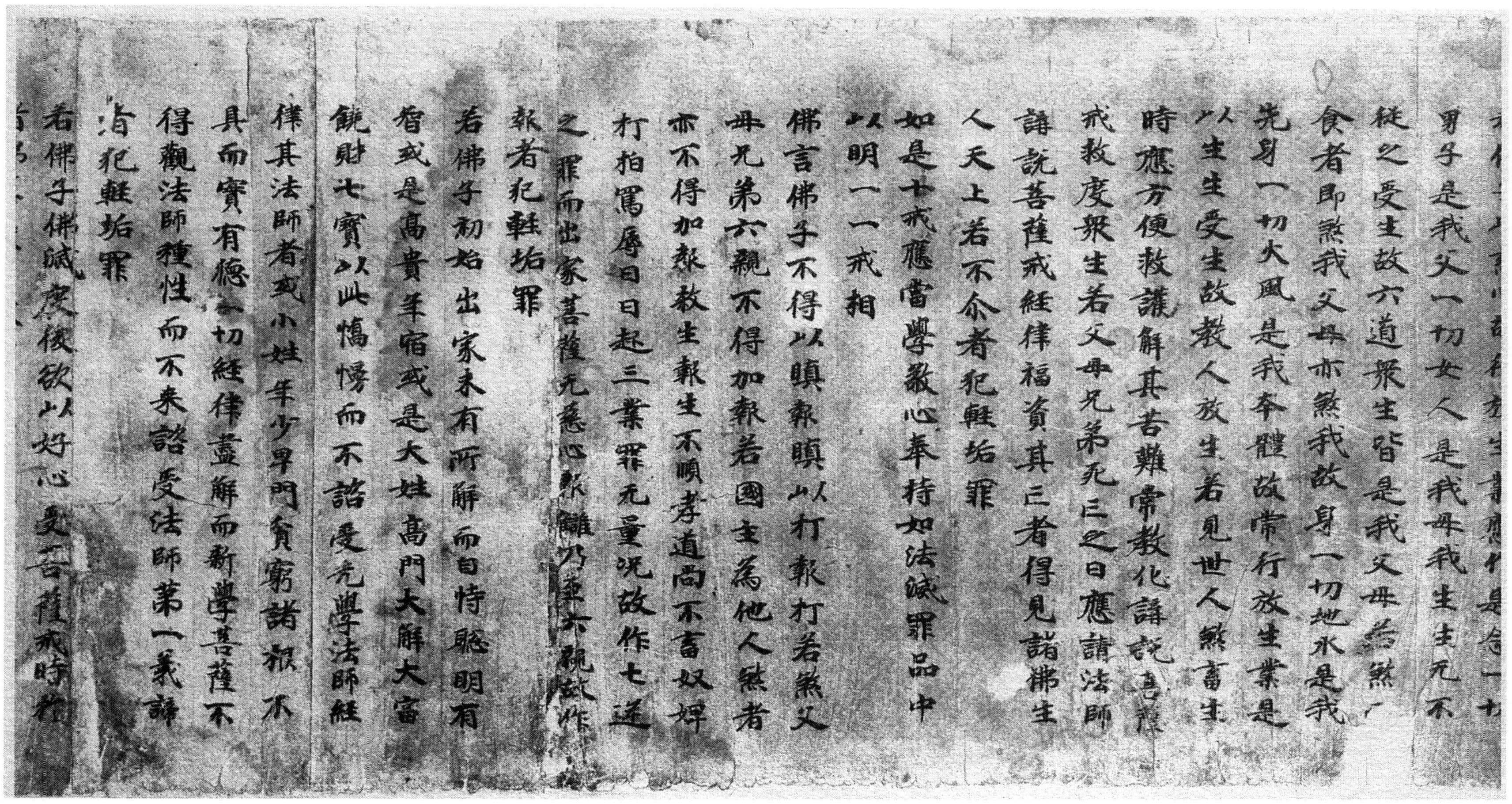

男子是我父一切女人是我母我生生无不
從之受生故六道衆生皆是我父母而煞
食者即煞我父母亦煞我故身一切地水是我
先身一切火風是我本體故常行放生業是
以生生受生故教人放生若見世人煞畜生
時應方便救護解其苦難常教化講說菩薩
戒救度衆生若父母兄弟死亡之日應請法師
講說菩薩戒經律福資亡者得見諸佛生
人天上若不尒者犯輕垢罪
如是十戒應當學敬心奉持如法滅罪品中
以明一一戒相
佛言佛子不得以瞋報瞋以打報打若煞父
母兄弟六親不得加報若國主為他人煞者
亦不得加報殺生報生不順孝道尚不畜奴婢
打拍罵辱日日起三業罪无量況故作七逆
之罪而出家菩薩无慈心報讎乃至六親故作
報者犯輕垢罪
若佛子初始出家未有所解而自恃聰明有
智或是高貴年宿或是大姓高門大解大富
饒財七寶以此憍慢而不諮受先學法師經
律其法師者或小姓年少卑門貧窮諸根不
具而實有德一切經律盡解而新學菩薩不
得觀法師種性而不來諮受法師第一義諦
者犯輕垢罪
若佛子佛滅度後欲以好心受菩薩戒時於

BD00108 號 2　梵網經盧舍那佛說菩薩心地戒品第十卷下　（20–9）

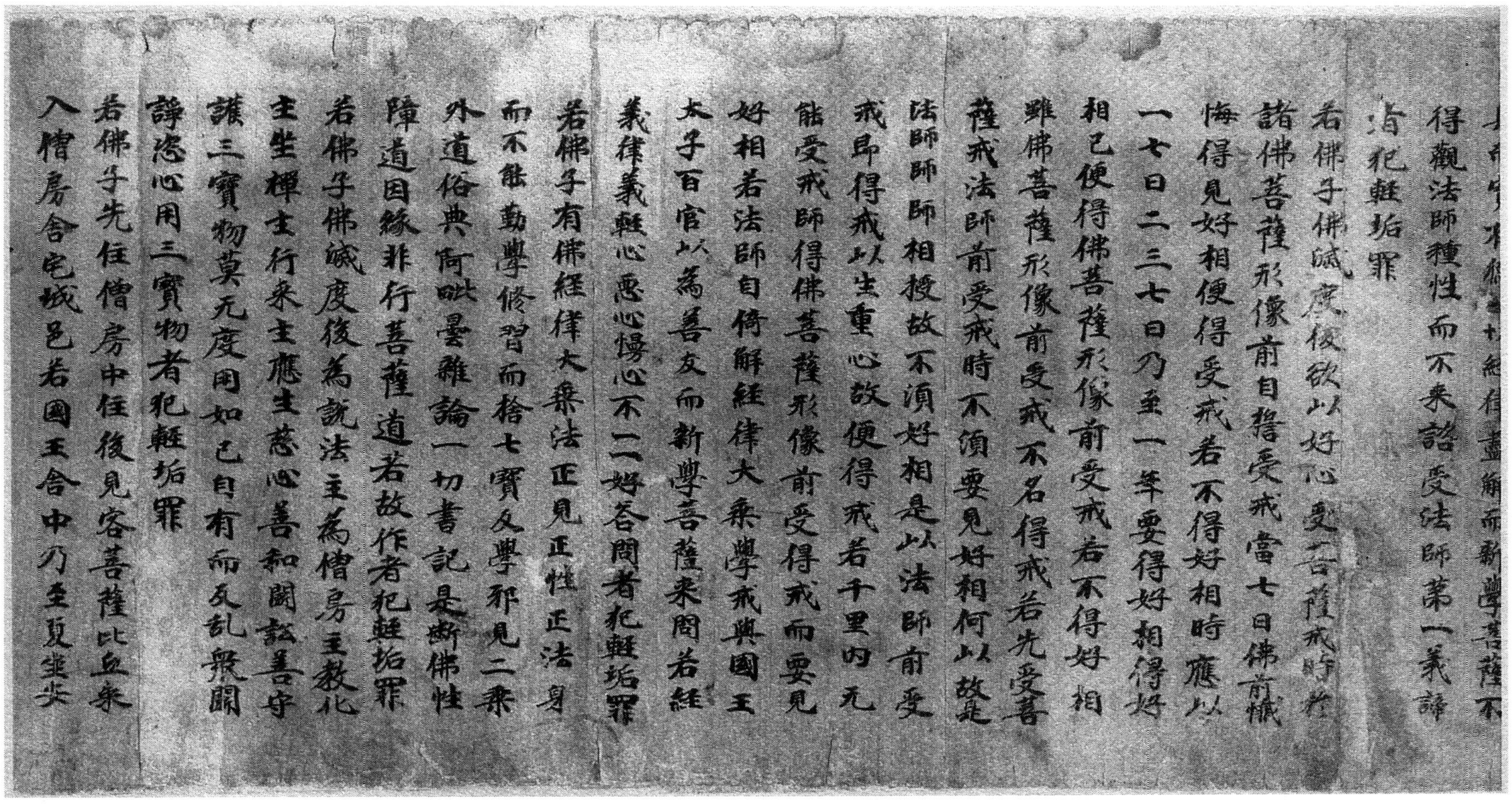

得觀法師種性而不來諮受法師第一義諦
者犯輕垢罪
若佛子佛滅度後欲以好心受菩薩戒時於
諸佛菩薩形像前自誓受戒當七日佛前懺
悔得見好相便得受戒若不得好相時應以
一七日二三七日乃至一年要得好相得好
相已便得佛菩薩形像前受戒若不得好相
雖佛菩薩形像前受戒不名得戒若先受菩
薩戒法師前受戒時不須要見好相何以故是
法師師師相授故不須好相是以法師前受
戒時即得戒以生重心故便得戒若千里內无
能受戒師得佛菩薩形像前受得戒而要見
好相若法師自倚解經律大乘學戒與國王
太子百官以為善友而新學菩薩來問若經
義律義輕心惡心慢心不一一好答問者犯輕垢罪
若佛子有佛經律大乘法正見正性正法身
而不能勤學修習而捨七寶反學邪見二乘
外道俗典阿毗曇雜論一切書記是斷佛性
障道因緣非行菩薩道若故作者犯輕垢罪
若佛子佛滅度後為說法主為僧房主教化
主坐禪主行來主應生慈心善和鬪訟善守
護三寶物莫无度用如己自有而反亂衆鬪
諍恣心用三寶物者犯輕垢罪
若佛子先住僧房中住後見客菩薩比丘來
入僧房舍宅城邑若國王舍中乃至夏坐安

BD00108 號 2　梵網經盧舍那佛說菩薩心地戒品第十卷下　（20–10）

諍恣心用三寶物者犯輕垢罪
若佛子先住僧房中住後見客菩薩比丘來
入僧房舍宅城邑若國王舍中乃至夏坐安
居處及大會中而先住僧應起迎來送去飲
食供養房舍卧具繩林木牀事事給與若
物應賣自身及男女身供給所須悉以與之
若有檀越來請衆僧客僧有利養分僧房主
應次第差客僧受請而先住僧獨受請而不
差客僧者房主得无量罪畜生无異非沙門
非釋種性若故作者犯輕垢罪
若佛子一切不得受別請利養入己而此利養
屬十方僧而別受請者即取十方僧物入己
八福田中諸佛聖人一一師僧父母病人物自
中用故犯輕垢罪
若佛子有出家菩薩在家菩薩及一切檀
越請僧福田求願之時應入僧房中問知事
人今欲次第請者即得十方賢僧而世人別
請五百羅漢菩薩僧不如僧次一凡夫僧若
別請僧者是外道法七佛无別請法不順孝
道若故別請僧者犯輕垢罪
若佛子以惡心故爲利養故販賣男女色自
手作食自磨自舂占相男女解夢吉凶亦男
亦女呪術工巧調鷹方法和合百種毒藥千
種毒藥蛇毒生金銀蠱毒都无慈悲心无孝
順心者犯輕垢罪
若佛子以惡心故自身謗三寶詐現親附口

BD00108 號 2　梵網經盧舍那佛說菩薩心地戒品第十卷下　（20–11）

亦女呪術工巧調鷹方法和合百種毒藥千
種毒藥蛇毒生金銀蠱毒都无慈悲心无孝
順心者犯輕垢罪
若佛子以惡心故自身謗三寶詐現親附口
便說空行在有中爲白衣通致男女交會婬
色作諸縛着於六齋日年三長齋月作殺生
劫盜破齋犯戒者犯輕垢罪
如是十戒應當學敬心奉持　制戒品中廣解
佛言佛子佛滅度後於惡世中若見外道一
切惡人劫賊賣佛菩薩父母形像販賣經律
販賣比丘比丘尼亦賣發菩提心行菩薩道人
或爲官使與一切人作奴婢者而菩薩見是
事已應生慈心方便救護處處教化取物贖
佛菩薩父母形像及比丘比丘尼發心菩薩一切
經律若不贖者犯輕垢罪
若佛子不得畜刀杖弓箭販賣輕秤小斗因
官形勢取人財物害心繫縛破壞成功長養
猫狸猪狗若故養者犯輕垢罪
若佛子以惡心故觀一切男女等鬪軍陣兵將
劫賊等鬪亦不得聽吹貝鼓角琴瑟箏笛箜
篌歌叫伎樂之聲不得樗蒲圍棊波羅塞
戲彈棊六博拍毬擲石投壺八道行城爪鏡
芝草楊枝鉢盂髑髏而作卜筮不作盜賊使
命一一不得作若故作者犯輕垢罪
若佛子護持禁戒行住坐卧日夜六時讀誦

BD00108 號 2　梵網經盧舍那佛說菩薩心地戒品第十卷下　（20–12）

戲彈碁六博拍毬擲石投壺八道行城爪鏡
之草楊枝鉢盂髑髏而作卜筮不作盜賊使
命一一不得作若故作者犯輕垢罪
若佛子護持禁戒行住坐卧日夜六時讀誦
是戒猶如金剛如帶持浮囊欲度大海如草
繫比丘常生大乘善信自知我是未成之佛諸
佛是已成之佛發菩提心念念不去心若起
一念二乘外道心者犯輕垢罪
若佛子常應發一切願孝順父母師僧三寶常
願得好師僧同學善友知識常教我大乘經律
十發趣十長養十金剛十地使我開解如法
修行堅持佛戒寧捨身命念念不去心若一
切菩薩不發是願者犯輕垢罪
若佛子發十大願已持佛禁戒作是願言寧以
此身投於熾然猛火大坑刀山終不以毀犯三
世諸佛經律與一切女人作不淨行
復作是願寧以熱鐵羅網千重周匝纏身終
不以此破戒之身受信心檀越一切衣服
復作是願寧以此口吞熱鐵丸及大流猛火
經百千劫終不以此破戒之口食信心檀越百
味飲食
復作是願寧以此身卧大猛火羅網熱鐵地上
終不以此破戒之身受信心檀越百種牀座
復作是願寧以此身受三百鉾刺經一劫二
劫終不以此破戒之身受信心檀越百味醫藥

終不以此破戒之身受信心檀越百種牀座
復作是願寧以此身受三百鉾刺經一劫二
劫終不以此破戒之身受信心檀越百味醫藥
復作是願寧以此身投熱鐵鑊中經百千劫
終不以此破戒之身受信心檀越千種房舍
屋宅園林田地
復作是願寧以鐵鎚打碎此身從頭至足令如
微塵終不以此破戒之身受信心檀越恭敬礼拜
復作是願寧以百千熱鐵刀鉾挑其兩目終
不以此破戒之心視他好色
復作是願寧以百千鐵錐遍身攙刺耳根經
一劫二劫終不以此破戒之心聽好音聲
復作是願寧以百千刃刀割去其鼻終不以
此破戒之心貪嗅諸香
復作是願寧以百千刃刀割斷其舌終不以
此破戒之心食人百味淨食
復作是願寧以利斧斬斫其身終不以此破戒
之心貪著好觸復作是願願一切眾生悉得
成佛而菩薩若不發是願者犯輕垢罪
若佛子常應二時頭陀冬夏坐禪結夏安居
常用楊枝澡豆三衣瓶鉢座具錫杖香爐漉
水囊手巾刀子火燧鑷子繩牀經律佛像菩
薩形像而菩薩行頭陀時及遊方時行來時
百里千里此十八種物常隨其身頭陀者從正
月十五日至三月十五日八月十五日至十月十

BD00108 號 2　梵網經盧舍那佛說菩薩心地戒品第十卷下　

百里千里此十八種物常隨其身頭陀者從正
月十五日至三月十五日八月十五日至十月十
五日是二時中此十八種物常隨其身如鳥
二翼若布薩日新學菩薩半月半月布薩
誦十重四十八輕戒若誦戒時當於諸佛菩
薩形像前誦一人布薩即一人 誦若二若三
乃至百千人亦一人誦誦者高座聽者下座
各各披九條七條五條袈裟若結夏安居亦
應一一如法若行頭陀時莫入難處若國難
惡王土地高下草木深邃師子虎狼水火惡
風劫賊毒虵道路一切難處悉不得入而菩
薩頭陀行道乃至夏坐安居是諸難處皆不
得入者故入者犯輕垢罪
若佛子應如法次第坐先受戒者在前坐後
受戒者在後坐不問老少比丘比丘尼貴人
國王王子乃至黃門奴婢皆應先受戒者在
前坐後受戒者隨次第而坐莫如外道癡人
若老若少无前无後坐无次第兵奴之法我
佛法中先者先坐後者後坐而菩薩一一不
如法次第坐者犯輕垢罪
若佛子常應教化一切衆生建立僧坊山林園
田立作佛塔冬夏安居坐禪處所一切行道處
皆應立之而菩薩應為一切衆生講說大乘經
律若疾病國難賊難父母兄弟和上阿闍梨
亡滅之日及三七日四五七日乃至七七日亦

BD00108號2　梵網經盧舍那佛說菩薩心地戒品第十卷下　（20–15）

律若疾病國難賊難父母兄弟和上阿闍梨
亡滅之日及三七日四五七日乃至七七日亦
應講此大乘經律而齋會求福行來治生大
火所燒大水所漂黑風所吹船舫江河大海
羅剎之難乃至一切罪報三惡七逆八難杻
械枷鎖繫縛其身多婬多瞋多愚癡多疾
病皆應讀誦講此大乘經律而新學菩
薩若不爾者犯輕垢罪
如是九戒應當學敬心奉持　梵壇品中廣當說
佛言佛子與人受戒時不得簡擇一切國王王
子大臣百官宰相比丘比丘尼信男信女婬男
婬女十八梵六欲天无根二根黃門奴婢一切
鬼神盡得受戒應教身所著袈裟皆使壞色
與道相應皆染使青黃赤黑紫色一切染
衣乃至卧具盡以壞色身所著衣一切染色
若一切國土中人所著衣服比丘皆應與其
俗服有異若欲受戒時師應問言汝現身不
作七逆罪耶菩薩法師不得與七逆人現身
受戒七逆者出佛身血殺父母和上阿闍梨
破羯磨轉法輪僧殺聖人若具七遮即身不
得戒餘一切人得受戒者出家人法不向國
王禮拜不向父母禮拜六親不敬鬼神不禮但
解法師語有百里千里來求大乘戒者而菩
薩法師以惡心瞋心而不即與授一切衆生
戒者犯輕垢罪

BD00108號2　梵網經盧舍那佛說菩薩心地戒品第十卷下　（20–16）

解法師語有百里千里來求大乘戒者而菩薩法師以惡心瞋心而不即與授一切衆生戒者犯輕垢罪

若佛子教化人起信心時菩薩與他人作教戒法師者見欲受戒人應教請二師和上阿闍梨二師應問言汝有七遮罪不若現身有七遮罪者師不應與受戒若无七遮罪者得與受戒若有犯十戒者應教懺悔在佛菩薩形像前日夜六時誦十重四十八輕戒若到礼三世千佛得見好相若一七日二三七日乃至一年要見好相好相者佛來摩頂見光華種種異相便得滅罪若无好相雖懺无益是人現身亦不得戒而得增受戒若犯四十八輕戒者對手懺悔罪便得滅不同七遮而教戒師於是法中一一好解若不解大乘經律若輕若重是非之相不解第一義諦習種性長養性性種性不可壞性道種性正法性其中多少觀行出入十禪支一切行法一一不得此法中意而菩薩為利養故為名聞故惡求多求貪利弟子而詐現解一切經律為供養故是自欺詐亦欺詐他人故與人受戒者犯輕垢罪

若佛子不得為利養惡心故於未受菩薩戒者前外道惡人前說此千佛大戒邪見人前亦不得說除國王餘一切人不得說是惡人輩不

BD00108號2　梵網經盧舍那佛說菩薩心地戒品第十卷下　（20–17）

若佛子不得為利養惡心故於未受菩薩戒者前外道惡人前說此千佛大戒邪見人前亦不得說除國王餘一切人不得說是惡人輩不受佛戒名為畜生生生不見三寶如木石无心名為外道邪見人輩木頭无異而菩薩於是惡人前說七佛教戒者犯輕垢罪

若佛子信心出家受佛正戒故起心毀犯聖戒者不得受一切檀越供養亦不得於國王地上行不得飲國王水五千大鬼常遮其前鬼言大賊若入房舍城邑宅中鬼復常掃其脚跡一切世人咸皆罵言佛法中賊一切衆生眼不欲見犯戒之人如畜生无異木頭无異而菩薩若毀正戒者犯輕垢罪

若佛子常應一心受持讀誦大乘經律剥皮為紙刺血為墨以髓為水析骨為筆書寫佛戒木皮穀紙絹素竹帛亦應悉書持常以七寶无價香華一切雜寶為箱盛經律卷若不如法供養者犯輕垢罪

若佛子常起大悲心若入一切城邑舍宅見一切衆生應當唱言汝等衆生盡應受三歸十戒若見牛馬猪羊一切畜生應心念口言汝是畜生發菩提心而菩薩入一切處山林川野皆使一切衆生發菩提心是菩薩若不發教化衆生心者犯輕垢罪

若佛子常行教化起大悲心若入檀越貴人家

BD00108號2　梵網經盧舍那佛說菩薩心地戒品第十卷下　（20–18）

皆使一切衆生發菩提心是菩薩若不發教
化衆生心者犯輕垢罪
若佛子常行教化起大悲心若入檀越貴人家
一切衆中不得立爲白衣說法應在白衣四
衆前高座上坐法師不得地立爲四衆白衣
說法若說法時法師高座香華供養四衆聽
者下坐如孝順父母敬順師教如事火婆羅
門其說法者若不如法說者犯輕垢罪
若佛子皆以信心受佛正戒者若國王太子
百官四部弟子莫自恃高貴破滅佛法戒律
明作制法制我四部弟子不聽出家行道亦復
不聽造立形像佛塔經律立統官制衆使安籍
記僧比丘菩薩地立白衣高座廣行非法如兵
奴事主而菩薩正應受一切人供養而反爲官
走使非法非律若國王百官好心受佛戒者
莫作是破三寶之罪若故作破法者犯輕
垢罪
若佛子以好心出家而爲名聞利養於國王
百官前說七佛戒橫與比丘比丘尼菩薩弟
子作繫縛事如師子身中虫自食師子肉非
餘外虫如是佛子自破佛法非外道天魔能
破若受佛戒者應護佛戒如念一子如事父
母而聞外道惡人以惡言謗佛法時如三百
鉾刺心千刀万杖打拍其身等無有異寧
自入地獄經於百劫而不一聞惡言破佛戒

BD00108 號 2　梵網經盧舍那佛說菩薩心地戒品第十卷下　（20–19）

鉾刺心千刀万杖打拍其身等無有異寧
自入地獄經於百劫而不一聞惡言破佛戒
之聲而況自破佛戒教人破法因緣亦無孝
順之心若故作者犯輕垢罪
如是九戒應當學敬心奉持
諸佛子是四十八輕戒汝等受持過去諸菩
薩已誦未來諸菩薩當誦現在諸菩薩今誦
佛子聽十重四十八輕戒三世諸佛已誦當誦今誦我今亦如
是誦汝等一切大衆若國王太子百官比丘比丘尼信男信女
受持菩薩戒者應受持讀誦解說書寫佛性常住戒
卷流通三世一切衆生化化不絕得見千佛佛佛授手世世
不墮惡道八難常生人道天中我今在此菩提樹下
略開七佛法戒汝等當一心學波羅提木叉歡喜奉
行無相天王品勸學中一一廣明三千學士時坐聽者聞
佛自誦心心頂戴喜躍受持

梵網經盧舍那佛說菩薩十重四十八輕戒

菩薩安居及解夏自恣法出寶積經菩薩大士心念
我佛子菩薩僧某甲今依釋迦牟尼聚落法界僧伽
藍前三月夏安居房舍破隨緣者依相無爲住身心
樂恒清淨說三解夏自恣法菩薩大士心念今日十方菩
薩僧解夏自恣我佛子菩薩某甲亦解夏自恣迷
被縛得解脫說三

梵網經卷下

BD00108 號 2　梵網經盧舍那佛說菩薩心地戒品第十卷下　（20–20）

BD00108 號背　雜寫　　（2–1）

BD00108 號背　雜寫　　（2–2）

法衆生……
明了无导如彼卉木叢……
知上中下性如來知是一
解脫相離相滅相究竟涅槃常寂滅相終歸
於空佛知是已觀衆生心欲而將護之是故
不即為說一切種智汝等迦葉甚為希有能
知如來隨宜說法能信能受所以者何諸佛
世尊隨宜說法難解難知尒時世尊欲重宣
此義而說偈言
破有法王 出現世間 隨衆生欲 種種說法
如來尊重 智慧深遠 久嘿斯要 不務速說
有智若聞 則能信解 无智疑悔 則為永失
是故迦葉 隨力為說 以種種緣 令得正見
迦葉當知 譬如大雲 起於世間 遍覆一切
慧雲含潤 電光晃曜 雷聲遠振 令衆悅豫
日光掩蔽 地上清涼 靉靆垂布 如可承攬
其雨普等 四方俱下 流澍无量 率土充洽
山川險谷 幽邃所生 卉木藥草 大小諸樹
百穀苗稼 甘蔗蒲桃 雨之所潤 无不豐足
乾地普洽 藥木並茂 其雲所出 一味之水
草木叢林 隨分受潤 一切諸樹 上中下等
稱其大小 各得生長 根莖枝葉 華菓光色
一雨所及 皆得鮮澤 如其體相 性分大小
所潤是一 而各滋茂 佛亦如是 出現於世
譬如大雲 普覆一切 既出于世 為諸衆生

BD00109 號　妙法蓮華經卷三　（23–1）

稱其大小 各得生長 根莖枝葉 華菓光色
一雨所及 皆得鮮澤 如其體相 性分大小
所潤是一 而各滋茂 佛亦如是 出現於世
譬如大雲 普覆一切 既出于世 為諸衆生
分別演說 諸法之實 大聖世尊 於諸天人
一切衆中 而宣是言 我為如來 兩足之尊
出于世間 猶如大雲 充潤一切 枯槁衆生
皆令離苦 得安隱樂 世間之樂 及涅槃樂
諸天人衆 一心善聽 皆應到此 覲无上尊
我為世尊 无能及者 安隱衆生 故現於世
為大衆說 甘露淨法 其法一味 解脫涅槃
以一妙音 演暢斯義 常為大乘 而作因緣
我觀一切 普皆平等 无有彼此 愛憎之心
我无貪著 亦无限导 恒為一切 平等說法
如為一人 衆多亦然 常演說法 曾无他事
去來坐立 終不疲猒 充足世間 如雨普潤
貴賤上下 持戒毀戒 威儀具足 及不具足
正見邪見 利根鈍根 等雨法雨 而无懈惓
一切衆生 聞我法者 隨力所受 住於諸地
或處人天 轉輪聖王 釋梵諸王 是小藥草
知无漏法 能得涅槃 起六神通 及得三明
獨處山林 常行禪定 得緣覺證 是中藥草
求世尊處 我當作佛 行精進定 是上藥草
又諸佛子 專心佛道 常行慈悲 自知作佛
決定无疑 是名小樹 安住神通 轉不退輪
度无量億 百千衆生 如是菩薩 名為大樹
佛平等說 如一味雨 隨衆生性 所受不同

BD00109 號　妙法蓮華經卷三　（23–2）

決定无疑　是名小樹　安住神通　轉不退輪
度无量億　百千衆生　如是菩薩　名爲大樹
佛平等説　如一味雨　隨衆生性　所受不同
如彼草木　所稟各異　佛以此喩　方便開示
種種言辞　演説一法　於佛智慧　如海一渧
我雨法雨　充滿世間　一味之法　隨力脩行
如彼叢林　藥草諸樹　隨其大小　漸增茂好
諸佛之法　常以一味　令諸世間　普得具足
漸次脩行　皆得道果　聲聞緣覺　處於山林
住冣後身　聞法得果　是名藥草　各得增長
若諸菩薩　智慧堅固　了達三界　求冣上乘
是名小樹　而得增長　復有住禪　得神通力
聞諸法空　心大歡喜　放无數光　度諸衆生
是名大樹　而得增長　如是迦葉　佛所説法
譬如大雲　以一味雨　潤於人華　各得成實
迦葉當知　以諸因緣　種種譬喩　開示佛道
是我方便　諸佛亦然　今爲汝等　説冣實事
諸聲聞衆　皆非滅度　汝等所行　是菩薩道
漸漸脩學　悉當成佛

妙法蓮華經授記品第六

尒時世尊説是偈已，告諸大衆唱如是言：我此弟子摩訶迦葉，於未來世當得奉覲三百万億諸佛世尊，供養恭敬尊重讚歎，廣宣諸佛无量大法，於冣後身得成爲佛，名曰光明如來、應供、正遍知、明行足、善逝、世間解、无上士、調御丈夫、天人師、佛、世尊。國名光德，劫名大莊嚴。佛壽十二小劫，正法住世二十小劫

BD00109號　妙法蓮華經卷三　（23–3）

如來、應供、正遍知、明行足、善逝、世間解、无上士、調御丈夫、天人師、佛、世尊。國名光德，劫名大莊嚴。佛壽十二小劫，正法住世二十小劫，像法亦住二十小劫。國界嚴飾，无諸穢惡、瓦礫荊棘、便利不淨。其土平正，无有高下坑坎堆阜。琉璃爲地，寶樹行列，黄金爲繩以界道側，散諸寶華，周遍清淨。其國菩薩无量千億，諸聲聞衆亦復无數。无有魔事，雖有魔及魔民，皆護佛法。尒時世尊欲重宣此義，而説偈言：

告諸比丘　我以佛眼　見是迦葉　於未來世
過无數劫　當得作佛　而於來世　供養奉覲
三百万億　諸佛世尊　爲佛智慧　淨脩梵行
供養冣上　二足尊已　脩集一切　无上之慧
於冣後身　得成爲佛　其土清淨　琉璃爲地
多諸寶樹　行列道側　金繩界道　見者歡喜
常出好香　散衆名華　種種奇妙　以爲莊嚴
其地平正　无有丘坑　諸菩薩衆　不可稱計
其心調柔　逮大神通　奉持諸佛　大乘經典
諸聲聞衆　无漏後身　法王之子　亦不可計
乃以天眼　不能數知　其佛當壽　十二小劫
正法住世　二十小劫　像法亦住　二十小劫
光明世尊　其事如是

尒時大目揵連、須菩提、摩訶迦栴延等，皆悉悚慄，一心合掌，瞻仰世尊，目不蹔捨，即共同聲而説偈言：

BD00109號　妙法蓮華經卷三　（23–4）

尒時大目揵連須菩提摩訶迦栴延等皆悉
悚慄一心合掌瞻仰世尊目不蹔捨即共同
聲而說偈言
大雄猛世尊　諸釋之法王　哀愍我等故　而賜佛音聲
若知我深心　見為授記者　如以甘露灑　除熱得清凉
如從飢國來　忽遇大王膳　心猶懷疑懼　未敢即便食
若復得王教　然後乃敢食　我等亦如是　每惟小乘過
不知當云何　得佛无上慧　雖聞佛音聲　言我等作佛
心尚懷憂懼　如未敢便食　若蒙佛授記　尒乃得安樂
大雄猛世尊　常欲安世間　願賜我等記　如飢須教食
尒時世尊知諸大弟子心之所念告諸比丘
是須菩提於當來世奉覲三百万億那由他
佛供養恭敬尊重讚歎常脩梵行具菩薩道
於冣後身得成為佛号曰名相如來應供正
遍知明行足善逝世間解无上士調御丈夫
天人師佛世尊劫名有寶國名寶生其土平
正頗梨為地寶樹莊嚴无諸丘坑沙礫荊棘
便利之穢寶華覆地周遍清淨其土人民皆
處寶臺珎妙樓閣聲聞弟子无量无邊筭數
譬喻所不能知諸菩薩衆无數千万億那由
他佛壽十二小劫正法住世二十小劫像法
亦住二十小劫其佛常處虛空為衆說法度
脫无量菩薩及聲聞衆尒時世尊欲重宣此
義而說偈言
諸比丘衆　今告汝等　皆當一心　聽我所說
我大弟子　須菩提者　當得作佛　号曰名相
當供无數　万億諸佛　隨佛所行　漸具大道
冣後身得　三十二相　端正姝妙　猶如寶山

諸比丘衆　今告汝等　皆當一心　聽我所說
我大弟子　須菩提者　當得作佛　号曰名相
當供无數　万億諸佛　隨佛所行　漸具大道
冣後身得　三十二相　端正姝妙　猶如寶山
其佛國土　嚴淨第一　衆生見者　无不愛樂
佛於其中　度无量衆　其佛法中　多諸菩薩
皆悉利根　轉不退輪　彼國常以　菩薩莊嚴
諸聲聞衆　不可稱數　皆得三明　具六神通
住八解脫　有大威德　其佛說法　現於无量
神通變化　不可思議　諸天人民　數如恒沙
皆共合掌　聽受佛語　其佛當壽　十二小劫
正法住世　二十小劫　像法亦住　二十小劫
尒時世尊復告諸比丘衆我今語汝是大迦
旃延於當來世以諸供具供養奉事八千億
佛恭敬尊重諸佛滅後各起塔廟高千由旬
縱廣正等五百由旬皆以金銀琉璃車𤦲馬
瑙真珠玫瑰七寶合成衆華瓔珞塗香末香
燒香繒蓋幢幡供養塔廟過是已後當復供
養二万億佛亦復如是供養是諸佛已具菩
薩道當得作佛号曰閻浮那提金光如來應
供正遍知明行足善逝世間解无上士調御丈
夫天人師佛世尊其土平正頗梨為地寶樹
莊嚴黃金為繩以界道側妙華覆地周遍清
淨見者歡喜无四惡道地獄餓鬼畜生阿脩
羅道多有天人諸聲聞衆及諸菩薩无量万
億莊嚴其國佛壽十二小劫正法住世二十
小劫像法亦住二十小劫尒時世尊欲重宣

羅道多有天人諸聲聞衆及諸菩薩无量万
億莊嚴其國佛壽十二小劫正法住世二十
小劫像法亦住二十小劫尒時世尊欲重宣
此義而說偈言
諸比丘衆 皆一心聽 如我所說 真實无異
是迦旃延 當以種種 妙好供具 供養諸佛
諸佛滅後 起七寶塔 亦以華香 供養舍利
其最後身 得佛智慧 成等正覺 國土清淨
度脫无量 万億衆生 皆爲十方 之所供養
佛之光明 无能勝者 其佛号曰 閻浮金光
菩薩聲聞 斷一切有 无量无數 莊嚴其國
尒時世尊復告大衆我今語汝是大目揵連
當以種種供具供養八千諸佛恭敬尊重諸
佛滅後各起塔廟高千由旬縱廣正等五百
由旬以金銀琉璃車𤦲馬瑙真珠玫瑰七寶
合成衆華瓔珞塗香末香燒香繒蓋幢幡以
用供養過是已後當復供養二百万億諸佛
亦復如是當得成佛号曰多摩羅跋旃檀香
如來應供正遍知明行足善逝世間解无上
士調御丈夫天人師佛世尊劫名喜滿國名
意樂其土平正頗梨爲地寶樹莊嚴散真珠
華周遍清淨見者歡喜多諸天人菩薩聲聞
其數无量佛壽二十四小劫正法住世四十
小劫像法亦住四十小劫尒時世尊欲重宣
此義而說偈言
我此弟子 大目揵連 捨是身已 得見八千
二百万億 諸佛世尊 爲佛道故 供養恭敬

此義而說偈言
我此弟子 大目揵連 捨是身已 得見八千
二百万億 諸佛世尊 爲佛道故 供養恭敬
於諸佛所 常脩梵行 於无量劫 奉持佛法
諸佛滅後 起七寶塔 長表金刹 華香伎樂
而以供養 諸佛塔廟 漸漸具足 菩薩道已
於意樂國 而得作佛 号多摩羅 旃檀之香
其佛壽命 二十四劫 常爲天人 演說佛道
聲聞无量 如恒河沙 三明六通 有大威德
菩薩无數 志固精進 於佛智慧 皆不退轉
佛滅度後 正法當住 四十小劫 像法亦尒
我諸弟子 威德具足 其數五百 皆當授記
於未來世 咸得成佛 我及汝等 宿世因緣
吾今當說 汝等善聽

妙法蓮華經化城喻品第七

佛告諸比丘乃往過去无量无邊不可思議
阿僧祇劫尒時有佛名大通智勝如來應供
正遍知明行足善逝世間解无上士調御丈
夫天人師佛世尊其國名好成劫名大相諸
比丘彼佛滅度已來甚大久遠譬如三千大
千世界所有地種假使有人磨以爲墨過於
東方千國土乃下一點大如微塵又過千國
土復下一點如是展轉盡地種墨於汝等意
云何是諸國土若筭師若筭師弟子能得邊
際知其數不不也世尊諸比丘是人所經國
土若點不點盡末爲塵一塵一劫彼佛滅度
已來復過是數

云何是諸國土若筭師若筭師弟子能得邊
際知其數不不也世尊諸比丘是人所經國
土若點不點盡末為塵一塵一劫彼佛滅度
已來復過是數无量无邊百千万億阿僧祇
劫我以如來知見力故觀彼久遠猶若今日
尒時世尊欲重宣此義而說偈言
我念過去世　无量无邊劫　有佛兩足尊　名大通智勝
如人以力磨　三千大千土　盡此諸地種　皆悉以為墨
過於千國土　乃下一塵點　如是展轉點　盡此諸塵墨
如是諸國土　點與不點等　復盡末為塵　一塵為一劫
此諸微塵數　其劫復過是　彼佛滅度來　如是无量劫
如來无㝵智　知彼佛滅度　及聲聞菩薩　如見今滅度
諸比丘當知　佛智淨微妙　无漏无所㝵　通達无量劫
佛告諸比丘大通智勝佛壽五百卌万億那
由他劫其佛本坐道場破魔軍已垂得阿耨
多羅三藐三菩提而諸佛法不現在前如是
一小劫乃至十小劫結加趺坐身心不動而
諸佛法猶不在前尒時忉利諸天先為彼佛
於菩提樹下敷師子座高一由旬佛於此坐
當得阿耨多羅三藐三菩提適坐此座時諸
梵天王雨衆天華面百由旬香風時來吹去
萎華更雨新者如是不絶滿十小劫供養於
佛乃至滅度常雨此華四王諸天為供養佛
常擊天鼓其餘諸天作天伎樂滿十小劫至
于滅度亦復如是諸比丘大通智勝佛過十
小劫諸佛之法乃現在前成阿耨多羅三藐
三菩提其佛未出家時有十六子其第一者

于滅度亦復如是諸比丘大通智勝佛過十
小劫諸佛之法乃現在前成阿耨多羅三藐
三菩提其佛未出家時有十六子其第一者
名曰智積諸子各有種種珎異玩好之具聞
父得成阿耨多羅三藐三菩提皆捨所珎
往詣佛所諸母涕泣而隨送之其祖轉輪聖
王與一百大臣及餘百千万億人民皆共圍
繞隨至道場咸欲親近大通智勝如來供養
恭敬尊重讚歎到已頭面礼足遶佛畢已一
心合掌瞻仰世尊以偈頌曰
大威德世尊　為度衆生故　於无量億歲　尒乃得成佛
諸願已具足　善哉吉无上　世尊甚希有　一坐十小劫
身體及手足　靜然安不動　其心常惔怕　未曾有散亂
究竟永寂滅　安住无漏法　今者見世尊　安隱成佛道
我等得善利　稱慶大歡喜　衆生常苦惱　盲瞑无導師
不識苦盡道　不知求解脫　長夜增惡趣　減損諸天衆
從冥入於冥　永不聞佛名　今佛得最上　安隱无漏道
我等及天人　為得最大利　是故咸稽首　歸命无上尊
尒時十六王子偈讚佛已勸請世尊轉於法
輪咸作是言世尊說法多所安隱憐愍饒益
諸天人民重說偈言
世雄无等倫　百福自莊嚴　得无上智慧　願為世間說
度脫於我等　及諸衆生類　為分別顯示　令得是智慧
若我等得佛　衆生亦復然　世尊知衆生　深心之所念
亦知所行道　又知智慧力　欲樂及脩福　宿命所行業
世尊悉知已　當轉无上輪
佛告諸比丘大通智勝佛得阿耨多羅三藐

亦知所行道　又知智慧力　欲樂及脩福　宿命所行業
世尊悉知已　當轉无上輪
佛告諸比丘大通智勝佛得阿耨多羅三藐
三菩提時十方各五百万億諸佛世界六種
震動其國中間幽冥之處日月威光所不能
照而皆大明其中衆生各得相見咸作是言
此中云何忽生衆生又其國界諸天宮殿乃
至梵宮六種震動大光普照遍滿世界勝諸
天光尒時東方五百万億諸國土中梵天宮
殿光明照曜倍於常明諸梵天王各作是念
今者宮殿光明昔所未有以何因緣而現此
相是時諸梵天王即各相詣共議此事而彼
衆中有一大梵天王名救一切為諸梵衆而
說偈言
我等諸宮殿　光明昔未有　此是何因緣　宜各共求之
為大德天生　為佛出世間　而此大光明　遍照於十方
尒時五百万億國土諸梵天王與宮殿俱各
以衣祴盛諸天華共詣西方推尋是相見大
通智勝如來處于道場菩提樹下坐師子座
諸天龍王乾闥婆緊那羅摩睺羅伽人非人
等恭敬圍遶及見十六王子請佛轉法輪即
時諸梵天王頭面礼佛遶百千匝即以天華
而散佛上其所散華如須弥山并以供養佛
菩提樹其菩提樹高十由旬華供養已各以
宮殿奉上彼佛而作是言唯見哀愍饒益我
等所獻宮殿願垂納處時諸梵天王即於佛

菩提樹其菩提樹高十由旬華供養已各以
宮殿奉上彼佛而作是言唯見哀愍饒益我
等所獻宮殿願垂納處時諸梵天王即於佛
前一心同聲以偈頌曰
世尊甚希有　難可得值遇　具无量功德　能救護一切
天人之大師　哀愍於世間　十方諸衆生　普皆蒙饒益
我等所從來　五百万億國　捨深禪定樂　為供養佛故
我等先世福　宮殿甚嚴飾　今以奉世尊　唯願哀納受
尒時諸梵天王偈讚佛已各作是言唯願世
尊轉於法輪度脫衆生開涅槃道時諸梵天
王一心同聲而說偈言
世雄兩足尊　唯願演說法　以大慈悲力　度苦惱衆生
尒時大通智勝如來嘿然許之又諸比丘東
南方五百万億國土諸大梵王各自見宮殿
光明照曜昔所未有歡喜踊躍生希有心即
各相詣共議此事而彼衆中有一大梵天王
名曰大悲為諸梵衆而說偈言
是事何因緣　而現如此相　我等諸宮殿　光明昔未有
為大德天王　為佛出世間　未曾見此相　當共一心求
過千万億土　尋光共推之　多是佛出世　度脫苦衆生
尒時五百万億諸梵天王與宮殿俱各以衣
祴盛諸天華共詣西北方推尋是相見大通
智勝如來處于道場菩提樹下坐師子座諸
天龍王乾闥婆緊那羅摩睺羅伽人非人等
恭敬圍遶及見十六王子請佛轉法輪時諸
梵天王頭面礼佛遶百千匝即以天華而散
佛上所散之華如須弥山并以供養佛菩提

恭敬圍遶及見十六王子請佛轉法輪時諸
梵天王頭面礼佛遶百千匝即以天華而散
佛上所散之華如須弥山并以供養佛菩提
樹華供養已各以宮殿奉上彼佛而作是言
唯見哀愍饒益我等所獻宮殿願垂納處尒
時諸梵天王即於佛前一心同聲以偈頌曰
聖主天中天　迦陵頻伽聲　哀愍衆生者　我等今敬礼
世尊甚希有　久遠乃一現　一百八十劫　空過无有佛
三惡道充滿　諸天衆減少　今佛出於世　為衆生作眼
世間所歸趣　救護於一切　為衆生之父　哀愍饒益者
我等宿福慶　今得值世尊
尒時諸梵天王偈讚佛已各作是言唯願世
尊哀愍一切轉於法輪度脫衆生時諸梵天
王一心同聲而說偈言
大聖轉法輪　顯示諸法相　度苦惱衆生　令得大歡喜
衆生聞是法　得道若生天　諸惡道減少　忍善者增益
尒時大通智勝如來默然許之又諸比丘南
方五百万億國土諸大梵王各自見宮殿光
明照曜昔所未有歡喜踊躍生希有心即各
相詣共議此事以何因緣我等宮殿有此光
曜而彼衆中有一大梵天王名曰妙法為諸
梵衆而說偈言
我等諸宮殿　光明甚威曜　此非无因緣　是相宜求之
過於百千劫　未曾見此相　為大德天生　為佛出世間
尒時五百万億諸梵天王與宮殿俱各以衣
裓盛諸天華共詣北方推尋是相見大通智
勝如來處于道場菩提樹下坐師子座諸天
龍王乾闥婆緊那羅摩睺羅伽人非人等恭

BD00109 號　妙法蓮華經卷三　（23-13）

尒時五百万億諸梵天王與宮殿俱各以衣
裓盛諸天華共詣北方推尋是相見大通智
勝如來處于道場菩提樹下坐師子座諸天
龍王乾闥婆緊那羅摩睺羅伽人非人等恭
敬圍遶及見十六王子請佛轉法輪時諸梵
天王頭面礼佛遶百千匝即以天華而散佛
上所散之華如須弥山并以供養佛菩提樹
華供養已各以宮殿奉上彼佛而作是言唯
見哀愍饒益我等所獻宮殿願垂納處尒時
諸梵天王即於佛前一心同聲以偈頌曰
世尊甚難值　破諸煩惱者　過百三十劫　今乃得一見
諸飢渴衆生　以法雨充滿　昔所未曾覩　无量智慧者
如優曇鉢羅　今日乃值遇　我等諸宮殿　蒙光故嚴飾
世尊大慈愍　唯願垂納受
尒時諸梵天王偈讚佛已各作是言唯願世
尊轉於法輪令一切世間諸天魔梵沙門婆
羅門皆獲安隱而得度脫時諸梵天王一心
同聲以偈頌曰
唯願天人尊　轉无上法輪　擊于大法鼓　而吹大法螺
普雨大法雨　度无量衆生　我等咸歸請　當演深遠音
尒時大通智勝如來默然許之西南方乃至
下方亦復如是
尒時上方五百万億國土諸大梵王皆悉自
覩所止宮殿光明威曜昔所未有歡喜踊躍
生希有心即各相詣共議此事以何因緣我
等宮殿有斯光明而彼衆中有一大梵天王
名曰尸棄為諸梵衆而說偈言

BD00109 號　妙法蓮華經卷三　（23-14）

覩所止宮殿光明威曜昔所未有歡喜踊躍
生希有心即各相詣共議此事以何因緣我
等宮殿有斯光明而彼衆中有一大梵天王
名曰尸棄為諸梵衆而說偈言
今以何因緣　我等諸宮殿　威德光明曜　嚴飾未曾有
如是之妙相　昔所不聞見　為大德天生　為佛出世間
爾時五百万億諸梵天王與宮殿俱各以衣
裓盛諸天華共詣下方推尋此相見大通智
勝如來處于道場菩提樹下坐師子座諸天
龍王乾闥婆緊那羅摩睺羅伽人非人等恭
敬圍遶及見十六王子請佛轉法輪時諸梵
天王頭面礼佛遶百千帀即以天華而散佛
上所散之華如須弥山并以供養佛菩提樹
華供養已各以宮殿奉上彼佛而作是言唯
見哀愍饒益我等所獻宮殿願垂納處時諸
梵天王即於佛前一心同聲以偈頌曰
善哉見諸佛　救世之聖尊　能於三界獄　勉出諸衆生
普智天人尊　哀愍群萠類　能開甘露門　廣度於一切
於昔无量劫　空過无有佛　世尊未出時　十方常闇冥
三惡道增長　阿脩羅亦盛　諸天衆轉減　死多墮惡道
不從佛聞法　常行不善事　色力及智慧　斯等皆減少
罪業因緣故　失樂及樂想　住於邪見法　不識善儀則
不蒙佛所化　常墮於惡道　佛為世間眼　久遠時乃出
哀愍諸衆生　故現於世間　超出成正覺　我等甚欣慶
及餘一切衆　喜歎未曾有　我等諸宮殿　蒙光故嚴飾
今以奉世尊　唯垂哀納受　願以此功德　普及於一切
我等與衆生　皆共成佛道

BD00109號　妙法蓮華經卷三　（23–15）

及餘一切衆　喜歎未曾有　我等諸宮殿　蒙光故嚴飾
今以奉世尊　唯垂哀納受　願以此功德　普及於一切
我等與衆生　皆共成佛道
爾時五百万億諸梵天王偈讃佛已各白佛
言唯願世尊轉於法輪多所安隱多所度脫
時諸梵天王而說偈言
世尊轉法輪　擊甘露法鼓　度苦惱衆生　開示涅槃道
唯願受我請　以大微妙音　哀愍而敷演　无量劫集法
爾時大通智勝如來受十方諸梵天王及十
六王子請即時三轉十二行法輪若沙門婆
羅門若天魔梵及餘世間所不能轉謂是苦
是苦集是苦滅是苦滅道及廣說十二因緣
法无明緣行行緣識識緣名色名色緣六入
六入緣觸觸緣受受緣愛愛緣取取緣有有
緣生生緣老死憂悲苦惱无明滅則行滅行
滅則識滅識滅則名色滅名色滅則六入滅
六入滅則觸滅觸滅則受滅受滅則愛滅愛
滅則取滅取滅則有滅有滅則生滅生滅則
老死憂悲苦惱滅佛於天人大衆之中說是
法時六百万億那由他人以不受一切法故
而於諸漏心得解脫皆得深妙禪定三明六
通具八解脫第二第三第四說法時千万億
恒河沙那由他等衆生亦以不受一切法故
而於諸漏心得解脫從是已後諸聲聞衆无
量无邊不可稱數爾時十六王子皆以童子
出家而為沙弥諸根通利智慧明了已曾供
養百千万億諸佛淨脩梵行求阿耨多羅三

BD00109號　妙法蓮華經卷三　（23–16）

量无邊不可稱數尒時十六王子皆以童子
出家而爲沙弥諸根通利智慧明了已曾供
養百千万億諸佛淨脩梵行求阿耨多羅三
藐三菩提俱白佛言世尊是諸无量千万億
大德聲聞皆已成就世尊亦當爲我等說阿
耨多羅三藐三菩提法我等聞已皆共脩學
世尊我等志願如來知見深心所念佛自證
知尒時轉輪聖王所將衆中八万億人見十
六王子出家亦求出家王即聽許尒時彼佛
受沙弥請過二万劫已乃於四衆之中說是
大乘經名妙法蓮華教菩薩法佛所護念說
是經已十六沙弥爲阿耨多羅三藐三菩提
故皆共受持諷誦通利說是經時十六菩薩
沙弥皆悉信受聲聞衆中亦有信解其餘衆
生千万億種皆生疑惑佛說是經於八千劫
未曾休廢說此經已即入靜室住於禪定八
万四千劫是時十六菩薩沙弥知佛入室寂
然禪定各昇法座亦於八万四千劫爲四部
衆廣說分別妙法華經一一皆度六百万億
那由他恒河沙等衆生示教利喜令發阿耨
多羅三藐三菩提心大通智勝佛過八万四
千劫已從三昧起往詣法座安詳而坐普告
大衆是十六菩薩沙弥甚爲希有諸根通利
智慧明了已曾供養无量千万億數諸佛於
諸佛所常脩梵行受持佛智開示衆生令入
其中汝等皆當數數親近而供養之所以者
何若聲聞辟支佛及諸菩薩能信是十六菩

諸佛所常脩梵行受持佛智開示衆生令入
其中汝等皆當數數親近而供養之所以者
何若聲聞辟支佛及諸菩薩能信是十六菩
薩所說經法受持不毀者是人皆當得阿耨
多羅三藐三菩提如來之慧佛告諸比丘是
十六菩薩常樂說是妙法華經一一菩薩所
化六百万億那由他恒河沙等衆生世世所
生與菩薩俱從其聞法悉皆信解以此因緣
得值四万億諸佛世尊于今不盡諸比丘我
今語汝彼佛弟子十六沙弥今皆得阿耨多
羅三藐三菩提於十方國土現在說法有无
量百千万億菩薩聲聞以爲眷屬其二沙弥
東方作佛一名阿閦在歡喜國二名須弥頂
東南方二佛一名師子音二名師子相南方
二佛一名虛空住二名常滅西南方二佛一
名帝相二名梵相西方二佛一名阿弥陀二
名度一切世間苦惱西北方二佛一名多摩
羅跋栴檀香神通二名須弥相北方二佛一
名雲自在二名雲自在王東北方佛名壞一
切世間怖畏第十六我釋迦牟尼佛於娑婆
國土成阿耨多羅三藐三菩提諸比丘我等
爲沙弥時各各教化无量百千万億恒河沙
等衆生從我聞法爲阿耨多羅三藐三菩提
此諸衆生于今有住聲聞地者我常教化阿
耨多羅三藐三菩提是諸人等應以是法漸
入佛道所以者何如來智慧難信解解尒時
所化无量恒河沙等衆生者汝等諸比丘及

耨多羅三藐三菩提是諸人等應以是法漸
入佛道所以者何如來智慧難信解解尒時
所化无量恒河沙等衆生者汝等諸比丘及
我滅度後未來世中聲聞弟子是也我滅度
後復有弟子不聞是經不知不覺菩薩所行
自於所得功德生滅度想當入涅槃我於餘
國作佛更有異名是人雖生滅度之想入於
涅槃而於彼土求佛智慧得聞是經唯以佛
乘而得滅度更无餘乘除諸如來方便說法
諸比丘若如來自知涅槃時到衆又清淨信
解堅固了達空法深入禪定便集諸菩薩及
聲聞衆為說是經世間无有二乘而得滅度
唯一佛乘得滅度耳比丘當知如來方便深
入衆生之性知其志樂小法深著五欲為是
等故說於涅槃是人若聞則便信受譬如五
百由旬險難惡道曠絶无人怖畏之處若有
多衆欲過此道至珎寶處有一導師聦慧明
達善知險道通塞之相將導衆人欲過此難
所將人衆中路懈退白導師言我等疲極而
復怖畏不能復進前路猶遠今欲退還導師
多諸方便而作是念此等可愍云何捨大珎
寶而欲退還作是念已以方便力於險道中
過三百由旬化作一城告衆人言汝等勿怖
莫得退還今是大城可於中止隨意所作若
入是城快得安隱若能前至寶所亦可得去
是時疲極之衆心大歡喜歎未曾有我等今
者免斯惡道快得安隱於是衆人前入化城

入是城快得安隱若能前至寶所亦可得去
是時疲極之衆心大歡喜歎未曾有我等今
者免斯惡道快得安隱於是衆人前入化城
生已度想生安隱想尒時導師知此人衆既
得止息无復疲惓即滅化城語衆人言汝等
去來寶處在近向者大城我所化作為止息
耳諸比丘如來亦復如是今為汝等作大導
師知諸生死煩惱惡道險難長遠應去應度
若衆生但聞一佛乘者則不欲見佛不欲親
近便作是念佛道長遠久受勤苦乃可得成
佛知是心怯弱下劣以方便力而於中道為
止息故說二涅槃若衆生住於二地如來尒
時即便為說汝等所作未辨汝所住地近於
佛慧當觀察籌量所得涅槃非真實也但是
如來方便之力於一佛乘分別說三如彼導
師為止息故化作大城既知息已而告之言
寶處在近此城非實我化作耳尒時世尊欲
重宣此義而說偈言
大通智勝佛　十劫坐道場　佛法不現前　不得成佛道
諸天神龍王　阿脩羅衆等　常雨於天華　以供養彼佛
諸天擊天鼓　并作衆伎樂　香風吹萎華　更雨新好者
過十小劫已　乃得成佛道　諸天及世人　心皆懷踊躍
彼佛十六子　皆與其眷屬　千万億圍遶　俱行至佛所
頭面礼佛足　而請轉法輪　聖師子法雨　充我及一切
世尊甚難值　久遠時一現　為覺悟群生　震動於一切
東方諸世界　五百万億國　梵宮殿光曜　昔所未曾有
諸梵見此相　尋來至佛所　散華以供養　并奉上宮殿
請佛轉法輪　以偈而讚歎

東方諸世界 五百万億國 梵宮殿光曜 昔所未曾有
諸梵見此相 尋來至佛所 散華以供養 并奉上宮殿
請佛轉法輪 以偈而讚歎 佛知時未至 受請默然坐
三方及四維 上下亦復尒 散華奉宮殿 請佛轉法輪
世尊甚難值 願以大慈悲 廣開甘露門 轉无上法輪
无量慧世尊 受彼衆人請 為宣種種法 四諦十二緣
无明至老死 皆從生緣有 如是衆過患 汝等應當知
宣暢是法時 六百万億姟 得盡諸苦際 皆成阿羅漢
第二說法時 千万恒沙衆 於諸法不受 亦得阿羅漢
從是後得道 其數无有量 万億劫筭數 不能得其邊
時十六王子 出家作沙弥 皆共請彼佛 演說大乘法
我等及營從 皆當成佛道 願得如世尊 慧眼第一淨
佛知童子心 宿世之所行 以无量因緣 種種諸譬喻
說六波羅蜜 及諸神通事 分別真實法 菩薩所行道
說是法華經 如恒河沙偈 彼佛說經已 靜室入禪定
一心一處坐 八万四千劫 是諸沙弥等 知佛禪未出
為无量億衆 說佛无上慧 各各坐法座 說是大乘經
於佛宴寂後 宣揚助法化 一一沙弥等 所度諸衆生
有六百万億 恒河沙等衆 彼佛滅度後 是諸聞法者
在在諸佛土 常與師俱生 是十六沙弥 具足行佛道
今現在十方 各得成正覺 尒時聞法者 各在諸佛所
其有住聲聞 漸教以佛道 我在十六數 曾亦為汝說
是故以方便 引汝趣佛慧 以是本因緣 今說法華經
令汝入佛道 慎勿懷驚懼 譬如險惡道 迥絕多毒獸
又復无水草 人所怖畏處 无數千万衆 欲過此險道
其路甚曠遠 經五百由旬 時有一導師 強識有智慧
明了心決定 在險濟衆難 衆人皆疲惓 而白導師言

BD00109號　妙法蓮華經卷三　(23–21)

又復无水草 人所怖畏處 无數千万衆 欲過此險道
其路甚曠遠 經五百由旬 時有一導師 強識有智慧
明了心決定 在險濟衆難 衆人皆疲惓 而白導師言
我等今頓乏 於此欲退還 導師作是念 此輩甚可愍
如何欲退還 而失大珍寶 尋時思方便 當設神通力
化作大城郭 莊嚴諸舍宅 周匝有園林 渠流及浴池
重門高樓閣 男女皆充滿 即作是化已 慰衆言勿懼
汝等入此城 各可隨所樂 諸人既入城 心皆大歡喜
皆生安隱想 自謂已得度 導師知息已 集衆而告言
汝等當前進 此是化城耳 我見汝疲極 中道欲退還
故以方便力 權化作此城 汝今勤精進 當共至寶所
我亦復如是 為一切導師 見諸求道者 中路而懈廢
不能度生死 煩惱諸險道 故以方便力 為息說涅槃
言汝等苦滅 所作皆已辦 既知到涅槃 皆得阿羅漢
尒乃集大衆 為說真實法 諸佛方便力 分別說三乘
唯有一佛乘 息處故說二 今為汝說實 汝所得非滅
為佛一切智 當發大精進 汝證一切智 十力等佛法
具三十二相 乃是真實滅 諸佛之導師 為息說涅槃
既知是息已 引入於佛慧

妙法蓮華經卷第三

BD00109號　妙法蓮華經卷三　(23–22)

皆生安隱想　自謂已得度　導師知息已　集衆而告言
汝等當前進　此是化城耳　我見汝疲極　中道欲退還
故以方便力　權化作此城　汝今勤精進　當共至寶所
我亦復如是　為一切導師　見諸求道者　中路而懈廢
不能度生死　煩惱諸險道　故以方便力　為息說涅槃
言汝等苦滅　所作皆已辦　既知到涅槃　皆得阿羅漢
尒乃集大衆　為說真實法　諸佛方便力　分別說三乘
唯有一佛乘　息處故說二　今為汝說實　汝所得非滅
為佛一切智　當發大精進　汝證一切智　十力等佛法
具三十二相　乃是真實滅　諸佛之導師　為息說涅槃
既知是息已　引入於佛慧

妙法蓮華經卷第三

BD00109 號　妙法蓮華經卷三　　（23–23）

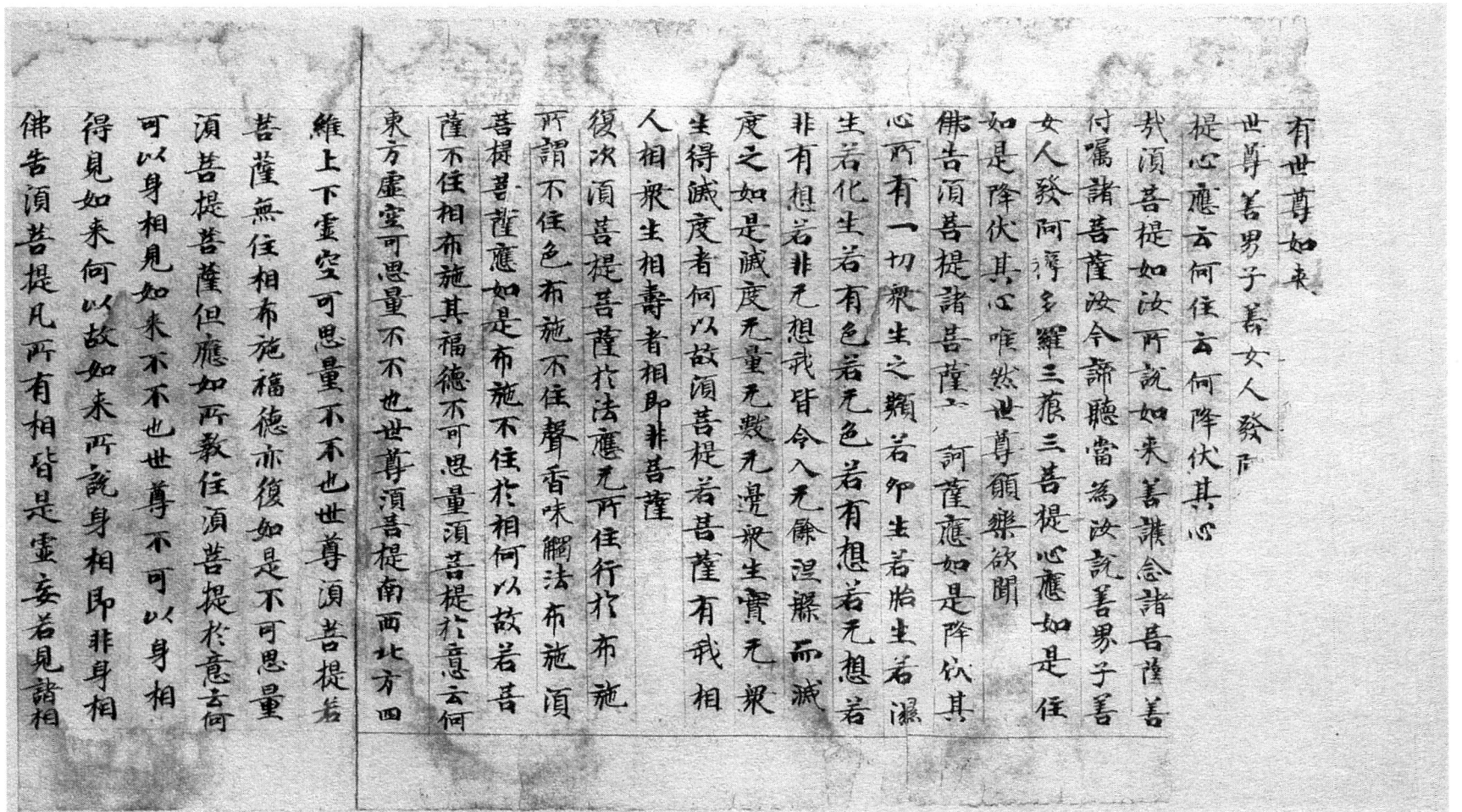

有世尊如來
世尊善男子善女人發阿
提心應云何住云何降伏其心
哉須菩提如汝所說如來善護念諸菩薩善
付囑諸菩薩汝今諦聽當為汝說善男子善
女人發阿耨多羅三藐三菩提心應如是住
如是降伏其心唯然世尊願樂欲聞
佛告須菩提諸菩薩摩訶薩應如是降伏其
心所有一切衆生之類若卵生若胎生若濕
生若化生若有色若无色若有想若无想若
非有想非无想我皆令入无餘涅槃而滅
度之如是滅度无量无數无邊衆生實无衆
生得滅度者何以故須菩提若菩薩有我相
人相衆生相壽者相即非菩薩
復次須菩提菩薩於法應无所住行於布施
所謂不住色布施不住聲香味觸法布施須
菩提菩薩應如是布施不住於相何以故若菩
薩不住相布施其福德不可思量須菩提於意云何
東方虛空可思量不不也世尊須菩提南西北方四
維上下虛空可思量不不也世尊須菩提菩
薩無住相布施福德亦復如是不可思量
須菩提菩薩但應如所教住須菩提於意云何
可以身相見如來不不也世尊不可以身相
得見如來何以故如來所說身相即非身相
佛告須菩提凡所有相皆是虛妄若見諸相

BD00110 號　金剛般若波羅蜜經　　（15–1）

可以身相見如来不不也世尊不可以身相
得見如来何以故如来所説身相即非身相
佛告須菩提凡所有相皆是虛妄若見諸相
非相則見如来
須菩提白佛言世尊頗有衆生得聞如是言
説章句生實信不佛告須菩提莫作是説如
来滅後後五百歲有持戒脩福者於此章句
能生信心以此為實當知是人不於一佛二佛
三四五佛而種善根已於無量千萬佛所種
諸善根聞是章句乃至一念生淨信者須
菩提如来悉知悉見是諸衆生得如是無量
福德何以故是諸衆生無復我相人相衆生
相壽者相無法相亦無非法相何以故是諸
衆生若心取相則為著我人衆生壽者若取
法相即著我人衆生壽者何以故若取非法
相即著我人衆生壽者是故不應取法不
應取非法以是義故如来常説汝等比丘知
我説法如筏喻者法尚應捨何況非法
須菩提於意云何如来得阿耨多羅三藐三
菩提耶如来有所説法耶須菩提言如我解
佛所説義無有定法名阿耨多羅三藐三菩
提亦無有定法如来可説何以故如来所説
法皆不可取不可説非法非非法所以者何
一切賢聖皆以無為法而有差別
須菩提於意云何若人滿三千大千世界七

BD00110 號　金剛般若波羅蜜經　（15–2）

一切賢聖皆以無為法而有差別
須菩提於意云何若人滿三千大千世界七
寶以用布施是人所得福德寧為多不須菩
提言甚多世尊何以故是福德即非福德性、
是故如来説福德多若復有人於此經中受
持乃至四句偈等為他人説其福勝彼何以
故須菩提一切諸佛及諸佛阿耨多羅三藐
三菩提法皆從此經出須菩提所謂佛法者
即非佛法
須菩提於意云何須陁洹能作是念我得須
陁洹果不須菩提言不也世尊何以故須陁
洹名為入流而無所入不入色聲香味觸法是
名須陁洹須菩提於意云何斯陁含能作是
念我得斯陁含果不須菩提言不也世尊何
以故斯陁含名一往来而實無往来是名斯
陁含須菩提於意云何阿那含能作是念我
得阿那含果不須菩提言不也世尊何以故
阿那含名為不来而實無来是故名阿那含
須菩提於意云何阿羅漢能作是念我得阿
羅漢道不須菩提言不也世尊何以故實無
有法名阿羅漢世尊若阿羅漢作是念我
得阿羅漢道即為著我人衆生壽者世尊佛
説我得無諍三昧人中最為第一是第一離
欲阿羅漢我不作是念我是離欲阿羅漢世
尊我若作是念我得阿羅漢道世尊則不説

BD00110 號　金剛般若波羅蜜經　（15–3）

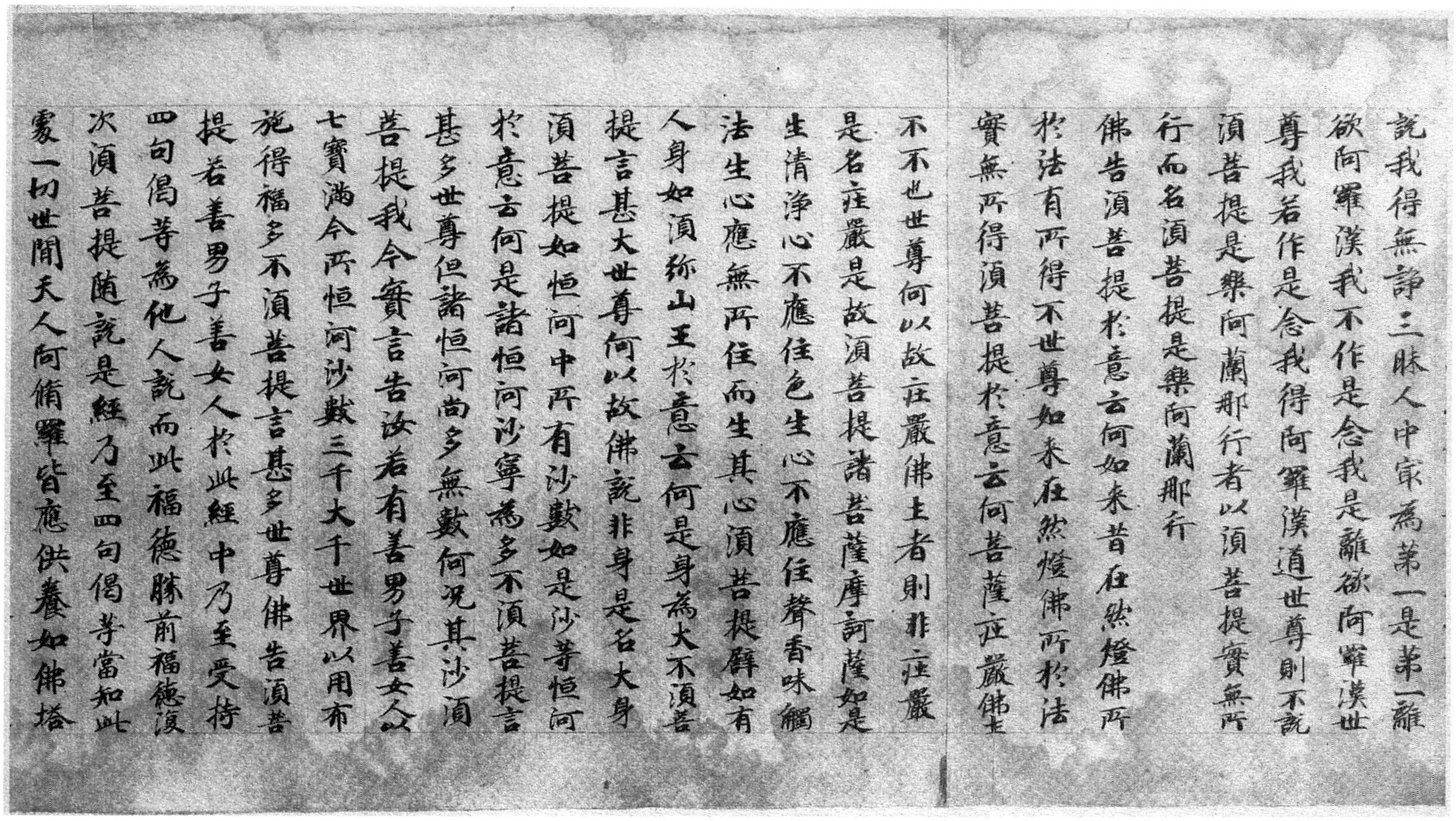

說我得無諍三昧人中最為第一是第一離
欲阿羅漢我不作是念我是離欲阿羅漢世
尊我若作是念我得阿羅漢道世尊則不說
須菩提是樂阿蘭那行者以須菩提實無所
行而名須菩提是樂阿蘭那行
佛告須菩提於意云何如來昔在然燈佛所
於法有所得不世尊如來在然燈佛所於法
實無所得須菩提於意云何菩薩莊嚴佛土
不不也世尊何以故莊嚴佛土者則非莊嚴
是名莊嚴是故須菩提諸菩薩摩訶薩如是
生清淨心不應住色生心不應住聲香味觸
法生心應無所住而生其心須菩提譬如有
人身如須彌山王於意云何是身為大不須菩
提言甚大世尊何以故佛說非身是名大身
須菩提如恒河中所有沙數如是沙等恒河
於意云何是諸恒河沙寧為多不須菩提言
甚多世尊但諸恒河尚多無數何況其沙須
菩提我今實言告汝若有善男子善女人以
七寶滿爾所恒河沙數三千大千世界以用布
施得福多不須菩提言甚多世尊佛告須菩
提若善男子善女人於此經中乃至受持
四句偈等為他人說而此福德勝前福德復
次須菩提隨說是經乃至四句偈等當知此
處一切世間天人阿脩羅皆應供養如佛塔

BD00110 號　金剛般若波羅蜜經　（15–4）

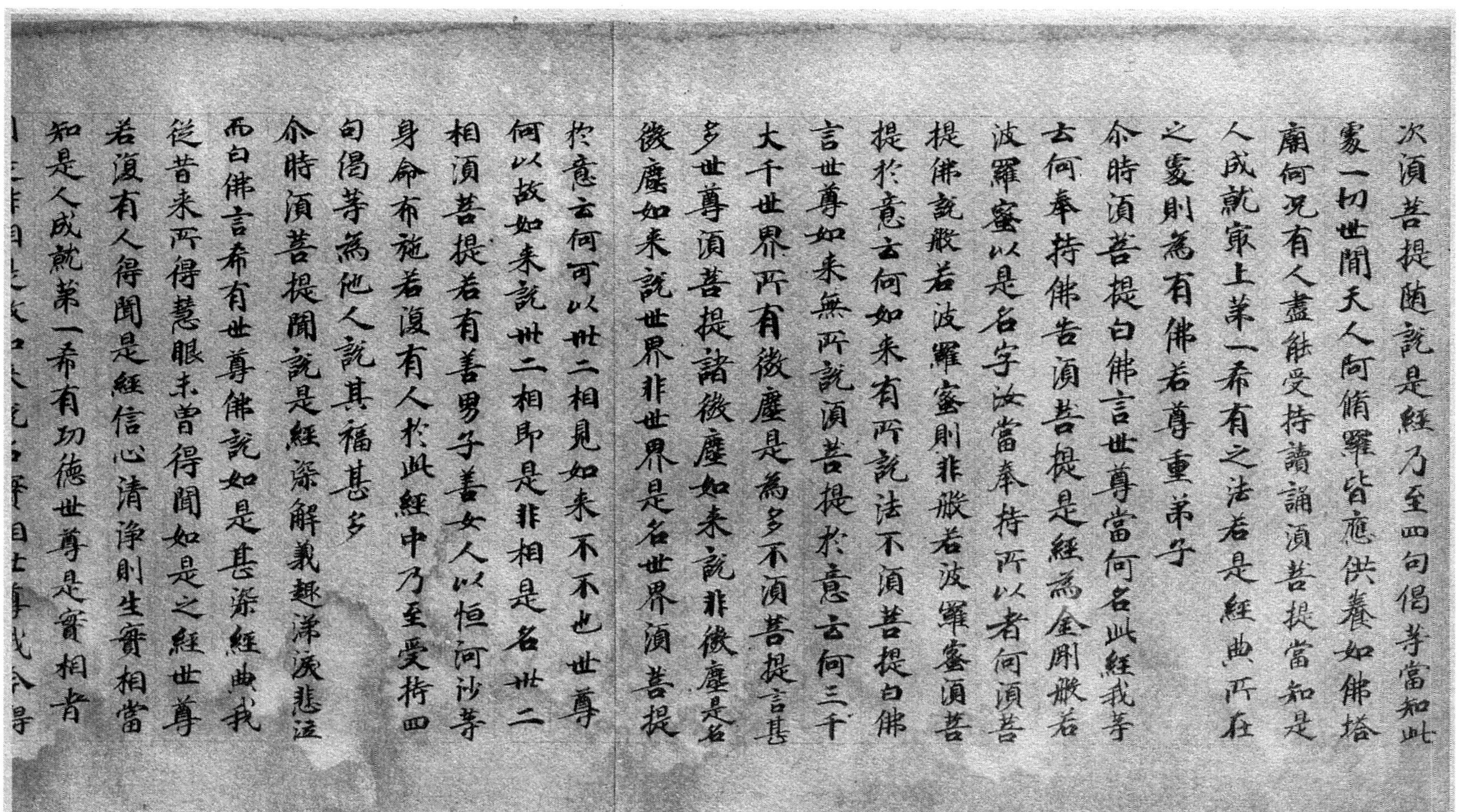

次須菩提隨說是經乃至四句偈等當知此
處一切世間天人阿脩羅皆應供養如佛塔
廟何況有人盡能受持讀誦須菩提當知是
人成就最上第一希有之法若是經典所在
之處則為有佛若尊重弟子
爾時須菩提白佛言世尊當何名此經我等
云何奉持佛告須菩提是經名為金剛般若
波羅蜜以是名字汝當奉持所以者何須菩
提佛說般若波羅蜜則非般若波羅蜜須菩
提於意云何如來有所說法不須菩提白佛
言世尊如來無所說須菩提於意云何三千
大千世界所有微塵是為多不須菩提言甚
多世尊須菩提諸微塵如來說非微塵是名
微塵如來說世界非世界是名世界須菩提
於意云何可以卅二相見如來不不也世尊
何以故如來說卅二相即是非相是名卅二
相須菩提若有善男子善女人以恒河沙等
身命布施若復有人於此經中乃至受持四
句偈等為他人說其福甚多
爾時須菩提聞說是經深解義趣涕淚悲泣
而白佛言希有世尊佛說如是甚深經典我
從昔來所得慧眼未曾得聞如是之經世尊
若復有人得聞是經信心清淨則生實相當
知是人成就第一希有功德世尊是實相者

BD00110 號　金剛般若波羅蜜經　（15–5）

從昔来所得慧眼未曾得聞如是之經世尊
若復有人得聞是經信心清淨則生實相當
知是人成就苐一希有功德世尊是實相者
則是非相是故如来說名實相世尊我今得
聞如是經典信解受持不足為難若當来世
後五百歲其有眾生得聞是經信解受持是
人則為苐一希有何以故此人無我相人相
眾生相壽者相所以者何我相即是非相人
相眾生相壽者相即是非相何以故離一切
諸相則名諸佛
佛告須菩提如是如是若復有人得聞是
經不驚不怖不畏當知是人甚為希有
何以故須菩提如来說苐一波羅蜜非
苐一波羅蜜是名苐一波羅蜜須菩提忍
辱波羅蜜如来說非忍辱波羅蜜何以故須菩
提如我昔為歌利王割截身體我於尒時無
我相無人相無眾生相無壽者相何以故我
於往昔節節支解時若有我相人相眾生相
壽者相應生瞋恨須菩提又念過去於五百
世作忍辱仙人於尒所世無我相無人相無
眾生相無壽者相
是故須菩提菩薩應離一切相發阿耨多羅
三藐三菩提心不應住色生心不應住聲香
味觸法生心應生無所住心若心有住則為

BD00110 號　金剛般若波羅蜜經　（15–6）

三藐三菩提心不應住色生心不應住聲香
味觸法生心應生無所住心若心有住則為
非住是故佛說菩薩心不住色布施須菩提
菩薩為利益一切眾生應如是布施如来說
一切諸相即是非相又說一切眾生則非眾
生須菩提如来是真語者實語者如語者不
誑語者不異語者須菩提如来所得法此法
無實無虛須菩提若菩薩心住於法而行布
施如人入闇則無所見若菩薩心不住法而
行布施如人有目日光明照見種種色須菩
提當来之世若有善男子善女人能於此經
受持讀誦則為如来以佛智慧悉知是人悉
見是人皆得成就無量無邊功德
須菩提若有善男子善女人初日分以恒河
沙等身布施中日分復以恒河沙等身布施
後日分亦以恒河沙等身布施如是無量百
千萬億劫以身布施若復有人聞此經典信心
不逆其福勝彼何況書寫受持讀誦為人解
說須菩提以要言之是經有不可思議不可
稱量無邊功德如来為發大乘者說為發最
上乘者說若有人能受持讀誦廣為人說如
来悉知是人悉見是人皆得成就不可量不
可稱無有邊不可思議功德如是人等則為
荷擔如来阿耨多羅三藐三菩提何以故須
菩提若樂小法者著我見人見眾生見壽者

BD00110 號　金剛般若波羅蜜經　（15–7）

可稱無有邊不可思議功德如是人等則為
荷擔如來阿耨多羅三藐三菩提何以故須
菩提若樂小法者著我見人見衆生見壽者
見則於此經不能聽受讀誦為人解說須菩
提在在處處若有此經一切世間天人阿脩
羅所應供養當知此處則為是塔皆應恭敬
作礼圍遶以諸華香而散其處復次須菩提
善男子善女人受持讀誦此經若為人輕賤是
人先世罪業應墮惡道以今世人輕賤故先世
罪業則為消滅當得阿耨多羅三藐三菩
提須菩提我念過去無量阿僧祇劫於然燈
佛前得值八百四千萬億那由他諸佛悉皆
供養承事無空過者若復有人於後末世能
受持讀誦此經所得功德於我所供養諸佛
功德百分不及一千萬億分乃至筭數譬喻
所不能及須菩提若善男子善女人於後末
世有受持讀誦此經所得功德我若具說者
或有人聞心則狂亂狐疑不信須菩提當知
是經義不可思議果報亦不可思議
尒時須菩提白佛言世尊善男子善女人發
阿耨多羅三藐三菩提心云何應住云何降伏
其心佛告須菩提善男子善女人發阿耨多
羅三藐三菩提者當生如是心我應滅度一
切衆生滅度一切衆生已而無有一衆生實

BD00110號　金剛般若波羅蜜經　（15-8）

羅三藐三菩提者當生如是心我應滅度一
切衆生滅度一切衆生已而無有一衆生實
滅度者何以故若菩薩有我相人相衆生相壽
者相則非菩薩所以者何須菩提實無有
法發阿耨多羅三藐三菩提者須菩提於
意云何如來於然燈佛所有法得阿耨多羅
三藐三菩提不不也世尊如我解佛所說義
佛於然燈佛所無有法得阿耨多羅三藐三
菩提佛言如是如是須菩提實無有法如來
得阿耨多羅三藐三菩提須菩提若有法如
來得阿耨多羅三藐三菩提然燈佛則不與
我受記汝於來世當得作佛號釋迦牟尼以
實無有法得阿耨多羅三藐三菩提是故然
燈佛與我受記作是言汝於來世當得作佛
號釋迦牟尼何以故如來者即諸法如義若
有人言如來得阿耨多羅三藐三菩提須菩
提實無有法佛得阿耨多羅三藐三菩提須菩
提如來所得阿耨多羅三藐三菩提於是中
無實無虛是故如來說一切法皆是佛法須
菩提所言一切法者即非一切法是故名一
切法須菩提譬如人身長大須菩提言世尊
如來說人身長大則為非大身是名大身須
菩提菩薩亦如是若作是言我當滅度無量
衆生則不名菩薩何以故須菩提無有法名

BD00110號　金剛般若波羅蜜經　（15-9）

如来說人身長大則為非大身是名大身須
菩提菩薩亦如是若作是言我當滅度無量
衆生則不名菩薩何以故須菩提無有法名
為菩薩是故佛說一切法無我無人無衆生
無壽者須菩提若菩薩作是言我當莊嚴佛
土是不名菩薩何以故如来說莊嚴佛土者即
非莊嚴是名莊嚴須菩提若菩薩通達無
我法者如来說名真是菩薩
須菩提於意云何如来有肉眼不如是世尊
如来有肉眼須菩提於意云何如来有天眼
不如是世尊如来有天眼須菩提於意云何
如来有慧眼不如是世尊如来有慧眼須
菩提於意云何如来有法眼不如是世尊如
来有法眼須菩提於意云何如来有佛眼
不如是世尊如来有佛眼
須菩提於意云何恒河中所有沙佛說是沙
不如是世尊如来說是沙須菩提於意云何
如一恒河中所有沙有如是等恒河是諸恒
河所有沙數佛世界如是寧為多不甚多世
尊佛告須菩提尒所國土中所有衆生若干
種心如来悉知何以故如来說諸心皆為非
心是名為心所以者何須菩提過去心不可得
現在心不可得未来心不可得
須菩提於意云何若有人滿三千大千世界
七寶以用布施是人以是因緣得福多不如

現在心不可得未来心不可得
須菩提於意云何若有人滿三千大千世界
七寶以用布施是人以是因緣得福多不如
是世尊此人以此因緣得福甚多須菩提若
福德有實如来不說得福德多以福德無
故如来說得福德多
須菩提於意云何佛可以具足色身見不不
也世尊如来不應以色身見何以故如来說
具足色身即非具足色身是名具足色身須
菩提於意云何如来可以具足諸相見不不
也世尊如来不應以具足諸相見何以故如
来說諸相具足即非具足是名諸相具足
須菩提汝勿謂如来作是念我當有所說法
莫作是念何以故若人言如来有所說法即
為謗佛不能解我所說故須菩提說法者
無法可說是名說法
須菩提白佛言世尊佛得阿耨多羅三藐三
菩提為無所得耶如是如是須菩提我於阿
耨多羅三藐三菩提乃至無有少法可得是
名阿耨多羅三藐三菩提
復次須菩提是法平等無有高下是名阿耨
多羅三藐三菩提以無我無人無衆生無壽
者脩一切善法則得阿耨多羅三藐三菩提
須菩提所言善法者如来說非善法是名善
法須菩提若三千大千世界中所有諸須弥

者修一切善法則得阿耨多羅三藐三菩提
須菩提所言善法者如來說非善法是名善
法須菩提若三千大千世界中所有諸須弥
山王如是等七寶聚有人持用布施若人以
此般若波羅蜜經乃至四句偈等受持為他
人說於前福德百分不及一百千萬億分乃
至筭數譬喻所不能及
須菩提於意云何汝等勿謂如來作是念我
當度衆生須菩提莫作是念何以故實無有
衆生如來度者若有衆生如來度者如來則
有我人衆生壽者須菩提如來說有我者則
非有我而凡夫之人以為有我須菩提凡夫
者如來說則非凡夫
須菩提於意云何以卅二相觀如來不須菩
提言如是如是以卅二相觀如來佛言須菩
提若以卅二相觀如來者轉輪聖王則是如
來須菩提白佛言世尊如我解佛所說義不
應以卅二相觀如來尒時世尊而說偈言
若以色見我　以音聲求我　是人行耶道　不能見如來
須菩提汝若作是念如來不以具足相故得
阿耨多羅三藐三菩提須菩提莫作是念如
來不以具足相故得阿耨多羅三藐三菩提
須菩提汝若作是念發阿耨多羅三藐三菩
提者說諸法斷滅莫作是念何以故發阿耨
多羅三藐三菩提者於法不說斷滅相

BD00110 號　金剛般若波羅蜜經　（15–12）

須菩提汝若作是念發阿耨多羅三藐三菩
提者說諸法斷滅莫作是念何以故發阿耨
多羅三藐三菩提者於法不說斷滅相
須菩提若菩薩以滿恒河沙等世界七寶布
施若復有人知一切法無我得成於忍此菩
薩勝前菩薩所得功德須菩提以諸菩薩不
受福德故須菩提白佛言世尊云何菩薩不
受福德須菩提菩薩所作福德不應貪著
是故說不受福德
須菩提若有人言如來若來若去若坐若卧
是人不解我所說義何以故如來者無所從
來亦無所去故名如來
須菩提若善男子善女人以三千大千世界
碎為微塵於意云何是微塵衆寧為多不甚
多世尊何以故若微塵衆實有者佛則不說
是微塵衆所以者何佛說微塵衆則非微塵
衆是名微塵衆世尊如來所說三千大千世
界則非世界是名世界何以故若世界實有者
則是一合相如來說一合相則非一合相是名
一合相須菩提一合相者則是不可說但凡
夫之人貪著其事
須菩提若人言佛說我見人見衆生見壽者
見須菩提於意云何是人解我義不世尊是
人不解如來所說義何以故世尊說我見人
見衆生見壽者見即非我見人見衆生見壽

BD00110 號　金剛般若波羅蜜經　（15–13）

人不解如來所說義何以故世尊說我見人
見衆生見壽者見即非我見人見衆生見壽
者見是名我見人見衆生見壽者見須菩提
發阿耨多羅三藐三菩提心者於一切法應
如是知如是見如是信解不生法相須菩提
所言法相者如來說即非法相是名法相
須菩提若有人以滿無量阿僧祇世界七寶
持用布施若有善男子善女人發菩薩心者
持於此經乃至四句偈等受持讀誦為人演
說其福勝彼云何為人演說不取於相如如
不動何以故
一切有為法 如夢幻泡影 如露亦如電 應作如是觀
佛說是經已長老須菩提及諸比丘比丘尼
優婆塞優婆夷一切世間天人阿脩羅
聞佛所說皆大歡喜信受奉行

金剛般若波羅蜜經

BD00110號　金剛般若波羅蜜經　（15–14）

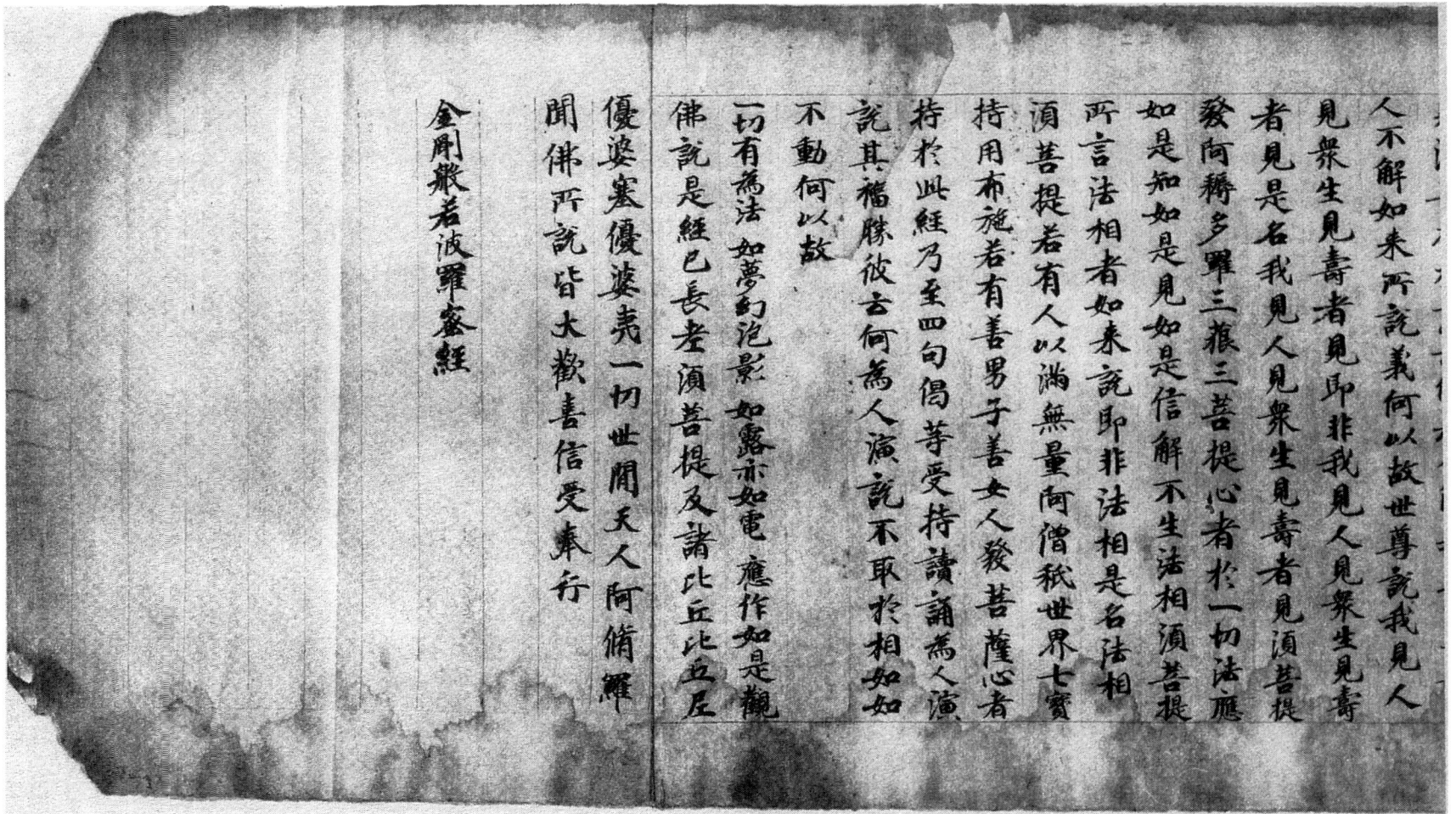

持於此經乃至四句偈等受持讀誦為人演
說其福勝彼云何為人演說不取於相如如
不動何以故
一切有為法 如夢幻泡影 如露亦如電 應作如是觀
佛說是經已長老須菩提及諸比丘比丘尼
優婆塞優婆夷一切世間天人阿脩羅
聞佛所說皆大歡喜信受奉行

金剛般若波羅蜜經

BD00110號　金剛般若波羅蜜經　（15–15）

BD00110 號背　雜寫　　（1–1）

BD00110 號背　鎮宅文（擬）　　（1–1）

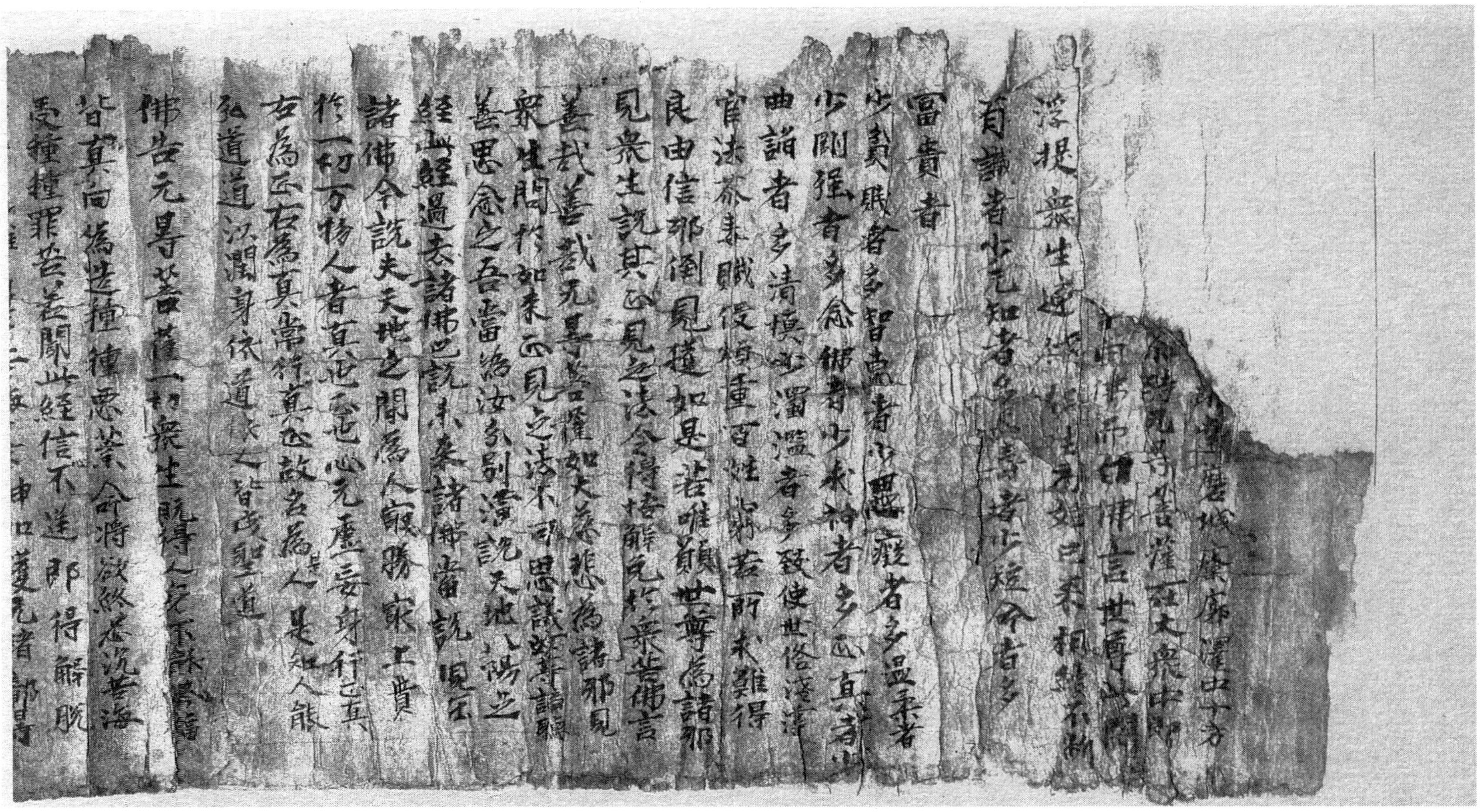
[illegible]城寬廓宅中十方
[illegible]菩薩在大眾中即
[illegible]而白佛言世尊此閻
浮提眾生遞[illegible]相續不斷
有識者少无知者多長壽者少短命者多
富貴者
少貧賤者多智慧者少愚癡者多柔軟者
少剛強者多念佛者少求神者多正直者少
曲諂者多清慎者少貪濁者多致使世俗澆薄
官法荼毒賦役繁重百姓窮苦所求難得
良由信邪倒見獲如是苦唯願世尊為諸邪
見眾生說其正見之法令得悟解免於眾苦佛言
善哉善哉无礙菩薩汝大慈悲為諸邪見
眾生問於如來正見之法不可思議汝等諦聽
善思念之吾當為汝分別解說天地八陽之
經此經過去諸佛已說未來諸佛當說現在
諸佛今說夫天地之間為人最勝最上貴
於一切万物人者真也正也心无虛妄身行正真
左為正右為真常行真正故名為人是知人能
弘道道以潤身依道依人皆成聖道
佛告无礙菩薩一切眾生既得人身不能修福
背真向偽造種種惡業命將欲終必沉苦海
受種種罪苦若聞此經信不逆即得解脫

BD00111 號　天地八陽神呪經　（10–1）

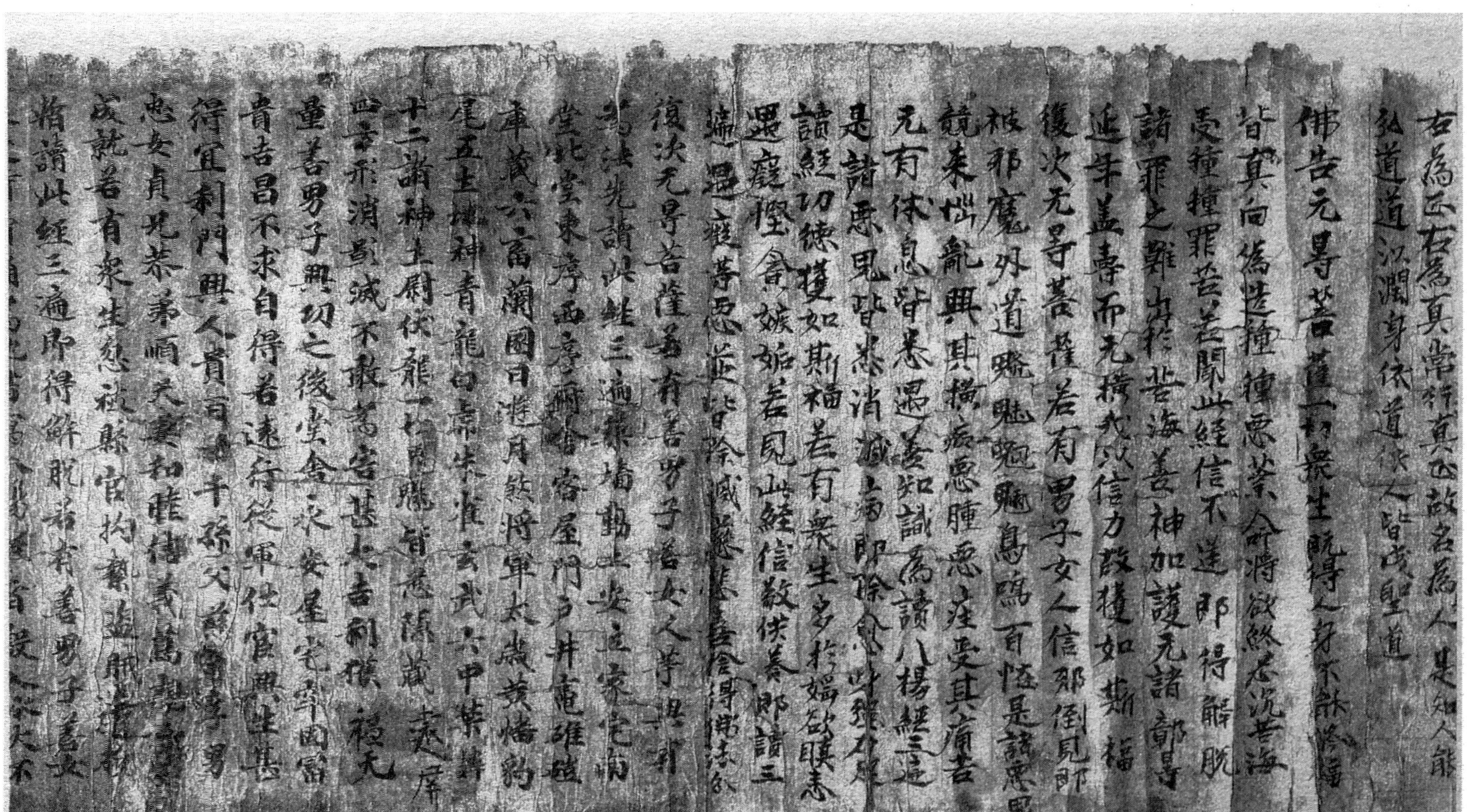
左為正右為真常行真正故名為人是知人能
弘道道以潤身依道依人皆成聖道
佛告无礙菩薩一切眾生既得人身不能修福
背真向偽造種種惡業命將欲終必沉苦海
受種種罪苦若聞此經信不逆即得解脫
諸罪之難出於苦海善神加護无諸鄣导
延年益壽而无橫夭以信力故獲如斯福
復次无礙菩薩若有男子女人信邪倒見即
被邪魔外道魑魅魍魎鳥鳴百怪諸惡鬼
競來惱亂與其橫病惡腫疰受其痛苦
无有休息遇善知識為讀八陽經三遍
是諸惡鬼皆悉消滅病即除愈身強力足
讀經功德獲如斯福若有眾生多於婬欲瞋恚
愚癡慳貪嫉妬若見此經信敬供養即讀三
遍愚癡等惡並皆除滅慈悲喜捨得佛法分
復次无礙菩薩若有善男子善女人等興有
為法先讀此經三遍築墻動土安立家宅南
堂北堂東序西序廚舍客屋門戶井灶碓磑
庫藏六畜欄圈日遊月殺將軍太歲黃幡豹
尾五土地神青龍白虎朱雀玄武六甲禁諱
十二諸神土府伏龍一切鬼魅皆悉隱藏遠屏
四方形消影滅不敢為害甚大吉利得福无
量善男子興功之後堂舍永安屋宅牢固富
貴吉昌不求自得若遠行從軍仕宦興生甚
得宜利門興人貴百子千孫父慈子孝男
忠女貞兄恭弟順夫妻和睦信義篤親
成就若有眾生忽被縣官拘執盜賊牽挽
暫讀此經三遍即得解脫若有善男子善女

BD00111 號　天地八陽神呪經　（10–2）

貴吉昌不求自得若遠行從軍仕官興生甚
得宜利門興人貴百子千孫父慈子孝男
忠女貞兄恭弟順夫妻和睦信義篤親願
成就若有衆生忽被縣官拘繫盜賊牽挽
暫讀此經三遍即得解脫若有善男子善女
人受持讀誦爲他書寫八陽經者設入水火不
被焚溺或在山澤一切虎狼屏跡不敢搏噬
善神衛護成无上道
若復有人多於妄語綺語兩舌惡口若能受
持讀誦此經永除四過得四无㝵辯而成佛
道
復次善男子善女人等父母有罪臨終之日應
墮地獄受无量苦其子即爲讀誦斯經典七遍
父母即離地獄而生天上見佛聞法悟无生
忍而證菩提
佛告无㝵菩薩毗婆尸佛時有優婆塞優
婆夷心不信邪敬崇佛法書寫此經受持讀
誦所有興作直作所作一无所問以正信故兼
行布施平等供養得无漏身成菩提道号曰
普光如來應正等覺劫名大滿國号无邊一
切人民皆行菩薩无上正法
復次善男子此八陽經行在閻浮提在在處處
有八菩薩諸梵天王一切明靈圍遶此經香
華供養如佛无異善男子善女人等爲諸
衆生講說此經深解實相得甚深理即知
身心佛身法心所以能知即是慧眼常見種
種种无盡色色即是空空即是色受想行
識亦空即是妙色身如來耳常聞種種无

BD00111 號　天地八陽神咒經　（10–3）

種種无盡色色即是空空即是色受想行
識亦空即是妙色身如來耳常聞種種无
盡聲聲即是空空即是聲即是妙音聲如來
鼻常嗅種種无盡香香即是空空即是香
是香積如來舌常覺種種无盡味味即是空
空即是味是法喜如來身常覺種種无盡觸
觸即是空空即是觸智明如來意常思想分
別種種无盡法法即是空空即是法是法明如來
善男子此六根顯現人皆口說其善法輪常
轉得成聖道若說邪語惡法常轉即墮惡
趣善男子善惡之理不得不信无㝵菩薩人
之身心是佛法器亦是十二部大經卷也无始
已來轉轉不盡不損毫毛如來藏經唯識心
見性者之所能知非諸聲聞凡夫所能知也
復次善男子讀誦此經爲他講說深解真理
者即知身心是佛法器若醉迷不醒不了自
心是佛法根本流浪諸趣墮於惡道永沉苦
海不聞佛法名字无㝵菩薩復白佛言世尊
人之在世生死爲重生不擇日時至即生死不
擇日時至即死何因殯葬即問良辰吉日然
始殯葬殯葬之後還有妨害貧窮者多滅
門者不少唯願世尊爲諸邪見无知衆生說
其因緣令得正道除其顛倒
佛言善哉善哉善男子汝實甚能問於衆
生生死之事殯葬之法汝等諦聽當爲汝說
智慧之理大道之法夫天地廣大清日月廣長
明時年善善美實无有異善男　人王菩薩

BD00111 號　天地八陽神咒經　（10–4）

若然之者大道之法夫天地廣大清
明時年善善美實无有異善男　人王菩薩
甚大慈悲愍念衆生皆如赤子　為人主作
人父母順於俗民教於俗法造作曆日頒下天
下令知時節為有平滿成收開除之字執危
破殺之文愚人依字信用无不免於凶禍又使
邪師厭鎮說是道非謾求邪神拜餓鬼却招
殃自受苦如斯人輩返天時逆地理背日月
之光明常投闇室違正道之廣路恒尋邪徑
顛倒之甚也
復次善男子生時讀此經三遍兒則易
大吉利聰明利智福德具足而无中夭死時
讀此經三遍一无妨害得福无量善男子日日
好日月月好月年年好年實无間隔但辦
即須殯葬之日讀此經七遍甚大吉利獲福
无量門榮人貴延年益壽命終之日並得成聖
善男子殯葬之地不問東西南北安隱之處人之
愛樂鬼神愛樂即讀此經三遍便以修營安置
墓田永无灾鄣家富人興甚大吉利尒時世尊
欲重宣此義而說偈言
營生善善日　修殯好好時　生死讀誦經　甚得大利益
月月善明月　年年大好年　讀經即殯葬　榮華万代昌
尒時衆中七万七千人聞佛所說心開意解捨
邪歸正得佛法分永斷疑惑皆得阿耨多羅
三藐三菩提
无㝵菩薩復白佛言世尊一切人天皆以婚
為親先問相宜復取吉日然始成親已後富
貴偕老者少貧窮生離死別者多一種信邪
如何而有差別唯願世尊為決衆疑

BD00111 號　天地八陽神咒經　（10–5）

三藐三菩提
无㝵菩薩復白佛言世尊一切人天皆以婚
為親先問相宜復取吉日然始成親已後富
貴偕老者少貧窮生離死別者多一種信邪
如何而有差別唯願世尊為決衆疑
佛言善男子汝等諦聽當為汝說天陰地陽
月陰日陽水陰火陽男陰女陽天　一切
草木生焉日月交運四時八節明焉水火相承
一切万物熟焉男女允諧子孫興焉皆是天之
常道自然之理世諦之法善男子愚人无智信
其邪師卜問望吉而不脩善造種種惡業命
終之後復得人身者如指甲上土墮於地獄作
餓鬼畜生者如大地土善男子復得人身正信
脩善者如指甲上土信邪造惡業者如大地土
善男子若結婚親莫問水火相尅胎胞相壓
唯看相命即知福德多少以為眷屬呼迎之日
讀此經三遍即以成禮此乃善善相因明明相屬
門高人貴子孫興盛聰明利智多才多藝孝敬
相承甚大吉利而无中夭福德具足皆成佛道
時有八菩薩承佛威神得大總持常處人閒和
光同塵破邪立正度四生處八解其名曰
跋陀和菩薩漏盡和　羅鄰竭菩薩漏盡和
憍日兜菩薩漏盡和　須彌深菩薩漏盡和
那羅達菩薩漏盡和　因坻達菩薩漏盡和
和輪調菩薩漏盡和　无緣觀菩薩漏盡和
是八菩薩俱白佛言世尊我等於諸佛所受
得陀羅尼神呪而今說之擁護受持讀誦八陽
經者永无恐怖使一切不善之物不得侵損讀

BD00111 號　天地八陽神咒經　（10–6）

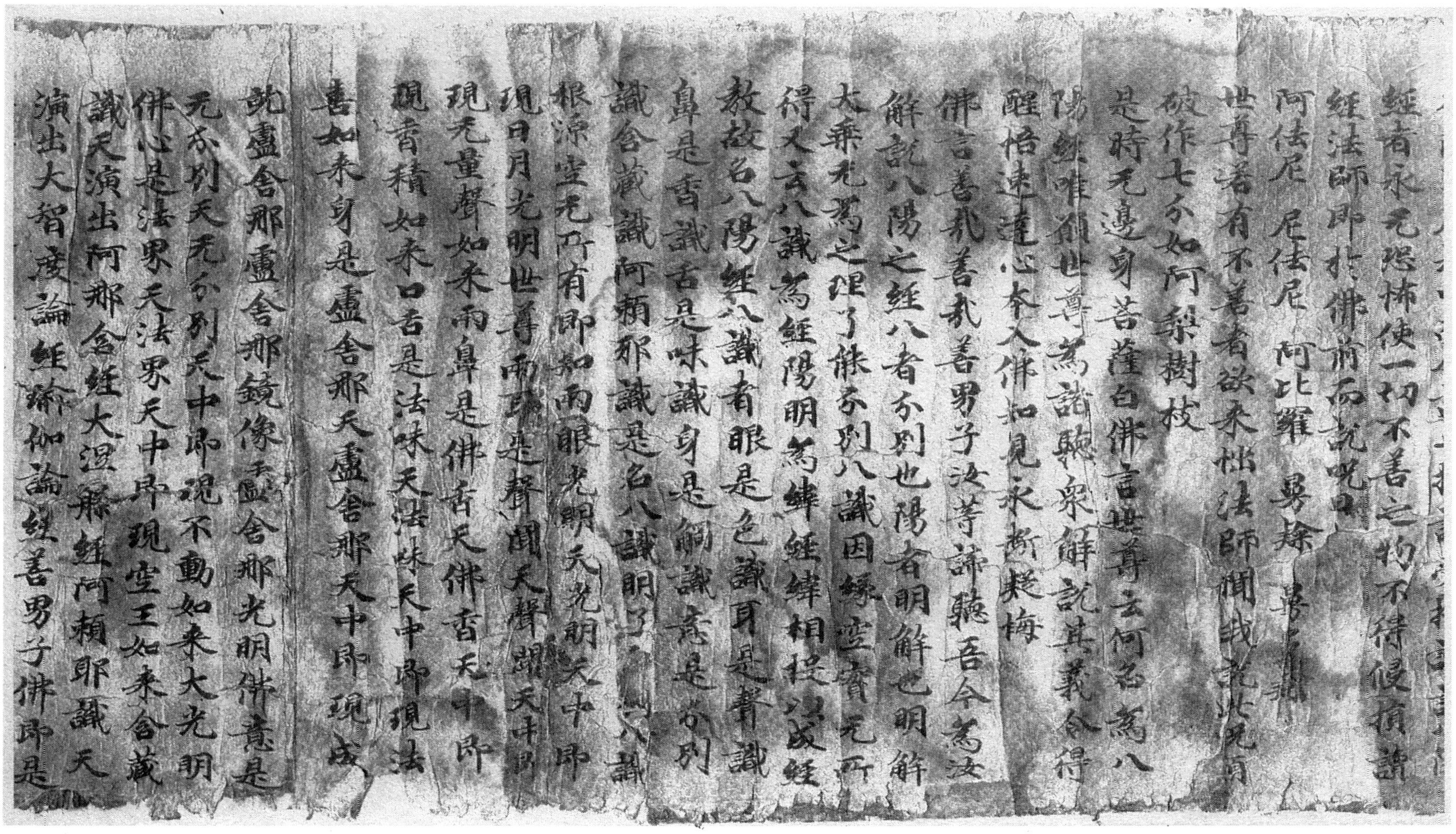

經有永无恐怖使一切不善之物不得侵損諸
經法師即於佛前而說呪曰
阿佉尼 尼佉尼 阿比羅 曼隸 曼多隸
世尊若有不善者欲來惱法師聞我說此呪頭
破作七分如阿梨樹枝
是時无邊身菩薩白佛言世尊云何名為八
陽經唯願世尊為諸聽衆解說其義令得
醒悟速達心本入佛知見永斷疑悔
佛言善哉善哉善男子汝等諦聽吾今為汝
解說八陽之經八者分別也陽者明解也明解
大乘无為之理了能分別八識因緣空无所
得又云八識為經陽明為緯經緯相投以成經
教故名八陽經八識者眼是色識耳是聲識
鼻是香識舌是味識身是觸識意是分別
識含藏識阿賴耶識是名八識明了分別八識
根源空无所有即知兩眼光明天光明天中即
現日月光明世尊兩耳是聲聞天聲聞天中即
現无量聲如來兩鼻是佛香天佛香天中即
現香積如來口舌是法味天法味天中即現法
喜如來身是盧舍那天盧舍那天中即現成
就盧舍那盧舍那鏡像盧舍那光明佛意是
无分別天无分別天中即現不動如來大光明
佛心是法界天法界天中即現空王如來含藏
識天演出阿那含經大涅槃經阿賴耶識天
演出大智度論經瑜伽論經善男子佛即是

BD00111 號　天地八陽神咒經　（10–7）

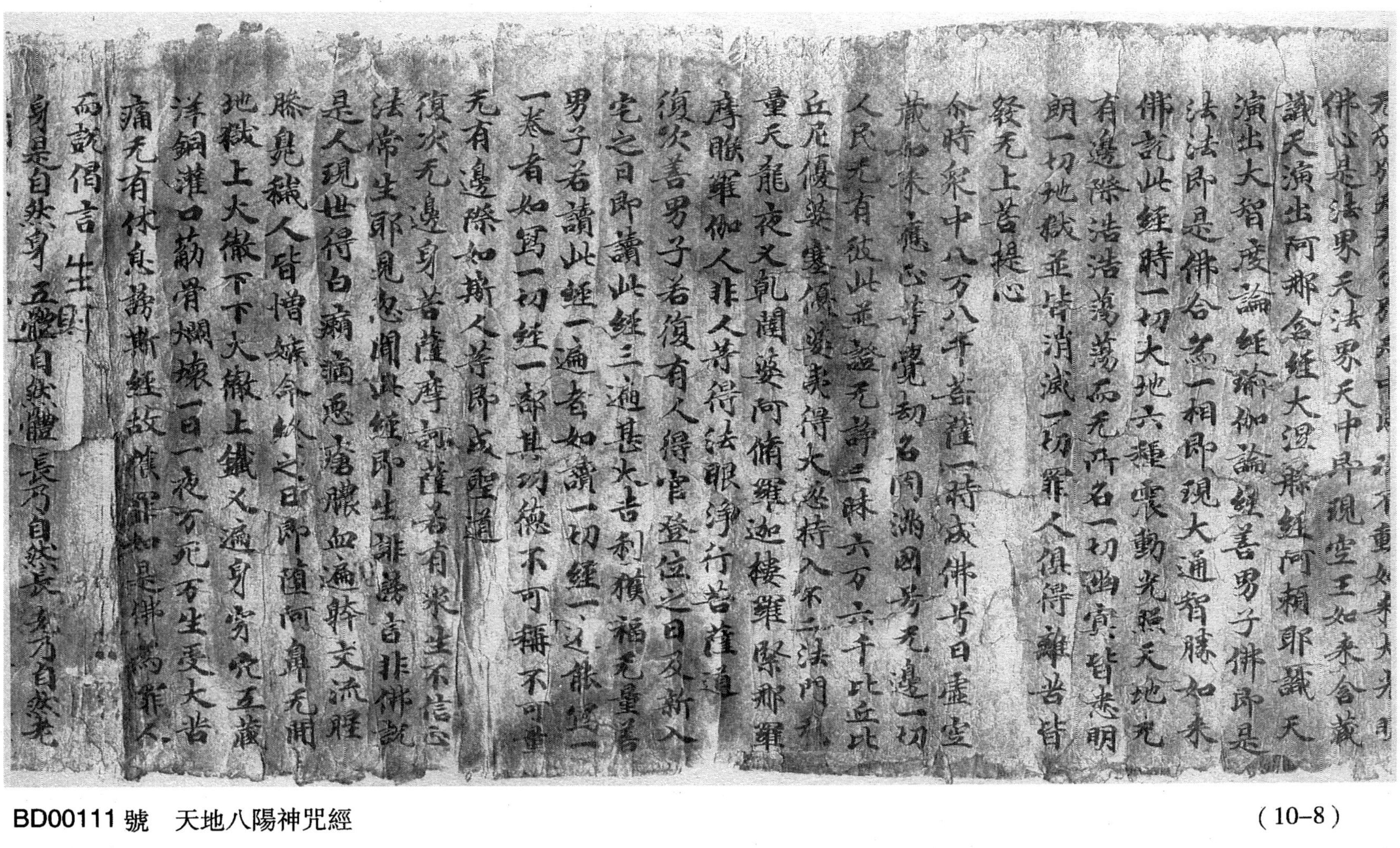

无分別天无分別天中即現不動如來大光
佛心是法界天法界天中即現空王如來含藏
識天演出阿那含經大涅槃經阿賴耶識天
演出大智度論經瑜伽論經善男子佛即是
法法即是佛合為一相即現大通智勝如來
佛說此經時一切大地六種震動光照天地无
有邊際浩浩蕩蕩而无所名一切幽冥皆悉明
朗一切地獄並皆消滅一切罪人俱得離苦
發无上菩提心
尒時衆中八万八千菩薩一時成佛號曰虛空
藏如來應正等覺劫名離垢國號无邊一切
人民无有彼此並證无諍三昧六万六千比丘比
丘尼優婆塞優婆夷得大總持入不二法門无
量天龍夜叉乾闥婆阿脩羅迦樓羅緊那羅
摩睺羅伽人非人等得法眼淨行菩薩道
復次善男子若復有人得官登位之日及新入
宅之日即讀此經三遍甚大吉利積福无量善
男子若讀此經一遍者如讀一切經一遍能寫
一卷者如寫一切經一部其功德不可稱不可量
无有邊際如斯人等即成聖道
復次无邊身菩薩摩訶薩若有衆生不信正
法常生邪見忽聞此經即生誹謗言非佛說
是人現世得白癩病惡瘡膿血遍體交流腥
臊臭穢人皆憎嫉命終之日即墮阿鼻无間
地獄上火徹下下火徹上鐵叉過身穿孔五藏
洋銅灌口筋骨爛壞一日一夜万死万生受大苦
痛无有休息謗斯經故獲罪如是佛為罪人
而說偈言
身是自然身　五體自然體　長乃自然長　老乃自然老

BD00111 號　天地八陽神咒經　（10–8）

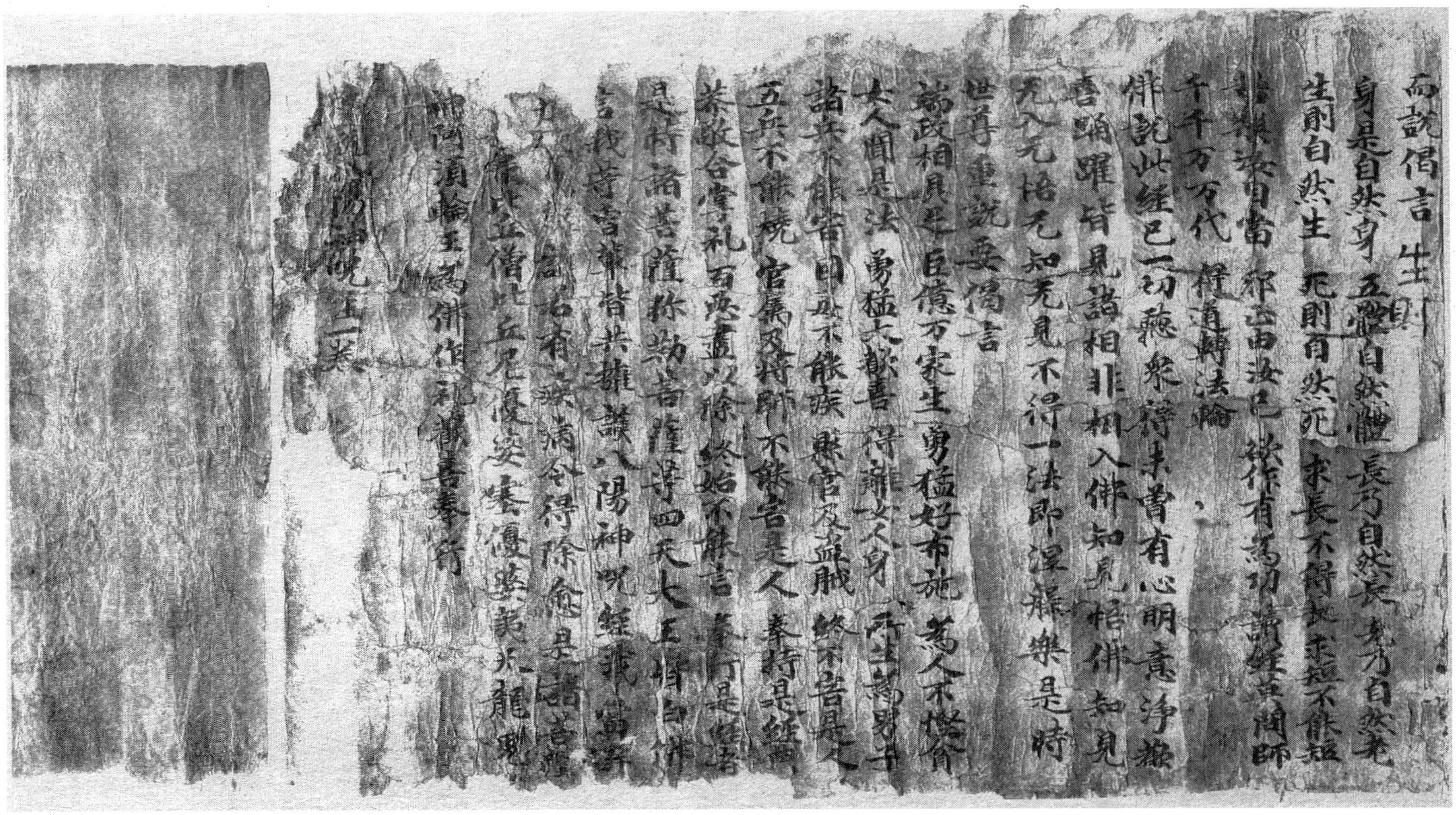

而說偈言 生[illegible]
身是自然身 五體自然體 長乃自然長 老乃自然老
生則自然生 死則自然死 求長不得長 求短不能短
苦樂汝自當 邪正由汝己 欲作有為功 讀經莫問師
千千万万代 得道轉法輪
佛說此經已 一切聽衆 得未曾有 心明意淨 歡
喜踊躍 皆見諸相非相 入佛知見 悟佛知見
无入无悟 无知无見 不得一法 即涅槃樂 是時
世尊重說要偈言
端政相具足 巨億万衆生 勇猛好布施 為人不慳貪
女人聞是法 勇猛大歡喜 得離女人身 所生為男子
諸兵不能害 日月不能侵 縣官及盜賊 終不害是人
五兵不能燒 官事及持鬪 不能害是人 奉持是經
恭敬合掌禮 百惡盡以除 終始不能言 奉行是經者
是時諸菩薩 稱歎菩薩 得四天七王 皆白佛
言我等當護 皆共擁護 八陽神呪經 我當
若有疾病令得除愈 是諸菩薩
佛比丘僧比丘尼優婆塞優婆夷天龍夜
神阿須輪王 為佛作礼 歡喜奉行
八陽神呪經一卷

BD00111 號　天地八陽神咒經　　　　（10–9）

世尊重說要偈言
端政相具足 巨億万衆生 勇猛好布施 為人不慳貪
女人聞是法 勇猛大歡喜 得離女人身 所生為男子
諸兵不能害 日月不能侵 縣官及盜賊 終不害是人
五兵不能燒 官事及持鬪 不能害是人 奉持是經
恭敬合掌禮 百惡盡以除 終始不能言 奉行是經者
是時諸菩薩 稱歎菩薩 得四天七王 皆白佛
言我等當護 皆共擁護 八陽神呪經 我當
若有疾病令得除愈 是諸菩薩
佛比丘僧比丘尼優婆塞優婆夷天龍夜
神阿須輪王 為佛作礼 歡喜奉行
八陽神呪經一卷

BD00111 號　天地八陽神咒經　　　　（10–10）

BD00111 號背　雜寫　（1–1）

BD00111 號背　題記、印章　（1–1）

也宿造遺法業法障在身不堪聞以
經舍利弗善聽至而為衆生說　贊曰下第二段一百
揔況長行有六今亦分六初六頌〻說次七頌半頌令住次一頌
半頌遮次十八頌半頌依何等義次七十頌半頌法後七頌〻
未聞今聞於六不同中前後不同故頌曰　六說七半住
次一頌半遮　十八半何等　七十半七二　初六頌說中分二初四
頌半頌所以者何下釋文後一頌半頌前標中隨宜所說意趣
難解初中復三一頌〻无數方便二頌〻種〻因緣譬喻言詞
即譬喻因緣念觀方便也一頌半頌演說諸法此初也前長行中
標云諸仏隨宜所說釋中我以无數方便令此頌釋云諸仏所得
法无量方便力者前後影彰他自在乎顯互不相違
經衆生心所念至令一切歡喜　贊曰頌種〻因緣等心所念行
道遍趣〻也諸欲者種〻勝解也諸性者種〻界也先世善惡
業者處非處及自業也說仏有五智力種〻念觀也能知衆生
此之五種故以因緣譬喻言詞方便說法皆令歡喜釋前種
〻言詞所由　經或說脩多羅至優婆提舍經　贊曰頌演
說法依諸處說十二部經次第一契經〻云脩多羅二應頌
經云祇夜三記別此中无四諷誦經云伽他五自說此中无
六緣起經云因緣七譬喻八本事九本生三名同此方廣
此中无十一希法經云未曾有十二論議經云優婆提舍經
於此義中以三門分別一弁相二釋名三差別弁相者契經有

六緣起經云因緣七譬喻八本事九本生三名同此十方廣
此中无十一希法經云未曾有十二論議經云優婆提舍經
於此義中以三門分別一弁相二釋名三差別弁相者契經有
二相一通二別卅卅經云從如是我聞乃至歡喜奉行如是一切名脩
多羅攝十二盡名通相也以教貫理及攝生故對法論云謂以長
行綴緝略說所應說義名為契經此唯長行名為別相偈頌便非
別契經攝應頌有二相一為益後來二顯前未了義對法等
云謂諸經中或中或後以頌重頌前長行義名益後來又云
不了義經應更頌釋長行雖說義未了故名顯前未了
義卅卅唯說初之一義記別有三相一記弟子死生因果二分
明記別深密之義三記卅卅當成仏事對法等云謂於是
處聖弟子等謝往過去記別德失生處差別此記弟子
死生因果又云又了義經說名記記別別開示深密義故即
此第二記深密義故此本論云授記有四因取与記等卅卅
經云如來為諸大人授記汝阿逸多未來有王名日穰佉當
於是世而得成仏名日弥勒是記別經此即第三記當成仏
諷誦相者顯揚等云謂諸經中非長行直說然以句結成者
以二句三四五六句等說之為諷誦自說相者瑜伽等云謂於
是中不顯請者為令當來正法久住正教久住不請而說並
名自說緣起有三相一因請而說二因犯制戒三因事說法對法
論云因緣者謂因請而說又有因有緣制立學處即初二義
名為緣起卅卅經言如諸經偈所因根本如舍衛國有一丈夫羅
網捕鳥得已還放世尊知其本末因緣而說偈言
莫輕小罪　以為无殃　水渧雖微　漸盈大器　是名緣起

論云因緣者謂因請而說又有因有緣制立學處即初二義
名爲緣起卅卅經言如諸經偈所因根本如舍衛國有一丈夫羅
網捕鳥得已還放世尊知其本末因緣而說偈言
莫輕小罪 以爲无殃 水渧雖微 漸盈大器 是名緣起
即是第三因事說法譬喻相者瑜伽云謂諸經律所有譬喻
而說法本事相者瑜伽論云謂諸仏本生宣說前際〻若人若
法諸有事卅卅經中唯說往法如我生世所可說法名曰界經鞠樓
秦仏名甘露鼓拘那含牟尼仏名曰法鏡迦葉仏時名分別空
不說往人擾寶通也本生相者顯揚論云謂於是中宣說世尊
在道去世彼〻方所若死若生〻苦〻難〻是名本生說仏
爲卅卅若身若〻皆本生故卅卅經中唯說卅卅法身不說卅卅往
〻作鹿作熊作麞作兔乃至廣說作金翅鳥等方廣有二相
一說卅卅道二法廣多極高大故時長遠故此通聲聞之有方廣
今取卅卅具二爲正希法相者謂諸經中宣說諸仏及聖弟子八
衆所有共不共德及餘審勝殊特驚異之法是爲希法卅卅經中
唯說仏事如仏初生即〻七步放光大明遍照十方弥猴獻蜜白狗
聽法魔變爲青牛〻凡鉢聞令相衆觸无所傷損但說弟子及非
弟子希有之事皆名希法論議有二相一仏自說二弟子說瑜
伽論云謂諸經典循環研覈摩呾理迦一切了義經皆名摩呾
理迦謂於是處世尊自廣分別法相又聖弟子已見諦跡依自
所證无倒分別諸法體性此亦名爲摩呾理迦亦名阿毗達
磨今此且引攝義同文其餘偏教恐繁不引釋名者先釋
總名先德翻爲十二部經部含二義一部襄二部類此是部類

所詮无倒分别諸法體性此之名爲摩呾理迦之名既達
磨今此且引攝義同文其餘倆教恐繁不引釋名者先釋
總名先德翻爲十二部經部含二義一部養二部類此是部類
十二義類有差别故古人疑云十二部衰經由此道士說卅六部
老莊之徒各爲一部今言十二分教分謂分段文義差别有十二
分段故又云經者乃濫契經今翻爲教十二通稱更无所濫帶
教釋世釋别名者總爲三類應頌諷誦自說緣起希法方廣
此之六名唯依主釋應重述頌乃至方理之廣故論議一種唯持
業釋論議即議故支諷誦之持業釋可諷可誦故不同應頌彼頌
是教此頌是言故契經記别譬喻本事本生此之五名通持業依主
兩釋能契即經契理之經乃至本生即生本世之生故差别者一體差别
二教差别體别者應頌之中定无諷之誦之之中定无應頌初後别
故單重别者故本事之中定无本生之之中定无本事師資别
故此之四部唯具十二所餘八部皆具十二随其所應有前所說
差别相故卅卅經云始從如是終至奉行皆脩多羅故通十二
别相即无唯取長行爲契經故二偈便非自餘七教皆具十
二唯此可知其應頌中具十二者譬喻品云舍利弗來世成仏
普智尊號名曰花光當度无量衆即有記别之應頌也
應頌之中之有自說方便品云世雄不可量諸天及世人一切
衆生類无能知仏者即是自說之應頌也應頌之中之有緣
起方便品云舍利弗善聽諸仏所得法无量方便力而爲衆
生說即是因緣之應頌也因鶖子請而說法故應頌之中之
有譬喻譬如長者有一大宅其宅久故而復頓弊等即是

生説即是因縁之應頌也因鶖子請而説法故應頌之中亦
有譬喻譬如長者有一大宅其宅久故而復損弊等即是
譬喻之應頌也應頌之中亦有本事序品中云彼仏滅度後懈
怠者汝是妙光法師者今即我身是即是事之應頌也應
頌之中亦有本生常不軽品云彼時不軽即我身是即本生
之應頌也應頌之中亦有方廣方便品云十方仏土中唯有
一乘法无二亦无三除仏方便説即是方廣之應頌也應頌
之中亦有希法化城品云大通智勝仏十劫坐道場仏法不現
前不得成仏道即是希法之應頌也應頌之中亦有論儀壽
量品云衆生既信伏質直意柔軟一心欲見仏不自惜身命
時我及衆僧俱出靈鷲山我時語衆生常在此不滅以方便
力故現有滅不滅此即論儀之應頌也自餘三教皆具十一唯此
應知然此經中具十二分一部皆是契經通相重宣此義處
並是應頌請為授記解深密義處皆是記別化城品中東
方梵天以偈頌言世尊甚希有難可得值遇具无量功德能
救護一切等皆是諷誦方便品初即是自説故前偈云无問而
自説稱讃可道鶖子三請弥勒三請等所説權實處皆
是縁起譬喻品等皆是譬喻説諸弟子過去事處皆是
本事自説仏身過去事處皆是本生説一乘處皆是方廣
説現神通處皆是希法壽量品中仏自往復説三身相可名
論儀教差別者一大全小九即此經文小乘唯无授記自説方廣
三種不遮大乘有十二分二小全大九卅卅第三云諸大乘者受持九
部彼除因縁譬喻論議不遮小乘有十二分三大全小十一瑜伽卌八

說現神通爲皆是前法壽量品中仏自往復說三身相可名
論儀教差別者一大全小九即此經文小乘唯无授記自說方廣
三種不遮大乘有十二分二小全大九菩薩第三云讚大乘者受持九
部彼除因緣譬喻論議不遮小乘有十二分三大全小十一瑜伽卅八
云方廣一分唯菩薩藏所餘諸分有聲聞藏四大一小十一瑜伽八
十五云除方廣分餘名聲聞乘相應契經仍故比又大全小九依
授弟子得成仏記名爲記別說聲聞无彼先未求大菩提故譬
如以寶示其愚之人之便唉聲聞之記之復如是故說爲无非記
別弟子謝往死生之事之无又聲聞乘多皆賤法之者不待請
而即爲說憍慢便生言无自說其實之有又聲聞人但證小果
不得正覺理非至極理不範弘說无方廣其實之有正法廣
其實之有正法廣陳之方之廣也故此頌中唯爲聲聞說於九
部理通十二菩薩經中小全大九者因犯制戒說爲因緣菩薩无犯
故略云无非无因請因事說法之緣起也夫說譬况聞中下
根至如鶖子利品尚多不待喻况諸菩薩多分而待故說爲无
理之有也又大菩薩性皆利根舉宗便解不假後結方生惠心
說无論議理實非无又護法者多誦素呾纜藏緣起譬
喻多調伏藏論儀多是對法藏攝故言大唯九理非无十二
瑜伽卅八大全小十一者小者小乘之記弟子謝往及不待請仏
悲深故具有記別及自記等故有十一无方廣者不求正覺說理
麁淺名之爲无實之有也瑜伽八十五文与前无別然以十一說爲
聞對之方廣說爲菩薩非菩薩藏餘无十一皆是隨於一別之
義說致不同理實聲聞菩薩二藏皆具十二今隨所要且略義分
別自餘廣義如別章應知　·經鈍根樂小法至爲是說菩薩
讚曰此一頌半頌前標中道宜所說意趣難解略由五義一鈍

義說數不同理實聲聞菩薩二藏皆具十二今隨所要且略義分
別自餘廣義如別章應知　經鈍根樂小法至爲是說菩薩
贊曰此一頌半頌前標中隨宜所說意趣難解略由五義一鈍
根雖悟二乘小怖大三執生死不希出世四遇緣不修五現
眾苦迫由此爲說菩薩以鈍根故著於生死雖逢諸佛往日已
化不行大乘深妙之道由此惡故退還受苦由勤離苦故初
爲說二乘菩薩故信解品宣初逢佛退流生死後化三乘正
与此同　經我設是方便至當得成佛道　贊曰下第
二段有七頌半頌第四今住中分四一頌（標頌）釋四頌半會一頌勸
住此初也初說二權爲今究竟入於佛慧住一乘故
經所以未曾說至決定說大乘　贊曰此釋前標會於
已前根未熟未悟大乘不堪爲說今根熟正是其時
故爲說也因化城品云諸比丘若如來自知涅槃時到眾又
清淨信解堅固了達空法深入禪定便集諸菩薩及聲聞
眾爲說是經世間無有二乘而得滅度唯一佛乘得滅度耳
經我此九部法至故說是經　贊曰下四頌半會中分
三一頌顯小法非真說爲大本一頌半顯大法勝妙爲勝人
說二頌結成勝妙人法勸捨非妙人法此初也隨順初機
說此九部爲入大本非究竟也故應住大　經有佛子心淨
至說是大乘經　贊曰顯大法勝妙爲勝人說勸捨方
法勿成惡人頓悟漸悟一切菩薩皆名佛子此有五德一心淨專
求大乘佛之智慧非樂不方除二障故二柔輭下心耐勞德堪
能作大業精勤不息故三利根性多拔苦[illegible]与他樂一切均
乎聞法速入四無量諸佛所久遇良緣恒自磨瑩五而川

求大乘仏〻智恵非樂不为除二障故二乘爽下心耐勞倦堪
能作大業精勤不息故三利根性多拔苦樂与他樂一切均
平聞法速入四无量諸仏所久遇良缘恒自磨瑩五而川
深妙道〻齊脩福恵寶規真覺發廾提心経説具十種法堪
發廾提心一親近善友二供養諸仏三脩集善根四志求勝法
五心常柔和六遭苦能忍七慈悲淳厚八深心平等九愛樂
大乘十求仏智恵皆此五攝心淨攝二句愛樂大乘求仏智恵
柔爽攝二句心常柔和遭苦能忍利根攝二句慈悲淳厚深心
平等无量仏所攝二句親近善友供養諸仏深行妙道深妙
道攝二句脩集善根志求勝法有具此五徳成十法之子方為説
大乘今具發趣　経我記如是人〻来故為説大乘　賛日結成
勝妙三勸捨非妙二記五徳之人来世成仏以深心念仏持淨戒
故念仏有二語念二心念表心緣事仏願救希成智理身求證
滅障定恵既尒又持淨戒三業既成故為之説此等聞得仏順心
故歡喜仏既知心故為説大　経聲聞若廾〻至成仏无疑
賛日此勸住也讃法聞益勸住大乘　経十方仏土中至引導於
衆生　賛日此第三段一頌半頌第六遮无二者无第二獨覺乘
无三者无第三聲聞乘從勝向劣仏乘為初此據身証无二極乘除
方〻便〻説〻中可有三故以假三名引導生故用假等應〻名引生出於火
宅非有實二以度衆生此説二乘卅〻廾提俱无實體並稱假名然卅
卅可澄而傳除種智不成以无覺故化城入〻以息苦等應有〻而不登
問三事稱大般但得解脫言入城二空智名卄但得生智登等應
答解脫諸苦息方名入假城種智二乘无故不上等應又解脫三
乘同息苦彼之分得与入名真智種類獨〻之分得不名上理
實〻引又滅障因果彼皆除解脫化城儲路入得障〻果彼不

答解脫諸苦息方名入假城種智二乘无故不上羊鹿又解脫三
乘同息苦彼之分得與入名真智種類獨覺之分得不名上理
寶无別又惑障因果彼皆除解脫化城稱略入智障門果彼不
滅二乘種智不言登　·經說仏智惠故至濟度於衆生
贊曰下第四段有十八頌半頌第三依何等義中有二一頌半頌
標一大事十七頌頌開示悟入此初也仏仏之智惠如前所說合有五
種今此多說仏果二法卅提卅卅智性惠用合名智惠或唯真智
最真如仏出世者為顯此一令生欣趣唯此一實究竟極果
勝妙无上餘之二乘體非真極究竟勝妙故經下文言前五度
校量此經不說般若故終不以小乘濟生或此事多說智性卅卅
經中師子吼說仏性即空即智惠由此智性之名智惠令此多
取初解為去二乘无故既言餘二則非真故知不是破三會三
以歸於一　·經仏自住大乘至以此度衆生　贊曰下十七頌頌
開示悟入中分四一頌開五頌悟一頌入十頌示也此初也大乘合取真理
正智假者仏身恒安處此卅卅卅提名住住即依止安處處之義所淨唯
是法身真理本大乘者唯取真理正智證會名之為住以此法
身万德具足真德性故故仏報身如其可證法身真理還以无量
定惠莊嚴定即福也惠即智也攝持一切有為德業以寘真理
卅卅已滿真智遂生具福惠嚴卅提湏滿自既圓故以二法脫於
衆生名之為度度顯二種性是无上故令生欣樂　·經自證无上道
至此事為不可　贊曰下有五頌悟中有三一頌半顯平等
二頌半顯勝德一頌令悟此初也无上道者正智勝故无上大乘
者真理一无上言貫通二處二皆平等无能所取无有自他物
我異故仏既證此平等理智何有自他物我二別內智若不平
等自取大乘之智不等[illegible]

者真理一无上言貫通二處二皆平等无能所取无有自他物
我異故仏既證此平等理智何有自他物我二別內智若不平
等自取大乘於智不等令他取小則墮慳法貪求利主既
未盡何名證得正覺大乘廣運一切此為不可 經若人信歸
仏至而獨无所畏 賛曰下二頌半顯勝德有三初一頌半顯內
離染无所畏德後一頌顯外莊嚴說實法德此初也若人信歸仏
初發心也歸仏者後脩正行如來不為欺陵輕賤而不接大純化
以小乞不誑逗初許与大後不与之所以者何以仏亦无貪惜大乘
誑而不与乞无嫉妬畏彼證大而欺綱之由斷一切法中惡故惡
者煩惱業苦生死惡法已永斷故既无如上所說諸事正智圓滿
故於十方都无所畏作師子吼我是一切知者見者平等化者若
有上事惡既未盡智果未圓如何於十方能作无畏吼故俗中立父
聞子健恨不慈身自外何恡故无貪疾 經我以相莊嚴至為
說實相印 賛曰顯外莊嚴說實法諸德形體相好端嚴其
身之光智光復能朗照器及衆生二種世間由此衆人皆尊敬
我名世間解若同有染外无比相外既比相明內无染故我今者
說實之相之印之者謂即二空大乘之理以此理印之大教故大教決
定勝實非權如小乘中說三法印之定教法 經舍利弗當知至如
我等无異 賛曰此一頌令悟決應如我悟先所不知大乘真智我
昔立願令一切衆生与我无異願令悟故願以信欲勝解為性
經如我昔所願至皆令入仏道 賛曰此一頌令入令者果滿遂
昔願心故化衆生入於仏道之者因義令入八地去初地上不退轉
位仏之因故 經若我遇衆生至迷惑不信受 賛曰下有十頌
之示有二初八頌示初不同後二頌示後還同初中復三一頌示不同
意六頌示不同因一頌[illegible]

BD00112 號　妙法蓮華經玄贊卷四　（34–10）

昔願心故化衆生入於仏道〻者因義令入八地去初地上不退轉
位仏之因故　經若我遇衆生乃至迷惑不信受　贊曰下有十頌
〻示有二初八頌示初不同後二頌示後還同初中復三一頌示不同
意六頌示不同相一頌結不同此初也若教衆生盡以大乘智者可尒
无智愚人錯亂行心迷不信毀豪誹謗便返增惡不能欽受之
如覆林水於傷塘致林即滕故由此返增愚人之咎故不純以大乘
教化　經我知此衆生乃至癡愛生惱　贊曰下有六頌示不同
相中分二初一頌標无善有惡故不同後五頌釋有始雖起多分闇
方唯生得善无〻漏因由着五境堅執不捨以此爲緣癡便發
業愛便潤生故諸生死生老死支一切苦惱極苦增長以生世方便
善本有癡愛二以爲其因着五欲境不肯捨故發業无明多由
迷內發聞生貪愛多緣五欲生令　攝欲界无明發
業通言着欲說至處故　經以諸欲因緣乃至世〻常增長
贊曰下五頌釋有惡无善故不同中有二初四頌有惡故不同後一頌
无善故不同初中復二初一頌半由愛俗歷五欲說故不同後二頌
半求那生雜錯行亂亭故不同此初也由諸欲故純起不善業墮
墮惡趣由雜業故輪迴六趣備受諸苦四生〻長皆有業故三苦
八苦五苦迫故編指一生現苦爲論故言〻受胎之微形世〻常增長
微者多也胎謂胎藏不淨纏裹可厭可惡微多生故瑜伽論說
初受生者本居中〻有〻極長七日命終極多不過七〻日侄造惡
業者中有如黑羺光或陰暗夜造善業者如白衣光或晴明
夜隨當生相形往无导見已同類及當生處造惡業者眼視
不淨伏面而行往天趣者上往人趣者傍若造不律儀生地獄
中見昔同類喜樂馳趣遂被拘导純苦鬼界亦尒若餘雜業
隨業善惡何處生長於其父母隨男隨女生憂喜心謂當生攬父母
之遺體迷亂之時便被拘导一七日內名羯剌藍此云雜穢父母不

中見昔同類喜樂馳趣遂被拘礙純苦鬼界之亦爾餘雜業
隨業善惡何處生長於其父母隨男隨女生憂喜心闇當生攬父母
之遺體迷醉之時便被拘礙一七日內名羯剌藍此云雜穢父母不
淨共和名雜穢可惡名穢若已結凝箭內稀故二七日內名頞部
曇此云皰猶如瘡豆瘡皰之形表裏如酪未至肉故三七日內名閉
尸此云凝結猶如就血稍凝結故西域呼就血云閉尸若已成肉仍極柔
耎四七日內名健南此云凝厚漸凝厚故若以堅厚稍堪摩觸
五七日內名鉢羅賒佉此云形位猶如泥團五人相連、謂四支內
風向外擊生根形差別相故即前肉摶增長支分相現六七日內名
髮毛爪位髮毛生故七七日內名具根位五根圓滿明盛顯故至此初
後方釣三月種種成就若不增減如是合經卅八七日在腹圓滿更經
四七日頭趣向下雙足向上胎衣遂裂逼迫產門種種衆苦于時
迫迮者由先業母食厭鹽子髮毛稀或由先業母食煖熱
子黑無色或赤色生者由先業母食冷食或近寒室子多
頭白母習婬欲子多疥癩癬病等生母多跳躑威儀不謹子
子支缺減了戾不安男居右脇倚腹向脊女居左脇倚脊向
腹隨於父母生愛恚故初既攬父母不淨以爲身後以母之不淨資
長現緣既爾故業不善百惡所感卅六物不淨爲體如是惡身
不可愛樂輪轉不窮名世增長 經薄德少福人至諂曲心不實
贊曰此二頌半求邪生雜錯行亂等故不同初一頌半明起身邊
邪見戒六十二見後之一頌因起見戒取所餘惑生等初一頌總明起五
見後一頌半別明起五見彼諸衆生无始已來薄智德少福故爲苦
所迫雖祈生要不悟邪正錯入外道不正見中錯行錯等名爲
邪見五見皆邪見此依後釋非要機无方名邪邪見見煩惱拘礙
衆生雖可生離不能解脫名爲稠林此爲總見後方別顯以若有
若无等者此有二釋衣麦計者一云五見之中四見爲有皆執有故

[illegible]
邪見五見皆耶見比依後釋非要撥无方名耶〻見〻煩惱拘㝵
衆生雖可生雜不能解脫名為稠林此為拕見後方別顯若有
若无等者此有二解依後釋者一云五見之中四見為有皆執有故
耶見為无多撥无故等言顯示種〻煩雜若依初釋耶見稠林者
撥无耶見若有者執我後身為有常見也若无者執我後身為
无斷見也此二為邊見等取身見〻取戒取由六十二見以耶見邊見
二為自體故別舉之以餘二見而為眷屬依於身見為根本
如六十二見章廣述云何六十二見頌曰　二四八十劫
見生死邊常　戲憤恚一分　有色无邊等
各生死想地　梵餘大種心　一種小无量　純樂等有想　即有色邊等
生无想俱非　人欲天色界　四无色斷滅　從无想天沒
尋伺討无因　憶上下修俱　懷劫有邊等　怖无知行諂
懷怖顛憍亂　人欲天欲樂　四靜慮卅卅　此諸見中幾
前際過去攝　幾後際未來攝　幾現在通二際中攝
遍一分无因　邊憍亂前際　所餘四十四　皆後際見攝　此廿六十二
經論俱言耶見邊見二見所攝　誰幾見攝　遍一分各四
想有戌十六　无俱非各八　七斷皆邊見　即彼无因
邊憍亂各四　五現卅卅論　皆耶見所攝　由執袖我起我
見已便起如是六十二見復起見取執見等法為勝為因又起戒
取執戒等法為因為勝著此妄法曾不肯捨我慢自恃於訴
自高而陵蔑他乎於所師諂曲相讚橋求名利心何曾實以具
如是執欲着耶故不堪任即化大法　經於千万億劫至如是人
難度　贊曰此一頌无善故不同善人皆脩四親近行一親近善友二
德聞正法三如理思惟四如說脩〻此等惡人千万億劫不聞仏

如是身前者耳故不堪信即化大法　經於千万億劫至如是人
難度　賛曰此二頌无善故不同善人皆備四親近行一親近善友二
聽聞正法三如理思惟四如說修行此等惡人千万億劫不聞佛
名何得親近一切善友既不見佛亦不聞法既无聞惠入法初因思
惟脩習理不可得故如是人甚為難度如何初首即教大乘
經是故以方便至示之以涅槃　賛曰此結不同由如此故為設方
便初示涅槃且令皆息　經我雖說涅槃至開示三乘法
賛曰上顯初不同此二頌示令同勸捨解脫身取佛法身所說二
乘涅槃猶如化城是非真滅法從无始性常寂故即是自性清淨
涅槃性離言法非今新有如寶所者乃是真滅真滅既尔故行道
已來世證此法本性滅得成佛道我本智惠仍用方便初開二
權後示一實總名開示三乘之法　經一切諸世尊至唯一无二乘
賛曰下第五段七十頌半頌第五依法有三一頌半頌十方佛法次
卅八頌半頌三世佛法後卅頌半頌我之如是此初也既云唯一无二乘之
何破三歸一　經過去无數劫至其數不可量　賛曰下卅八頌
半頌三世中分三初廿七頌半頌過去次六頌半頌未來後四頌半
頌現在初中有二初四頌半頌佛說法初權後實後廿三頌頌衆
生聞法皆究竟得一切種智初中有四一頌佛多一頌聞權一頌歎
實一頌半釋開權顯實之意此初也　經如是諸世尊至演
說諸法相　賛曰明初開權也　經是諸世尊等至令入於
佛道　賛曰明後顯實　經有諸大聖主至助顯第一義
賛曰釋開權顯實之意知諸衆生未能頓悟一乘教故識
其根欲故初以權方便助顯一乘後令入實又菩薩根性有二一不定
二定性為不定性初權後實顯暢一乘前二頌是為定性
者說頓教一乘此文是也謂知衆生心性頓欲故以異方便不從

其根欲故初以權方便助顯一乘後令入實又廿廿根性有二一不定
二定性為不定性初權後實顯暢一乘前二頌是為定性
者說頓教一乘此文是也謂知衆生心性頓欲故以異方便不從
權取實顯助一乘一乘者第一義諦真如等是初三後一是權實
之方頓說一乘故名異方便　經若有衆生類至皆已成仏道
贊曰下廿三頌之衆生聞法究竟皆得一切種智為三初二頌仏
在次廿頌滅後之一頌結此初也遇仏聞法脩行六度四攝无量等
名種種福德脩仏之因廿廿行故皆已成道　經諸仏滅度已
至皆已成仏道　贊曰下廿頌之仏滅後分五一頌慈心四頌半造
塔六頌半造像七頌供養一頌稱仏此初也有善綱彊非廿廿心柔
濡而非善或非廿廿心要善而濡方廿廿心順理益物極柔和故已
成仏道植仏因故後文具攝仏滅之行後雖作故是別行故非是
仏在作此諸行而非仏因在已脩故唯上六度仏滅後行是總行故
皆成仏道　經諸仏滅度後至在枝於諸塔　贊曰下四頌半造
塔成仏分二初四頌明造塔後半頌結初又有三初二頌造塔數多八珎
嚴瑩次一頌九物為塔後一頌下至戲笑為物為塔此初也仏地論救
七寶无玫瑰琉璃與珠別珠謂赤真珠今此若以琉璃為珠即為
七寶不爾故以琉璃與珠別故頗梨多白紅色車𤦲青白間色
馬瑙有多色者純白者純青黃者衆色間玫瑰赤色說文火齊
珠一曰石之美好曰玫圓好曰瑰餘者可知增一阿含經中仏告諸比丘我今
當說四梵之福一若有信心善男子等未曾起塔處能起於塔
二補持故寺三和合聖衆四仏初成道諸天人等請轉法輪是名
四梵之福比丘白仏梵福多少仏言四天下及六欲天所有福德
猶不如一梵王之福故勸造塔當得廿提　經或有起石廟至
博瓦泥土等　贊曰此一頌九物為塔石廟者石仏堂古之支提

四梵之福比丘白仏梵福多少仏言四天下及六欲天所有福德
猶不如一梵王之福故勸造塔當得廿提　經云有起石廟至
塼瓦泥土等　賛曰此一頌九物爲塔石廟者石仏室古之支提
今云制多翻爲靈庿庿應作廟字廟者貌也玉篇云先祖尊貌所
在故謂之廟木櫁者字林香木切韻作樒玉篇作櫁其樹似槐
而香極大伐之五年始用若取其香皆預斫之五乃香出
經若於曠野中至皆已成仏道　賛曰勸一頌下至戲笑爲物爲
塔後半頌結之論云聚沙爲仏塔皆已成仏道者謂發廿提心廿
行者所作善根能證廿提非諸凡夫及決定種性聲聞未發廿
提心者之所能得故如是乃至上文及下小伍頭等亦如是　經若人爲仏
故至皆已成仏道　賛曰下六頌半明造像中有二初五頌造後一頌半
結初中合四一頌彫刻二頌十物嚴飾一頌綵畫作一頌戲作此初也明作仏像非作
餘像故言爲仏爲求作仏爲恩敬仏故名爲仏爲設爲仏而作諸象爲
莊嚴仏故名爲仏造像功德經說造像得十一種果一世世所生眼目
淨潔面目端政二生處无惡三常生貴家四身體姝好紫磨金色五
常豐珍翫六生賢善家七後生爲王王中最勝八金輪化王九後生梵
天壽命一劫十不墮惡道十一後生生中還重三寶善持妙物復
造功德多四天下大海十倍　經云以七寶成至皆已成仏道
賛曰此二頌十物嚴飾作像切韻鍮即鍮也又云鍮銀之閒玉篇
青金也　經綵畫作仏像至皆已成仏道　賛曰此頌畫仏
經乃至童子戲至而畫作仏像　賛曰此頌戲作　經如是諸人
等至度脫无量衆　賛曰此結也具足大悲心者凡所作若也
帶悲心方成到彼岸故成仏道　經若人於塔廟至散心而供養
賛曰下有七頌明供養有二初五頌半明供養後一頌半結成初中有五

菩薩度脱无量衆　贊曰此結也是大悲心者所作若如
帶悲心方成到彼岸故成仏道　經若人於塔廟至敬心而供養
贊曰下有七頌明供養有二初五頌半明供養後一頌半結成初中有五
一頌四物供養一頌半音樂供養一頌歌唄供養一頌花供養一頌身業
礼供養此物也發廿提心經云若以花施得七寶覺花故以香施得五
分法身香故以幡施得陁羅尼轉衆惡故以蓋施獲四无量覆衆生故
業報差別經說各得十德　經若使人作樂至盡持以供養
贊曰此八音樂供養樂音五覺及以生樂故立盧各及皇帝世侄倫作樂
說文五聲八音之總名礼記干戚羽毛謂之樂鄭玄八音克諧謂之樂
鼓動也凡廿音曰鼓今木有皮動之則鳴角者曲形而似角貝者螺也卅
卅經日吹貝如時簫管也玉篇編小管所吹笛七孔篇俗名直王篇五
孔竹笛三孔琴禁也君子守正以自禁神農所作箜篌琵琶相可知矣鐃
如鈴而大玉篇小鉦也軍法十長執鐃五人為伍五伍廿五人為兩司
馬執鐸銅拔兩扇相擊出聲有作鈸无所從或為鈸字發心經
云音樂女色不以施人亂衆生故此供養仏故不相違如金藏中音
樂供事　經或以歡喜心至皆已成仏道　贊曰此以歌唄供養
當得大士梵音聲故梵云婆師此云讚歌唄匿訛也陳思王登
魚山聞巖岫有誦經聲清亮遠谷流響遂擬其聲
而制梵唄故今俗中謂之漁梵寘合西域三契七聲俱脏耳等
所作　經若人散亂心至漸見无數仏　贊曰此以花供養此与前
四事中花施何別彼專善心此以散心故不相違略言供養畫像
供養餘像亦得　經或有人礼拜至或復小低頭　贊曰此明
身業礼敬供養上歌唄是語業此身業其雖發心即是意
業自餘皆是外財供養三業礼供　經以此供養像至如薪盡
火滅　贊曰結成供養　經若人散乱心至皆已成仏道　贊曰此稱
仏作仏且舉一稱尚得作仏何況多稱如藥王藥上經云我常稱

業自餘皆是外財供養三業门供　経以此供養像至如新畫
大械　賛曰結成供養　経若人散乱心至皆已成仏道　賛曰此稱
仏作仏且舉一稱尚得作仏何況多稱如藥王藥上経云我常稱
五十三仏名故今得作仏即其事也　経於諸過去仏至皆已成仏道
賛曰次衆生聞法得種智中此為第三聽成仏道　経未来諸世尊
之方便説法　賛曰下六頌半頌未来法中分二初三頌半標同今
説後三頌重釋前義初中有三一頌標同初方便一頌半標後成説
實一頌釋前所由比物也　経一切諸如来至无不成仏　賛曰此
頌標後成説實令聞法者皆得作仏及衆生二俱合説　経諸仏本
誓願至亦同得此道　賛曰釋前所由之本願故　経未来世諸仏至
其實為一乘　賛曰下三頌重釋前義有二初一頌明初方便皆
為一乘後二頌明悟三性諸法帰趣所以如此初也　経諸仏兩足
尊至導师方便説　賛曰明悟三性諸法帰趣所以初權後説
一乘真如妙理體性常住仏能證知遍計所執生法二我體性
是无仏證无我理故之知此无是乃虚妄執仏種從緣起者
无漏依他非仏種子因緣所生從緣所起因脩作故由證真理
斷能執心染分依他知所執无證於淨分依他因緣脩仏種者
為一乘故行者一乘至顯常法即圓成實法住法位者真如住
在諸法之中體性常有名為法住法有染淨雜染得淨分位
顯之故名法住相者體性世間本體即是常住真如實性一
乘體也於金剛座道場之中知此諸法本體性已於无名相法
中導师方便以名相説一切法中略有二種一空二有空无差別總
立一性名遍計所執有法有差別分之為三者常二无常常者名圓
成實性无常法為依他起性復分為三有漏二无漏有漏為依
他起性无漏為圓成實性今依前门无常為依之他之有漏皆

中道所方便名相說一切法中略有二種一空二有空无差別總
立一性名遍計所執有法有差別分之為三者常二无常之者名圓
成實性无常法為依他起性復分為三有漏二无漏有漏為依
他起性无漏為圓成實性今依前門无常為依之他之有漏皆
悉除斷就中但取漏无常淨分依他究竟滿位成菩提故之言
仏種從緣起也意顯能證常法性真如二无我理故乃能了知
二我為无依於善友備習惠從緣起法廾提覺滿為證一乘真
如妙之理之即是法住法位世常住相大般卅卅於道場中既證知
已令為眾生方便說之令之欣趣證今此依他即廾提因成即
卅卅合成一乘因成勝故獨名一乘由斷有漏依他起性遣計
所執證此二果由了依他所執性故初說阿含次說般若 維 有空
教名為方便令三合說故名真實三性之義如別章說
經天人所供養至之說如是法　贊曰下有四頌半頌現在有
三初一頌半標開權顯實二頌顯意此初也　經知第一寂滅至其
實為一乘　贊曰此初開權後還顯實　經知眾生諸行至隨
應方便說　贊曰此顯初權後實之意眾生諸行者總句心
行相也下是別句或勝解也心所念者遍趣行也業力者自業
也欲力者謂勝解也性力謂種之界也精進力者謂處非處等
未精進等體即性力以種性體即五根故下一力字貫通上也根利
鈍者根勝劣力也仏有此智力能知之故所以初權後還真實
前未來仏由悟三性此現在仏由知眾生等相影顯故初方便後
說真實　經我今亦如是至皆令得歡喜　贊曰下卅頌半頌義
亦如是釋迦同中分二初二頌標後廿八頌半頌廣釋此初也初頌令
實後頌昔權皆令歡喜滿入道故　經舍利弗當知至貪窮无

之如是釋迦同中分二初二頌標法廿八頌半顯廣釋此初也初頌令
寶後頌昔權皆令歡喜漸入道故　經舍利弗當知至貧窮无
福慧　贊曰下廣釋分二初廿二頌半頌初以三乘方便誘引即
長行云知諸衆生有種種欲深心所著隨其本性以種種因緣譬喻
言詞方便而為說法後有七頌々令說真實即長行云如此皆為
得一仏乘一切種智故即頌初權後實之義就初文分四初三頌半
見生受危難次三頌愍救不可得次十一頌半請念設權方後三
頌半正說三乘化初中有二一頌无善二頌半有惡此初也經若
說仏有五眼一肉眼非脩定生四大所造長養異熟淨色為
性二天眼於定障脩習所起唯是長養四大所造淨色為性
三法眼觀事有慧眼觀理空慧五仏眼因該而果圓攬前四為
體龍樹解云如四大河流至天池通名大海如是四眼流至仏果
通為仏眼初二體色次二體智後一通二又云人等有肉眼天等二乘有天眼
有慧眼廿卅有法眼仏有仏眼由此說五瑜伽十四說有三眼一肉能照
顯路无障得色二天眼能照隱顯有无障色三慧眼照一切種若色非
色法眼體慧合慧為不同色眼境有隱顯故略不論仏眼即前有四談
因非果故立不說未知生受花嚴經說十眼一肉眼見一切色二天眼見
死此生彼三慧眼見諸衆生諸根差別四法眼見一切法第一義五仏
眼見仏十力六智眼分別了知一切種法七明見土一切仏說光明八出
生死眼見卅卅法九无㝵眼見一切法无有障㝵十普眼謂見法界
平等法門十中第一是五中第一第二是第二是前第二此中
第三第五第六第七第九五眼是前法眼此第四第八是前慧眼
見真諦故或第四第八第九三眼是前慧眼俱見理故第十普
眼是前仏眼普見法界平等性故以仏眼觀者以五眼中仏眼觀
世十中仏眼不見衆生見十力故六道衆生无始不脩福智二因未

第三第五第六第七第九五眼是前法眼此第四第八是前惠眼
見真諦故或第四第八第九三眼是前惠眼俱見理故第十普
眼是前仏眼普見法界平等性故以仏眼觀者以五眼中仏眼觀
世十中仏眼不見衆生見十力故六道衆生无始不脩福智二因未
雜七種聖財及人天七法財謂施戒忍勤定惠方便故无福及惠
經入生死陰道　乏資寘无所見　　賛曰下二頌半有惡爲二初
一頌半現苦沉溺煩惱增多後一頌設求生要而行耶行此初也
世間犛牛由自愛尾藏身灌尾人貪其尾遂煞其身衆生
久尔貪著五欲以自藏身遂以貪愛而自蔽因墜墮惡道有
尔貪愛蔽以犛牛説文西南夷長髦牛也有作貓字人間捕
鼠者非此中義有作貓猫不知所從　經不求大勢仏至以善欲
捨苦　　賛曰設求生要而行耶行仏有神通智惠威勢術苦之
法而不求趣翻湏外道耶見網中行以法身苦行以捨生死苦此爲未
可所以六年麻麦尚不證於廿提坐臥荊棘何容得於道果
如狗逐塊々打轉多豈同師子逐人非塊　經爲是衆生故而
起大悲心　　賛曰下三頌思救不可得爲三初半頌思起因行
一頌得果已思頌半思救不得此初也見諸衆生有此二緣遂
起悲心發心脩行思惟將救　經我始坐道場至思惟如是
事　　賛曰得果已思仏成道已樹下經行觀樹喜自道圓
經行思惟利物又觀樹心凝妙理經行想化群生又觀樹想蔭
四生經行思施福惠諸經説佛成道已後説法時節各々不同此云
三七日弥沙塞律三昧七日与十地經同七日不説法顯示自受法
樂故爲人々衆生增受教故律及廿婆多傳過六七卌二日方説法

經行思惟不救又觀樹心實妙理經行想化群生又觀樹想落
四生經行思施福惠諸經說佛成道已後說法時節各〻不同此云
三七日弥沙塞律三昧七日与十地經同七日不說法顯示自受法
樂故爲人〻衆生增愛敬故律及廿婆多傳過六七卌二日方說法
梵天來請憍陳如等根方熟故有說云夏安居後方度五人
十二由經成道後二年方度五人智度論說五十七日不說法此皆
諸部宜見不同未可和會然今解者大乘以法花爲正此說通行
四諦法輪故三七日若唯說大乘法輪十地爲正第二七日說十地
故　經我所得智惠至云何而可度　　贊曰思救不可得有四
因故一法深難解二根鈍難救三者着樂難捨四癡盲難悟云
何可度　經尒時諸梵王至請我轉法輪　贊曰下十一頌半請
念設權方中分四初二頌諸天請說次三頌示相思惟次四頌半
化過良緣後二頌念隨權誘此初也大自在天色界天也今對三
乘法尒說法皆待請故智度論云淨居天勸出家四天王獻鉢
帝釋獻寶座梵王請轉法輪仏初不許梵王三說有根重請殷
勤仏方許〻初說三乘勝天王般若云四天王等獻鉢等天帝釋
獻座仏爲受〻各見獨爲受〻皆發勝心然下大通智勝仏唯
梵王請此通諸天王者彼舉勝類非无餘天請彼仏也
經我即自思惟至疾入於卅卅　贊曰下三頌示相思惟有二初二頌
即說大乘衆生有損後一頌且說三乘衆生有益此初也以諸衆
生更俗現在昔中出家妄〻昔〻无暇頓能信大乘法若爲說者
返生誹謗疑惑破壞脫生不信却沒惡道又在俗者設昔故
不信外出家者破法故不信既有此損寧不說法疾入卅卅何得
翻損諸衆生也即同智論初不許也　經尋念過去仏至應說三
乘法　贊曰且說三乘衆生有益同諸仏故此同智度重請方

不信外出家者破法故不信既有此損寧不說法疾入卄卄何得
翻損諸衆生也即同智論初不許也　經尋念過去仏至應說三
乘法　賛曰且說三乘衆生有益同諸仏故此同智度重諸方
許　經作是思惟時至而用方便力　賛曰下有四頌半化遇良
緣有三初一頌半仏現讚揚次半頌初同諸仏後二頌半引已爲
證後實初權此初二也十方化現欲仏稱善讚弟一師請无上法
勸隨諸仏後實初權釋迦能姓牟尼寂嘿今略言文如音訓說
法亦隨喜皆云善哉　經我等亦皆得至分別說三乘
賛曰下三頌半引已爲證後實初權中有三一頌引已爲證次一頌釋
此兩由後半頌結帰真實此初也引已初時說三乘也　經少智樂小法
至教化卄卄　賛曰此釋所由及結帰真實以不定人鈍在凡夫小
智樂小无欣大意不信自作仏故初說三乘雖復初權後必真實
但化卄卄　經舍利弗當知至喜稱南无仏　賛曰下二頌念随權
誘分二初頌聞之敬讚後頌思惟彼行此初也有本云稱南无諸仏
應從喜稱爲正之言納慕之言納莫此云敬礼者言伴談矣言
伴題此云礼拜舊云南无訛略也　經復作如是念至我亦隨脩行
賛曰思順彼行也既遇良緣勸我權化思生渴仰應順彼行　經思
惟是事已至爲五比丘說　賛曰下三頌半正說三乘化分三初一
頌半正起權化次一頌三賛遂與後一頌會成今古此初也梵云婆
羅痆斯云波羅奈訛也中印度境往昔此地有兩群鹿各五百餘
仏爲一群鹿王提婆達多復爲一王時此國王田遊原澤卄卄鹿王前
請王曰大王狡獵中原縱燎飛矢凡我徒屬命盡斯晨即日腐臭无
所充膳願欲次差日輸一鹿王有割鮮之膳我延旦夕之命王善
其言迴駕而返兩群之鹿更次輸命提婆群中有懷孕子鹿次
當就死白其王曰身雖應死子未次也願輸差替延洩當生遣王

請王曰大王於獵中原縱燎飛矢凡我徒屬命盡斯晨即日腐臭无
所充膳願欲次差日輸一鹿王有割鮮之膳我延旦夕之命王善
其言迴駕而返兩群之鹿更次輸命提婆群中有懷子鹿次
當就死白其王曰身雖應死子未次也願轉差替誰當往鹿王
怒曰誰不寶命雌鹿嘆曰吾王不仁死无日矣乃給告菩薩鹿
王曰悲哉慈母之心恩及未形吾今代汝遂至王門道路之人傳聲唱
言彼大鹿王今來入邑都人士庶莫不馳觀王之聞也以為不誠門者
白王王乃信然王白鹿王一何遽來耶鹿王曰有雌鹿當死胎子未產
心不能忍敢以身代王聞嘆曰我人身鹿也无字育之心尔鹿身人也有
代命之德於是悲放諸鹿不復輸命即以其林為諸鹿藪因而謂
之施鹿林為鹿野之号自此而興初薩傳喝剌他悉陀唐言一切義
成舊曰悉達多訛略也太子踰城之後棲山隱谷忘身殉法淨飯王乃
命家族三人舅氏二人曰我子一切義成捨家脩學孤遊山澤獨處林
藪故命尔曹隨知所止內則叔父伯舅外則君而且臣凡厥動靜宜知
進止五人銜命相望營衛因即勤求欲期出離每相謂曰夫脩道者
苦證耶樂證耶二人曰安樂為道三人曰勤苦為道二三交爭未
有以明於是太子思惟至理為伏苦行外道節麻米以支身彼二人
者見而言曰太子所行非真實法夫道者樂以證之今乃勤苦非吾
徒也捨而遠遁思惟果證太子六年苦行未證菩提欲驗苦行非真受
乳糜而證果斯三人者聞而嘆曰功垂成為今其退矣六年苦行一旦
捐功亦欲捨而去於是相從來訪二人既相見已匡坐高論更相議曰
昔見太子一切義成出王宮就荒谷去珍服披鹿皮精勤勵志貞
節苦心求深妙法期无上果今乃更牧牛女乳糜敗道虧志
吾知之矣无能為也彼二人曰君何見之晚歟此猖獗人耳夫處
乎深宮安乎尊勝不能靜志遠迹山林棄轉輪王位為鄙

BD00112號　妙法蓮華經玄贊卷四　（34–24）

吾知之矣无結爲色彼二人曰君行見之晚敗此福撅人身大受
乎㷀宮𢖗乎尊勝不能靜志道逈山林弃轉輪王位爲鄙
賤人行行可念我言憎嫌切廿廿俗居連行坐廿提樹成等正覺
号天人師寂默宴坐惟察應度思曰彼鬱頭藍子者登非
想定堪受我法空中諸天聲聲亦曰鬱頭藍子命終已來住
今七日如來歎惜斯何不遇無聞妙法還從變化重更觀察
有阿藍迦藍得无所有處定可授至理諸天又曰命終已五日
如來載嘆悠其薄祐又更諦觀誰應受教唯施鹿林有五
人者可先誘導如來尒時起廿提樹趣鹿野園威儀寂靜
神光晃曜豪舍玉彩身真金色安詳前進彼五人于時五人
遙見如來䓁相謂曰一切義成彼來者是歲月遷淹聖果
不證心期已返故尋吾徒宜各默然勿起迎礼如來漸逼威神動
物五人應制拜迎問訊侍從如儀如來漸誘示之妙理相傳解云
言五人者一陳如二十力迦葉三頞鞞有云即馬勝比丘四拔提五
摩男拘利應勸娑沙何故唯五人者有云迦葉仏時同學九
人四人利根已前得道五人鈍根故今始悟願逢釋迦仏生成道
故又經云釋迦過去作大魚身願先食我者先度五人先食故
先度之又經云六人曾供養仏五人取稱花供養一人待熟一人
初悟一人在後即須䟦陁羅又五夜又食慈力肉也五人中陳如得
初果四人在四善根至夏初方得道西域記云夏安居畢方得
道跡法寂滅相即是真如不可言宣性離言故无名相註
以名相說名方便力趣波羅㮈爲五人說　經是名轉法輪至
法鐠差別名　贊曰三寶興也此法輪義略以五門分別一出

以名相説名方便力趣波羅㮈為五人説　經是名轉法輪至
法﨏差別名　賛曰三寶興也此法輪義略以五門分別一出
體二釋名三轉相四差別五三乘出體者俱舍論第廿四説
所説法門性　亦名婆羅門　亦名為梵輪　真梵所轉故
於中唯見道　説名為法輪　由速等似輪　或具輪等故
即於此中唯依見道世尊有處説名法輪有速等相見道似
彼故名法輪謂見諦道速疾行故有取捨故降未伏故鎮已伏
故上下轉故具此五相似世間輪故顯宗云如聖王輪取前捨後
見道亦尓捨苦等境取集等故此意顯示見諦理必不俱時
如聖王輪降未伏故尊者妙音作如是説如世間輪有輻等故
八聖道支似彼名輪謂正見正思惟正勤正念似世輪輻正語
正業正命似轂正定似輞故名法輪寧知法輪唯是見道㤭
陳那等見道生時説名已轉正法輪故天親論云依經部宗破
廿婆多言三轉行相非唯見道如所可説唯相見道立法輪名
是故唯應即此三轉十二行相所有法門名為法輪可應正理云何
名輪由此法門住他相續令解義故或諸聖道皆名法輪輪以
從生身中轉故於他相續見道生時已名轉初故名已轉此有
釋言初説見道名為法輪非廿婆多正義雜心亦復不正義云華
居説見道速疾名輪俱舍復云或諸聖道皆是法輪等此是
廿婆多師本意故顯宗云此婆沙師本意總説一切聖道皆名
法輪以三説轉三道攝故於他相續見道生時已是轉初故
名已轉非唯見道八聖道支獨名法輪妙音所説非正義故成實論
依初轉生聞慧第二轉生思慧第三轉生脩慧又無十二行相唯作
一空行今者大乘總貫諸文法輪有五一自性謂擇法覺支見

名之轉非唯見道八聖道支名爲法輪妙音所說非正義故成實論
依初轉生聞慧第二轉生思慧第三轉生脩慧三无十二行相唯作
一空今者大乘總貫諸文法輪有五一輪自性謂擇法覺正見
正智等瑜伽九十五云正見等法所成性故說名法輪自他三轉通
見及脩无學道故諸聖惠眼能摧煩惱說名輪故俱舍云言一
聖初道名法輪故婆沙唯取八聖道支具轂輞輻因滿義故
正見正思惟說名爲轂是根本故正語業命說名爲輻因轂有故
正念勤定說名爲輞攝錄餘故不同小乘比八聖道別脩行相
雖在脩道體要通餘見无學道世尊應无八聖道故二法輪因
謂能生後聖道諸教聞思脩等无量義經十七名中之名法輪故
諸經論中說仏教法名法輪故俱舍云言此即三轉十二行相所有
法門名法輪故瑜伽云說三周十二行相名得所得之方便故前爲
後因合爲果因故方便又云三周正轉見脩无學隨其次第智見現
觀名得方便三輪眷屬謂諸聖道助伴五蘊瑜伽等說聖所
愛戒及信等法助觀增明助道除障非正斷故四法輪境謂四
聖諦十二因緣三性等法瑜伽又說爲得所緣境者謂四聖諦此
經之說大通智勝轉十二因緣解深密經說依顯了相說三无
性皆依遍計所執性已名法輪故五法輪果瑜伽又說爲得所得者謂
大菩提後文又說四沙門果所攝受聲聞菩提獨覺菩提若諸如
來无上菩提是法輪果瑜伽又說三周十二行相名得所得之方便
又云三周正轉見脩无學隨其次第智見現觀名得方便故菩提
菩薩名所得果然此五種不過四種一教二理三行四果釋名者一名
梵輪如來應供是梵增語彼所轉故名梵輪之名法輪法者
可軌持義正見等法所成性故說名法輪之有四義一圓滿義

又三處已斷見修無學隨其次第智見現觀名得方便故菩提
薩所得果然此五種不過四種一教二理三行四果釋名者一名
梵輪如來應供是梵增語彼所轉故名梵輪二名法輪法者
可軌持義正見等法所成性故說名法輪輪有四義一圓滿義
具轂輞輻或釋法覺見等種用同輪名之為輪二摧壞義此四種
法若伏若斷若助若正未斷煩惱皆能摧故三鎮遏義已伏
煩惱令勢遠故四不定義從自見至自備從自備至無學從自無
學智發言教他從於言教解於諦理他從諦理起於正行他從
正行起於果智如是展轉復為他說如轉輪王所有輪寶能摧未
伏諸煩惱故能鎮已伏諸煩惱故法復法故瑜伽論說當知世
尊轉所解法置於所若憍陳如身中此復隨轉置餘身中彼復
隨轉置餘身中如是展轉隨轉義故說名為轉法即是輪持
業釋也轉者動也顯也運也起也動宣言教顯揚妙理運理
道於聲前起真智於言後因摧障惱名轉法輪所轉即法之輪
之轉二釋皆得轉相者九十五說由五種相轉法輪者當知名
為善轉法輪一者世尊為菩薩時為得所得所緣境界二者為得
所得方便三者證得自所應得四者得已樹他相續令於自證深生
信解五者令他於他所證深生信解此意總說化身化相自證
果時令聲聞等亦有所證不依菩薩報身成義本之依實菩薩轉
義總依然終究竟作論不依一念得成三轉所緣境者謂四聖諦
依安立諦非安立諦依於三性皆此攝故得方便者謂即於此四聖
諦中三周正轉十二相智此自三周轉法轉相為得無上菩提因故最初
轉者謂昔菩薩入現觀時如實了知是苦聖諦廣說乃至是道
聖諦於中所有現量聖智能斷見道所斷煩惱爾時說名生聖
慧眼即此由依如來今世俗語利故後其次第名智明覺此說

轉者謂昔廿入觀觀時如實了知是苦聖諦廣說乃至是道
聖諦於中所有現量聖智能斷見道所斷煩惱爾時說名生聖
惠眼即此由依去來今世有差別故如其次第名智明覺此說
一智揔名法眼有三行相名智明覺非於一諦別起四智由真見道（通三世非是戒諦通三世有第三）
唯一剎那不同小宗上下別觀依論證滅說通達我當於後猶有
所作應當遍知未知苦諦應當永斷未斷集諦應當作證未證
滅諦應當脩習未脩道諦如是立有四種行相如前應知第三轉
者謂是无學已得盡知无生智故言所應作我皆已作謂我已遍知
未知苦諦乃至廣說我已脩習未脩道諦立有四行類前應知此
差別者謂前二轉四種行相是其有學真聖惠眼審後一種是其
无學真聖惠眼觀此文意初轉之時見道已前加行智位雖知
四諦但是轉因猶非正轉未摧壞故由此但名益力揖能轉位所
攝入見道中真无間道正名爲轉正斷或故其解脫道及相見
道立名初轉雖不斷或斷病塵故鎮已伏故立作別知四諦相故此
後脩道未斷或前所起行相應遍知等是正轉相正起真智乃
至金剛心斷諸煩惱立此轉攝趣別行相但擬趣聖斷或道折伏
正斷但名轉故至其无學解脫道後起我已作所應作智後更不
斷但鎮已伏无降未伏然見道前雖有伏道不与轉名非无漏故
前无無漏故不同脩如是廿廿自爲三轉初轉在見道名即相轉次
轉在脩道名應脩轉後轉在无學道名已作轉一一轉時於一一諦
生四行相三轉竪論成十二相如是四諦合卅八不過十二以数等故揔
名三轉十二行相俱舍立說眼智明覺別觀諦故彼以法忍法智
類忍類智如次爲四若作此釋不作八諦觀於一一諦便无四行相義
忍智一一皆具四行照境分明名眼對治无知名智對治无明名明

名三轉十二行相俱舍之說眼智明覺別觀諦故彼以法忍法智
類忍類智如次爲四若作此釋不作八諦觀於一一諦便无四行相者
忍智一一皆具四行照境分明名眼對治无知名智對治无明名明
對治耶覺名覺不同於此得自所得者謂得无上正等廾提謂
即雙取廾提卌卌前爲後因前无間道爲解脫道明此說廾
廾自三周轉法輪之果或說法身卌卌真理名无上廾提起无學位
廾提報身已作之智證法身故俱舍論等无仏自轉樹他相續令
於自證生信解者謂如長老阿若憍陳如從世尊所聞正法已審初
悟解四聖諦法又答問言我已解法從此已後如前所說究竟行相五
皆證得阿羅漢果生解脫處比說世尊自得道故復爲於他三轉
法輪因俱舍說三周修歷四聖諦故謂此是苦乃至此是道是名初
轉謂此應遍知乃至此應修習是第二轉此已遍知乃至此已修習是
第三轉如次顯示見道修道无學道三此是仏爲他三轉者初名示
相示四諦相故次名勸勸修諦行故復名作證爲化證明知彼諦故
由彼憍陳審初悟解入見道已仏問彼言汝已解耶彼荅已解故
得解名第二第三轉已遂得阿羅漢生解脫智處證得无爲果
是名轉在他身於仏所證深生信解審後令他於他所證生信解
者謂如長老阿若憍陳如起世間心我已解法如來知已起世間心所
若憍陳已證我法地神知已舉聲傳告經於剎那瞬息須臾其
聲展轉乃至梵世間心者緣事之心非要散心比前第四樹聖道
於五人身中令於仏自所證深生信解第五令他地神等知若憍陳
所證深生信解差別者雖轉四諦法相不殊三乘之人各各證果聲
聞性人已於三生或六十劫先修習已聞仏所說依蘊處界證四諦
理名聲聞法輪獨覺性人已於四生或於百劫先修習已聞仏所說

於五人身中，令於仏自所證得生信解，第五令他地神等知。若憍陳
可發得生信解。差別者，雖轉四諦法相不殊，三乘之人各各發得果。聲
聞性人已於三生或六十劫先脩習已，聞仏所說，依蘊處界發得四諦
理，名聲聞法輪。獨覺性人已於四生或於百劫先脩習已，聞仏所說，
依十二緣脩發四諦理，名獨覺法輪。菩薩性人已於一大阿僧祇劫先
脩習已，聞仏所說，依三性等發四諦理，名菩薩法輪。不尒，三乘俱觀四諦，
俱時發聖，有何差別？大般若云：世尊初於波羅奈國轉四諦法輪時，
无量衆生發聲聞心，發聲聞果；无量衆生發獨覺心；无量衆生
發起无上正等覺心，發於初地、二地、三地，乃至一生當得菩提，故名鹿
野創轉三乘通行法輪。若不示者，第二七日已說十地，何故不名轉
法輪也？彼非三乘同所脩故，不與初轉法輪之名。然實他身三時智起之有
經生而發聖果，名三轉者，其解憍陳等仏於鹿苑一時之間令其次
第得此三果，名為三轉。无垢稱經云：三轉法輪於大千，其輪本來
性寂，希有法智天人發，三寶於是現世間。即此經言便有菩薩菩薩言音
現出，及阿羅漢法之與僧，三寶現世。仏為仏寶，菩薩及云果法教法名
為法寶，阿若多等名之為僧。阿羅漢者，即是陳如；復言僧者，餘之四人
住有學故，能發智所發諦，即行理法寶。四法已周，并仏及僧能化所化
既有，體出合名三寶生現世間。三乘者，仏及菩薩并諸聲聞說法令他
得智斷者，可名轉法輪；獨覺不尒，菩薩經言緣覺說法不能令人得
燸等法，由二乘等不識藥病，不與聲聞轉法輪名，理之何爽。
經：從久遠劫來，讚示涅槃法，生死苦永盡，我常如是說。
贊曰：結會今古，非但今日方讚菩薩永盡衆苦，久来常說，故古同今。
經：舍利弗當知，以方便所說法。　贊曰：下有七頌，今說真實。頌如
是皆為得一切種智。中分四：初二頌根熟來逢，一頌念念應度，三
頌正說真實，二頌結成玄義

贊曰從昔今古非但今日方備卅卅求盡衆苦久來常說故古同今
·經舍利弗當知至方便所說法　贊曰下有七頌今說真實頌如
是皆爲得一切種智中分四初二頌根熟來逢一頌念念應度三
頌正說真實一頌結成法儀此初也我見小權教度者曾於仏
所已聞權教善根熟故今來逢我故上文言是會衆生曾
見諸仏亦曾見釋迦今總言諸仏　經我即作是念至今正
是其時　贊曰念念應度爲說仏惠今生脩学今根已熟何
得不教　經舍利弗當知至不能信是法　贊曰下三頌正說
真實分二初一頌明鈍不堪受後二頌明利則堪受此初也有五
過失不堪受大一鈍根聞法不解義何顛底迦三小智雖復聰
明情見不廣義趣寡者三着相謂起計執空有二相錯行
亂孝義不定種性執有非空根未熟故四慢者持己盛事諸富
貴者醉逸縱任義根未熟有性凡夫稟性醉逸五慢者恃已
陵他五千之輩義復具此七種慢等諸煩惱者不能信大不應授
与　·經今我喜無畏至悉亦當作仏　贊曰此明堪授初頌
明捨權就實後頌除疑得記喜者喜無量不嫉衆生成仏事故
無畏者決定義作師子吼理決定故於卅卅中者對勝人前故二乘
發心皆卅卅故依真實理說一乘道名爲正直不隨機權說有
三故名捨方便但說無上一乘之道即顯今直唯說一道非於餘
故地前頓悟卅卅疑自獨得卅提聲聞無分不定種性卅卅疑於仏
果自亦無分欲退向小故今聞法此疑皆除現前名高千二百聲聞
疑不得作仏今正爲說悉當作仏卅卅由此說須陀洹八万劫到
乃至辟支十千劫到到於十信初發心也此等脩行極爲遲鈍不
如初脩始業卅卅比擬不定非諸二乘皆定作仏故卅卅第卅四

BD00112號　妙法蓮華經玄贊卷四

（34–32）

疑不得作仏今正為説悉當作仏卅卅由此説須陁洹八万劫到
乃至辟支十千劫到ミ於十信初發心也比等脩行極為遲鈍不
如初脩始業廿廿比擬不定非諸二乘皆定作仏故卅卅第卅四
云我於一時説一乘一道一行一縁能為衆生作大寂静永断一切
結傳慈苦ミ及昔因令一切衆生到於一有我諸弟子不解我意
於大衆中唱如是言如来説須陁洹乃至羅漢皆得仏道等
經如三世諸仏至説无分別法　賛曰結成法儀也大乘妙理絶
无別分三乘不異悉皆作仏故説之也　經諸仏興出世至懸
人亦復難　賛曰下第六段有七頌ミ前第一未聞令聞分四
頌法説四希二頌半喩顯二希一頌半勸信一頌嘆結比初也ミ仏
出希二説法希三難聞希四能聴希仏出希者如賢劫千仏今第
九住劫已四仏生後第十劫弥勒仏生至第十五劫有九百九十四仏出此
劫壊已鶴盧支仏獨王一劫經十二劫後始有莊嚴劫千仏中初淨
光稱王仏出後更三百劫空過无有仏故仏希也如迦葉仏住壽
七日不説此經及今釋迦成仏卅年方説比經故是説希常處八難
亘与仏相逢故難聞希難逢出日更聞小乘不希大法故能聴希
經譬如優曇花至適於優曇花　賛曰喩顯二希也一頌ミ
法出希一頌半頌聞讃希聞法及讃欲適優曇花故行喜
法ミ則為供養三世仏故息聴聞教他聞合名聞法度慰聞
此云歡喜讃嘆聞此云讃行此四種皆真行故　經汝等勿
有疑至无聲聞弟子　賛曰勸信勿疑　經汝等舎利弗至
諸仏之秘要　賛曰欲結深妙比為諸仏秘藏隱道
經以五濁悪世至終不求仏道　賛曰下第二段有三頌ミ破四疑
分三初一頌仏行時生化以三乘出五濁世次一頌[illegible]僧上[illegible]

有疑至无聲聞弟子　贊曰勸信勿疑　·經汝等舍利弗至
諸仏之秘要　贊曰欲結深妙此為諸仏秘藏之道
經以五濁惡世至終不求仏道　贊曰下第二段有三頌〻破四疑
分三初一頌仏何時出化以三乘出五濁世次一頌〻何知增上慢者
我弟子自謂阿羅漢不信此法无有是處一頌〻何堪說除仏
滅後現前无仏此初也　·經當來世惡人至破法墮惡道
贊曰頌釋五何知增上慢當來惡人不信此法者多是增上慢
不但增上慢所餘惡人之不能信仏在慢者上已說相滅後難〻
故此獨舉　經有慚愧清淨至廣讚一乘道　贊曰釋〻
堪說有具四德一慚崇重賢善復顧自身為恥過非二愧輕〻
暴惡復顧世間為恥過罪三清淨內外无瑕棄世名利四〻〻
仏道不顧二乘能信此經不愚法類乃可為說設愚法者若
遇餘仏便得決了一乘道也　·經舍利弗當知至自知當作仏
贊曰此中三頌品第四段勸發喜心令欣作仏初一頌半明仏法所
宗不了後一頌半勸知生喜欣求作仏如文可解

法花經玄贊第四

舍利弗未來諸佛當出於世亦以無量無數
方便種種因緣譬喻言辭而為衆生演說諸
法是法皆為一佛乘故是諸衆生從佛聞法
究竟皆得一切種智舍利弗現在十方無量
百千萬億佛土中諸佛世尊多所饒益安樂
衆生是諸佛亦以無量無數方便種種因緣
譬喻言辭而為衆生演說諸法是法皆為一
佛乘故是諸衆生從佛聞法究竟皆得一切
種智舍利弗是諸佛但教化菩薩欲以佛之
知見示衆生故欲以佛之知見悟衆生故欲
令衆生入佛之知見故舍利弗我今亦復如
是知諸衆生有種種欲深心所著隨其本性
以種種因緣譬喻言辭方便力故而為說法
舍利弗如此皆為得一佛乘一切種智故舍
利弗十方世界中尚無二乘何況有三舍利
弗諸佛出於五濁惡世所謂劫濁煩惱濁衆
生濁見濁命濁如是舍利弗劫濁亂時衆生
垢重慳貪嫉妬成就諸不善根故諸佛以方
便力於一佛乘分別說三舍利弗若我弟子
自謂阿羅漢辟支佛者不聞不知諸佛如來
但教化菩薩事此非佛弟子非阿羅漢非辟
支佛又舍利弗是諸比丘比丘尼自謂已得
阿羅漢是最後身究竟涅槃便不復志求阿

BD00113號　妙法蓮華經（兑廢稿）卷一　（3–1）

自謂阿羅漢辟支佛者不聞不知諸佛如來
但教化菩薩事此非佛弟子非阿羅漢非辟
支佛又舍利弗是諸比丘比丘尼自謂已得
阿羅漢是最後身究竟涅槃便不復志求阿
耨多羅三藐三菩提當知此輩皆是增上慢
人所以者何若有比丘實得阿羅漢若不信
此法無有是處除佛滅度後現前無佛所以
者何佛滅度後如是等經受持讀誦解義者
是人難得若遇餘佛於此法中便得決了舍
利弗汝等當一心信解受持佛語諸佛如來
人所以者何若有比丘實得阿羅漢若不信、
此法無有是處除佛滅度後現前無佛所以、
者何佛滅度後如是等經受持讀誦解義者、
是人難得若遇餘佛於此法中便得決了舍、
利弗汝等當一心信解受持佛語諸佛如來、
言無虛妄無有餘乘唯一佛乘尒時世尊
欲重宣此義而說偈言
比丘比丘尼　有懷增上慢　優婆塞我慢　優婆夷不信
如是四衆等　其數有五千　不自見其過　於戒有缺漏
護惜其瑕疵　是小智已出　衆中之糟糠　佛威德故去
斯人尠福德　不堪受是法　此衆無枝葉　唯有諸貞實
舍利弗善聽　諸佛所得法　無量方便力　而為衆生說
衆生心所念　種種所行道　若干諸欲性　先世善惡業
佛悉知是已　以諸緣譬喻　言辭方便力　令一切歡喜
或說修多羅　伽陀及本事　本生未曾有　亦說於因緣
譬喻并祇夜　優婆提舍經　鈍根樂小法　貪著於生死
於諸無量佛　不行深妙道　衆苦所惱亂　為是說涅槃

BD00113號　妙法蓮華經（兑廢稿）卷一　（3–2）

譏惜其瑕疵　是小智已出　衆中之糟糠　佛威德故去
斯人尠福德　不堪受是法　此衆無枝葉　唯有諸貞實
舍利弗善聽　諸佛所得法　無量方便力　而為衆生說
衆生心所念　種種所行道　若干諸欲性　先世善惡業
佛悉知是已　以諸緣譬喻　言辭方便力　令一切歡喜
或說脩多羅　伽陀及本事　本生未曾有　亦說於因緣
譬喻并祇夜　優波提舍經　鈍根樂小法　貪著於生死
於諸無量佛　不行深妙道　衆苦所惱亂　為是說涅槃
我設是方便　令得入佛慧　未曾說汝等　當得成佛道
所以未曾說　說時未至故　今正是其時　決定說大乘
我此九部法　隨順衆生說　入大乘為本　以故說是經
有佛子心淨　柔軟亦利根　無量諸佛所　而行深妙道
為此諸佛子　說是大乘經　我記如是人　來世成佛道
以深心念佛　脩持淨戒故　此等聞得佛　大喜充遍身
佛知彼心行　故為說大乘　聲聞若菩薩　聞我所說法
乃至於一偈　皆成佛無疑　十方佛土中　唯有一乘法
無二亦無三　除佛方便說　但以假名字　引導於衆生
說佛智慧故　諸佛出於世　唯此一事實　餘二則非真
終不以小乘　濟度於衆生　佛自住大乘　如其所得法
定慧力莊嚴　以此度衆生　自證無上道　大乘平等法

BD00113號　妙法蓮華經（兑廢稿）卷一　（3–3）

経同義教授者波逸提
若比丘尼同活比丘尼病不瞻視者波逸提
若比丘尼安居初聽餘比丘尼在房內安牀
後瞋恚駈出者波逸提
若比丘尼安居中人間遊行經宿除受七日
法者波逸提
若比丘尼安居竟應出行乃至一宿若比丘
尼安居竟不出行波逸提
若比丘尼邊界有疑處恐怖處人間遊行者
波逸提
若比丘尼於界內有疑恐怖處在人間遊行
者波逸提
若比丘尼親近居士居士兒共作不隨順行
餘比丘尼諫此比丘尼言妹汝莫親近居士
居士兒共住作不隨順行大姊可別住於佛
法有增益安樂住彼比丘尼諫此比丘尼時
堅持不捨彼比丘尼應三諫捨此事故乃至
三諫捨此事若不捨者波逸提
若比丘尼往看王宮文飾堂園浴池者波逸
提　一百
若比丘尼露形在河水泉水池水中浴波逸
提
若比丘尼作浴衣應量作應量作者長佛六

BD00114號　四分比丘尼戒本　（7–1）

提
若比丘尼露形在河水泉水池水中浴波逸
提
若比丘尼作浴衣應量作應量作者長佛六
搩手廣二搩手半若過者波逸提
若比丘尼縫僧伽梨過五日除求索僧伽梨
出迦絺那衣八難事起者波逸提
若比丘尼過五日不看僧伽梨波逸提
若比丘尼知檀越欲施衆僧衣遮令不施者
波逸提
若比丘尼不問主便著他衣者波逸提
若比丘尼持沙門衣施与外道白衣者波逸
提
若比丘尼作如是意衆僧如法分衣遮不令
分恐弟子不得波逸提
若比丘尼作如是意衆僧令不得出迦絺那
衣後當出欲令五事久得故捨波逸提
若比丘尼作如是遮比丘尼僧不出迦絺那
衣欲令五事久得故捨波逸提 百一十
若比丘尼餘比丘尼語言爲我滅諍事而不
作方便令滅者波逸提
若比丘尼自手持食与白衣外道者波逸提
若比丘尼爲白衣作使者波逸提
若比丘尼入白衣舍在小牀大牀上若坐若
卧波逸提

BD00114號　四分比丘尼戒本　（7–2）

若比丘尼入白衣舍在小牀大牀上若坐若
卧波逸提
若比丘尼至白衣舍語主人敷坐止宿明日
不辭主人而去波逸提
若比丘尼誦習世俗呪者波逸提
若比丘尼教人誦習呪術者波逸提
若比丘尼知女人任身度与受具足戒者波
逸提
若比丘尼知婦女乳兒与受具足者波逸提
百廿 若比丘尼知年不滿廿与受具足戒波逸提
若比丘尼年十八童女不与二歲學戒年廿
便与受具足者波逸提
若比丘尼年十八童女与二歲學戒与六法
滿廿衆僧不聽便与受具足戒者波逸提
若比丘尼受曾嫁婦女年十歲与二歲學戒
年滿十二聽与受具足戒若不滿十二与受
具足戒波逸提
若比丘尼度小年曾婦嫁女与二歲學戒年
滿十二不白衆僧便与受具足戒波逸提
若比丘尼知如是婬女与受具足戒者波逸
提
若比丘尼多度弟子不教二歲學戒不以二
法攝取波逸提

BD00114號　四分比丘尼戒本　（7–3）

提
若比丘尼多度弟子不教二歲學戒不以二
法攝取波逸提
若比丘尼不二歲隨和上尼者波逸提
若比丘尼僧不聽而授人具足戒者波逸提
百卅 若比丘尼年未滿十二歲授人具足戒者波
逸提
若比丘尼年滿十二歲衆僧不聽授人具足
戒者波逸提
若比丘尼僧不聽授人具足戒便言衆僧有
愛有恚有怖有癡欲聽者便聽不欲聽者便
不聽波逸提
若比丘尼父母夫主不聽便与受具足戒者
波逸提
若比丘尼知女人与童男童女相敬愛度
令出家後愁憂瞋恚与受具足戒波逸提
若比丘尼語式叉摩那言妹學是當与汝受
具足戒若不方便与受具足戒波逸提
若比丘尼語式叉摩那言持衣來當与受具
足戒而不方便与受具足戒波逸提
若比丘尼不滿一歲授人具足戒者波逸提
若比丘尼与人受具足戒已經宿往比丘僧
中与受具足戒者波逸提
若比丘尼不病不往受教授者波逸提 百卌

BD00114號　四分比丘尼戒本　（7–4）

若比丘尼与人受具足戒已經宿往比丘僧
中与受具足戒者波逸提
若比丘尼不病不往受教授者波逸提 百卌
若比丘尼半月應往比丘僧中求教授若不
求者波逸提
若比丘尼僧夏安居竟應往比丘僧中說三
事自恣見聞疑若不者波逸提
若比丘尼在無比丘處夏安居者波逸提
若比丘尼知有比丘尼僧伽藍不白而入者波
逸提
若比丘尼罵比丘者波逸提
若比丘尼喜鬪諍不善憶持諍事後瞋恚罵
比丘尼衆者波逸提
若比丘尼身生癰種種瘡不白衆及餘人輙
使男子破若壞者波逸提
若比丘尼先受請若足食已後食飯麨乾魚
及宍者波逸提
若比丘尼慳惜檀越家恐人往生嫉妬心波
逸提
若比丘尼以香塗摩身者波逸提 百五十
若比丘尼使比丘尼塗摩身波逸提
若比丘尼以胡麻滓塗身者波逸提
若比丘尼使式叉摩那塗摩身者波逸提
若比丘尼使沙彌尼塗摩身者波逸提
若比丘尼使白衣婦女塗摩其身者波逸提

BD00114號　四分比丘尼戒本　（7–5）

若比丘尼使式叉摩那塗摩身者波逸提
若比丘尼使沙弥尼塗摩身者波逸提
若比丘尼使白衣婦女塗摩其身者波逸提
若比丘尼著紵絝衣者波逸提
若比丘尼畜婦女莊餙身具手脚釧褁處莊
餙具乃至樹皮作屧一切波逸提
若比丘尼著草蓰持蓋行除時因緣波逸提
若比丘尼無乘騎行除時因緣波逸提
若比丘尼不著僧祇支入村者波逸提 百六十
若比丘尼向暮至白衣家先不被喚波逸提
若比丘尼向暮開僧伽藍門不囑授餘比丘
尼而去出者波逸提
若比丘尼日沒後開僧伽藍門不囑而去者
波逸提
若比丘尼不前安不後安居者波逸提
若比丘尼知女人常漏大小便涕唾常出者
与受具足戒波逸提
若比丘尼知二形人与受具足戒者波逸提
若比丘尼知二道合者与受具足戒波逸提
若比丘尼知有負債難病難者与受具足戒
波逸提
若比丘尼學世俗伎術以自活命波逸提
若比丘尼以世俗呪術教授白衣波逸提 十
若比丘尼被擯不去者波逸提
若比丘尼欲問比丘義先不聽而問波逸提

BD00114號　四分比丘尼戒本　（7–6）

若比丘尼向暮至白衣家先不被喚波逸提
若比丘尼向暮開僧伽藍門不囑授餘比丘
尼而去出者波逸提
若比丘尼日沒後開僧伽藍門不囑而去者
波逸提
若比丘尼不前安不後安居者波逸提
若比丘尼知女人常漏大小便涕唾常出者
与受具足戒波逸提
若比丘尼知二形人与受具足戒者波逸提
若比丘尼知二道合者与受具足戒波逸提
若比丘尼知有負債難病難者与受具足戒
波逸提
若比丘尼學世俗伎術以自活命波逸提
若比丘尼以世俗呪術教授白衣波逸提 十
若比丘尼被擯不去者波逸提
若比丘尼欲問比丘義先不聽而問波逸提
若比丘尼先住

BD00114號　四分比丘尼戒本　（7–7）

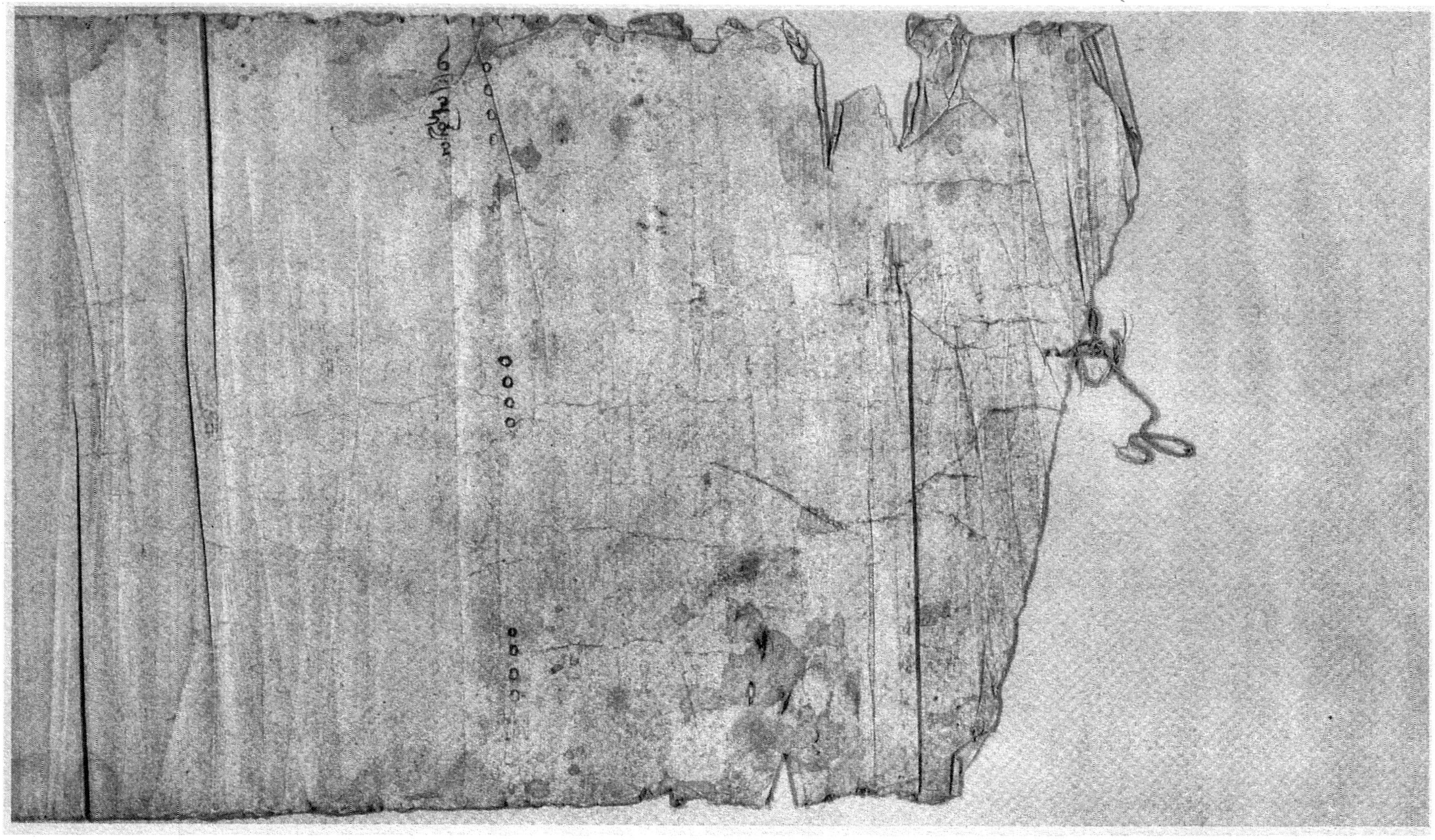

BD00114 號背　雜寫　（1–1）

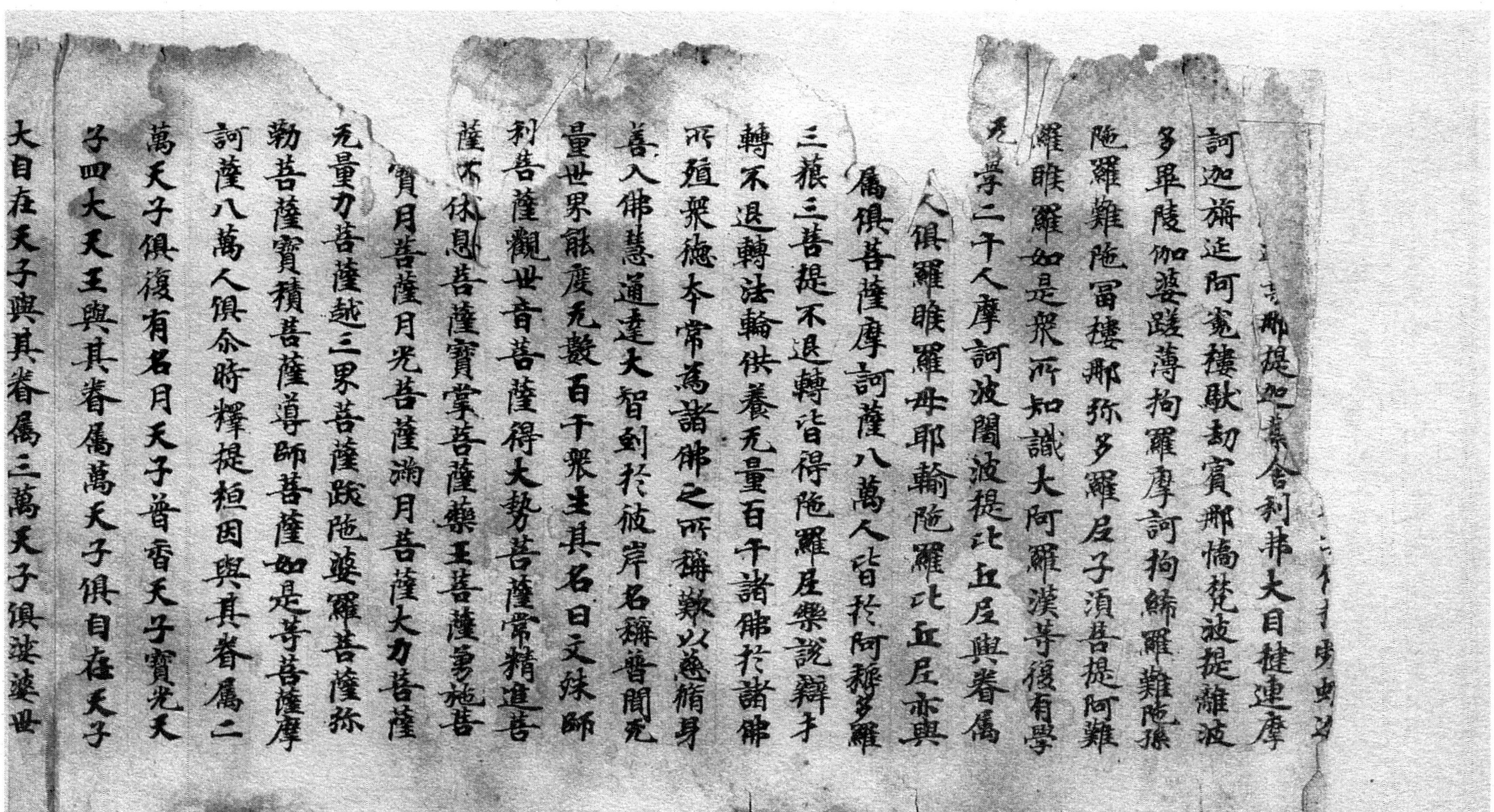

那提迦葉舍利弗大目揵連摩
訶迦旃延阿㝹樓馱劫賓那憍梵波提離波
多畢陵伽婆蹉薄拘羅摩訶拘絺羅難陀孫
陀羅難陀富樓那彌多羅尼子須菩提阿難
羅睺羅如是衆所知識大阿羅漢等復有學
无學二千人摩訶波闍波提比丘尼與眷屬
人俱羅睺羅母耶輸陀羅比丘尼亦與
眷屬俱菩薩摩訶薩八萬人皆於阿耨多羅
三藐三菩提不退轉皆得陀羅尼樂說辯才
轉不退轉法輪供養无量百千諸佛於諸佛
所殖衆德本常為諸佛之所稱歎以慈脩身
善入佛慧通達大智到於彼岸名稱普聞无
量世界能度无數百千衆生其名曰文殊師
利菩薩觀世音菩薩得大勢菩薩常精進菩
薩不休息菩薩寶掌菩薩藥王菩薩勇施菩
寶月菩薩月光菩薩滿月菩薩大力菩薩
无量力菩薩越三界菩薩跋陀婆羅菩薩弥
勒菩薩寶積菩薩導師菩薩如是等菩薩摩
訶薩八萬人俱尒時釋提桓因與其眷屬二
萬天子俱復有名月天子普香天子寶光天
子四大天王與其眷屬萬天子俱自在天子
大自在天子與其眷屬三萬天子俱娑婆世

BD00115 號　妙法蓮華經卷一　（24–1）

萬天子俱復有名月天子普香天子寶光天
子四大天王與其眷屬萬天子俱自在天子
大自在天子與其眷屬三萬天子俱娑婆世
梵天王尸棄大梵光明大梵等與其眷
萬二千天子俱有八龍王難陁龍王跋難
陁龍王娑伽羅龍王和脩吉龍王德叉迦龍
王阿那婆達多龍王摩那斯龍王優鉢羅龍
王等各與若干百千眷屬俱有四緊那羅王
法緊那羅王妙法緊那羅王大法緊那羅王
持法緊那羅王各與若干百千眷屬俱有四
乾闥婆王樂乾闥婆王樂音乾闥婆王美乾
婆王美音乾闥婆王各與若干百千眷屬
有四阿脩羅王婆稚阿脩羅王佉羅騫大
阿脩羅王毗摩質多羅阿脩羅王羅睺阿脩
羅王各與若干百千眷屬俱有四迦樓羅王
大威德迦樓羅王大身迦樓羅王大滿迦樓
羅王如意迦樓羅王各與若干百千眷屬俱
韋提希子阿闍世王與若干百千眷屬俱各
礼佛足退坐一面
世尊四衆圍繞供養恭敬尊重讚歎為
諸菩薩說大乘經名无量義教菩薩法佛所
護念佛說此經已結加趺坐入於无量義處
三昧身心不動是時天雨曼陁羅華摩訶曼
陁羅華曼殊沙華摩訶曼殊沙華而散佛上
及諸大衆普佛世界六種震動尒時會中比

三昧身心不動是時天雨曼陁羅華摩訶曼
陁羅華曼殊沙華摩訶曼殊沙華而散佛上
及諸大衆普佛世界六種震動尒時會中比
丘比丘尼優婆塞優婆夷天龍夜叉乾闥婆
阿脩羅迦樓羅緊那羅摩睺羅伽人非人及
小王轉輪聖王是諸大衆得未曾有歡喜
合掌一心觀佛尒時佛放眉間白毫相光照
東方萬八千世界靡不周遍下至阿鼻地獄
上至阿迦尼吒天於此世界盡見彼土六趣
衆生又見彼土現在諸佛及聞諸佛所說經
法并見彼諸比丘比丘尼優婆塞優婆夷諸
脩行得道者復見諸菩薩摩訶薩種種因緣
種種信解種種相貌行菩薩道復見諸佛般
涅槃者復見諸佛般涅槃後以佛舍利起七
寶塔尒時弥勒菩薩作是念今者世尊現神
變相以何因緣而有此瑞今佛世尊入于三
昧是不可思議現希有事當以問誰誰能荅
者復作此念是文殊師利法王之子已曾親
近供養過去无量諸佛必應見此希有之相
我今當問尒時比丘比丘尼優婆塞優婆夷
諸天龍鬼神等咸作此念是佛光明神通
之相今當問誰尒時弥勒菩薩欲自決疑又
觀四衆比丘比丘尼優婆塞優婆夷及諸天
龍鬼神等衆會之心而問文殊師利言以何
因緣而有此瑞神通之相放大光明照于東

龍鬼神等衆會之心而問文殊師利言以何
因緣而有此瑞神通之相放大光明照于東
方萬八千土悉見彼佛國界莊嚴於是弥勒
菩薩欲重宣此義以偈問曰
文殊師利　導師何故　眉間白豪　大光普照
雨曼陁羅　曼殊沙華　栴檀香風　悅可衆心
以是因緣　地皆嚴淨　而此世界　六種震動
時四部衆　咸皆歡喜　身意快然　得未曾有
眉間光明　照于東方　萬八千土　皆如金色
從阿鼻獄　上至有頂　諸世界中　六道衆生
生死所趣　善惡業緣　受報好醜　於此悉見
又覩諸佛　聖主師子　演說經典　微妙第一
其聲清淨　出柔軟音　教諸菩薩　无數億萬
梵音深妙　令人樂聞　各於世界　講說正法
種種因緣　以无量喻　照明佛法　開悟衆生
若人遭苦　厭老病死　為說涅槃　盡諸苦際
若人有福　曾供養佛　志求勝法　為說緣覺
若有佛子　脩種種行　求无上慧　為說佛道
文殊師利　我住於此　見聞若斯　及千億事
如是衆多　今當略說　我見彼土　恒沙菩薩
種種因緣　而求佛道　或有行施　金銀珊瑚
真珠摩尼　車𤦲馬瑙　金剛諸珎　奴婢車乘
寶飾輦輿　歡喜布施　迴向佛道　願得是乘
三界第一　諸佛所歎　或有菩薩　駟馬寶車

BD00115號　妙法蓮華經卷一　（24–4）

真珠摩尼　車𤦲馬瑙　金剛諸珎　奴婢車乘
寶飾輦輿　歡喜布施　迴向佛道　願得是乘
三界第一　諸佛所歎　或有菩薩　駟馬寶車
欄楯華蓋　軒飾布施　復見菩薩　身肉手足
及妻子施　求无上道　又見菩薩　頭目身體
欣樂施與　求佛智慧　文殊師利　我見諸王
往詣佛所　問无上道　便捨樂土　宮殿臣妾
剃除鬚髮　而被法服　或見菩薩　而作比丘
獨處閑靜　樂誦經典　又見菩薩　勇猛精進
入於深山　思惟佛道　又見離欲　常處空閑
深脩禪定　得五神通　又見菩薩　安禪合掌
以千萬偈　讚諸法王　復見菩薩　智深志固
能問諸佛　聞悉受持　又見佛子　定慧具足
以无量喻　為衆講法　欣樂說法　化諸菩薩
破魔兵衆　而擊法鼓　又見菩薩　寂然宴默
天龍恭敬　不以為喜　又見菩薩　處林放光
濟地獄苦　令入佛道　又見佛子　未嘗睡眠
經行林中　懃求佛道　又見具戒　威儀无缺
淨如寶珠　以求佛道　又見佛子　住忍辱力
增上慢人　惡罵捶打　皆悉能忍　以求佛道
又見菩薩　離諸戲笑　及癡眷屬　親近智者
一心除亂　攝念山林　億千萬歲　以求佛道
或見菩薩　餚饍飲食　百種湯藥　施佛及僧
名衣上服　價直千万　或无價衣　施佛及僧
千萬億種　栴檀寶舍　衆妙臥具　施佛及僧

BD00115號　妙法蓮華經卷一　（24–5）

或見菩薩 餚饍飲食 百種湯藥 施佛及僧
名衣上服 價直千万 或无價衣 施佛及僧
千萬億種 栴檀寶舍 衆妙卧具 施佛及僧
清淨園林 華菓茂盛 流泉浴池 施佛及僧
如是等施 種種微妙 歡喜无猒 求无上道
或有菩薩 說寂滅法 種種教詔 无數衆生
或見菩薩 觀諸法性 无有二相 猶如虛空
又見佛子 心无所著 以此妙慧 求无上道
文殊師利 又有菩薩 佛滅度後 供養舍利
又見佛子 造諸塔廟 无數恒沙 嚴飾國界
寶塔高妙 五千由旬 縱廣正等 二千由旬
一一塔廟 各千幢幡 珠交露幔 寶鈴和鳴
諸天龍神 人及非人 香華伎樂 常以供養
文殊師利 諸佛子等 為供舍利 嚴飾塔廟
國界自然 殊特妙好 如天樹王 其華開敷
佛放一光 我及衆會 見此國界 種種殊妙
諸佛神力 智慧希有 放一淨光 照无量國
我等見此 得未曾有 佛子文殊 願決衆疑
四衆欣仰 瞻仁及我 世尊何故 放斯光明
佛子時答 決疑令喜 何所饒益 演斯光明
佛坐道場 所得妙法 為欲說此 為當授記
示諸佛土 衆寶嚴淨 及見諸佛 此非小緣
文殊當知 四衆龍神 瞻察仁者 為說何等
尒時文殊師利語弥勒菩薩摩訶薩及諸大
士善男子等如我惟忖今佛世尊欲說大法

BD00115號　妙法蓮華經卷一　（24–6）

文殊當知 四衆龍神 瞻察仁者 為說何等
尒時文殊師利語弥勒菩薩摩訶薩及諸大
士善男子等如我惟忖今佛世尊欲說大法
雨大法雨吹大法螺擊大法鼓演大法義諸
善男子我於過去諸佛曾見此瑞放斯光已
即說大法是故當知今佛現光亦復如是欲
令衆生咸得聞知一切世間難信之法故現
斯瑞諸善男子如過去无量无邊不可思議
阿僧祇劫尒時有佛号日月燈明如來應供
正遍知明行足善逝世間解无上士調御丈
夫天人師佛世尊演說正法初善中善後善
其義深遠其語巧妙純一无雜具足清白梵
行之相為求聲聞者說應四諦法度生老病
死究竟涅槃為求辟支佛者說應十二因緣
法為諸菩薩說應六波羅蜜令得阿耨多羅
三藐三菩提成一切種智次復有佛亦名日
月燈明次復有佛亦名日月燈明如是二萬
佛皆同一字号日月燈明又同一姓姓頗羅
墮弥勒當知初佛後佛皆同一字名日月燈
明十号具足所可說法初中後善其最後佛
未出家時有八王子一名有意二名善意三
名无量意四名寶意五名增意六名除疑意
七名響意八名法意是八王子威德自在各
領四天下是諸王子聞父出家得阿耨多羅

BD00115號　妙法蓮華經卷一　（24–7）

七名響意八名法意是八王子威德自在各
領四天下是諸王子聞父出家得阿耨多羅
三藐三菩提悉捨王位亦隨出家發大乘意
常脩梵行皆為法師已於千萬佛所殖諸善
本是時日月燈明佛說大乘經名无量義教
菩薩法佛所護念說是經已即於大衆中結
跏趺坐入於无量義處三昧身心不動是時
天雨曼陁羅華摩訶曼陁羅華曼殊沙華摩
訶曼殊沙華而散佛上及諸大衆普佛世界
六種震動尒時會中比丘比丘尼優婆塞優
婆夷天龍夜叉乾闥婆阿脩羅迦樓羅緊那
羅摩睺羅伽人非人及諸小王轉輪聖王等
是諸大衆得未曾有歡喜合掌一心觀佛尒
時如來放眉間白毫相光照東方萬八千佛
土靡不周遍如今所見是諸佛土弥勒當知
尒時會中有二十億菩薩樂欲聽法是諸菩
薩見此光明普照佛土得未曾有欲知此光
所為因緣時有菩薩名曰妙光有八百弟子
是時日月燈明佛從三昧起因妙光菩薩說
大乘經名妙法蓮華教菩薩法佛所護念六
十小劫不起于座時會聽者亦坐一處六十
小劫身心不動聽佛所說謂如食頃是時衆
中无有一人若身若心而生懈惓日月燈明
佛於六十小劫說是經已即於梵魔沙門婆

BD00115號　妙法蓮華經卷一　（24–8）

中无有一人若身若心而生懈惓日月燈明
佛於六十小劫說是經已即於梵魔沙門婆
羅門及天人阿脩羅衆中而宣此言如來於
今日中夜當入无餘涅槃時有菩薩名曰德
藏日月燈明佛即授其記告諸比丘是德藏
菩薩次當作佛号曰淨身多陁阿伽度阿羅
訶三藐三佛陁佛授記已便於中夜入无餘
涅槃佛滅度後妙光菩薩持妙法蓮華經滿
八十小劫為人演說日月燈明佛八子皆師
妙光妙光教化令其堅固阿耨多羅三藐三
菩提是諸王子供養无量百千萬億佛已皆
成佛道其最後成佛者名曰然燈八百弟子
中有一人号曰求名貪著利養雖復讀誦衆
經而不通利多所忘失故号求名是人亦以
種諸善根因緣故得值无量百千萬億諸佛
供養恭敬尊重讚歎弥勒當知尒時妙光菩
薩豈異人乎我身是也求名菩薩汝身是也
今見此瑞與本无異是故惟忖今日如來當
說大乘經名妙法蓮華教菩薩法佛所護念
尒時文殊師利於大衆中欲重宣此義而說
偈言
我念過去世　无量无數劫　有佛人中尊　号日月燈明
世尊演說法　度无量衆生　无數億菩薩　令入佛智慧
佛未出家時　所生八王子　見大聖出家　亦隨脩梵行

BD00115號　妙法蓮華經卷一　（24–9）

世尊演說法　度无量衆生　无數億菩薩　令入佛智慧
佛未出家時　所生八王子　見大聖出家　亦隨修梵行
時佛說大乘　經名无量義　於諸大衆中　而為廣分別
佛說此經已　即於法座上　跏趺坐三昧　名无量義處
天雨曼陁華　天鼓自然鳴　諸天龍鬼神　供養人中尊
一切諸佛土　即時大震動　佛放眉間光　現諸希有事
此光照東方　萬八千佛土　示一切衆生　生死業報處
有見諸佛土　以衆寶莊嚴　瑠璃頗梨色　斯由佛光照
及見諸天人　龍神夜叉衆　乾闥婆緊那羅　各供養其佛
又見諸如來　自然成佛道　身色如金山　端嚴甚微妙
如淨瑠璃中　內現真金像　世尊在大衆　敷演深法義
一一諸佛土　聲聞衆无數　因佛光所照　悉見彼大衆
或有諸比丘　在於山林中　精進持淨戒　猶如護明珠
又見諸菩薩　行施忍辱等　其數如恒沙　斯由佛光照
又見諸菩薩　深入諸禪定　身心寂不動　以求无上道
又見諸菩薩　知法寂滅相　各於其國土　說法求佛道
尒時四部衆　見日月燈佛　現大神通力　其心皆歡喜
各各自相問　是事何因緣　天人所奉尊　適從三昧起
讚妙光菩薩　汝為世間眼　一切所歸信　能奉持法藏
如我所說法　唯汝能證知　世尊既讚歎　令妙光歡喜
說是法華經　滿六十小劫　不起於此座　所說上妙法
是妙光法師　悉皆能受持　佛說是法華　令衆歡喜已
尋即於是日　告於天人衆　諸法實相義　已為汝等說
我今於中夜　當入於涅槃　汝一心精進　當離於放逸

BD00115號　妙法蓮華經卷一　（24–10）

尋即於是日　告於天人衆　諸法實相義　已為汝等說
我今於中夜　當入於涅槃　汝一心精進　當離於放逸
諸佛甚難值　億劫時一遇　世尊諸子等　聞佛入涅槃
各各懷悲惱　佛滅一何速　聖主法之王　安慰无量衆
我若滅度時　汝等勿憂怖　是德藏菩薩　於无漏實相
心已得通達　其次當作佛　号曰為淨身　亦度无量衆
佛此夜滅度　如薪盡火滅　分布諸舍利　而起无量塔
比丘比丘尼　其數如恒沙　倍復加精進　以求无上道
是妙光法師　奉持佛法藏　八十小劫中　廣宣法華經
是諸八王子　妙光所開化　堅固无上道　當見无數佛
供養諸佛已　隨順行大道　相繼得成佛　轉次而授記
最後天中天　号曰燃燈佛　諸仙之導師　度脫无量衆
是妙光法師　時有一弟子　心常懷懈怠　貪著於名利
求名利无猒　多遊族姓家　棄捨所習誦　廢忘不通利
以是因緣故　号之為求名　亦行衆善業　得見无數佛
供養於諸佛　隨順行大道　具六波羅蜜　今見釋師子
其後當作佛　号名曰弥勒　廣度諸衆生　其數无有量
彼佛滅度後　懈怠者汝是　妙光法師者　今則我身是
我見燈明佛　本光瑞如此　以是知今佛　欲說法華經
今相如本瑞　是諸佛方便　今佛放光明　助發實相義
諸人今當知　合掌一心待　佛當雨法雨　充足求道者
諸求三乘人　若有疑悔者　佛當為除斷　令盡无有餘

妙法蓮華經方便品第二

尒時世尊從三昧安詳而起告舍利弗諸佛

BD00115號　妙法蓮華經卷一　（24–11）

妙法蓮華經方便品第二
尒時世尊從三昧安詳而起告舍利弗諸佛
知慧甚深无量其智慧門難解難入一切聲
聞辟支佛所不能知所以者何佛曾親近百
千萬億无數諸佛盡行諸佛无量道法勇猛
精進名稱普聞成就甚深未曾有法隨宜所
說意趣難解舍利弗吾從成佛已來種種因
緣種種譬喻廣演言教无數方便引導衆生
令離諸著所以者何如來方便知見波羅蜜
皆已具足舍利弗如來知見廣大深遠无量
无礙力无所畏禪定解脫三昧深入无際成
就一切未曾有法舍利弗如來能種種分別
巧說諸法言辭柔軟悅可衆心舍利弗取要
言之无量无邊未曾有法佛悉成就止舍利
弗不須復說所以者何佛所成就第一希有
難解之法唯佛與佛乃能究盡諸法實相所
謂諸法如是相如是性如是體如是力如是
作如是因如是緣如是果如是報如是本末
究竟等尒時世尊欲重宣此義而說偈言
世雄不可量　諸天及世人　一切衆生類　无能知佛者
佛力无所畏　解脫諸三昧　及佛餘諸法　无能測量者
本從无數佛　具足行諸道　甚深微妙法　難見難可了
於无量億劫　行此諸道已　道場得成果　我已悉知見
如是大果報　種種性相義　我及十方佛　乃能知是事
是法不可示　言辭相寂滅　諸餘衆生類　无有能得解

於无量億劫　行此諸道已　道場得成果　我已悉知見
如是大果報　種種性相義　我及十方佛　乃能知是事
是法不可示　言辭相寂滅　諸餘衆生類　无有能得解
除諸菩薩衆　信力堅固者　諸佛弟子衆　曾供養諸佛
一切漏已盡　住是最後身　如是諸人等　其力所不堪
假使滿世間　皆如舍利弗　盡思共度量　不能測佛智
正使滿十方　皆如舍利弗　及餘諸弟子　亦滿十方剎
盡思共度量　亦復不能知　辟支佛利智　无漏最後身
亦滿十方界　其數如竹林　斯等共一心　於億无量劫
欲思佛實智　莫能知少分　新發意菩薩　供養无數佛
了達諸義趣　又能善說法　如稻麻竹葦　充滿十方剎
一心以妙智　於恒河沙劫　咸皆共思量　不能知佛智
不退諸菩薩　其數如恒沙　一心共思求　亦復不能知
又告舍利弗　无漏不思議　甚深微妙法　我今已具得
唯我知是相　十方佛亦然　舍利弗當知　諸佛語无異
於佛所說法　當生大信力　世尊法久後　要當說真實
告諸聲聞衆　及求緣覺乘　我令脫苦縛　逮得涅槃者
佛以方便力　示以三乘教　衆生處處著　引之令得出
尒時大衆中有諸聲聞漏盡阿羅漢阿若憍
陳如等千二百人及發聲聞辟支佛心比丘
比丘尼優婆塞優婆夷各作是念今者世尊
何故慇懃稱歎方便而作是言佛所得法甚
深難解有所言說意趣難知一切聲聞辟支
佛所不能及佛說一解脫義我等亦得此法

深難解有所言說意趣難知一切聲聞辟支
佛所不能及佛說一解脫義我等亦得此法
到於涅槃而今不知是義所趣尒時舍利弗
知四衆心疑自亦未了而白佛言世尊何因
何緣慇懃稱歎諸佛第一方便甚深微妙難
解之法我自昔來未曾從佛聞如是說今者
四衆咸皆有疑唯願世尊敷演斯事世尊何
故慇懃稱歎甚深微妙難解之法尒時舍利
弗欲重宣此義而說偈言
慧日大聖尊 久乃說是法 自說得如是 力无畏三昧
禪定解脫等 不可思議法 道場所得法 无能發問者
我意難可測 亦无能問者 無問而自說 稱歎所行道
智慧甚微妙 諸佛之所得 無漏諸羅漢 及求涅槃者
今皆墮疑網 佛何故說是 其求緣覺者 比丘比丘尼
諸天龍鬼神 及乾闥婆等 相視懷猶豫 瞻仰兩足尊
是事為云何 願佛為解說 於諸聲聞衆 佛說我第一
我今自於智 疑惑不能了 為是究竟法 為是所行道
佛口所生子 合掌瞻仰待 願出微妙音 時為如實說
諸天龍神等 其數如恒沙 求佛諸菩薩 大數有八万
又諸萬億國 轉輪聖王至 合掌以敬心 欲聞具足道
尒時佛告舍利弗止止不須復說若說是事
一切世間諸天及人皆當驚疑舍利弗重白
佛言世尊唯願說之唯願說之所以者何是
會无數百千萬億阿僧祇衆生曾見諸佛諸
根猛利智慧明了聞佛所說則能敬信尒時

BD00115 號　妙法蓮華經卷一　（24–14）

一切世間諸天及人皆當驚疑舍利弗重白
佛言世尊唯願說之唯願說之所以者何是
會无數百千萬億阿僧祇衆生曾見諸佛諸
根猛利智慧明了聞佛所說則能敬信尒時
舍利弗欲重宣此義而說偈言
法王无上尊 唯說願勿慮 是會无量衆 有能敬信者
佛復止舍利弗若說是事一切世間天人阿
脩羅皆當驚疑增上慢比丘將墜於大坑尒
時世尊重說偈言
止止不須說 我法妙難思 諸增上慢者 聞必不敬信
尒時舍利弗重白佛言世尊唯願說之唯願
說之今此會中如我等比百千萬億世世已
曾從佛受化如此人等必能敬信長夜安隱
多所饒益尒時舍利弗欲重宣此義而說偈言
无上兩足尊 願說第一法 我為佛長子 唯垂分別說
是會无量衆 能敬信此法 佛已曾世世 教化如是等
皆一心合掌 欲聽受佛語 我等千二百 及餘求佛者
願為此衆故 唯垂分別說 是等聞此法 則生大歡喜
尒時世尊告舍利弗汝已慇懃三請豈得不
說汝今諦聽善思念之吾當為汝分別解說
說此語時會中有比丘比丘尼優婆塞優婆
夷五千人等即從座起禮佛而退所以者何
此輩罪根深重及增上慢未得謂得未證謂
證有如此失是以不住世尊默然而不制止
尒時佛告舍利弗我今此衆无復枝葉純有

BD00115 號　妙法蓮華經卷一　（24–15）

謗有如此失是以不住世尊默然而不制止
尒時佛告舍利弗我今此衆无復枝葉純有
貞實舍利弗如是增上慢人退亦佳矣汝今
善聽當為汝說舍利弗言唯然世尊願樂欲
聞佛告舍利弗如是妙法諸佛如來時乃說
之如優曇鉢華時一現耳舍利弗汝等當信
佛之所說言不虛妄舍利弗諸佛隨宜說法
意趣難解所以者何我以无數方便種種因
緣譬喻言辭演說諸法是法非思量分別之
所能解唯有諸佛乃能知之所以者何諸佛
世尊唯以一大事因緣故出現於世舍利弗
云何名諸佛世尊唯以一大事因緣故出現
於世諸佛世尊欲令衆生開佛知見使得清
淨故出現於世欲示衆生佛之知見故出現
於世欲令衆生悟佛知見故出現於世欲令
衆生入佛知見道故出現於世舍利弗是為
諸佛以一大事因緣故出現於世佛告舍利
弗諸佛如來但教化菩薩諸有所作常為一
事唯以佛之知見示悟衆生舍利弗如來但
以一佛乘故為衆生說法无有餘乘若二若
三舍利弗一切十方諸佛法亦如是舍利弗
過去諸佛以无量无數方便種種因緣譬喻
言辭而為衆生演說諸法是法皆為一佛乘
故是諸衆生從諸佛聞法究竟皆一切種
智舍利弗未來諸佛當出於世亦以无量无

BD00115號　妙法蓮華經卷一　（24–16）

言辭而為衆生演說諸法是法皆為一佛乘
故是諸衆生從諸佛聞法究竟皆一切種
智舍利弗未來諸佛當出於世亦以无量无
數方便種種因緣譬喻言辭而為衆生演說
諸法是法皆為一佛乘故是諸衆生從佛聞
法究竟皆得一切種智舍利弗現在十方无
量百千萬億佛土中諸佛世尊多所饒益安
樂衆生是諸佛亦以无量无數方便種種因
緣譬喻言辭而為衆生演說諸法是法皆為
一佛乘故是諸衆生從佛聞法究竟皆得一
切種智舍利弗是諸佛但教化菩薩欲以佛
之知見示衆生故欲以佛之知見悟衆生故
欲令衆生入佛之知見故舍利弗我今亦復
如是知諸衆生有種種欲深心所著隨其本
性以種種因緣譬喻言辭方便力故而為說
法舍利弗如此皆為得一佛乘一切種智故
舍利弗十方世界中尚无二乘何況有三舍
利弗諸佛出於五濁惡世所謂劫濁煩惱濁
衆生濁見濁命濁如是舍利弗劫濁亂時衆
生垢重慳貪嫉妬成就諸不善根故諸佛以
方便力於一佛乘分別說三舍利弗若我弟
子自謂阿羅漢辟支佛者不聞不知諸佛如
來但教化菩薩事此非佛弟子非阿羅漢非
辟支佛又舍利弗是諸比丘比丘尼自謂已
得阿羅漢是最後身究竟涅槃便不復志求

BD00115號　妙法蓮華經卷一　（24–17）

來但教化菩薩事此非佛弟子非阿羅漢非
辟支佛又舍利弗是諸比丘比丘尼自謂已
得阿羅漢是最後身究竟涅槃便不復志求
阿耨多羅三藐三菩提當知此輩皆是增上
慢人所以者何若有比丘實得阿羅漢若不
信此法无有是處除佛滅度後現前無佛所
以者何佛滅度後如是等經受持讀誦解義
者是人難得若遇餘佛於此法中便得決了
舍利弗汝等當一心信解受持佛語諸佛如
來言无虛妄无有餘乘唯一佛乘尒時世尊
欲重宣此義而說偈言

比丘比丘尼　有懷增上慢　優婆塞我慢　優婆夷不信
如是四衆等　其數有五千　不自見其過　於戒有缺漏
護惜其瑕疵　是小智已出　衆中之糟糠　佛威德故去
斯人尠福德　不堪受是法　此衆无枝葉　唯有諸貞實
舍利弗善聽　諸佛所得法　无量方便力　而為衆生說
衆生心所念　種種所行道　若干諸欲性　先世善惡業
佛悉知是已　以諸緣譬喻　言辭方便力　令一切歡喜
或說修多羅　伽陁及本事　本生未曾有　亦說於因緣
譬喻并祇夜　優波提舍經　鈍根樂小法　貪著於生死
於諸无量佛　不行深妙道　衆苦所惱亂　為是說涅槃
我設是方便　令得入佛慧　未曾說汝等　當得成佛道
所以未曾說　說時未至故　今正是其時　決定說大乘
我此九部法　隨順衆生說　入大乘為本　以故說是經
有佛子心淨　柔軟亦利根　无量諸佛所　而行深妙道

BD00115號　妙法蓮華經卷一　（24–18）

所以未曾說　說時未至故　今正是其時　決定說大乘
我此九部法　隨順衆生故　入大乘為本　以故說是經
有佛子心淨　柔軟亦利根　无量諸佛所　而行深妙道
為此諸佛子　說是大乘經　我記如是人　來世成佛道
以深心念佛　修持淨戒故　此等聞得佛　大喜充遍身
佛知彼心行　故為說大乘　聲聞若菩薩　聞我所說法
乃至於一偈　皆成佛無疑　十方佛土中　唯有一乘法
無二亦無三　除佛方便說　但以假名字　引導於衆生
說佛智慧故　諸佛出於世　唯此一事實　餘二則非真
終不以小乘　濟度於衆生　佛自住大乘　如其所得法
定慧力莊嚴　以此度衆生　自證无上道　大乘平等法
若以小乘化　乃至於一人　我則墮慳貪　此事為不可
若人信歸佛　如來不欺誑　亦无貪嫉意　斷諸法中惡
故佛於十方　而獨无所畏　我以相嚴身　光明照世間
无量衆所尊　為說實相印　舍利弗當知　我本立誓願
欲令一切衆　如我等无異　如我昔所願　今者已滿足
化一切衆生　皆令入佛道　若我遇衆生　盡教以佛道
無智者錯亂　迷惑不受教　我知此衆生　未曾修善本
堅著於五欲　癡愛故生惱　以諸欲因緣　墜墮三惡道
輪迴六趣中　備受諸苦毒　受胎之微形　世世常增長
薄德少福人　衆苦所逼迫　入邪見稠林　若有若無等
依止此諸見　具足六十二　深著虛妄法　堅受不可捨
我慢自矜高　諂曲心不實　於千萬億劫　不聞佛名字
亦不聞正法　如是人難度　是故舍利弗　我為設方便

BD00115號　妙法蓮華經卷一　（24–19）

依止此諸見　具足六十二　深著虛妄法　堅受不可捨
我慢自矜高　諂曲心不實　於千萬億劫　不聞佛名字
亦不聞正法　如是人難度　是故舍利弗　我為設方便
說諸盡苦道　示之以涅槃　我雖說涅槃　是亦非真滅
諸法從本來　常自寂滅相　佛子行道已　來世得作佛
我有方便力　開示三乘法　一切諸世尊　皆說一乘道
今此諸大眾　皆應除疑惑　諸佛語无異　唯一無二乘
過去无數劫　无量滅度佛　百千萬億種　其數不可量
如是諸世尊　種種緣譬喻　无數方便力　演說諸法相
是諸世尊等　皆說一乘法　化无量眾生　令入於佛道
又諸大聖主　知一切世間　天人群生類　深心之所欲
更以異方便　助顯第一義　若有眾生類　值諸過去佛
若聞法布施　或持戒忍辱　精進禪智等　種種修福慧
如是諸人等　皆已成佛道　諸佛滅度已　若人善軟心
如是諸眾生　皆已成佛道　諸佛滅度已　供養舍利者
起萬億種塔　金銀及頗梨　車璖與馬瑙　玫瑰琉璃珠
清淨廣嚴飾　莊校於諸塔　或有起石廟　栴檀及沈水
木櫁并餘材　甎瓦泥土等　若於曠野中　積土成佛廟
乃至童子戲　聚沙為佛塔　如是諸人等　皆已成佛道
若人為佛故　建立諸形像　刻彫成眾相　皆已成佛道
或以七寶成　鍮石赤白銅　白鑞及鉛錫　鐵木及與泥
或以膠漆布　嚴飾作佛像　如是諸人等　皆已成佛道
綵畫作佛像　百福莊嚴相　自作若使人　皆已成佛道
乃至童子戲　若草木及筆　或以指爪甲　而畫作佛像
如是諸人等　漸漸積功德　具足大悲心　皆已成佛道

綵畫作佛像　百福莊嚴相　自作若使人　皆已成佛道
乃至童子戲　若草木及筆　或以指爪甲　而畫作佛像
如是諸人等　漸漸積功德　具足大悲心　皆已成佛道
但化諸菩薩　度脫无量眾　若人於塔廟　寶像及畫像
以華香旛蓋　敬心而供養　若使人作樂　擊鼓吹角貝
簫笛琴箜篌　琵琶鐃銅鈸　如是眾妙音　盡持以供養
或以歡喜心　歌唄頌佛德　乃至一小音　皆已成佛道
若人散亂心　乃至以一華　供養於畫像　漸見无數佛
或有人禮拜　或復但合掌　乃至舉一手　或復小低頭
以此供養像　漸見无量佛　自成无上道　廣度无數眾
入无餘涅槃　如薪盡火滅　若人散亂心　入於塔廟中
一稱南无佛　皆已成佛道　於諸過去佛　在世或滅後
若有聞是法　皆已成佛道　未來諸世尊　其數无有量
是諸如來等　亦方便說法　一切諸如來　以无量方便
度脫諸眾生　入佛无漏智　若有聞法者　无一不成佛
諸佛本誓願　我所行佛道　普欲令眾生　亦同得此道
未來世諸佛　雖說百千億　无數諸法門　其實為一乘
諸佛兩足尊　知法常无性　佛種從緣起　是故說一乘
是法住法位　世間相常住　於道場知已　導師方便說
天人所供養　現在十方佛　其數如恒沙　出現於世間
安隱眾生故　亦說如是法　知第一寂滅　以方便力故
雖示種種道　其實為佛乘　知眾生諸行　深心之所念
過去所習業　欲性精進力　及諸根利鈍　以種種因緣
譬喻亦言辭　隨應方便說　今我亦如是　安隱眾生故
以種種法門　宣示於佛道　我以智慧力　知眾生性欲

過去所習業　欲性精進力　及諸根利鈍　以種種因緣
譬喻亦言辭　隨應方便說　今我亦如是　安隱眾生故
以種種法門　宣示於佛道　我以智慧力　知眾生性欲
方便說諸法　皆令得歡喜　舍利弗當知　我以佛眼觀
見六道眾生　貧窮无福慧　入生死險道　相續苦不斷
深著於五欲　如犛牛愛尾　以貪愛自蔽　盲瞑无所見
不求大勢佛　及與斷苦法　深入諸邪見　以苦欲捨苦
為是眾生故　而起大悲心　我始坐道場　觀樹亦經行
於三七日中　思惟如是事　我所得智慧　微妙最第一
眾生諸根鈍　著樂癡所盲　如斯之等類　云何而可度
尒時諸梵王　及諸天帝釋　護世四天王　及大自在天
并餘諸天眾　眷屬百千萬　恭敬合掌禮　請我轉法輪
我即自思惟　若但讚佛乘　眾生沒在苦　不能信是法
破法不信故　墜於三惡道　我寧不說法　疾入於涅槃
尋念過去佛　所行方便力　我今所得道　亦應說三乘
作是思惟時　十方佛皆現　梵音慰喻我　善哉釋迦文
第一之導師　得是无上法　隨諸一切佛　而用方便力
我等亦皆得　最妙第一法　為諸眾生類　分別說三乘
少智樂小法　不自信作佛　是故以方便　分別說諸果
雖復說三乘　但為教菩薩　舍利弗當知　我聞聖師子
深淨微妙音　稱南无諸佛　復作如是念　我出濁惡世
如諸佛所說　我亦隨順行　思惟是事已　即趣波羅奈
諸法寂滅相　不可以言宣　以方便力故　為五比丘說
是名轉法輪　便有涅槃音　及以阿羅漢　法僧差別名
從久遠劫來　讚示涅槃法　生死苦永盡　我常如是說

是名轉法輪　便有涅槃音　及以阿羅漢　法僧差別名
從久遠劫來　讚示涅槃法　生死苦永盡　我常如是說
舍利弗當知　我見佛子等　志求佛道者　无量千萬億
咸以恭敬心　皆來至佛所　曾從諸佛聞　方便所說法
我即作是念　如來所以出　為說佛慧故　今正是其時
舍利弗當知　鈍根小智人　著相憍慢者　不能信是法
今我喜无畏　於諸菩薩中　正直捨方便　但說无上道
菩薩聞是法　疑網皆已除　千二百羅漢　悉亦當作佛
如三世諸佛　說法之儀式　我今亦如是　說无分別法
諸佛興出世　懸遠值遇難　正使出于世　說是法復難
无量无數劫　聞是法亦難　能聽是法者　斯人亦復難
譬如優曇華　一切皆愛樂　天人所希有　時時乃一出
聞法歡喜讚　乃至發一言　則為已供養　一切三世佛
是人甚希有　過於優曇華　汝等勿有疑　我為諸法王
普告諸大眾　但以一乘道　教化諸菩薩　无聲聞弟子
汝等舍利弗　聲聞及菩薩　當知是妙法　諸佛之祕要
以五濁惡世　但樂著諸欲　如是等眾生　終不求佛道
當來世惡人　聞佛說一乘　迷惑不信受　破法墮惡道
有慚愧清淨　志求佛道者　當為如是等　廣讚一乘道
舍利弗當知　諸佛法如是　以萬億方便　隨宜而說法
其不習學者　不能曉了此　汝等既已知　諸佛世之師
隨宜方便事　无復諸疑惑　心生大歡喜　自知當作佛

妙法蓮華經卷第一

諸佛興出世　懸遠值遇難　正使出于世　說是法復難
无量无數劫　聞是法亦難　能聽是法者　斯人亦復難
譬如優曇華　一切皆愛樂　天人所希有　時時乃一出
聞法歡喜讚　乃至發一言　則為已供養　一切三世佛
是人甚希有　過於優曇華　汝等勿有疑　我為諸法王
普告諸大眾　但以一乘道　教化諸菩薩　无聲聞弟子
汝等舍利弗　聲聞及菩薩　當知是妙法　諸佛之祕要
以五濁惡世　但樂著諸欲　如是等眾生　終不求佛道
當來世惡人　聞佛說一乘　迷惑不信受　破法墮惡道
有慚愧清淨　志求佛道者　當為如是等　廣讚一乘道
舍利弗當知　諸佛法如是　以万億方便　隨宜而說法
其不習學者　不能曉了此　汝等既已知　諸佛世之師
隨宜方便事　无復諸疑惑　心生大歡喜　自知當作佛

妙法蓮華經卷第一

BD00115 號　妙法蓮華經卷一　　（24–24）

菩薩名者彼
若三千大千國土滿中夜叉羅剎欲來惱人
聞其稱觀世音菩薩名者是諸惡鬼尚不能
以惡眼視之況復加害設復有人若有罪若
无罪杻械枷鎖檢繫其身稱觀世音菩薩名者
皆悉斷壞即得解脫若三千大千國土滿
中怨賊有一商主將諸商人齎持重寶經過
險路其中一人作是唱言諸善男子勿得恐怖
汝等應當一心稱觀世音菩薩名号是菩薩
能以无畏施於眾生汝等若稱名者於此怨
賊當得解脫眾商人聞俱發聲言南无觀世音
菩薩稱其名故即得解脫无盡意觀世音
菩薩摩訶薩威神之力巍巍如是若有眾生
多於婬欲常念恭敬觀世音菩薩便得離
欲若多瞋恚常念恭敬觀世音菩薩便得離
瞋若多愚癡常念恭敬觀世音菩薩便得離
癡无盡意觀世音菩薩有如是等大威神力多
所饒益是故眾生常應心念若有女人設
欲求男禮拜供養觀世音菩薩便生福德智
慧之男設欲求女便生端正有相之女宿植德
本眾人愛敬无盡意觀世音菩薩有如是
力若有眾生恭敬禮拜觀世音菩薩福不唐
捐是故眾生皆應受持觀世音菩薩名号
无盡意若有人受持六十二億恒河沙菩薩名
字復盡形供養飲食衣服臥具醫藥於汝意
云何是善男子善女人功德多不无盡意言

BD00116 號　觀世音經　　（5–1）

力若有衆生恭敬禮拜觀世音菩薩福不唐
捐是故衆生皆應受持觀世音菩薩名號无
盡意若有人受持六十二億恒河沙菩薩名
字復盡形供養飲食衣服卧具醫藥於汝意
云何是善男子善女人功德多不无盡意言
甚多世尊佛言若復有人受持觀世音菩薩
名号乃至一時禮拜供養是二人福正等无
異於百千万億劫不可窮盡无盡意受持觀
世音菩薩名号得如是无量无邊福德之利
无盡意菩薩白佛言世尊觀世音菩薩云何
遊此娑婆世界云何而爲衆生說法方便之
力其事云何佛告无盡意菩薩善男子若有
國土衆生應以佛身得度者觀世音菩薩即
現佛身而爲說法應以辟支佛身得度者即
現辟支佛身而爲說法應以聲聞身得度者
即現聲聞身而爲說法應以梵王身得度者
即現梵王身而爲說法應以帝釋身得度者
即現帝釋身而爲說法應以自在天身得度
者即現自在天身而爲說法應以大自在天身
得度者即現大自在天身而爲說法應以天
大將軍身得度者即現天大將軍身而爲
說法應以毗沙門身得度者即現毗沙門身而
爲說法應以小王身得度者即現小王身而
爲說法應以長者身得度者即現長者身而
爲說法應以居士身得度者即現居士身而爲
說法應以宰官身得度者即現宰官身而爲
說法應以婆羅門身得度者即現婆羅門身而
爲說法應以比丘比丘尼優婆塞優婆夷身得
度者即現比丘比丘尼優婆塞優婆夷身而

BD00116號　觀世音經　（5–2）

爲說法應以居士身得度者即現居士身而爲
說法應以宰官身得度者即現宰官身而爲
說法應以婆羅門身得度者即現婆羅門身而
爲說法應以比丘比丘尼優婆塞優婆夷身得
度者即現比丘比丘尼優婆塞優婆夷身而
爲說法應以長者居士宰官婆羅門婦女身
得度者即現婦女身而爲說法應以童男童
女身得度者即現童男童女身而爲說法應
以天龍夜叉乾闥婆阿脩羅迦樓羅緊那羅
摩睺羅伽人非人等身得度者即皆現之而
爲說法應以執金剛神得度者即現執金剛
神而爲說法无盡意是觀世音菩薩成就如是
功德以種種形遊諸國土度脫衆生是故汝等
應當一心供養觀世音菩薩是觀世音菩薩摩
訶薩於怖畏急難之中能施无畏是故此娑
婆世界皆号之爲施无畏者无盡意菩薩
白佛言世尊我今當供養觀世音菩薩即
解頸衆寶珠瓔珞價直百千兩金而以與之
作是言仁者受此法施珍寶瓔珞時觀世音
菩薩不肯受之无盡意復白觀世音菩薩
言仁者愍我等故受此瓔珞尒時佛告觀世音
菩薩當愍此无盡意菩薩及四衆天龍夜叉乾
闥婆阿脩羅迦樓羅緊那羅摩睺羅伽人非
人等故受是瓔珞即時觀世音菩薩愍諸四
衆及於天龍人非人等受其瓔珞分作二分
一分奉釋迦牟尼佛一分奉多寶佛塔无盡
意觀世音菩薩有如是自在神力遊於娑婆
世界尒時无盡意菩薩以偈問曰
世尊妙相具　我今重問彼　佛子何因緣　名爲觀世音
具足妙相尊　偈荅无盡意　汝聽觀音行　善應諸方所

BD00116號　觀世音經　（5–3）

意觀世音菩薩有如是自在神力遊於娑婆
世界尒時无盡意菩薩以偈問曰
世尊妙相具　我今重問彼　佛子何因緣　名為觀世音
具足妙相尊　偈荅无盡意　汝聽觀音行　善應諸方所
弘誓深如海　歷劫不思議　侍多千億佛　發大清淨願
我為汝略說　聞名及見身　心念不空過　能滅諸有苦
假使興害意　推落大火坑　念彼觀音力　火坑變成池
或漂流巨海　龍魚諸鬼難　念彼觀音力　波浪不能沒
或在須弥峯　為人所推墮　念彼觀音力　如日虛空住
或被惡人逐　墮落金剛山　念彼觀音力　不能損一毛
或值怨賊繞　各執刀加害　念彼觀音力　咸即起慈心
或遭王難苦　臨刑欲壽終　念彼觀音力　刀尋段段壞
或囚禁枷鎖　手足被杻械　念彼觀音力　釋然得解脫
呪咀諸毒藥　所欲害身者　念彼觀音力　還著於本人
或遇惡羅刹　毒龍諸鬼等　念彼觀音力　時悉不敢害
若惡獸圍遶　利牙爪可怖　念彼觀音力　疾走无邊方
蚖蛇及蝮蝎　氣毒煙火然　念彼觀音力　尋聲自迴去
雲雷鼓掣電　降雹澍大雨　念彼觀音力　應時得消散
衆生被困厄　无量苦逼身　觀音妙智力　能救世間苦
具足神通力　廣脩智方便　十方諸國土　无刹不現身
種種諸惡趣　地獄鬼畜生　生老病死苦　以漸悉令滅
真觀清淨觀　廣大智慧觀　悲觀及慈觀　常願常瞻仰
无垢清淨光　慧日破諸闇　能伏灾風火　普明照世間
悲體戒雷震　慈意妙大雲　澍甘露法雨　滅除煩惱焰
諍訟經官處　怖畏軍陣中　念彼觀音力　衆怨悉退散
妙音觀世音　梵音海潮音　勝彼世間音　是故須常念
念念勿生疑　觀世音淨聖　於苦惱死厄　能為作依怙
具一切功德　慈眼視衆生　福聚海无量　是故應頂禮
尒時持地菩薩即從坐起前白佛言世尊若

BD00116號　觀世音經　（5–4）

或囚禁枷鎖　手足被杻械　念彼觀音力　釋然得解脫
呪咀諸毒藥　所欲害身者　念彼觀音力　還著於本人
或遇惡羅刹　毒龍諸鬼等　念彼觀音力　時悉不敢害
若惡獸圍遶　利牙爪可怖　念彼觀音力　疾走无邊方
蚖蛇及蝮蝎　氣毒煙火然　念彼觀音力　尋聲自迴去
雲雷鼓掣電　降雹澍大雨　念彼觀音力　應時得消散
衆生被困厄　无量苦逼身　觀音妙智力　能救世間苦
具足神通力　廣脩智方便　十方諸國土　无刹不現身
種種諸惡趣　地獄鬼畜生　生老病死苦　以漸悉令滅
真觀清淨觀　廣大智慧觀　悲觀及慈觀　常願常瞻仰
无垢清淨光　慧日破諸闇　能伏灾風火　普明照世間
悲體戒雷震　慈意妙大雲　澍甘露法雨　滅除煩惱焰
諍訟經官處　怖畏軍陣中　念彼觀音力　衆怨悉退散
妙音觀世音　梵音海潮音　勝彼世間音　是故須常念
念念勿生疑　觀世音淨聖　於苦惱死厄　能為作依怙
具一切功德　慈眼視衆生　福聚海无量　是故應頂禮
尒時持地菩薩即從坐起前白佛言世尊若
有衆生聞是觀世音菩薩品自在之業普門
示現神通力者當知是人功德不少佛說是
普門品時衆中八万四千衆生皆發无等等
阿耨多羅三藐三菩提心

觀世音經一卷

BD00116號　觀世音經　（5–5）

又以種種方
歡喜心諸善男子
言眾生樂於小法德薄垢重者為是
人說我少出家得阿耨多羅三藐三菩提然
我實成佛已來久遠若斯但以方便教化
眾生令入佛道作如是說諸善男子如來所
演經典皆為度脫眾生或說己身或說他身
或示己身或示他身或示己事或示他事諸
所言說皆實不虛所以者何如來如實知見
三界之相无有生死若退若出亦无在世及
滅度者非實非虛非如非異不如三界見於
三界如斯之事如來明見无有錯謬以諸眾
生有種種性種種欲種種行種種憶想分別
故欲令生諸善根以若干因緣譬喻言辭種
種說法所作佛事未曾暫癈如是我成佛已
來甚大久遠壽命无量阿僧祇劫常住不滅
諸善男子我本行菩薩道所成壽命今猶未
盡復倍上數然今非實滅度而便唱言當取
滅度如來以是方便教化眾生所以者何若佛
久住於世薄德之人不種善根貧窮下賤貪
著五欲入於憶想妄見網中若見如來常在
不滅便起憍恣而懷猒怠不能生難遭之想
恭敬之心是故如來以方便說比丘當知諸
佛出世難可值遇所以者何諸薄德人過
无量百千万億劫或有見佛或不見者以此

BD00117 號　妙法蓮華經（八卷本）卷六　（20–1）

恭敬之心是故如來以方便說比丘當知諸
佛出世難可值遇所以者何諸薄德人過
无量百千万億劫或有見佛或不見者以此
事故我作是言諸比丘如來難可得見斯眾生
等聞如是語必當生於難遭之想心懷戀慕
渴仰於佛便種善根是故如來雖不實滅而
言滅度又善男子諸佛如來法皆如是為度
眾生皆實不虛譬如良醫智慧聰達明練方
藥善治眾病其人多諸子息若十二十乃至
百數以有事緣遠至餘國諸子於後飲他毒
藥藥發悶亂宛轉于地是時其父還來歸
家諸子飲毒或失本心或不失者遙見其父
皆大歡喜拜跪問訊善安隱歸我等愚癡誤
服毒藥願見救療更賜壽命父見子等苦惱
如是依諸經方求好藥草色香美味皆悉具
足擣篩和合與子令服而作是言此大良藥
色香美味皆悉具足汝等可服速除苦惱无
復眾患其諸子中不失心者見此良藥色香
俱好即便服之病盡除愈餘失心者見其父
來雖亦歡喜問訊求索治病然與其藥而不
肯服所以者何毒氣深入失本心故於此好色
香藥而謂不美父作是念此子可愍為毒所
中心皆顛倒雖見我喜求索救療如是好藥
而不肯服我今者何我今當設方便令服此藥即
作是言汝等當知我今衰老死時已至是好良
藥今留在此汝可取服勿憂不差作是教已復
至他國遣使還告汝父已死是時諸子聞父背

BD00117 號　妙法蓮華經（八卷本）卷六　（20–2）

作是言汝等當知我今衰老死時已至是好良
藥今留在此汝可取服勿憂不差作是教已復
至他國遣使還告汝父已死是時諸子聞父背
喪心大憂惱而作是念若父在者慈愍我等
能見救護今者捨我遠喪他國自惟孤露
无復恃怙常懷悲感心遂醒悟乃知此藥
色味香美即取服之毒病皆愈其父聞子悉
已得差尋便來歸咸使見之諸善男子於意
云何頗有人能說此良醫虛妄罪不不也世
尊佛言我亦如是成佛已來无量无邊百千
万億那由他阿僧祇劫為衆生故以方便力
言當滅度亦无有能如法說我虛妄過者尒
時世尊欲重宣此義而說偈言
自我得佛來　所經諸劫數　无量百千万　億載阿僧祇
常說法教化　无數億衆生　令入於佛道　尒來无量劫
為度衆生故　方便現涅槃　而實不滅度　常住此說法
我常住於此　以諸神通力　令顛倒衆生　雖近而不見
衆見我滅度　廣供養舍利　咸皆懷戀慕　而生渴仰心
衆生既信伏　質直意柔軟　一心欲見佛　不見惜身命
時我及衆僧　俱出靈鷲山　我時語衆生　常在此不滅
以方便力故　現有滅不滅　餘國有衆生　恭敬信樂者
我復於彼中　為說无上法　汝等不聞此　但謂我滅度
我見諸衆生　沒在於苦惱　故不為現身　令其生渴仰
因其心戀慕　乃出為說法　神通力如是　於阿僧祇劫
常在靈鷲山　及餘諸住處　衆生見劫盡　大火所燒時
我此土安隱　天人常充滿　園林諸堂閣　種種寶莊嚴
寶樹多華菓　衆生所遊樂　諸天擊天鼓　常作衆伎樂
雨曼陀羅華　散佛及大衆　我淨土不毀　而衆見燒盡

BD00117號　妙法蓮華經（八卷本）卷六　（20-3）

常在靈鷲山　及餘諸住處　衆生見劫盡　大火所燒時
我此土安隱　天人常充滿　園林諸堂閣　種種寶莊嚴
寶樹多華菓　衆生所遊樂　諸天擊天鼓　常作衆伎樂
雨曼陀羅華　散佛及大衆　我淨土不毀　而衆見燒盡
憂怖諸苦惱　如是悉充滿　是諸罪衆生　以惡業因緣
過阿僧祇劫　不聞三寶名　諸有脩功德　柔和質直者
則皆見我身　在此而說法　或時為此衆　說佛壽无量
久乃見佛者　為說佛難值　我智力如是　慧光照无量
壽命无數劫　久脩業所得　汝等有智者　勿於此生疑
當斷令永盡　佛語實不虛　如醫善方便　為治狂子故
實在而言死　无能說虛妄　我亦為世父　救諸苦患者
為凡夫顛倒　實在而言滅　以常見我故　而生憍恣心
放逸著五欲　墮於惡道中　我常知衆生　行道不行道
隨應所可度　為說種種法　每自作是意　以何令衆生
得入无上道　速成就佛身
妙法蓮華經分別功德品第十七
尒時大會聞佛說壽命劫數長遠如是无量
无邊阿僧祇衆生得大饒益於時世尊告弥
勒菩薩摩訶薩阿逸多我說是如來壽命長
遠時六百八十万億那由他恒河沙衆生得无
生法忍復有千倍菩薩摩訶薩得聞持陁
羅尼門復有一世界微塵數菩薩摩訶薩得
樂說无礙辯才復有一世界微塵數菩薩摩訶
薩得百万億无量旋陁羅尼復有三千大千
世界微塵數菩薩摩訶薩能轉不退法輪復
有二千中國土微塵數菩薩摩訶薩能轉
清淨法輪復有小千國土微塵數菩薩摩訶

BD00117號　妙法蓮華經（八卷本）卷六　（20-4）

有二千中國土微塵數菩薩摩訶薩能轉
清淨法輪復有小千國土微塵數菩薩摩訶
薩八生當得阿耨多羅三藐三菩提復有四
天下微塵數菩薩摩訶薩四生當得阿耨
多羅三藐三菩提復有三四天下微塵數菩
薩摩訶薩三生當得阿耨多羅三藐三菩提
復有二四天下微塵數菩薩摩訶薩二生當
得阿耨多羅三藐三菩提復有一四天下微
塵數菩薩摩訶薩一生當得阿耨多羅三藐
三菩提復有八世界微塵數衆生皆發阿耨
多羅三藐三菩提心佛說是諸菩薩摩訶薩
得大法利時於虛空中雨曼陁羅華摩訶曼
陁羅華以散无量百千万億寶樹下師子座
上諸佛并散七寶塔中師子座上釋迦牟尼
佛及久滅度多寶如來亦散一切諸大菩薩及
四部衆又雨細末栴檀沈水香等於虛空中
天鼓自鳴妙聲深遠又雨千種天衣垂諸瓔
珞真珠瓔珞摩尼珠瓔珞如意珠瓔珞遍
於九方衆寶香爐燒无價香自然周至供養
大會一一佛上有諸菩薩執持幡蓋次第而
上至于梵天是諸菩薩以妙音聲歌无量頌
讚歎諸佛尒時弥勒菩薩從座而起偏袒右
肩合掌向佛而說偈言
佛說希有法　昔所未曾聞　世尊有大力　壽命不可量
无數諸佛子　聞世尊分別　說得法利者　歡喜充遍身
或住不退地　或得陁羅尼　或无礙樂說　万億旋揔持
或有大千界　微塵數菩薩　各各皆能轉　不退之法輪

无數諸佛子　聞世尊分別　說得法利者　歡喜充遍身
或住不退地　或得陁羅尼　或无礙樂說　万億旋揔持
或有大千界　微塵數菩薩　各各皆能轉　不退之法輪
或有中千界　微塵數菩薩　各各皆能轉　清淨之法輪
復有小千界　微塵數菩薩　餘各八生在　當得成佛道
復有四三二　如是四天下　微塵數菩薩　隨數生成佛
或一四天下　微塵數菩薩　餘有一生在　當成一切智
如是等衆生　聞佛壽長遠　得无量无漏　清淨之果報
復有八世界　微塵數衆生　聞佛說壽命　皆發无上心
世尊說无量　不可思議法　多有所饒益　如虛空无邊
雨天曼陁羅　摩訶曼陁羅　釋梵如恒河　无數佛土來
雨栴檀沈水　繽紛而亂墜　如鳥飛空下　供散於諸佛
天鼓虛空中　自然出妙聲　天衣千万種　旋轉而來下
衆寶妙香爐　燒无價之香　自然悉周遍　供養諸世尊
其大菩薩衆　執七寶幡蓋　高妙万億種　次第至梵天
一一諸佛前　寶幢懸勝幡　亦以千万偈　歌詠諸如來
如是種種事　昔所未曾有　聞佛壽无量　一切皆歡喜
佛名聞十方　廣饒益衆生　一切具善根　以助无上心
尒時佛告弥勒菩薩摩訶薩阿逸多其有
衆生聞佛壽命長遠如是乃至能生一念信
解所得功德无有限量若有善男子善女人
為阿耨多羅三藐三菩提於八十万億那由他
劫行五波羅蜜檀波羅蜜尸波羅蜜羼提波
羅蜜毗梨耶波羅蜜禪波羅蜜除般若波
羅蜜以是功德比前功德百分千分百千万
億分不及其一乃至筭數譬喻所不能知若
善男子有如是功德於阿耨多羅三藐三菩

[illegible]
羅蜜以是功德比前功德百分千分百千万
億分不及其一乃至筭數辟喻所不能知若
善男子有如是功德於阿耨多羅三狼三菩
提退者无有是處尒時世尊欲重宣此義而
說偈言
若人求佛慧　於八十万億　那由他劫數　行五波羅蜜
於是諸劫中　布施供養佛　及緣覺弟子　并諸菩薩衆
珎異之飲食　上服與卧具　栴檀立精舍　以園林莊嚴
如是等布施　種種皆微妙　盡此諸劫數　以迴向佛道
若復持禁戒　清淨无缺漏　求於无上道　諸佛之所歎
若復行忍辱　住於調柔地　設衆惡來加　其心不傾動
諸有得法者　懷於增上慢　為此所輕惱　如是亦能忍
若復勤精進　志念常堅固　於无量億劫　一心不懈息
又於无數劫　住於空閑處　若坐若經行　除睡常攝心
以是因緣故　能生諸禪定　八十億万劫　安住心不亂
持此一心福　願求无上道　我得一切智　盡諸禪定際
是人於百千　万億劫數中　行此諸功德　如上之所說
有善男女等　聞我說壽命　乃至一念信　其福過於彼
若人悉无有　一切諸疑悔　深心須臾信　其福為如此
其有諸菩薩　无量劫行道　聞我說壽命　是則能信受
如是諸人等　頂受此經典　願我於未來　長壽度衆生
如今日世尊　諸釋中之王　道場師子吼　說法无所畏
我等未來世　一切所尊敬　坐於道場時　說壽亦如是
若有深心者　清淨而質直　多聞能捴持　隨義解佛語
如是諸人等　於此无有疑
又阿逸多若有聞佛壽命長遠解其言趣是
人所得功德无有限量能起如來无上之慧何

如是諸人等　於此无有疑
又阿逸多若有聞佛壽命長遠解其言趣是
人所得功德无有限量能起如來无上之慧何
況廣聞是經若教人聞若自持若教人持若
自書若教人書若以華香瓔珞幢幡繒蓋
香油蘇燈供養經卷是人功德无量无邊能
生一切種智阿逸多若善男子善女人聞我
說壽命長遠深心信解則為見佛常在耆闍
崛山共大菩薩諸聲聞衆圍繞說法又見此
娑婆世界其地琉璃坦然平正閻浮檀金以
界八道寶樹行列諸臺樓觀皆悉寶成其
菩薩衆咸處其中若有能如是觀者當知
是為深信解相又復如來滅後若聞是經而
不毀呰起隨喜心當知已為深信解相何況讀誦
受持之者斯人則為頂戴如來阿逸多是善
男子善女人不須為我復起塔寺及作僧坊
以四事供養衆僧所以者何是善男子善女
人受持讀誦是經典者為已起塔造立僧坊
供養衆僧則為以佛舍利起七寶塔高廣漸
小至于梵天懸諸幡蓋及衆寶鈴華香瓔珞
末香塗香燒香衆鼓伎樂蕭笛箜篌種種儛
戲以妙音聲歌唄讚頌則為已於无量千万億
劫作是供養已阿逸多若我滅後聞是經典
有能受持若自書若教人書則為起立僧坊
以赤栴檀作諸殿堂三十有二高八多羅樹
高廣嚴好百千比丘於其中止園林浴池經
行禪窟衣服飲食床褥湯藥一切樂具充滿

以赤栴檀作諸殿堂三十有二高八多羅樹
高廣嚴好百千比丘於其中止園林浴池經
行禪窟衣服飲食床褥湯藥一切樂具充滿
其中如是僧坊堂閣若干百千万億其數无
量以此現前供養於我及比丘僧是故我說如
來滅後若有受持讀誦為他人說若自書
若教人書供養經卷不須復起塔寺及造僧
坊供養衆僧況復有人能持是經兼行布施
持戒忍辱精進一心智慧其德㝡勝无量无
邊譬如虛空東西南北四維上下无量无邊
是人功德亦復如是无量无邊疾至一切種
智若人讀誦受持是經為他人說若自書若
教人書復能起塔及造僧坊供養讚歎聲聞
衆僧亦以百千万億讚歎之法讚歎菩薩功
德又為他人種種因緣隨義解說此法華經
復能清淨持戒與柔和者而共同止忍辱无
瞋志念堅固常貴坐禪得諸深定精進勇
猛攝諸善法利根智慧善荅問難阿逸多若
我滅後諸善男子善女人受持讀誦是經典
者復有如是諸善功德當知是人已趣道場近
阿耨多羅三藐三菩提坐道樹下阿逸多是
善男子若坐若立若行處此中便應起塔
一切天人皆應供養如佛之塔尒時世尊欲
重宣此義而說偈言
若我滅度後 能奉持此經 斯人福无量 如上之所說
是則為具足 一切諸供養 以舍利起塔 七寶而莊嚴
表刹甚高廣 漸小至梵天 寶鈴千万億 風動出妙音
又於无量劫 而供養此塔 華香諸瓔珞 天衣衆伎樂

BD00117 號　妙法蓮華經（八卷本）卷六　（20–9）

是則為具足 一切諸供養 以舍利起塔 七寶而莊嚴
表刹甚高廣 漸小至梵天 寶鈴千万億 風動出妙音
又於无量劫 而供養此塔 華香諸瓔珞 天衣衆伎樂
然香油蘇燈 周帀常照明 惡世法末時 能持是經者
則為已如上 具足諸供養 若能持此經 則如佛現在
以牛頭栴檀 起僧坊供養 堂有三十二 高八多羅樹
上饌妙衣服 床卧皆具足 百千衆住處 園林諸〻池
經行及禪窟 種種皆嚴好 若有信解心 受持讀誦書
若復教人書 及供養經卷 散華香末香 以須曼瞻蔔
阿提目多伽 薰油常然之 如是供養者 得无量功德
如虛空无邊 其福亦如是 況復持此經 兼布施持戒
忍辱樂禪定 不瞋不惡口 恭敬於塔廟 謙下諸比丘
遠離自高心 常思惟智慧 有問難不瞋 隨順為解說
若能行是行 功德不可量 若見此法師 成就如是德
應以天華散 天衣覆其身 頭面接足礼 生心如佛想
又應作是念 不久詣道樹 得无漏无為 廣利諸人天
其所住止處 經行若坐卧 乃至說一偈 是中應起塔
莊嚴令妙好 種種以供養 佛子住此地 則是佛受用
常在於其中 經行及坐卧

妙法蓮華經隨喜功德品第十八

尒時弥勒菩薩摩訶薩白佛言世尊若有善
男子善女人聞是法華經隨喜者得幾所福
而說偈言
世尊滅度後 其有聞是經 若能隨喜者 為得幾所福
尒時佛告弥勒菩薩摩訶薩阿逸多如來滅
後若比丘比丘尼優婆塞優婆夷及餘智者
若長若幼聞是經隨喜已從法會出至於餘

BD00117 號　妙法蓮華經（八卷本）卷六　（20–10）

尒時佛告弥勒菩薩摩訶薩阿逸多如來滅
後若比丘比丘尼優婆塞優婆夷及餘智者
若長若幼聞是經隨喜已從法會出至於餘
處若在僧坊若空閑地若城邑巷陌聚落田
里如其所聞爲父母宗親善友知識隨力演
說是諸人等聞已隨喜復行轉教餘人聞已
亦隨喜轉教如是展轉至第五十阿逸多其
第五十善男子善女人隨喜功德我今說之
汝當善聽若四百万億阿僧祇世界六趣四
生衆生卵生胎生濕生化生若有形无形有
想无想非有想非无想无足二足四足多足如
是等在衆生數者有人求福隨其所欲娛樂
之具皆給與之一一衆生與滿閻浮提金銀琉
璃車𤦲馬瑙珊瑚虎珀諸妙珎寶及象馬
車乘七寶所成宮殿樓閣等是大施主如
是布施滿八十年已而作是念我已施衆生
娛樂之具隨意所欲然此衆生皆已衰老年
過八十髮白面皺將死不久我當以佛法而訓
導之即集此衆生宣布法化示教利喜一
時皆得須陁洹道斯陁含道阿那含道阿羅
漢道盡諸有漏於深禪定皆得自在具八解脫
於汝意云何是大施主所得功德寧爲多不
弥勒白佛言世尊是人功德甚多无量无邊
若是施主但施衆生一切樂具功德无量何
況令得阿羅漢果佛告弥勒我今分明語汝
是人以一切樂具施於四百万億阿僧祇世界
六趣衆生又令得阿羅漢果所得功德不如

BD00117 號　妙法蓮華經（八卷本）卷六　（20–11）

況令得阿羅漢果佛告弥勒我今分明語汝
是人以一切樂具施於四百万億阿僧祇世界
六趣衆生又令得阿羅漢果所得功德不如
是第五十人聞法華經一偈隨喜功德百分
千分百千万億分不及其一乃至筭數譬
喻所不能知阿逸多如是第五十人展轉聞
法華經隨喜功德尚无量无邊阿僧祇何
況最初於會中聞而隨喜者其福復勝无量
无邊阿僧祇不可得比又阿逸多若人爲是
經故往詣僧坊若坐若立須臾聽受緣是
功德轉身所生得好上妙象馬車乘珎寶輦
輿及乘天宮若復有人於講法處坐更有人
來勸令坐聽若分座令坐是人功德轉身得
帝釋坐處若梵王坐處若轉輪聖王所坐之
處阿逸多若復有人語餘人言有經名法華
可共往聽即受其教乃至須臾間聞是人功德
轉身得與陁羅尼菩薩共生一處利根智慧
百千万世終不瘖瘂口氣不臭舌常无病口
亦无病齒不垢黑不黃不踈亦不缺落不差
不曲脣不下垂亦不褰縮不麁澁不瘡緊亦
不缺壞亦不喎斜不厚不大亦不黧黑无諸可
惡鼻不匾𧿹亦不曲戾面色不黑亦不狹長
亦不窊曲无有一切不可喜相脣舌牙齒悉
皆嚴好鼻脩高直面貌圓滿眉高而長額
廣平正人相具足世世所生見佛聞法信受
教誨阿逸多汝且觀是勸於一人令往聽法
功德如此何況一心聽說讀誦而於大衆爲

BD00117 號　妙法蓮華經（八卷本）卷六　（20–12）

廣平正人相具足世世所生見佛聞法信受
教誨阿逸多汝且觀是勸於一人令往聽法
功德如此何況一心聽說讀誦而於大衆爲
人分別如說脩行尒時世尊欲重宣此義而
說偈言
若人於法會 得聞是經典 乃至於一偈 隨喜爲他說
如是展轉教 至于第五十 最後人獲福 今當分別之
如有大施主 供給无量衆 具滿八十歲 隨意之所欲
見彼衰老相 髮白而面皺 齒踈形枯竭 念其死不久
我今應當教 令得於道果 即爲方便說 涅槃真實法
世皆不牢固 如水沫泡焰 汝等咸應當 疾生猒離心
諸人聞是法 皆得阿羅漢 具足六神通 三明八解脫
最後第五十 聞一偈隨喜 是人福勝彼 不可爲譬喻
如是展轉聞 其福尚无量 何況於法會 初聞隨喜者
若有勸一人 將引聽法華 言此經深妙 千万劫難遇
即受教往聽 乃至須臾聞 斯人之福報 今當分別說
世世无口患 齒不踈黃黑 脣不厚褰缺 无有可惡相
舌不乾黑短 鼻高脩且直 額廣而平正 面目悉端嚴
爲人所喜見 口氣无臭穢 優鉢華之香 常從其口出
若故詣僧坊 欲聽法華經 須臾聞歡喜 今當說其福
後生天人中 得妙象馬車 珎寶之輦輿 及乘天宮殿
若於講法處 勸人坐聽經 是福因緣得 釋梵轉輪座
何況一心聽 解說其義趣 如說而脩行 其福不可限

妙法蓮華經法師功德品第十九

尒時佛告常精進菩薩摩訶薩若善男子
善女人受持是法華經若讀若誦若解說若書
寫是人當得八百眼功德千二百耳功德八百
鼻功德千二百舌功德八百身功德千二百

BD00117號　妙法蓮華經（八卷本）卷六　（20–13）

尒時佛告常精進菩薩摩訶薩若善男子
善女人受持是法華經若讀若誦若解說若書
寫是人當得八百眼功德千二百耳功德八百
鼻功德千二百舌功德八百身功德千二百
意功德以是功德莊嚴六根皆令清淨是善
男子善女人父母所生清淨肉眼見於三千
大千世界内外所有山林河海下至阿鼻地
獄上至有頂亦見其中一切衆生及業因緣
果報生處悉見悉知尒時世尊欲重宣此義
而說偈言
若於大衆中 以无所畏心 說是法華經 汝聽其功德
是人得八百 功德殊勝眼 以是莊嚴故 其目甚清淨
父母所生眼 悉見三千界 内外弥樓山 須弥及鐵圍
并諸餘山林 大海江河水 下至阿鼻獄 上至有頂處
其中諸衆生 一切皆悉見 雖未得天眼 肉眼力如是
復次常精進若善男子善女人受持此經若
讀若誦若解說若書寫得千二百耳功德以
是清淨耳根聞三千大千世界下至阿鼻地
獄上至有頂其中内外種種語言音聲象聲
馬聲牛聲車聲啼哭聲愁歎聲螺聲鼓聲鍾聲
鈴聲咲聲語聲男聲女聲童子聲童女聲法
聲非法聲苦聲樂聲凡夫聲聖人聲喜聲不
喜聲天聲龍聲夜叉聲乾闥婆聲阿脩羅聲
迦樓羅聲緊那羅聲摩睺羅伽聲火聲水聲
風聲地獄聲畜生聲餓鬼聲比丘聲比丘尼
聲聲聞聲辟支佛聲菩薩聲佛聲以要言之
三千大千世界中一切内外所有諸聲雖未得
天耳以父母所生清淨常耳皆悉聞知如是

BD00117號　妙法蓮華經（八卷本）卷六　（20–14）

聲聲聞聲辟支佛聲菩薩聲佛聲以要言之
三千大千世界中一切內外所有諸聲雖未得
天耳以父母所生清淨常耳皆悉聞知如是
分別種種音聲而不壞耳根尒時世尊欲重
宣此義而說偈言
父母所生耳　清淨无濁穢　以此常耳聞　三千世界聲
象馬車牛聲　鍾鈴螺鼓聲　琴瑟箜篌聲　簫笛之音聲
清淨好歌聲　聽之而不著　无數種人聲　聞悉能解了
又聞諸天聲　微妙之歌音　及聞男女聲　童子童女聲
山川險谷中　迦陵頻伽聲　命命等諸鳥　悉聞其音聲
地獄衆苦痛　種種楚毒聲　餓鬼飢渴逼　求索飲食聲
諸阿脩羅等　居在大海邊　自共語言時　出于大音聲
如是說法者　安住於此間　遙聞是衆聲　而不壞耳根
十方世界中　禽獸鳴相呼　其說法之人　於此悉聞之
其諸梵天上　光音及遍淨　乃至有頂天　言語之音聲
法師住於此　悉皆得聞之　一切比丘衆　及諸比丘尼
若讀誦經典　若為他人說　法師住於此　悉皆得聞之
復有諸菩薩　讀誦於經法　若為他人說　撰集解其義
如是諸音聲　悉皆得聞之　諸佛大聖尊　教化衆生者
於諸大衆中　演說微妙法　持此法華者　悉皆得聞之
三千大千界　內外諸音聲　下至阿鼻獄　上至有頂天
皆聞其音聲　而不壞耳根　其耳聰利故　悉能分別知
持是法華者　雖未得天耳　但用所生耳　功德已如是
復次常精進若善男子善女人受持是經若
讀若誦若解說若書寫成就八百鼻功德以
是清淨鼻根聞於三千大千世界上下內外
種種諸香須曼那華香闍提華香末利華
香瞻蔔華香波羅羅華香赤蓮華香青蓮華

BD00117號　妙法蓮華經（八卷本）卷六　（20–15）

讀若誦若解說若書寫成就八百鼻功德以
是清淨鼻根聞於三千大千世界上下內外
種種諸香須曼那華香闍提華香末利華
香瞻蔔華香波羅羅華香赤蓮華香青蓮華
香白蓮華香華樹香菓樹香旃檀香沈水香多
摩羅跋香多伽羅香及千万種和香若末若
丸若塗香持是經者於此間住悉能分別又
復別知衆生之香象香馬香牛羊等香男
香女香童子香童女香及草木叢林香若近
若遠所有諸香悉皆得聞分別不錯持是經
者雖住於此亦聞天上諸天之香波利質多羅
拘鞞陁羅樹香及曼陁羅華香摩訶曼陁羅
華香曼殊沙華香摩訶曼殊沙華香旃檀
沈水種種末香諸雜華香如是等天香和合所
出之香无不聞知又聞諸天身香釋提桓因在
勝殿上五欲娛樂嬉戲時香若在妙法堂上
為忉利諸天說法時香若於諸園遊戲時香
及餘天等男女身香皆悉遙聞如是展轉乃
至梵世上至有頂諸天身香亦皆聞之并聞
諸天所燒之香及聲聞香辟支佛香菩薩香
諸佛身香亦皆遙聞知其所在雖聞此香然
於鼻根不壞不錯若欲分別為他人說憶念
不謬尒時世尊欲重宣此義而說偈言
是人鼻清淨　於此世界中　若香若臭物　種種悉聞知
須曼那闍提　多摩羅栴檀　沈水及桂香　種種華菓香
及知衆生香　男子女人香　說法者遠住　聞香知所在
大勢轉輪王　小轉輪及子　群臣諸宮人　聞香知所在

BD00117號　妙法蓮華經（八卷本）卷六　（20–16）

及知衆生香 男子女人香 說法者遠住 聞香知所在
大勢轉輪王 小轉輪及子 群臣諸宮人 聞香知所在
身所著珎寶 及地中寶藏 轉輪王寶女 聞香知所在
諸人嚴身具 衣服及瓔珞 種種所塗香 聞則知其身
諸天若行坐 遊戲及神變 持是法華者 聞香悉能知
諸樹華菓實 及蘇油香氣 持經者住此 悉知其所在
諸山深險處 栴檀樹華敷 衆生在中者 聞香皆能知
鐵圍山大海 地中諸衆生 持經者聞香 悉知其所在
阿脩羅男女 及其諸眷屬 鬪諍遊戲時 聞香皆能知
曠野險隘處 師子象虎狼 野牛水牛等 聞香知所在
若有懷任者 未辯其男女 无根及非人 聞香悉能知
以聞香力故 知其初懷任 成就不成就 安樂產福子
以聞香力故 知男女所念 染欲癡恚心 亦知脩善者
地中衆伏藏 金銀諸珎寶 銅器之所盛 聞香悉能知
種種諸瓔珞 无能識其價 聞香知貴賤 出處及所在
天上諸華等 曼陀曼殊沙 波利質多樹 聞香悉能知
天上諸宮殿 上中下差別 衆寶華莊嚴 聞香悉能知
天園林勝殿 諸觀妙法堂 在中而娛樂 聞香悉能知
諸天若聽法 或受五欲時 來往行坐臥 聞香悉能知
天女所著衣 好華香莊嚴 周旋遊戲時 聞香悉能知
如是展轉上 乃至於梵世 入禪出禪者 聞香悉能知
光音遍淨天 乃至于有頂 初生及退沒 聞香悉能知
諸比丘衆等 於法常精進 若坐若經行 及讀誦經法
或在林樹下 專精而坐禪 持經者聞香 悉知其所在
菩薩志堅固 坐禪若讀誦 或為人說法 聞香悉能知
在在方世尊 一切所恭敬 愍衆而說法 聞香悉能知
衆生在佛前 聞經皆歡喜 如法而脩行 聞香悉能知

BD00117 號　妙法蓮華經（八卷本）卷六　（20–17）

菩薩志堅固 坐禪若讀誦 或為人說法 聞香悉能知
在在方世尊 一切所恭敬 愍衆而說法 聞香悉能知
衆生在佛前 聞經皆歡喜 如法而脩行 聞香悉能知
雖未得菩薩 无漏法生鼻 而是持經者 先得此鼻相
復次常精進 若善男子善女人受持是經 若
讀若誦若解說若書寫 得千二百舌功德 若
好若醜若美不美及諸苦澁物 在其舌根 皆
變成上味如天甘露 无不美者 若以舌根於
大衆中有所演說 出深妙聲 能入其心 皆令
歡喜快樂 又諸天子天女 釋梵諸天 聞是深
妙音聲有所演說言論次第 皆悉來聽 及諸
龍龍女 夜叉夜叉女 乾闥婆乾闥婆女 阿脩
羅阿脩羅女 迦樓羅迦樓羅女 緊那羅緊那
羅女 摩睺羅伽摩睺羅伽女 為聽法故 皆來
親近恭敬供養 及比丘比丘尼優婆塞優婆
夷 國王王子群臣眷屬 小轉輪王大轉輪王
七寶千子內外眷屬 乘其宮殿俱來聽法 以
是菩薩善說法故 婆羅門居士國內人民 盡
其形壽隨侍供養 又諸聲聞辟支佛菩薩諸
佛常樂見之 是人所在方面 諸佛皆向其處
說法 悉能受持一切佛法 又能出於深妙法
音 尒時世尊欲重宣此義而說偈言
是人舌根淨 終不受惡味 其有所食噉 悉皆成甘露
以深淨妙音 於大衆說法 以諸因緣喻 引導衆生心
聞者皆歡喜 設諸上供養 諸天龍夜叉 及阿脩羅等
皆以恭敬心 而共來聽法 是說法之人 若欲以妙音
遍滿三千界 隨意即能至 大小轉輪王 及千子眷屬
合掌恭敬心 常來聽受法 諸天龍夜叉 羅刹毗舍闍

BD00117 號　妙法蓮華經（八卷本）卷六　（20–18）

皆以恭敬心而共來聽法　是說法之人若欲以妙音
遍滿三千界　隨意即能至　大小轉輪王　及千子眷屬
合掌恭敬心　常來聽受法　諸天龍夜叉　羅剎毗舍闍
亦以歡喜心　常樂來供養　梵天王魔王　自在大自在
如是諸天眾　常來至其所　諸佛及弟子　聞其說法音
常念而守護　或時為現身
復次常精進若善男子善女人受持是經若
讀若誦若解說若書寫得八百身功德得清
淨身如淨瑠璃眾生喜見其身淨故三千大
千世界眾生生時死時上下好醜生善處惡
處悉於中現及鐵圍山大鐵圍山弥樓山摩
訶弥樓山等諸山及其中眾生悉於中現下
至阿鼻地獄上至有頂所有及眾生悉於中
現若聲聞辟支佛菩薩諸佛說法皆於身
中現其色像尒時世尊欲重宣此義而說偈
言
若持法華者　其身甚清淨　如彼淨瑠璃　眾生皆喜見
又如淨明鏡　悉見諸色像　菩薩於淨身　皆見世所有
唯獨自明了　餘人所不見　三千世界中　一切諸羣萌
天人阿脩羅　地獄鬼畜生　如是諸色像　皆於身中現
諸天等宮殿　乃至於有頂　鐵圍及弥樓　摩訶弥樓山
諸大海水等　皆於身中現　諸佛及聲聞　佛子菩薩等
若獨若在眾　說法悉皆現　雖未得无漏　法性之妙身
以清淨常體　一切於中現
復次常精進若善男子善女人如來滅後受
持是經若讀若誦若解說若書寫得千二百
意功德以是清淨意根乃至聞一偈一句通達
无量无邊之義解是義已能演說一句一偈

持是經若讀若誦若解說若書寫得千二百
意功德以是清淨意根乃至聞一偈一句通達
无量无邊之義解是義已能演說一句一偈
至於一月四月乃至一歲諸所說法隨其義
趣皆與實相不相違背若說俗間經書治
世語言資生業等皆順正法三千大千世界
六趣眾生心之所行心所動作心所戲論皆悉
知之雖未得无漏智慧而其意根清淨如此
是人有所思惟籌量言說皆是佛法无不
真實亦是先佛經中所說尒時世尊欲重
宣此義而說偈言
是人意清淨　明利无穢濁　以此妙意根　知上中下法
乃至聞一偈　通達无量義　次第如法說　月四月至歲
是世界內外　一切諸眾生　若天龍及人　夜叉鬼神等
其在六趣中　所念若干種　持法華之報　一時皆悉知
十方无數佛　百福莊嚴相　為眾生說法　悉聞能受持
思惟无量義　說法亦无量　終始不忘錯　以持法華故
悉知諸法相　隨義識次第　達名字語言　如所知演說
此人有所說　皆是先佛法　以演此法故　於眾无所畏
持法華經者　意根淨若斯　雖未得无漏　先有如是相
是人持此經　安住希有地　為一切眾生　歡喜而愛敬
能以千万種　善巧之語言　分別而說法　持法華經故

妙法蓮華經卷第六

界盡見彼土六趣衆生
及聞諸佛所說經法
優婆塞優婆夷諸脩
摩訶薩種種因緣
薩道復見諸佛般涅槃
後以佛舍利起七寶塔
念今者世尊現神[illegible]
今佛世尊入于三昧是
當以問誰誰能荅者復作
法王之子已曾親近供養過去无量 是
應見此希有之相 當問爾時比
丘優婆塞優婆夷及諸天龍鬼神 咸作此
念是佛光明神通之相今當問誰爾時弥勒
菩薩欲自決疑又觀四衆比丘比丘尼優婆
塞優婆夷及諸天龍鬼神等衆會之心而問
文殊師利言以何因緣而有此瑞神通之相
放大光明照于東方万八千土悉見彼佛國
界莊嚴於是弥勒菩薩欲重宣此義以偈問
曰
文殊師利 導師何故 眉間白豪 大光普照
雨曼陁羅 曼殊沙華 栴檀香風 悅可衆心
以是因緣 地皆嚴淨 而此世界 六種震動
時四部衆 咸皆歡喜 身意快然 得未曾有
眉間光明 照于東方 万八千土 皆如金色

BD00118號　妙法蓮華經卷一　（20–1）

以是因緣 地皆嚴淨 而此世界 六種震動
時四部衆 咸皆歡喜 身意快然 得未曾有
眉間光明 照于東方 万八千土 皆如金色
從阿鼻獄 上至有頂 諸世界中 六道衆生
生死所趣 善惡業緣 受報好醜 於此悉見
又覩諸佛 聖主師子 演說經典 微妙第一
其聲清淨 出柔軟音 教諸菩薩 无數億万
梵音深妙 令人樂聞 各於世界 講說正法
種種因緣 以无量喻 照明佛法 開悟衆生
若人遭苦 猒老病死 為說涅槃 盡諸苦際
若人有福 曾供養佛 志求勝法 為說緣覺
若有佛子 脩種種行 求无上慧 為說淨道
文殊師利 我住於此 見聞若斯 及千億事
如是衆多 今當略說 我見彼土 恒沙菩薩
種種因緣 而求佛道 或有行施 金銀珊瑚
真珠摩尼 車𤦲馬瑙 金剛諸珎 奴婢車乘
寶飾輦轝 歡喜布施 迴向佛道 願得是乘
三界第一 諸佛所歎 或有菩薩 駟馬寶車
欄楯華蓋 軒飾布施 復見菩薩 身肉手足
及妻子施 求无上道 又見菩薩 頭目身體
欣樂施與 求佛智慧 文殊師利 我見諸王
往詣佛所 問无上道 便捨樂土 宮殿臣妾
剃除鬚髮 而被法服 或見菩薩 而作比丘
獨處閑靜 樂誦經典 又見菩薩 勇猛精進
入於深山 思惟佛道 又見離欲 常處空閑
深脩禪定 得五神通 又見菩薩 安禪合掌

BD00118號　妙法蓮華經卷一　（20–2）

入於深山　思惟佛道　又見離欲　常處空閑
深修禪定　得五神通　又見菩薩　安禪合掌
以千万偈　讚諸法王　復見菩薩　智深志固
能問諸佛　聞悉受持　又見佛子　定慧具足
以无量喻　為眾講法　欣樂說法　化諸菩薩
破魔兵眾　而擊法鼓　又見菩薩　寂然宴嘿
天龍恭敬　不以為喜　又見菩薩　處林放光
濟地獄苦　令入佛道　又見佛子　未嘗睡眠
經行林中　勤求佛道　又見具戒　威儀无缺
淨如寶珠　以求佛道　又見佛子　住忍辱力
增上慢人　惡罵捶打　皆悉能忍　以求佛道
又見菩薩　離諸戲咲　及癡眷屬　親近智者
一心除亂　攝念山林　億千万歲　以求佛道
或見菩薩　餚饍飲食　百種湯藥　施佛及僧
名衣上服　價直千万　或无價衣　施佛及僧
千万億種　栴檀寶舍　眾妙卧具　施佛及僧
清淨園林　華菓茂盛　流泉浴池　施佛及僧
如是等施　種種微妙　歡喜无猒　求无上道
或有菩薩　說寂滅法　種種教詔　无數眾生
或見菩薩　觀諸法性　无有二相　猶如虛空
又見佛子　心无所著　以此妙慧　求无上道
文殊師利　又有菩薩　佛滅度後　供養舍利
又見佛子　造諸塔廟　无數恒沙　嚴飾國界
寶塔高妙　五千由旬　縱廣正等　二千由旬
一一塔廟　各千幢幡　珠交露幔　寶鈴和鳴
諸天龍神　人及非人　香華伎樂　常以供養

BD00118號　妙法蓮華經卷一　（20–3）

一一塔廟　各千幢幡　珠交露幔　寶鈴和鳴
諸天龍神　人及非人　香華伎樂　常以供養
文殊師利　諸佛子等　為供舍利　嚴飾塔廟
國界自然　殊特妙好　如天樹王　其華開敷
佛放一光　我及眾會　見此國界　種種殊妙
諸佛神力　智慧希有　放一淨光　照无量國
我等見此　得未曾有　佛子文殊　願決眾疑
四眾欣仰　瞻仁及我　世尊何故　放斯光明
佛子時荅　決疑令喜　何所饒益　演斯光明
佛坐道場　所得妙法　為欲說此　為當授記
示諸佛土　眾寶嚴淨　及見諸佛　此非小緣
文殊當知　四眾龍神　瞻察仁者　為說何等
尒時文殊師利語彌勒菩薩摩訶薩及諸大
士善男子等如我惟忖今佛世尊欲說大法
雨大法雨吹大法螺擊大法鼓演大法義諸
善男子我於過去諸佛曾見此瑞放斯光已
即說大法是故當知今佛現光亦復如是欲
令眾生咸得聞知一切世間難信之法故現
斯瑞諸善男子如過去无量无邊不可思議
阿僧祇劫尒時有佛号日月燈明如來應供
正遍知明行足善逝世間解无上士調御丈
夫天人師佛世尊演說正法初善中善後善
其義深遠其語巧妙純一无雜具足清白梵
行之相為求聲聞者說應四諦法度生老病
死究竟涅槃為求辟支佛者說應十二因緣
法為諸菩薩說應六波羅蜜令得阿耨多羅

BD00118號　妙法蓮華經卷一　（20–4）

行之相為求聲聞者說應四諦法度生老病
死究竟涅槃為求辟支佛者說應十二因緣
法為諸菩薩說應六波羅蜜令得阿耨多羅
三藐三菩提成一切種智次復有佛亦名日
月燈明次復有佛亦名日月燈明如是二万
佛皆同一字号日月燈明又同一姓姓頗羅
墮弥勒當知初佛後佛皆同一字名日月燈
明十号具足所可說法初中後善其最後佛
未出家時有八子一名有意二名善意三名
无量意四名寶意五名增意六名除疑意七
名響意八名法意是八王子威德自在各領
四天下是諸王子聞父出家得阿耨多羅三
藐三菩提悉捨王位亦隨出家發大乘意常
脩梵行皆為法師已於千万佛所植諸善本
是時日月燈明佛說大乘經名无量義教菩
薩法佛所護念說是經已即於大衆中結跏
趺坐入於无量義處三昧身心不動是時天
雨曼陁羅華摩訶曼陁羅華曼殊沙華摩訶
曼殊沙華而散佛上及諸大衆普佛世界六
種震動尒時會中比丘比丘尼優婆塞優婆
夷天龍夜叉乾闥婆阿脩羅迦樓羅緊那羅
摩睺羅伽人非人及諸小王轉輪聖王等是
諸大衆得未曽有歡喜合掌一心觀佛尒時
如來放眉間白豪相光照東方万八千佛土
靡不周遍如今所見是諸佛土弥勒當知尒
時會中有二十億菩薩樂欲聽法是諸菩薩

BD00118號　妙法蓮華經卷一　（20–5）

如來放眉間白豪相光照東方万八千佛土
靡不周遍如今所見是諸佛土弥勒當知尒
時會中有二十億菩薩樂欲聽法是諸菩薩
見此光明普照佛土得未曽有欲知此光所
為因緣時有菩薩名曰妙光有八百弟子是
時日月燈明佛從三昧起因妙光菩薩說大
乘經名妙法蓮華教菩薩法佛所護念六十
小劫不起于座時會聽者亦坐一處六十小
劫身心不動聽佛所說謂如食頃是時衆中
无有一人若身若心而生懈惓日月燈明佛
於六十小劫說是經已即於梵魔沙門婆羅
門及天人阿脩羅衆中而宣此言如來於今
日中夜當入无餘涅槃時有菩薩名曰德藏
日月燈明佛即授其記告諸比丘是德藏菩
薩次當作佛号曰淨身多陁阿伽度阿羅訶
三藐三佛陁佛授記已便於中夜入无餘涅
槃佛滅度後妙光菩薩持妙法蓮華經滿八
十小劫為人演說日月燈明佛八子皆師妙
光妙光教化令其堅固阿耨多羅三藐三菩
提是諸王子供養无量百千万億佛已皆成
佛道其最後成佛者名曰燃燈八百弟子中
有一人号曰求名貪著利養雖復讀誦衆經
而不通利多所忘失故号求名是人亦以種
諸善根因緣故得值无量百千万億諸佛供
養恭敬尊重讚歎弥勒當知尒時妙光菩薩
豈異人乎我身是也求名菩薩汝身是也今

BD00118號　妙法蓮華經卷一　（20–6）

養恭敬尊重讚歎弥勒當知尒時妙光菩薩
豈異人乎我身是也求名菩薩汝身是也今
見此瑞與本无異是故惟忖今日如來當說
大乘經名妙法蓮華教菩薩法佛所護念尒
時文殊師利於大眾中欲重宣此義而說偈
言
我念過去世　无量无數劫　有佛人中尊　号日月燈明
世尊演說法　度无量眾生　无數億菩薩　令入佛智慧
佛未出家時　所生八王子　見大聖出家　亦隨脩梵行
時佛說大乘　經名无量義　於諸大眾中　而為廣分別
佛說此經已　即於法座上　跏趺坐三昧　名无量義處
天雨曼陁羅　天鼓自然鳴　諸天龍鬼神　供養人中尊
一切諸佛土　即時大震動　佛放眉間光　現諸希有事
此光照東方　万八千佛土　示一切眾生　生死業報處
有見諸佛土　以眾寶莊嚴　琉璃頗梨色　斯由佛光照
又見諸天人　龍神夜叉眾　乾闥緊那羅　各供養其佛
又見諸如來　自然成佛道　身色如金山　端嚴甚微妙
如淨琉璃中　內現真金像　世尊在大眾　敷演深法義
一一諸佛土　聲聞眾无數　因佛光所照　悉見彼大眾
或有諸比丘　在於山林中　精進持淨戒　猶如護明珠
又見諸菩薩　行施忍辱等　其數如恒沙　斯由佛光照
又見諸菩薩　深入諸禪定　身心寂不動　以求无上道
又見諸菩薩　知法寂滅相　各於其國土　說法求佛道
尒時四部眾　見日月燈佛　現大神通力　其心皆歡喜
各各自相問　是事何因緣　天人所奉尊　適從三昧起
讚妙光菩薩　汝為世間眼　一切所歸信　能奉持法藏
如我所說法　唯汝能證知　世尊既讚歎　令妙光歡喜

BD00118號　妙法蓮華經卷一　（20–7）

尒時四部眾　見日月燈佛　現大神通力　其心皆歡喜
各各自相問　是事何因緣　天人所奉尊　適從三昧起
讚妙光菩薩　汝為世間眼　一切所歸信　能奉持法藏
如我所說法　唯汝能證知　世尊既讚歎　令妙光歡喜
說是法華經　滿六十小劫　不起於此座　所說上妙法
是妙光法師　悉皆能受持　佛說是法華　令眾歡喜已
尋即於是日　告於天人眾　諸法實相義　已為汝等說
我今於中夜　當入於涅槃　汝一心精進　當離於放逸
諸佛甚難值　億劫時一遇　世尊諸子等　聞佛入涅槃
各各懷悲惱　佛滅一何速　聖主法之王　安慰无量眾
我若滅度時　汝等勿憂怖　是德藏菩薩　於无漏實相
心已得通達　其次當作佛　号曰為淨身　亦度无量眾
佛此夜滅度　如薪盡火滅　分布諸舍利　而起无量塔
比丘比丘尼　其數如恒沙　倍復加精進　以求无上道
是妙光法師　奉持佛法藏　八十小劫中　廣宣法華經
是諸八王子　妙光所開化　堅固无上道　當見无數佛
供養諸佛已　隨順行大道　相繼得成佛　轉次而授記
最後天中天　号曰燃燈佛　諸仙之導師　度脫无量眾
是妙光法師　時有一弟子　心常懷懈怠　貪著於名利
求名利无猒　多遊族姓家　棄捨所習誦　廢忘不通利
以是因緣故　号之為求名　亦行眾善業　得見无數佛
供養於諸佛　隨順行大道　具六波羅蜜　今見釋師子
其後當作佛　号名曰弥勒　廣度諸眾生　其數无有量
彼佛滅度後　懈怠者汝是　妙光法師者　今則我身是
我見燈明佛　本光瑞如此　以是知今佛　欲說法華經
今相如本瑞　是諸佛方便　今佛放光明　助發實相義
諸人今當知　合掌一心待　佛當雨法雨　充足求道者

BD00118號　妙法蓮華經卷一　（20–8）

我見燈明佛　本光瑞如此　以是知今佛　欲說法華經
今相如本瑞　是諸佛方便　今佛放光明　助發實相義
諸人今當知　合掌一心待　佛當雨法雨　充足求道者
諸求三乘人　若有疑悔者　佛當為除斷　令盡无有餘
妙法蓮華經方便品第二
尒時世尊從三昧安詳而起告舍利弗諸佛
智慧甚深无量其智慧門難解難入一切聲
聞辟支佛所不能知所以者何佛曾親近百
千万億无數諸佛盡行諸佛无量道法勇猛
精進名稱普聞成就甚深未曾有法隨宜所
說意趣難解舍利弗吾從成佛已來種種因
緣種種譬喻廣演言教无數方便引導衆生
令離諸著所以者何如來方便知見波羅蜜
皆已具足舍利弗如來知見廣大深遠无量
无礙力无所畏禪定解脫三昧深入无際成
就一切未曾有法舍利弗如來能種種分別
巧說諸法言辭柔軟悅可衆心舍利弗取要
言之无量无邊未曾有法佛悉成就止舍利
弗不須復說所以者何佛所成就第一希有
難解之法唯佛與佛乃能究盡諸法實相所
謂諸法如是相如是性如是體如是力如是
作如是因如是緣如是果如是報如是本末
究竟等尒時世尊欲重宣此義而說偈言
世雄不可量　諸天及世人　一切衆生類　无能知佛者
佛力无所畏　解脫諸三昧　及佛諸餘法　无能測量者
本從无數佛　具足行諸道　甚深微妙法　難見難可了
於无量億劫　行此諸道已　道場得成果　我已悉知見

佛力无所畏　解脫諸三昧　及佛諸餘法　无能測量者
本從无數佛　具足行諸道　甚深微妙法　難見難可了
於无量億劫　行此諸道已　道場得成果　我已悉知見
如是大果報　種種性相義　我及十方佛　乃能知是事
是法不可示　言辭相寂滅　諸餘衆生類　无有能得解
除諸菩薩衆　信力堅固者　諸佛弟子衆　曾供養諸佛
一切漏已盡　住是最後身　如是諸人等　其力所不堪
假使滿世間　皆如舍利弗　盡思共度量　不能測佛智
正使滿十方　皆如舍利弗　及餘諸弟子　亦滿十方刹
盡思共度量　亦復不能知　辟支佛利智　无漏最後身
亦滿十方界　其數如竹林　斯等共一心　於億无量劫
欲思佛實智　莫能知少分　新發意菩薩　供養无數佛
了達諸義趣　又能善說法　如稻麻竹葦　充滿十方刹
一心以妙智　於恒河沙劫　咸皆共思量　不能知佛智
不退諸菩薩　其數如恒沙　一心共思求　亦復不能知
又告舍利弗　无漏不思議　甚深微妙法　我今已具得
唯我知是相　十方佛亦然　舍利弗當知　諸佛語无異
於佛所說法　當生大信力　世尊法久後　要當說真實
告諸聲聞衆　及求緣覺乘　我令脫苦縛　逮得涅槃者
佛以方便力　示以三乘教　衆生處處著　引之令得出
尒時大衆中有諸聲聞漏盡阿羅漢阿若憍
陳如等千二百人及發聲聞辟支佛心比丘
比丘尼優婆塞優婆夷各作是念今者世尊
何故慇懃稱歎方便而作是言佛所得法甚
深難解有所言說意趣難知一切聲聞辟支
佛所不能及佛說一解脫義我等亦得此法

深難解有所言說意趣難知一切聲聞辟支
佛所不能及佛說一解脫義我等亦得此法
到於涅槃而今不知是義所趣尒時舍利弗
知四衆心疑自亦未了而白佛言世尊何因
何緣慇勤稱歎諸佛第一方便甚深微妙難
解之法我自昔来未曾從佛聞如是說今者
四衆咸皆有疑唯願世尊敷演斯事世尊何
故慇勤稱歎甚深微妙難解之法尒時舍利
弗欲重宣此義而說偈言
慧日大聖尊　久乃說是法　自說得如是　力无畏三昧
禪定解脫等　不可思議法　道場所得法　无能發問者
我意難可測　亦无能問者　无問而自說　稱歎所行道
智慧甚微妙　諸佛之所得　无漏諸羅漢　及求涅槃者
今皆墮疑網　佛何故說是　其求緣覺者　比丘比丘尼
諸天龍鬼神　及乾闥婆等　相視懷猶豫　瞻仰兩足尊
是事為云何　願佛為解說　於諸聲聞衆　佛說我第一
我今自於智　疑惑不能了　為是究竟法　為是所行道
佛口所生子　合掌瞻仰待　願出微妙音　時為如實說
諸天龍神等　其數如恒沙　求佛諸菩薩　大數有八万
又諸万億國　轉輪聖王至　合掌以敬心　欲聞具足道
尒時佛告舍利弗止止不須復說若說是事
一切世間諸天及人皆當驚疑舍利弗重白
佛言世尊唯願說之唯願說之所以者何是
會无數百千万億阿僧祇衆生曾見諸佛諸
根猛利智慧明了聞佛所說則能敬信尒時
舍利弗欲重宣此義而說偈言

BD00118號　妙法蓮華經卷一　（20–11）

根猛利智慧明了聞佛所說則能敬信尒時
舍利弗欲重宣此義而說偈言
法王无上尊　唯說願勿慮　是會无量衆　有能敬信者
佛復止舍利弗若說是事一切世間天人阿
脩羅皆當驚疑增上慢比丘將墜於大坑尒
時世尊重說偈言
止止不須說　我法妙難思　諸增上慢者　聞必不敬信
尒時舍利弗重白佛言世尊唯願說之唯願
說之今此會中如我等比百千万億世世已
曾從佛受化如此人等必能敬信長夜安隱
多所饒益尒時舍利弗欲重宣此義而說偈
言
无上兩足尊　願說第一法　我為佛長子　唯垂分別說
是會无量衆　能敬信此法　佛已曾世世　教化如是等
皆一心合掌　欲聽受佛語　我等千二百　及餘求佛者
願為此衆故　唯垂分別說　是等聞此法　則生大歡喜
尒時世尊告舍利弗汝已慇勤三請豈得不
說汝今諦聽善思念之吾當為汝分別解說
說此語時會中有比丘比丘尼優婆塞優婆
夷五千人等即從座起礼佛而退所以者何
此輩罪根深重及增上慢未得謂得未證謂
證有如此失是以不住世尊嘿然而不制止
尒時佛告舍利弗我今此衆无復枝葉純有
貞實舍利弗如是增上慢人退亦佳矣汝今
善聽當為汝說舍利弗言唯然世尊願樂欲
聞佛告舍利弗如是妙法諸佛如來時乃說

BD00118號　妙法蓮華經卷一　（20–12）

善聽當為汝說舍利弗言唯然世尊願樂欲
聞佛告舍利弗如是妙法諸佛如來時乃說
之如優曇鉢華時一現耳舍利弗汝等當信
佛之所說言不虛妄舍利弗諸佛隨宜說法
意趣難解所以者何我以无數方便種種因
緣譬喻言辭演說諸法是法非思量分別之
所能解唯有諸佛乃能知之所以者何諸佛
世尊唯以一大事因緣故出現於世舍利弗
云何名諸佛世尊唯以一大事因緣故出現
於世諸佛世尊欲令衆生開佛知見使得清
淨故出現於世欲示衆生佛知見故出現於
世欲令衆生悟佛知見故出現於世欲令衆
生入佛知見道故出現於世舍利弗是為諸
佛以一大事因緣故出現於世佛告舍利弗
諸佛如來但教化菩薩諸有所作常為一事
唯以佛之知見示悟衆生舍利弗如來但以
一佛乘故為衆生說法无有餘乘若二若三
舍利弗一切十方諸佛法亦如是舍利弗過
去諸佛以无量无數方便種種因緣譬喻言
辭而為衆生演說諸法是法皆為一佛乘故
是諸衆生從諸佛聞法究竟皆得一切種智
舍利弗未來諸佛當出於世亦以无量无數
方便種種因緣譬喻言辭而為衆生演說諸
法是法皆為一佛乘故是諸衆生從佛聞法
究竟皆得一切種智舍利弗現在十方无量

BD00118號　妙法蓮華經卷一　（20–13）

法是法皆為一佛乘故是諸衆生從佛聞法
究竟皆得一切種智舍利弗現在十方无量
百千万億佛土中諸佛世尊多所饒益安樂
衆生是諸佛亦以无量无數方便種種因緣
譬喻言辭而為衆生演說諸法是法皆為一
佛乘故是諸衆生從佛聞法究竟皆得一切
種智舍利弗是諸佛但教化菩薩欲以佛之
知見示衆生故欲以佛之知見悟衆生故欲
令衆生入佛之知見故舍利弗我今亦復如
是知諸衆生有種種欲深心所著隨其本性
以種種因緣譬喻言辭方便力故而為說法
舍利弗如此皆為得一佛乘一切種智故舍
利弗十方世界中尚无二乘何況有三舍利
弗諸佛出於五濁惡世所謂劫濁煩惱濁衆
生濁見濁命濁如是舍利弗劫濁亂時衆生
垢重慳貪嫉妬成就諸不善根故諸佛以方
便力於一佛乘分別說三舍利弗若我弟子
自謂阿羅漢辟支佛者不聞不知諸佛如來
但教化菩薩事此非佛弟子非阿羅漢非辟
支佛又舍利弗是諸比丘比丘尼自謂已得
阿羅漢是冣後身究竟涅槃便不復志求阿
耨多羅三藐三菩提當知此輩皆是增上慢
人所以者何若有比丘實得阿羅漢若不信
此法无有是處除佛滅度後現前无佛所以
者何佛滅度後如是等經受持讀誦解義者
是人難得若遇餘佛於此法中便得決了舍

BD00118號　妙法蓮華經卷一　（20–14）

者何佛滅度後如是等經受持讀誦解義者
是人難得若遇餘佛於此法中便得決了舍
利弗汝等當一心信解受持佛語諸佛如來
言无虛妄无有餘乘唯一佛乘尒時世尊欲
重宣此義而說偈言
比丘比丘尼　有懷增上慢　優婆塞我慢　優婆夷不信
如是四衆等　其數有五千　不自見其過　於戒有缺漏
護惜其瑕疵　是小智已出　衆中之糟糠　佛威德故去
斯人尠福德　不堪受是法　此衆无枝葉　唯有諸貞實
舍利弗善聽　諸佛所得法　无量方便力　而為衆生說
衆生心所念　種種所行道　若干諸欲性　先世善惡業
佛悉知是已　以諸緣譬喻　言辭方便力　令一切歡喜
或說脩多羅　伽陀及本事　本生未曾有　亦說於因緣
譬喻并祇夜　優波提舍經　鈍根樂小法　貪著於生死
於諸无量佛　不行深妙道　衆苦所惱亂　為是說涅槃
我設是方便　令得入佛慧　未曾說汝等　當得成佛道
所以未曾說　說時未至故　今正是其時　決定說大乘
我此九部法　隨順衆生說　入大乘為本　以故說是經
有佛子心淨　柔軟亦利根　无量諸佛所　而行深妙道
為此諸佛子　說是大乘經　我記如是人　來世成佛道
以深心念佛　脩持淨戒故　此等聞得佛　大喜充遍身
佛知彼心行　故為說大乘　聲聞若菩薩　聞我所說法
乃至於一偈　皆成佛无疑　十方佛土中　唯有一乘法
无二亦无三　除佛方便說　但以假名字　引導於衆生
說佛智慧故　諸佛出於世　唯此一事實　餘二則非真
終不以小乘　濟度於衆生　佛自住大乘　如其所得法

BD00118號　妙法蓮華經卷一　　（20–15）

无二亦无三　除佛方便說　但以假名字　引導於衆生
說佛智慧故　諸佛出於世　唯此一事實　餘二則非真
終不以小乘　濟度於衆生　佛自住大乘　如其所得法
定慧力莊嚴　以此度衆生　自證无上道　大乘平等法
若以小乘化　乃至於一人　我則墮慳貪　此事為不可
若人信歸佛　如來不欺誑　亦无貪嫉意　斷諸法中惡
故佛於十方　而獨无所畏　我以相嚴身　光明照世間
无量衆所尊　為說實相印　舍利弗當知　我本立誓願
欲令一切衆　如我等无異　如我昔所願　今者已滿足
化一切衆生　皆令入佛道　若我遇衆生　盡教以佛道
无智者錯亂　迷惑不受教　我知此衆生　未曾脩善本
堅著於五欲　癡愛故生惱　以諸欲因緣　墜墮三惡道
輪迴六趣中　備受諸苦毒　受胎之微形　世世常增長
薄德少福人　衆苦所逼迫　入邪見稠林　若有若无等
依止此諸見　具足六十二　深著虛妄法　堅受不可捨
我慢自矜高　諂曲心不實　於千万億劫　不聞佛名字
亦不聞正法　如是人難度　是故舍利弗　我為設方便
說諸盡苦道　示之以涅槃　我雖說涅槃　是亦非真滅
諸法從本來　常自寂滅相　佛子行道已　來世得作佛
我有方便力　開示三乘法　一切諸世尊　皆說一乘道
今此諸大衆　皆應除疑惑　諸佛語无異　唯一无二乘
過去无數劫　无量滅度佛　百千万億種　其數不可量
如是諸世尊　種種緣譬喻　无數方便力　演說諸法相
是諸世尊等　皆說一乘法　化无量衆生　令入於佛道
又諸大聖主　知一切世間　天人群生類　深心之所欲
更以異方便　助顯第一義　若有衆生類　值諸過去佛
若聞法布施　或持戒忍辱　精進禪智等　種種脩福德

BD00118號　妙法蓮華經卷一　　（20–16）

又諸大聖主　知一切世間　天人群生類　深心之所欲
更以異方便　助顯第一義　若有衆生類　值諸過去佛
若聞法布施　或持戒忍辱　精進禪智等　種種脩福德
如是諸人等　皆已成佛道　諸佛滅度已　若人善軟心
如是諸衆生　皆已成佛道　諸佛滅度已　供養舍利者
起万億種塔　金銀及頗梨　車璖與馬瑙　玫瑰琉璃珠
清淨廣嚴飾　莊校於諸塔　或有起石廟　栴檀及沉水
木櫁并餘材　塼瓦泥土等　若於曠野中　積土成佛廟
乃至童子戲　聚沙為佛塔　如是諸人等　皆已成佛道
若人為佛故　建立諸形像　刻彫成衆相　皆已成佛道
或以七寶成　鍮石赤白銅　白鑞及鉛錫　鐵木及與泥
或以膠漆布　嚴飾作佛像　如是諸人等　皆已成佛道
綵畫作佛像　百福莊嚴相　自作若使人　皆已成佛道
乃至童子戲　若草木及筆　或以指爪甲　而畫作佛像
如是諸人等　漸漸積功德　具足大悲心　皆已成佛道
但化諸菩薩　度脫无量衆　若人於塔廟　寶像及畫像
以華香幡蓋　敬心而供養　若使人作樂　擊鼓吹角貝
簫笛琴箜篌　琵琶鐃銅鈸　如是衆妙音　盡持以供養
或以歡喜心　歌唄頌佛德　乃至一小音　皆已成佛道
若人散亂心　乃至以一華　供養於畫像　漸見无數佛
或有人礼拜　或復但合掌　乃至舉一手　或復小低頭
以此供養像　漸見无量佛　自成无上道　廣度无數衆
入无餘涅槃　如薪盡火滅　若人散亂心　入於塔廟中
一稱南无佛　皆已成佛道　於諸過去佛　在世或滅後
若有聞是法　皆已成佛道　未來諸世尊　其數无有量
是諸如來等　亦方便說法　一切諸如來　以无量方便

BD00118號　妙法蓮華經卷一　（20–17）

一稱南无佛　皆已成佛道　於諸過去佛　在世或滅後
若有聞是法　皆已成佛道　未來諸世尊　其數无有量
是諸如來等　亦方便說法　一切諸如來　以无量方便
度脫諸衆生　入佛无漏智　若有聞法者　无一不成佛
諸佛本誓願　我所行佛道　普欲令衆生　亦同得此道
未來世諸佛　雖說百千億　无數諸法門　其實為一乘
諸佛兩足尊　知法常无性　佛種從緣起　是故說一乘
是法住法位　世間相常住　於道場知已　導師方便說
天人所供養　現在十方佛　其數如恒沙　出現於世間
安隱衆生故　亦說如是法　知第一寂滅　以方便力故
雖示種種道　其實為佛乘　知衆生諸行　深心之所念
過去所習業　欲性精進力　及諸根利鈍　以種種因緣
譬喻亦言辭　隨應方便說　今我亦如是　安隱衆生故
以種種法門　宣示於佛道　我以智慧力　知衆生性欲
方便說諸法　皆令得歡喜　舍利弗當知　我以佛眼觀
見六道衆生　貧窮无福慧　入生死險道　相續苦不斷
深著於五欲　如犛牛愛尾　以貪愛自蔽　盲瞑无所見
不求大勢佛　及與斷苦法　深入諸邪見　以苦欲捨苦
為是衆生故　而起大悲心　我始坐道場　觀樹亦經行
於三七日中　思惟如是事　我所得智慧　微妙最第一
衆生諸根鈍　著樂癡所盲　如斯之等類　云何而可度
尒時諸梵王　及諸天帝釋　護世四天王　及大自在天
并餘諸天衆　眷屬百千万　恭敬合掌礼　請我轉法輪
我即自思惟　若但讚佛乘　衆生沒在苦　不能信是法
破法不信故　墜於三惡道　我寧不說法　疾入於涅槃
尋念過去佛　所行方便力　我今所得道　亦應說三乘

BD00118號　妙法蓮華經卷一　（20–18）

我即自思惟 若但讚佛乘 衆生沒在苦 不能信是法
破法不信故 墜於三惡道 我寧不說法 疾入於涅槃
尋念過去佛 所行方便力 我今所得道 亦應說三乘
作是思惟時 十方佛皆現 梵音慰喻我 善哉釋迦文
第一之導師 得是无上法 隨諸一切佛 而用方便力
我等亦皆得 最妙第一法 為諸衆生類 分別說三乘
少智樂小法 不自信作佛 是故以方便 分別說諸果
雖復說三乘 但為教菩薩 舍利弗當知 我聞聖師子
深淨微妙音 喜稱南无佛 復作如是念 我出濁惡世
如諸佛所說 我亦隨順行 思惟是事已 即趣波羅柰
諸法寂滅相 不可以言宣 以方便力故 為五比丘說
是名轉法輪 便有涅槃音 及以阿羅漢 法僧差別名
從久遠劫來 讚示涅槃法 生死苦永盡 我常如是說
舍利弗當知 我見佛子等 志求佛道者 无量千万億
咸以恭敬心 皆來至佛所 曾從諸佛聞 方便所說法
我即作是念 所以出於世 為說佛慧故 今正是其時
舍利弗當知 鈍根小智人 著相憍慢者 不能信是法
今我喜无畏 於諸菩薩中 正直捨方便 但說无上道
菩薩聞是法 疑網皆已除 千二百羅漢 悉亦當作佛
如三世諸佛 說法之儀式 我今亦如是 說无分別法
諸佛興出世 懸遠值遇難 正使出于世 說是法復難
无量无數劫 聞是法亦難 能聽是法者 斯人亦復難
譬如優曇華 一切皆愛樂 天人所希有 時時乃一出
聞法歡喜讚 乃至發一言 則為已供養 一切三世佛
是人甚希有 過於優曇華 汝等勿有疑 我為諸法王
普告諸大衆 但以一乘道 教化諸菩薩 无聲聞弟子

BD00118號　妙法蓮華經卷一　（20–19）

從久遠劫來 讚示涅槃法 生死苦永盡 我常如是說
舍利弗當知 我見佛子等 志求佛道者 无量千万億
咸以恭敬心 皆來至佛所 曾從諸佛聞 方便所說法
我即作是念 所以出於世 為說佛慧故 今正是其時
舍利弗當知 鈍根小智人 著相憍慢者 不能信是法
今我喜无畏 於諸菩薩中 正直捨方便 但說无上道
菩薩聞是法 疑網皆已除 千二百羅漢 悉亦當作佛
如三世諸佛 說法之儀式 我今亦如是 說无分別法
諸佛興出世 懸遠值遇難 正使出于世 說是法復難
无量无數劫 聞是法亦難 能聽是法者 斯人亦復難
譬如優曇華 一切皆愛樂 天人所希有 時時乃一出
聞法歡喜讚 乃至發一言 則為已供養 一切三世佛
是人甚希有 過於優曇華 汝等勿有疑 我為諸法王
普告諸大衆 但以一乘道 教化諸菩薩 无聲聞弟子
汝等舍利弗 聲聞及菩薩 當知是妙法 諸佛之秘要
以五濁惡世 但樂著諸欲 如是等衆生 終不求佛道
當來世惡人 聞佛說一乘 迷惑不信受 破法墮惡道
有慚愧清淨 志求佛道者 當為如是等 廣讚一乘道
舍利弗當知 諸佛法如是 以万億方便 隨宜而說法
其不習學者 不能曉了此 汝等既已知 諸佛世之師
隨宜方便事 无復諸疑惑 心生大歡喜 自知當作佛

妙法蓮華經卷第一

BD00118號　妙法蓮華經卷一　（20–20）

經曰
以戒常醜隨　述曰此答也即次第答之
答第一問儉約為少耽嗜名欲世間耽嗜以…唯廣
愚情速即…懷尋生追戀苦惱切心仏法反倍貴尚无為
少欲　少求寡為安樂又經云少欲之人則無諂曲以求人意直
不少…何况能生諸功德有少欲者則有涅槃
槃之樂…中之寡如此寡樂因少欲得因合果說故言少欲
寡安樂也知足大富貴者答第二問世間凡愚雖得富貴貪
求轉甚常…不足知足之人无為无事无可藏棄常自
有餘故大富貴經云知足之人雖卧地上猶為安樂不知
足者…雖處天堂亦不稱意如頂生王等即是其事又云不
知足者雖富而貧知足之人雖貧而富故言知足大富貴也
持戒恒端嚴者答第三問持戒之人尸羅清淨近得人天
可意妙相…得三乘端嚴法身故言持戒恒端嚴也如優
陀夷…王有相夫人持一日戒其夜命終即生天上得端正身依
王先契還下辭王嬪王身鬼却歸天上即是其事破戒常醜
隨者答第四問破戒之人罪業增長墮三惡道受醜隨身
若生人中諸根不具邊地下賤形儀鄙拙人不喜見經百千生
故言破戒常醜隨也　經曰天復請曰
誰為善眷屬　誰為惡心怨　云何極重苦　云何第一樂
述曰此下第五請答此即請也亦有四問一問善眷屬二問惡心

故言破戒常□隨也　經曰天復請曰
誰為善眷屬　誰為惡心怨　云何極重苦　云何第一樂
述曰此下第五請答此即請也亦有四問一問善眷屬二問惡心
怨三問極重苦四問第一樂誰為善眷屬者此第一問眷屬
謂家眷屬謂親屬世間眷屬或父不慈或子不孝或兄不
順或弟不恭或內外親不仁不義情相乖阻狀若怨家雖名眷
屬而非是善若父慈子孝兄順弟恭內外諸親仁義相向
情無乖阻水乳和同如此眷屬名之為善未知法中誰得名
為純善眷屬云何惡心怨者此第二問姤賢嫉勝名為惡
心欲相加害名為惡也未知法中誰是行者惡心怨也云何極
重苦者此第三問世間鉗鎖枷鏁囹禁怨會愛離病死
所遭名之為苦未知法中更有苦極重過此以不云何第一樂
者此第四問世間富貴乘肥衣輕目觀美艷耳聽絲竹田遊獵禮
嬉酒是耽放縱歡娛名之為樂未知法中更有快樂過此以不
經曰世尊告曰　福為善眷屬　罪為惡心怨　地獄極重苦
无生第一樂　述曰此答也次第答前四問福為善眷屬者
答第一問福謂施戒脩三德施有三種一財施由无貪善根成
二无畏施由无瞋善根成三法施由无癡善根成戒有三種
一攝他戒謂身三由无貪善根成二不嬈他戒謂口四由无瞋善
根成三饒益戒謂受持此二福相續生由无癡善根成脩
有三種一四靜慮由无貪善根成二四无量由无瞋善根成三
四无色由无癡善根成又六度中前五亦是福也如此福德皆以

有三種一四靜慮由无貪善根成二四无量由无瞋善根成三
四无色由无癡善根成又六度中前五亦是福也如此福德皆以
十善業道爲性若施戒二福生生之處內感欲界人天勝身外
招十善清淨眷屬所謂命不中夭大富梵行所言誠諦常以
軟語眷屬不離善和諍訟言必饒益不嫉不恚正見之人以
爲眷屬若禪定福感得色无色界殊勝之身此之三福乃至
遠得三乘聖果也答意云世善眷屬輪會永離難聚易
散不保終久未知法中三福善業真實牢固常資行人多
有利益諸眷屬中此爲最善也爲罪惡心惡者答弟二問
破壞三寶五逆十惡並名爲罪由此罪故能令衆生輪墜三
塗長劫受苦此答意云世間惡心誑害一身尚名爲惡況法中罪
業能害多身豈非大惡故言罪爲惡心惡也地獄極重苦者
此答弟三問梵音云捺落迦舊云泥犁訛也唐云不可樂處然
以不可樂[illegible]獄多在地下故云地獄也地獄有三熱二
寒三邊熱地獄有八一等活二黑繩三衆合四叫喚五大叫喚六
燒熱七大熱燒八无間此八在贍部洲下重累而住前二有五治
次三少五治後三无五治然此八爲本一一各有十六園一面有四
四面合十六通本爲十七八箇十七合有一百卅六所罪人於中
中受熱惱苦寒地獄亦八一頞浮陀由寒苦所逼肉生細胞二尼
賴浮陀由寒風所吹通身成胞三阿吒吒由脣不得動唯舌得動
故作此聲四阿波波由舌不得動唯脣得動故作此聲五嘔喉
喉由脣舌皆不得動振氣故作此聲六欝波羅此是青蓮
華此花葉細由肉色細坼似此花開七波頭摩此是赤蓮華
白肉色大坼似此花開八奔茶利此是白蓮華由皮[illegible]坼似此花

喉由脣舌皆不得動振氣故作此聲六鬱波羅此是青蓮
華此花葉細由肉色細圻似此花開七波頭摩此是赤蓮華
由肉色大圻似此花開八芬陁利此是白蓮華由彼骨圻似此花
開前二從身相受名次三從聲相受名後三從瘡相受名又前
二了叫次三不了叫後三不叫此八在四洲間著鐵圍山底仰向
居止罪人於中受寒凍苦邊地獄有三一山間二水間三曠野受
別業報寒熱雜受此卷意云雖有人間煞傳枷鏁怨會
愛離病死等苦及以畜生餓鬼之苦比於地獄百分不及其一
乃至千万那由他分亦不及其一故言地獄極重苦也无生第
一樂者答第四問涅槃之體名曰无生以无生故畢竟不滅
聖人證此寂然涅槃常住安隱故是極樂此卷意云世間
樂之極則苦豈若涅槃无苦常樂故經云高者必墮常者必
盡合者必離樂者必苦此但明生死妄樂之極必苦又云諸行
无常有生滅法生滅滅已寂滅爲樂此偈明涅槃無苦畢
竟常樂故言无生第一樂也
經曰天復請曰　何者愛非宜　何者宜非愛　何者極熱病
誰是大良醫　　述曰此下第六請答也此即先請亦有
四問一問愛非宜二問宜非愛三問極熱病四問大良醫何者
愛非宜何者宜非愛者此第一第二問且如甘飲雜毒雖是所愛
而損身害命不宜食之又如良藥苦口即非所愛而利於病
所宜服之又如諂錚順情雖是所愛而損於行不宜聽之忠言
逆耳雖非所愛而利於行所宜聽之未知法中何者是情所愛
而於身不宜何者於身有宜而非情所愛也何者極熱病者
此第三問也迦摩羅病世稱熱病遇此病者必定當死世醫拱
手未知法中頗更有病極過於此熱病以不誰是大良醫者

逆耳聖非[illegible]

而於身不宜何者於身有宜而非情所愛也何者極熱病者
此第三問也迦摩羅病世稱熱病遇此病者必定當死世醫拱
手未知法中顛更有病極過於此熱病以不誰是大良醫者
此第四問良者善也醫者意也善識病源妙閑藥性療
者也差稱日良醫良醫有四義一知病二知病因三知病差
四知差已不生未知法中頗有良醫大過如此良醫以不 經曰
世尊告日諸欲愛非宜 解脫宜非愛 貪爲極熱病
仙是大良醫 述曰此答也次第答前四問諸欲愛非宜
者答第一問諸欲謂可愛色聲香味觸五欲境也能生欲心
爲所耶故名欲也 經云五欲誑人如蜜塗刀舐者傷舌
猶如妄齊初雖少樂後即大苦如逆風執火如其不放必
定燒手如國王貪色遂失其位仙人愛聲從空墮林
比丘嗅香河神責罵沙弥嗜味投池作龍藍弗染觸
退失神足又此五欲現受三苦謂覓時生懃勞苦守時
生怖畏苦失時生憂惱苦又爲非法退求五欲復墮地獄
餓鬼畜生多時受苦後生人天貧窮困苦愛別離苦怨
憎會苦如此等苦皆爲貪着五欲因緣故知五欲雖是凡
情欲心所愛而於行者極非所宜故言諸欲愛非宜解脫宜
非愛者答第二問涅槃无爲體絶衆縛故名解脫證解脫者
永離生死常住湛然如其解脫資潤行者極是所宜而凡
夫愚情之所不愛故言解脫宜非愛故經云凡夫寧樂
癩野干身不樂涅槃野干猶有眼耳身心涅槃無故
貪爲極熱病者答第三問貪是貪使體通三界
遍郭五問六識俱行六塵齊染生死腳足苦惱根源世

離野干身不樂涅槃野干猶有眼耳身心涅槃無故
貪為極熱病者荅第三問貪是貪使體通三界
遍鄣五問六識俱行六塵齊染生死脚足皆惱根源世
間熱病豈能比此如智度論說欲大熾義燒於天祀豈非貪
愛是極熱病耶現在尚自大燒未來生寧免湯鑊故言貪為
極熱病也仏是大良醫者荅第四問如来五眼内明六通外
朗竪觀三際橫觀十方至於身心病源對除藥法悉皆
洞照無非目前故設教逗機皆稱根性随病授藥無不差
並是故仏是極大良醫阿含經說仏有四智一知苦二知苦
因三知苦滅四知苦滅道故曰良醫又經云世醫所療治雖差
還復生如来所治者必竟不復發故言仏是大良醫也
經曰天復請曰　誰能覆世間　世間誰所魅　誰令捨親友
誰復鄣生天　述曰此下第七請荅此即先請之有四問
問覆世問魅世三問捨友四問鄣天誰能覆世間者此第
一問覆謂鄣蔽世間眼目為瞎盲覆蔽不見色像未知法
中更有何物覆蔽世間不識道理世間誰所魅者此第二問如
世間鬼魅之人令癡或悲或憙未知法中更有何物能魅世間令
其迷亂誰令捨親友者此第三問朋流交密即為親友
若因財密財盡則疏若因勢親勢歇便阻如張陳凶終蕭朱
隙末是也未知法中誰令衆生捨於親友誰復鄣生天
者此第四問天之勝報人皆愛樂由誰為鄣不得上生
經曰世尊告曰　无智覆世間　世間癡所魅　慳貪捨親友
染著鄣生天　述曰此荅也次第荅前四問无智覆世間者
荅第一問无者集藏道四諦智或无真俗二諦智名為无

経曰世尊告曰　无智覆世間　世間癡所魅　慳貪捨親友
染著鄣生天　述曰此荅也次荅前四問无智覆世間者
荅苐一問无若集藏道四諦智或无真俗二諦智名為无
智无智即无明使也由无智故不知苦果集因不知解
脫道因藏果不知真諦一相无為不知俗諦三世因果此荅
意云世間盲暗但覆肉眼无智能覆世間慧眼故言无
智覆世間也世間癡所魅者荅苐二問癡即无明別名也由
癡魅故於无常見常於无我見我於不淨見淨於苦見樂所
有行解並皆顛倒如此顛倒並由愚癡故言世間癡所魅
也慳貪捨親友者荅苐三問慳是恡於己物貪是欲於他
財如律中說有一比丘池邊習定池龍數德以身繞之比
丘心惡欲令其去方便說偈從索珠云光耀摩尼寶纓絡
莊嚴身若能施我者是名為善親池龍慳惜說此偈荅我
愛摩尼寶　還汝比丘身　我終不施汝　任汝不相親
仏因此事復說偈云　多貪人所惡　數乞朋友乖
比丘乞龍珠　一去不復迴　故知慳貪能捨親友也又由
貪故唯欲他財由於慳故不行恵施所生之處貧窮之少無
父无毋無妻無子無善知識無親友人故言慳貪捨親友
也成實論有五慳一施慳二家慳三處慳四讚慳五法慳此之
五慳並捨親友也染著鄣生天者荅苐四問天謂廿八天皆
須猒下而得上生若染著下地不得生上若染著人中五
欲縱情放逸不肯猒離不得上生六欲天中如経廣說
仏弟難陀猒孫陀羅欣天上女方始持戒願生天如

須歡下而得上生若染着下地不得生上若染着人中五
欲縱情放逸不肯歡離不得上生六欲天中如經廣說
仏弟難陁歡孫陁羅欲天上女方始持戒願生天如
若染着六天五欲不得上生色界天中若染着色天果報不
得上生无色天中故言染着郭生天也又三乘聖人名爲
淨天若染着三界廿八天有漏果報不得入彼三乘聖道
亦名染着郭生天也　經曰天復請曰
誰非火所燒　風亦不能碎　誰非水所爛　能浮持世間
誰能与王賊　勇猛相抗敵　不爲人非人　之所來侵奪
述曰此下第八請荅也此即先請問有兩意一問誰無七難
二問誰有一能七難者一火難二風難三水難四王難五賊六
人難七鬼難火以燒爍爲難風以飄碎爲難水以溺爛爲難
王以威力爲難賊以劫煞爲難人以侵害爲難鬼以精魅爲難
世間之人多不免此七種灾難未知法中誰能免此七種灾
難也經文可解一能者能浮持世間也世間有二一器世間即
依報二衆生世間即正報如世水輪能浮持地輪及衆生
類未知法中誰能浮持此二世間此由水有二用一能爛
物二能持地故問水爛之次即問浮持也　經曰世尊告曰
福非火所燒　風亦不能碎　福非水所爛　能浮持世間
福能与王賊　勇猛相抗敵　不爲人非人　之所來侵奪
述曰此荅也荅前二問福謂施戒脩三種福也如前善眷屬
中釋荅無七難意云凡遭七種灾難爲造十惡罪因

福非火所燒　風亦不能碎　福非水所爛　能浮持世間
福能与王賊　勇猛相抗敵　不為人非人　之所來侵奪
述曰此答也答前二問福謂施戒脩三種福也如前善眷屬
中釋答無七難意云凡遭七種灾難為造十惡罪因
既脩三種福德亨羅七種灾難問賊行非理容可非之
人法屬王何得抗敵答如殷紂暴虐周武非之雖是王人
有相抗敵又王是總語兼稱臣屬衛王命者並亦名王
如此王臣暴行酷虐非理同賊亦得抗之耳如經說有王責
臣令薄錄家財其臣遂錄已脩福物王瞋責言已脩福物
今並見無何不錄汝家中現物臣答王言已脩福物是臣
之物家中現物元屬五家非臣獨有所以不錄王心開悟
遂亦脩福故知其福非他能奪答有一能意云由三福故
感得人天殊勝正報兼感器界屋宇資緣種種依果故
言福能浮持世間問孔老等去從道以生一從一以生二從二以生
三從三生万物道謂虛通一謂元氣二謂陰陽三謂天地
人万物謂雜畜草木等又云人頭圓像天足方像地感
天地精靈以成於人據此而言即是外器世界能持眾生
世間豈是眾生內福能持水外器世界答孔老所說則天
地生人釋宗所明則人生天地謂由眾生共相業力外感器
界天地依報若成若壞如餘處廣說故經云三界所作皆
是一心又論云外由內得成此則孔老但觀外相先後即謂天
地生人如來洞知內體因果故說人生天地三教深淺觀此可知
經曰天復請曰　我今猶有疑
仏應為除斷

界天地依報若成若懷如餘處廣說故經云三界所作皆
是一心又論云外由內得成此則孔老但觀外相先後即謂天
地生人如來洞知內體因果故說人生天地三教深淺觀此可知
經曰天復請曰　我今猶有疑　佛應為除斷
今世往後世　誰極自欺誑　述曰此下第九請答也
此則先請上半敘問下半正問敘問意云上來廣答
已祈諸滯下情多或尚有餘疑願佛慈悲為我除斷正
問中云今世謂現在後世謂未來謂從今生身往後身也
問有為無常不來不去又無主宰誰往耶答前滅後
生不常不斷因招果續假說往來譬如將燈從此至彼雖
念念滅假說往來也問三世輪環果因負債何故偏請現未不
問過耶答前事已經無勞更問後身未受故須請之如
諸天礼白骨餓鬼鞭死屍即是已經之事多分自知故不問
也此問意云世間欺誑但欲損他人未知法中更有從今
向後而自損極欺誑耶　經曰世尊告曰
若多有珍財　而不能脩福　今世往後世　被極自欺誑
述曰此答也珍謂金銀八珍財謂錢絹等物世人愚或自
謂常存不識果因多積財寶於悲田所無恵施於敬
田中無供養意忽然命盡無一福資輪墜三塗長時受
苦錯財珍寶他人用之已無片善豈非自負故云若多有珍
財而不能脩福今世往後世被極自欺誑又如經云惜財不
布施藏積畏人知捨身空手去餓鬼中受飢又如經云親

若多有珎財　而不能脩福　令世往後世　被極自欺誑
述曰此吞也珎謂金銀八珎財謂錢絹等物世人愚或自
謂常存不識果因多積財寶於悲田所無恵施心於敬
田中無供養意忽然命盡無一福資輪墜三塗長時受
苦錢財珎寶他人用之已無片善豈非自負故云若多有珎
財而不能脩福令世往後世被極自欺誑又如經云惜財不
布施藏積畏人知捨身空手去餓鬼中受飢又如經云親
眷皆分離唯業不相捨善惡未來世一切時隨逐此中應
引畜妻人為喻又應引有三子人為喻又經云寧自割
身肉而敢食之不肯持錢財布施求後世之福此人當墮
地獄畜生餓鬼等苦　經曰尔時彼天聞佛世尊說
是經已　述曰此下第三依教奉行分即是流通有
三一聞法　二申敬　三隱還　經曰歡喜踊躍
歎未曾有頂禮佛足　述曰此申敬也既聞好法不覺欣然
為申敬德故復敬禮　經曰即於佛前欻然不現
述曰此隱還也來為請疑已蒙折滯所懷既遂故隱還宮也
天請問經疏一卷

分
於意
如来不應以具
相具足即非具足
謂如来作是念
以故若人言如来有所
我所說故須菩提說法
法
可說是
須菩提白佛言世尊佛得阿耨多羅三藐三
菩提為无所得耶如是如是須菩提我於阿
耨多羅三藐三菩提乃至无有少法可得是
名阿耨多羅三藐三菩提復次須菩提是
法平等无有高下是名阿耨多羅三藐三菩提
以无我无人无衆生无壽者脩一切善法則
得阿耨多羅三藐三菩提須菩提所言善法
者如来說非善法是名善法
須菩提若三千大千世界中所有諸須弥山
王如是等七寶聚有人持用布施若人以此
般若波羅蜜經乃至四句偈等受持讀誦
為他人說於前福德百分不及一百千万億分
乃至筭數譬喻所不能及
須菩提於意云何汝等勿謂如来作是念我
當度衆生須菩提莫作是念何以故實无有
衆生如来度者若有衆生如来度者如来則

BD00120號　金剛般若波羅蜜經　（4–1）

乃至筭數譬喻所不能及
須菩提於意云何汝等勿謂如来作是念我
當度衆生須菩提莫作是念何以故實无有
衆生如来度者若有衆生如来度者如来則
有我人衆生壽者須菩提如来說有我者則
非有我而凡夫之人以為有我須菩提凡夫
者如来說則非凡夫
須菩提於意云何可以卅二相觀如来不須
菩提言如是如是以卅二相觀如来佛言須
菩提若以卅二相觀如来者轉輪聖王則是
如来須菩提白佛言世尊如我解佛所說義
不應以卅二相觀如来尒時世尊而說偈言
若以色見我　以音聲求我　是人行邪道　不能見如来
須菩提汝若作是念如来不以具足相故得
阿耨多羅三藐三菩提須菩提莫作是念如
来不以具足相故得阿耨多羅三藐三菩提
須菩提汝若作是念發阿耨多羅三藐三菩
提者說諸法斷滅莫作是念何以故發阿耨
多羅三藐三菩提者於法不說斷滅相須菩
提若菩薩以滿恒河沙等世界七寶布施若
復有人知一切法无我得成於忍此菩薩勝
前菩薩所得功德須菩提以諸菩薩不受福
德故須菩提白佛言世尊云何菩薩不受福
德須菩提菩薩所作福德不應貪著是故說
不受福德
須菩提若有人言如来若来若去若坐若卧

BD00120號　金剛般若波羅蜜經　（4–2）

德須菩提菩薩所作福德不應貪著是故說
不受福德
須菩提若有人言如來若來若去若坐若臥
是人不解我所說義何以故如來者无所從
來亦无所去故名如來
須菩提若善男子善女人以三千大千世界
碎為微塵於意云何是微塵衆寧為多不甚
多世尊何以故若是微塵衆實有者佛則不
說是微塵衆所以者何佛說微塵衆則非微
塵衆是名微塵衆世尊如來所說三千大千
世界則非世界是名世界何以故若世界實
有者則是一合相如來說一合相則非一合
相是名一合相須菩提一合相者是一
說但凡夫之人貪著其事須菩提若人言佛說
我見人見衆生見壽者見須菩提於意云何
是人不我所說義不世尊是不解如來所
說義何以故世尊說我見人見衆生見壽者
見即非我見人見衆生見壽者見是名我見
人見衆生見壽者見須菩提發阿耨多羅三
藐三菩提心者於一切法應如是知如是見
如是信解不生法相須菩提所言法相者如
來說即非法相是名法相須菩提若有人以
滿无量阿僧祇世界七寶持用布施若有善
男子善女人發菩薩心者持於此經乃至四
句偈等受持讀誦為人解說其福勝彼云何
為人演說不取於相如如不動何以故

BD00120號　金剛般若波羅蜜經　（4–3）

男子善女人發菩薩心者持於此經乃至四
句偈等受持讀誦為人解說其福勝彼云何
為人演說不取於相如如不動何以故
一切有為法如夢幻泡影如露亦如電應作如是觀
佛說是經已長老須菩提及諸比丘比丘尼
優婆塞優婆夷一切世間天人阿修羅聞
佛所說皆大歡喜信受奉持
金剛般若波羅蜜經

BD00120號　金剛般若波羅蜜經　（4–4）

真如清淨真如清淨故一切智智清淨何以故
若一切智智清淨若真如清淨若一切
智智清淨無二無二分無別無斷故一切陁
羅尼門清淨故法界法性不虛妄性不變異
性平等性離生性法定法住實際虛空界不
思議界清淨法界乃至不思議界清淨故
一切智智清淨何以故若一切陁羅尼門清
淨若法界乃至不思議界清淨若一切智智
清淨無二無二分無別無斷故善現一切陁羅
尼門清淨故苦聖諦清淨苦聖諦清淨故
一切智智清淨何以故若一切陁羅尼門清淨
若苦聖諦清淨若一切智智清淨無二無二
分無別無斷故一切陁羅尼門清淨故集
滅道聖諦清淨集滅道聖諦清淨故一切智
智清淨何以故若一切陁羅尼門清淨若集
滅道聖諦清淨若一切智智清淨無二無二
分無別無斷故善現一切陁羅尼門清淨故
四靜慮清淨四靜慮清淨故一切智智清淨
何以故若一切陁羅尼門清淨若四靜慮清
淨若一切智智清淨無二無二分無別無斷
故一切陁羅尼門清淨故四無量四無色定清
淨四無量四無色定清淨故一切智智清淨
何以故若一切陁羅尼門清淨若四無量四

淨若一切智智清淨無二無二分無別無斷
故一切陁羅尼門清淨故四無量四無色定清
淨四無量四無色定清淨故一切智智清淨
何以故若一切陁羅尼門清淨若四無量四
無色定清淨若一切智智清淨無二無二分
無別無斷故善現一切陁羅尼門清淨故八
解脫清淨八解脫清淨故一切智智清淨何
以故若一切陁羅尼門清淨若八解脫清淨
若一切智智清淨無二無二分無別無斷
故一切陁羅尼門清淨故八勝處九次第定
十遍處清淨八勝處九次第定十遍處清淨
故一切智智清淨何以故若一切陁羅尼門清
淨若八勝處九次第定十遍處清淨若一
切智智清淨無二無二分無別無斷故善現
一切陁羅尼門清淨故四念住清淨四念住
清淨故一切智智清淨何以故若一切陁羅
尼門清淨若四念住清淨若一切智智清淨
無二無二分無別無斷故一切陁羅尼門清
淨故四正斷四神足五根五力七等覺支八
聖道支清淨四正斷乃至八聖道支清淨故
一切智智清淨何以故若一切陁羅尼門清
淨若四正斷乃至八聖道支清淨若一切智
智清淨無二無二分無別無斷故善現一切
陁羅尼門清淨故空解脫門清淨空解脫門
清淨故一切智智清淨何以故若一切陁羅尼
門清淨若空解脫門清淨若一切智智清
淨無二無二分無別無斷故一切陁羅尼門

清淨故一切智智清淨何以故若一切陁羅尼
門清淨若空解脫門清淨若一切智智清
淨無二無二分無別無斷故一切陁羅尼門
清淨故無相無願解脫門清淨無相無願解
脫門清淨故一切智智清淨何以故若一切
陁羅尼門清淨若無相無願解脫門清淨若
一切智智清淨無二無二分無別無斷故善
現一切陁羅尼門清淨故菩薩十地清淨菩
薩十地清淨故一切智智清淨何以故若一切
陁羅尼門清淨若菩薩十地清淨若一切
智智清淨無二無二分無別無斷故
善現一切陁羅尼門清淨故五眼清淨五眼
清淨故一切智智清淨何以故若一切陁羅
尼門清淨若五眼清淨若一切智智清淨
無二無二分無別無斷故一切陁羅尼門清
淨故六神通清淨六神通清淨故一切智智
清淨何以故若一切陁羅尼門清淨若六神通
清淨若一切智智清淨無二無二分無別無
斷故善現一切陁羅尼門清淨故佛十力清
淨佛十力清淨故一切智智清淨何以故若一
切陁羅尼門清淨若佛十力清淨若一切
智智清淨無二無二分無別無斷故一切陁
羅尼門清淨故四無所畏四無礙解大慈大
悲大喜大捨十八佛不共法清淨四無所畏
乃至十八佛不共法清淨故一切智智清淨
何以故若一切陁羅尼門清淨若四無所畏

BD00121 號　大般若波羅蜜多經卷二四〇　（7–3）

乃至十八佛不共法清淨故一切智智清淨
何以故若一切陁羅尼門清淨若四無所畏
乃至十八佛不共法清淨若一切智智清淨
無二無二分無別無斷故善現一切陁羅尼門
清淨故無忘失法清淨無忘失法清淨故
一切智智清淨何以故若一切陁羅尼門清
淨若無忘失法清淨若一切智智清淨無二
無二分無別無斷故一切陁羅尼門清淨故
恒住捨性清淨恒住捨性清淨故一切智智
清淨何以故若一切陁羅尼門清淨若恒住
捨性清淨若一切智智清淨無二無二分無別
無斷故善現一切陁羅尼門清淨故一切智
清淨一切智清淨故一切智智清淨何以
故若一切陁羅尼門清淨若一切智清淨若
一切智智清淨無二無二分無別無斷故一切
陁羅尼門清淨故道相智一切相智清淨
道相智一切相智清淨故一切智智清淨何
以故若一切陁羅尼門清淨若道相智一切
相智清淨若一切智智清淨無二無二分無
別無斷故善現一切陁羅尼門清淨故一切
三摩地門清淨一切三摩地門清淨故一切
智智清淨何以故若一切陁羅尼門清淨若
一切三摩地門清淨若一切智智清淨無二無
二分無別無斷故
善現一切陁羅尼門清淨故預流果清淨預
流果清淨故一切智智清淨何以故若一切

BD00121 號　大般若波羅蜜多經卷二四〇　（7–4）

二分無別無斷故
善現一切陁羅尼門清淨故預流果清淨預
流果清淨故一切智智清淨何以故若一切
陁羅尼門清淨若預流果清淨若一切智智
清淨無二無二分無別無斷故一切陁羅尼門
清淨故一來不還阿羅漢果清淨一來不
還阿羅漢果清淨故一切智智清淨何以故
若一切陁羅尼門清淨若一來不還阿羅漢
果清淨若一切智智清淨無二無二分無別
無斷故善現一切陁羅尼門清淨故獨覺菩
提清淨獨覺菩提清淨故一切智智清淨
何以故若一切陁羅尼門清淨若獨覺菩提
清淨若一切智智清淨無二無二分無別無斷
故善現一切陁羅尼門清淨故一切菩薩摩訶
薩行清淨一切菩薩摩訶薩行清淨故一
切智智清淨何以故若一切陁羅尼門清淨
若一切菩薩摩訶薩行清淨若一切智智清
淨無二無二分無別無斷故善現一切陁羅
尼門清淨故諸佛無上正等菩提清淨諸佛
無上正等菩提清淨故一切智智清淨何以
故若一切陁羅尼門清淨若諸佛無上正等
菩提清淨若一切智智清淨無二無二分無
別無斷故
復次善現一切三摩地門清淨故色清淨色
清淨故一切智智清淨何以故若一切三摩地
門清淨若色清淨若一切智智清淨無二

BD00121號　大般若波羅蜜多經卷二四〇　（7–5）

清淨故一切智智清淨何以故若一切三摩地
門清淨若色清淨若一切智智清淨無二
無二分無別無斷故一切三摩地門清淨故
受想行識清淨受想行識清淨故一切智智
清淨何以故若一切三摩地門清淨若受想
行識清淨若一切智智清淨無二無二分無
別無斷故善現一切三摩地門清淨故眼處
清淨眼處清淨故一切智智清淨何以故若
一切三摩地門清淨若眼處清淨若一切智
智清淨無二無二分無別無斷故一切三摩
地門清淨故耳鼻舌身意處清淨耳鼻舌
身意處清淨故一切智智清淨何以故若一切三
摩地門清淨若耳鼻舌身意處清淨若一
切智智清淨無二無二分無別無斷故善現一
切三摩地門清淨故色處清淨色處清淨
故一切智智清淨何以故若一切三摩地門清
淨若色處清淨若一切智智清淨無二無
二分無別無斷故一切三摩地門清淨故聲
香味觸法處清淨聲香味觸法處清淨故一
切智智清淨何以故若一切三摩地門清淨
若聲香味觸法處清淨若一切智智清淨無
二無二分無別無斷故善現一切三摩地門
清淨故眼界清淨眼界清淨故一切智智清
淨何以故若一切三摩地門清淨若眼界清
淨若一切智智清淨無二無二分無別無斷
故一切三摩地門清淨故色界眼識界及眼

BD00121號　大般若波羅蜜多經卷二四〇　（7–6）

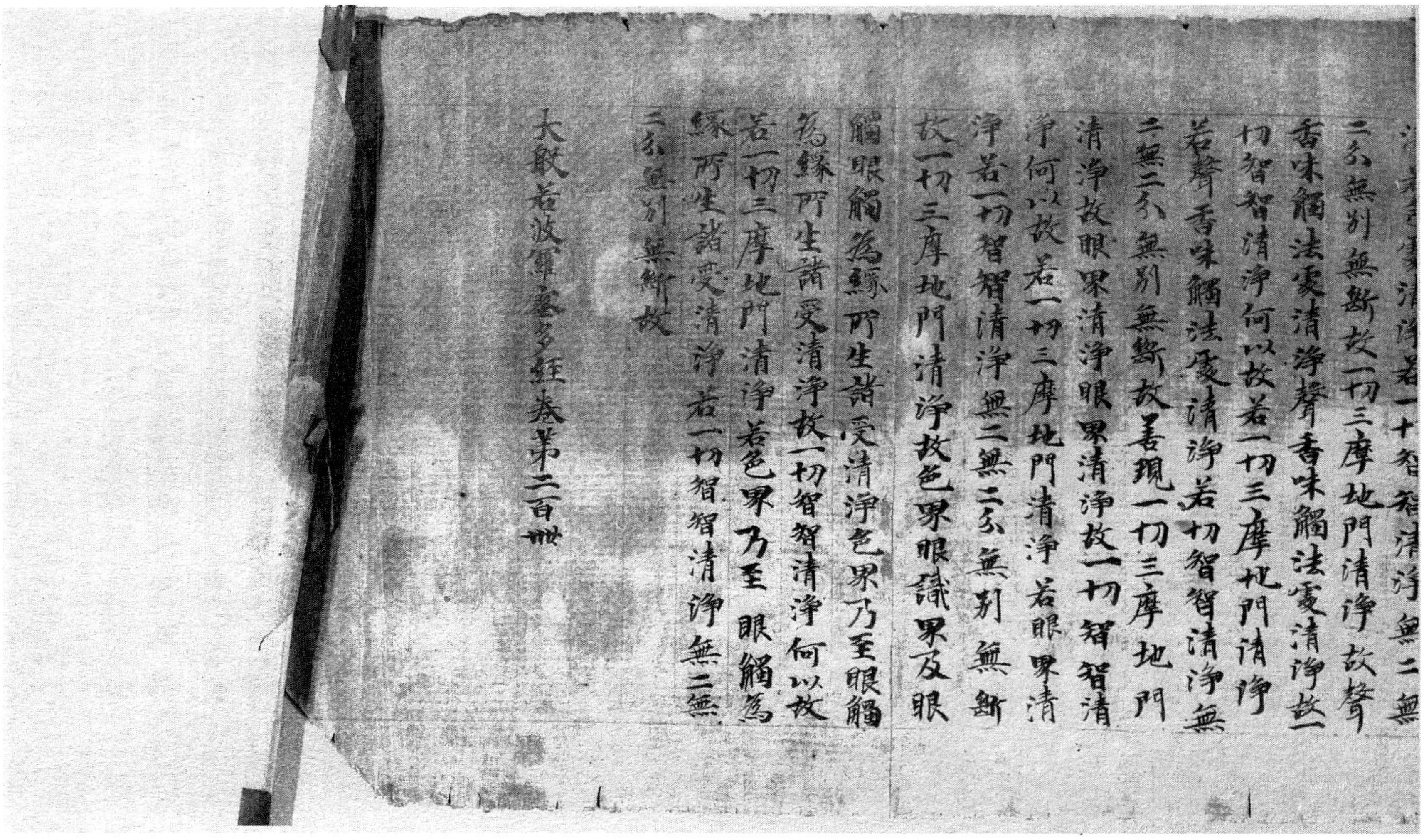

…清淨若一切智智清淨無二無
二分無別無斷故一切三摩地門清淨故聲
香味觸法處清淨聲香味觸法處清淨故一
切智智清淨何以故若一切三摩地門清淨
若聲香味觸法處清淨若一切智智清淨無
二無二分無別無斷故善現一切三摩地門
清淨故眼界清淨眼界清淨故一切智智清
淨何以故若一切三摩地門清淨若眼界清
淨若一切智智清淨無二無二分無別無斷
故一切三摩地門清淨故色界眼識界及眼
觸眼觸為緣所生諸受清淨色界乃至眼觸
為緣所生諸受清淨故一切智智清淨何以故
若一切三摩地門清淨若色界乃至眼觸為
緣所生諸受清淨若一切智智清淨無二無
二分無別無斷故

大般若波羅蜜多經卷第二百卌

BD00121 號　大般若波羅蜜多經卷二四〇　　（7–7）

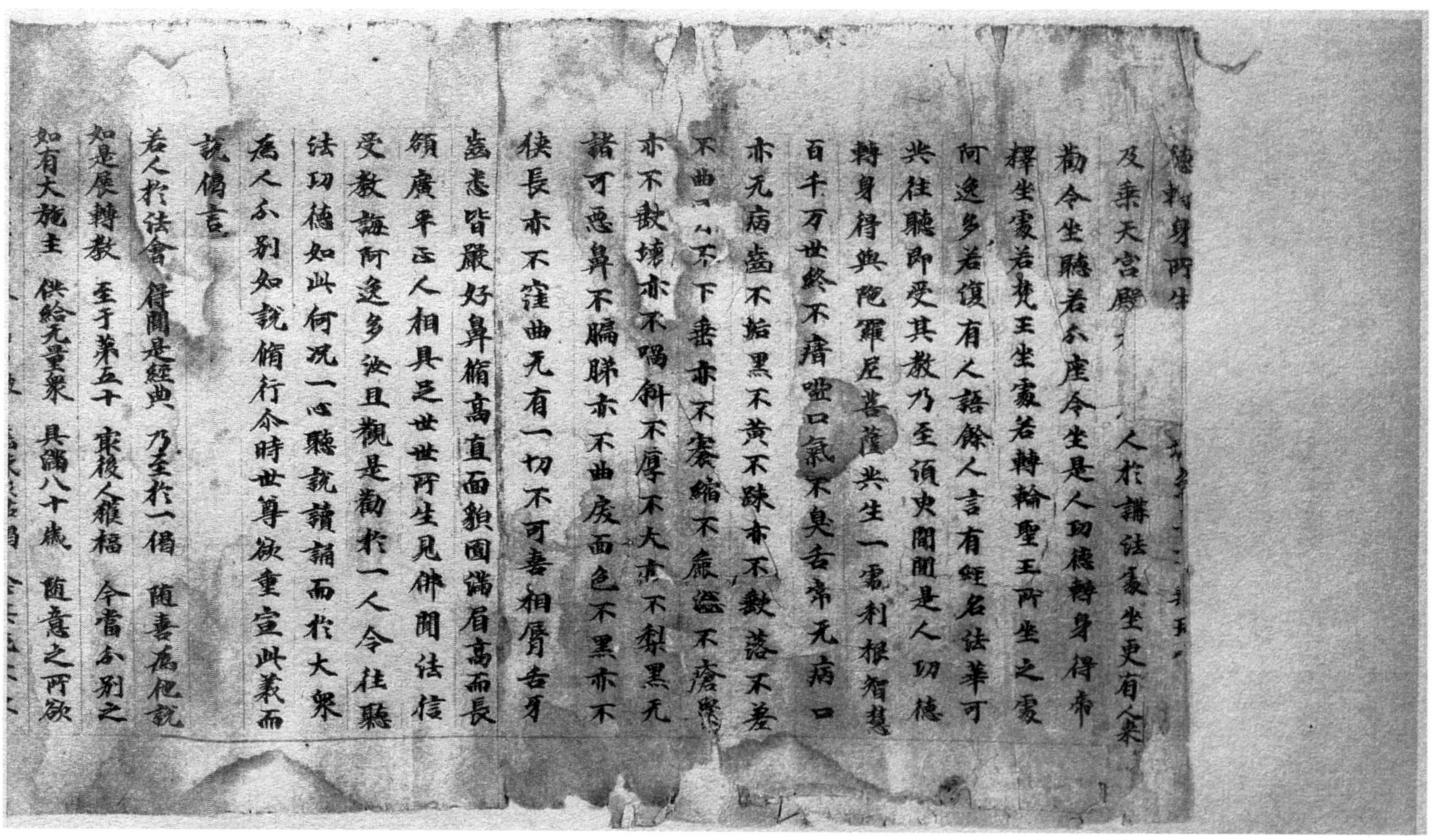

德轉身所生…
及乘天宮殿…人於講法處坐更有人來
勸令坐聽若分座令坐是人功德轉身得帝
釋坐處若梵王坐處若轉輪聖王所坐之處
阿逸多若復有人語餘人言有經名法華可
共往聽即受其教乃至須臾聞是人功德
轉身得與陀羅尼菩薩共生一處利根智慧
百千万世終不瘖瘂口氣不臭舌常无病口
亦无病齒不垢黑不黃不踈亦不缺落不差
不曲唇不下垂亦不褰縮不麁澁不瘡胗
亦不缺壞亦不喎斜不厚不大亦不黧黑无
諸可惡鼻不匾㔸亦不曲戾面色不黑亦不
狹長亦不窊曲无有一切不可喜相脣舌牙
齒悉皆嚴好鼻脩高直面貌圓滿眉高而長
額廣平正人相具足世世所生見佛聞法信
受教誨阿逸多汝且觀是勸於一人令往聽
法功德如此何況一心聽說讀誦而於大眾
為人分別如說修行尒時世尊欲重宣此義而
說偈言
若人於法會　得聞是經典　乃至於一偈　隨喜為他說
如是展轉教　至于第五十　最後人獲福　今當分別之
如有大施主　供給无量眾　具滿八十歲　隨意之所欲

BD00122 號　妙法蓮華經卷六　　（24–1）

若人於法會　得聞是經典　乃至於一偈　隨喜爲他說
如是展轉教　至于第五十　最後人獲福　今當分別之
如有大施主　供給无量衆　具滿八十歲　隨意之所欲
見彼衰老相　髮白而面皺　齒踈形枯竭　念其死不久
我今應當教　令得於道果　即爲方便說　涅槃真實法
世皆不牢固　如水沫泡焰　汝等咸應當　疾生猒離心
諸人聞是法　皆得阿羅漢　具足六神通　三明八解脫
最後第五十　聞一偈隨喜　是人福勝彼　不可爲譬喻
如是展轉聞　其福尚无量　何況於法會　初聞隨喜者
若有勸一人　將引聽法華　言此經深妙　千万劫難遇
即受教往聽　乃至須臾聞　斯人之福報　今當分別說
世世无口患　齒不踈黃黑　脣不厚褰缺　无有可惡相
舌不乾黑短　鼻高脩且直　額廣而平正　面目悉端嚴
爲人所喜見　口氣无臭穢　優鉢華之香　常從其口出
若故詣僧坊　欲聽法華經　須臾聞歡喜　今當說其福
後生天人中　得好象馬車　珎寶之輦轝　及乘天宮殿
若於講法處　勸人坐聽法　是福因緣得　釋梵轉輪王
何況一心聽　解說其義趣　如說而脩行　其福不可量

妙法蓮華經法師功德品第十九

尒時佛告常精進菩薩摩訶薩若善男子善女人受持是法華經若讀若誦若解說若書寫是人當得八百眼功德千二百耳功德八百鼻功德千二百舌功德八百身功德千二百意功德以是功德莊嚴六根皆令清淨是善男子善女人父母所生清淨肉眼見於三千大千世界內外所有山林河海下至阿鼻地獄上至有頂亦見其中一切衆生及業因

善男子善女人父母所生清淨肉眼見於三千大千世界內外所有山林河海下至阿鼻地獄上至有頂亦見其中一切衆生及業因緣果報生處悉見悉知尒時世尊欲重宣此義而說偈言

若於大衆中　以无所畏心　說是法華經　汝聽其功德
是人得八百　功德殊勝眼　以是莊嚴故　其目甚清淨
父母所生眼　悉見三千界　內外弥樓山　須弥及鐵圍
并諸餘山林　大海江河水　下至阿鼻獄　上至有頂處
其中諸衆生　一切皆悉見　雖未得天眼　肉眼力如是

復次常精進若善男子善女人受持此經若讀若誦若解說若書寫得千二百耳功德以是清淨耳聞三千大千世界下至阿鼻地獄上至有頂其中內外種種語言音聲象聲馬聲牛聲車聲啼哭聲愁歎聲螺聲鼓聲鍾聲鈴聲咲聲語聲男聲女聲童子聲童女聲法聲非法聲苦聲樂聲凡夫聲聖人聲喜聲不喜聲天聲龍聲夜叉聲乾闥婆聲阿脩羅聲迦樓羅聲緊那羅聲摩睺羅伽聲火聲水聲風聲地獄聲畜生聲餓鬼聲比丘聲比丘尼聲聲聞聲辟支佛聲菩薩聲佛聲以要言之三千大千世界中一切內外所有諸聲雖未得天耳以父母所生清淨常耳皆悉聞知如是分別種種音聲而不壞耳根尒時世尊欲重宣此義而說偈言

重宣此義而說偈言
父母所生耳 清淨无濁穢 以此常耳聞 三千世界聲
象馬車牛聲 清淨螺鼓聲 琴瑟箜篌聲 簫笛之音聲
清淨好歌聲 聽之而不著 无數種人聲 聞悉能解了
又聞諸天聲 微妙之歌音 及聞男女聲 童男童女聲
山川險谷中 迦陵頻伽聲 命命等諸鳥 悉聞其音聲
地獄衆苦痛 種種楚毒聲 餓鬼飢渴逼 求索飲食聲
諸阿脩羅等 居在大海邊 自共語言時 出于大音聲
如是說法者 安住於此間 遙聞是衆聲 而不壞耳根
十方世界中 禽獸鳴相呼 其說法之人 於此悉聞之
其諸梵天上 光音及遍淨 乃至有頂天 言語之音聲
法師住於此 悉皆得聞之 一切比丘衆 及諸比丘尼
若讀誦經典 若為他人說 法師住於此 悉皆得聞之
復有諸菩薩 讀誦於經法 若為他人說 撰集解其義
如是諸音聲 悉皆得聞之 諸佛大聖尊 教化衆生者
於諸大衆中 演說微妙法 持此法華者 悉皆得聞之
三千大千界 內外諸音聲 下至阿鼻獄 上至有頂天
皆聞其音聲 而不壞耳根 其耳聰利故 悉能分別知
持是法華者 雖未得天耳 但用所生耳 功德已如是
復次常精進 若善男子善女人受持是經 若
讀若誦若解說若書寫 成就八百鼻功德 以
是清淨鼻根聞於三千大千世界上下內外
種種諸香 須曼那華香 闍提華香 末利華香
瞻蔔華香 波羅羅華香 赤蓮華香 青蓮華香
白蓮華香 華樹香 菓樹香 栴檀香 沉水香 多
摩羅跋香 多伽羅香 及千万種和香 若末若

BD00122 號 妙法蓮華經卷六 （24-4）

瞻蔔華香 波羅羅華香 赤蓮華香 青蓮華香
白蓮華香 華樹香 菓樹香 栴檀香 沉水香 多
摩羅跋香 多伽羅香 及千万種和香 若末若
丸若塗香 持是經者於此間住 悉能分別 又
復別知衆生之香 象香馬香牛羊等香 男香
女香 童子香 童女香 及草木叢林香 若近若
遠所有諸香 悉皆得聞 分別不錯 持是經者
雖住於此 亦聞天上諸天之香 波利質多羅
拘鞞陀羅樹香 及曼陀羅華香 摩訶曼陀羅
華香 曼殊沙華香 摩訶曼殊沙華香 栴檀沉
水種種末香 諸雜華香 如是等天香和合所
出之香 无不聞知 又聞諸天身香 釋提桓因
在勝殿上五欲娛樂嬉戲時香 若在妙法堂
上為忉利諸天說法時香 若於諸園遊戲時
香 及餘天等男女身香 皆悉遙聞 如是展轉
乃至梵世 上至有頂諸天身香 亦皆聞之 并
聞諸天所燒之香 及聲聞香 辟支佛香 菩薩
香 諸佛身香 亦皆遙聞知其所在 雖聞此香
然於鼻根不壞不錯 若欲分別為他人說 憶
念不謬 爾時世尊欲重宣此義而說偈言
是人鼻清淨 於此世界中 若香若臭物 種種悉聞知
須曼那闍提 多摩羅栴檀 沉水及桂香 種種華菓香
及知衆生香 男子女人香 說法者遠住 聞香知所在
大勢轉輪王 小轉輪及子 群臣諸宮人 聞香知所在
身所著珎寶 及地中寶藏 轉輪王寶女 聞香知所在
諸人嚴身具 衣服及瓔珞 種種所塗香 聞則知其身
諸天若行坐 遊戲及神變 持是法華者 聞香悉能知

BD00122 號 妙法蓮華經卷六 （24-5）

身所著珎寶　及地中寶藏　轉輪王寶女　聞香知所在
諸人嚴身具　衣服及瓔珞　種種所塗香　聞則知其身
諸天若行坐　遊戲及神變　持是法華者　聞香悉能知
諸樹華菓實　及蘇油香氣　持經者住此　悉知其所在
諸山深嶮處　栴檀樹華敷　衆生在中者　聞香皆能知
鐵圍山大海　地中諸衆生　持經者聞香　悉知其所在
阿脩羅男女　及其諸眷屬　鬪諍遊戲時　聞香皆能知
曠野嶮隘處　師子象虎狼　野牛水牛等　聞香知所在
若有懷任者　未辯其男女　无根及非人　聞香悉能知
以聞香力故　知其初懷任　成就不成就　安樂產福子
以聞香力故　知男女所念　染欲癡恚心　亦知脩善者
地中衆伏藏　金銀諸珎寶　銅器之所盛　聞香悉能知
種種諸瓔珞　无能識其價　聞香知貴賤　出處及所在
天上諸華等　曼陀曼殊沙　波利質多樹　聞香悉能知
天上諸宮殿　上中下差別　衆寶華莊嚴　聞香悉能知
天園林勝殿　諸觀妙法堂　在中而娛樂　聞香悉能知
諸天若聽法　或受五欲時　來往行坐卧　聞香悉能知
天女所著衣　好華香莊嚴　周旋遊戲時　聞香悉能知
如是展轉上　乃至於梵世　入禪出禪者　聞香悉能知
光音遍淨天　乃至于有頂　初生及退沒　聞香悉能知
諸比丘衆等　於法常精進　若坐若經行　及讀誦經法
或在林樹下　專精而坐禪　持經者聞香　悉知其所在
菩薩志堅固　坐禪若讀誦　或為人說法　聞香悉能知
在在方世尊　一切所恭敬　愍衆而說法　聞香悉能知
衆生在佛前　聞經皆歡喜　如法而脩行　聞香悉能知
雖未得菩薩　无漏法生鼻　而是持經者　先得此鼻相
復次常精進　若善男子善女人受持是經若

BD00122號　妙法蓮華經卷六　（24-6）

[illegible]
在在方世尊　一切所恭敬　愍衆而說法　聞香悉能知
衆生在佛前　聞經皆歡喜　如法而脩行　聞香悉能知
雖未得菩薩　无漏法生鼻　而是持經者　先得此鼻相
復次常精進　若善男子善女人受持是經若
讀若誦若解說若書寫　得千二百舌功德　若
好若醜若美不美　及諸苦澁物　在其舌根　皆
變成上味　如天甘露　无不美者　若以舌根於
大衆中有所演說　出深妙聲　能入其心　皆令
歡喜快樂　又諸天子天女釋梵諸天　聞是深
妙音聲　有所演說言論次第　皆悉來聽　及諸
龍龍女夜叉夜叉女乾闥婆乾闥婆女阿脩
羅阿脩羅女迦樓羅迦樓羅女緊那羅緊那
羅女摩睺羅伽摩睺羅伽女　為聽法故　皆來
親近恭敬供養　及比丘比丘尼優婆塞優婆
夷國王王子羣臣眷屬　小轉輪王大轉輪王
七寶千子內外眷屬　乘其宮殿　俱來聽法　以
是菩薩善說法故　婆羅門居士國內人民　盡
其形壽　隨侍供養　又諸聲聞辟支佛菩薩諸
佛　常樂見之　是人所在方面　諸佛皆向其處
說法　悉能受持一切佛法　又能出於深妙法
音　尒時世尊欲重宣此義而說偈言
是人舌根淨　終不受惡味　其有所食噉　悉皆成甘露
以深淨妙音　於大衆說法　以諸因緣喻　引導衆生心
聞者皆歡喜　設諸上供養　諸天龍夜叉　及阿脩羅等
皆以恭敬心　而共來聽法　是說法之人　若欲以妙音
遍滿三千界　隨意即能至　大小轉輪王　及千子眷屬
合掌恭敬心　常來聽受法　諸天龍夜叉　羅剎毗舍闍

BD00122號　妙法蓮華經卷六　（24-7）

過滿三千界 隨意即能至 大小轉輪王 及千子眷屬
合掌恭敬心 常來聽受法 諸天龍夜叉 羅剎毗舍闍
亦以歡喜心 常樂來供養 梵天王魔王 自在大自在
如是諸天衆 常來至其所 諸佛及弟子 聞其說法音
常念而守護 或時為現身
復次常精進 若善男子善女人受持是經 若
讀若誦若解說若書寫 得八百身功德 得清
淨身 如淨琉璃 衆生喜見 其身淨故 三千大
千世界衆生 生時死時 上下好醜 生善處惡
處 悉於中現 及鐵圍山 大鐵圍山 弥樓山 摩
訶弥樓山等諸山 及其中衆生 悉於中現 下
至阿鼻地獄 上至有頂 所有及衆生 悉於中
現 若聲聞 辟支佛 菩薩 諸佛說法 皆於身中
現其色像 尒時世尊欲重宣此義 而說偈言
若持法華者 其身甚清淨 如彼淨琉璃 衆生皆喜見
又如淨明鏡 悉見諸色像 菩薩於淨身 皆見世所有
唯獨自明了 餘人所不見 三千世界中 一切諸群萌
天人阿脩羅 地獄鬼畜生 如是諸色像 皆於身中現
諸天等宮殿 乃至於有頂 鐵圍及弥樓 摩訶弥樓山
諸大海水等 皆於身中現 諸佛及聲聞 佛子菩薩等
若獨若在衆 說法悉皆現 雖未得无漏 法性之妙身
以清淨常體 一切於中現
復次常精進 若善男子善女人 如來滅後受
持是經 若讀若誦若解說若書寫 得千二百
意功德 以是清淨意根 乃至聞一偈一句 通
達无量无邊之義 解是義已 能演說一句一
偈 至於一月 四月 乃至一歲 諸所說法 隨其

BD00122號　妙法蓮華經卷六　（24–8）

意功德 以是清淨意根 乃至聞一偈一句 通
達无量无邊之義 解是義已 能演說一句一
偈 至於一月 四月 乃至一歲 諸所說法 隨其
義趣 皆與實相不相違背 若說俗間經書 治
世語言 資生業等 皆順正法 三千大千世界
六趣衆生 心之所行 心所動作 心所戲論 皆
悉知之 雖未得无漏智慧 而其意根清淨如
此 是人有所思惟 籌量言說 皆是佛法 无不
真實 亦是先佛經中所說 尒時世尊欲重宣
此義 而說偈言
是人意清淨 明利无穢濁 以此妙意根 知上中下法
乃至聞一偈 通達无量義 次第如法說 月四月至歲
是世界內外 一切諸衆生 若天龍及人 夜叉鬼神等
其在六趣中 所念若干種 持法華之報 一時皆悉知
十方无數佛 百福莊嚴相 為衆生說法 悉聞能受持
思惟无量義 說法亦无量 終始不忘錯 以持法華故
悉知諸法相 隨義識次第 達名字語言 如所知演說
此人有所說 皆是先佛法 以演此法故 於衆无所畏
持法華經者 意根淨若斯 雖未得无漏 先有如是相
是人持此經 安住希有地 為一切衆生 歡喜而愛敬
能以千万種 善巧之語言 分別而說法 持法華經故
妙法蓮華經常不輕菩薩品第二十
尒時佛告得大勢菩薩摩訶薩 汝今當知 若
比丘比丘尼優婆塞優婆夷持法華經者 若
有惡口罵詈誹謗 獲大罪報 如前所說 其所
得功德 如向所說 眼耳鼻舌身意清淨 得大
勢 乃往古昔 過无量无邊不可思議阿僧祇

BD00122號　妙法蓮華經卷六　（24–9）

有惡口罵詈誹謗獲大罪報如前所說其所
得功德如向所說眼耳鼻舌身意清淨得大
勢乃往古昔過无量无邊不可思議阿僧祇
劫有佛名威音王如來應供正遍知明行足
善逝世間解无上士調御丈夫天人師佛世
尊劫名離衰國名大成其威音王佛於彼世
中為天人阿脩羅說法為求聲聞者說應四
諦法度生老病死究竟涅槃為求辟支佛者
說應十二因緣法為諸菩薩因阿耨多羅三
藐三菩提說應六波羅蜜法究竟佛慧得大
勢是威音王佛壽四十万億那由他恒河沙
劫正法住世劫數如一閻浮提微塵像法住
世劫數如四天下微塵其佛饒益衆生已然
後滅度正法像法滅盡之後於此國土復有
佛出亦号威音王如來應供正遍知明行足
善逝世間解无上士調御丈夫天人師佛世
尊如是次第有二万億佛皆同一号最初威
音王如來既已滅度正法滅後於像法中增
上慢比丘有大勢力尒時有一菩薩比丘名
常不輕得大勢以何因緣名常不輕是比丘
凡有所見若比丘比丘尼優婆塞優婆夷皆
悉礼拜讚歎而作是言我深敬汝等不敢輕
慢所以者何汝等皆行菩薩道當得作佛而
是比丘不專讀誦經典但行礼拜乃至遠見
四衆亦復故往礼拜讚歎而作是言我不敢
輕於汝等汝等皆當作佛故四衆之中有生
瞋恚心不淨者惡口罵詈言是无智比丘從

BD00122 號　妙法蓮華經卷六　（24–10）

是比丘不專讀誦經典但行礼拜乃至遠見
四衆亦復故往礼拜讚歎而作是言我不敢
輕於汝等汝等皆當作佛故四衆之中有生
瞋恚心不淨者惡口罵詈言是无智比丘從
何所來自言我不輕汝而與我等受記當得
作佛我等不用如是虛妄受記如此經歷多
年常被罵詈不生瞋恚常作是言汝當作佛
說是語時衆人或以杖木瓦石而打擲之避
走遠住猶高聲唱言我不敢輕於汝等汝等
皆當作佛以其常作是語故增上慢比丘比丘
尼優婆塞優婆夷号之為常不輕是比丘臨
欲終時於虛空中具聞威音王佛先所說法
華經二十千万億偈悉能受持即得如上眼
根清淨耳鼻舌身意根清淨得是六根清淨
已更增壽命二百万億那由他歲廣為人說
是法華經於時增上慢四衆比丘比丘尼優婆
塞優婆夷輕賤是人為作不輕名者見其
得大神通力樂說辯力大善寂力聞其所說
皆信伏隨從是菩薩復化千万億衆令住
阿耨多羅三藐三菩提命終之後得值二千
億佛皆号日月燈明於其法中說是法華經以
是因緣復值二千億佛同号雲自在燈王於
此諸佛法中受持讀誦為諸四衆說此經典
故得是常眼清淨耳鼻舌身意諸根清淨於
四衆中說法心无所畏得大勢是常不輕菩
薩摩訶薩供養如是若干諸佛恭敬尊重讚
歎種諸善根於後復值千万億佛亦於諸佛
法中說是經典功德成就當得作佛得大勢

BD00122 號　妙法蓮華經卷六　（24–11）

薩摩訶薩供養如是若干諸佛恭敬尊重讚
歎種諸善根於後復值千万億佛亦於諸佛
法中說是經典功德成就當得作佛得大勢
於意云何尒時常不輕菩薩豈異人乎則我
身是若我於宿世不受持讀誦此經為他人
說者不能疾得阿耨多羅三藐三菩提我於
先佛所受持讀誦此經為人說故疾得阿耨
多羅三藐三菩提得大勢彼時四衆比丘比
丘尼優婆塞優婆夷以瞋恚意輕賤我故二
百億劫常不值佛不聞法不見僧千劫於阿
鼻地獄受大苦惱畢是罪已復遇常不輕菩
薩教化阿耨多羅三藐三菩提得大勢於汝
意云何尒時四衆常輕是菩薩者豈異人乎
今此會中跋陀婆羅等五百菩薩師子月等
五百比丘尼思佛等五百優婆塞皆於阿耨
多羅三藐三菩提不退轉者是得大勢當知
是法華經大饒益諸菩薩摩訶薩能令至於
阿耨多羅三藐三菩提是故諸菩薩摩訶薩
於如來滅後常應受持讀誦解說書寫是經
尒時世尊欲重宣此義而說偈言
過去有佛　号威音王　神智无量　將導一切
天人龍神　所共供養　是佛滅後　法欲盡時
有一菩薩　名常不輕　時諸四衆　計著於法
不輕菩薩　往到其所　而語之言　我不輕汝
汝等行道　皆當作佛　諸人聞已　輕毀罵詈
不輕菩薩　能忍受之　其罪畢已　臨命終時
得聞此經　六根清淨　神通力故　增益壽命

BD00122號　妙法蓮華經卷六　(24–12)

汝等行道　皆當作佛　諸人聞已　輕毀罵詈
不輕菩薩　能忍受之　其罪畢已　臨命終時
得聞此經　六根清淨　神通力故　增益壽命
復為諸人　廣說是經　諸著法衆　皆蒙菩薩
教化成就　令住佛道　不輕命終　值无數佛
說是經故　得无量福　漸具功德　疾成佛道
彼時不輕　則我身是　時四部衆　著法之者
聞不輕言　汝當作佛　以是因緣　值无數佛
此會菩薩　五百之衆　并及四部　清信士女
今於我前　聽法者是　我於前世　勸是諸人
聽受斯經　第一之法　開示教人　令住涅槃
世世受持　如是經典　億億万劫　至不可議
時乃得聞　是法華經　億億万劫　至不可議
諸佛世尊　時說是經　是故行者　於佛滅後
聞如是經　勿生疑惑　應當一心　廣說此經
世世值佛　疾成佛道
妙法蓮華經如來神力品第二十一
尒時千世界微塵等菩薩摩訶薩從地踊出
者皆於佛前一心合掌瞻仰尊顏而白佛言
世尊我等於佛滅後世尊分身所在國土滅
度之處當廣說此經所以者何我等亦自欲
得是真淨大法受持讀誦解說書寫而供養
之尒時世尊於文殊師利等无量百千万億
舊住娑婆世界菩薩摩訶薩及諸比丘比丘
尼優婆塞優婆夷天龍夜叉乹闥婆阿脩羅
迦樓羅緊那羅摩睺羅伽人非人等一切衆
前現大神力出廣長舌上至梵世一切毛孔

BD00122號　妙法蓮華經卷六　(24–13)

尼優婆塞優婆夷天龍夜叉乾闥婆阿脩羅
迦樓羅緊那羅摩睺羅伽人非人等一切衆
前現大神力出廣長舌上至梵世一切毛孔
放於无量无數色光皆悉遍照十方世界衆
寶樹下師子座上諸佛亦復如是出廣長舌
放无量光釋迦牟尼佛及寶樹下諸佛現神
力時滿百千歲然後還攝舌相一時謦欬俱
共彈指是二音聲遍至十方諸佛世界地皆
六種震動其中衆生天龍夜叉乾闥婆阿脩
羅迦樓羅緊那羅摩睺羅伽人非人等以佛
神力故皆見此娑婆世界无量无邊百千萬
億衆寶樹下師子座上諸佛及見釋迦牟尼
佛共多寶如來在寶塔中坐師子座又見无
量无邊百千万億菩薩摩訶薩及諸四衆恭
敬圍繞釋迦牟尼佛既見是已皆大歡喜得
未曾有即時諸天於虛空中高聲唱言過此
无量无邊百千万億阿僧祇世界有國名娑
婆是中有佛名釋迦牟尼今為諸菩薩摩訶
薩說大乘經名妙法蓮華教菩薩法佛所護
念汝等當深心隨喜亦當札拜供養釋迦牟
尼佛彼諸衆生聞虛空中聲已合掌向娑婆
世界作如是言南无釋迦牟尼佛南无釋迦
牟尼佛以種種華香瓔珞幡蓋及諸嚴身之
具珎寶妙物皆共遥散娑婆世界所散諸物
從十方来譬如雲集變成寶帳遍覆此間諸
佛之上于時十方世界通達无礙如一佛土
尒時佛告上行等菩薩大衆諸佛神力如是

從十方来譬如雲集變成寶帳遍覆此間諸
佛之上于時十方世界通達无礙如一佛土
尒時佛告上行等菩薩大衆諸佛神力如是
无量无邊不可思議若我以是神力於无量
无邊百千万億阿僧祇劫為囑累故說此經
功德猶不能盡以要言之如来一切所有之
法如来一切自在神力如来一切秘要之藏
如来一切甚深之事皆於此經宣示顯說是
故汝等於如来滅後應一心受持讀誦解說
書寫如說脩行所在國土若有受持讀誦解
說書寫如說脩行若經卷所住之處若於園
中若於林中若於林下若於僧坊若白衣舍
若在殿堂若山谷曠野是中皆應起塔供養
所以者何當知是處即是道場諸佛於此得
阿耨多羅三藐三菩提諸佛於此轉于法輪
諸佛於此而般涅槃尒時世尊欲重宣此義
而說偈言
諸佛救世者　住於大神通　為悅衆生故　現无量神力
舌相至梵天　身放无數光　為求佛道者　現此希有事
諸佛謦欬聲　及彈指之聲　周聞十方國　地皆六種動
以佛滅度後　能持是經故　諸佛皆歡喜　現无量神力
囑累是經故　讚美受持者　於无量劫中　猶故不能盡
是人之功德　无邊无有窮　如十方虛空　不可得邊際
能持是經者　則為已見我　亦見多寶佛　及諸分身者
又見我今日　教化諸菩薩　能持是經者　令我及分身
滅度多寶佛　一切皆歡喜　十方現在佛　并過去未来

又見我今日　教化諸菩薩　能持是經者　令我及分身
滅度多寶佛　一切皆歡喜　十方現在佛　并過去未来
亦見亦供養　亦令得歡喜　諸佛坐道場　所得秘要法
能持是經者　不久亦當得　能持是經者　於諸法之義
名字及言辭　樂說无窮盡　如風於空中　一切无障礙
於如来滅後　知佛所說經　因緣及次第　隨義如實說
如日月光明　能除諸幽冥　斯人行世間　能滅衆生闇
教无量菩薩　畢竟住一乘　是故有智者　聞此功德利
於我滅度後　應受持斯經　是人於佛道　決定无有疑

妙法蓮華經囑累品第二十二

尒時釋迦牟尼佛從法座起現大神力以右手摩无量菩薩摩訶薩頂而作是言我於无量百千万億阿僧祇劫脩習是難得阿耨多羅三藐三菩提法今以付囑汝等汝等應當一心流布此法廣令增益如是三摩諸菩薩摩訶薩頂而作是言我於无量百千万億阿僧祇劫脩習是難得阿耨多羅三藐三菩提法今以付囑汝等汝等當受持讀誦廣宣此法令一切衆生普得聞知所以者何如来有大慈悲无諸慳悋亦无所畏能與衆生佛之智慧如来智慧自然智慧如来是一切衆生之大施主汝等亦應隨學如来之法勿生慳悋於未来世若有善男子善女人信如来智慧者當為演說此法華經使得聞知為令其人得佛慧故若有衆生不信受者當於如来餘深法中示教利喜汝等若能如是則為已報諸佛之恩時諸菩薩摩訶薩聞佛作是說

BD00122號　妙法蓮華經卷六　(24-16)

慧者當為演說此法華經使得聞知為令其人得佛慧故若有衆生不信受者當於如来餘深法中示教利喜汝等若能如是則為已報諸佛之恩時諸菩薩摩訶薩聞佛作是說已皆大歡喜遍滿其身益加恭敬曲躬低頭合掌向佛俱發聲言如世尊勅當具奉行唯然世尊願不有慮諸菩薩摩訶薩衆如是三反俱發聲言如世尊勅當具奉行唯然世尊願不有慮尒時釋迦牟尼佛令十方来諸分身佛各還本土而作是言諸佛各隨所安多寶佛塔還可如故說是語時十方无量分身諸佛坐寶樹下師子座上者及多寶佛并上行等无邊阿僧祇菩薩大衆舍利弗等聲聞四衆及一切世間天人阿脩羅等聞佛所說皆大歡喜

妙法蓮華經藥王菩薩本事品第二十三

尒時宿王華菩薩白佛言世尊藥王菩薩云何遊於娑婆世界世尊是藥王菩薩有若干百千万億那由他難行苦行善哉世尊願少解說諸天龍神夜叉乾闥婆阿脩羅迦樓羅緊那羅摩睺羅伽人非人等又他國土諸来菩薩及此聲聞衆聞皆歡喜尒時佛告宿王華菩薩乃往過去无量恒河沙劫有佛号日月淨明德如来應供正遍知明行足善逝世間解无上士調御丈夫天人師佛世尊其佛有八十億大菩薩摩訶薩七十二恒河沙大聲聞衆佛壽四万二千劫菩薩壽命亦等彼

BD00122號　妙法蓮華經卷六　(24-17)

月淨明德如來應供正遍知明行足善逝世
間解无上士調御丈夫天人師佛世尊其佛
有八十億大菩薩摩訶薩七十二恒河沙大
聲聞衆佛壽四万二千劫菩薩壽命亦等彼
國无有女人地獄餓鬼畜生阿脩羅等及以
諸難地平如掌琉璃所成寶樹莊嚴寶帳覆
上垂寶華幡寶瓶香爐周遍國界七寶為臺
一樹一臺其樹去臺盡一箭道此諸寶樹
皆有菩薩聲聞而坐其下諸寶臺上各有百
億諸天作天伎樂歌歎於佛以為供養爾時
彼佛為一切衆生喜見菩薩及衆菩薩諸聲
聞衆說法華經是一切衆生喜見菩薩樂習
苦行於日月淨明德佛法中精進經行一心求
佛滿万二千歲已得現一切色身三昧得此
三昧已心大歡喜即作念言我得現一切色
身三昧皆是得聞法華經力我今當供養日
月淨明德佛及法華經即時入是三昧於虛
空中雨曼陀羅華摩訶曼陀羅華細末堅黑
栴檀滿虛空中如雲而下又雨海此岸栴檀
之香此香六銖價直娑婆世界以供養佛作
是供養已從三昧起而自念言我雖以神力
供養於佛不如以身供養即服諸香栴檀薰
陸兜樓婆畢力迦沉水膠香又飲瞻蔔諸華
香油滿千二百歲已香油塗身於日月淨明
德佛前以天寶衣而自纏身灌諸香油以神
通力願而自燃身光明遍照八十億恒河沙
世界其中諸佛同時讚言善哉善哉善男子

BD00122號　妙法蓮華經卷六　（24–18）

德佛前以天寶衣而自纏身灌諸香油以神
通力願而自燃身光明遍照八十億恒河沙
世界其中諸佛同時讚言善哉善哉善男子
是真精進是名真法供養如來若以華香瓔
珞燒香末香塗香天繒幡蓋及海此岸栴檀
之香如是等種種諸物供養所不能及假使
國城妻子布施亦所不及善男子是名第一
之施於諸施中最尊最上以法供養諸如來
故作是語已而各嘿然其身火燃千二百歲
過是已後其身乃盡一切衆生喜見菩薩作
如是法供養已命終之後復生日月淨明德
佛國中於淨德王家結加趺坐忽然化生即
為其父而說偈言
大王今當知　我經行彼處　即時得一切　現諸身三昧
勤行大精進　捨所愛之身
說是偈已而白父言日月淨明德佛今故現
在我先供養佛已得解一切衆生語言陀羅
尼復聞是法華經八百千万億那由他甄迦
羅頻婆羅阿閦婆等偈大王我今當還供養
此佛白已即坐七寶之臺上昇虛空高七多
羅樹往到佛所頭面禮足合十指爪以偈讚
佛
容顏甚奇妙　光明照十方　我適曾供養　今復還親近
爾時一切衆生喜見菩薩說是偈已而白佛
言世尊世尊猶故在世爾時日月淨明德佛
告一切衆生喜見菩薩善男子我涅槃時到
滅盡時至汝可安施床座我於今夜當般涅

BD00122號　妙法蓮華經卷六　（24–19）

言世尊猶故在世尒時日月淨明德佛
告一切衆生憙見菩薩善男子我涅槃時到
滅盡時至汝可安施床座我於今夜當般涅
槃又勑一切衆生喜見菩薩善男子我以佛
法囑累於汝及諸菩薩大弟子并阿耨多羅
三藐三菩提法亦以三千大千七寶世界諸
寶樹寶臺及給侍諸天悉付於汝我滅度後
所有舍利亦付囑汝當令流布廣設供養應
起若干千塔如是日月淨明德佛勑一切衆
生憙見菩薩已於夜後分入於涅槃尒時一
切衆生憙見菩薩見佛滅度悲感懊惱戀慕
於佛即以海此岸栴檀爲𧂐供養佛身而以
燒之火滅已後收取舍利作八万四千寶瓶
以起八万四千塔高三世界表剎莊嚴垂諸
幡蓋懸衆寶鈴尒時一切衆生喜見菩薩復
自念言我雖作是供養心猶未足我今當更
供養舍利便語諸菩薩大弟子及天龍夜叉
等一切大衆汝等當一心念我今供養日月
淨明德佛舍利作是語已即於八万四千塔
前然百福莊嚴臂七万二千歲而以供養令
无數求聲聞衆无量阿僧祇人發阿耨多羅
三藐三菩提心皆使得住現一切色身三昧
尒時諸菩薩天人阿脩羅等見其无臂憂惱
悲哀而作是言此一切衆生憙見菩薩是我
等師教化我者而今燒臂身不具足于時一
切衆生喜見菩薩於大衆中立此誓言我捨
兩臂必當得佛金色之身若實不虛令我兩

BD00122號　妙法蓮華經卷六　（24–20）

悲哀而作是言此一切衆生憙見菩薩是我
等師教化我者而今燒臂身不具足于時一
切衆生喜見菩薩於大衆中立此誓言我捨
兩臂必當得佛金色之身若實不虛令我兩
臂還復如故作是誓已自然還復由斯菩薩
福德智慧淳厚所致當尒之時三千大千世
界六種震動天雨寶華一切人天得未曾有
佛告宿王華菩薩於汝意云何一切衆生憙
見菩薩豈異人乎今藥王菩薩是也其所捨
身布施如是无量百千万億那由他數宿王
華若有發心欲得阿耨多羅三藐三菩提者
能然手指乃至足一指供養佛塔勝以國城
妻子及三千大千國土山林河池諸珎寶物
而供養者若復有人以七寶滿三千大千世
界供養於佛及大菩薩辟支佛阿羅漢是人
所得功德不如受持此法華經乃至一四句
偈其福最多宿王華譬如一切川流江河諸
水之中海爲第一此法華經亦復如是於諸
如來所說經中最爲深大又如土山黑山小
鐵圍山大鐵圍山及十寶山衆山之中須弥
山爲第一此法華經亦復如是於諸經中最
爲其上又如衆星之中月天子最爲第一此
法華經亦復如是於千万億種諸經法中最
爲照明又如日天子能除諸闇此經亦復如
是能破一切不善之闇又如諸小王中轉輪聖
王最爲第一此經亦復如是於衆經中最爲
其尊又如帝釋於三十三天中王此經亦

BD00122號　妙法蓮華經卷六　（24–21）

是能破一切不善之闇又如諸小王中轉輪聖
王最為第一此經亦復如是於衆經中最為
其尊又如帝釋於三十三天中王此經亦
復如是諸經中王又如大梵天王一切衆生
之父此經亦復如是一切賢聖學无學及發
菩薩心者之父又如一切凡夫人中須陁洹
斯陁含阿那含阿羅漢辟支佛為第一此經
亦復如是一切如來所說若菩薩所說若聲
聞所說諸經法中最為第一有能受持是經
典者亦復如是於一切衆生中亦為第一一
切聲聞辟支佛中菩薩為第一此經亦復如
是於一切諸經法中最為第一如佛為諸法
王此經亦復如是諸經中王宿王華此經能
救一切衆生者此經能令一切衆生離諸苦
惱此經能大饒益一切衆生充滿其願如清
涼池能滿一切諸渴乏者如寒者得火如裸
者得衣如商人得主如子得母如渡得船如
病得醫如暗得燈如貧得寶如民得王如賈
客得海如炬除暗此法華經亦復如是能令
衆生離一切苦一切病痛能解一切生死之
縛若人得聞此法華經若自書若使人書所
得功德以佛智慧籌量多少不得其邊若書
是經卷華香瓔珞燒香末香塗香幡蓋衣服
種種之燈酥燈油燈諸香油燈瞻蔔油燈須
曼油燈波羅羅油燈婆利師迦油燈那婆摩
利油燈供養所得功德亦復无量宿王華若
有人聞是藥王菩薩本事品者亦得无量无

BD00122號　妙法蓮華經卷六　（24–22）

[illegible]
利油燈供養所得功德亦復无量宿王華若
有人聞是藥王菩薩本事品者亦得无量无
邊功德若有女人聞是藥王菩薩本事品能
受持者盡是女身後不復受若如來滅後後
五百歲中若有女人聞是經典如說脩行於
此命終即往安樂世界阿弥陁佛大菩薩衆
圍繞住處生蓮華中寶座之上不復為貪欲
所惱亦復不為瞋恚愚癡所惱亦復不為憍
慢嫉妬諸垢所惱得菩薩神通无生法忍得
是忍已眼根清淨以是清淨眼根見七百万
二千億那由他恒河沙等諸佛如來是時諸
佛遥共讚言善哉善哉善男子汝能於釋迦
牟尼佛法中受持讀誦思惟是經為他人說
所得福德无量无邊火不能燒水不能漂汝
之功德千佛共說不能令盡汝今已能破諸
魔賊壞生死軍諸餘怨敵皆悉摧滅善男子
百千諸佛以神通力共守護汝於一切世間
天人之中无如汝者唯除如來其諸聲聞辟
支佛乃至菩薩智慧禪定无有與汝等者宿
王華此菩薩成就如是功德智慧之力若有
人聞是藥王菩薩本事品能隨喜讚善者是
人現世口中常出青蓮華香身毛孔中常出
牛頭栴檀香所得功德如上所說是故宿王
華以此藥王菩薩本事品囑累於汝我滅度
後後五百歲中廣宣流布於閻浮提无令斷
絕惡魔魔民諸天龍夜叉鳩槃荼等得其便
也宿王華汝當以神通之力守護是經所以

BD00122號　妙法蓮華經卷六　（24–23）

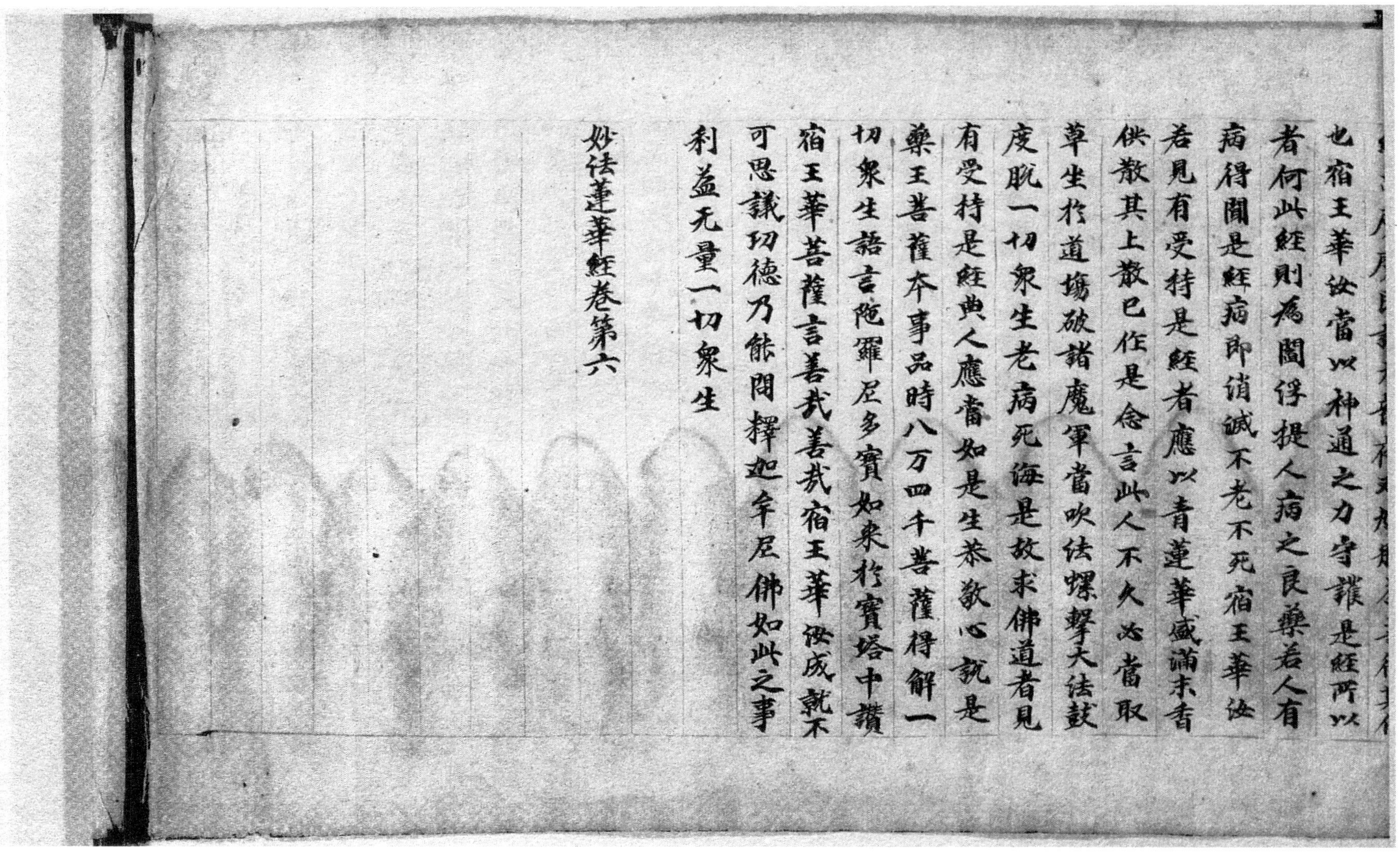

也宿王華汝當以神通之力守護是經所以
者何此經則為閻浮提人病之良藥若人有
病得聞是經病即消滅不老不死宿王華汝
若見有受持是經者應以青蓮華盛滿末香
供散其上散已作是念言此人不久必當取
草坐扵道場破諸魔軍當吹法螺擊大法鼓
度脫一切眾生老病死海是故求佛道者見
有受持是經典人應當如是生恭敬心說是
藥王菩薩本事品時八万四千菩薩得解一
切眾生語言陀羅尼多寶如來扵寶塔中讚
宿王華菩薩言善哉善哉宿王華汝成就不
可思議功德乃能問釋迦牟尼佛如此之事
利益无量一切眾生

妙法蓮華經卷第六

BD00122 號　妙法蓮華經卷六　　（24–24）

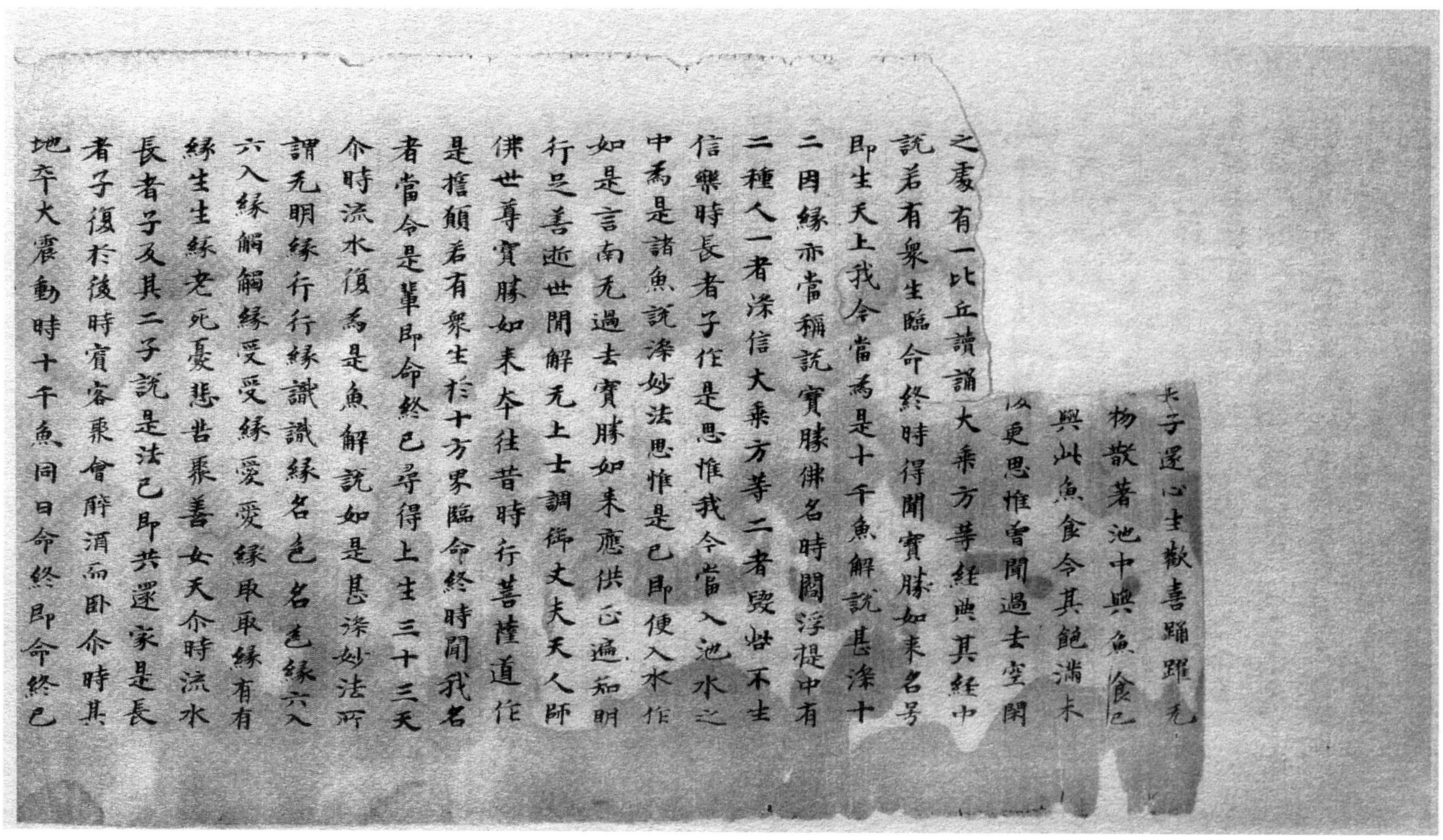

長子還心生歡喜踊躍无
物散著池中與魚食已
與此魚食令其飽滿未
以更思惟曾聞過去空閑
之處有一比丘讀誦大乘方等經典其經中
說若有眾生臨命終時得聞寶勝如來名号
即生天上我今當為是十千魚解說甚深十
二因緣亦當稱說寶勝佛名時閻浮提中有
二種人一者深信大乘方等二者毀呰不生
信樂時長者子作是思惟我今當入池水之
中為是諸魚說深妙法思惟是已即便入水作
如是言南无過去寶勝如來應供正遍知明
行足善逝世間解无上士調御丈夫天人師
佛世尊寶勝如來本往昔時行菩薩道作
是誓願若有眾生扵十方界臨命終時聞我名
者當令是輩即命終已尋得上生三十三天
爾時流水復為是魚解說如是甚深妙法所
謂无明緣行行緣識識緣名色名色緣六入
六入緣觸觸緣受受緣愛愛緣取取緣有有
緣生生緣老死憂悲苦惱善女天爾時流水
長者子及其二子說是法已即共還家是長
者子復扵後時賓客聚會醉酒而卧爾時其
地卒大震動時十千魚同日命終即命終已

BD00123 號　合部金光明經（異卷）卷八　　（18–1）

緣生生緣老死憂悲苦聚善女天尒時流水
長者子及其二子説是法已即共還家是長
者子復於後時賓客衆會醉酒而卧尒時其
地卒大震動時十千魚同日命終即命終已
生忉利天既生天已作是思惟我等以何善業
因緣得生於此忉利天中復相謂言我等先
於閻浮提内墮畜生中受於魚身流水長者
與我等水及以飲食復為我等解説甚深十
二因緣并稱寶勝如來名号以是因緣令我
等輩得生此天是故我等今當往至長者子
所報恩供養尒時十千天子從忉利天下閻
浮提至流水長者子大醫王家時長者子在
樓屋上露卧眠睡是十千天子以十千真珠
天妙纓絡置其頭邊復以十千置其足邊復
以十千置右脅邊復以十千置左脅邊雨曼
陁羅華摩訶曼陁羅華積至于膝種種天
樂出妙音聲閻浮提中有睡眠者皆悉覺寤
流水長者子亦從睡寤是十千天子於上空中
飛騰遊行於天自在光王國内處處皆雨天
妙蓮華是諸天子復至本處空澤池所復
雨天華便從此没還忉利宫随意自在受天
五欲時閻浮提過是夜已天自在光王問諸大
臣今夜何緣示現如是淨妙瑞相有大光明
大臣荅王大王當知忉利諸天於流水長者
子家雨四十千真珠纓絡及不可計曼陁羅
華王即告臣卿可往至彼長者子所善言誘
喻唤令使來大臣受勑即至其家宣王教令唤

BD00123號　合部金光明經（異卷）卷八　（18-2）

子家雨四十千真珠纓絡及不可計曼陁羅
華王即告臣卿可往至彼長者子所善言誘
喻唤令使來大臣受勑即至其家宣王教令唤
是長者是時長者尋至王所王問長者何緣
示現如是瑞相長者子言我必定知是十千魚
其命已終時大王言今可遣人審實是事
尒時流水尋遣其子至彼池所看是諸魚死
活定實尒時其子聞是語已向於彼池既至
池已見其池中多有摩訶曼陁羅華積聚
成積其中諸魚悉皆命終見已即還白其父
言彼諸魚等悉已命終尒時流水知是事已
復往王所作如是言是十千魚悉皆命終王聞
是已心生歡喜尒時世尊告道場菩提樹神
善女天欲知尒時流水長者子者今我身是
長子水空今羅睺羅是次子水藏今阿難是
時十千魚者今十千天子是是故我今為其
授阿耨多羅三藐三菩提記尒時樹神現半
身者今汝身是
金光明經捨身品第廿二
尒時道場菩提樹神復白佛言世尊我聞世
尊過去脩行菩薩道時具受无量百千苦行
捐捨身命肉血骨髓唯願世尊少説往昔
行因緣為利衆生受諸快樂尒時世尊即現
神足神足力故令此大地六種震動於大講
堂衆會之中有七寶塔從地涌出衆寶羅網
彌覆其上尒時大衆見是事已生希有心尒
時世尊即從座起礼拜是塔恭敬圍遶還

BD00123號　合部金光明經（異卷）卷八　（18-3）

弥覆其上尒時大衆見是事已生希有心尒
時世尊即從座起礼拜是塔恭敬圍遶還
就本坐尒時道場菩提樹神白佛言世尊如
來世雄出現於世常為一切之所恭敬於諸衆
生最勝最尊何因緣故礼拜是塔佛言善女
天我本脩行菩薩道時我身舍利安止是塔
因由是身令我早成阿耨多羅三藐三菩提
尒時佛告尊者阿難汝可開塔取中舍利示
此大衆是舍利者乃是无量六波羅蜜功德
所薰尒時阿難聞佛教勅即往塔所礼拜供
養開其塔戶見其塔中有七寶函以手開函
見其舍利色妙紅白而白佛言世尊是中舍
利其色紅白佛告阿難汝可持來此是大士
真身舍利尒時阿難即舉寶函還至佛所持
以上佛尒時佛告一切大衆汝等今可礼是
舍利此舍利者是戒定慧之所薰脩甚難可
得最上福田尒時大衆聞是語已心懷歡喜
即從座起合掌恭敬頂礼菩薩大士舍利尒
時世尊欲為大衆斷疑網故說是舍利往昔
因緣阿難過去之世有王名曰摩訶羅陀脩
行善法善治國土无有怨敵時有三子端正
微妙形色殊特威德第一第一太子名摩訶
波那羅次子名曰摩訶提婆小子名曰摩訶
薩埵是三王子於諸園林遊戲觀看次第漸
到一大竹林憩駕心息第一王子作如是言
我於今日心甚怖懷於是林中將无衰損第
二王子復作是言我於今日不自惜身但離

到一大竹林憩駕心息第一王子作如是言
我於今日心甚怖懷於是林中將无衰損第
二王子復作是言我於今日不自惜身但離
所愛心憂愁耳第三王子復作是言我於今
日獨无怖懷亦无愁惱山中空寂神仙所讚
是處閑靜能令行人安隱受樂時諸王子說
是語已轉復前行見有一乕適產七日而有
七子圍遶周帀飢餓窮悴身體羸損命欲
將絕第一王子見是乕已作如是言怪哉此
乕產來七日七子圍遶不得求食若為飢逼必
還啖子第三王子言此乕經常所食何物第一
王子言此乕唯新熱肉血第三王子言君
等誰能與此乕食第二王子言此乕飢餓
身體羸瘦窮困頓之餘命无幾不容餘處為
其求食設餘求者命必不濟誰能為此不惜
身命第一王子言一切難捨不過己身第三
王子言我等今者以貪惜故於此身命不能
放捨智慧薄少故於是事而生驚怖若諸大
士欲利益他生大悲心為衆生者捨此身命
不足為難時諸王子心大愁憂久住視之目
未曾捨作是觀已尋便離去尒時第三王子
作是念言我今捨身時已到矣何以故我從
昔來多棄是身都无所為亦常愛護處之
屋宅又復供給衣服飲食卧具醫藥象馬車
乘隨時將養令无所乏而不知恩反生怨害然
復不免无常敗壞復次是身不堅无所利益
可惡如賊猶若行廁我於今日當使此身作

乘隨將養令无所乏而不知恩反生怨害然
復不免无常敗壞復次是身不堅无所利益
可惡如賊猶若行廁我於今日當使此身作
无上業於生死海中作大橋梁復次若捨此
身則捨无量癰疽癉疾百千怖畏是身唯有
大小便利是身不堅如水上沫是身不淨多
諸虫户是身不淨筋經血塗皮骨髓腦共相
連持如是觀察甚可患猒是故我今應當捨
離以求寂滅无上涅槃永離憂患无常變異
生死休息无諸塵累无量禪定智慧功德具
足成就微妙法身百福莊嚴諸佛所讚證成
如是无上法身與諸衆生无量法樂是時王
子勇猛堪任作是大願以上大悲熏脩其心
慮其二兄心懷怖懼或恐固遮為作留難即
便語言兄等今者可與眷屬還其所止尒時
王子摩訶薩埵還至虎所脫身衣裳置竹枝
上作是誓言我今為利諸衆生故證於最勝
无上道故大悲不動捨難捨故為求菩提智
所讚故欲度三有諸衆生故滅生死怖衆惱
熱故是時王子作是誓已即自放身卧餓虎
前是時王子以大悲力故虎无能為王子復
作如是念言虎今羸瘦身无勢力不能得我
身血肉食即起求刀周遍求之了不能得即
以乾竹刺頸出血於高山上投身虎前是時
大地六種震動日无精光如羅睺羅阿脩羅
王捉持鄣蔽又雨雜華種種妙香時虛空中
有諸餘天見是事已心生歡喜歎未曾有讚

大地六種震動日无精光如羅睺羅阿脩羅
王捉持鄣蔽又雨雜華種種妙香時虛空中
有諸餘天見是事已心生歡喜歎未曾有讚
言善哉善哉大士汝今真是行大悲者為衆
生故能捨難捨於諸學人第一勇健汝已為
得諸佛所讚常樂住處不久當證无惱无熱
清涼涅槃是虎尒時見血流出汙王子身即
便舐血噉食其肉唯留餘骨尒時第一王子
見地大動為第二王子而說偈言
震動大地　及以大海　日无精光　如有覆蔽
於上虛空　雨諸華香　必是我弟　捨所愛身
第二王子復說偈言
彼虎產來　已經七日　七子圍遶　窮无飲食
氣力羸損　命不云遠　小弟大悲　知其窮悴
懼不堪忍　還食其子　愍定捨身　以救彼命
時二王子心大愁怖涕泣悲歎容貌憔悴復
共相將還至虎所見弟所著被服衣裳皆悉
在一竹枝之上骸骨髮爪布散狼藉流血處
處汙其地見已悶絶不自勝持投身骨上
良久乃穌即起舉手哮天而哭我弟幼稚才
能過人特為父母之所愛念奄忽捨身以飴
餓虎我今還宮父母設問當云何荅我寧在
此并命一處不忍見是骸骨髮爪何心捨離
還見父母妻子眷屬朋友知識時二王子悲
號懊惱漸捨而去時小王子所將侍從各散
諸方互相謂言今者我天為何所在尒時王
妃於睡夢中夢乳被割牙齒墮落得三鴿
鶵一為鷹食尒時王妃大地動時即便驚寤

號慟悩漸捨而去時小王子所將侍從各散
諸方互相謂言今者我天為何所在尒時王
妃於睡夢中夢乳被割牙齒墮落得三鴿
鶵一為鷹食尒時王妃大地動時即便驚寤
心大愁怖而說偈言
今日何故 大地大水 一切皆動 物不安所
日无精光 如有覆蔽 我心憂苦 目瞤瞤動
如我今者 所見瑞相 必有災異 不祥苦惱
於是王妃說是偈已時有青衣在外已聞王
子消息心驚惶怖尋即入內啓白王妃作如
是言向者在外聞諸侍從推覓王子不知所
在王妃聞已生大憂苦涕泣滿目至大王所
我於向者傳聞外人失我最小所愛之子大
王聞已而復悶絶悲哽苦惱收淚而言如何
今日失我心中所愛重者尒時世尊欲重宣
此義而說偈言
我於往昔 无量劫中 捨所重身 以求菩提
若為國王 及作王子 常捨難捨 以求菩提
我念宿命 有大國王 其王名曰 摩訶羅陁
是王有子 能大布施 其子名曰 摩訶薩埵
復有二兄 長者名曰 大波羅那 次名大天
三人同遊 至一空山 見新產虎 飢窮无食
時勝大士 生大悲心 我今當捨 所重之身
此虎或為 飢餓所逼 儻能還食 自所生子
即上高山 自投虎前 為令虎子 得全性命
是時大地 及諸大山 皆悉震動 驚諸虫獸
虎狼師子 四散馳走 世間皆闇 无有光明

是時大地 及諸大山 皆悉震動 驚諸虫獸
虎狼師子 四散馳走 世間皆闇 无有光明
是時二兄 故在竹林 心懷憂惱 愁苦涕泣
漸漸推求 遂至虎所 見虎虎子 血汙其口
又見骸骨 髮毛爪齒 處處迸血 狼藉在地
時二王子 見是事已 心更悶絶 自擲於地
以灰塵土 自塗坌身 忘失正念 生狂癡心
所將侍從 覩見是事 亦生悲慟 失聲號哭
耳以冷水 共相噴灑 然後蘇息 而復得起
是時王子 當捨身時 正値後宮 妃后綵女
眷屬五百 共相娛樂 王妃是時 兩乳汁出
一切枝節 痛如針刺 心生愁惱 以喪愛子
於是王妃 疾至王所 其聲微細 悲泣而言
大王今當 諦聽諦聽 憂愁盛大 今來燒我
我今二乳 俱時汁出 身體苦切 如被針刺
我見如是 不祥瑞相 恐更不復 見所愛子
今以身命 奉上大王 願速遣人 求覓我子
夢三鴿鶵 在我懷抱 其最小者 可適我心
有鷹飛來 奪我而去 夢是事已 即生憂惱
我今愁怖 恐命不濟 唯願遣人 推求我子
是時王妃 說是語已 即時悶絶 而復擗地
王聞是語 復生憂惱 以不得見 所愛子故
其王大臣 及諸眷屬 悉皆聚集 在王左右
哀哭悲號 聲動天地 尒時城內 所有人民
聞是聲已 驚愕而出 各相謂言 今是王子
為活來邪 為已死亡 如是大士 常出軟語

聞是聲已　驚愕而出　各相謂言　今是王子
為活来邪　為已死亡　如是大士　常出軟語
為衆所愛　今難可見　已有諸人　入林推求
不久自當　得定消息　諸人尒時　章惶如是
而復悲號　哀動神祇
尒時大王　即從座起　以水灑地　良久乃蘇
還得正念　微聲問王　我子今者　為死活邪
尒時王妃　念其子故　憶復懊惱　心无暫捨
可惜我子　形色端正　如何一旦　捨我終亡
云何我身　不先薨沒　而見如是　諸苦惱事
善子妙色　猶如蓮華　誰懷汝身　使令分離
將非是我　昔日怨讎　挾本業緣　而殺汝邪
我子面目　淨如滿月　不圖一旦　遇斯禍對
寧使我身　碎破如塵　不令我子　喪失身命
我所見夢　已為得報　值我无情　能堪是苦
如我所夢　牙齒墮落　二乳一時　汁自流出
必定是我　失所愛子　夢三鴿鶵　鷹奪一去
三子之中　必定失一
尒時大王　即告其妃　我今當遣　大臣使者
周遍東西　推求覓子　汝今且可　莫大憂惱
大王如是　慰喻妃已　即便嚴駕　出其宮殿
心生愁惱　憂苦所切　雖在大衆　顏貌憔悴
即出其城　覓所愛子　尒時亦有　无量諸人
哀號動地　尋從王後
是時大王　既出城已　四向顧望　求覓其子
煩冤心亂　靡知所在　最後遥見　有一信来
頭蒙塵土　血汙其衣　灰土塗身　悲號而至

是時大王　既出城已　四向顧望　求覓其子
煩冤心亂　靡知所在　最後遥見　有一信来
頭蒙塵土　血汙其衣　灰土塗身　悲號而至
尒時大王　摩訶羅陁　見是使已　倍生懊惱
舉手號叫　仰天而哭　先所遣臣　尋復来至
既至王所　住如是言　願王莫愁　諸子猶在
不久當至　令王得見　須臾之頃　復有臣来
見王愁苦　顏色憔悴　身所著衣　垢膩塵汙
大王當知　一子已終　二子雖存　哀悴无賴
第三王子　見乕新産　飢窮七日　恐還食子
見是乕已　深生悲心　發大誓願　當度衆生
於未来世　證成菩提　即上高山　投身餓乕
乕飢所逼　便起噉食　一切血肉　已為都盡
唯有骸骨　狼藉在地　是時大王　聞臣語已
轉復悶絶　失念躃地　憂愁盛火　熾燃其身
諸臣眷屬　亦復如是　以水灑王　良久乃蘇
復起舉手　號天而哭　復有臣来　而白王言
向於林中　見二王子　愁憂苦毒　悲號啼哭
迷悶失志　自投於地　臣即求水　灑其身上
良久之頃　乃還蘇息　望見四方　大火熾然
扶持暫起　尋復躃地　舉手悲哀　號天而哭
乍復讚歎　其弟功德　是時大王　以離愛子
其心迷沒　氣力惙然　憂惱涕泣　并復思惟
是最小子　我所愛重　无常大鬼　奄便吞食
其餘二子　今雖存在　而為憂火　之所焚燒
或能為是　喪失命根　我宜速往　至彼林中

是最小子　我所愛重　无常大鬼　奄便吞食
其餘二子　今雖存在　而為憂火　之所焚燒
或能為是　喪失命根　我宜速往　至彼林中
迎載諸子　急還宮殿　其母在後　憂惱逼切
心肝分裂　或能失命　若見二子　慰喻其心
可使終保　餘年壽命　尒時大王　駕乘名象
與諸侍從　欲至彼林　即於中路　見其二子
號天扣地　稱弟名字　時王即前　抱持二子
悲號涕泣　隨路還宮　速令二子　覲見其母
佛告樹神　汝今當知　尒時王子　摩訶薩埵
捨身餧虎　今我身是　尒時大王　摩訶羅陁
於今父王　輸頭檀是　尒時王妃　今摩耶是
第一王子　今彌勒是　第二王子　今調達是
尒時虎者　今瞿夷是　時虎七子　今五比丘
及舍利弗　目揵連是
尒時大王摩訶羅陁及其妃后悲號涕泣悉皆
脫身御服瓔珞與諸大衆往竹林中收其舍
利即於此處起七寶塔是時王子摩訶薩
埵臨捨命時作是誓願我舍利於未來世
過筭數劫常為衆生而作佛事說是經時无
量阿僧祇天及人發阿耨多羅三藐三菩提
心樹神是名礼塔往昔因緣尒時佛神力故
是七寶塔即沒不現
金光明經讚佛品第廿三
尒時无量百千万億諸菩薩衆從此世界至金
寶蓋山王如来國土到彼土已五體投地為
佛作礼却一面立向佛合掌異口同音而讚

BD00123號　合部金光明經（異卷）卷八　（18–12）

金光明經讚佛品第廿三
尒時无量百千万億諸菩薩衆從此世界至金
寶蓋山王如来國土到彼土已五體投地為
佛作礼却一面立向佛合掌異口同音而讚
歎佛
如来之身　金色微妙　其明照曜　如金山王
身淨柔軟　如金蓮華　无量妙相　以自莊嚴
隨形之好　光飾其體　淨潔无比　如紫金山
圓足无垢　如淨滿月　其音清徹　妙如梵聲
師子吼聲　大雷震聲　六種清淨　微妙音聲
迦陵頻伽　孔雀之聲　清淨无垢　威德具足
百福相好　莊嚴其身　光明遠照　无有齊限
智慧寂滅　无諸愛習　世尊成就　无量功德
譬如大海　須弥寶山　為諸衆生　生憐愍心
於未来世　能與快樂　如来所說　第一深義
能令衆生　寂滅安隱　能與衆生　无量快樂
能演无上　甘露妙法　能開无上　甘露法門
能入一切　无患宮宅　能令衆生　悉得解脫
度於三有　无量苦海　安住正道　无諸憂苦
如来世尊　功德智慧　大慈悲力　精進方便
如是无量　不可稱計　我等今者　不能說喻
諸天世人　於无量劫　盡思度量　不能得知
如来所有　功德智慧　无量大海　一渧少分
我今略讚　如来功德　百千億分　不能宣一
若我功德　得聚集者　迴與衆生　證无上道
尒時信相菩薩即於此會從座而起偏袒右
肩右膝著地合掌向佛而說讚言

BD00123號　合部金光明經（異卷）卷八　（18–13）

尒時信相菩薩即於此會從座而起偏袒右
肩右膝著地合掌向佛而說讚言
世尊百福　相好微妙　功德千數　莊嚴其身
色淨遠照　視之无猒　如日千光　弥滿虛空
光明熾盛　无量无邊　猶如无數　珎寶大聚
其明五色　青紅赤白　琉璃頗梨　如融真金
光明赫奕　通徹諸山　悉能遠照　无量佛土
能滅眾生　无量苦惱　又與眾生　上妙快樂
諸根清淨　微妙第一　眾生見者　无有猒足
髮紺柔軟　猶孔雀項　如諸蜂王　集在蓮華
清淨大悲　功德莊嚴　无量三昧　及以大悲
如是功德　悉已聚集　相好妙色　嚴飾其身
種種功德　易成菩提
如來悉能　調伏眾生　令心柔軟　受諸快樂
種種深妙　功德莊嚴　亦為十方　諸佛所讚
其光遠照　遍於諸方　猶如日月　充滿虛空
功德成就　如須弥山　在在示現　於諸世界
齒白齊整　猶如珂雪　其德如日　處空明顯
眉間豪相　右旋宛轉　光明流出　如琉璃珠
其色微妙　如日處空
尒時道場菩提樹神復說讚曰
南无清淨　无上正覺　甚深妙法　隨順覺了
遠離一切　非法非道　獨拔而出　成佛正覺
知有非有　本性清淨
希有希有　如來功德　希有希有　如來大海
希有希有　如須弥山　希有希有　佛无邊行
希有希有　佛出今世　如優曇華　時一現

BD00123號　合部金光明經（異卷）卷八　（18–14）

知有非有　本性清淨
希有希有　如來功德　希有希有　如來大海
希有希有　如須弥山　希有希有　佛无邊行
希有希有　佛出於世　如優曇華　時一現耳
希有希有　无量大悲　釋迦牟尼　為人中日
為欲利益　諸眾生故　宣說如是　妙寶經典
善哉如來　諸根寂滅　而復遊入　善寂大城
无垢清淨　甚深三昧　入於諸佛　所行之處
一切聲聞　身皆空寂　兩足世尊　行處亦空
如是一切　无量諸法　推本性相　亦皆空寂
一切眾生　性相亦空　狂愚心故　不能覺知
我常念佛　樂見世尊　常作誓願　不離佛白
我常於地　長跪合掌　其心戀慕　欲見於佛
我常脩行　最上大悲　哀泣雨淚　欲見於佛
我常渴仰　欲見於佛　為是事故　憂火熾然
唯願世尊　賜我慈悲　清冷法水　以滅是火
世尊慈愍　悲心无量　願使我身　常得見佛
世尊常護　一切人天　是故我今　渴仰欲見
聲聞之身　猶如虛空　焰幻響化　如水中月
眾生之身　如夢所見　如來行處　淨如瑠璃
雨於无上　甘露法雨　能與眾生　无量快樂
如來行處　微妙甚深　一切眾生　无能知者
五通神仙　及諸聲聞　一切緣覺　亦不能知
我今不疑　佛所行處　唯願慈悲　為我現身
尒時世尊　從三昧起　以妙法音　而讚歎言
善哉善哉　樹神善女　汝於今日　快說是言
金光明經付屬品第廿四

BD00123號　合部金光明經（異卷）卷八　（18–15）

善哉善哉　樹神善女　汝於今日　快說是言

金光明經付屬品第廿四

尒時世尊告彼大菩薩衆言汝等善丈夫輩
誰能守護此諸如來阿僧祇劫集城菩提於
我滅後以此法本當作廣現令正法久住故
尒時彼菩薩衆中有六十俱致菩薩及六十
俱致天女同以一咽唯聲說如是言世尊我
等堪能守護此諸如來阿僧祇劫集成菩
提於彼後時當作廣現尒時世尊說此伽他

諸佛是實語　安住於實法　彼等實住故　此經增住持
大悲為鎧甲　大慈為安住　彼等慈力故　此經增住持
福聚為鎧甲　智聚所出生　諸聚和合故　此經增住持
降伏諸摩羅　諸論亦破散　已斷於諸見　此經增住持
護世天帝等　諸梵及脩羅　天龍乾闥婆　住持此已作
地住及虛空　所有諸天女　諸佛住持故　已說此行法
梵行相應故　四寶已莊嚴　盡四摩羅故　此經增住持
虛空若作色　或色作非色　諸佛所住持　无有能令動

尒時四大天王同以一咽唯聲說此伽他

我等於此經　守護當如是　及子諸眷屬　亦善作守護
若當持此者　菩提已作緣　我當近彼等　四方作守護

尒時天帝向佛說此伽他

我知諸佛恩　導師亦已證　於此勝經典　已說佛出生
我於彼諸佛　報恩當作護　當護如是經　及彼持經者

尒時娑訶世界主大梵天王向佛說此伽他

諸定及无量　諸乘及解脫　皆由此經出　已說佛出生
我捨梵衆樂　此經所在處　至彼聽聞故　守護當如是

BD00123號　合部金光明經（異卷）卷八

（18–16）

諸定及无量　諸乘及解脫　皆由此經出　已說佛出生
我捨梵衆樂　此經所在處　至彼聽聞故　守護當如是

尒時刪兜率多天子向佛說此伽他

若住於菩提　彼當住兜率　此經佛已說　若當有持者
世尊我當能　捨於天福報　閻浮洲內住　當說此行法

尒時商主摩羅子向佛說此伽他

清淨摩羅業　彼不隨摩羅　若當能持此　脩多羅正義
我等於此經　守護當如是　我發精進故　如是令廣現

尒時摩羅波旱摩向佛說此伽他

我於彼衆生　當不作障礙　若當持此者　煩惱皆折伏
摩羅不得便　故說於此經　以佛住持故　我當護彼等

尒時善德天子向佛說此伽他

若諸佛菩提　彼於此經說　若持此經典　彼即供諸尊
我當持此經　為俱致天說　教化向菩提　當聽及敬重

尒時慈氏菩薩向佛說此伽他

不請之朋友　若彼住菩提　守護諸法故　能捨於自體
故我至兜率　如是脩多羅　以佛住持故　我當作廣顯

尒時上座摩訶迦葉波向佛說此伽他

我等少智慧　聲聞乘已說　隨能隨勢力　教師法當持
若有持此經　我當攝受彼　及以堪能辯　與彼作善言

尒時命者阿難陀向佛說此伽他

諸經多千數　我聞教師口　如是等經典　我先未曾聞
我值遇此經　對面已受承　我當作廣顯　欲求於菩提

佛說此時菩提高樹善神天女及彼大辯天女
等功德天女等諸天女及諸天衆釋梵輸沙
門等為首諸天王及彼諸大天聚乾闥婆

BD00123號　合部金光明經（異卷）卷八

（18–17）

若有持此經　我當攝受彼　及以堪能辯　與彼作善言
尒時命者阿難陀　向佛說此伽他
諸經多千數　我聞教師口　如是等經典　我先未曾聞
我值遇此經　對面已受取　我當作廣顯　欲求於菩提
佛說此時菩提高樹善蘄天女及彼大辯天女
等功德天女等諸天女及諸天衆釋梵蘄沙
門等爲首諸天王及彼諸大天衆乾闥婆
阿脩羅等世間於佛所說皆大歡喜

金光明經卷弟八

BD00123號　合部金光明經（異卷）卷八　（18–18）

[illegible]
父見子等苦惱如是依諸經方求好藥草色
香美味皆悉具足擣簁和合與子令服而作
是言此大良藥色香美味皆悉具足汝等可
服速除苦惱无復衆患其諸子中不失心者
見此良藥色香俱好即便服之病盡除愈餘
失心者見其父來雖亦歡喜問訊求索治病
然與其藥而不肯服所以者何毒氣深入失
本心故於此好色香藥而謂不美父作是念
此子可愍爲毒所中心皆顛倒雖見我喜求
索救療如是好藥而不肯服我今當設方便
令服此藥即作是言汝等當知我今衰老死
時已至是好良藥今留在此汝可取服勿憂
不差作是教已復至他國遣使還告汝父已
死是時諸子聞父背喪心大憂惱而作是念
若父在者慈愍我等能見救護今者捨我遠
喪他國自惟孤露无復恃怙常懷悲感心遂
醒悟乃知此藥色味香美即取服之毒病皆
愈其父聞子悉已得差尋便來歸咸使見之
諸善男子於意云何頗有人能說此良醫虛
妄罪不不也世尊佛言我亦如是成佛已來

BD00124號　妙法蓮華經（八卷本）卷六　（19–1）

[illegible]服之毒病皆
愈具父聞子悉已得差尋便來歸咸使見之
諸善男子於意云何頗有人能說此良醫虛
妄罪不不也世尊佛言我亦如是成佛已來
无量无邊百千万億那由他阿僧祇劫為衆
生故以方便力言當滅度亦无有能如法說
我虛妄過者尒時世尊欲重宣此義而說偈
言
自我得佛來　所經諸劫數　无量百千万　億載阿僧祇
常說法教化　无數億衆生　令入於佛道　尒來无量劫
為度衆生故　方便現涅槃　而實不滅度　常住此說法
我常住於此　以諸神通力　令顛倒衆生　雖近而不見
衆見我滅度　廣供養舍利　咸皆懷戀慕　而生渴仰心
衆生既信伏　質直意柔耎　一心欲見佛　不自惜身命
時我及衆僧　俱出靈鷲山　我時語衆生　常在此不滅
以方便力故　現有滅不滅　餘國有衆生　恭敬信樂者
我復於彼中　為說无上法　汝等不聞此　但謂我滅度
我見諸衆生　沒在於苦惱　故不為現身　令其生渴仰
因其心戀慕　乃出為說法　神通力如是　於阿僧祇劫
常在靈鷲山　及餘諸住處　衆生見劫盡　大火所燒時
我此土安隱　天人常充滿　園林諸堂閣　種種寶莊嚴
寶樹多花菓　衆生所遊樂　諸天擊天鼓　常作衆伎樂
雨曼陁羅華　散佛及大衆　我淨土不毀　而衆見燒盡
憂怖諸苦惱　如是悉充滿　是諸罪衆生　以惡業因緣
過阿僧祇劫　不聞三寶名　諸有脩功德　柔和質直者
則皆見我身　在此而說法　或時為此衆　說佛壽无量
久乃見佛者　為說佛難值　我智力如是　慧光照无量
壽命无數劫　久脩業所得　汝等有智者　勿於此生疑

BD00124號　妙法蓮華經（八卷本）卷六　（19–2）

則皆見我身　在此而說法　或時為此衆　說佛壽无量
久乃見佛者　為說佛難值　我智力如是　慧光照无量
壽命无數劫　久脩業所得　汝等有智者　勿於此生疑
當斷令永盡　佛語實不虛　如醫善方便　為治狂子故
實在而言死　无能虛妄說　我亦為世父　救諸苦患者
為凡夫顛倒　實在而言滅　以常見我故　而生憍恣心
放逸著五欲　墮於惡道中　我常知衆生　行道不行道
隨應所可度　為說種種法　每自作是意　以何令衆生
得入无上道　速成就佛身

妙法蓮華經分別功德品第十七

尒時大會聞佛說壽命劫數長遠如是无量
无邊阿僧祇衆生得大饒益於時世尊告弥
勒菩薩摩訶薩阿逸多我說是如來壽命長
遠時六百八十万億那由他恒河沙衆生得
无生法忍復有千倍菩薩摩訶薩得聞持陁
羅尼門復有一世界微塵數菩薩摩訶薩得
樂說无㝵辯才復有一世界微塵數菩薩摩
訶薩得百万億无量旋陁羅尼復有三千大
千世界微塵數菩薩摩訶薩能轉不退法輪
復有二千中國土微塵數菩薩摩訶薩能轉
清淨法輪復有小千國土微塵數菩薩摩訶
薩八生當得阿耨多羅三藐三菩提復有四
四天下微塵數菩薩摩訶薩四生當得阿耨
多羅三藐三菩提復有三四天下微塵數菩
薩摩訶薩三生當得阿耨多羅三藐三菩提
復有二四天下微塵數菩薩摩訶薩二生當
得阿耨多羅三藐三菩提復有一四天下微

BD00124號　妙法蓮華經（八卷本）卷六　（19–3）

薩摩訶薩三生當得阿耨多羅三藐三菩提
復有二四天下微塵數菩薩摩訶薩二生當
得阿耨多羅三藐三菩提復有一四天下微
塵數菩薩摩訶薩一生當得阿耨多羅三藐
三菩提復有八世界微塵數衆生皆發阿耨
多羅三藐三菩提心佛說是諸菩薩摩訶薩
得大法利時於虛空中雨曼陁羅華摩訶曼
陁羅華以散无量百千万億寶樹下師子座
上諸佛并散七寶塔中師子座上釋迦牟尼
佛及久滅度多寶如來亦散一切諸大菩薩
及四部衆又雨細末旃檀沈水香等於虛空
中天鼓自鳴妙聲深遠又雨千種天衣垂諸
瓔珞真珠瓔珞摩尼珠瓔珞如意珠瓔珞遍
於九方衆寶香爐燒无價香自然周至供養
大會一一佛上有諸菩薩執持幡蓋次第而
上至于梵天是諸菩薩以妙音聲歌无量頌
讚嘆諸佛尒時弥勒菩薩從座而起偏袒右
肩合掌向佛而說偈言
佛說希有法　昔所未曾聞　世尊有大力　壽命不可量
无數諸佛子　聞世尊分別　說得法利者　歡喜充遍身
或住不退地　或得陁羅尼　或无㝵樂說　万億旋總持
或有大千界　微塵數菩薩　各各皆能轉　不退之法輪
復有中千界　微塵數菩薩　各各皆能轉　清淨之法輪
復有小千界　微塵數菩薩　餘各八生在　當得成佛道
復有四三二　如是四天下　微塵數菩薩　隨數生成佛
或一四天下　微塵數菩薩　餘有一生在　當成一切智
如是等衆生　聞佛壽長遠　得无量无漏　清淨之果報

BD00124號　妙法蓮華經（八卷本）卷六　（19–4）

復有小千界　微塵數菩薩　餘各八生在　當得成佛道
復有四三二　如是四天下　微塵數菩薩　隨數生成佛
或一四天下　微塵數菩薩　餘有一生在　當成一切智
如是等衆生　聞佛壽長遠　得无量无漏　清淨之果報
復有八世界　微塵數衆生　聞佛說壽命　皆發无上心
世尊說无量　不可思議法　多有所饒益　如虛空无邊
雨天曼陁羅　摩訶曼陁羅　釋梵如恒沙　无數佛土來
雨旃檀沈香　繽紛而亂墜　如鳥飛空下　供散於諸佛
天鼓虛空中　自然出妙聲　天衣千万種　旋轉而來下
衆寶妙香爐　燒无價之香　自然悉周遍　供養諸世尊
其大菩薩衆　執七寶幡蓋　高妙万億種　次第至梵天
一一諸佛前　寶幢懸勝幡　亦以千万偈　歌詠諸如來
如是種種事　昔所未曾有　聞佛壽无量　一切皆歡喜
佛名聞十方　廣饒益衆生　一切具善根　以助无上心
尒時佛告弥勒菩薩摩訶薩阿逸多其有衆
生聞佛壽命長遠如是乃至能生一念信解
所得功德无有限量若有善男子善女人為
阿耨多羅三藐三菩提故於八十万億那由
他劫行五波羅蜜檀波羅蜜尸波羅蜜羼提
波羅蜜毗梨耶波羅蜜禪波羅蜜除般若波
羅蜜以是功德比前功德百分千分百千万
億分不及其一乃至算數譬喻所不能知若
善男子有如是功德於阿耨多羅三藐三菩
提退者无有是處尒時世尊欲重宣此義而
說偈言
若人求佛慧　於八十万億　那由他劫數　行五波羅蜜
於是諸劫中　布施供養佛　及緣覺弟子　并諸菩薩衆

BD00124號　妙法蓮華經（八卷本）卷六　（19–5）

提退者无有是處尒特世尊欲重宣此義而
說偈言
若人求佛慧　於八十万億　那由他劫數　行五波羅蜜
於是諸劫中　布施供養佛　及緣覺弟子　并諸菩薩衆
珍異之飲食　上服與卧具　栴檀立精舍　以園林莊嚴
如是等布施　種種皆微妙　盡此諸劫數　以迴向佛道
若復持禁戒　清淨无缺漏　求於无上道　諸佛之所嘆
若復行忍辱　住於調柔地　設衆惡來加　其心不傾動
諸有得法者　懷於增上慢　為此所輕惱　如是亦能忍
若復勤精進　志念常堅固　於无量億劫　一心不懈息
又於无數劫　住於空閑處　若坐若經行　除睡常攝心
以是因緣故　能生諸禪定　八十億万劫　安住心不乱
持此一心福　願求无上道　我得一切智　盡諸禪定際
是人於百千　万億劫數中　行此諸功德　如上之所說
有善男女等　聞我說壽命　乃至一念信　其福過於彼
若人悉无有　一切諸疑悔　深心須臾信　其福為如此
其有諸菩薩　无量劫行道　聞我說壽命　是則能信受
如是諸人等　頂受此經典　願我於未來　長壽度衆生
如今日世尊　諸釋中之王　道場師子吼　說法无所畏
我等未來世　一切所尊敬　坐於道場時　說壽亦如是
若有深心者　清淨而質直　多聞能摠持　隨義解佛語
如是之人等　於此无有疑
又阿逸多若有聞佛壽命長遠解其言趣是
人所得功德无有限量能起如來无上之慧
何況廣聞是經若教人聞若自持若教人持
若自書若教人書若以華香瓔珞幢幡繒蓋
香油酥燈供養經卷是人功德无量无邊

BD00124號　妙法蓮華經（八卷本）卷六　（19–6）

无量以此現前供養於我及比丘僧是故我
說如來滅後若有受持讀誦為他人說若自
書若教人書供養經卷不須復起塔寺及造
僧坊供養衆僧況復有人能持是經兼行布
施持戒忍辱精進一心智慧其德最勝无量
无邊辟如虛空東西南北四維上下无量无
邊是人功德亦復如是无量无邊疾至一切
種智若人讀誦受持是經為他人說若自書
若教人書復能起塔及造僧坊供養讚嘆聲
聞衆僧亦以百千万億讚嘆之法讚嘆菩薩
功德又為他人種種因緣隨義解說此法華
經復能清淨持戒與柔和者而共同止忍辱
无嗔志念堅固常貴坐禪得諸深定精進勇
猛攝諸善法利根智慧善荅問難阿逸多若
我滅後諸善男子善女人受持讀誦是經典
者復有如是諸善功德當知是人已趣道場
近阿耨多羅三藐三菩提坐道樹下阿逸多
是善男子若坐若立若行處是中便應起
塔一切天人皆應供養如佛之塔尒特世尊
欲重宣此義而說偈言
若我滅度後　能奉持此經　斯人福无量　如上之所說
是則為具足　一切諸供養　以舍利起塔　七寶而莊嚴
表刹甚高廣　漸小至梵天　寶鈴千万億　風動出妙音
又於无量劫　而供養此塔　華香諸瓔珞　天衣衆伎樂
然香油蘇燈　周匝常照明　惡世法末特　能持是經者
則為已如上　具足諸供養　若能持此經　則如佛現在
以牛頭栴檀　起僧坊供養　堂有三十二　高八多羅樹

BD00124號　妙法蓮華經（八卷本）卷六　（19–7）

何況廣聞是經若教人聞若自持若教人持
若自書若教人書若以華香瓔珞幢幡繒蓋
香油蘇燈供養經卷是人功德无量无邊能
生一切種智阿逸多若善男子善女人聞我
說壽命長遠深心信解則為見佛常在耆闍
崛山共大菩薩諸聲聞衆圍遶說法又見此
娑婆世界其地琉璃坦然平正閻浮檀金以
界八道寶樹行列諸臺樓觀皆悉寶成其菩
薩衆咸處其中若有能如是觀者當知是為
深信解相又復如來滅後若聞是經而不毀
呰起隨喜心當知已為深信解相何況讀誦
受持之者斯人則為頂戴如來阿逸多是善
男子善女人不須為我復起塔寺及作僧坊
以四事供養衆僧所以者何是善男子善女
人受持讀誦是經典者為已起塔造立僧坊
供養衆僧則為以佛舍利起七寶塔高廣漸
小至于梵天懸諸幡蓋及衆寶鈴華香瓔珞
末香塗香燒香衆鼓伎樂簫笛箜篌種種儛
戲以妙音聲歌唄讚誦則為於无量千万
億劫作是供養已阿逸多若我滅後聞是經
典有能受持若自書若教人書則為起立僧
坊以赤栴檀作諸殿堂三十有二高八多羅
樹高廣嚴好百千比丘於其中心園林流池
經行禪窟衣服飲食牀褥湯藥一切樂具充
滿其中如是僧坊堂閣若干百千万億其數
无量以此現前供養於我及比丘僧是故我
說如來滅後若有受持讀誦為他人說若自
書若教人書供養經卷不須復起塔寺

BD00124 號　妙法蓮華經（八卷本）卷六　（19–8）

然香油蘇燈　周匝常照明　惡世法末時　能持是經者
則為已如上　具足諸供養　若能持此經　則如佛現在
以牛頭栴檀　起僧坊供養　堂有三十二　高八多羅樹
上饌妙衣服　牀卧皆具足　百千衆住處　園林諸流池
經行及禪窟　種種皆嚴好　若有信解心　受持讀誦書
若復教人書　及供養經卷　散華香末香　以須曼瞻蔔
阿提目多伽　薰油常然之　如是供養者　得无量功德
如虛空无邊　其福亦如是　況復持此經　兼布施持戒
忍辱樂禪定　不瞋不惡口　恭敬於塔廟　謙下諸比丘
遠離自高心　常思惟智慧　有問難不瞋　隨順為解說
若能行是行　功德不可量　若見此法師　成就如是德
應以天華散　天衣覆其身　頭面接足礼　生心如佛想
又應作是念　不久詣道樹　得无漏无為　廣利諸天人
其所住止處　經行若坐卧　乃至說一偈　是中應起塔
莊嚴令妙好　種種以供養　佛子住此地　則是佛受用
常在於其中　經行及坐卧

妙法蓮華經隨喜功德品第十八

尒時弥勒菩薩摩訶薩白佛言世尊若有善
男子善女人聞是法華經隨喜者得幾所福
而說偈言
世尊滅度後　其有聞是經　若能隨喜者　為得幾所福
尒時佛告弥勒菩薩摩訶薩阿逸多如來滅
後若比丘比丘尼優婆塞優婆夷及餘智者
若長若幼聞是經隨喜已從法會出至於餘
處若在僧坊若空閑地若城邑巷陌聚落田
里如其所聞為父母宗親善友知識隨力演
說是諸人等聞已隨喜復行轉教餘人聞已

BD00124 號　妙法蓮華經（八卷本）卷六　（19–9）

處若在僧坊若空閑地若城邑巷陌聚落田
里如其所聞為父母宗親善友知識隨力演
說是諸人等聞已隨喜復行轉教餘人聞已
亦隨喜轉教如是展轉至第五十阿逸多其第
五十善男子善女人隨喜功德我今說之汝
當善聽若四百万億阿僧祇世界六趣四生
衆生卵生胎生濕生化生若有形无形有想
无想非有想非无想无足二足四足多足如
是等在衆生數者有人求福隨其所欲娛樂
之具皆給與之一一衆生與滿閻浮提金銀
琉璃車𤦲馬瑙珊瑚虎珀諸妙珎寶及象馬
車乘七寶所成宮殿樓閣等是大施主如是
布施滿八十年已而作是念我已施衆生娛
樂之具隨意所欲然此衆生皆已衰老年過
八十髮白面皺將死不久我當以佛法而訓
導之即集此衆生宣布法化示教利喜一時
皆得須陁洹道斯陁含道阿那含道阿羅漢
道盡諸有漏於深禪定皆得自在具八解脫
於汝意云何是大施主所得功德寧為多不
弥勒菩薩白佛言世尊是人功德甚多无量
无邊若是施主但施衆生一切樂具功德无量
何況令得阿羅漢果佛告弥勒我今分明語
汝是人以一切樂具施於四百万億阿僧祇
世界六趣衆生又令得阿羅漢果所得功德
不如是第五十人聞法華經一偈隨喜功德
百分千分百千万億分不及其一乃至筭數

不如是第五十人聞法華經一偈隨喜功德
百分千分百千万億分不及其一乃至筭數
譬喻所不能知阿逸多如是第五十人展轉
聞法華經隨喜功德尚无量无邊阿僧祇何
況最初於會中聞而隨喜者其福復勝无量
无邊阿僧祇不可得比又阿逸多若人為是
經故往詣僧坊若坐若立須臾聽受緣是功
德轉身所生得好上妙象馬車乘珎寶輦輿
及乘天宮若復有人於講法處坐更有人來
勸令坐聽若分座令坐是人功德轉身得帝
釋坐處若梵王坐處若轉輪聖王所坐之處
阿逸多若復有人語餘人言有經名法華可
共往聽即受其教乃至須臾間聞是人功德
轉身得與陁羅尼菩薩共生一處利根智慧
百千万世終不瘖瘂口氣不臭舌常无病口
亦无病齒不垢黑不黃不踈亦不缺落不差
不曲脣不下垂亦不褰縮不麁澁不瘡緊亦
不缺壞亦不喎斜不厚不大亦不梨黑无諸
可惡鼻不匾㔸亦不曲戾面色不黑亦不狹
長亦不窊曲无有一切不可喜相脣舌牙齒
悉皆嚴好鼻脩高直面貌圓滿眉高而長額
廣平正人相具足世世所生見佛聞法信受
教誨阿逸多汝且觀是勸於一人令往聽法
功德如此何況一心聽說讀誦而於大衆為
人分別如說脩行尒時世尊欲重宣此義而
說偈言
若人於法會　得聞是經典　乃至於一偈　隨喜為他說

人分別如說脩行尒時世尊欲重宣此義而
說偈言
若人於法會　得聞是經典　乃至於一偈　隨喜為他說
如是展轉教　至于第五十　冣後人獲福　今當分別之
如有大施主　供給无量衆　具滿八十歲　隨意之所欲
見彼衰老相　髮白而面皺　齒踈形枯竭　念其死不久
我今應當教　令得於道果　即為方便說　涅槃真實法
世皆不牢固　如水沫泡焰　汝等咸應當　疾生猒離心
諸人聞是法　皆得阿羅漢　具足六神通　三明八解脫
冣後第五十　聞一偈隨喜　是人福勝彼　不可為譬喻
如是展轉聞　其福尚无量　何況於法會　初聞隨喜者
若有勸一人　將引聽法華　言此經深妙　千万劫難遇
即受教往聽　乃至須臾聞　斯人之福報　今當分別說
世世无口患　齒不踈黃黑　脣不厚褰缺　无有可惡相
舌不乾黑短　鼻高脩且直　額廣而平正　面目悉端嚴
為人所喜見　口氣无臭穢　優鉢華之香　常從其口出
若故詣僧坊　欲聽法華經　須臾聞歡喜　今當說其福
後生天人中　得妙象馬車　珍寶之輦輿　及乘天宮殿
若於講法處　勸人坐聽經　是福因緣得　釋梵轉輪坐
何況一心聽　解說其義趣　如說而脩行　其福不可限
妙法蓮華經法師功德品第十九
尒時佛告常精進菩薩摩訶薩若善男子善
女人受持是法華經若讀若誦若解說若書
寫是人當得八百眼功德千二百耳功德八
百鼻功德千二百舌功德八百身功德千二
百意功德以是功德莊嚴六根皆令清淨是
善男子善女人父母所生清淨肉眼見於三

BD00124號　妙法蓮華經（八卷本）卷六　（19–12）

百鼻功德千二百舌功德八百身功德千二
百意功德以是功德莊嚴六根皆令清淨是
善男子善女人父母所生清淨肉眼見於三
千大千世界內外所有山林河海下至阿鼻
地獄上至有頂亦見其中一切衆生及業因
緣果報生處悉見悉知尒時世尊欲重宣此
義而說偈言
若於大衆中　以无所畏心　說是法華經　汝聽其功德
是人得八百　功德殊勝眼　以是莊嚴故　其目甚清淨
父母所生眼　悉見三千界　內外弥樓山　須弥及鐵圍
并諸餘山林　大海江河水　下至阿鼻獄　上至有頂處
其中諸衆生　一切皆悉見　雖未得天眼　肉眼力如是
復次常精進若善男子善女人受持此經若
讀若誦若解說若書寫得千二百耳功德以
是清淨耳聞三千大千世界下至阿鼻地獄
聲牛聲車聲啼哭聲愁歎聲螺聲鼓聲鍾聲
鈴聲咲聲語聲男聲女聲童子聲童女聲法
聲非法聲苦聲樂聲凡夫聲聖人聲喜聲不
喜聲天聲龍聲夜叉聲乾闥婆聲阿脩羅聲
迦樓羅聲緊那羅聲摩睺羅伽聲火聲水聲
風聲地獄聲畜生聲餓鬼聲比丘聲比丘尼
聲聲聞聲辟支佛聲菩薩聲佛聲以要言之
三千大千世界中一切內外所有諸聲雖未
得天耳以父母所生清淨常耳皆悉聞知如
是分別種種音聲而不壞耳根尒時世尊欲
重宣此義而說偈言
父母所生耳　清淨无濁穢　以此常耳聞　三千世界聲

BD00124號　妙法蓮華經（八卷本）卷六　（19–13）

是分別種種音聲而不壞耳根尒時世尊欲
重宣此義而說偈言
父母所生耳　清淨无濁穢　以此常耳聞　三千世界聲
象馬車牛聲　鍾鈴螺鼓聲　琴瑟箜篌聲　簫笛之音聲
清淨好歌聲　聽之而不著　无數種人聲　聞悉能解了
又聞諸天聲　微妙之歌音　及聞男女聲　童子童女聲
山川險谷中　迦陵頻伽聲　命命等諸鳥　悉聞其音聲
地獄衆苦痛　種種楚毒聲　餓鬼飢渴逼　求索飲食聲
諸阿脩羅等　居在大海邊　自共言語時　出于大音聲
如是說法者　安住於此間　遥聞是衆聲　而不壞耳根
十方世界中　禽獸鳴相呼　其說法之人　於此悉聞之
其諸梵天上　光音及遍淨　乃至有頂天　言語之音聲
法師住於此　悉皆得聞之　一切比丘衆　及諸比丘尼
若讀誦經典　若為他人說　法師住於此　悉皆得聞之
復有諸菩薩　讀誦於經法　若為他人說　撰集解其義
如是諸音聲　悉皆得聞之　諸佛大聖尊　教化衆生者
於諸大會中　演說微妙法　持此法華者　悉皆得聞之
三千大千界　內外諸音聲　下至阿鼻獄　上至有頂天
皆聞其音聲　而不壞耳根　其耳聰利故　悉能分別知
持是法華者　雖未得天耳　但用所生耳　功德已如是
復次常精進若善男子善女人受持是經若
讀若誦若解說若書寫成就八百鼻功德以
是清淨鼻根聞於三千大千世界上下內外
種種諸香須曼那華香闍提華香末利華香
瞻蔔華香波羅羅華香赤蓮華香青蓮華香
白蓮華香華樹香菓樹香栴檀香沈水香多
摩羅跋香多伽羅香及千万種和香若末若

BD00124號　妙法蓮華經（八卷本）卷六　（19–14）

瞻蔔華香波羅羅華香赤蓮華香青蓮華香
白蓮華香華樹香菓樹香栴檀香沈水香多
摩羅跋香多伽羅香及千万種和香若末若
丸若塗香持是經者於此間住悉能分別又
復別知衆生之香象香馬香牛羊等香男香
女香童子香童女香及草木叢林香若近若
遠所有諸香悉皆得聞分別不錯持是經者
雖住於此亦聞天上諸天之香波利質多羅
拘鞞陁羅樹香及曼陁羅華香摩訶曼陁羅
華香曼殊沙華香摩訶曼殊沙華香栴檀沈
水種種末香諸雜華香如是等天香和合所
出之香无不聞知又聞諸天身香釋提桓因
在勝殿上五欲娛樂嬉戲時香若在妙法堂
上為忉利諸天說法時香若於諸園遊戲時
香及餘天等男女身香皆悉遥聞如是展轉
乃至梵世上至有頂諸天身香亦皆聞之并
聞諸天所燒之香及聲聞香辟支佛香菩薩
香諸佛身香亦皆遥聞知其所在雖聞此香
然於鼻根不壞不錯若欲分別為他人說憶
念不謬尒時世尊欲重宣此義而說偈言
是人鼻清淨　於此世界中　若香若臭物　種種悉聞知
須曼那闍提　多摩羅栴檀　沈水及桂香　種種華菓香
及知衆生香　男子女人香　說法者遠住　聞香知所在
大勢轉輪王　小轉輪及子　群臣諸宮人　聞香知所在
身所著珎寶　及地中寶藏　轉輪王寶女　聞香知所在
諸人嚴身具　衣服及瓔珞　種種所塗香　聞香知其身

BD00124號　妙法蓮華經（八卷本）卷六　（19–15）

身所著珎寶　及地中寶藏　轉輪王寶女　聞香知所在
諸人嚴身具　衣服及瓔珞　種種所塗香　聞香知其身
諸天若行坐　遊戲及神變　持是法華經　聞香悉能知
諸樹華果實　及穌油香氣　持經者住此　悉知其所在
諸山深嶮處　栴檀樹華敷　衆生在中者　聞香皆能知
鐵圍山大海　地中諸衆生　持經者聞香　悉知其所在
阿脩羅男女　及其諸眷屬　鬪諍遊戲時　聞香皆能知
曠野嶮隘處　師子象虎狼　野牛水牛等　聞香知所在
若有懷妊者　未辯其男女　无根及非人　聞香悉能知
以聞香力故　知其初懷妊　成就不成就　安樂產福子
以聞香力故　知男女所念　染欲癡恚心　亦知脩善者
地中衆伏藏　金銀諸珎寶　銅器之所盛　聞香悉能知
種種諸瓔珞　无能識其價　聞香知貴賤　出處及所在
天上諸華等　曼陁曼殊沙　波利質多樹　聞香悉能知
天上諸宮殿　上中下差別　衆寶華莊嚴　聞香悉能知
天園林勝殿　諸觀妙法堂　在中而娛樂　聞香悉能知
諸天若聽法　或受五欲時　來往行坐臥　聞香悉能知
天女所著衣　好華香莊嚴　周旋遊戲時　聞香悉能知
如是展轉上　乃至於梵世　入禪出禪者　聞香悉能知
光音遍淨天　乃至于有頂　初生及退沒　聞香悉能知
諸比丘衆等　於法常精進　若坐若經行　及讀誦經法
或在林樹下　專精而坐禪　持經者聞香　悉知其所在
菩薩志堅固　坐禪若讀誦　或為人說法　聞香悉能知
在在方世尊　一切所恭敬　愍衆而說法　聞香悉能知
衆生在佛前　聞經皆歡喜　如法而脩行　聞香悉能知
雖未得菩薩　无漏法生鼻　而是持經者　先得此鼻相

BD00124 號　妙法蓮華經（八卷本）卷六　（19–16）

雖未得菩薩无漏法生鼻　而是持經者　先得此鼻相
復次常精進若善男子善女人受持是經若
讀若誦若解說若書寫得千二百舌功德若
好若醜若美不美及諸苦澁物在其舌根皆
變成上味如天甘露无不美者若以舌根於
大衆中有所演說出深妙聲能入其心皆令
歡喜快樂又諸天子天女釋梵諸天聞是深
妙音聲有所演說言論次第皆悉來聽及諸
龍龍女夜叉夜叉女乾闥婆乾闥婆女阿脩
羅阿脩羅女迦樓羅迦樓羅女緊那羅緊那
羅女摩睺羅伽摩睺羅伽女為聽法故皆來
親近恭敬供養及比丘比丘尼優婆塞優婆
夷國王王子群臣眷屬小轉輪王大轉輪王
七寶千子內外眷屬乘其宮殿俱來聽法以
是菩薩善說法故婆羅門居士國內人民盡
其形壽隨時供養又諸聲聞辟支佛菩薩諸
佛常樂見之是人所在方面諸佛皆向其處
說法悉能受持一切佛法又能出於深妙法
音尒時世尊欲重宣此義而說偈言
是人舌根淨　終不受惡味　其有所食噉　悉皆成甘露
以深淨妙聲　於大衆說法　以諸因緣喻　引導衆生心
聞者皆歡喜　設諸上供養　諸天龍夜叉　及阿脩羅等
皆以恭敬心　而共來聽法　是說法之人　若欲以妙音
遍滿三千界　隨意即能至　大小轉輪王　及千子眷屬
合掌恭敬心　常來聽受法　諸天龍夜叉　羅剎毗舍闍
亦以歡喜心　常樂來供養　梵天王魔王　自在大自在

BD00124 號　妙法蓮華經（八卷本）卷六　（19–17）

合掌恭敬心 常来聽受法 諸天龍夜叉 羅刹毗舍闍
亦以歡喜心 常樂来供養 梵天王魔王 自在大自在
如是諸天衆 常来至其所 諸佛及弟子 聞其說法者
常念而守護 或時為現身
復次常精進若善男子善女人受持是經若
讀若誦若解說若書寫得八百身功德得清
淨身如淨瑠璃衆生喜見其身淨故三千大
千世界衆生生時死時上下好醜生善處惡
處悉於中現及鐵圍大鐵圍弥樓山摩訶弥
樓山等諸山及其中衆生悉於中現下至阿
鼻地獄上至有頂所有及衆生悉於中現若
聲聞辟支佛菩薩諸佛說法皆於身中現其
色像尒時世尊欲重宣此義而說偈言
若持法華者 其身甚清淨 如彼淨瑠璃 衆生皆喜見
又如淨明鏡 悉見諸色像 菩薩於淨身 皆見世所有
唯獨自明了 餘人所不見 三千世界中 一切諸群萌
天人阿脩羅 地獄鬼畜生 如是諸色像 皆於身中現
諸天等宮殿 乃至於有頂 鐵圍及弥樓 摩訶弥樓山
諸大海水等 皆於身中現 諸佛及聲聞 佛子菩薩等
若獨若在衆 說法悉皆現 雖未得无漏 法性之妙身
以清淨常體 一切於中現
復次常精進若善男子善女人如来滅後受
持是經若讀若誦若解說若書寫得千二百
意功德以是清淨意根乃至聞一偈一句通
達无量无邊之義解是義已能演說一句一
偈至於一月四月乃至一歲諸所說法隨其
義趣皆與實相不相違背若說俗間經書治

BD00124 號　妙法蓮華經（八卷本）卷六　（19–18）

達无量无邊之義解是義已能演說一句一
偈至於一月四月乃至一歲諸所說法隨其
義趣皆與實相不相違背若說俗間經書治
世語言資生業等皆順正法三千大千世界
六趣衆生心之所行心所動作心所戲論皆
悉知之雖未得无漏智慧而其意根清淨如
此是人有所思惟籌量言說皆是佛法无不
真實亦是先佛經中所說尒時世尊欲重宣
此義而說偈言
是人意清淨 明利无穢濁 以此妙意根 知上中下法
乃至聞一偈 通達无量義 次第如法說 月四月至歲
是世界內外 一切諸衆生 若天龍及人 夜叉鬼神等
其在六趣中 所念若干種 持法華之報 一時皆悉知
十方无數佛 百福莊嚴相 為衆生說法 悉聞能受持
思惟无量義 說法亦无量 終始不忘錯 以持法華經
悉知諸法相 隨義識次第 達名字語言 如所知演說
此人有所說 皆是先佛法 以演此法故 於衆无所畏
持法華經者 意根淨若斯 雖未得无漏 先有如是相
是人持此經 安住希有地 為一切衆生 歡喜而愛敬
能以千万種 善巧之語言 分別而說法 持法華經故
妙法蓮華經卷第六

BD00124 號　妙法蓮華經（八卷本）卷六　（19–19）

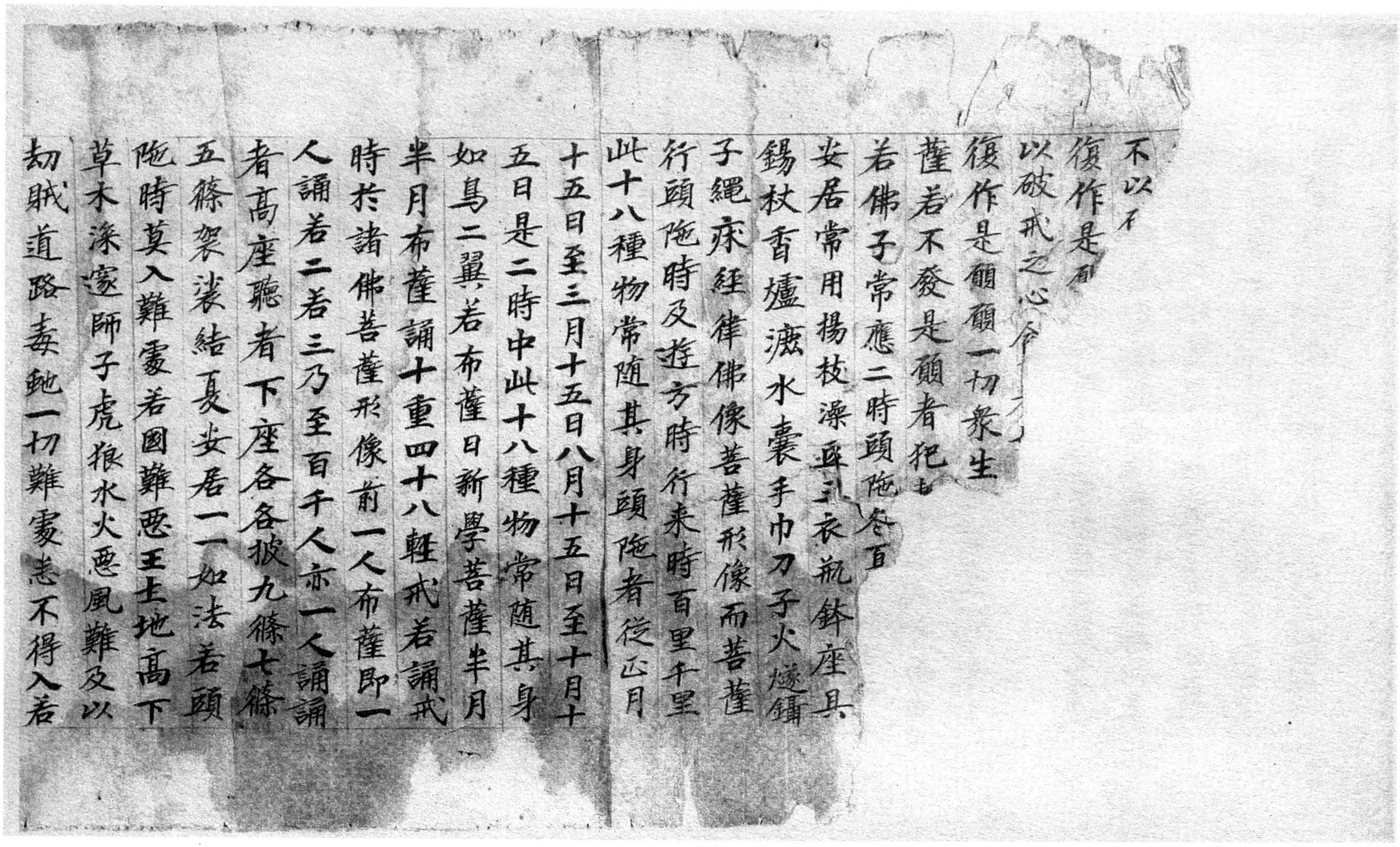

不以不
復作是願
以破戒之心
復作是願願一切衆生
薩若不發是願者犯輕
若佛子常應二時頭陀冬夏
安居常用楊枝澡豆三衣瓶鉢座具
錫杖香爐漉水囊手巾刀子火燧鑷
子繩床經律佛像菩薩形像而菩薩
行頭陀時及遊方時行來百里千里
此十八種物常隨其身頭陀者從正月
十五日至三月十五日八月十五日至十月十
五日是二時中此十八種物常隨其身
如鳥二翼若布薩日新學菩薩半月
半月布薩誦十重四十八輕戒若誦戒
時於諸佛菩薩形像前一人布薩即一
人誦若二若三乃至百千人亦一人誦誦
者高座聽者下座各各披九條七條
五條袈裟結夏安居一一如法若頭
陀時莫入難處若國難惡王土地高下
草木深邃師子虎狼水火惡風難及以
劫賊道路毒蛇一切難處悉不得入若

BD00125 號　梵網經盧舍那佛說菩薩心地戒品第十卷下　（7–1）

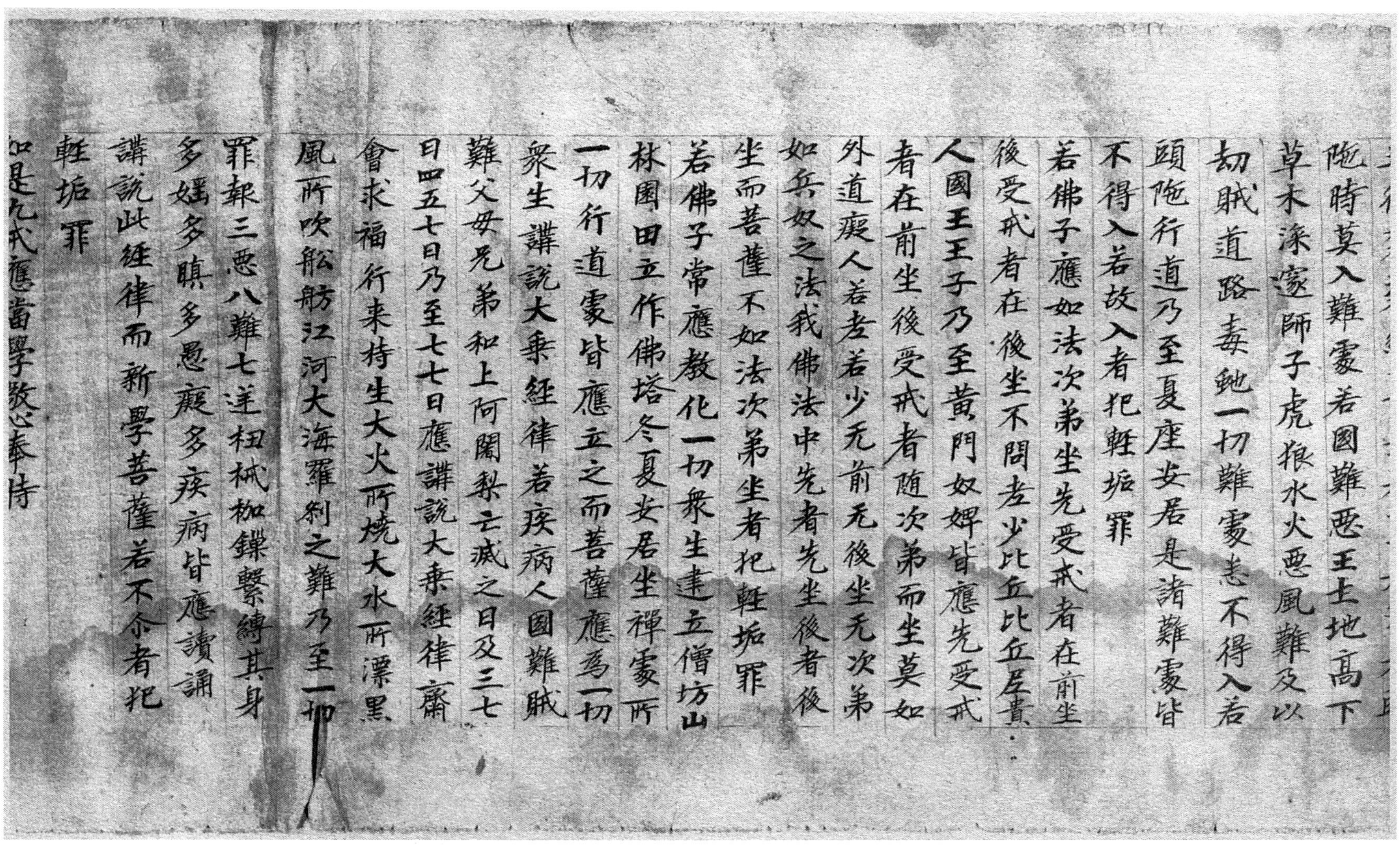

陀時莫入難處若國難惡王土地高下
草木深邃師子虎狼水火惡風難及以
劫賊道路毒蛇一切難處悉不得入若
頭陀行道乃至夏坐安居是諸難處皆
不得入若故入者犯輕垢罪
若佛子應如法次第坐先受戒者在前坐
後受戒者在後坐不問老少比丘比丘尼貴
人國王王子乃至黃門奴婢皆應先受戒
者在前坐後受戒者隨次第而坐莫如
外道癡人若老若少無前無後坐無次第
如兵奴之法我佛法中先者先坐後者後
坐而菩薩不如法次第坐者犯輕垢罪
若佛子常應教化一切衆生建立僧坊山
林園田立作佛塔冬夏安居坐禪處所
一切行道處皆應立之而菩薩應爲一切
衆生講說大乘經律若疾病國難賊
難父母兄弟和上阿闍梨亡滅之日及三七
日四五七日乃至七七日應講說大乘經律齋
會求福行來治生大火所燒大水所漂黑
風所吹船舫江河大海羅刹之難乃至一切
罪報三惡八難七逆杻械枷鎖繫縛其身
多婬多瞋多愚癡多疾病皆應讀誦
講說此經律而新學菩薩若不爾者犯
輕垢罪
如是九戒應當學敬心奉持

BD00125 號　梵網經盧舍那佛說菩薩心地戒品第十卷下　（7–2）

輕垢罪
如是九戒應當學敬心奉持
佛言佛子與人受戒時不得簡擇一切國王
王子大臣百官比丘比丘尼信男信女婬男
婬女十八梵六欲天无根二根黃門奴婢一切
鬼神盡得受戒應教身所著袈裟皆
壞色與道相應皆染使青黃赤黑紫
色一切染衣乃至臥具盡以壞色身所
著衣一切染色若一切國土中人所著衣
服比丘皆應與其俗服有異若欲受戒
時師應問言汝現身不作七逆罪耶菩薩
法師不得與七逆人現身受戒七逆者出
佛身血煞父母煞和上煞阿闍梨破羯磨
轉法輪僧煞聖人若具七遮即現身不得戒
餘一切人盡得受戒出家人法不向國王
礼拜不向父母礼拜六親不敬鬼神不礼
但解法師語有百里千里来求法者而菩
薩法師以惡心瞋心而不即與受一切衆生
戒者犯輕垢罪
若佛子教化人起信心時菩薩與他人作教
戒法師者見欲受戒人應教請二師和上
阿闍梨二師應問言汝有七遮罪不若
現身有七遮罪者師不應與受戒若无
七遮者得與受戒若有犯十戒者應教懺

BD00125號　梵網經盧舍那佛說菩薩心地戒品第十卷下　（7–3）

七遮者得與受戒若有犯十戒者應教懺
悔在佛菩薩形像前日夜六時讀誦十
重四十八輕戒苦到礼三世諸佛得見
好相若一七日二三七日乃至一年要見
好相者佛来摩頂見光見華種種異
相便得滅罪若无好相雖懺无益是人
現身亦不得戒而得增受戒若犯四十
八輕戒者對手懺悔罪便得滅不同七
遮而教戒師於是法中一一好解若不解
大乘經律若輕若重是非之相不解第
一義諦習種性長養性不可壞性道種性
正法性其中多少觀行出入十禪支於一
切行法一一不得此法中意而菩薩為利
養故為名聞故惡求多求貪利弟子而
詐現解一切經律為供養故是自欺誑
亦欺誑他人故與人受戒者犯輕垢罪
若佛子不得為利養故於未受菩薩戒
者前外道惡人前說此千佛大戒邪見人
亦不得說除國王餘一切人盡不得說是惡
人輩不受佛戒名為畜生生生之處不見三
寶如木石无心名為外道邪見人輩木頭
无異而菩薩於是惡人前說千佛教戒者
犯輕垢罪
若佛子信心出家受佛正戒故起心毀犯

BD00125號　梵網經盧舍那佛說菩薩心地戒品第十卷下　（7–4）

犯輕垢罪
若佛子信心出家受佛正戒故起心毀犯
聖戒者不得受一切檀越供養亦不得國
王地上行不得飲國王水五千大鬼常遮
其前鬼言大賊若入房舍城邑宅中鬼
復常掃其脚跡一切世人罵言佛法中賊
一切衆生眼不欲見犯戒之人畜生无異
木頭无異若毀正戒者犯輕垢罪
若佛子常應一心受持讀誦大乘經律
剥皮為紙刺血為墨以髓為水析骨為
筆書寫佛戒木皮紙絹素竹帛亦悉書
持常以七寶无價香華一切雜寶為箱
囊盛經律卷若不如法供養者犯輕垢
罪
若佛子常起大悲心若入一切城邑舍宅中
見一切衆生應當唱言汝等衆生盡應
受三歸十戒若見牛馬猪羊一切畜生應
心念口言汝是畜生發菩提心而菩薩入一
切處山林川野皆使一切衆生發菩提心是
菩薩若不發教化衆生心者犯輕垢罪
若佛子常行教化起大悲心若入檀越貴
人家一切衆中不得立為白衣說法應
白衣衆前高坐上座法師比丘不得地立
為四衆白衣說法若說法時法師高座
香華供養四衆聽者下座如孝…

BD00125 號　梵網經盧舍那佛說菩薩心地戒品第十卷下　（7–5）

白衣衆前高坐上座法師比丘不得地立
為四衆白衣說法若說法時法師高座
香華供養四衆聽者下座如孝順父母
敬順師教如事火婆羅門其說法者
若不如法說者犯輕垢罪
若佛子皆以信心受佛正戒若國王太子百
官四部弟子自恃高貴破滅佛法戒律
明作制法制我四部弟子不聽出家行
道亦復不聽造立形像佛塔經律立統官
制衆案籍記比丘菩薩地立白衣高座
廣行非法正應受一切人供養而反為
官走使非法非律若國王百官好心受
佛戒不作破三寶之罪若故作破法者
犯輕垢罪
若佛子以好心出家而為名聞利養於
國王百官前說千佛戒横與比丘比丘尼
菩薩弟子作繫縛事如師子身中虫自
食師子肉非外道天魔能破若受佛戒
者應護佛戒如念一子如事父母而聞外
道惡人以惡言謗佛戒時如三百鉾刺心千
刀万杖打拍其身等无有異寧自入地獄
百劫而不欲一聞惡言破佛戒之聲而况自
破佛戒教人破法因緣无孝順心若故作者
犯輕垢罪
如是九戒應當學敬心奉持

BD00125 號　梵網經盧舍那佛說菩薩心地戒品第十卷下　（7–6）

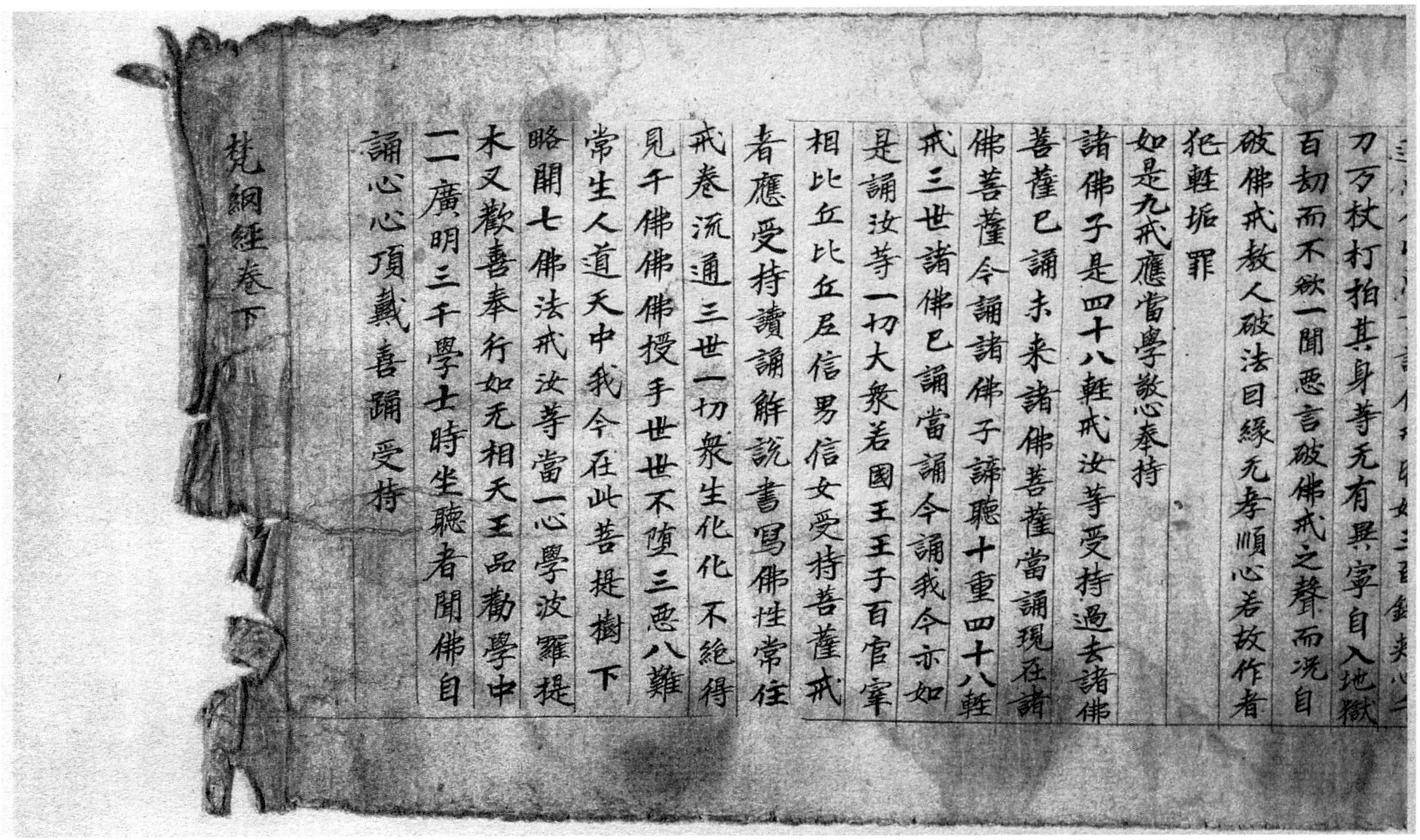

刀万杖打拍其身等无有異𡦹自入地獄
百刧而不欲一聞惡言破佛戒之聲而况自
破佛戒教人破法因緣无孝順心若故作者
犯輕垢罪
如是九戒應當學敬心奉持
諸佛子是四十八輕戒汝等受持過去諸佛
菩薩已誦未來諸佛菩薩當誦現在諸
佛菩薩今誦諸佛子諦聽十重四十八輕
戒三世諸佛已誦當誦今誦我今亦如
是誦汝等一切大衆若國王王子百官宰
相比丘比丘尼信男信女受持菩薩戒
者應受持讀誦解說書寫佛性常住
戒卷流通三世一切衆生化化不絶得
見千佛佛佛授手世世不墮三惡八難
常生人道天中我今在此菩提樹下
略開七佛法戒汝等當一心學波羅提
木叉歡喜奉行如无相天王品勸學中
一一廣明三千學士時坐聽者聞佛自
誦心心頂戴喜踊受持

梵網經卷下

BD00125 號　梵網經盧舍那佛說菩薩心地戒品第十卷下　（7–7）

BD00126 號背　雜寫　（1–1）

[illegible]多介非尊
共說法者陁羅尼呪以又
二摩摩祢四旨隸五遮
陟因犀反 多肆八羶輸干反
十一婆履十二阿瑋婆履十三
枲履十四婆履十五叉裔十六阿叉裔十七阿耆膩十八
羶帝十九賒履二十陁羅尼二十一阿盧伽婆娑蘊柰反
簸蔗毗叉膩二十二祢毗剃二十三阿便哆都餓反邏祢
履剃二十四阿亶哆波隸輸地途賣反二十五漚究隸二十
六牟究隸二十七阿羅隸二十八波羅隸二十九首迦
差初几反三十阿三磨三履三十一佛䭾毗吉利袠
帝三十二達磨波利差猜離反帝三十三僧伽涅
瞿沙祢三十四婆舍婆舍輸地三十五曼哆邏三十六
曼哆邏叉夜多三十七郵樓哆三十八郵樓哆憍
舍略三十九惡叉邏四十惡叉冶多冶四十一阿婆盧
四十二阿摩若荏蔗反那多夜四十三
世尊是陁羅尼神呪六十二億恒河沙等
諸佛所說若有侵毀此法師者則為侵毀是
諸佛已時釋迦牟尼佛讚藥王菩薩言善哉
善哉藥王汝愍念擁護此法師故說是陁羅

BD00126 號　妙法蓮華經卷七　（13–1）

諸佛所說若有侵毀此法師者則為侵毀是
諸佛已時釋迦牟尼佛讚藥王菩薩言善哉
善哉藥王汝愍念擁護此法師故說是陁羅
尼於諸衆生多所饒益尒時勇施菩薩白佛
言世尊我亦為擁護讀誦受持法華經者說
陁羅尼若此法師得是陁羅尼若夜叉若羅
剎若富單那若吉蔗若鳩槃茶若餓鬼等伺
求其短无能得便即於佛前而說呪曰
痤搘螺反隸一摩訶痤隸二郁枳三目枳四阿
隸五阿羅婆第六涅隸第七涅隸多婆第八
伊緻猪履反抳九韋緻抳十旨緻抳十一涅隸墀
抳十二涅犁墀婆底十三
世尊是陁羅尼神呪恒河沙等諸佛所說亦
皆隨喜若有侵毀此法師者則為侵毀是諸
佛已尒時毗沙門天王護世者白佛言世尊
我亦為愍念衆生擁護此法師故說是陁羅
尼即說呪曰
阿梨一那梨二㝹那梨三阿那盧四那履五
拘那履六
世尊以是神呪擁護法師我亦自當擁護持
是經者令百由旬内无諸衰患尒時持國天
王在此會中與千万億那由他乾闥婆衆恭
敬圍繞前詣佛所合掌白佛言世尊我亦以
陁羅尼神呪擁護持法華經者即說呪曰
阿伽祢一伽祢二瞿利三乾陁利四栴陁利
[illegible]

BD00126 號　妙法蓮華經卷七　（13–2）

陁羅尼神呪擁護持法華經者即說呪曰
阿伽祢一伽祢二瞿利三乹陁利四旃陁利
五摩蹬耆六常求利七浮樓莎抳八頞底九
世尊是陁羅尼神呪四十二億諸佛所說若
有侵毀此法師者則為侵毀是諸佛已尒時
有羅剎女等一名藍婆二名毗藍婆三名曲
齒四名華齒五名黑齒六名多髮七名无猒
足八名持瓔珞九名睪帝十名奪一切衆生
精氣是十羅剎女與鬼子母并其子及眷屬
俱詣佛所同聲白佛言世尊我等亦欲擁護
讀誦受持法華經者除其衰患若有伺求法
師短者令不得便即於佛前而說呪曰
伊提履一伊提泯二伊提履三阿提履四伊
提履五泥履六泥履七泥履八泥履九泥履
十樓醯十一樓醯十二樓醯十三樓醯十四多醯十五多
醯十六多醯十七兜醯十八㝹醯十九
寧上我頭上莫惱於法師若夜叉若羅剎若
餓鬼若富單那若吉蔗若毗陁羅若揵䭾若
烏摩勒伽若阿䟦摩羅若夜叉吉蔗若人吉
蔗若熱病若一日若二日若三日若四日若
至七日若常熱病若男形若女形若童男形
若童女形乃至夢中亦復莫惱即於佛前而
說偈言
若不順我呪　惱亂說法者　頭破作七分　如阿梨樹枝
如殺父母罪　亦如壓油殃　斗秤欺誑人　調達破僧罪

BD00126號　妙法蓮華經卷七　（13-3）

說偈言
若不順我呪　惱亂說法者　頭破作七分　如阿梨樹枝
如殺父母罪　亦如壓油殃　斗秤欺誑人　調達破僧罪
犯此法師者　當獲如是殃
諸羅剎女說此偈已白佛言世尊我等亦當
身自擁護受持讀誦脩行是經者令得安隱
離諸衰患消衆毒藥佛告諸羅剎女善哉善
哉汝等但能擁護受持法華名者福不可量
何況擁護具足受持供養經卷華香瓔珞末
香塗香燒香幡蓋伎樂然種種燈蘇燈油燈
諸香油燈蘇摩那華油燈瞻蔔華油燈婆師
迦華油燈優鉢羅華油燈如是等百千種供
養者睪帝汝等及眷屬應當擁護如是法師
說是陁羅尼品時六万八千人得无生法忍
妙法蓮華經妙莊嚴王本事品第二十七
尒時佛告諸大衆乃往古世過无量无邊不
可思議阿僧祇劫有佛名雲雷音宿王華智
多陁阿伽度阿羅呵三藐三佛陁國名光明
莊嚴劫名憙見彼佛法中有王名妙莊嚴其
王夫人名曰淨德有二子一名淨藏二名淨
眼是二子有大神力福德智慧久脩菩薩所
行之道所謂檀波羅蜜尸羅波羅蜜羼提波
羅蜜毗梨耶波羅蜜禪波羅蜜般若波羅蜜
方便波羅蜜慈悲喜捨乃至三十七助道法
皆悉明了通達又得菩薩淨三昧日星宿三
昧淨光三昧淨色三昧淨照明三昧長莊嚴

BD00126號　妙法蓮華經卷七　（13-4）

方便波羅蜜慈悲喜捨乃至三十七品助道法
皆悉明了通達又得菩薩淨三昧日星宿三
昧淨光三昧淨色三昧淨照明三昧長莊嚴
三昧大威德藏三昧於此三昧亦悉通達尒
時彼佛欲引導妙莊嚴王及愍念衆生故說
是法華經時淨藏淨眼二子到其母所合十
指爪掌白言願母往詣雲雷音宿王華智佛
所我等亦當侍從親近供養礼拜所以者何
此佛於一切天人衆中說法華經宜應聽受
母告子言汝父信受外道深著婆羅門法汝
等應往白父與共俱去淨藏淨眼合十爪指
掌白母我等是法王子而生此邪見家母告
子言汝等當憂念汝父為現神變若得見者
心必清淨或聽我等往至佛所於是二子念
其父故踊在虛空高七多羅樹現種種神變
於虛空中行住坐卧身上出水身下出火身
下出水身上出火或現大身滿虛空中而復
現小小復現大於空中滅忽然在地入地如
水履水如地現如是等種種神變令其父王
心淨信解時父見子神力如是心大歡喜得
未曾有合掌向子言汝等師為是誰誰之弟
子二子白言大王彼雲雷音宿王華智佛今
在七寶菩提樹下法座上坐於一切世間天
人衆中廣說法華經是我等師我是弟子父
語子言我今亦欲見汝等師可共俱往於是
二子從空中下到其母所合掌白母父王今

BD00126號　妙法蓮華經卷七

（13–5）

人衆中廣說法華經是我等師我是弟子父
語子言我今亦欲見汝等師可共俱往於是
二子從空中下到其母所合掌白母父王今
已信解堪任發阿耨多羅三藐三菩提心我
等為父已作佛事願母見聽於彼佛所出家
脩道尒時二子欲重宣其意以偈白母
願母放我等　出家作沙門　諸佛甚難值　我等隨佛學
如優曇波羅　值佛復難是　脫諸難亦難　願聽我出家
母即告言聽汝出家所以者何佛難值故於
是二子白父母言善哉父母願時往詣雲雷
音宿王華智佛所親近供養所以者何佛難
得值如優曇波羅華又如一眼之龜值浮木孔
而我等宿福深厚生值佛法是故父母當聽
我等令得出家所以者何諸佛難值時亦難
遇彼時妙莊嚴王後宮八万四千人皆悉堪
任受持是法華經淨眼菩薩於法華三昧久
已通達淨藏菩薩已於无量百千万億劫通
達離諸惡趣三昧欲令一切衆生離諸惡趣
故其王夫人得諸佛集三昧能知諸佛祕密
之藏二子如是以方便力善化其父令心信
解好樂佛法於是妙莊嚴王與羣臣眷屬俱
淨德夫人與後宮采女眷屬俱其王二子與
四万二千人俱一時共詣佛所到已頭面礼
足繞佛三帀却住一面尒時彼佛為王說法
示教利喜王大歡悅尒時妙莊嚴王及其夫

BD00126號　妙法蓮華經卷七

（13–6）

四万二千人俱一時共詣佛所到已頭面禮
足繞佛三帀却住一面尒時彼佛為王說法
示教利喜王大歡悅尒時妙莊嚴王及其夫
人解頸真珠瓔珞價直百千以散佛上於虚
空中化成四柱寶臺臺中有大寶床敷百
千万天衣其上有佛結跏趺坐放大光明尒
時妙莊嚴王作是念佛身希有端嚴殊特成
就第一微妙之色時雲雷音宿王華智佛告
四衆言汝等見是妙莊嚴王於我前合掌立
不此王於我法中作比丘精勤修習助佛道
法當得作佛号娑羅樹王國名大光劫名大
高王其娑羅樹王佛有无量菩薩衆及无量
聲聞其國平正功德如是其王即時以國付
弟與夫人二子并諸眷屬於佛法中出家修
道王出家已於八万四千歲常勤精進修行
妙法華經過是已後得一切淨功德莊嚴三
昧即昇虚空高七多羅樹而白佛言世尊此
我二子已作佛事以神通變化轉我邪心令
得安住於佛法中得見世尊此二子者是我
善知識為欲發起宿世善根饒益我故來生
我家尒時雲雷音宿王華智佛告妙莊嚴王
言如是如是如汝所言若善男子善女人種
善根故世世得善知識其善知識能作佛事
示教利喜令入阿耨多羅三藐三菩提大王
當知善知識者是大因緣所謂化導令得見
佛發阿耨多羅三藐三菩提心大王汝見此二

BD00126號　妙法蓮華經卷七　（13–7）

示教利喜令入阿耨多羅三藐三菩提大王
當知善知識者是大因緣所謂化導令得見
佛發阿耨多羅三藐三菩提心大王汝見此二
子不此二子已曾供養六十五百千万億
那由他恒河沙諸佛親近恭敬於諸佛所受
持法華經愍念邪見衆生令住正見妙莊
嚴王即從虚空中下而白佛言世尊如來甚
希有以功德智慧故頂上肉髻光明顯照其
眼長廣而紺青色眉間毫相白如珂月齒白
齊密常有光明脣色赤好如頻婆果尒時妙莊
嚴王讚歎佛如是等无量百千万億功德已
於如來前一心合掌復白佛言世尊未曾有
也如來之法具足成就不可思議微妙功德
教戒所行安隱快善我從今日不復自隨心
行不生邪見憍慢瞋恚諸惡之心說是語已
礼佛而出佛告大衆於意云何妙莊嚴王豈
異人乎今華德菩薩是其淨德夫人今佛前
光照莊嚴相菩薩是哀愍妙莊嚴王及諸眷
屬故於彼中生其二子者今藥王菩薩藥上
菩薩是是藥王藥上菩薩成就如此諸大功
德已於无量百千万億諸佛所殖衆德本成
就不可思議諸善功德若有人識是二菩薩
名字者一切世間諸天人民亦應礼拜佛說
是妙莊嚴王本事品時八万四千人遠塵離
垢於諸法中得法眼淨

BD00126號　妙法蓮華經卷七　（13–8）

是妙莊嚴王本事品時八万四千人遠塵離
垢於諸法中得法眼淨

妙法蓮華經普賢菩薩勸發品第二十八

尒時普賢菩薩以自在神通威德名聞與大
菩薩无量无邊不可稱數從東方來所經諸
國普皆震動雨寶蓮華作无量百千万億種
種伎樂又與无數諸天龍夜叉乾闥婆阿脩
羅迦樓羅緊那羅摩睺羅伽人非人等大衆
圍繞各現威德神通之力到娑婆世界耆闍
崛山中頭面礼釋迦牟尼佛右繞七帀白佛
言世尊我於寶威德上王佛國遥聞此娑婆
世界說法華經與无量无邊百千万億諸菩
薩衆共來聽受唯願世尊當為說之若善男
子善女人於如來滅後云何能得是法華經
佛告普賢菩薩若善男子善女人成就四法
於如來滅後當得是法華經一者為諸佛護
念二者植衆德本三者入正定聚四者發救
一切衆生之心善男子善女人如是成就四
法於如來滅後必得是經尒時普賢菩薩白
佛言世尊於後五百歲濁惡世中其有受持
是經典者我當守護除其衰患令得安隱使
无伺求得其便者若魔若魔子若魔女若
魔民若為魔所著者若夜叉若羅剎若鳩槃
茶若毗舍闍若吉蔗若富單那若韋陁羅等
諸惱人者皆不得便是人若行若立讀誦此經

BD00126號　妙法蓮華經卷七

（13–9）

茶若毗舍闍若吉蔗若富單那若韋陁羅等
諸惱人者皆不得便是人若行若立讀誦此經
我尒時乘六牙白象王與大菩薩衆俱詣其
所而自現身供養守護安慰其心亦為供養
法華經故是人若坐思惟此經尒時我復乘
白象王現其人前其人若於法華經有所忘
失一句一偈我當教之與共讀誦還令通利
尒時受持讀誦法華經者得見我身甚大歡
喜轉復精進以見我故即得三昧及陁羅尼
名為旋陁羅尼百千万億旋陁羅尼法音方
便陁羅尼得如是等陁羅尼世尊若後世後
五百歲濁惡世中比丘比丘尼優婆塞優婆
夷求索者受持者讀誦者書寫者欲脩習是
法華經於三七日中應一心精進滿三七日
已我當乘六牙白象與无量菩薩而自圍繞
以一切衆生所喜見身現其人前而為說法
示教利喜亦復與其陁羅尼呪得是陁羅尼
故无有非人能破壞者亦不為女人之所惑
亂我身亦自常護是人唯願世尊聽我說此
陁羅尼即於佛前而說呪曰
阿檀地 途賣反 一 檀陁婆地 二 檀陁婆帝 三 檀陁鳩
舍隸 四 檀陁脩陁隸 五 脩陁隸 六 脩陁羅
婆底 七 佛馱波羶禰 八 薩婆陁羅尼阿婆多
尼 九 薩婆婆沙阿婆多尼 十 脩阿婆多尼 十一
僧伽婆履叉尼 十二 僧伽涅伽陁尼 十三 阿僧祇
十 僧伽波伽地 十 帝隸阿惰僧伽兜略 盧遮

BD00126號　妙法蓮華經卷七

（13–10）

尼九薩婆婆沙阿婆多尼十脩阿婆多尼十一
僧伽婆履叉尼十二僧伽涅伽陀尼十三阿僧祇
十四僧伽波伽地十五帝隸阿惰僧伽兜略盧遮文
阿羅帝十六薩婆僧伽三摩地伽蘭地十七薩婆
達磨脩波利剎帝十八薩婆薩埵樓馱憍舍略
阿㝹伽地十九辛阿毗吉利地帝二十
世尊若有菩薩得聞是陁羅尼者當知普
賢神通之力若法華經行閻浮提有受持者
應作此念皆是普賢威神之力若有受持讀誦
正憶念解其義趣如說脩行當知是人行普
賢行於无量无邊諸佛所深種善根為諸如
來手摩其頭若但書寫是人命終當生忉利
天上是時八万四千天女作衆伎樂而來迎
之其人即著七寶冠於婇女中娛樂快樂何
況受持讀誦正憶念解其義趣如說脩行若
有人受持讀誦解其義趣是人命終為千佛
授手令不恐怖不墮惡趣即往兜率天上彌
勒菩薩所彌勒菩薩有三十二相大菩薩衆
所共圍繞有百千万億天女眷屬而於中生
有如是等功德利益是故智者應當一心自
書若使人書受持讀誦正憶念如說脩行世
尊我今以神通力守護是經於如來滅後閻
浮提內廣令流布使不斷絕尒時釋迦牟尼
佛讚言善哉善哉普賢汝能護助是經令多
所衆生安樂利益汝已成就不可思議功德

BD00126號　妙法蓮華經卷七

（13–11）

佛讚言善哉善哉普賢汝能護助是經令多
所衆生安樂利益汝已成就不可思議功德
深大慈悲從久遠來發阿耨多羅三藐三菩
提意而能作是神通之願守護是經我當以
神通力守護能受持普賢菩薩名者普賢若
有受持讀誦正憶念脩習書寫是法華經者
當知是人則見釋迦牟尼佛如從佛口聞此經
典當知是人供養釋迦牟尼佛當知是人佛
讚善哉當知是人為釋迦牟尼佛手摩其
頭當知是人為釋迦牟尼佛衣之所覆如是
之人不復貪著世樂不好外道經書手筆亦
復不憙親近其人及諸惡者若屠兒若畜猪
羊雞狗若獵師若衒賣女色是人心意質直
有正憶念有福德力是人不為三毒所惱亦
不為嫉妬我慢邪慢增上慢所惱是人少欲
知足能脩普賢之行普賢若如來滅後後五
百歲若有人見受持讀誦法華經者應作是
念此人不久當詣道場破諸魔衆得阿耨多
羅三藐三菩提轉法輪擊法皷吹法螺雨法
雨當坐天人大衆中師子法座上普賢若於
後世受持讀誦是經典者是人不復貪著衣
服卧具飲食資生之物所願不虛亦於現世
得其福報若有人輕毀之言汝狂人耳空作是
行終无所獲如是罪報當世世无眼若有
供養讚歎之者當於今世得現果報若復見

BD00126號　妙法蓮華經卷七

（13–12）

而當坐天人大衆中師子法座上普賢若於
後世受持讀誦是經典者是人不復貪著衣
服卧具飲食資生之物所願不虛亦於現世
得其福報若有人輕毀之言汝狂人耳空作是
行終无所獲如是罪報當世世无眼若有
供養讚歎之者當於今世得現果報若復見
受持是經者出其過惡若實若不實此人現
世得白癩病若有輕咲之者當世世牙齒踈缺
醜脣平鼻手脚繚戾眼目角睞身體臭穢惡
瘡膿血水腹短氣諸惡重病是故普賢若見
受持是經典者當起遠迎當如敬佛說是普
賢勸發品時恒河沙等无量无邊菩薩得百
千億旋陁羅尼三千大千世界微塵等諸菩
薩具普賢道佛說是經時普賢等諸菩薩舍
利弗等諸聲聞及諸天龍人非人等一切大
會皆大歡喜受持佛語作礼而去

BD00126號　妙法蓮華經卷七　　（13–13）

名壞相[illegible]
[illegible]或名生无或名分所名苦
[illegible]名正義或名堅固或名讚嘆或名
安隱或名善趣或調伏或名一道或名離煩
惱或名不就或名究竟所名苦滅道諦者或
名猛将或名不後或名超出或名慧方便或
名普根或名離邊或名覺悟或名湯妙或名
无上自或名觀方諸佛子彼盛訓世界如是
等四諦名有卅億百千那由他隨諸衆生
所應調伏作如是說諸佛子如娑婆世界所
名苦諦於累勇世界或名怖恐或名福斷或
名應呵責或名常給或名處憁或名常恐或
名離勝或名集刹或名難共事或名虛妄或
名勢力所名苦集諦者或名因緣或名癡无
或名恐林或名刃枝或名滅味或名仇對或
名味著或名導引或名增闇或名害利所名
苦滅諦者或名大義或名大義饒益分或名
義中義或名无量或名見或名虛妄斷或名
累勝或名常或名住或名无為所名苦滅道諦
者或名滅火或名勝枝或名定分別或名不退
或名條方便或名出或名累上或名至非趣
或名解脫或名能令解脫諸佛子彼累勇世
界如是等四諦名有卅億百千那由他隨諸
衆生所應調伏作如是說諸佛子如娑婆世

BD00127號　大方廣佛華嚴經（晉譯五十卷本）卷四　　（17–1）

或名解脫或名能令解脫諸佛子彼眾勇世
界如是等四諦名有卌億百千那由他隨諸
衆生所應調伏作如是說諸佛子如娑婆世
界所說苦諦於離垢世界或名海恨或名漬
待或名分別或名輪迴或名前行或名一味
或名非法或名境削地或名聚耶或名耶見
或名不可忍所名苦集諦者或名虛空器或名
分或名世忍或名生地或名取或名棄或名
增或名墮或名能生或名堅縛所名苦滅諦
者或名等等或名空或名无垢或名勝根或
名勝等或名无作或名滅便或名最上或名
畢竟或名破耶所名苦滅道諦者或名真堅
固或名方便分別或名熟根或名真性或名
離憂或名勝淨或名有邊或名寄金或名究
竟或名淨虛妄諸佛子離垢世界如是等四
諦名有卌億百千那由他隨諸衆生所應調
伏作如是說諸佛子如娑婆世界所說苦諦
於真寶境世界或憂欲或名嶮根或名海分
或名耶方便或名分別根或名流轉或名
生滅或名軟弱或名倒根或名有數所名苦集
諦者或名憂或名隨溺或名不可盡或名分
或名不正趣或名津染或名事或名軟弱或
名器或名動所名苦滅諦者或名相續斷或
名解脫或名无名或名不作或名不現或名
无作或名无色或名无燒或名明或名淨所
名苦滅道諦者或名寂行或名正行或名循
證或名安隱道或名无量壽或名循究竟或
名常道或名難得或名彼岸或名无敵諸佛

BD00127號　大方廣佛華嚴經（晉譯五十卷本）卷四　（17–2）

名苦滅道諦者或名寂行或名正行或名循
證或名安隱道或名无量壽或名循究竟或
名常道或名難得或名彼岸或名无敵諸佛
子真寶境世界如是等四諦名有卌億百千
那由他隨諸衆生所應調伏作如是說諸佛
子如娑婆世界所名苦諦者於呵屋世界或
名掠取或名非善友或名戰怖或名多言或
名真地獄或名非法調伏或名重擔或名壞
根或名虛妄或名虛妄根所名苦集諦者或
名貪或名作或名惡或名生或名纏縛或名
想或名有果或名不憂或名不應說或名迴
轉所名苦滅諦者或名不轉或名解脫或名
无作或名離憂或名堅固或名真實或名離
癡或名寂滅或名賢聖或名離怨敵所名苦
滅道諦者或名正諸或名无諍或名教導或
名迴向心或名廣妙或名分別方便或名有
數或名趣寂靜或名勝殊或名善解義諸佛
子呵屋世界如是等四諦名有卌億百千那
由他隨諸衆生所應調伏作如是說諸佛子
如娑婆世界所言苦諦者於饒益世界或名
重擔或名危脆或名賊等或名生死或名非
歡喜或名流轉或名疲勞或名醜狠或名能
生或名利刃所言苦集諦者或名流散或名
承遠或名非解脫或名所作或名取或名虛
妄所言苦滅諦者或名離獄或名真實或名
離諸難或名覆護或名善國或名隨至或名
根或名離枝或名无為或名无次第所言苦
滅道諦者或名達无所有或名一切因或名

BD00127號　大方廣佛華嚴經（晉譯五十卷本）卷四　（17–3）

斷誑斷或名覆誑或名善固或名隨至或名
根或名離拔或名无為或名无次第所言苦
滅道諦者或名達无所有或名一切因或名
善本或名明曜或名不轉法或名有盡或名
大道或名能調伏或名出隱或名非流轉諸
佛子饒益世界如是等四諦名有卅億百千
那由他隨諸眾生所應調伏作如是說諸佛
子如娑婆世界所言苦諦者於彼少世界或
名愚建心或名不長慧或名邪念或名流轉
或名无慚愧或名貪根或名熾燃或名刺蘇
或名大山或名憂惱所言苦集諦者或名廣
地或名未起或名遠惱或名猨惱或名恐怖
或名放逸或名大失或名著處或名无主或
名相續所言苦滅諦者或名具足或名甘露
或名非我所或名无主或名虛妄斷或名安
樂住或名无量或名斷流或名非趣或言不
二所言苦滅道諦者或名光明或名賢寶或
名知深義或名正業或名非生滅或名非想
或名淨集或名正趣或名淨方便或名勝見
諸佛子尠少世界如是等四諦名有卅億百
千那由他隨諸眾生所應調伏作如是說諸
佛子如娑婆世界所名苦諦者於知足世界
或名流轉或名失利或名染污或名重擔
或名惡形或名內惡或名非專到或名害處
或名苦惱所言苦集諦者或名觸持或名方
便或名過時或名非實法或名无底或名攝
受或名離戒或名煩惱法或名无量見或名
惡趣所言苦滅諦者或名壞身或名不放逸

BD00127號　大方廣佛華嚴經（晉譯五十卷本）卷四　（17-4）

受或名離戒或名煩惱法或名无量見或名
惡趣所言苦滅諦者或名壞身或名不放逸
或名真實或名等等或名清淨或名離生或
名離由或名无相或名具足或名不生所言
苦滅道諦者或名境界言斷或名功德乘或
名順義或名廣方便或名虛空妄盡或名住壽
道或名可稱數或名正念或名常道或名解
脫諸佛子知足世界如是等四諦名有卅億
百千那由他隨諸眾生所應調伏作如是說
諸佛子如娑婆世界所名苦諦者於求世
界或名壞瓶或名我所或名身趣或名流轉
或名喪主或名苦或名輕飄或名无味或名
未去所言苦集諦者或名行或名憒泰或名
惡行或名愛枝或名不趣或名雜泰或名虛
捨或名離勝或名熾燃或名離厭所名苦滅
諦者或名非聚或名非處或名妙樂或名不
可壞或名不淡或名不可量或名大或名覺
枝或名離染或名彰閡所名滅道苦諦者或
名勝行或名離欲或名諦究竟或名入深義
或名寶究竟或名淨現或名持念或名離彰
或名救濟或名勝枝諸弟佛子所求世界如
是等四諦名有卅億百千那由他隨諸眾生
所應調伏作如是說諸佛子如娑婆世界所名
苦諦者於解脫音世界或名惡疵或名眾生
或名依枝或名壞勝或名彰身或名馱流或名
速或名藏或名受或名苦枝所名苦集諦者
或名過調伏或名心趣或名能縛或名常念
或名彼過或名離循或名虛妄或名門或名

BD00127號　大方廣佛華嚴經（晉譯五十卷本）卷四　（17-5）

逼或名翦或名受或名苦哉所名苦集諦者
或名逼調伏或名心趣或名能縛或名常念
或名彼邊或名離猶或名虛妄或名門或名
輕飄或名隱覆所名苦滅諦者或名北處或
名无上勝或名不遲或名滅諦或名少或名
无害或名善住或名无盡或名廣或名无貴
等所言苦滅道諦者或名自見合見或名推
誠或名分別印或名入相或名无量義或名
能趣明或名和合道或名句不動或名勝義
夕諸佛子解脫音世界如是等四諦名有卅
說諸佛子如此娑婆世界及十方佛剎說四
諦名如是東方百千億不可量不可數不可
思議不可稱无等无邊无分齊不可說盡空
法界等一切世界中說四諦名若有卅億百
千那由他隨諸衆生所應調伏作如是說南
西北方四維上下亦復如是

大方廣佛華嚴經如來光明覺品第五

尒時世尊從兩足相輪放百億光明遍照三
千大千世界百億閻浮提百億弗婆提百億
拘耶尼百億鬱單越百億大海百億金剛圍
山百億菩薩生百億菩薩出家百億佛始成
正覺百億如來轉法輪百億如來般涅槃百
億須弥山王百億四天王天百億卅三天百
億時天百億兜率陁天百億化樂天百億他
化樂天百億梵天百億光音天百億遍淨天
百億果實天百億色究竟天此世界所有一
切悉現如此見佛坐蓮華藏師子坐上有十
佛世界塵數菩薩眷屬圍遶百億閻浮提亦

BD00127號　大方廣佛華嚴經（晉譯五十卷本）卷四　（17-6）

切悉現如此見佛坐蓮華藏師子坐上有十
佛世界塵數菩薩眷屬圍遶百億閻浮提亦
復如是以佛神力故百億閻浮提皆見十方
各有一大菩薩各與十世界塵數菩薩眷屬
俱來詣佛所〻
謂文殊利菩薩覺首菩薩財首菩薩德寶首
菩薩目首菩薩精進首菩薩眷首菩薩智首
菩薩賢首菩薩是諸菩薩所從來國金色世界
樂色華色瞻蔔華色青蓮華金色寶色金剛
色頗梨色如實色世界各於本國佛所〻謂
不動智佛智慧火佛淨智佛具威儀智佛明
星智佛究竟智佛无上智佛自在智佛梵天
智佛伏怨智佛所淨脩梵行尒時文殊師利
以偈頌曰
若有智正覺　解脫離諸漏　不著一切世　彼非淨道眼
若有智如來　觀察无所有　知法散滅相　彼人自作佛
能見此世界　一切處无著　如來身亦尒　是人疾成佛
若於佛法中　其心隨平等　入不二法門　彼人難思議
若見及我佛　安住平等相　彼住无所住　遠離一切有
色受无有數　相行識亦然　能知如是者　彼是大牟尼
見者无所有　所有法亦无　明了一切法　彼能照世間
一念見諸佛　出現于世間　而實无所起　彼人大名稱
无我无衆生　亦无有壞敗　若轉如是相　彼則无上人
一中解无量　无量中解一　展轉生非實　智者无所畏
如此處文殊師利說偈一切處亦復如是尒
時光明過此世界遍照東方十佛國土南西
北方四維上下亦復如是彼一〻世界中百
億閻浮提乃至百億色究竟天世界所有一

BD00127號　大方廣佛華嚴經（晉譯五十卷本）卷四　（17-7）

北方四維上下亦復如是彼一〻世界中百
億閻浮提乃至百億色究竟天世界所有一
切悉現如此見佛蓮生華藏師子坐上有十
佛世界塵數菩薩眷屬圍遶彼一〻世界中
百億閻浮提亦復如是佛神力故皆見十方
名有一大菩薩名与十佛世界塵數菩薩眷
屬俱來詣佛所〻謂文殊師利乃至賢首等
是諸菩薩所從來國金色世界乃至如實色
世界名於本國不動智佛乃至伏怨智佛所
淨脩梵行尒時一切處文殊師利以偈頌曰
見衆生苦逼　瘶覆愛欲刺　常求无上道　諸佛法如是
離斷常二邊　見法實不轉　昔所未曾轉　轉此无上輪
不可思議劫　被知諸德鎧　為度生死故　大聖法如是
導師降衆魔　勇健莫能勝　愛語離衆怖　无上慈悲法
内得甚深智　能害諸煩惱　一念見一切　彼自在示現
能轉正法輪　普震十方國　令得无上道　自覺法如是
不壞无量境　能遊无數刹　不取一切有　彼自在如佛
无比歡喜念　諸佛常清淨　虛空等如來　彼是具足願
一〻衆生故　阿鼻地獄中　无量劫燒煮　心淨如最勝
不惜身壽命　常護諸佛法　具足行忍辱　彼自得如來法
尒時光明過十世界遍照東方百世界乃至
上方亦復如是彼一〻世界中百億閻浮提
乃至百億色究竟天世界所有一切悉現如
此見佛坐蓮花藏師子坐上有十佛世界塵
數菩薩眷屬圍遶彼一〻世界中百億閻浮
提亦復如是佛神力故皆見十方名有一大
菩薩名与十世界塵數菩薩眷屬俱來詣佛
所謂〻文殊師利乃至賢首等是諸菩薩所

提亦復如是佛神力故皆見十方名有一大
菩薩名与十世界塵數菩薩眷屬俱來詣佛
所謂〻文殊師利乃至賢首等是諸菩薩所
從來國金色世界乃至如實色世界名於本
國不動智佛乃至伏怨智佛所淨脩梵行尒
時一切處文殊師利以偈頌曰
如來覺諸法　如幻如虛空　心淨无鄣导　調伏群生類
或見初生時　妙色如金山　住是最後身　照明如滿月
或見經行時　猶无量功德　念慧善具足　明行人師子
或見明淨眼　觀察見十方　或見我戲咲　衆生樂欲故
或見師子吼　清淨无比身　示現最後生　所說无非實
或見出家時　解脫一切縛　脩習諸行佛　常樂觀寂滅
或見坐道場　善覺一切法　度諸功德岸　瘶闇煩惱滅
或見天人尊　具足大悲心　或見轉法輪　度脫諸群生
或見无畏吼　儀容甚微妙　調伏一切世　神力无鄣导
或見寂靜心　世間燈永滅　或見十力尊　顯現自在法
尒時光明過百世界遍照東方千世界乃至
上方亦復如是彼一〻世界中百億閻浮提乃
至百億色究竟天世界所有一切悉現如
此見佛坐蓮華藏師子坐上有十佛世界塵
數菩薩眷屬圍遶彼一〻世界中百億閻浮
提亦復如是佛神力故皆見十方名有一大
菩薩名与十世界塵數菩薩眷屬俱來詣佛
所〻謂文殊師利乃至賢首等是諸菩薩所
從國土金色世界乃至如實色世界名於本
國不動智佛乃至伏怨智佛所淨脩梵行尒
時一切處文殊師利以偈頌曰
善逝法甚深　无相亦无有　衆生顛到故　次第現一切

不動智佛乃至伏怨智佛所淨梵行尒
時一切處文殊師利以偈頌曰
善逝法甚深　无相亦无有　衆生顛倒故　次第現一切
无有我我所　彼境界空寂　善逝身清淨　自覺離諸塵
等覺明解脫　无量不可數　无邊世界中　因緣和合起
无諸陰界入　永離生死苦　不在世界數　故號人師子
外內俱解脫　本來常自空　一切離虛妄　諸佛法如是
離癡諸煩惱　長流永不轉　正覺解諸法　度无量衆生
一念不二相　樂觀密藏法　其心无所着　佛自在无量
善知因緣法　樂救度衆生　最勝无等智　甚深難思議
普見十方界　嚴淨諸佛剎　如來離虛妄　度脫无量衆
佛猶如鍊金　一切有非有　隨其所應化　為說清淨法
尒時光明過千世界遍照東方万世界乃至
上方亦復如是彼一一世界中百億閻浮提
乃至百億色究竟天世界所有一切悉現如
此見佛坐蓮華藏師子坐上有十佛世界塵
數菩薩眷屬圍遶彼一一世界中百億閻浮
提亦復如是佛神力故皆見十方各有一大
菩薩各与十世界塵數菩薩眷屬俱來詣佛
所所謂文殊師利乃至賢首等是諸菩薩所
從來國金色世界乃至如實色世界各於本國
不動智佛乃至伏怨智佛所淨修梵行尒時
一切處文殊師利以偈頌曰
離諸人天樂　常行大慈心　救護諸群生　是彼淨妙業
一向信如來　其心不退轉　不捨念諸佛　是彼淨妙業
永離生死海　不退佛法流　善住清涼慧　是彼淨妙業
身四威儀中　觀察深功德　晝夜常不斷　是彼淨妙業
知三世无量　不生懈怠心　常求佛功德　是彼淨妙業

BD00127 號　大方廣佛華嚴經（晉譯五十卷本）卷四　（17-10）

身四威儀中　觀察深功德　晝夜常不斷　是彼淨妙業
知三世无量　不生懈怠心　常求佛功德　是彼淨妙業
尒時光明過十世界遍照東方十万世界乃
至上方亦復如是彼一一世界中百億閻浮
提乃至百億色究竟天世界所有一切悉現
如此見佛坐蓮華藏師子坐上有十佛世界
塵數菩薩眷屬圍遶彼一一世界中百億閻
浮提亦復如是佛神力故皆見十方各有一大
菩薩各与十世界塵數菩薩眷屬俱來詣佛
所所謂文殊師利乃至賢首等是諸菩薩所
從來國金色世界乃至如實色世界各於本
國不動智佛乃至伏怨智佛所行梵行尒時
一切處文殊師利以偈曰頌
若以色性大神通　而欲睹見調御士
是則瞳目顛倒見　彼為不識最勝法
如來身色形相處　一切世間莫能觀
億那由劫欲思量　妙色威神不可極
非以相好為如來　无相離相寂滅法
一切具足妙境界　隨其所應悉能現
諸佛正法不可量　无能分別說其相
諸佛正法无合散　其性本來常寂滅
不以陰數為如來　遠離取相真實觀
得自在力決定見　言語道斷行處滅
等觀身心无異相　一切內外悉解脫
无量億劫二不念　善逝深遠无所着
普放妙光明　遍照世境界　淨眼一切智　自在深廣業
一能為无量　无量能為一　知諸衆生性　隨順一切處
身无所從來　去亦无所至　虛空非真實　現有種種身

BD00127 號　大方廣佛華嚴經（晉譯五十卷本）卷四　（17-11）

一能為无量　无量能為一　知諸衆生性　隨順一切處
身无所從来　去亦无所至　虛妄非真實　現有種種身
一切諸世間　皆從虛妄生　是則妄相法　其性未曾有
如是真實相　唯佛能究竟　若能如是知　是則見導師
尒時光明過十方世界遍照東方百万世界
乃至上方亦復如是彼一一世界中百億閻
浮提乃至百億色究竟天世界所有一切悉
現如此見佛坐蓮華藏師子坐上十佛世界
塵數菩薩眷屬圍遶彼一一世界中百億閻
浮提亦復如是佛神力故皆見十方各有一
大菩薩各与十世界塵數菩薩眷屬俱来詣
佛所所謂文殊師利乃至賢首等是諸菩薩
所從来國金色世界乃至如實色世界各於
本國不動智佛乃至伏怨智佛所淨修梵行
尒時一切處文殊師利以偈頌曰
冣勝自覺超世間　无能依殊特莫能勝
大心化度一切有　具足淨妙諸功德
其心无染无處所　常住无相亦无依
永處吉祥无能壞　威德尊重大導師
從本淨明滅衆冥　永離衆染无塵穢
寂然不動離邊相　是名善入如来智
欲入善逝深法海　遠離身心虛妄想
解了諸法真實性　永不隨順起我心
一切世界如来境　悉能為轉正法輪
於法自性无所轉　无上導師方便說
曉了諸法无疑惑　有无妄想永已離
不生差別種種念　正意思惟佛菩提
諦了分別諸法時　无有自性假名說

BD00127號　大方廣佛華嚴經（晉譯五十卷本）卷四　（17–12）

不生差別種種念　正意思惟佛菩提
諦了分別諸法時　无有自性假名說
隨順諸佛真實教　法非一相亦不多
衆多法中无一相　於一法中亦无多
若能如是了諸法　是知諸佛无量德
觀察諸法及衆生　國土世間悉寂滅
心无所依不忘相　是名正念佛菩提
衆生諸法及國土　分別了知无差別
善能觀察如實性　是則了知佛法義
尒時光明過百万世界遍照東方一億世界
乃至上方亦復如是彼一一世界中百億閻
浮提乃至百億色究竟天世界所有一切悉
現如此見佛坐蓮花藏師子坐上有十佛世
界塵數菩薩眷屬圍遶彼一一世界中百億
閻浮提亦復如是佛神力故皆見十方各有
一大菩薩各与十世界塵數菩薩眷屬俱来
詣佛佛所所謂文殊師利乃至賢首等是諸菩
薩所從来國金色世界乃至如實色世界各
於本國不動智佛乃至伏怨智佛所淨修梵
行尒時一切處文殊師利以偈頌曰
大智无有量　妙法无倫匹　究竟越度彼　生死大海岸
壽命无終盡　永已離纏縛　彼成大功德　是則方便力
於諸佛深法　隨覺如實性　常觀三世法　不生亡是想
了達所緣境　未曾起惡相　彼樂不思議　是則方便力
常樂觀衆生　而无衆生想　示現有身趣　永離諸趣想
內常樂禪定　而无繫心想　彼心无所着　是則方便力
方便善觀察　諦了諸法想　專念正思惟　常行涅槃性
樂於解脫道　具足平等慧　彼住寂滅法　是則方便力

BD00127號　大方廣佛華嚴經（晉譯五十卷本）卷四　（17–13）

而常樂禪定　而无繫心想　彼心无所著　是則方便力
方便善觀察　諦了諸法想　專念正思惟　常行湼槃性
樂於解脫道　具足平等慧　彼住寂滅法　是則方便力
隨順調御士　寂勝佛菩提　攝取一切智　廣大如法性
善入真實諦　教化諸群生　彼成寂勝慧　是則方便力
佛說深法義　悉能隨順知　入深廣智慧　滅除諸戲論
一切至處道　是處悉能到　行是自覺道　是則方便力
心猶虛空界　亦如變化法　一行所依性　是相則非相
行於湼槃性　猶若虛空知　能到深妙境　是則方便力
常記念晝夜　晦朔日月數　年歲時劫分　亦隨觀察知
一切諸世間　始終成敗相　悉能諦了知　是則方便力
一切群萌類　隨業受生死　有色及无色　有想亦非想
彼彼性名號　所趣諦了知　得此不思議　是則方便力
一切過去世　未來現在法　隨順佛所說　善念諦觀察
覺三世平等　如其真實相　是則深妙道　无比方便力
爾時光明過一億世界遍照東方十億世界
乃至上方亦復如是彼一一世界中百億閻
浮提乃至百億色究竟天世界所有一切悉
現如此見佛坐蓮華藏師子坐上有十佛世
界塵數菩薩眷屬圍遶彼一一世界百億閻
浮提亦復如是佛神力故皆見十方各有一
大菩薩各与十世界塵數菩薩眷屬俱來詣
佛所所謂文殊師利乃至賢首菩薩是諸菩薩
所從來國金色世界乃至如實色世界各於
本國不動智佛乃至伏怨智佛所淨脩梵行
爾時一切處文殊師利以偈頌曰
受持難行法　堅固不退轉　日夜常精進　未曾起疲厭
已度難度海　大音師子吼　一切眾生類　我令悉當度

BD00127號　大方廣佛華嚴經（晉譯五十卷本）卷四　（17-14）

爾時一切處文殊師利以偈頌曰
受持難行法　堅固不退轉　日夜常精進　未曾起疲厭
已度難度海　大音師子吼　一切眾生類　我令悉當度
洄澓生死流　沈淪愛欲海　癡惑結重網　昏冥大怖畏
離慢堅固士　是則悉能斷　超勇威世雄　是則佛境界
世間諸放逸　長迷醉五欲　非實与忘想　永為大苦報
悉循不放逸　奉行諸佛法　大智能度彼　是則佛境界
慧者滅本際　无量難見劫　眾生依五我　无窮生死轉
令入寂滅法　奉行寂勝教　普宣此妙法　是則佛境界
見彼苦眾生　孤惸无救護　永淪諸惡趣　三毒恒熾識
无間无救處　晝夜常大叫　普度斯等苦　是則佛境界
迷惑失正路　習行諸邪徑　見彼群生類　長處大闇冥
為現智慧燈　令見諸佛法　普能為照明　是則佛境界
一切三有海　深廣无崖底　見彼群生類　漂溺莫能濟
為彼熟方便　興造正法船　普濟所應度　是則佛境界
无有本實見　常依无明住　沈淪生死淵　愚癡心迷亂
慧者斯見苦　為之設法橋　大悲演說法　是則佛境界
見彼生死獄　楚毒難可量　長夜老病死　三乘覺徑通
自覺深妙法　專循方便慧　普度斯等苦　是則佛境界
聞佛甚深法　信心无疑惑　周滿十方刹　普行諸法界
觀察空寂法　其心无怨怖　現同一切身　是則天人師
爾時光明過十億世界遍照東方百億世界
千億世界百千億世界億那由他世界百億
那由他世界千億那由他百千億那由他不
可量不可數不可思議不可稱无等无邊无
分齊不可說盡虛空法界等一切世界乃至上方
亦復如是彼一一世界中百億閻浮提乃至
百億色究竟天世界所有一切悉現如此見
佛坐蓮華藏師子坐上有十佛世界塵數菩

BD00127號　大方廣佛華嚴經（晉譯五十卷本）卷四　（17-15）

亦復如是彼一一世界中百億閻浮提乃至
百億色究竟天世界所有一切悉現如此見
佛坐蓮華藏師子坐上有十佛世界塵數菩
薩眷屬圍遶彼一一世界中百億閻浮提亦
復如是佛神力故皆見十方各有一大菩薩
各與十世界塵數菩薩眷屬俱來詣佛所所
謂文殊師利乃至賢首菩薩是諸菩薩所從來
國金色世界乃至如實色世界各於本國不
動智佛乃至伏怨智佛所淨脩梵行尒時一
切處文殊師利以偈頌曰

无量无數劫　一念悉觀察　无來亦无去　現在亦不住
一切生滅法　悉知真實相　超度方便岸　具足十種力
无等大名稱　普方十方剎　永離生死難　究竟一切法
皆悉能通達　一切諸世界　具足能敷演　清淨微妙法
普為衆生類　正心奉諸佛　是故獲直心　真實淨依果
隨順分別知　了達如如相　得佛自在力　十方靡不現
從勝供養佛　衆行忍辱法　能入深禪定　觀察真實義
悉令一切衆　歡喜向如來　菩薩行是法　速逮无上道
能問十方佛　其心常湛然　信佛不退轉　威儀悉具足
一切有无法　了達非有无　如是正觀察　能見真實佛
无量淨樂心　境界滿十方　一切國土中　能說真實義
滅除衆垢難　安住平等法　若能如是化　斯人等如來
聞佛妙音聲　逮得无上法　常轉淨法輪　甚深難知見
寂勝所說法　具足七覺義　如是无上觀　常見諸佛身
不見如來空　寂滅猶幻化　雖見无所見　如音對五色
虛妄取相者　是人不見佛　一切无所著　乃見真如來
衆生種種業　難可分別知　十方內外身　種種无量色
佛身亦如是　一切滿十方　難知能知者　彼是大導師

BD00127號　大方廣佛華嚴經（晉譯五十卷本）卷四　（17–16）

滅除衆垢難　安住平等法　若能如是化　斯人等如來
聞佛妙音聲　逮得无上法　常轉淨法輪　甚深難知見
寂勝所說法　具足七覺義　如是无上觀　常見諸佛身
不見如來空　寂滅猶幻化　雖見无所見　如音對五色
虛妄取相者　是人不見佛　一切无所著　乃見真如來
衆生種種業　難可分別知　十方內外身　種種无量色
佛身亦如是　一切滿十方　難知能知者　彼是大導師
譬如无量剎　依止虛空住　不從十方來　去亦无所至
世界若成敗　本來无所依　佛身亦如是　充滿虛空界

大方廣佛華嚴經卷第四

BD00127號　大方廣佛華嚴經（晉譯五十卷本）卷四　（17–17）

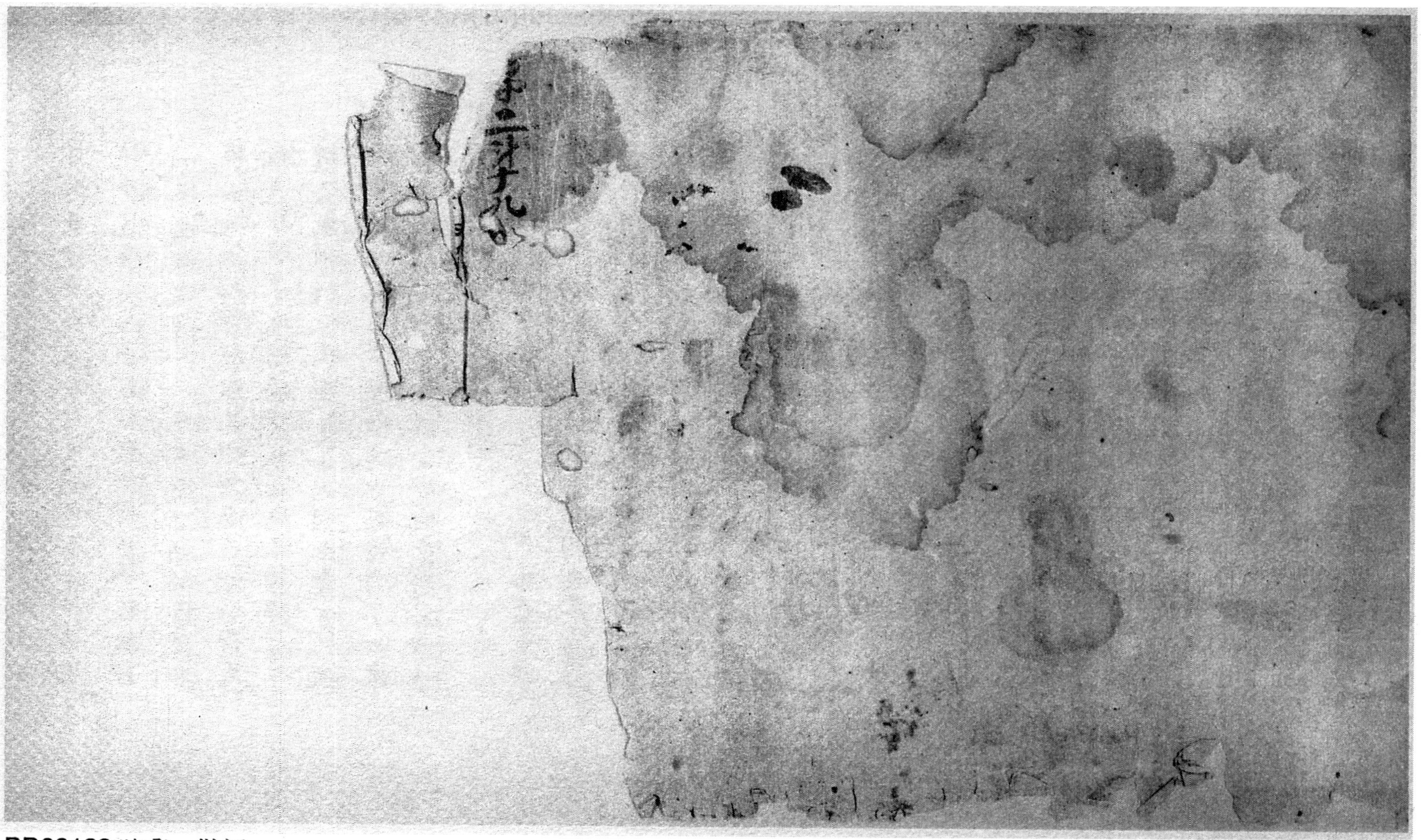

BD00128 號青　勘記　　（1–1）

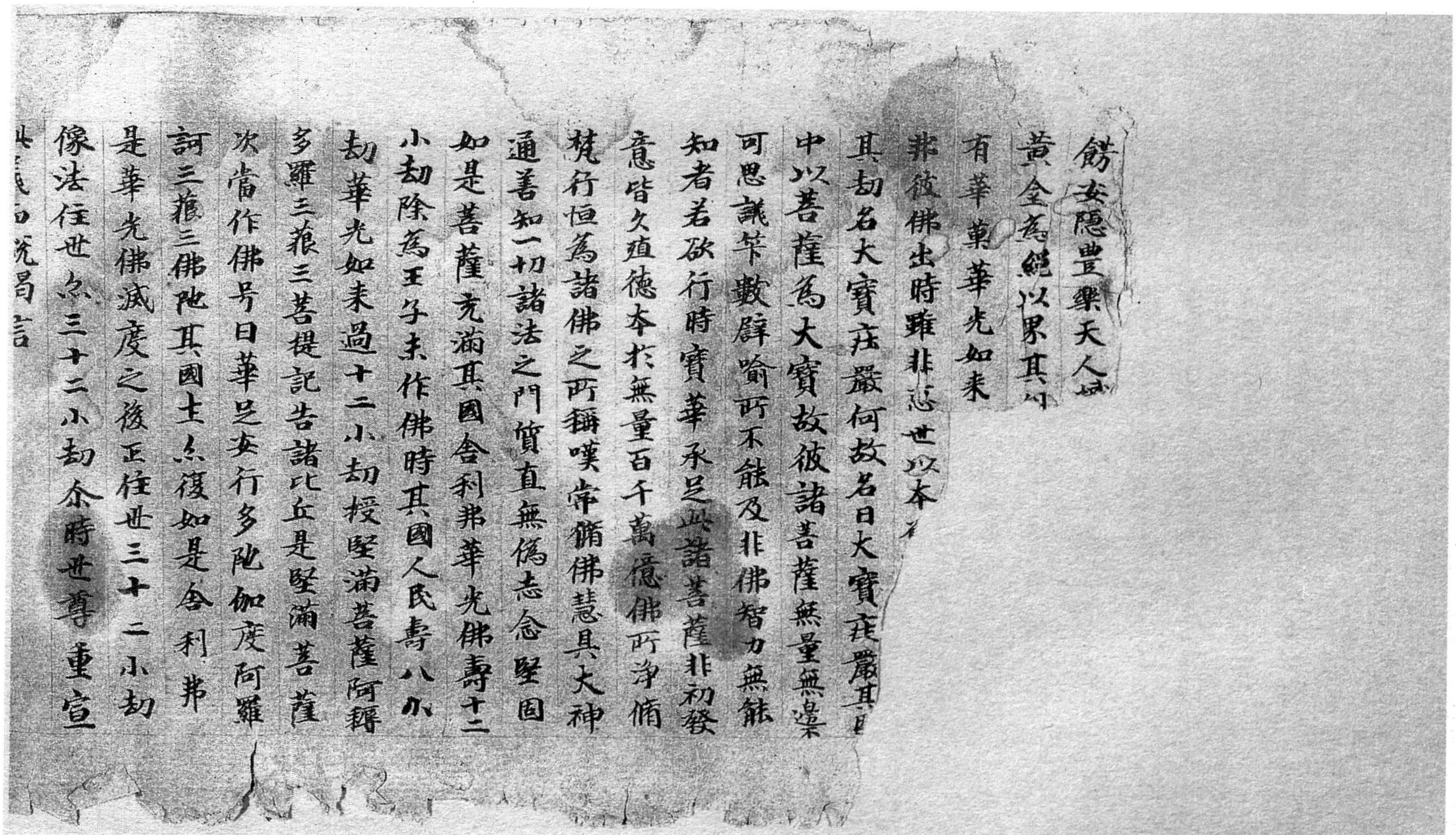
餝安隱豊樂天人
黃金為繩以界其
有華菓華光如来
弗彼佛出時雖非惡世以本
其劫名大寶莊嚴何故名曰大寶莊嚴其國
中以菩薩為大寶故彼諸菩薩無量無邊
可思議筭數譬喻所不能及非佛智力無能
知者若欲行時寶華承足此諸菩薩非初發
意皆久殖德本於無量百千萬億佛所淨脩
梵行恒為諸佛之所稱歎常脩佛慧具大神
通善知一切諸法之門質直無偽志念堅固
如是菩薩充滿其國舍利弗華光佛壽十二
小劫除為王子未作佛時其國人民壽八小
劫華光如来過十二小劫授堅滿菩薩阿耨
多羅三藐三菩提記告諸比丘是堅滿菩薩
次當作佛号曰華足安行多陁阿伽度阿羅
訶三藐三佛陁其國土亦復如是舍利弗
是華光佛滅度之後正住世三十二小劫
像法住世亦三十二小劫尒時世尊重宣
義而說偈言

BD00128 號　妙法蓮華經卷二　　（25–1）

訶三藐三佛陀其國土亦復如是舍利弗
是華光佛滅度之後正法住世三十二小劫
像法住世亦三十二小劫尒時世尊重宣
此義而說偈言
舍利弗來世 成佛普智尊 號名曰華光 當度無量眾
供養無數佛 具足菩薩行 十力等功德 證於無上道
過無量劫已 劫名大寶嚴 世界名離垢 清淨無瑕穢
以琉璃為地 金繩界其道 七寶雜色樹 常有華菓實
彼國諸菩薩 志念常堅固 神通波羅蜜 皆已悉具足
於無數佛所 善學菩薩道 如是等大士 華光佛所化
佛為王子時 棄國捨世榮 於最末後身 出家成佛道
華光佛住世 壽十二小劫 其國人民眾 壽命八小劫
佛滅度之後 正法住於世 三十二小劫 廣度諸眾生
正法滅盡已 像法三十二 舍利廣流布 天人普供養
華光佛所為 其事皆如是 其兩足聖尊 最勝無倫匹
彼即是汝身 宜應自欣慶
尒時四部眾比丘比丘尼優婆塞優婆夷天
龍夜叉乾闥婆阿脩羅迦樓羅緊那羅摩睺
羅伽等大眾見舍利弗於佛前受阿耨多羅
三藐三菩提記心大歡喜踊躍無量各各脫
身所著上衣以供養佛釋提桓因梵天王等
與無數天子亦以天妙衣天曼陀羅華摩訶
曼陀羅華等供養於佛所散天衣住虛空中
而自迴轉諸天伎樂百千萬種於虛空中一
時俱作雨眾天華而作是言佛昔於波羅奈

BD00128 號　妙法蓮華經卷二

（25–2）

而自迴轉諸天伎樂百千萬種於虛空中一
時俱作雨眾天華而作是言佛昔於波羅奈
初轉法輪今乃復轉無上最大法輪尒時諸
天子欲重宣此義而說偈言
昔於波羅奈 轉四諦法輪 分別說諸法 五眾之生滅
今復轉最妙 無上大法輪 是法甚深奧 少有能信者
我等從昔來 數聞世尊說 未曾聞如是 深妙之上法
世尊說是法 我等皆隨喜 大智舍利弗 今得受尊記
我等亦如是 必當得作佛 於一切世間 最尊無有上
佛道叵思議 方便隨宜說 我所有福業 今世若過世
及見佛功德 盡迴向佛道
尒時舍利弗白佛言世尊我今無復疑悔親
於佛前得受阿耨多羅三藐三菩提記是諸
千二百心自在者昔住學地佛常教化言我
法能離生老病死究竟涅槃是學無學人亦
各自以離我見及有無見等謂得涅槃而今
於世尊前聞所未聞皆墮疑惑善哉世尊願
為四眾說其因緣令離疑悔尒時佛告舍利
弗我先不言諸佛世尊以種種因緣譬喻言
辭方便說皆為阿耨多羅三藐三菩提耶
是諸所說皆為化菩薩故然舍利弗今當復
以譬喻更明此義諸有智者以譬喻得解舍
利弗若國邑聚落有大長者其年衰邁財
富無量多有田宅及諸僮僕其家廣大唯有

BD00128 號　妙法蓮華經卷二

（25–3）

利弗若國邑聚落有大長者其年衰邁財
冨無量多有田宅及諸僮僕其家廣大唯有一
門多諸人衆一百二百乃至五百人止住其
中堂閣朽故墻壁隤落柱根腐敗梁棟傾
危周帀俱時歘然火起焚燒舍宅長者諸子若
十二十或至三十在此宅中長者見是大火
從四面起即大驚怖而作是念我雖能於此
所燒之門安隱得出而諸子等於火宅内樂
著嬉戲不覺不知不驚不怖火來逼身苦痛
切己心不猒患無求出意舍利弗是長者作
是思惟我身手有力當以衣裓若以几案從
舍出之復更思惟是舍唯有一門而復狹小
諸子幼稚未有所識戀著戲處或當墮落爲
火所燒我當爲說怖畏之事此舍已燒宜時
疾出無令爲火之所燒害作是念已如所思
惟具告諸子汝等速出父雖憐愍善言誘喻
而諸子等樂著嬉戲不肯信受不驚不畏了
無出心亦復不知何者是火何者爲舍云何
爲失但東西走戲視父而已尒時長者即作
是念此舍已爲大火所燒我及諸子若不時
出必爲所焚我今當設方便令諸子等得免
斯害父知諸子先心各有所好種種珍玩奇
異之物情必樂著而告之言汝等所可玩好
希有難得汝若不取後必憂悔如此種種羊

BD00128號　妙法蓮華經卷二　（25–4）

希有難得汝若不取後必憂悔如此種種羊
車鹿車牛車今在門外可以遊戲汝等於此
火宅宜速出來隨汝所欲皆當與汝尒時諸
子聞父所說珍玩之物適其願故心各勇鋭
互相推排競共馳走爭出火宅是時長者見
諸子等安隱得出皆於四衢道中露地而坐
無復障礙其心泰然歡喜踊躍時諸子等各
白父言父先所許玩好之具羊車鹿車牛車
願時賜與舍利弗尒時長者各賜諸子等一
大車其車高廣衆寶莊校周帀欄楯四面懸
鈴又於其上張設幰蓋亦以珍奇雜寶而嚴
飾之寶繩交絡垂諸華瓔重敷綩綖安置丹
枕駕以白牛膚色充潔形體姝好有大筋力
行步平正其疾如風又多僕從而侍衛之所
以者何是大長者財冨無量種種諸藏悉皆
充溢而作是念我財物無極不應以下劣小
車與諸子等今此幼童皆是吾子愛無偏黨
我有如是七寶大車其數無量應當等心各
各與之不宜差別所以者何以我此物周給
一國猶尚不匱何況諸子是時諸子各乘大
車得未曾有非本所望舍利弗於汝意云何
是長者等與諸子珍寶大車寧有虛妄不舍
利弗言不也世尊是長者但令諸子得免火
難全其軀命非爲虛妄何以故若全身命便
爲已得玩好之具況復方便於彼火宅而拔

BD00128號　妙法蓮華經卷二　（25–5）

為已得玩好之具況復方便於彼火宅而拔
濟之世尊若是長者乃至不與最小一車猶
不虛妄何以故是長者先作是意我以方便
令子得出以是因緣無虛妄也何況長者自
知財富無量欲饒益諸子等與大車佛告舍
利弗善哉善哉如汝所言舍利弗如來亦復
如是則為一切世間之父於諸怖畏衰惱憂
患無明闇蔽永盡無餘而悉成就無量知見
力無所畏有大神力及智慧力具足方便智
慧波羅蜜大慈大悲常無懈惓恒求善事利
益一切而生三界朽故火宅為度眾生生老
病死憂悲苦惱愚癡闇蔽三毒之火教化令
得阿耨多羅三藐三菩提見諸眾生為生老
病死憂悲苦惱之所燒煮亦以五欲財利故
受種種苦又以貪著追求故現受眾苦受
地獄畜生餓鬼之苦若生天上及在人間貧
窮困苦愛別離苦怨憎會苦如是等種種諸
苦眾生沒在其中歡喜遊戲不覺不知不驚
不怖亦不生厭不求解脫於此三界火宅東西
馳走雖遭大苦不以為患舍利弗佛見此已便
作是念我為眾生之父應拔其苦難與無
量無邊佛智慧樂令其遊戲舍利弗如來
復作是念若我但以神力及智慧力捨於方
便為諸眾生讚如來知見力無所畏者眾生

便為諸眾生讚如來知見力無所畏者眾生
不能以是得度所以者何是諸眾生未免生
老病死憂悲苦惱而為三界火宅所燒何由能
解佛之智慧舍利弗如彼長者雖復身手
有力而不用之但以慇懃方便勉濟諸子火
宅之難然後各與珍寶大車如來亦復如是
雖有力無所畏而不用之但以智慧方便於
三界火宅拔濟眾生為說三乘聲聞辟支佛
佛乘而作是言汝等莫得樂住三界火宅勿
貪麁弊色聲香味觸也若貪著生愛則為所
燒汝速出三界當得三乘聲聞辟支佛佛乘
我今為汝保任此事終不虛也汝等但當懃脩
脩精進如來是方便誘進眾生復作是言汝等
汝等當知此三乘法皆是聖所稱歎自在無繫
無所依求乘是三乘以無漏根力覺道禪
定解脫三昧等而自娛樂便得無量安隱快
樂舍利弗若有眾生內有智性從佛世尊聞
法信受慇懃精進欲速出三界自求涅槃是
名聲聞乘如彼諸子為求羊車出於火宅若
有眾生從佛世尊聞法信受慇懃精進求自
然慧樂獨善寂深知諸法因緣是名辟支佛
乘如彼諸子為求鹿車出於火宅若有眾生
從佛世尊聞法信受懃脩精進求一切智佛
智自然智無師智如來知見力無所畏愍念

智自然智無師智如来知見力無所畏愍念
安樂無量衆生利益天人度脫一切是名大
乘菩薩求此乘故名為摩訶薩如彼諸子為
求牛車出於火宅舍利弗如彼長者見諸子
等安隱得出火宅到無畏處自惟財富無量
等以大車而賜諸子如来亦復如是為一切衆
生之父若見無量億千衆生以佛教門出
三界苦怖畏險道得涅槃樂如来尒時便作
是念我有無量無邊智慧力無畏等諸佛法
藏是諸衆生皆是我子等與大乘不令有人
獨得滅度皆以如来滅度而滅度之是諸衆
生脫三界者悉與諸佛禪定解脫等娛樂之
具皆是一相一種聖所稱歎能生淨妙第一
之樂舍利弗如彼長者初以三車誘引諸子
然後但與大車寶物莊嚴安隱第一然彼長
者無虛妄之咎如来亦復如是無有虛妄初
說三乘引導衆生然後但以大乘而度脫之
何以故如来有無量智慧力無所畏諸法之
藏能與一切衆生大乘之法但不盡能受舍
利弗以是因緣當知諸方便力故於一佛乘
分別說三佛欲重宣此義而說偈言
譬如長者　有一大宅　其宅久故　而復頓弊
堂舍高危　柱根摧朽　梁棟傾斜　基陛隤毀
牆壁圮坼　泥塗褫落　覆苫亂墜　椽梠差脫

堂舍高危　柱根摧朽　梁棟傾斜　基陛隤毀
牆壁圮坼　泥塗褫落　覆苫亂墜　椽梠差脫
周障屈曲　雜穢充遍　有五百人　止住其中
鵄梟鵰鷲　烏鵲鳩鴿　蚖蛇蝮蠍　蜈蚣蚰蜒
守宮百足　狖狸鼷鼠　諸惡蟲輩　交橫馳走
屎尿臭處　不淨流溢　蜣蜋諸蟲　而集其上
狐狼野干　咀嚼踐蹋　齰齧死屍　骨肉狼藉
由是群狗　競來搏撮　飢羸慞惶　處處求食
鬪諍摣掣　啀喍嘷吠　其舍恐怖　變狀如是
處處皆有　魑魅魍魎　夜叉惡鬼　食噉人肉
毒蟲之屬　諸惡禽獸　孚乳產生　各自藏護
夜叉競來　爭取食之　食之既飽　惡心轉熾
鬪諍之聲　甚可怖畏　鳩槃荼鬼　蹲踞土埵
或時離地　一尺二尺　往返遊行　縱逸嬉戲
捉狗兩足　撲令失聲　以腳加頸　怖狗自樂
復有諸鬼　其身長大　裸形黑瘦　常住其中
發大惡聲　叫呼求食　復有諸鬼　其咽如針
復有諸鬼　首如牛頭　或食人肉　或復噉狗
頭髮蓬亂　殘害兇險　飢渴所逼　叫喚馳走
夜叉餓鬼　諸惡鳥獸　飢急四向　窺看窗牖
如是諸難　恐畏無量　是朽故宅　屬于一人
其人近出　未久之間　於後宅舍　忽然火起
四面一時　其焰俱熾　棟梁椽柱　爆聲震裂
摧折墮落　牆壁崩倒　諸鬼神等　揚聲大叫

摧折墮落　墻壁崩倒　諸鬼神等　揚聲大叫
鵰鷲諸鳥　鳩槃荼等　周慞惶怖　不能自出
惡獸毒虫　藏竄孔穴　毗舍闍鬼　亦住其中
薄福德故　為火所逼　共相殘害　飲血噉肉
野干之屬　並已前死　諸大惡獸　競來食噉
臭烟熢㶿　四面充塞　蜈蚣蚰蜒　毒虵之類
為火所燒　爭走出穴　鳩槃荼鬼　隨取而食
又諸餓鬼　頭上火然　飢渴熱惱　周章悶走
其宅如是　甚可怖畏　毒害火災　衆難非一
是時宅主　在門外立　聞有人言　汝諸子等
先因遊戲　來入此宅　稚小無知　歡娛樂著
長者聞已　驚入火宅　方宜救濟　令無燒害
告喻諸子　說衆患難　惡鬼毒虫　災火蔓莚
衆苦次第　相續不絕　毒虵蚖蝮　及諸夜叉
鳩槃荼鬼　野干狐狗　鵰鷲鵄梟　百足之屬
飢渴惱急　甚可怖畏　此苦難處　況復大火
諸子無知　雖聞父誨　猶故樂著　嬉戲不已
是時長者　而作是念　諸子如此　益我愁惱
今此舍宅　無一可樂　而諸子等　耽湎嬉戲
不受我教　將為火害　即便思惟　設諸方便
告諸子等　我有種種　珍玩之具　妙寶好車
羊車鹿車　大牛之車　今在門外　汝等出來
吾為汝等　造作此車　隨意所樂　可以遊戲
諸子聞說　如此諸車　即時奔競　馳走而出
到於空地　離諸苦難　長者見子　得出火宅

諸子聞說　如此諸車　即時奔競　馳走而出
到於空地　離諸苦難　長者見子　得出火宅
住於四衢　坐師子座　而自慶言　我今快樂
此諸子等　生育甚難　愚小無知　而入險宅
多諸毒虫　魑魅可畏　大火猛焰　四面俱起
而此諸子　貪樂嬉戲　我已救之　令得脫難
是故諸人　我今快樂　尒時諸子　知父安坐
皆詣父所　而白父言　願賜我等　三種寶車
如前所許　諸子出來　當以三車　隨汝所欲
今正是時　唯垂給與　長者大富　庫藏衆多
金銀琉璃　車𤦲馬瑙　以衆寶物　造諸大車
裝校嚴飾　周帀欄楯　四面懸鈴　金繩交絡
真珠羅網　張施其上　金華諸瓔　處處垂下
衆綵雜飾　周帀圍繞　柔軟繒纊　以為茵蓐
上妙細氎　價直千億　鮮白淨潔　以覆其上
有大白牛　肥壯多力　形體姝好　以駕寶車
多諸儐從　而侍衛之　以是妙車　等賜諸子
諸子是時　歡喜踊躍　乘是寶車　遊於四方
嬉戲快樂　自在無礙　告舍利弗　我亦如是
衆聖中尊　世間之父　一切衆生　皆是吾子
深著世樂　無有慧心　三界無安　猶如火宅
衆苦充滿　甚可怖畏　常有生老　病死憂患
如是等火　熾然不息　如來已離　三界火宅
寂然閑居　安處林野　今此三界　皆是我有

寂然閑居　安處林野　今此三界　皆是我有
其中衆生　悉是吾子　而今此處　多諸患難
唯我一人　能為救護　雖復教詔　而不信受
於諸欲染　貪著深故　以是方便　為說三乘
令諸衆生　知三界苦　開示演說　出世間道
是諸子等　若心決定　具足三明　及六神通
有得緣覺　不退菩薩　汝舍利弗　我為衆生
以此譬喻　說一佛乘　汝等若能　信受是語
一切皆當　成得佛道　是乘微妙　清淨第一
於諸世間　為無不上　佛所悅可　一切衆生
所應稱讚　供養禮拜　無量億千　諸力解脫
禪定智慧　及佛餘法　得如是乘　令諸子等
日夜劫數　常得遊戲　與諸菩薩　及聲聞衆
乘此寶乘　直至道場　以是因緣　十方諦求
更無餘乘　除佛方便　告舍利弗　汝諸人等
皆是吾子　我則是父　汝等累劫　衆苦所燒
我皆濟拔　令出三界　我雖先說　汝等滅度
但盡生死　而實不滅　今所應作　唯佛智慧
若有菩薩　於是衆中　能一心聽　諸佛實法
諸佛世尊　雖以方便　所化衆生　皆是菩薩
若人小智　深著愛欲　為此等故　說於苦諦
衆生心喜　得未曾有　佛說苦諦　真實無異
若有衆生　不知苦本　深著苦因　不能暫捨
為是等故　方便說道　諸苦所因　貪欲為本

BD00128號　妙法蓮華經卷二　（25-12）

若有衆生　不知苦本　深著苦因　不能暫捨
為是等故　方便說道　諸苦所因　貪欲為本
若滅貪欲　無所依止　滅盡諸苦　名第三諦
為滅諦故　脩行於道　離諸苦縛　名得解脫
是人於何　而得解脫　但離虛妄　名為解脫
其實未得　一切解脫　佛說是人　未實滅度
斯人未得　無上道故　我意不欲　令至滅度
我為法王　於法自在　安隱衆生　故現於世
汝舍利弗　我此法印　為欲利益　世間故說
在所遊方　勿妄宣傳　若有聞者　隨喜頂受
當知是人　阿惟越致　若有信受　此經法者
是人已曾　見過去佛　恭敬供養　亦聞是法
若人有能　信汝所說　則為見我　亦見於汝
及比丘僧　并諸菩薩　斯法華經　為深智說
淺識聞之　迷惑不解　一切聲聞　及辟支佛
於此經中　力所不及　汝舍利弗　尚於此經
以信得入　況餘聲聞　其餘聲聞　信佛語故
隨順此經　非己智分　又舍利弗　憍慢懈怠
計我見者　莫說此經　凡夫淺識　深著五欲
聞不能解　亦勿為說　若人不信　毀謗此經
則斷一切　世間佛種　或復顰蹙　而懷疑惑
汝當聽說　此人罪報　若佛在世　若滅度後
其有誹謗　如斯經典　見有讀誦　書持經者
輕賤憎嫉　而懷結恨　此人罪報　汝今復聽
其人命終　入阿鼻獄　具足一劫　劫盡更生

BD00128號　妙法蓮華經卷二　（25-13）

輕賤憎嫉　而懷結恨　此人罪報　汝今復聽
其人命終　入阿鼻獄　具足一劫　劫盡更生
如是展轉　至無數劫　從地獄出　當墮畜生
若狗野干　其形頊瘦　黧黮疥癩　人所觸嬈
又復為人　之所惡賤　常困飢渴　骨肉枯竭
生受楚毒　死被瓦石　斷佛種故　受斯罪報
若作駱駝　或生驢中　身常負重　加諸杖捶
但念水草　餘無所知　謗斯經故　獲罪如是
有作野干　來入聚落　身體疥癩　又無一目
為諸童子　之所打擲　受諸苦痛　或時致死
於此死已　更受蟒身　其形長大　五百由旬
聾騃無足　宛轉腹行　為諸小虫　之所唼食
晝夜受苦　無有休息　謗斯經故　獲罪如是
若得為人　諸根闇鈍　矬陋攣躄　盲聾背傴
有所言說　人不信受　口氣常臭　鬼魅所著
貧窮下賤　為人所使　多病痟瘦　無所依怙
雖親附人　人不在意　若有所得　尋復忘失
若脩醫道　順方治病　更增他疾　或復致死
若自有病　無人救療　設服良藥　而復增劇
若他反逆　抄劫竊盜　如是等罪　橫羅其殃
如斯罪人　永不見佛　眾聖之王　說法教化
如斯罪人　常生難處　狂聾心亂　永不聞法
於無數劫　如恒河沙　生輒聾瘂　諸根不具
常處地獄　如遊園觀　在餘惡道　如己舍宅
駝驢猪狗　是其行處　謗斯經故　獲罪如是

BD00128號　妙法蓮華經卷二　（25–14）

常處地獄　如遊園觀　在餘惡道　如己舍宅
駝驢猪狗　是其行處　謗斯經故　獲罪如是
若得為人　聾盲瘖瘂　貧窮諸衰　以自莊嚴
水腫乾痟　疥癩癰疽　如是等病　以為衣服
身常臭處　垢穢不淨　深著我見　增益瞋恚
婬欲熾盛　不擇禽獸　謗斯經故　獲罪如是
告舍利弗　謗斯經者　若說其罪　窮劫不盡
以是因緣　我故語汝　無智人中　莫說此經
若有利根　智慧明了　多聞強識　求佛道者
如是之人　乃可為說　若人曾見　億百千佛
殖諸善本　深心堅固　如是之人　乃可為說
若人精進　常脩慈心　不惜身命　乃可為說
若人恭敬　無有異心　離諸凡愚　獨處山澤
如是之人　乃可為說　又舍利弗　若見有人
捨惡知識　親近善友　如是之人　乃可為說
若見佛子　持戒清潔　如淨明珠　求大乘經
如是之人　乃可為說　若人無瞋　質直柔軟
常愍一切　恭敬諸佛　如是之人　乃可為說
復有佛子　於大眾中　以清淨心　種種因緣
譬喻言辭　說法無礙　如是之人　乃可為說
若有比丘　為一切智　四方求法　合掌頂受
但樂受持　大乘經典　乃至不受　餘經一偈
如是之人　乃可為說　如人至心　求佛舍利
如是求經　得已頂受　其人不復　志求餘經
亦未曾念　外道典籍　如是之人　乃可為說

BD00128號　妙法蓮華經卷二　（25–15）

如是求經 得已頂受 其人不復 志求餘經
亦未曾念 外道典籍 如是之人 乃可爲說
告舍利弗 我說是相 求佛道者 窮劫不盡
如是等人 則能信解 汝當爲說 妙法華經
妙法蓮華經信解品第四
尒時慧命須菩提摩訶迦旃延摩訶迦葉摩
訶目揵連從佛所聞未曾有法世尊授舍利
弗阿耨多羅三藐三菩提記發希有心歡喜
踊躍即從座起整衣服偏袒右肩右膝著地
一心合掌曲躬恭敬瞻仰尊顔而白佛言我
等居僧之首年並朽邁自謂已得涅槃無所
堪任不復進求阿耨多羅三藐三菩提世尊
往昔說法既久我時在座身體疲懈但念空
無相無作於菩薩法遊戲神通淨佛國土成
就衆生心不喜樂所以者何世尊令我等出
於三界得涅槃證又今我等年已朽邁於佛
教化菩薩阿耨多羅三藐三菩提不生一念
好樂之心我等今於佛前聞授聲聞阿耨多
羅三藐三菩提記心甚歡喜得未曾有不謂
於今忽然得聞希有之法深自慶幸獲大善
利無量珍寶不求自得世尊我等今者樂說
譬喻以明斯義譬若有人年既幼稚捨父逃
逝久住他國或十二十至五十歲年既長大
加復窮困馳騁四方以求衣食漸漸遊行遇

譬喻以明斯義譬若有人年既幼稚捨父逃
逝久住他國或十二十至五十歲年既長大
加復窮困馳騁四方以求衣食漸漸遊行遇
向本國其父先來求子不得中止一城其家大
富財寶無量金銀琉璃珊瑚虎珀頗梨珠
等其諸倉庫悉皆盈溢多有僮僕臣佐吏民
象馬車乘牛羊無數出入息利乃遍他國商
估賈客亦甚衆多時貧窮子遊諸聚落經歷
國邑遂到其父所止之城父每念子與子離
別五十餘年而未曾向人說如此事但自思
惟心懷悔恨自念老朽多有財物金銀珍寶
倉庫盈溢無有子息一旦終沒財物散失無
所委付是以慇懃每憶其子復作是念我若
得子委付財物坦然快樂無復憂慮世尊
尒時窮子傭賃展轉遇到父舍住立門側遥
見其父踞師子床寶几承足諸婆羅門刹利居
士皆恭敬圍繞以真珠瓔珞價直千萬莊嚴
其身吏民僮僕手執白拂侍立左右覆以寶
帳垂諸華幡香水灑地散衆名華羅列寶物
出内取與有如是等種種嚴飾威德特尊窮
子見父有大力勢即懷恐怖悔來至此竊作
是念此或是王或是王等非我傭力得物之
處不如往至貧里肆力有地衣食易得若久
住此或見逼迫强使我作作是念已疾走而

處不如往至貧里肆力有地衣食易得若久
住此或見逼迫强使我作作是念已疾走而
去時富長者於師子座見子便識心大歡喜
即作是念我財物庫藏今有所付我常思念
此子無由見之而忽自來甚適我願我雖年
朽猶故貪惜即遣傍人急追將還尒時使者
疾走往捉窮子驚愕稱怨大喚我不相犯何
爲見捉使者執之逾急强牽將還于時窮子
自念無罪而被囚執此必定死轉更惶怖悶
絶躃地父遥見之而語使言不須此人勿强
將來以冷水灑面令得醒悟莫復與語所以
者何父知其子志意下劣自知豪貴爲子所
難審知是子而以方便不語他人云是我子
使者語之我今放汝隨意所趣窮子歡喜得
未曾有從地而起往至貧里以求衣食尒時
長者將欲誘引其子而設方便密遣二人形
色憔悴無威德者汝可詣彼徐語窮子此有
作處倍與汝直窮子若許將來使作若言欲
何所作便可語之雇汝除糞我等二人亦共
汝作時二使人即求窮子既已得之具陳上
事尒時窮子先取其價尋與除糞其父見子
愍而怪之又以他日於窓牖中遥見子身羸
瘦憔悴糞土塵坌汙穢不淨即脱瓔珞細軟
上服嚴飾之具更著麁弊垢膩之衣塵土坌

BD00128號　妙法蓮華經卷二　（25–18）

愍而怪之又以他日於窓牖中遥見子身羸
瘦憔悴糞土塵坌汙穢不淨即脱瓔珞細軟
上服嚴飾之具更著麁弊垢膩之衣塵土坌
身右手執持除糞之器狀有所畏語諸作人
汝等懃作勿得懈息以方便故得近其子後
復告言咄男子汝常此作勿復餘去當加汝
價諸有所須瓮器米麵塩酢之屬莫自疑難
亦有老弊使人須者相給好自安意我如汝
父勿復憂慮所以者何我年老大而汝少壯
汝常作時无有欺怠瞋恨怨言都不見汝有
此諸惡如餘作人自今已後如所生子即時
長者更與作字名之爲兒尒時窮子雖欣此
遇猶故自謂客作賤人由是之故於二十年
中常令除糞過是已後心相體信入出无難
然其所止猶在本處世尊尒時長者有疾自
知將死不久語窮子言我今多有金銀珍寶
倉庫盈溢其中多少所應取與汝悉知之我
心如是當體此意所以者何今我與汝便爲
不異宜加用心无令漏失尒時窮子即受教
勑領知衆物金銀珍寶及諸庫藏而无希取
一飡之意然其所止故在本處下劣之心亦
未能捨復經少時父知子意漸以通泰成就
大志自鄙先心臨欲終時而命其子并會親
族國王大臣刹利居士皆悉已集即自宣言

BD00128號　妙法蓮華經卷二　（25–19）

大志自鄙先心臨欲終時而命其子并會親
族國王大臣剎利居士皆悉已集即自宣言
諸君當知此是我子我之所生於某城中捨
吾逃走跉跰辛苦五十餘年其本字某我名
某甲昔在本城懷憂推覓忽於此間遇會得
之此實我子我實其父今我所有一切財物
皆是子有先所出內是子所知世尊是時窮
子聞父此言即大歡喜得未曾有而作是念
我本无心有所希求今此寶藏自然而至世
尊大富長者則是如來我等皆似佛子如來
常說我等為子世尊我等以三苦故於生死
中受諸熱惱迷惑无知樂著小法今日世尊
令我等思惟蠲除諸法戲論之糞我等於中
懃加精進得至涅槃一日之價既得此已心大
歡喜自以為足便自謂言於佛法中懃精進
故所得弘多然世尊先知我等心著弊欲樂
於小法便見縱捨不為分別汝等當有如來
知見寶藏之分世尊以方便力說如來智慧
我等從佛得涅槃一日之價以為大得於此
大乘无有志求我等又因如來智慧為諸菩
薩開示演說而自於此无有志願所以者何
佛知我等心樂小法以方便力隨我等說而
我等不知真是佛子今我等方知世尊於佛
智慧无所恡惜所以者何我等昔來真是佛
子而但樂小法若我等有樂大之心佛則為

我等不知真是佛子今我等方知世尊於佛
智慧无所恡惜所以者何我等昔來真是佛
子而但樂小法若我等有樂大之心佛則為
我說大乘法於此經中唯說一乘而昔於菩
薩前毀呰聲聞樂小法者然佛實以大乘教
化是故我等說本無有心有所希求今法王
大寶自然而至如佛子所應得者皆已得之
尒時摩訶迦葉欲重宣此義而說偈言
我等今日　聞佛音教　歡喜踊躍　得未曾有
佛說聲聞　當得作佛　無上寶聚　不求自得
譬如童子　幼稚無識　捨父逃逝　遠到他土
周流諸國　五十餘年　其父憂念　四方推求
求之既疲　頓止一城　造立舍宅　五欲自娛
其家巨富　多諸金銀　車璖馬瑙　真珠琉璃
象馬牛羊　輦轝車乘　田業僮僕　人民眾多
出入息利　乃遍他國　商估賈人　無處不多
千萬億眾　圍繞恭敬　常為王者　之所愛念
群臣豪族　皆共宗重　以諸緣故　往來者眾
豪富如是　有大力勢　而年朽邁　益憂念子
夙夜惟念　死時將至　癡子捨我　五十餘年
庫藏諸物　當如之何　尒時窮子　求索衣食
從邑至邑　從國至國　或有所得　或無所得
飢餓羸瘦　體生瘡癬　漸次經歷　到父住城
傭賃展轉　遂至父舍　尒時長者　於其門內
施大寶帳　處師子座　眷屬圍遶　諸人侍衛

飢餓羸瘦　體生瘡癬
傭賃展轉　遂至父舍　尒時長者　於其門內
施大寶帳　處師子座　眷屬圍繞　諸人侍衛
或有計筭　金銀寶物　出內財產　注記券疏
窮子見父　豪貴尊嚴　謂是國王　若國王等
驚怖自怪　何故至此　覆自念言　我若久住
或見逼迫　強驅使作　思惟是已　馳走而去
借問貧里　欲往傭作　長者是時　在師子座
遙見其子　嘿而識之　即勑使者　追捉將来
窮子驚喚　迷悶躃地　是人執我　必當見殺
何用衣食　使我至此　長者知子　愚癡狹劣
不信我言　不信是父　即以方便　更遣餘人
眇目矬陋　無威德者　汝可語之　云當相雇
除諸糞穢　倍與汝價　窮子聞之　歡喜隨来
為除糞穢　淨諸房舍　長者於牖　常見其子
念子愚劣　樂為鄙事　於是長者　著弊垢衣
執除糞器　往到子所　方便附近　語令勤作
既益汝價　并塗足油　飲食充足　薦席厚暖
如是苦言　汝當勤作　又以軟語　若如我子
長者有智　漸令入出　經二十年　執作家事
示其金銀　真珠頗梨　諸物出入　皆使令知
猶處門外　止宿草菴　自念貧事　我無此物
父知子心　漸已曠大　欲與財物　即聚親族
國王大臣　剎利居士　於此大眾　說是我子
捨我他行　經五十歲　自見子来　已二十年

國王大臣　剎利居士　於此大眾　說是我子
捨我他行　經五十歲　自見子来　已二十年
昔於某城　而失是子　周行求索　遂来至此
凡我所有　舍宅人民　悉以付之　恣其所用
子念昔貧　志意下劣　今於父所　大獲珍寶
并及舍宅　一切財物　甚大歡喜　得未曾有
佛亦如是　知我樂小　未曾說言　汝等作佛
而說我等　得諸無漏　成就小乘　聲聞弟子
佛勑我等　說最上道　脩習此者　當得成佛
我承佛教　為大菩薩　以諸因緣　種種譬喻
若干言辭　說無上道　諸佛子等　從我聞法
日夜思惟　精懃脩習　是時諸佛　即授其記
汝於来世　當得作佛　一切諸佛　秘藏之法
但為菩薩　演其實事　而不為我　說斯真要
如彼窮子　得近其父　雖知諸物　心不希取
我等雖說　佛法寶藏　自無志願　亦復如是
我等內滅　自謂為足　唯了此事　更無餘事
我等若聞　淨佛國土　教化眾生　都無欣樂
所以者何　一切諸法　皆悉空寂　無生無滅
無大無小　無漏無為　如是思惟　不生喜樂
我等長夜　於佛智慧　無貪無著　無復志願
而自於法　謂是究竟　我等長夜　脩習空法
得脫三界　苦惱之患　住最後身　有餘涅槃
佛所教化　得道不虛　則為已得　報佛之恩
我等雖為　諸佛子等　說菩薩法　以求佛道

我等長夜 於佛智慧 無貪無著 無復志願
而自於法 謂是究竟 我等長夜 脩習空法
得脫三界 苦惱之患 住最後身 有餘涅槃
佛所教化 得道不虛 則為已得 報佛之恩
我等雖為 諸佛子等 說菩薩法 以求佛道
而於是法 永無願樂 導師見捨 觀我心故
初不勸進 說有實利 如富長者 知子志劣
以方便力 柔伏其心 然後乃付 一切財物
佛亦如是 現希有事 知樂小者 以方便力
調伏其心 乃教大智 我等今日 得未曾有
非先所望 而今自得 如彼窮子 得無量寶
世尊我今 得道得果 於无漏法 得清淨眼
我等長夜 持佛淨戒 始於今日 得其果報
法王法中 久脩梵行 今得無漏 無上大果
我等今者 真是聲聞 以佛道聲 令一切聞
我等今者 真阿羅漢 於諸世間 天人魔梵
普於其中 應受供養 世尊大恩 以希有事
憐愍教化 利益我等 无量億劫 誰能報者
手足供給 頭頂禮敬 一切供養 皆不能報
若以頂戴 兩肩荷負 於恒沙劫 盡心恭敬
又以美饍 无量寶衣 及諸臥具 種種湯藥
牛頭栴檀 及諸珍寶 以起塔廟 寶衣布地
如斯等事 以用供養 於恒沙劫 亦不能報
諸佛希有 无量无邊 不可思議 大神通力
无漏无為 諸法之王 能為下劣 忍于斯事

BD00128號　妙法蓮華經卷二　（25–24）

法王法中 久脩梵行 今得無漏 無上大果
我等今者 真是聲聞 以佛道聲 令一切聞
我等今者 真阿羅漢 於諸世間 天人魔梵
普於其中 應受供養 世尊大恩 以希有事
憐愍教化 利益我等 无量億劫 誰能報者
手足供給 頭頂禮敬 一切供養 皆不能報
若以頂戴 兩肩荷負 於恒沙劫 盡心恭敬
又以美饍 无量寶衣 及諸臥具 種種湯藥
牛頭栴檀 及諸珍寶 以起塔廟 寶衣布地
如斯等事 以用供養 於恒沙劫 亦不能報
諸佛希有 无量无邊 不可思議 大神通力
无漏无為 諸法之王 能為下劣 忍于斯事
取相凡夫 隨宜而說 諸佛於法 得最自在
知諸眾生 種種欲樂 及其志力 隨所堪任
以无量喻 而為說法 隨諸眾生 宿世善根
又知成熟 未成熟者 種種籌量 分別知已
於一乘道 隨宜說三

妙法蓮華經卷第二

BD00128號　妙法蓮華經卷二　（25–25）

大士若有男子女人能誦如是呪及呪前
所說受持法式歸敬三寶虔心正念於所求
事皆不唐捐無復受持讀誦此金光明最妙
經典所願求者无不果遂速得成就除不至
心時婆羅門深心歡喜合掌頂受
尒時佛告辯才天女善哉善哉善女天汝能
流布是妙經王擁護所有受持經者及能利
益一切眾生令得安樂說如是法施与辯才
不可思議得福无量諸發心者速趣菩提
金光明最勝王經大吉祥天女品第十六
尒時大吉祥天女即從座起前礼佛足合掌
恭敬白佛言世尊我若見有苾芻苾芻尼鄔
波索迦鄔波斯迦受持讀誦為人解說是金
光明最勝王經者我當專心恭敬供養此等
法師所謂飲食衣服臥具醫藥及餘一切所
須資具皆令圓滿无有乏少若晝若夜於此
經王所有句義觀察思量安樂而住令此經
典於贍部洲廣行流布為彼有情已於无量
百千佛所種善根者常使得聞不速隱沒復
於无量百千億劫當受人天種種勝樂常得
豐稔永除飢饉一切有情恒受安樂亦得值
遇諸佛世尊於未來世速證无上大菩提果
永絕三塗輪迴苦難世尊我念過去有瑠璃
金山寶花光照吉祥功德海如來應正等覺
十号具足我於彼所種諸善根由彼如來慈

BD00129 號　金光明最勝王經卷八　（6–1）

遇諸佛世尊於未來世速證无上大菩提果
永絕三塗輪迴苦難世尊我念過去有瑠璃
金山寶花光照吉祥功德海如來應正等覺
十号具足我於彼所種諸善根由彼如來慈
悲護念威神力故令我今日隨所念處隨所
視方隨所至國能令无量百千萬億眾生受
諸快樂乃至所須衣服飲食資生之具金銀
瑠璃車𤥭馬瑙珊瑚虎珀真珠等寶悉令充
足若復有人至心讀誦是金光明最勝
亦當日日燒眾名香及諸妙花為我供養彼瑠
璃金山寶花光照吉祥功德海如來應正等覺
復當每日於三時中稱念我名別以香花及
諸美食供養於我亦常聽受此妙經王得如
是福而說頌曰
由能如是持經故　自身眷屬離諸衰
所須衣食无乏時　威光壽命難窮盡
能使地味常增長　諸天降雨隨時節
令彼天眾咸歡悅　及以薗林穀果神
叢林果樹並滋榮　所有苗稼咸成就
欲求珎財皆滿願　隨所念者遂其心
佛告大吉祥天女善哉善哉汝能如是憶念
昔因報恩供養利益安樂无邊眾生流布
是經功德无盡
金光明最勝王經大吉祥天女增長財物品第十七
尒時大吉祥天女復白佛言世尊北方薜室
羅末拏天王城名有財去城不遠有園名曰
妙花福光中有勝殿七寶所成世尊我常住彼
若復有人欲求五穀日日增多倉庫盈溢者
應當發起敬信之心淨治一室瞿摩塗地

BD00129 號　金光明最勝王經卷八　（6–2）

妙光福光中有勝殿七寶所成世尊我常住彼
若復有人欲求五穀日日增多倉庫盈溢者
應當發起敬信之心淨治一室瞿摩塗地應
畫我像種種瓔珞周帀莊嚴當洗浴身著
淨衣服塗以名香入淨室内發心為我每日
三時稱彼佛名及此經名号而申礼敬南謨
瑠璃金山寶花光照吉祥功德海如來持諸香
花及以種種甘美飲食至心奉獻亦以香花及
諸飲食供養我像復持飲食散擲餘方施
諸神等實言邀請大吉祥天發所求願若
如所言是不虛者於我所請勿令空尒于時
吉祥天女知是事已便生慜念令其宅中財
穀增長即當誦呪請召於我先稱佛名及菩
薩名字一心敬礼
南謨一切十方三世諸佛　南謨寶髻佛
南謨无垢光明寶幢佛　南謨金幢光佛
南謨百金光藏佛　南謨金蓋寶積佛
南謨金花光幢佛　南謨大燈光佛
南謨大寶幢佛　南謨東方不動佛
南謨南方寶幢佛　南謨西方无量壽佛
南謨北方天鼓音佛　南謨妙幢菩薩
南謨金光菩薩　南謨金藏菩薩
南謨常啼菩薩　南謨法上菩薩
南謨善安菩薩
敬礼如是佛菩薩已次當誦呪請召我大吉
祥天女由此呪力所求之事皆得成就即説
呪曰
南謨室唎莫訶天女　怛　姪　他

祥天女由此呪力所求之事皆得成就即説
呪曰
南謨室唎莫訶天女　怛　姪　他
鉢唎脯㘑娜折㘑　三　曼　頞
達唎設泥去　莫訶毗訶羅揭帝
三曼哆毗曇末泥下同　莫訶迦里也
鉢唎底瑟侘鉢泥　薩婆頞他娑彈泥
蘇鉢唎底脯㘑　痾耶娜達摩多
莫訶毗俱比帝　莫訶迷咄㘑
鄔波僧呬羝　莫訶頡唎使
蘇僧近入里呬羝　三曼多頞他
阿如波剌泥　莎訶
世尊若人誦持如是神呪請召我時我聞請
已即至其所令願得遂世尊是灌頂法句定
成就句真實之句无虛誑句是平等行於諸
衆生是正善根若有受持讀誦呪者應七日
七夜受八支戒於晨朝時先嚼齒木淨澡
漱已及於晡後香花供養一切諸佛自陳其
罪當為己身及諸含識迴向發願令所希求速
得成就淨治一室或在空閑阿蘭若處瞿摩
為壇燒旃檀香而為供養置一勝座幡蓋莊
嚴以諸名花布列壇内應當至心誦持前呪
希望我至我於尒時即便護念觀察是人來
入其室就座而坐受其供養從是以後當令
彼人於睡夢中得見於我隨所求事以實告
知若聚落空澤及僧住處隨所求者皆令圓
滿金銀財寶牛羊穀麥飲食衣服皆得隨心
受諸快樂既得如是勝妙果報

鐵以諸名花布列壇內應當至心誦持前呪
希望我至我於尒時即便護念觀察是人來
入其室就座而坐受其供養從是以後當令
彼人於睡夢中得見於我隨所求事以實告
知若聚落空澤及僧住處隨所求者皆令圓
滿金銀財寶牛羊穀麥飲食衣服皆得隨心
受諸快樂既得如是勝妙果報當以上分供
養三寶及施於我廣修法會設諸飲食布列
香花既供養已所有供養貿之車直復為供
養我當終身常住於此擁護是人令无闕乏
隨所希求悉皆稱意亦當時時給濟貧乏不
應慳惜獨為己身常讀是經供養不絕當以
此福普施一切迴向菩提願出生死速得解脫
尒時世尊讃言善哉吉祥天女汝能如是
流布此經不可思議自他俱益
金光明最勝王經堅牢地神品第十八
尒時堅牢地神即於衆中從座而起合掌恭
敬而白佛言世尊是金光明最勝王經若現
在世若未來世若在城邑聚落王宮樓觀及
阿蘭若山澤空林有此經王流布之處世尊
我當往詣其所供養恭敬擁護流通若有方
處為說法師敷置高座演說經者我以神力
不現本身在於座所頂戴其足我得聞法深
心歡喜得食法味增益威光慶悅无量自身
既得如是利益亦令大地深十六万八千踰繕
那至金剛輪際令其地味悉皆增益乃至四
海所有土地亦使肥濃田疇沃壤倍勝常日亦
復令此贍部洲中江河池沼所有諸樹藥草
叢林種

BD00129號　金光明最勝王經卷八　（6–5）

應慳惜獨為己身常讀是經供養不絕當以
此福普施一切迴向菩提願出生死速得解脫
尒時世尊讃言善哉吉祥天女汝能如是
流布此經不可思議自他俱益
金光明最勝王經堅牢地神品第十八
尒時堅牢地神即於衆中從座而起合掌恭
敬而白佛言世尊是金光明最勝王經若現
在世若未來世若在城邑聚落王宮樓觀及
阿蘭若山澤空林有此經王流布之處世尊
我當往詣其所供養恭敬擁護流通若有方
處為說法師敷置高座演說經者我以神力
不現本身在於座所頂戴其足我得聞法深
心歡喜得食法味增益威光慶悅无量自身
既得如是利益亦令大地深十六万八千踰繕
那至金剛輪際令其地味悉皆增益乃至四
海所有土地亦使肥濃田疇沃壤倍勝常日亦
復令此贍部洲中江河池沼所有諸樹藥草
叢林種種花果根莖枝葉及諸苗稼形相
可愛衆所樂觀色香具足皆堪受用若諸有
情受用如是勝飲食已長命色力諸根安隱
增益光輝无諸痛惱心慧勇健无不堪能又
此大地凡有所須百千事業悉皆周備世尊
以是因緣諸贍部洲安隱豐樂人民熾盛无
諸衰惱所有衆生皆受安樂既受如是身

BD00129號　金光明最勝王經卷八　（6–6）

[illegible]
功德
時諸　令諦聽極善思惟
曼殊室利言唯然願說我等樂聞
佛告曼殊室利東方去此過十殑伽沙等佛
土有世界名淨瑠璃佛号藥師瑠璃光如來
應正等覺明行圓滿善逝世間解无上丈夫
調御士天人師佛薄伽梵曼殊室利彼世尊
藥師瑠璃光如來本行菩薩道時發十二大
願令諸有情所求皆得
第一大願願我來世得阿耨多羅三藐三菩
提時自身光明熾然照曜无量无數无邊世
界以三十二大丈夫相八十隨好莊嚴其
身令一切有情如我无異
第二大願願我來世得菩提時身如瑠璃內
外明徹淨无瑕穢光明廣大功德巍巍身善
安住焰網莊嚴過於日月幽冥衆生悉蒙開
曉隨意所趣作諸事業
第三大願願我來世得菩提時以无量无邊
智慧方便令諸有情皆得无盡所受用物莫
令衆生有所乏少
第四大願願我來世得菩提時若諸有情行

BD00130號　藥師瑠璃光如來本願功德經　（8–1）

智慧方便令諸有情皆得无盡所受用物莫
令衆生有所乏少
第四大願願我來世得菩提時若諸有情行
邪道者悉令安住菩提道中若行聲聞獨覺
乘者皆以大乘而安立之
第五大願願我來世得菩提時若有无量无
邊有情於我法中脩行梵行一切皆令得不
缺戒具三聚戒設有毀犯聞我名已還得清
淨不墮惡趣
第六大願願我來世得菩提時若諸有情其
身下劣諸根不具醜陋頑愚盲聾瘖瘂攣躄
背僂白癩癲狂種種病苦聞我名已一切皆
得端政黠慧諸根完具无諸疾苦
第七大願願我來世得菩提時若諸有情衆
病逼切无救无歸无醫无藥无親无家貧窮
多苦我之名号一經其耳衆病悉除身心安
樂家屬資具悉皆豐足乃至證得无上菩提
第八大願願我來世得菩提時若有女人為
女百惡之所逼惱極生厭離願捨女身聞我
名已一切皆得轉女成男具丈夫相乃至證
得无上菩提
第九大願願我來世得菩提時令諸有情出
魔羂網解脫一切外道纏縛若墮種種惡見
稠林皆當引攝置於正見漸令脩習諸菩薩
行速證无上正等菩提
第十大願願我來世得菩提時若諸有情王

BD00130號　藥師瑠璃光如來本願功德經　（8–2）

行速證无上正等菩提
第十大願願我来世得菩提時若諸有情王
法所縲縛鞭撻繫閉牢獄或當刑戮及餘
无量災難淩辱悲愁煎迫身心受苦若聞我
名以我福德威神力故皆得解脫一切憂苦
第十一大願願我来世得菩提時若諸有情
飢渴所惱為求食故造諸惡業得聞我名專
念受持我當先以上妙飲食飽足其身後以
法味畢竟安樂而建立之
第十二大願願我来世得菩提時若諸有情
貧无衣服蚊虻寒熱晝夜逼惱若聞我名專
念受持如其所好即得種種上妙衣服亦得
一切寶莊嚴具華鬘塗香鼓樂衆伎隨心所
翫皆令滿足
曼殊室利是為彼世尊藥師瑠璃光如来應
正等覺行菩薩道時所發十二微妙上願
復次曼殊室利彼世尊藥師瑠璃光如来行
菩薩道時所發大願及彼佛土功德莊嚴我
若一劫若一劫餘說不能盡然彼佛土一向
清淨无有女人亦无惡趣及苦音聲瑠璃為
地金繩界道城闕宮閣軒窓羅網皆七寶成
亦如西方極樂世界功德莊嚴等无差別於
其國中有二菩薩摩訶薩一名日光遍照二
名月光遍照是彼无量无數菩薩衆之上首
悉能持彼世尊藥師瑠璃光如来正法寶藏
是故曼殊室利諸有信心善男子善女人等
應當願生彼佛世界

BD00130 號　藥師瑠璃光如來本願功德經　（8–3）

是故曼殊室利諸有信心善男子善女人等
應當願生彼佛世界
尒時世尊復告曼殊室利童子言曼殊室利
有諸衆生不識善惡唯懷貪悋不知布施及
施果報愚癡无智闕於信根多聚財寶勤加
守護見乞者来其心不喜設不獲已而行施
時如割身肉深生痛惜復有无量慳貪有情
積集資財於其自身尚不受用何況能與父
母妻子奴婢作使及来乞者彼諸有情從此
命終生餓鬼界或傍生趣由昔人間曾得暫
聞藥師瑠璃光如来名故今在惡趣暫得憶
念彼如来名即於念時從彼處沒還生人中
得宿命念畏惡趣苦不樂欲樂好行惠施讚
歎施者一切所有悉无貪惜漸次尚能以頭
目手足血肉身分施来求者況餘財物
復次曼殊室利若諸有情雖於如来受諸學
處而破尸羅有雖不破尸羅而破軌則有於
尸羅軌則雖得不壞然毀正見有雖不毀正
見而棄多聞於佛所說契經深義不能解了
有雖多聞而增上慢由增上慢覆蔽心故自
是非他嫌謗正法為魔伴黨如是愚人自行
邪見復令无量俱胝有情墮大險坑此諸有
情應於地獄傍生鬼趣流轉无窮若得聞此
藥師瑠璃光如来名号便捨惡行脩諸善法
不墮惡趣設有不能捨諸惡行脩行善法墮
惡趣者以彼如来本願威力令其現前暫聞

BD00130 號　藥師瑠璃光如來本願功德經　（8–4）

藥師瑠璃光如来名号便捨惡行脩諸善法
不墮惡趣設有不能捨諸惡行脩行善法墮
惡趣者以彼如来本願威力令其現前蹔聞
名号從彼命終還生人趣得正見精進善調
意樂便能捨家趣於非家如来法中受持學
處无有毀犯正見多聞解甚深義離增上慢
不謗正法不為魔伴漸次脩行諸菩薩行速
得圓滿
復次曼殊室利若諸有情慳貪嫉妬自讚毀
他當墮三惡趣中无量千歲受諸劇苦受劇
苦已從彼命終来生人間作牛馬駝驢恒被
鞭撻飢渴逼惱又常負重隨路而行或得為
人生居下賤作人奴婢受他驅役恒不自在
若昔人中曾聞世尊藥師瑠璃光如来名号
由此善因今復憶念至心歸依以佛神力衆
苦解脫諸根聰利智慧多聞恒求勝法常遇
善友永斷魔羂破无明殼竭煩惱河解脫一
切生老病死憂悲苦惱
復次曼殊室利若諸有情好憙乖離更相鬪
訟惱亂自他以身語意造作增長種種惡業
展轉常為不饒益事互相謀害告召山林樹
塚等神殺諸衆生取其血肉祭祀藥叉羅刹
婆等書怨人名作其形像以惡呪術而呪咀
之厭媚蠱道呪起屍鬼令斷彼命及壞其身
是諸有情若得聞此藥師瑠璃光如来名号
彼諸惡事悉不能害一切展轉皆起慈心利

BD00130 號　藥師瑠璃光如來本願功德經　（8–5）

是諸有情若得聞此藥師瑠璃光如来名号
彼諸惡事悉不能害一切展轉皆起慈心利
益安樂无損惱意及嫌恨心各各歡悅於自
所受生於喜足不相侵淩互為饒益
復次曼殊室利若有四衆苾芻苾芻尼鄔波
索迦鄔波斯迦及餘淨信善男子善女人等
有能受持八分齋戒或經一年或復三月受
持學處以此善根願生西方極樂世界无量
壽佛所聽聞正法而未定者若聞世尊藥師
瑠璃光如来名号臨命終時有八菩薩乘神
通来示其道路即於彼界種種雜色衆寶
華中自然化生或有因此生於天上雖生天中
而本善根亦未窮盡不復更生諸餘惡趣天
上壽盡還生人間或為輪王統攝四洲威德
自在安立无量百千有情於十善道或生刹
帝利婆羅門居士大家多饒財寶倉庫盈溢
形相端嚴眷屬具足聰明智慧勇健威猛如
大力士若是女人得聞世尊藥師如来名号
至心受持於後不復更受女身
尒時曼殊室利童子白佛言世尊我當誓於
像法轉時以種種方便令諸淨信善男子善女
人等得聞世尊藥師瑠璃光如来名号乃至睡
中亦以佛名覺悟其耳世尊若於此經受持讀
誦或復為他演說開示若自書若教人書恭敬
尊重以種種華香塗香末香燒香花鬘瓔珞幡
蓋伎樂而為供養以五色綵作囊盛之掃灑

BD00130 號　藥師瑠璃光如來本願功德經　（8–6）

尊重以種華香塗香抹香燒香花鬘瓔珞幡
蓋伎樂而為供養以五色綵作囊盛之掃灑
淨處敷設高座而用安處尒時四大天王與
其眷屬及餘无量百千天衆皆詣其所供養
守護世尊若此經寶流行之處有能受持以
彼世尊藥師瑠璃光如來本願功德及聞名
号當知是處无復横死亦復不為諸惡鬼神
奪其精氣設已奪者還得如故身心安樂
佛告曼殊室利如是如是如汝所說曼殊室
利若有淨信善男子善女人等欲供養彼世
尊藥師瑠璃光如來者應先造立彼佛形像
敷清淨座而安處之散種種花燒種種香以
種種幢幡莊嚴其處七日七夜受八分齋戒
食清淨食澡浴香潔著新淨衣應生无垢濁
心无怒害心於一切有情起利益安樂慈悲
喜捨平等之心鼓樂歌讚右遶佛像復應念
彼如來本願功德讀誦此經思惟其義演說
開示隨所樂願一切皆遂求長壽得長壽求富
饒得富饒求官位得官位求男女得男女若
復有人忽得惡夢見諸惡相或恠鳥來集或
於住處百恠出現此人若以衆妙資具恭敬
供養彼世尊藥師瑠璃光如來者惡夢惡相
諸不吉祥皆悉隱沒不能為患或有水火刀
毒懸嶮惡象師子虎狼熊羆毒虵惡蠍蜈蚣
蚰蜒蚊䖟等怖若能至心憶念彼佛恭敬供
養一切怖畏皆得解脫若他國侵擾盜賊反
亂憶念恭敬彼如來者亦皆解脫

BD00130 號　藥師瑠璃光如來本願功德經　（8–7）

復有人忽得惡夢見諸惡相或恠鳥來集或
於住處百恠出現此人若以衆妙資具恭敬
供養彼世尊藥師瑠璃光如來者惡夢惡相
諸不吉祥皆悉隱沒不能為患或有水火刀
毒懸嶮惡象師子虎狼熊羆毒虵惡蠍蜈蚣
蚰蜒蚊䖟等怖若能至心憶念彼佛恭敬供
養一切怖畏皆得解脫若他國侵擾盜賊反
亂憶念恭敬彼如來者亦皆解脫
復次曼殊室利若有淨信善男子善女人等
乃至盡形不事餘天唯當一心歸佛法僧受
持禁戒若五戒十戒菩薩四百戒苾芻二百
五十戒苾芻尼五百戒於所受中或有毀犯
怖墮惡趣若能專念彼佛名号恭敬供養者
必定不受三惡趣生或有女人臨當產時受
於極苦若能至心稱名礼讚恭敬供養彼如
來者衆苦皆除所生之子身分具足形色端
正見者歡喜利根聰明安隱少病无有非人
奪其精氣
尒時世尊告阿難言如我稱揚彼佛世尊藥
師瑠璃光如來所有功德此是諸佛甚深行
處難可解了汝為信不阿難白佛大德世尊
我於如來所說契經不生疑惑所以者何一
切如來身語意業无不清淨世尊此日月輪
可令墮落妙高山王可使傾動諸佛所言无

BD00130 號　藥師瑠璃光如來本願功德經　（8–8）

來求女人相了不可得當何所轉譬如幻師
化作幻女若有人問何以不轉女身是人爲
正問不舍利弗言不也幻无定相當何所轉
天曰一切諸法亦復如是无有定相云何乃問
不轉女身即時天女以神通力變舍利弗令
如天女天自化身如舍利弗而問言何以不轉
女身舍利弗以天女像而荅言我今不知何
轉而變爲女身天曰舍利弗若能轉此女身
則一切女人亦當能轉如舍利弗非女而
現女身一切女人亦復如是雖現女身而非女
也是故佛説一切諸法非男非女即時天女還
攝神力舍利弗身還復如故天問舍利弗女
身色相今何所在舍利弗言女身色相无
在无不在天曰一切諸法亦復如是无在无
不在夫无在无不在者佛所説也舍利弗
問天汝於此沒當生何所天曰佛化所生吾
如彼生曰佛化所生非沒生也天曰衆生猶
然无沒生也舍利弗問天汝久如當得阿耨多
羅三藐三菩提天曰如舍利弗還爲凡夫
我乃當成阿耨多羅三藐三菩提舍利弗
言我作凡夫无有是處天曰我得阿耨多

BD00131 號　維摩詰所說經卷中　（11–1）

羅三藐三菩提天曰如舍利弗還爲凡夫
我乃當成阿耨多羅三藐三菩提舍利弗
言我作凡夫无有是處天曰我得阿耨多
羅三藐三菩提亦无是處所以者何菩提无
住處是故无有得者舍利弗言今諸佛得阿
耨多羅三藐三菩提已得當得如恒河
沙皆謂何乎天曰皆以世俗文字數故説有
三世非謂菩提有去来今天曰舍利弗汝得
阿羅漢道耶曰无所得故而得天曰諸佛菩
薩亦復如是无有得故而得尒時維摩詰語
舍利弗是天女曾已供養九十二億佛已能
遊戲菩薩神通所願具足得无生忍住不退
轉以本願故隨意能現教化衆生

佛道品第八

尒時文殊師利問維摩詰言菩薩云何通達
佛道維摩詰言若菩薩行於非道是爲通
達佛道又問云何菩薩行於非道荅曰若菩
薩行五无間而无惱恚至于地獄无諸罪垢
至于畜生无有无明憍慢等過至于餓鬼而
具足功德行色无色界道不以爲勝示行貪欲
離諸染著示行瞋恚於諸衆生无有恚閡示
行愚癡而以智慧調伏其心示行慳貪而捨
内外所有不惜身命示行毀禁而安住淨戒乃
至小罪猶懷大懼示行瞋恚而常慈忍示行

BD00131 號　維摩詰所說經卷中　（11–2）

行愚癡而以智慧調伏其心亦行慳貪而捨
内外所有不惜身命亦行毀禁而安住淨戒乃
至小罪猶懷大懼亦行瞋恚而常慈忍亦行
懈怠而懃脩功德亦行亂意而常念定亦行
愚癡而通達世間出世間慧亦行諂偽而善
方便隨諸經義亦行憍慢而於衆生猶如橋
梁亦行諸煩惱而心常清淨亦入於魔而順佛
智慧不隨他教亦入聲聞而爲衆生說未聞
法亦入辟支佛而成就大悲教化衆生亦入貧
窮而有寶手功德无盡亦入形殘而具諸相
好以自莊嚴亦入下賤而生佛種性中具諸
功德亦入羸劣醜陋而得那羅延身一切衆
生之所樂見亦入老病而永斷病根超越死
畏亦有資生而恒觀无常實无所貪亦有
妻妾婇女而常遠離五欲淤泥現於訥鈍而
成辯才揔持无失亦入耶濟而以正濟度諸衆
生現遍入諸道而斷其因緣現於涅槃而不
斷生死文殊師利菩薩能如是行非道是
爲通達佛道
於是維摩詰問文殊師利何等爲如來種文
殊師利言有身爲種无明有愛爲種貪恚
癡爲種四顛倒爲種五蓋爲種六入爲種七
識處爲種八邪法爲種九惱處爲種十不善
道爲種以要言之六十二見及一切煩惱皆是

BD00131號　維摩詰所說經卷中　（11–3）

識處爲種八邪法爲種九惱處爲種十不善
道爲種以要言之六十二見及一切煩惱皆是
佛種曰何謂也荅曰若見无爲入正位者不能
復發阿耨多羅三藐三菩提心譬如高原陸
地不生蓮華卑濕淤泥乃生此華如是見无爲
法入正位者終不復能生於佛法煩惱泥中乃
有衆生起佛法耳又如殖種於空終不得
生糞壤之地乃能滋茂如是入无爲正位者
不生佛法起於我見如須弥山猶能發於阿
耨多羅三藐三菩提心生佛法矣是故當
知一切煩惱爲如來種譬如不入巨海不能得
无價寶珠如是不入煩惱大海則不能生
一切智寶
尒時大迦葉歎言善哉善哉文殊師利快說
此語誠如所言塵勞之疇爲如來種我等今
者不復堪任發阿耨多羅三藐三菩提心乃
至五无間罪猶能發意生於佛法而今我等
永不能發譬如根敗之士其於五欲不能復
利如是聲聞諸結斷者於佛法中无所復益
永不志願是故文殊師利凡夫於佛法有反
復而聲聞无也所以者何凡夫聞佛法能起
无上道心不斷三寶正使聲聞終身聞佛法
力无畏等永不能發无上道意尒時會中有
菩薩名普現色身問維摩詰言居士父母
妻子親戚眷屬吏民知識悉爲是誰奴婢僮

BD00131號　維摩詰所說經卷中　（11–4）

加无畏等永不能發无上道意尒時會中有
菩薩名普現色身問維摩詰言居士父母
妻子親戚眷屬吏民知識悉爲是誰奴婢僮
僕象馬車乘皆何所在於是維摩詰以偈
荅曰
智度菩薩母　方便以爲父　一切衆導師　无不由是生
法喜以爲妻　慈悲心爲女　善心誠實男　畢竟空寂舍
弟子衆塵勞　隨意之所轉　道品善知識　由是成正覺
諸度法等侶　四攝衆伎女　歌詠誦法言　以此爲音樂
總持之園苑　无漏法林樹　覺意淨妙華　解脫智慧果
八解之浴池　定水湛然滿　布以七淨華　浴此无垢人
象馬五通馳　大乘以爲車　調御以一心　遊於八正路
相具以嚴容　衆好飾其姿　慚愧之上服　深心爲華鬘
富有七財寶　教授以滋息　如所說脩行　迴向爲大利
四禪爲牀座　從於淨命生　多聞增智慧　以爲自覺音
甘露法之食　解脫味爲漿　淨心以澡浴　戒品爲塗香
摧滅煩惱賊　勇健无能踰　降伏四種魔　勝幡建道場
雖知无起滅　示彼故有生　悉現諸國土　如日无不見
供養於十方　无量億如來　諸佛及己身　无有分別想
雖知諸佛國　及與衆生空　而常脩淨土　教化於群生
諸有衆生類　形聲及威儀　无畏力菩薩　一時能盡現
覺知衆魔事　而示隨其行　以善方便智　隨意皆能現
或示老病死　成就諸群生　了知如幻化　通達无有礙
或現劫盡燒　天地皆洞然　衆人有常想　照令知无常

BD00131號　維摩詰所說經卷中　（11-5）

或示老病死　成就諸群生　了知如幻化　通達无有礙
或現劫盡燒　天地皆洞然　衆人有常想　照令知无常
无數億衆生　俱來請菩薩　一時到其舍　化令向佛道
經書禁呪術　工巧諸伎藝　盡現行此事　饒益諸群生
世間衆道法　悉於中出家　因以解人惑　而不墮邪見
或作日月天　梵王世界主　或時作地水　而復作風火
劫中有疾疫　現作諸藥草　若有服之者　除病消衆毒
劫中有飢饉　現身作飲食　先救彼飢渴　却以法語人
劫中有刀兵　爲之起慈悲　化彼諸衆生　令住无諍地
若有大戰陣　立之以等力　菩薩現威勢　降伏使和安
一切國土中　諸有地獄處　輙往到于地　勉濟諸苦惱
一切國土中　畜生相噉食　皆現生於彼　爲之作利益
示受於五欲　亦復現行禪　令魔心憒亂　不能得其便
火中生蓮華　是可謂希有　在欲而行禪　希有亦如是
或現作婬女　引諸好色者　先以欲鉤牽　後令入佛智
或爲邑中主　或作商人導　國師及大臣　以祐利衆生
諸有貧窮者　現作无盡藏　因以勸導之　令發菩提心
我心憍慢者　爲現大力事　消伏諸貢高　令住无上道
其有恐懼衆　居前而安慰　先施以无畏　後令發道心
或現離婬欲　爲五通仙人　開導諸群生　令住戒忍慈
見須供事者　現爲作僮僕　既悅可其意　乃發以道心
隨彼之所須　得入於佛道　以善方便力　皆能給足之
如是道无量　所行无有崖　智慧无邊際　度脫无數衆
假令一切佛　於无數億劫　讚歎其功德　猶尚不能盡

BD00131號　維摩詰所說經卷中　（11-6）

如是道无量 所行无有崖 智慧无邊際 度脫无數衆
假令一切佛 於无數億劫 讚歎其功德 猶尚不能盡
誰聞如是法 不發菩提心 除彼不肖人 癡冥无智者
入不二法門品第九
尒時維摩詰謂衆菩薩言諸仁者云何菩薩
入不二法門各隨所樂說之會中有菩薩名
法自在說言諸仁者生滅為二法本不生今
則无滅得此无生法忍是為入不二法門
德守菩薩曰我我所為二因有我故便有我
所若无有我則无我所是為入不二法門
不眴菩薩曰受不受為二若法不受則不可
得以不可得故无取无捨无住无相是為入
不二法門
德頂菩薩曰垢淨為二見垢實性則无淨相
順於滅相是為入不二法門
善宿菩薩曰是動是念為二不動則无念无
念則无分別通達此者是為入不二法門
善眼菩薩曰一相无相為二若知一相即是无
相亦不取无相入於平等是為入不二法門
妙臂菩薩曰菩薩心聲聞心為二觀心相空
如幻化者无菩薩心无聲聞心是為入不二
法門
弗沙菩薩曰善不善為二若不起善不善
入无相際而通達者是為入不二法門

BD00131號 維摩詰所說經卷中 （11-7）

入无相際而通達者是為入不二法門
師子菩薩曰罪福為二若達罪性則與福
无異以金剛慧決了此相无縛无解者是
為入不二法門
淨解菩薩曰有為无為為二若離一切數則
心如虛空以清淨慧无所礙者是為入不二法
門
那羅延菩薩曰世間出世間為二世間性空
即是出世間於其中不入不出不溢不散是
為入不二法門
善意菩薩曰生死涅槃為二若見生死性則
无生死无縛无解不然不滅如是解者是為
入不二法門
現見菩薩曰盡不盡為二法若究竟盡若
盡皆是无盡相无盡相即是空空則无有
盡不盡相如是入者是為入不二法門
普守菩薩曰我无我為二我尚不可得非我
何可得見我實性者不復起二是為入不二
法門
電天菩薩曰明无明為二无明實性即是明
明亦不可取離一切數於其中平等无二者
是為入不二法門
喜見菩薩曰色色空為二色即是空非色滅
空色性自空如是受想行識識空為二識即

BD00131號 維摩詰所說經卷中 （11-8）

是爲入不二法門
喜見菩薩曰色色空爲二色即是空非色滅
空色性自空如是受想行識識空爲二識即
是空非識滅空識性自空於其中而通達者
是爲入不二法門
明相菩薩曰四種異空種異爲二四種性即
是空種性如前際後際空故中際亦空若
能如是知諸種性者是爲入不二法門
妙意菩薩曰眼色爲二若知眼性於色不貪
不恚不癡是名寂滅如是耳聲鼻香舌味
身觸意法爲二若知意性於法不貪不恚
不癡是名寂滅安住其中是爲入不二法門
无盡意菩薩曰布施迴向一切智爲二布施性
即是迴向一切智性如是持戒忍辱精進禪定
智慧迴向一切智爲二智慧性即是迴向一切智
性於其中入一相者是爲入不二法門
深慧菩薩曰是空是无相是无作爲二空即
无相无相即无作若空无相无作則无心意
識於一解脫門即是三解脫門者是爲入
不二法門
寂根菩薩曰佛法衆爲二佛即是法法即是
衆是三寶皆无爲相與虛空等一切亦令能
隨此行者是爲入不二法門
心无礙菩薩曰身身滅爲二身即是身滅所
以者何見身實相者不起見身及以滅身身
與滅身无二无分別於其中不驚不懼者是

BD00131 號　維摩詰所說經卷中

（11–9）

心无礙菩薩曰身身滅爲二身即是身滅所
以者何見身實相者不起見身及以滅身身
與滅身无二无分別於其中不驚不懼者是
爲入不二法門
上善菩薩曰身口意善爲二是三業皆无作
相身无作相即口无作相口无作相即意无
作相是三業无作相即一切法无作相能如是
隨无作慧者是爲入不二法門
福田菩薩曰福行罪行不動行爲二三行實
性即是空空則无福行无罪行无不動行於
此三行而不起者是爲入不二法門
華嚴菩薩曰從我起二爲二見我實相者不
起二法若不住二法則无有識无所識者是
爲入不二法門
德藏菩薩曰有所得相爲二若无所得則无
取捨无取捨者是爲入不二法門
月上菩薩曰闇與明爲二无闇无明則无有
二所以者何如入滅受想定无闇无明一切法
相亦復如是於其中平等入者是爲入不二
法門
寶印手菩薩曰樂涅槃不樂世間爲二若
不樂涅槃不猒世間則无有二所以者何若
有縛則有解若本无縛其誰求解无縛无
解則无樂猒是爲入不二法門
珠頂王菩薩曰正道邪道爲二住正道者則不

BD00131 號　維摩詰所說經卷中

（11–10）

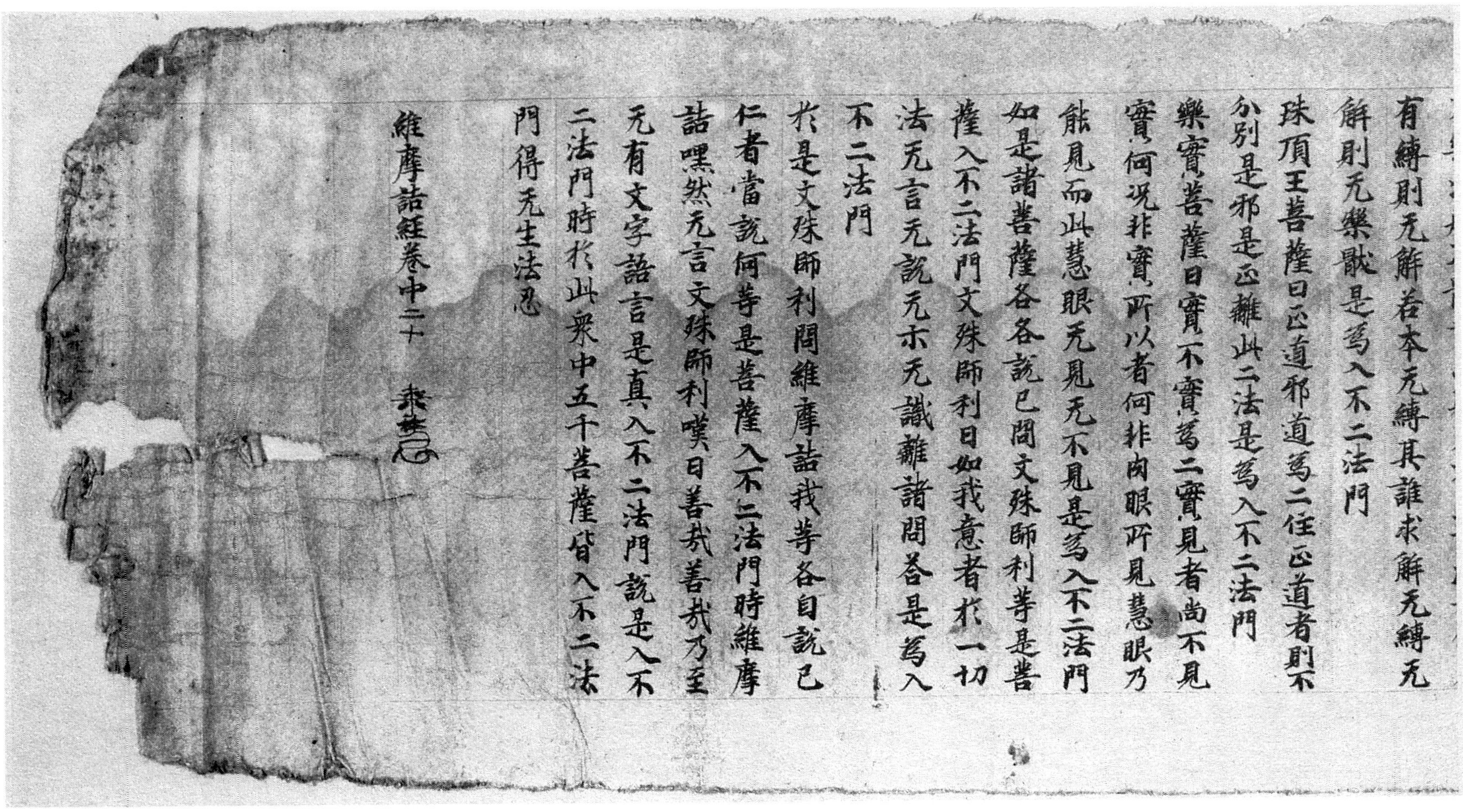

有縛則无解若本无縛其誰求解无縛无
解則无樂猒是為入不二法門
珠頂王菩薩曰正道邪道為二住正道者則不
分別是邪是正離此二法是為入不二法門
樂實菩薩曰實不實為二實見者尚不見
實何況非實所以者何非肉眼所見慧眼乃
能見而此慧眼无見无不見是為入不二法門
如是諸菩薩各各說已問文殊師利等是菩
薩入不二法門文殊師利曰如我意者於一切
法无言无說无示无識離諸問荅是為入
不二法門
於是文殊師利問維摩詰我等各自說已
仁者當說何等是菩薩入不二法門時維摩
詰嘿然无言文殊師利嘆曰善哉善哉乃至
无有文字語言是真入不二法門說是入不
二法門時於此衆中五千菩薩皆入不二法
門得无生法忍

維摩詰經卷中二十　恭慧

BD00131號　維摩詰所說經卷中　(11–11)

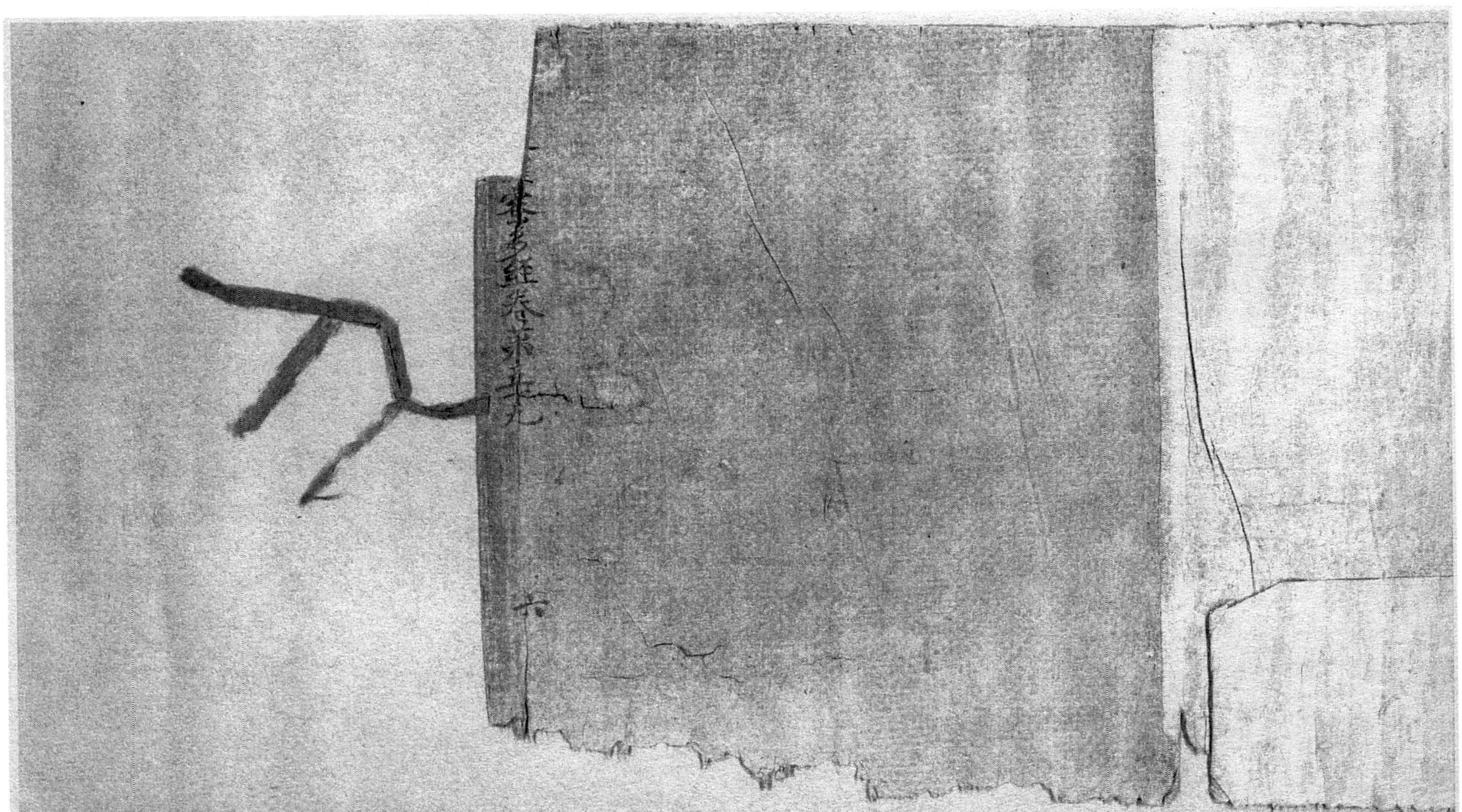

BD00132號背　大般若波羅蜜多經卷五九護首　(1–1)

大般若波羅蜜多經卷第五十九

初分讚大乘品第十六之四　三藏法師玄奘奉　詔譯

復次善現空解脫門无來无去亦復不住无
相无願解脫門无來无去亦復不住空解脫
門本性无來无去亦復不住无相无願解脫
門本性无來无去亦復不住空解脫門真如
无來无去亦復不住无相无願解脫門真如
无來无去亦復不住空解脫門自性无來无

BD00132 號　大般若波羅蜜多經卷五九

（3–1）

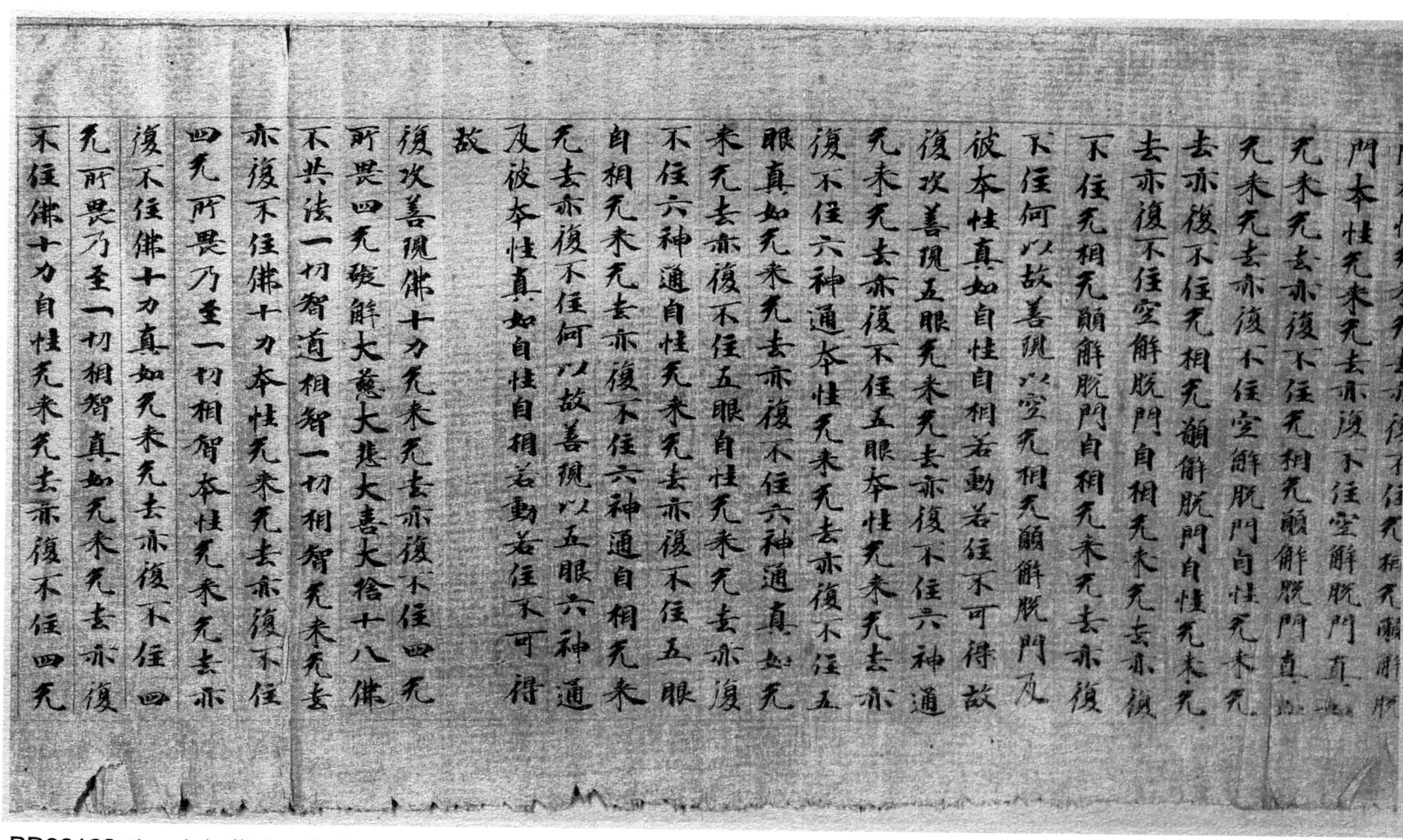

門本性无來无去亦復不住无相无願解脫
門本性无來无去亦復不住空解脫門真如
无來无去亦復不住无相无願解脫門真如
无來无去亦復不住空解脫門自性无來无
去亦復不住无相无願解脫門自性无來无
去亦復不住空解脫門自相无來无去亦復
不住无相无願解脫門自相无來无去亦復
不住何以故善現以空无相无願解脫門及
彼本性真如自性自相若動若住不可得故
復次善現五眼无來无去亦復不住六神通
无來无去亦復不住五眼本性无來无去亦
復不住六神通本性无來无去亦復不住五
眼真如无來无去亦復不住六神通真如无
來无去亦復不住五眼自性无來无去亦復
不住六神通自性无來无去亦復不住五眼
自相无來无去亦復不住六神通自相无來
无去亦復不住何以故善現以五眼六神通
及彼本性真如自性自相若動若住不可得
故
復次善現佛十力无來无去亦復不住四无
所畏四无礙解大慈大悲大喜大捨十八佛
不共法一切智道相智一切相智无來无去
亦復不住佛十力本性无來无去亦復不住
四无所畏乃至一切相智本性无來无去亦
復不住佛十力真如无來无去亦復不住四
无所畏乃至一切相智真如无來无去亦復
不住佛十力自性无來无去亦復不住四无

BD00132 號　大般若波羅蜜多經卷五九

（3–2）

无所畏乃至一切相智真如无来无去亦復
不住佛十力自性无来无去亦復不住四无
所畏乃至一切相智自性无来无去亦復不
住佛十力自相无来无去亦復不住四无所
畏乃至一切相智自相无来无去亦復不住
何以故善現以佛十力四无所畏四无礙解
大慈大悲大喜大捨十八佛不共法一切智
道相智一切相智及彼本性真如自性自相
若動若住不可得故
復次善現菩薩无来无去亦復不住菩提佛
陁无来无去亦復不住菩薩本性无来无去
亦復不住菩提佛陁本性无来无去亦復不
住菩薩真如无来无去亦復不住菩提佛陁
真如无来无去亦復不住菩薩自性无来无
去亦復不住菩提佛陁自性无来无去亦復
不住菩薩自相无来无去亦復不住菩提佛
陁自相无来无去亦復不住何以故善現以
菩薩菩提佛陁及彼本性真如自性自相若
動若住不可得故
復次善現有為无来无去亦復不住无為无
来无去亦復不住有為本性无来无去亦復
不住无為本性无来无去亦復不住有為真
如无来无去亦復不住无為真如无来无去
亦復不住有為自性无来无去亦復不住无
為自性无来无去亦復不住有為自相无来

BD00132 號　大般若波羅蜜多經卷五九　（3–3）

品第二十四
迦牟尼佛放大人相肉髻光明及放
眉間白毫相光遍照東方百八万億那由他
恒河沙等諸佛世界過是數已有世界名淨
光莊嚴其國有佛号淨華宿王智如来應供
正遍知明行足善逝世間解无上士調御丈
夫天人師佛世尊為无量无邊菩薩大衆恭
敬圍繞而為説法釋迦牟尼佛白毫光明遍
照其國尒時一切淨光莊嚴國中有一菩薩
名曰妙音久已植衆德本供養親近无量百
千万億諸佛而悉成就甚深智恵得妙幢相
三昧法華三昧淨德三昧宿王戲三昧无緣
三昧智印三昧解一切衆生語言三昧集一
切功德三昧清淨三昧神通遊戲三昧慧炬
三昧莊嚴王三昧淨光明三昧淨藏三昧不
共三昧日旋三昧得如是等百千億恒河沙
等諸大三昧釋迦牟尼佛光照其身即白
淨華宿王智佛言世尊我當往詣娑婆世界
礼拜親近供養釋迦牟尼佛及見文殊師利法
王子菩薩藥王菩薩勇施菩薩宿王華菩薩
上行意菩薩莊嚴王菩薩藥上菩薩尒時淨
華宿王智佛告妙音菩薩汝莫輕彼国生下

BD00133 號　妙法蓮華經卷七　（12–1）

[illegible]
王子菩薩藥王菩薩勇施菩薩宿王華菩薩
上行意菩薩莊嚴王菩薩藥上菩薩尒時淨
華宿王智佛告妙音菩薩汝莫輕彼国生下
劣想善男子彼娑婆世界高下不平土石諸
山穢惡充滿佛身卑小諸菩薩衆其形亦小
而汝身四万二千由旬我身六百八十万由
旬汝身第一端正百千万福光明殊妙是故
汝往莫輕彼国若佛菩薩及国土生下劣想
妙音菩薩白其佛言世尊我今詣娑婆世
界皆是如来之力如来神通遊戲如来功德智
惠莊嚴於是妙音菩薩不起于座身不動搖
而入三昧以三昧力於耆闍崛山去法座不遠
化作八万四千衆寶蓮華閻浮檀金為莖白
銀為葉金剛為鬚甄叔迦寶以為其臺尒
時文殊師利法王子見是蓮華而白佛言世
尊是何因緣先現此瑞有若干千万蓮華閻
浮檀金為莖白銀為葉金剛為鬚甄叔迦寶
以為其臺尒時釋迦牟尼佛告文殊師利是
妙音菩薩摩訶薩欲從淨華宿王智佛国
與八万四千菩薩圍繞而来至此娑婆世界供
養親近礼拜於我亦欲供養聽法華經文殊
師利白佛言世尊是菩薩種何善本脩何功
德而能有是大神通力行何三昧願為我等
說是三昧名字我等亦欲勤脩行之行此三
昧乃能見是菩薩色相大小威儀進止唯願

BD00133號　妙法蓮華經卷七　　（12–2）

[illegible]
說是三昧名字我等亦欲勤脩行之行此三
昧乃能見是菩薩色相大小威儀進止唯願
世尊以神通力彼菩薩来令我得見尒時釋
迦牟尼佛告文殊師利此久滅度多寶如来
當為汝等而現其相時多寶佛告彼菩薩
善男子来文殊師利法王子欲見汝身于時
妙音菩薩於彼國沒與八万四千菩薩俱共發
来所經諸國六種震動皆悉雨於七寶蓮華
百千天樂不鼓自鳴是菩薩目如廣大青蓮
華葉正使和合百千万月其面貌端正復過
於此身真金色无量百千功德莊嚴威德熾
盛光明照曜諸相具足如那羅延堅固之身
入七寶臺上昇虛空去地七多羅樹諸菩薩
衆恭敬圍繞而来詣此娑婆世界耆闍崛山
到已下七寶臺以價直百千瓔珞持至釋
迦牟尼佛所頭面礼足奉上瓔珞而白佛言世
尊淨華宿王智佛問訊世尊少病少惱起居
輕利安樂行不四大調和不世事可忍不衆
生易度不无多貪欲瞋恚愚癡嫉妬慳慢不
无不孝父母不敬沙門邪見不善心不攝五
情不世尊衆生能降伏諸魔怨不久滅度多
寶如来在七寶塔中来聽法不又問訊多寶
如来安隱少惱堪忍久住不世尊我今欲見
多寶佛身唯願世尊示我令見尒時釋迦牟
尼佛語多寶佛是妙音菩薩欲得相見時多
寶佛告妙音言善哉善哉汝能為供養釋

BD00133號　妙法蓮華經卷七　　（12–3）

尼佛語多寶佛是妙音菩薩欲得相見時多
寶佛告妙音言善哉善哉汝能為供養釋
迦牟尼佛及聽法華經見文殊師利等故來
至此尒時華德菩薩白佛言世尊是妙音菩
薩種何善根脩何功德有是神力佛告華德
菩薩過去有佛名雲雷音王多陁阿伽度阿
羅呵三藐三佛陁國名現一切世間劫名喜
見妙音菩薩於万二千歲以十万種伎樂供
養雲雷音王佛并奉上八万四千七寶鉢以
是因緣果報今生淨華宿王智佛國有是
神力華德於汝意云何尒時雲雷音王佛所
妙音菩薩伎樂供養奉上寶器者豈異人乎
今此妙音菩薩摩訶薩是華德是妙音菩薩
已曾供養親近无量諸佛久殖德本又值恒
河沙等百千万億那由他佛華德汝但見妙
音菩薩其身在此而是菩薩現種種身處處
為諸衆生說是經典或現梵王身或現帝釋
或現自在天身或現大自在天身或現天大將
軍身或現毗沙門天王身或現轉輪聖王身或
現諸小王身或現長者身或現居士身或現
宰官身或現婆羅門身或現比丘比丘尼優
婆塞優婆夷身或現長者居士婦女身或現
宰官婦女身或現婆羅門婦女身或現童男
童女身或現天龍夜叉乾闥婆阿脩羅迦樓
羅緊那羅摩睺羅伽人非人等身而說是經

BD00133號　妙法蓮華經卷七　（12–4）

羅緊那羅摩睺羅伽人非人等身而說是經
諸有地獄餓鬼畜生及衆難處皆能救濟乃
至於王後宮變為女身而說是經華德是妙
音菩薩能救護娑婆世界諸衆生者是妙音
菩薩如是種種變化現身在此娑婆國土為
諸衆生說是經典於神通變化智慧无所損
減是菩薩以若干智慧明照娑婆世界令一
切衆生各得所知於十方恒河沙世界中亦
復如是若應以聲聞形得度者現聲聞形而
為說法應以辟支佛形得度者現辟支佛形
而為說法應以菩薩形得度者現菩薩形而
為說法應以佛形得度者即現佛形而為說
法如是種種隨所應度而為現形乃至應以
滅度而得度者示現滅度華德妙音菩薩摩
訶薩成就大神通智慧之力其事如是尒時
華德菩薩白佛言世尊是妙音菩薩深種善
根世尊是菩薩住何三昧而能如是在所變
現度脫衆生佛告華德菩薩善男子其三昧
名現一切色身妙音菩薩住是三昧中能如
是饒益无量衆生說是妙音菩薩品時與妙
音菩薩俱來者八万四千人皆得現一切色身
三昧此娑婆世界无量菩薩亦得是三昧
及陁羅尼尒時妙音菩薩摩訶薩供養釋
迦牟尼佛及多寶佛塔已還歸本土所經諸
國六種震動雨寶蓮華作百千万億種種伎
樂既到本國與八万四千菩薩圍繞至淨華宿

BD00133號　妙法蓮華經卷七　（12–5）

迦牟尼佛及多寳佛塔已還歸本土所經諸
國六種震動雨寳蓮華作百千万億種種伎
樂既到本國與八万四千菩薩圍繞至淨華宿
王智佛所白佛言世尊我到娑婆世界饒益
衆生見釋迦牟尼佛及見多寳佛塔礼拜供
養又見文殊師利法王子菩薩及見藥王菩
薩得勤精進力菩薩勇施菩薩等亦令八万
四千菩薩得現一切色身三昧說是妙音菩
薩來往品時四万二千天子得无生法忍華
德菩薩得法華三昧

妙法蓮華經觀世音菩薩普門品第廿五

尒時无盡意菩薩即從座起偏袒右肩合掌
向佛而作是言世尊觀世音菩薩以何因緣
名觀世音佛告无盡意菩薩善男子若有无
量百千万億衆生受諸苦惱聞是觀世音菩
薩一心稱名觀世音菩薩即時觀其音聲皆
得解脫若有持是觀世音菩薩名者設入大
火火不能燒由是菩薩威神力故若為大水
所漂稱其名号即得淺處若有百千万億衆
生為求金銀瑠璃車𤦲馬瑙珊瑚虎珀真珠
等寳入於大海假使黒風吹其舩舫飄墮羅
刹鬼國其中若有乃至一人稱觀世音菩薩
名者是諸人等皆得解脫羅刹之難以是因
緣名觀世音若復有人臨當被害稱觀世音
菩薩名者彼所執刀杖尋段段壞而得解脫
若三千大千國土滿中夜叉羅刹欲來惱人

BD00133號　妙法蓮華經卷七

(12–6)

菩薩名者彼所執刀杖尋段段壞而得解脫
若三千大千國土滿中夜叉羅刹欲來惱人
聞其稱觀世音菩薩名者是諸惡鬼尚不能
以惡眼視之况復加害設復有人若有罪若
无罪杻械枷鎖撿繫其身稱觀世音菩薩名
者皆悉斷壞即得解脫若三千大千國土滿
中怨賊有一商主將諸商人賷持重寳逕過
險路其中一人作是唱言諸善男子勿得恐
怖汝等應當一心稱觀世音菩薩名号是菩
薩能以无畏施於衆生汝等若稱名者於此
怨賊當得解脫衆商人聞俱發聲言南无觀
世音菩薩稱其名故即得解脫无盡意觀世
音菩薩摩訶薩威神之力巍巍如是
若有衆生多於婬欲常念恭敬觀世音菩薩
便得離欲若多瞋恚常念恭敬觀世音菩薩
便得離瞋若多愚癡常念恭敬觀世音菩薩
便得離癡无盡意觀世音菩薩有如是等大
威神力多所饒益是故衆生常應心念
若有女人設欲求男礼拜供養觀世音菩薩
便生福德智慧之男設欲求女便生端正有
相之女宿殖德本衆人愛敬无盡意觀世音
菩薩有如是力若有衆生恭敬礼拜觀世音
菩薩福不唐捐是故衆生皆應受持觀世音
菩薩名号无盡意若有人受持六十二億恒
河沙菩薩名字復盡形供養飲食衣服卧具

BD00133號　妙法蓮華經卷七

(12–7)

河沙菩薩名字復盡形供養飲食衣服卧具
醫藥於汝意云何是善男子善女人功德多
不无盡意言甚多世尊佛言若復有人受
持觀世音菩薩名号乃至一時礼拜供養是二
人福正等无異於百千万億劫不可窮盡无
盡意受持觀世音菩薩名号得如是无量无
邊福德之利无盡意菩薩白佛言世尊觀世
音菩薩云何遊此娑婆世界云何而為衆生說
法方便之力其事云何佛告无盡意菩薩善
男子若有國土衆生應以佛身得度者觀世
音菩薩即現佛身而為說法應以辟支佛身
得度者即現辟支佛身而為說法應以聲
聞身得度者即現聲聞身而為說法應以梵王
身得度者即現梵王身而為說法應以帝釋
身得度者即現帝釋身而為說法應以自在
天身得度者即現自在天身而為說法應以
大自在天身得度者即現大自在天身而為
說法應以天大將軍身得度者即現天大將
軍身而為說法應以毗沙門身得度者即現
毗沙門身而為說法應以小王身得度者即
現小王身而為說法應以長者身得度者即
現長者身而為說法應以居士身得度者即
現居士身而為說法應以宰官身得度者即
現宰官身而為說法應以婆羅門身得度者
即現婆羅門身而為說法應以比丘比丘尼
優婆塞優婆夷身得度者即現比丘比丘尼

BD00133號　妙法蓮華經卷七　（12–8）

即現婆羅門身而為說法應以比丘比丘尼
優婆塞優婆夷身得度者即現比丘比丘尼
優婆塞優婆夷身而為說法應以長者居士
宰官婆羅門婦女身得度者即現婦女身而
為說法應以童男童女身得度者即現童男
童女身而為說法應以天龍夜叉乾闥婆阿
脩羅迦樓羅緊那羅摩睺羅伽人非人等身
得度者即皆現之而為說法應以執金剛神
得度者即現執金剛神而為說法无盡意是
觀世音菩薩成就如是功德以種種形遊諸
國土度脫衆生是故汝等應當一心供養觀
世音菩薩是觀世音菩薩摩訶薩於怖畏急
難之中能施无畏是故此娑婆世界皆号之為施
无畏者无盡意菩薩白佛言世尊我今當供養觀
世音菩薩即解頸衆寶珠瓔珞價直百千兩金
而以與之作是言仁者受此法施珎寶瓔珞
時觀世音菩薩不肯受之无盡意復白觀
世音菩薩言仁者愍我等故受此瓔珞尒
時佛告觀世音菩薩當愍此无盡意菩薩
及諸四衆天龍夜叉乾闥婆阿脩羅迦樓羅
緊那羅摩睺羅伽人非人等故受是瓔珞即
時觀世音菩薩愍諸四衆及於天龍人非人
等受其瓔珞分作二分一分奉釋迦牟尼佛
一分奉多寶佛塔无盡意觀世音菩薩有如
是自在神力遊於娑婆世界尒時无盡意菩
薩以偈問曰

BD00133號　妙法蓮華經卷七　（12–9）

是自在神力遊於娑婆世界尒時无盡意菩
薩以偈問曰
世尊妙相具　我今重問彼　佛子何因緣　名為觀世音
具足妙相尊　偈答无盡意　汝聽觀音行　善應諸方所
弘誓深如海　歷劫不思議　侍多千億佛　發大清淨願
我為汝略說　聞名及見身　心念不空過　能滅諸有苦
假使興害意　推落大火坑　念彼觀音力　火坑變成池
或漂流巨海　龍魚諸鬼難　念彼觀音力　波浪不能沒
或在須弥峯　為人所推墮　念彼觀音力　如日虛空住
或被惡人逐　墮落金剛山　念彼觀音力　不能損一毛
或值怨賊遶　各執刀加害　念彼觀音力　咸即起慈心
或遭王難苦　臨刑欲壽終　念彼觀音力　刀尋段段壞
或囚禁枷鎖　手足被杻械　念彼觀音力　釋然得解脫
呪咀諸毒藥　所欲害身者　念彼觀音力　還著於本人
或遇惡羅刹　毒龍諸鬼等　念彼觀音力　時悉不敢害
若惡獸圍遶　利牙爪可怖　念彼觀音力　疾走无邊方
蚖虵及蝮蝎　氣毒烟火然　念彼觀音力　尋聲自迴去
雲雷鼓掣電　降雹澍大雨　念彼觀音力　應時得消散
衆生被困厄　无量苦逼身　觀音妙智力　能救世間苦
具足神通力　廣脩智方便　十方諸國土　无刹不現身
種種諸惡趣　地獄鬼畜生　生老病死苦　以漸悉令滅
真觀清淨觀　廣大智慧觀　悲觀及慈觀　常願常瞻仰
无垢清淨光　慧日破諸闇　能伏災風火　普明照世間
悲體戒雷震　慈意妙大雲　澍甘露法雨　滅除煩惱焰
諍訟經官處　怖畏軍陣中　念彼觀音力　衆怨悉退散
妙音觀世音　梵音海潮音　勝彼世間音　是故須常念

BD00133號　妙法蓮華經卷七　(12-10)

悲體戒雷震　慈意妙大雲　澍甘露法雨　滅除煩惱焰
諍訟經官處　怖畏軍陣中　念彼觀音力　衆怨悉退散
妙音觀世音　梵音海潮音　勝彼世間音　是故須常念
念念勿生疑　觀世音淨聖　於苦惱死厄　能為作依怙
具一切功德　慈眼視衆生　福聚海无量　是故應頂礼
尒時持地菩薩即從坐起前白佛言世尊若
有衆生聞是觀世音菩薩品自在之業普門示
現神通力者當知是人功德不少佛說是
普門品時衆中八万四千衆生皆發无等等
阿耨多羅三藐三菩提心
妙法蓮華經陁羅尼品第廿六
尒時藥王菩薩即從坐起偏袒右肩合掌向
佛而白佛言世尊若善男子善女人有能受
持法華經者若讀誦通利若有書寫經卷得
幾所福佛告藥王若有善男子善女人供養
八百万億那由他恒河沙等諸佛於汝意云
何其所得福寧為多不甚多世尊佛言若善
男子善女人能於是經乃至受持一四句偈
讀誦解義如說脩行功德甚多尒時藥王菩
薩白佛言世尊我今當與說法者陁羅尼呪
以守護之即說呪曰
安尒一曼尒二摩祢三摩摩祢四旨隸五遮梨
第六賒咩羊鳴音七賒履因雅反多瑋八羶帝輸千反九目帝十
目多履十一娑履十二阿瑋娑履十三桑履十四娑履十五
叉裔十六阿叉裔十七阿耆膩十八羶帝十九賒履廿陁羅
阿盧伽婆娑蘇奈反簸蔗毗叉膩廿二祢毗剃廿三阿便哆

BD00133號　妙法蓮華經卷七　(12-11)

男子善女人能於是經乃至受持一四句偈
讀誦解義如說脩行功德甚多尒時藥王菩
薩白佛言世尊我今當與說法者陁羅尼呪
以守護之即說呪曰
安尒一 曼尒二 摩祢三 摩摩祢四 旨隸五 遮梨
第六 賒咩羊鳴音七 賒履罔雉反八 多瑋九 羶帝輸千反十 目帝十
目多履十一 娑履十二 阿瑋娑履十三 桑履十四 娑履十五
叉裔十六 阿叉裔十七 阿耆膩十八 羶帝十九 賒履廿 陁羅
阿盧伽婆娑蘇奈反 簸蔗毗叉膩廿二 祢毗剃廿三 阿便哆
都餓反 邏祢履剃廿四 阿亶哆波隸輸地廿五 漚究隸廿六 牟
究隸廿七 阿羅隸廿八 波羅隸廿九 首迦差初几反卅 阿三磨
三履卅一 佛馱毗吉利袠帝卅二 達磨波利差猜離反 帝
卅三 僧伽涅瞿沙祢卅四 婆舍婆舍輸地卅五 曼哆邏卅六 曼
哆邏叉夜多卅七 郵樓哆卅八 郵樓哆憍舍略盧蔗反卅九 惡
叉邏卌 惡叉冶多冶卌一 阿婆盧卌二 阿摩若荏蔗反 那多夜卌三
世尊是陁羅尼神呪六十二億恒河沙等諸佛
所說若有侵毀此法師者則為侵毀是諸佛
已時釋迦牟尼佛讚藥王菩薩言善哉善哉
藥王汝愍念擁護此法師故說是陁羅尼於
諸衆生多所饒益
尒時勇施菩薩白佛言世尊我亦為擁護讀
誦受持法華經者說陁羅尼若此法師得是
陁羅尼若夜叉若羅剎若富單那若吉蔗若
鳩槃荼若餓鬼等伺求其短无能得便即
佛於前而說呪曰

BD00133 號　妙法蓮華經卷七　　(12–12)

諸大德是中清淨默然故是事如是持
諸大德是衆學戒法半月半月說戒經中來
當齊整著涅槃僧應當學
當齊整著三衣應當學
不得反抄衣行入白衣舍應當學
不得反抄衣行入白衣舍坐應當學
不得衣纏頸入白衣舍應當學
不得衣纏頸入白衣舍坐應當學
不得覆頭入白衣舍應當學
不得覆頭入白衣舍坐應當學
不得跳行入白衣舍應當學
不得跳行入白衣舍坐應當學 十
不得白衣舍內蹲坐應當學
不得叉腰行入白衣舍應當學
不得叉腰行入白衣舍坐應當學
不得搖身行入白衣舍應當學
不得搖身行入白衣舍坐應當學
不得掉臂行入白衣舍應當學
不得掉臂行入白衣舍坐應當學

BD00134 號　四分律比丘戒本　　(5–1)

不得搖身行入白衣舍應當學
不得搖身行入白衣舍坐應當學
不得掉臂行入白衣舍應當學
不得掉臂行入白衣坐應當學
好覆身入白衣舍應當學
好覆身入白衣舍坐應當學
不得左右顧視行入白衣舍應當學 二十
不得左右顧視行入白衣舍坐應當學
靜嘿入白衣舍應當學
靜嘿入白衣舍坐應當學
不得戲笑行入白衣舍應當學
不得戲笑行入白衣舍坐應當學
用意受食應當學
平鉢受食應當學
平鉢受羹應當學
羹飯等食應當學
以次食應當學 三十
不得挑鉢中而食應當學
若比丘无病不得為己索羹飯應當學
不得以飯覆羹[更望得]應當學
不得視比坐鉢中食應當學
當繫鉢想食應當學
不得大摶飯食應當學
不得大張口待飯食應當學
不得含飯語應當學
遥擲口中食應當學

不得含飯語應當學
遥擲口中食應當學
落飯食應當學 卌
不得頰食食應當學
不得嚼飯作聲食應當學
不得大嗡飯食應當學
不得舌舐食應當學
不得振手食應當學
不得手把散飯食應當學
不得汙手捉食器應當學
不得洗鉢水棄白衣舍內應當學
不得生草菜上大小便涕唾除病應當學 五十
不得淨水中大小便涕唾除病應當學
不得立大小便除病應當學
不得反抄衣不恭敬人說法除病應當學
不得為衣纏頸者說法除病應當學
不得為覆頭者說法除病應當學
不得為裹頭者說法除病應當學
不得為叉腰者說法除病應當學
不得為著革屣者說法除病應當學
不得為著木屐者說法除病應當學
不得為騎乘者說法除病應當學
不得在佛塔中止宿除為守護故應當學
不得藏財物置佛塔中除為堅牢故應當學 六十
不得著革屣入佛塔中應當學
不得手捉革屣入佛塔中應當學

不得藏財物置佛塔中除為堅牢故應當學
不得著草屣入佛塔中應當學
不得手提革屣入佛塔中應當學
不得著革屣遶佛塔行應當學
不得著富羅入佛塔中應當學
不得手提富羅入佛塔中應當學
不得塔下坐食留草及食汙地應當學
不得擔死屍從佛塔下過應當學
不得佛塔下埋死屍應當學
不得在塔下燒死屍應當學　七十
不得向塔燒死屍應當學
不得佛塔四邊燒死屍使臭氣來入應當學
不得持死人衣及床從塔下過除浣染香熏應當學
不得佛塔下大小便應當學
不得向佛塔大小便應當學
不得遶佛塔四邊大小便使臭氣來入應當學
不得持佛像至大小便處應當學
不得佛塔下嚼楊枝應當學
不得向佛塔嚼楊枝應當學
不得佛塔四邊嚼楊枝應當學　八十
不得佛塔下涕唾應當學
不得向佛塔涕唾應當學
不得佛塔四邊涕唾應當學
不得向佛塔舒腳坐應當學
不得安佛塔在下房已在上房住應當學
人坐已立不得為說法除病應當學
人臥已立不得為說法除病應當學

BD00134號　四分律比丘戒本　（5–4）

人坐已立不得為說法除病應當學
人臥已立不得為說法除病應當學
人在坐已在非座不得為說法除病應當學
人在高座已在下座不得為說法除病應當學
人在前行已在後行不得為說法除病應當學　九十
人在高經行處已在下經行處不應為說法除病
應當學
人在道已在非道不應為說法除病應當學
不得攜手在道行應當學
不得上樹過人頭除時因緣應當學
不得絡囊盛鉢貫杖頭著肩上而行應當學
人持杖不恭敬不應為說法除病應當學
人持劍不應為說法除病應當學
人持鉾不應為說法除病應當學
人持刀不應為說法除病應當學
人持蓋不應為說法除病應當學
諸大德我已說眾學戒法今問諸大德是中清
淨不　三說
諸大德是中清淨嘿然故是事如是持
諸大德是七滅諍法半月半月說戒經中來
若比丘有諍事起即應除滅
應與現前毗尼　當與現前毗尼　應與不癡毗尼當與憶念毗尼
應與不癡毗尼　當與不癡毗尼　應與自言治　當與自言治
應與覓罪相　當與覓罪相　應與多人語　當與多人語
應與如草覆地　當與如草覆地

BD00134號　四分律比丘戒本　（5–5）

著 録 凡 例

本目録採用條目式著録法。諸條目意義如下：

1.1　著録編號。用漢語拼音首字“BD”表示，意為“北京圖書館藏敦煌遺書”，簡稱“北敦號”。文獻寫在背面者，標註為“背”。一件遺書上抄有多個文獻者，用數字 1、2、3 等標示小號。一號中包括幾件遺書，且遺書形態各自獨立者，用字母 A、B、C 等區别。

1.2　著録分類號。本條記目録暫不分類，該項空缺。

1.3　著録文獻的名稱、卷本、卷次。

1.4　著録千字文編號。

1.5　著録縮微膠卷號。

2.1　著録遺書的總體數據。包括長度、寬度、紙數、正面抄寫總行數與每行字數、背面抄寫總行數與每行字數。如該遺書首尾有殘破，則對殘破部分單獨度量，用加號加在總長度上。凡屬這種情况，長度用括弧標註。

2.2　著録每紙數據。包括每紙長度及抄寫行數或界欄數。

2.3　著録遺書的外觀。包括：（1）裝幀形式。（2）首尾存况。（3）護首、軸、軸頭、天竿、縹帶，經名是書寫還是貼簽，有無經名號，扉頁、扉畫。（4）卷面殘破情况及其位置。（5）尾部情况。（6）有無附加物（蟲繭、油污、綫繩及其他）。（7）有無裱補及其年代。（8）界欄。（9）修整。（10）其他需要交待的問題。

2.4　著録一件遺書抄寫多個文獻的情况。

3.1　著録文獻首部文字與對照本核對的結果。

3.2　著録文獻尾部文字與對照本核對的結果。

3.3　著録録文。

3.4　著録對文獻的説明。

4.1　著録文獻首題。

4.2　著録文獻尾題。

5　著録本文獻與對照本的不同之處。

6.1　著録本遺書首部可與另一遺書綴接的編號。

6.2　著録本遺書尾部可與另一遺書綴接的編號。

7.1　著録題記、題名、勘記等。

7.2　著録印章。

7.3　著録雜寫。

7.4　著録護首及扉頁的内容。

8　著録年代。

9.1　著録字體。如有武周新字、合體字、避諱字等，予以説明。

9.2　著録卷面二次加工的情况。包括句讀、點標、科分、間隔號、行間加行、行間加字、硃筆、墨塗、倒乙、删除、兑廢等。

10　著録敦煌遺書發現後，近現代人所加内容，裝裱、題記、印章等。

11　備註。著録揭裱互見、圖版本出處及其他需要説明的問題。

上述諸條，有則著録，無則空缺。

為避文繁，上述著録中出現的各種參考、對照文獻，暫且不列版本説明。全目結束時，將統一編制本條記目録出現的各種參考書目。

本條記目録為農曆年份標註其公曆紀年時，未經行歲頭年末之换算，請讀者使用時注意自行换算。

條 記 目 錄

BD00072—BD00134

1.1　BD00072 號
1.3　大般若波羅蜜多經卷七二
1.4　地 072
1.5　084：2210
2.1　（6.5＋619.4）×26 厘米；14 紙；354 行，行 17 字。
2.2　01：6.5＋10.6，10；　02：48.0，28；　03：48.0，28；
04：48.5，28；　05：48.2，28；　06：48.2，28；
07：48.2，28；　08：48.2，28；　09：48.3，28；
10：48.2，28；　11：48.2，28；　12：48.1，28；
13：48.2，28；　14：30.5，08。
2.3　卷軸裝。首殘尾全。卷首殘破嚴重。第 4 紙上邊有殘缺，第 7 紙有縱向撕裂。有燕尾。有烏絲欄。
3.1　首 4 行上下殘→大正 220，5/406A29～B4。
3.2　尾全→5/410B9。
4.2　大般若波羅蜜多經卷第七十二（尾）
8　8 世紀。唐寫本。
9.1　楷書。
9.2　有行間校加字。
11　圖版：《敦煌寶藏》，72/269B～277B。

1.1　BD00073 號
1.3　金剛般若波羅蜜經
1.4　地 073
1.5　094：3882
2.1　（16.5＋351）×26 厘米；10 紙；216 行，行 17 字。
2.2　01：16.5＋09.5，16；　02：38.0，23；　03：38.0，23；
04：38.0，23；　05：38.0，23；　06：38.0，23；
07：38.2，23；　08：38.7，23；　09：37.8，23；
10：36.8，16。
2.3　卷軸裝。首殘尾全。紙薄而軟，入潢。卷首下部殘缺。第 8、9 紙碎損，第 10 紙有豎裂，下邊有等距離殘洞。有烏絲欄。
3.1　首 10 行下殘→大正 235，8/749B22～C5。
3.2　尾全→8/752C3。
4.2　金剛般若波羅蜜經（尾）
8　7 世紀。唐寫本。
9.1　楷書。
9.2　有行間校加字。
11　圖版：《敦煌寶藏》，81/53B～57B。

1.1　BD00074 號
1.3　妙法蓮華經卷六
1.4　地 074
1.5　105：5789
2.1　（7＋592）×24.5 厘米；13 紙；332 行，行 17 字。
2.2　01：7＋19.5，14；　02：49.5，28；　03：50.0，28；
04：50.3，28；　05：50.0，28；　06：50.3，28；
07：50.1，28；　08：50.2，28；　09：50.2，28；
10：50.4，28；　11：50.3，28；　12：50.2，28；
13：21.0，10。
2.3　卷軸裝。首殘尾全。經黃紙。上部變色。第 1 紙上邊有撕裂，卷面有燒灼痕跡。有烏絲欄。
3.1　首 3 行下殘→大正 262，9/50C14～16。
3.2　尾全→9/55A9。
4.2　妙法蓮華經卷第六（尾）。
8　7～8 世紀。唐寫本。
9.1　楷書。
11　圖版：《敦煌寶藏》，95/111A～119A。

1.1　BD00075 號 A
1.3　大般若波羅蜜多經（兌廢稿）卷一五〇
1.4　地 075
1.5　084：2395
2.1　47.2×26.6 厘米；1 紙；24 行，行 17 字。
2.2　卷軸裝，首尾脫。下有殘缺。有烏絲欄。尾空 4 行未抄完。
3.1　首殘→大正 220，5/812B4。
3.2　尾缺→5/812B28。

5　與《大正藏》本對照，本件文字有誤，為兑廢稿。
8　8～9 世紀。吐蕃統治時期寫本。
9.1　楷書。
9.2　上邊有一"兑"字。
11　圖版：《敦煌寶藏》，73/152B。

1.1　BD00075 號 B
1.3　大般若波羅蜜多經（兑廢稿）卷二九五
1.4　地 075
1.5　084：2809
2.1　45×27.5 厘米；1 紙；24 行，行 17 字。
2.2　卷軸裝，首尾均脱。有烏絲欄。末 4 行未抄。
3.1　首殘→大正 220，6/502B5。
3.2　尾缺→6/502C1。
5　與《大正藏》本對照，卷中文字有誤。
8　8～9 世紀。吐蕃統治時期寫本。
9.1　楷書。
9.2　上邊有一"兑"字。
11　圖版：《敦煌寶藏》，75/164B。

1.1　BD00075 號 C
1.3　大般若波羅蜜多經卷五四二
1.4　地 075
1.5　084：3318
2.1　51.7×27.6 厘米；1 紙；29 行，行 17 字。
2.2　卷軸裝，首尾均脱。卷面有殘洞。有烏絲欄。
3.1　首殘→大正 220，7/788A27。
3.2　尾殘→7/788B27。
8　8～9 世紀。吐蕃統治時期寫本。
9.1　楷書。硬筆書寫。
11　圖版：《敦煌寶藏》，77/238B～239A。

1.1　BD00076 號
1.3　戒緣卷下
1.4　地 076
1.5　461：8712
2.1　（2.3+734.6+2.2）×28.1 厘米；17 紙；491 行，行 33～39 字不等。
2.2　01：2.3+21.0，14；　02：46.5，30；　03：46.5，29；
04：27.8，17；　05：14.5，09；　06：54.5，36；
07：53.3，36；　08：46.0，32；　09：45.8，31；
10：47.0，32；　11：46.8，31；　12：46.5，31；
13：46.7，32；　14：46.7，32；　15：47.0，32；
16：46.0，31；　17：54.0+2.2，36。
2.3　卷軸裝。首尾均殘。卷首與卷尾下角殘損。有烏絲欄。民國時修整，通卷托裱，並接出護首和拖尾。
3.4　説明：
本文獻未為我國歷代大藏經所收。
4.2　戒緣下卷（尾）
7.1　卷尾有題記："比丘法救所供養經，太安四年七月三日唐兒祠中寫竟。首薄可愧。願使一切□…□。"
8　453 年。太安四年寫本。
9.1　隸書。
9.2　有行間校加字。有墨筆點標。有行間加行。有倒乙。有删除號。有重文號。上邊有點標。
10　民國時通卷托裱。護首為黃底壽字雲紋織錦，紫紅色白格縹帶。白紙上方有"地七六，麗六"，為本遺書的千字文袟號及裝箱號。卷尾裝木軸。卷首尾各有陽文硃印一枚"國立北/平圖書/館所藏"，1.9×1.9 厘米。
11　傳統將本件遺書之"太安四年"，定為北魏年號，比定為公元 458 年。池田溫指出斯 2925 號背面有"太安元年"題記，干支為"庚寅"，與北魏太安年號干支不合。認爲應是"西陲之失傳"年號，比定為公元 450 年。今從此説，故定太安四年為公元 453 年。參見《中國古代寫本識語集錄》，第 86 頁。
圖版：《敦煌寶藏》，111/249A～259A。

1.1　BD00077 號 A
1.3　妙法蓮華經卷二
1.4　地 077
1.5　105：4863
2.1　49.6×25.9 厘米；1 紙；28 行，行 17 字。
2.2　卷軸裝。首尾均脱。經黃紙。有烏絲欄。
3.1　首殘→大正 262，9/12A2。
3.2　尾殘→9/12B9。
8　7～8 世紀。唐寫本。
9.1　楷書。
11　圖版：《敦煌寶藏》，87/113B～114A。

1.1　BD00077 號 B
1.3　妙法蓮華經卷四
1.4　地 077
1.5　105：5307
2.1　（5.5+237.5）×26.3 厘米；5 紙；137 行，行 17 字。
2.2　01：5.5+44.0，28；　02：49.5，28；　03：50.2，28；
04：49.8，28；　05：44.0，25。
2.3　卷軸裝。首尾均脱。卷首殘破嚴重，第 1、2 紙有殘洞。有烏絲欄。
3.1　首 3 行中殘→大正 262，9/28C8～13。
3.2　尾殘→9/30C16。
8　9～10 世紀。歸義軍時期寫本。
9.1　楷書。
11　圖版：《敦煌寶藏》，90/509A～512B。

1.1　BD00078 號 1

1.3 思益梵天所問經卷一
1.4 地 078
1.5 043：0408
2.1 （2.5 +1757.1）×27 厘米；32 紙；1248 行，行 31 字。
2.2 01：01.5，01； 02：1 +39.2，32； 03：40.5，32；
04：41.0，32； 05：40.7，33； 06：40.5，32；
07：39.5，31； 08：27.0，22； 09：16.3，13；
10：60.5，42； 11：73.5，51； 12：73.0，51；
13：72.5，51； 14：72.8，51； 15：08.8，05；
16：30.8，21； 17：73.2，51； 18：72.8，51；
19：72.8，51； 20：72.5，51； 21：72.7，51；
22：72.5，51； 23：72.0，50； 24：40.0，28；
25：72.3，51； 26：72.8，51； 27：72.5，51；
28：72.7，51； 29：72.6，51； 30：72.5，51；
31：72.3，51； 32：24.3，07。
2.3 卷軸裝。首殘尾全。首紙上下殘破。第 10 紙背有古代裱補。卷尾有蟲繭。有烏絲欄。
2.4 本遺書包括 4 個文獻：（一）《思益梵天所問經》卷一，172 行，今編為 BD00078 號 1。（二）《思益梵天所問經》卷二，307 行，今編為 BD00078 號 2。（三）《思益梵天所問經》卷三，377 行，今編為 BD00037 號 3。（四）《思益梵天所問經》卷四，392 行，今編為 BD00078 號 4。
3.1 首 2 行上下殘→大正 586，15/36A22 ~23。
3.2 尾全→15/40B19。
5 與《大正藏》對照，該件不分品，分段亦略有不同。
8 8 ~9 世紀。吐蕃統治時期寫本。
9.1 楷書。
9.2 有行間校加字。有校改。
11 圖版：《敦煌寶藏》，58/604A ~625B。

1.1 BD00078 號 2
1.3 思益梵天所問經卷二
1.4 地 078
1.5 043：0408
2.4 本遺書由 4 個文獻組成，本號為第 2 個，307 行。餘參見 BD00078 號 1 之第 2 項、第 11 項。
3.1 首全→大正 586，15/40B23。
3.2 尾全→15/47A19。
4.1 思益梵天所問經卷第二（首）。
4.2 思益梵天所問經卷第二（尾）。
5 與《大正藏》本對照，該件不分品。
8 8 ~9 世紀。吐蕃統治時期寫本。
9.1 楷書。
9.2 有行間校加字。有刮改。有刪除號。

1.1 BD00078 號 3
1.3 思益梵天所問經卷三
1.4 地 078
1.5 043：0408
2.4 本遺書由 4 個文獻組成，本號為第 3 個，377 行。餘參見 BD00078 號 1 之第 2 項、第 11 項。
3.1 首全→大正 586，15/47A22。
3.2 尾全→15/55A3。
4.1 思益梵天所問經卷第三（首）。
4.2 思益經卷第三（尾）。
5 與《大正藏》對照，該件分卷不同，相當於《談論品第七》至《行道品第十一》第 1 段止。
8 8 ~9 世紀。吐蕃統治時期寫本。
9.1 楷書。
9.2 有刮改。有校加字。

1.1 BD00078 號 4
1.3 思益梵天所問經卷四
1.4 地 078
1.5 043：0408
2.4 本遺書由 4 個文獻組成，本號為第 4 個，392 行。餘參見 BD00078 號 1 之第 2 項、第 11 項。
3.1 首全→大正 586，15/55A4。
3.2 尾全→15/62A22。
4.1 思益梵天所問經卷第四（首）。
4.2 思益梵天經卷第四（尾）。
5 與《大正藏》對照，該件分卷不同，相當於《行道品第十一》第 2 段至卷四尾止。
8 8 ~9 世紀。吐蕃統治時期寫本。
9.1 楷書。
9.2 有行間校加字。有行間加行。有刮改。

1.1 BD00079 號
1.3 金剛般若波羅蜜經
1.4 地 079
1.5 094：3627
2.1 （4 +522）×25.3 厘米；12 紙；289 行，行 17 字。
2.2 01：4.0 +13.5，09； 02：50.5，28； 03：50.5，28；
04：50.6，28； 05：48.5，27； 06：48.5，27；
07：50.4，28； 08：50.4，28； 09：50.4，28；
10：50.3，28； 11：50.1，28； 12：08.3，02。
2.3 卷軸裝。首殘尾全。經黃紙。第 1、2 紙有橫裂，第 8、9 紙間接縫開裂。有燕尾。有烏絲欄。
3.1 首 3 行下殘→大正 235，8/749A9 ~11。
3.2 尾全→8/752C3。
4.2 金剛般若波羅蜜經（尾）。
8 7 ~8 世紀。唐寫本。
9.1 楷書。
11 圖版：《敦煌寶藏》，79/217A ~223B。

1.1　BD00080 號
1.3　妙法蓮華經卷五
1.4　地 080
1.5　105：5469
2.1　（6.5 +1103.8）×25 厘米；29 紙；577 行，行 17 字。
2.2　01：6.5 +23.2，15；　02：39.5，20；　03：39.5，21；
04：39.5，21；　05：39.7，21；　06：39.5，21；
07：39.7，21；　08：39.5，20；　09：39.6，20；
10：39.6，21；　11：39.5，20；　12：39.6，20；
13：39.5，20；　14：39.7，21；　15：39.7，21；
16：39.6，21；　17：39.5，21；　18：39.6，21；
19：39.6，21；　20：39.6，20；　21：39.5，20；
22：39.5，20；　23：39.5，20；　24：39.5，23；
25：39.5，23；　26：39.2，22；　27：39.6，22；
28：39.3，20；　29：13.0，拖尾。
2.3　卷軸裝。首殘尾全。第 26、27 紙接縫處下開裂。下部有水漬。有燕尾。有烏絲欄。
3.1　首 3 行上殘→大正 262，9/37C4 ~6。
3.2　尾全→9/46B14。
4.2　妙法蓮華經卷第五（尾）。
8　7 ~8 世紀。唐寫本。
9.1　楷書。
9.2　有刮改。
11　圖版：《敦煌寶藏》，92/273A ~290A。

1.1　BD00081 號 1
1.3　維摩詰所說經卷上
1.4　地 081
1.5　070：0858
2.1　（3.5 +636）×28 厘米；16 紙；369 行，行字不等。
2.2　01：3.5 +21.5，15；　02：42.5，25；　03：42.5，25；
04：42.5，25；　05：42.5，24；　06：42.5，25；
07：42.5，25；　08：42.5，25；　09：42.5，25；
10：42.5，25；　11：42.5，25；　12：42.5，24；
13：42.5，25；　14：42.5，25；　15：42.5，25；
16：19.5，06。
2.3　卷軸裝。首殘尾全。前 3 紙有撕裂破損。有烏絲欄。卷尾左上角有蟲繭。紙尾經文未抄完，尚有餘空。
2.4　本遺書包括 2 個文獻：（一）《維摩詰所說經》卷上，276 行，今編為 BD00081 號 1。（二）《維摩詰所說經》卷中，93 行，今編為 BD00081 號 2。
3.1　首 2 行中上殘→大正 475，14/538C21 ~23。
3.2　尾缺→14/544A19。
4.2　維摩詰經卷上（尾）。
7.3　第 9 紙上邊有藏文雜寫，拉丁文轉寫為："dge – vdun"（僧）。第 11 紙上邊亦有藏文雜寫。
8　10 世紀。歸義軍時期寫本。
9.1　楷書。
9.2　有行間校加字，上邊有墨色點標。有硃筆斷句。
11　圖版：《敦煌寶藏》，63/133A ~140B。

1.1　BD00081 號 2
1.3　維摩詰所說經卷中
1.4　地 081
1.5　070：0858
2.4　本遺書由 2 個文獻組成，本號為第 2 個，93 行。餘參見 BD00081 號 1 之第 2 項、第 11 項。
3.1　首全→大正 475，14/544A22。
3.2　尾缺→14/546A29。
4.1　維摩詰經卷中，文殊師利問疾品第五（首）。
8　10 世紀。歸義軍時期寫本。
9.1　楷書。
9.2　有倒乙。有行間校加字。有硃筆斷句。

1.1　BD00082 號
1.3　妙法蓮華經卷四
1.4　地 082
1.5　105：5229
2.1　（1.5 +1124.5）×27 厘米；23 紙；599 行，行 17 字。
2.2　01：1.5 +32.5，18；　02：49.0，27；　03：49.0，26；
04：49.3，26；　05：49.5，26；　06：49.3，26；
07：49.3，26；　08：49.3，26；　09：49.3，26；
10：49.3，26；　11：49.3，26；　12：49.3，26；
13：49.2，26；　14：49.2，26；　15：49.3，26；
16：49.2，26；　17：49.0，26；　18：49.2，27；
19：50.0，27；　20：49.8，27；　21：50.0，27；
22：50.2，27；　23：55.0，29。
2.3　卷軸裝。首殘尾全。尾有原軸，鑲蓮蓬形軸頭。但上軸頭脫落，下軸頭存雕花鑲嵌紅黃兩色軸頭。有火灼殘洞。有水漬。界欄棕色，或為硃色褪色所致。
3.1　首 1 行中殘→大正 262，9/28B2 ~3。
3.2　尾全→9/37A2。
4.2　□□□［妙法蓮］華經卷第四（尾）。
8　8 世紀。唐寫本。
9.1　楷書。
11　圖版：《敦煌寶藏》，90/76A ~90A。

1.1　BD00083 號
1.3　維摩詰所說經（兌廢稿）卷中
1.4　地 083
1.5　070：1098
2.1　（5 +245）×25.5 厘米；6 紙；143 行，行 17 字。
2.2　01：05.0，03；　02：49.0，28；　03：49.0，28；
04：49.0，28；　05：49.0，28；　06：49.0，28。

2.3　卷軸裝。首殘尾脫。卷首殘破嚴重。有烏絲欄。
3.1　首 3 行上下殘→大正 475，14/544B22～25。
3.2　尾殘→14/546B1。
6.2　尾→BD00261 號。
8　8～9 世紀。吐蕃統治時期寫本。
9.1　楷書。
9.2　有行間校加字。
11　圖版：《敦煌寶藏》，65/325B～328B。
BD00261 號為兌廢稿，故本號亦為兌廢。

1.1　BD00084 號
1.3　賢劫十方千五百佛名經（二卷本）卷上
1.4　地 084
1.5　066：0836
2.1　（8＋770.5）×26.8 厘米；18 紙；435 行，行字不等。
2.2　01：8.0＋3.0，07；　02：45.8，26；　03：46.0，26；
04：46.0，26；　05：46.3，26；　06：46.4，27；
07：46.4，26；　08：46.4，26；　09：46.4，26；
10：46.4，26；　11：46.4，26；　12：46.4，26；
13：46.3，26；　14：46.4，26；　15：46.3，26；
16：46.3，26；　17：46.3，26；　18：27.0，11。
2.3　卷軸裝。首殘尾全。首紙殘缺，第 2 紙下方殘破，第 3、4 紙接縫下部開裂，第 11 紙下部殘損，尾端下部殘缺。卷面多水漬，變色。有燕尾。
3.4　說明：
本遺書首 5 行上下殘，尾殘。本文獻未為我國歷代大藏經所收。日本《大正藏》第 14 卷據中村不折氏收藏敦煌本錄文，列爲第 442 號，卷首殘缺。綜觀全卷，本遺書文字較中村本為優。本經卷首存文較中村本多，卷尾存文較中村本少。中村本為一卷本，本文獻則分為上下兩卷。故兩件可互校補充。
4.2　佛說賢劫十方千五佛名經卷上（尾）。
8　9～10 世紀。歸義軍時期寫本。
9.1　楷書。
11　圖版：《敦煌寶藏》，62/641A～650B。

1.1　BD00085 號
1.3　妙法蓮華經卷四
1.4　地 085
1.5　105：5249
2.1　（2.8＋486）×26.7 厘米；11 紙；285 行，行 17 字。
2.2　01：2.8＋11.7，08；　02：47.2，28；　03：48.0，28；
04：48.0，28；　05：47.2，28；　06：47.0，27；
07：47.4，27；　08：47.2，27；　09：47.5，28；
10：47.5，28；　11：47.3，28。
2.3　卷軸裝。首殘尾脫。第 1 紙有撕裂、殘洞及古代裱補，第 6 紙上邊殘破。卷面多水漬。有烏絲欄。
3.1　首行上殘→大正 262，9/28B28。
3.2　尾殘→9/32C23。
8　8～9 世紀。吐蕃統治時期寫本。
9.1　楷書。
11　圖版：《敦煌寶藏》，90/329B～336B。

1.1　BD00086 號
1.3　妙法蓮華經卷三
1.4　地 086
1.5　105：5082
2.1　（5.8＋830.6）×25.7 厘米；17 紙；451 行，行 17 字。
2.2　01：5.8＋45.3，28；　02：50.9，28；　03：51.1，28；
04：51.2，28；　05：51.1，28；　06：51.3，28；
07：51.2，28；　08：51.2，28；　09：51.2，28；
10：51.1，28；　11：51.2，28；　12：51.2，28；
13：51.2，28；　14：51.2，28；　15：51.1，28；
16：51.0，28；　17：18.1，03。
2.3　卷軸裝。首殘尾全。麻紙。首紙上、下邊有殘損，有火灼殘洞。有等距離水漬。有燕尾。有烏絲欄。
3.1　首 3 行下殘→大正 262，9/20C2～5。
3.2　尾全→9/27B9。
4.2　妙法蓮華經卷第三（尾）
8　7～8 世紀。唐寫本。
9.1　楷書。
11　圖版：《敦煌寶藏》，88/513B～526A。

1.1　BD00087 號
1.3　大般若波羅蜜多經卷二三四
1.4　地 087
1.5　084：2606
2.1　（12＋408.8）×27.3 厘米；9 紙；246 行，行 17 字。
2.2　01：12＋26.8，22；　02：48.0，28；　03：48.0，28；
04：47.9，28；　05：48.0，28；　06：47.8，28；
07：48.0，28；　08：47.8，28；　09：47.5，28。
2.3　卷軸裝。首殘尾脫。卷中多處撕裂破損。卷面多斑點。卷尾殘破。有烏絲欄。
3.1　首 7 行下殘→大正 220，6/179A14～20。
3.2　尾殘→6/181C27。
8　8～9 世紀。吐蕃統治時期寫本。
9.1　楷書。
11　圖版：《敦煌寶藏》，74/205A～210A。

1.1　BD00088 號
1.3　妙法蓮華經卷六
1.4　地 088
1.5　105：5470
2.1　（12＋483.5＋5）×25.5 厘米；12 紙；332 行，行 17 字。
2.2　01：12＋7.5，13；　02：46.0，31；　03：46.6，31；

04：46.6，31；　05：46.6，31；　06：46.6，31；
07：46.6，31；　08：46.6，31；　09：46.6，31；
10：46.6，31；　11：46.7，31；　12：10.5+5，09。
2.3　卷軸裝。首尾均殘。打紙，砑光上蠟。卷中多處撕裂。第8、9紙接縫處斷為2截。第1、2紙背有現代臨時性裱補。有烏絲欄，年久已褪色。應為盛唐宫廷寫本。
3.1　首9行上殘→大正262，9/47C3～11。
3.2　尾2行下殘→9/52C9～10。
8　7世紀。唐寫本。
9.1　楷書。
11　圖版：《敦煌寶藏》，94/558A～564B。

1.1　BD00089號
1.3　大般涅槃經（北本異卷）卷八
1.4　地089
1.5　116：6542
2.1　（11+949.3）×26.3厘米；20紙；536行，行17字。
2.2　01：11+32.0，24；　02：49.6，28；　03：49.6，28；
04：49.6，28；　05：49.6，28；　06：49.6，28；
07：49.6，28；　08：49.6，28；　09：49.6，28；
10：49.6，28；　11：49.6，28；　12：49.6，28；
13：49.6，28；　14：49.6，28；　15：49.6，28；
16：49.6，28；　17：49.6，28；　18：49.6，28；
19：49.6，28；　20：24.5，08。
2.3　卷軸裝。首殘尾全。經黄紙。首紙下部殘缺。有燕尾。有烏絲欄。
3.1　首7行下殘→大正374，12/411A08～14。
3.2　尾全→12/417C01。
4.2　大般涅槃經卷第八（尾）。
5　與《大正藏》本對照，分卷不同。經文相當於卷第八後半部分至卷第九前部分。與《大正藏》底、校諸本分卷亦均不同。
7.1　卷背有勘記“重有欠八行”。
7.3　卷背上邊又有草書藏文雜寫6處。
8　7～8世紀。唐寫本。
9.1　楷書。
11　圖版：《敦煌寶藏》，100/247B～259B。

1.1　BD00090號
1.3　金光明最勝王經卷二
1.4　地090
1.5　083：1558
2.1　（85+2.5）×25.5厘米；3紙；54行，行20字（偈頌）。
2.2　01：33.5，21；　02：45.0，28；　03：06.5+2.5，05。
2.3　卷軸裝。首斷尾殘。卷端破碎。有烏絲欄。已修整。
3.1　首殘→大正665，16/411B21。
3.2　尾行下殘→16/412B25。
7.3　卷背有雜寫2處，一處為“經云”。
8　8～9世紀。吐蕃統治時期寫本。
9.1　楷書。
9.2　上邊有一校改字“貪”。
11　圖版：《敦煌寶藏》，68/385A～386A。

1.1　BD00091號
1.3　四分律比丘戒本
1.4　地091
1.5　156：6881
2.1　（5.5+258.5+5.5）×27厘米；8紙；168行，行21字。
2.2　01：5.5+23.0，20；　02：42.5，27；　03：42.5，27；
04：42.5，27；　05：42.5，27；　06：24.5，14；
07：41.0，23；　08：05.5，03。
2.3　卷軸裝。首尾均殘。首紙中部横向撕裂。後3紙與前5紙的紙質不同。後3紙有烏絲欄，前5紙無烏絲欄。
3.1　首4行中殘→大正1429，22/1020B5～9。
3.2　尾3行中下殘→22/1023A11。
4.2　□［四］分戒□［本］（尾）。
8　9～10世紀。歸義軍時期寫本。
9.1　楷書。
9.2　有行間校加字。有校改。有刪除號。
11　圖版：《敦煌寶藏》，102/363A～366B。

1.1　BD00092號
1.3　妙法蓮華經卷七
1.4　地092
1.5　105：6116
2.1　（177+5）×26.5厘米；5紙；114行，行17字。
2.2　01：41.0，26；　02：41.0，26；　03：41.0，26；
04：41.0，25；　05：13.0+5.0，11。
2.3　卷軸裝。首斷尾殘。卷首有等距離殘破。卷中有撕裂及破損。卷面有殘洞。卷尾殘破。有烏絲欄。
3.1　首殘→大正262，9/60A6。
3.2　尾3行中上殘→9/61B12～15。
8　7～8世紀。唐寫本。
9.1　楷書。
11　圖版：《敦煌寶藏》，97/49B～51B。

1.1　BD00093號
1.3　大般涅槃經疏（擬）
1.4　地093
1.5　120：6613
2.1　（8+469）×27.5厘米；13紙；正面311行，行20餘字；背面58行，行字不等。
2.2　01：8+31.0，26；　02：38.0，25；　03：38.0，25；
04：40.0，26；　05：40.0，26；　06：40.0，26；
07：40.0，26；　08：40.0，26；　09：40.0，26；

10：40.0，26；　11：40.0，26；　12：40.0，26；
13：02.0，01。
2.3　卷軸裝。首尾殘。第 1、2、13 紙殘破。有烏絲欄。已修整。
3.4　說明：
本文獻首 5 行中下殘，尾亦殘。背面的文字均為對正面相對應位置經疏文字的補充。
本經疏未為我國歷代大藏經收錄。
8　6 世紀。南北朝寫本。
9.1　隸書。
9.2　有行間校加字。有刪除號。各紙背有對正面經疏的校補文字，共 58 行。
11　圖版：《敦煌寶藏》，100/570A～518B。

1.1　BD00094 號
1.3　大般若波羅蜜多經卷八七
1.4　地 094
1.5　084：2241
2.1　276.6×26 厘米；6 紙；162 行，行 17 字。
2.2　01：47.6，28；　02：48.0，28；　03：48.0，28；
04：48.0，28；　05：48.0，28；　06：37.0，22。
2.3　卷軸裝，首尾脫。第 6 紙下邊殘缺。下部油污。有烏絲欄。
3.1　首殘→大正 220，5/486C5。
3.2　尾殘→5/488C19。
8　8～9 世紀。吐蕃統治時期寫本。
9.1　楷書。
9.2　有行間校加字。
11　圖版：《敦煌寶藏》，72/412～415B。

1.1　BD00095 號
1.3　金剛般若波羅蜜經
1.4　地 095
1.5　094：3714
2.1　（18.1＋492.8＋3.5）×25.5 厘米；12 紙；285 行，行 17 字。
2.2　01：06.8，04；　02：11.3＋38.7，28；
03：50.0，28；　04：50.0，28；
05：50.0，28；　06：50.0，28；
07：50.1，28；　08：50.0，28；
09：50.0，28；　10：50.0，28；
11：50.0，28；　12：4＋03.5，01。
2.3　卷軸裝。首殘尾全。經黃紙，打紙。卷首殘破嚴重，卷中有橫裂，接縫處亦有開裂。第 6、7 紙接縫處背有古代褙補。有烏絲欄。第 12 紙與前 11 紙色不同，係後補。
3.1　首 10 上中下殘→大正 235，8/749A14～25。
3.2　尾全→8/752C3。
4.2　金剛般若波羅蜜經（尾）。
8　7～8 世紀。唐寫本。
9.1　楷書。
9.2　有行間校加字。有刮改。
11　圖版：《敦煌寶藏》，80/1A～7B。

1.1　BD00096 號
1.3　無量壽宗要經
1.4　地 096
1.5　257：7958
2.1　（22＋148.5）×31.5 厘米；4 紙；109 行，行 30 餘字。
2.2　01：22＋21.0，26；　02：42.5，29；　03：42.5，29；
04：42.5，25。
2.3　卷軸裝。首脫尾全。卷首殘破嚴重。有烏絲欄。
3.1　首 11 行上下殘→大正 936，19/82A6～26。
3.2　尾全→19/84C29。
4.2　佛說無量壽宗要經（尾）。
7.1　第 4 紙尾題之後有題記“張瀛寫”1 行。
7.3　第 1 紙首背面有雜寫“□…□七十五，人張上”1 行。
8　8～9 世紀。吐蕃統治時期寫本。
9.1　楷書。
9.2　有行間校加字。有校改。
11　圖版：《敦煌寶藏》，108/362B～364B。

1.1　BD00097 號
1.3　妙法蓮華經卷七
1.4　地 097
1.5　105：6076
2.1　（9＋484.5）×25 厘米；11 紙；277 行，行 17 字。
2.2　01：9＋35.0，26；　02：47.0，28；　03：47.0，28；
04：47.0，28；　05：47.0，28；　06：50.0，28；
07：50.0，28；　08：50.0，28；　09：50.0，28；
10：50.0，27；　11：11.5，拖尾。
2.3　卷軸裝。首殘尾全。麻紙。卷首殘破嚴重，卷尾有殘損及撕裂。多油污。有烏絲欄。
3.1　首 5 行上下殘→大正 262，9/58B19～23。
3.2　尾全→9/62B1。
4.2　妙法蓮華經卷第七（尾）。
8　7～8 世紀。唐寫本。
9.1　楷書。
11　圖版：《敦煌寶藏》，96/542A～548B。

1.1　BD00098 號
1.3　無量壽宗要經
1.4　地 098
1.5　275：7690
2.1　179.5×30 厘米；4 紙；117 行，行 30 餘字。
2.2　01：46.0，30；　02：46.0，31；　03：46.0，31；

04：41.5，25。
2.3　卷軸裝。首尾全。第1紙中間有撕裂，第2、3紙接縫處上下開裂。背有古代裱補。有烏絲欄。
3.1　首全→大正936，19/82A3。
3.2　尾全→19/84C29。
4.1　大乘無量壽經（首）。
4.2　佛說無量壽宗要經（尾）。
7.1　尾題後有寫經生題名“田廣談”。
7.3　第1紙有雜寫“社司轉帖”等字2行。卷背有藏文雜寫，共兩句，重複抄寫，拉丁文轉寫如下：“rgya dar ma bam bam po”（漢文經卷），“rgya dar ma”（漢文經）。參見《北京敦煌寫卷中所包含的藏文文獻》，第136頁。
8　8～9世紀。吐蕃統治時期寫本。
9.1　行楷。
9.2　有校改。
11　圖版：《敦煌寶藏》，107/325A～328A。

1.1　BD00099號1
1.3　無量壽宗要經
1.4　地099
1.5　275：7959
2.1　362×31.5厘米；8紙；230行，行30餘字。
2.2　01：47.0，31；　02：45.0，30；　03：45.0，26；
04：45.0，29；　05：45.0，30；　06：45.0，30；
07：45.0，30；　08：45.0，24。
2.3　卷軸裝。首脫尾全。第1紙上下邊有撕裂，中間有橫撕裂。有烏絲欄。
2.4　本遺書包括2個文獻：（一）《無量壽宗要經》，87行，今編為BD00099號1。（二）《無量壽宗要經》，143行，今編為BD00099號2。
3.1　首殘→大正936，19/83A14。
3.2　尾全→19/84C29。
4.2　佛說大乘無量壽宗要陀羅尼經一卷（尾）。
8　8～9世紀。吐蕃統治時期寫本。
9.1　行楷。
11　圖版：《敦煌寶藏》，108/365A～369A。

1.1　BD00099號2
1.3　無量壽宗要經
1.4　地099
1.5　275：7959
2.4　本遺書由2個文獻組成，本號為第2個，143行。餘參見BD00099號1之第2項、第11項。
3.1　首全→大正936，19/82A3。
3.2　尾全→19/84C29。
4.1　大乘無量壽經（首）。
4.2　佛說大乘無量壽宗要經一卷（尾）。
7.1　第8紙尾題後題記：“已前六卷，紙卅張。王瀚寫。眼闇書，不得不放，知之。”由此可知經生王瀚用30張粘連的紙，連續抄寫該經6部。反映了當時抄經生工作的若干情況。
8　8～9世紀。吐蕃統治時期寫本。
9.1　行楷。

1.1　BD00100號
1.3　維摩詰所說經卷上
1.4　地100
1.5　070：0866
2.1　（6＋1008.8）×24.5厘米；22紙；567行，行16～18字。
2.2　01：6.0＋2.3，04；　02：49.0，28；　03：49.5，28；
04：49.5，28；　05：49.5，28；　06：49.5，28；
07：49.5，28；　08：49.5，28；　09：49.5，28；
10：49.5，28；　11：49.5，28；　12：49.5，28；
13：49.5，28；　14：49.5，28；　15：49.5，28；
16：50.0，28；　17：50.0，28；　18：49.5，28；
19：49.5，28；　20：49.5，28；　21：49.5，28；
22：16.0，03。
2.3　卷軸裝。首殘尾全。第1、2、5紙中間有橫撕裂，上下邊有撕裂；第3紙上邊有殘損；自第21紙中間斷為2截。有烏絲欄。
3.1　首3行下殘→大正475，14/537A29～B3。
3.2　尾全→14/544A19。
4.2　維摩詰經卷第一（尾）
8　8～9世紀。吐蕃統治時期寫本。
9.1　楷書。
9.2　第2至第6紙硃筆點標斷句。有行間校加字。有刮改。
11　圖版：《敦煌寶藏》，63/236B～250B。

1.1　BD00101號
1.3　佛名經（十六卷本）卷一三
1.4　黃001
1.5　063：0752
2.1　（11＋1102.6）×26.8厘米；26紙；616行，行17字。
2.2　01：09.0，05；　02：02＋43.0，25；　03：45.0，25；
04：45.0，25；　05：45.0，25；　06：45.0，25；
07：45.0，25；　08：45.0，25；　09：44.8，25；
10：44.8，25；　11：44.8，25；　12：44.8，25；
13：44.8，25；　14：44.8，25；　15：44.8，25；
16：44.8，25；　17：44.8，25；　18：44.8，25；
19：44.8，25；　20：44.8，25；　21：44.8，25；
22：44.8，25；　23：44.8，25；　24：44.8，25；
25：44.8，25；　26：28.0，11。
2.3　卷軸裝。首殘尾全。第1紙殘損嚴重，卷中接縫多處開裂，尾紙上方殘破。卷首上邊有蟲繭。卷尾有蟲繭。多水漬。有烏絲欄。

3.1 首6行上中殘→《七寺古逸經典研究叢書》，3/第639頁17行。
3.2 尾全→《七寺古逸經典研究叢書》，3/第684頁608行。
4.2 佛說佛名經卷第十三（尾）。
5 與《大正藏》本相比，文字略有參差。
8 9～10世紀。歸義軍時期寫本。
9.1 楷書。
9.2 有行間校加字。
11 圖版：《敦煌寶藏》，62/97B～112B。

1.1 BD00102號
1.3 維摩詰所說經卷下
1.4 黃002
1.5 070：1223
2.1 （3＋723）×26.5厘米；16紙；418行，行17字。
2.2 01：03＋17.0，12； 02：48.0，28； 03：48.0，28；
04：48.0，28； 05：48.0，28； 06：48.0，28；
07：48.0，28； 08：48.0，28； 09：48.5，28；
10：48.5，28； 11：48.5，28； 12：48.5，28；
13：48.5，28； 14：48.5，28； 15：48.0，28；
16：31.0，14。
2.3 卷軸裝。首殘尾全。經黃紙。第1紙中間第8行處斷爲2截，第2紙中間第5行處和第2、3紙接縫處各斷爲2截，第2紙中間有豎撕裂。有燕尾。有烏絲欄。已修整。
3.1 首2行上下殘→大正475，14/552B21～22。
3.2 尾全→14/557B26。
4.2 維摩詰卷下（尾）。
8 7～8世紀。唐寫本。
9.1 楷書。
9.2 有行間校加字。有行間加行。有校改。
11 圖版：《敦煌寶藏》，66/108A～117A。

1.1 BD00103號
1.3 無量壽宗要經
1.4 黃003
1.5 275：7691
2.1 171×31，4紙，110行，行30餘字。
2.2 01：43.0，28； 02：43.0，29； 03：43.0，29；
04：42.0，24。
2.3 卷軸裝。首尾全，第1紙上下邊撕裂。有油污。有烏絲欄。
3.1 首全→大正936，19/82A3。
3.2 尾全→19/84C29。
4.1 大乘無量壽經（首）。
4.2 佛說無量壽宗要經（尾）。
7.1 第4紙尾行有題名“張瀛”。
8 8～9世紀。吐蕃統治時期寫本。
9.1 行楷。
9.2 有行間校加字。有刮改。
11 圖版：《敦煌寶藏》，107/328B～330B。

1.1 BD00104號
1.3 妙法蓮華經卷七
1.4 黃004
1.5 105：5906
2.1 （3.5＋180.5）×27厘米；4紙；97行，行17字。
2.2 01：3.5＋33.5，19； 02：49.0，26； 03：49.0，26；
04：49.0，26。
2.3 卷軸裝。首殘尾脫。第1紙首有橫向撕裂。卷面、卷背有鳥糞污跡。有烏絲欄。
3.1 首2行中殘→大正262，9/55A21～22。
3.2 尾殘→9/56B8。
7.3 第1紙背有雜寫“壬子年”。第2紙背有雜寫“壬子年十一月二日陳□□續紹”。第4紙背有雜寫“延芳”，“延”。
8 9～10世紀。歸義軍時期寫本。
9.1 楷書。
11 圖版：《敦煌寶藏》，96/13B～15B。

1.1 BD00105號
1.3 妙法蓮華經卷一
1.4 黃005
1.5 105：4584
2.1 （4.5＋518）×25.3厘米；12紙；308行，行17字。
2.2 01：4.5＋34.6，24； 02：46.4，28； 03：46.4，28；
04：46.4，28； 05：46.5，28； 06：46.4，28；
07：46.3，28； 08：46.4，28； 09：46.3，28；
10：46.3，28； 11：46.3，28； 12：19.7，04；
2.3 卷軸裝。首殘尾全。卷中有撕裂和殘損。上邊有等距離殘缺。有水漬。有燕尾。有烏絲欄。
3.1 首3行下殘→大正262，9/4B23～28。
3.2 尾全→9/10B21。
4.2 妙法蓮華經卷第一（尾）。
8 7～8世紀。唐寫本。
9.1 楷書。
11 圖版：《敦煌寶藏》，84/628A～634B。

1.1 BD00106號
1.3 金剛般若波羅蜜經
1.4 黃006
1.5 094：3685
2.1 （8.5＋176）×26.7厘米；5紙；107行，行17字。
2.2 01：8.5＋35.0，25； 02：43.0，25； 03：43.0，25；
04：43.0，25； 05：12.0，07。
2.3 卷軸裝。首殘尾斷。第2紙上下邊有豎裂。中部有橫裂。卷面多水漬，變色。有烏絲欄。

3.1　首4行上、下殘→大正235，8/749A15～19。
3.2　尾殘→8/750B13。
8　8～9世紀。吐蕃統治時期寫本。
9.1　楷書。
11　圖版：《敦煌寶藏》，79/522A～524A。

1.1　BD00107號
1.3　妙法蓮華經卷六
1.4　黄007
1.5　105：5704
2.1　（11.5+334.7+3）×26厘米；8紙；201行，行17字。
2.2　01：11.5+13.5，14；　02：49.0，28；　03：49.4，28；
04：49.0，28；　05：48.5，28；　06：49.3，28；
07：48.5，28；　08：27.5+3，19。
2.3　卷軸裝。首尾均殘。第1紙前9行斷裂。又脱落一塊殘片，5行，經文與卷端相接，已綴接。已修整。
3.1　首2行下殘→大正262，9/47A4～5。
3.2　尾3行上下殘→9/50B8～12。
8　9～10世紀。歸義軍時期寫本。
9.1　楷書。
11　卷端脱落的殘片，《敦煌寶藏》未攝入。又，卷内另夾裹一塊殘片，僅存經文數字，與本件非同一文獻，現另編爲BD16446號。
圖版：《敦煌寶藏》，94/352A～356B。

1.1　BD00108號1
1.3　梵網經盧舍那佛説菩薩心地戒品第十序
1.4　黄008
1.5　143：6685
2.1　（10+761.3）×26.5厘米；19紙；439行，行17字。
2.2　01：10+26，20；　02：41.4，24；　03：41.3，27；
04：10.2，06；　05：14.0，08；　06：49.0，27；
07：49.2，28；　08：49.0，28；　09：42.0，24；
10：49.0，28；　11：49.2，28；　12：48.8，28；
13：50.0，28；　14：49.5，28；　15：49.5，28；
16：50.0，28；　17：49.2，28；　18：11.5，07；
19：32.5，16；
2.3　卷軸裝。首殘尾全，第1紙已斷裂爲兩截。前4紙及尾紙與中間各紙紙質不同，為歸義軍時期後補。通卷破碎，背有古代裱補。前4紙為折疊欄，其他紙為烏絲欄。已修整。
2.4　本遺書包括2個文獻：（一）《梵網經盧舍那佛説菩薩心地戒品第十序》，11行，今編爲BD00108號1。（二）《梵網經盧舍那佛説菩薩心地戒品第十》卷下，428行，今編爲BD00108號2。
3.1　首4行中下殘→大正1484，24/1003A19～23。
3.2　尾全→24/1003B2。
4.1　菩薩戒序（首）。
7.3　背面兩塊裱補紙上有殘字，除“破也”二字外，其他字無法辨認。
8　7～8世紀。唐寫本。
9.1　楷書。
9.2　有行間校加字。
11　修整後，古代裱補紙均已粘回原位，未給新的編號。1998年在江蘇古籍出版社出版之《中國國家圖書館藏敦煌遺書》第二册中所作敍錄有誤。BD16448號所編殘片為從BD09281號揭下的古代裱補紙。
圖版：《敦煌寶藏》，101/167B～178A。

1.1　BD00108號2
1.3　梵網經盧舍那佛説菩薩心地戒品第十卷下
1.4　黄008
1.5　143：6685
2.4　本遺書由2個文獻組成，本號為第2個，428行。餘參見BD00108號1之第2項、第11項。
3.1　首全→大正1484，24/1003C29。
3.2　尾全→24/1009C8。
4.2　梵網經卷下（尾）。
5　與《大正藏》本對照，本件卷首有缺文，相當於24/1003B7～C28；卷末有缺文，相當於24/1009C9～1010A21。本件有内題“梵網經盧舍那佛説菩薩十重四十八輕戒”。内題之後多出“菩薩安居及解夏自恣法”6行。首尾均為後代配補。
8　7～8世紀。唐寫本。
9.1　楷書。
9.2　有硃筆校加字。

1.1　BD00109號
1.3　妙法蓮華經卷三
1.4　黄009
1.5　105：5015
2.1　（4.8+879.7）×25.1厘米；20紙；518行，行17字。
2.2　01：4.8+20.5，15；　02：46.8，28；　03：46.9，28；
04：46.9，28；　05：46.8，28；　06：46.9，28；
07：47.0，28；　08：47.1，28；　09：47.0，28；
10：46.9，28；　11：46.9，28；　12：46.9，28；
13：46.8，28；　14：47.0，28；　15：47.0，28；
16：47.0，28；　17：46.8，28；　18：47.0，28；
19：47.0，27；　20：14.5，護首。
2.3　卷軸裝。首殘尾全。經黄紙。護首未入潢。有水漬。有燕尾。有烏絲欄。
3.1　首3行下殘→大正262，9/19B29～C4。
3.2　尾全→9/27B9。
4.2　妙法蓮華經卷第三（尾）。
8　7～8世紀。唐寫本。
9.1　楷書。
11　圖版：《敦煌寶藏》，88/126A～139A。

1.1　BD00110 號
1.3　金剛般若波羅蜜經
1.4　黄 010
1.5　094：3578
2.1　（5+560.8）×26 厘米；12 紙；302 行，行 17 字。
2.2　01：5+26.0，19；　02：51.0，28；　03：51.5，28；
04：51.4，28；　05：51.5，28；　06：51.3，28；
07：51.0，28；　08：51.3，28；　09：51.3，28；
10：51.2，28；　11：51.2，28；　12：22.1，03。
2.3　卷軸裝。首殘尾全。麻紙。第 1 紙爲後補，碎損嚴重；第 1、2 紙接縫處開裂；第 11 紙上部有撕裂。背有古代裱補。有燕尾。有烏絲欄。已修整。
2.4　本遺書包括 2 個文獻：（一）《金剛般若波羅蜜經》，302 行，抄寫在正面，今編爲 BD00110 號。（二）鎮宅文，4 行，抄寫在背面裱補紙上，今編爲 BD00110 號背。
3.1　首 3 行下殘→大正 235，8/748C26～29。
3.2　尾全→8/752C3。
4.2　金剛般若波羅蜜經（尾）。
7.3　卷背有雜寫"心被"等三字。
8　7～8 世紀。唐寫本。
9.1　楷書。
11　圖版：《敦煌寶藏》，78/626A～633B。

1.1　BD00110 號背
1.3　鎮宅文（擬）
1.4　黄 010
1.5　094：3578
2.4　本遺書由 2 個文獻組成，本號為第 2 個，4 行，抄寫在背面裱補紙上。餘參見 BD00110 號之第 2 項、第 11 項。
3.3　錄文：
□…□客屋門戶井灶□□庫/
□…□將軍太歲黄幡豹/
□…□虎朱雀玄武六甲禁諱/
□…□切鬼魅皆悉隱藏遠/
（錄文完）
3.4　説明：
參見《敦煌道教文獻研究》，第 236 頁～第 241 頁。
8　7～8 世紀。唐寫本。
9.1　楷書。

1.1　BD00111 號
1.3　天地八陽神咒經
1.4　黄 011
1.5　256：7619
2.1　（8.8+359.3）×24.7 厘米；9 紙；211 行，行字不等。
2.2　01：8.8+47.6，33；　02：32.0，20；　03：44.6，27；
04：45.0，28；　05：45.4，28；　06：44.8，27；
07：45.0，28；　08：34.5，20；　09：20.4，拖尾。
2.3　卷軸裝。首尾均全。上部殘缺。通卷碎損嚴重，多層裱補。第 1 紙與以後各紙字迹不同。有烏絲欄。已修整，配用《趙城金藏》木軸。
3.1　首 3 行上殘→大正 2897，85/1422B17～19。
3.2　尾全→85/1425B3。
4.2　佛說八陽神咒經一卷（尾）。
5　與《大正藏》本對照，本號尾題前多一段文字。起自倒數第 13 行末二字"是時"，止於倒數第 2 行"為佛作禮，歡喜奉行"。所增加者，為經典的流通分，應是後代所增補。反映了該經不同時代的不同流傳形態。
7.1　卷尾背裱補紙上有題記："三界寺僧沙彌海子讀《八陽經》者"。
7.2　護首背面有 2.5×7.7 厘米的陽文墨印，印文爲"三界寺藏經"。
7.3　卷面有雜寫"生則"、"言"。第 7 紙背有雜寫"而說偈言" 1 行。
8　8～9 世紀。吐蕃統治時期寫本。
9.1　楷書。
11　本件卷尾破碎嚴重，古代修補時僅題記露出卷尾，而"三界寺藏經"印章被遮覆，故《敦煌寶藏》本件照片惟見題記不見印章。此次修整時，爲表現裱補紙上的題記及印章之全貌，特將該裱補紙揭下後，將題記及印章粘貼於卷尾背面。故本件修復後的形態與原件略有差異。
從該件揭下古代裱補 49 塊，現編爲 BD16230 號～BD16237 號。
圖版：《敦煌寶藏》，107/109B～114A。

1.1　BD00112 號
1.3　妙法蓮華經玄贊卷四
1.4　黄 012
1.5　110：6206
2.1　（3.5+1322.8+18.3）×28.2 厘米；33 紙；714 行，行 20 餘字。
2.2　01：3.5+34.0，20；　02：38.5，20；　03：38.5，19；
04：38.4，20；　05：38.0，19；　06：38.0，20；
07：38.0，20；　08：42.5，23；　09：42.5，23；
10：42.3，23；　11：42.5，24；　12：42.5，24；
13：42.5，23；　14：42.2，23；　15：42.5，23；
16：42.2，24；　17：42.5，23；　18：42.5，23；
19：42.3，23；　20：42.5，23；　21：42.5，23；
22：42.5，23；　23：42.5，24；　24：42.5，22；
25：39.7，21；　26：42.5，22；　27：42.2，23；
28：43.0，23；　29：43.5，23；　30：43.5，22；
31：43.5，23；　32：40.0+1.5，23；33：16.8，02。
2.3　卷軸裝。首尾均殘。經疏薄紙。尾有原軸，兩端塗黑色漆，軸頭點硃漆。本件第 1 紙下部有殘損，第 2、10、13 紙有撕裂，

第6、7紙間接縫處開裂，第29、32紙有殘損。有上下邊欄，竪欄爲折疊欄。已修整。
3.1 首2行下殘→大正1723，34/720C25～26。
3.2 尾全→34/734A24。
4.2 法花經玄贊第四（尾）。
8 8世紀。唐寫本。
9.1 行楷。有合體字“涅槃”。
9.2 有行間加行及校加字。有校改。有重文號。有行間加行，直寫到下邊。凡疏釋經文處，皆硃筆科分。有删除號。
11 圖版：《敦煌寶藏》，97/329A～346A。

1.1 BD00113號
1.3 妙法蓮華經（兑廢稿）卷一
1.4 黄013
1.5 105：4676
2.1 103×25.3厘米；3紙；57行，行17字。
2.2 01：50.2，28； 02：50.5，28； 03：02.3，01。
2.3 卷軸裝。首脱尾斷。經黄紙，打紙。第2、3紙接縫處下開裂。有烏絲欄。
3.1 首殘→大正262，9/7B7。
3.2 尾殘→9/8A25。
5 與《大正藏》本相比，第2紙前5行文字兑廢。
8 7～8世紀。唐寫本。
9.1 楷書。
9.2 首紙有行間加行，加行下有一“兑”字。
11 圖版：《敦煌寶藏》，85/252A～253A。

1.1 BD00114號
1.3 四分比丘尼戒本
1.4 黄014
1.5 157：6919
2.1 （240.5+4.5）×26.3厘米；5紙；133行，行17字。
2.2 01：51.5，28； 02：51.5，28； 03：51.5，28； 04：52.0，28； 05：34.0+4.5，21。
2.3 卷軸裝。首脱尾殘。第1至第2紙接縫處上部開裂，第2、3紙接縫處下部開裂，尾紙殘破。尾端有小細麻繩，用途待考。
3.1 首殘→大正1431，22/1036C29。
3.2 尾2行中下殘→22/1038B21。
7.3 卷背有藏文雜寫，並有圓圈12個。
8 7～8世紀。唐寫本。
9.1 楷書。
11 圖版：《敦煌寶藏》，102/536A～539A。

1.1 BD00115號
1.3 妙法蓮華經卷一
1.4 黄015
1.5 105：4497
2.1 （3+910.7）×26厘米；19紙；505行，行17字。
2.2 01：3+26.2，22； 02：49.8，28； 03：50.8，28； 04：50.7，28； 05：51.2，28； 06：51.0，28； 07：51.0，28； 08：51.0，28； 09：51.2，28； 10：51.3，28； 11：51.4，28； 12：51.4，28； 13：51.4，28； 14：51.2，28； 15：51.0，28； 16：51.3，28； 17：51.3，28； 18：51.0，28； 19：16.5，07。
2.3 卷軸裝。首殘尾全。經黄紙。卷面有等距離殘洞。上邊有等距離殘破。第1至第2紙接縫處開裂，斷爲兩截。卷首有古代裱補。有烏絲欄。
3.1 首2行上中殘→大正262，9/1C23。
3.2 尾全→9/10B21。
4.2 妙法蓮華經卷第一（尾）。
8 7～8世紀。唐寫本。
9.1 楷書。
9.2 有刮改。
11 圖版：《敦煌寶藏》，83/389B～403B。

1.1 BD00116號
1.3 觀世音經
1.4 黄016
1.5 111：6220
2.1 （3+167.3）×29.5厘米；5紙；105行，行17字。
2.2 01：3+16.8，12； 02：44.5，28； 03：44.5，28； 04：44.5，28； 05：17.0，09。
2.3 卷軸裝。首殘尾全。第1紙中下有殘損，第2紙上下有撕裂，第3紙下殘破，第4紙碎損嚴重。有烏絲欄。
3.1 首2行中殘→大正262，9/56C16～18。
3.2 尾全→9/58B7。
4.2 觀世音經一卷（尾）。
8 9～10世紀。歸義軍時期寫本。
9.1 楷書。
11 本件内原夾裹一塊殘片，存經文3行，與本文獻非同一經典，今編爲BD16447號。
圖版：《敦煌寶藏》，97/391A～393A。

1.1 BD00117號
1.3 妙法蓮華經（八卷本）卷六
1.4 黄017
1.5 105：5594
2.1 （6.5+791.9）×25.7厘米；18紙；483行，行17字。
2.2 01：6.5+31.0，23； 02：46.0，28； 03：46.0，28； 04：46.0，28； 05：46.0，28； 06：46.1，28； 07：46.1，28； 08：46.0，28； 09：46.0，28； 10：46.0，28； 11：46.0，28； 12：45.8，28； 13：45.5，28； 14：45.8，28； 15：45.7，28；

16：45.7，28；　17：45.7，28；　18：26.5，12。
2.3　卷軸裝。首殘尾全。經黃紙。第1紙有殘洞及上方撕裂。多水漬。有烏絲欄。
3.1　首4行上殘→大正262，9/42C4～7。
3.2　尾全→9/50B22。
4.2　妙法蓮華經卷第六（尾）。
5　與《大正藏》本對照，分卷不同，相當於卷五《如來壽量品》第十六前部開始至卷六《法師功德品》第十九全文。屬八卷本。
8　7～8世紀。唐寫本。
9.1　楷書。
9.2　有行間校加字。
11　圖版：《敦煌寶藏》，93/245A～257A。

1.1　BD00118號
1.3　妙法蓮華經卷一
1.4　黃018
1.5　105：4541
2.1　（19.2+765.9）×26.2厘米；17紙；456行，行17字。
2.2　01：19.2+29.0，28；　02：47.2，28；　03：47.9，28；
04：47.9，28；　05：48.1，28；　06：48.1，28；
07：48.0，28；　08：48.2，28；　09：47.7，28；
10：47.9，28；　11：48.1，28；　12：48.0，28；
13：48.0，28；　14：48.2，28；　15：48.1，28；
16：48.3，28；　17：17.2，08。
2.3　卷軸裝。首殘尾全。打紙，砑光上蠟。卷首殘破嚴重。全卷多處有古代裱補。有烏絲欄。
3.1　首11行下殘→大正262，9/2B18～C1。
3.2　尾全→9/10B21。
4.2　妙法蓮華經卷第一（尾）。
8　7～8世紀。唐寫本。
9.1　楷書。
11　圖版：《敦煌寶藏》，84/269B～281B。

1.1　BD00119號
1.3　天請問經疏
1.4　黃019
1.5　137：6662
2.1　（4+413.1）×27.5厘米；12紙；211行，行21～22字不等。
2.2　01：4+22.5，14；　02：36.5，19；　03：36.0，18；
04：36.6，20；　05：37.0，20；　06：37.0，19；
07：36.7，18；　08：36.5，19；　09：36.7，17；
10：36.6，18；　11：36.5，17；　12：24.5，12。
2.3　卷軸裝。首殘尾全。經疏薄紙。第1～3紙均有殘損殘洞。脫落1殘片，可綴接。有烏絲欄。
3.1　首3行下殘→《藏外佛教文獻》，1/第81頁第13行～第16行。
3.2　尾全→《藏外佛教文獻》，1/第94頁第12行。
4.2　天請問經疏一卷（尾）。
8　8～9世紀。吐蕃統治時期寫本。
9.1　楷書。
11　圖版：《敦煌寶藏》，101/100A～105A。

1.1　BD00120號
1.3　金剛般若波羅蜜經
1.4　黃020
1.5　094：4353
2.1　（15+137.5）×26厘米；4紙；73行，行17字。
2.2　01：15+4.0，10；　02：48.5，28；　03：49.0，28；
04：36.0，07。
2.3　卷軸裝。首殘尾全。卷端上下缺損。卷面有黑色污斑。有水漬。有燕尾。有烏絲欄。
3.1　首8行上下殘→大正235，8/751C7～15。
3.2　尾全→235，8/752C3。
4.2　金剛般若波羅蜜經（尾）。
5　與《大正藏》本對照，本卷經文缺少冥司偈。
8　8～9世紀。吐蕃統治時期寫本。
9.1　楷書。
11　圖版：《敦煌寶藏》，83/45B～47A。

1.1　BD00121號
1.3　大般若波羅蜜多經卷二四〇
1.4　黃021
1.5　084：2627
2.1　261.3×26.2厘米；6紙；146行，行17字。
2.2　01：48.0，28；　02：47.7，28；　03：47.7，28；
04：47.7，28；　05：47.7，28；　06：22.5，06。
2.3　卷軸裝。首脫尾全。尾有原軸，兩端先塗朱漆，又塗醬紅色漆。卷面上部油污。有烏絲欄。
3.1　首殘→大正220，6/212C27。
3.2　尾全→6/214B28。
4.2　大般若波羅蜜多經卷第二百卌（尾）。
8　8～9世紀。吐蕃統治時期寫本。
9.1　楷書。
11　圖版：《敦煌寶藏》，74/281B～284B。

1.1　BD00122號
1.3　妙法蓮華經卷六
1.4　黃022
1.5　105：5676
2.1　959.8×26厘米；21紙；560行，行17字。
2.2　01：22.5，13；　02：47.0，28；　03：46.7，27；
04：46.8，28；　05：46.7，28；　06：47.1，28；

07：46.7，28；　08：46.7，28；　09：46.6，28；
10：47.0，18；　11：46.8，28；　12：46.9，28；
13：47.0，28；　14：46.6，28；　15：46.9，28；
16：47.0，28；　17：47.0，28；　18：46.8，28；
19：47.0，28；　20：47.0，28；　21：47.0，16。

2.3　卷軸裝。首殘尾全。尾有原軸，軸頭為蓮蓬形，兩端塗黑色漆。多水漬。尾有蟲繭。背面有古代裱補。有烏絲欄。
3.1　首2行中殘→大正262，9/47A4～5。
3.2　尾全→9/55A9。
4.2　妙法蓮華經卷第六（尾）。
8　9～10世紀。歸義軍時期寫本。
9.1　楷書。
9.2　有刮改。
11　圖版：《敦煌寶藏》，94/157B～171B。

1.1　BD00123號
1.3　合部金光明經（異卷）卷八
1.4　黃023
1.5　082：1435
2.1　（7+694.2）×25.5厘米；15紙；408行，行17字。
2.2　01：7+42.2，28；　02：47.0，28；　03：47.0，28；
04：47.0，28；　05：47.0，28；　06：47.0，28；
07：47.0，28；　08：47.0，28；　09：47.0，28；
10：47.0，28；　11：47.0，28；　12：47.0，28；
13：47.0，28；　14：47.0，28；　15：43.0，16；
2.3　卷軸裝。首脱尾全。經黃紙。尾有原軸，兩端塗紫紅色漆。卷端背面有白色污跡。首部掉下一殘片，可綴接。有烏絲欄。
3.1　首4行上殘→大正664，16/396A16～19。
3.2　尾全→16/401C24。
4.2　金光明經卷第八（尾）。
5　與《大正藏》本經對照，分卷不同，相當於《流水長者子品第二十一》至《付囑品第二十四》。《付囑品》缺末27行，與《資福藏》、《普寧藏》、《嘉興藏》及日本宮內寮本、《聖語藏》本相同。
8　7～8世紀。唐寫本。
9.1　楷書。
9.2　有刮改。
11　圖版：《敦煌寶藏》，67/531A～539B。

1.1　BD00124號
1.3　妙法蓮華經（八卷本）卷六
1.4　黃024
1.5　105：5597
2.1　763.3×26.1厘米；17紙；446行，行17字。
2.2　01：24.4，14；　02：47.6，28；　03：46.2，27；
04：47.4，28；　05：46.0，27；　06：47.2，28；
07：46.3，28；　08：48.0，28；　09：48.0，28；
10：47.2，28；　11：47.2，28；　12：47.2，28；
13：47.2，28；　14：47.0，28；　15：47.0，28；
16：47.2，28；　17：32.2，14。
2.3　卷軸裝。首殘尾全。打紙。前2紙殘破，首紙下方有1處撕裂。有古代裱補。有燕尾。有烏絲欄。
3.1　首殘→大正262，9/43A14。
3.2　尾全→9/50B22。
4.2　妙法蓮華經卷第六（尾）。
5　與《大正藏》本對照，分卷不同，相當於卷五《如來壽量品》第十六中部開始至卷六《法師功德品》第十九全文。此爲八卷本。
8　7～8世紀。唐寫本。
9.1　楷書。
11　圖版：《敦煌寶藏》，93/281A～292B。

1.1　BD00125號
1.3　梵網經盧舍那佛說菩薩心地戒品第十卷下
1.4　黃025
1.5　143：6759
2.1　（12+259）×26.8厘米；7紙；151行，行15字。
2.2　01：12+7.0，11；　02：50.0，28；　03：50.0，28；
04：50.0，28；　05：48.5，28；　06：49.5，27；
07：04.0，01。
2.3　卷軸裝。首殘尾全。第2紙下部撕裂，第5紙上部撕裂，尾端中下部殘破。卷面油污。有古代裱補。有烏絲欄。
3.1　首6行中下殘→大正1484，24/1008A7～13。
3.2　尾全→24/1009C8。
4.2　梵網經卷下（尾）。
5　與《大正藏》本對照，本號缺少最後一段經文及偈誦。
8　9世紀。歸義軍時期寫本。
9.1　楷書。
11　圖版：《敦煌寶藏》，101/506A～509B。

1.1　BD00126號
1.3　妙法蓮華經卷七
1.4　黃026
1.5　105：6075
2.1　（10.5+503.8）×25.5厘米；12紙；281行，行17字。
2.2　01：01.5，01；　02：9+41.0，28；　03：50.5，28；
04：50.5，28；　05：50.3，28；　06：50.2，28；
07：50.5，28；　08：50.3，28；　09：50.0，28；
10：50.0，28；　11：50.0，28；　12：10.5，拖尾。
2.3　卷軸裝。首殘尾全。經黃紙，打紙。第2紙上下邊撕裂。第3、4、5、7、8紙的接縫處下開裂。有燕尾。有烏絲欄。
3.1　首6行上下殘→大正262，9/58B16～21。
3.2　尾全→9/62A29。
7.3　第2紙首2行下部有硃筆雜寫“佛言世◇◇經”等字及墨

筆雜寫“同”字。卷背有雜寫“宋”字。
8　7～8世紀。唐寫本。
9.1　楷書。
11　圖版：《敦煌寶藏》，96/534B～541B。

1.1　BD00127號
1.3　大方廣佛華嚴經（晉譯五十卷本）卷四
1.4　黃027
1.5　001：0003
2.1　（4.5＋666.7）×26.7厘米；19紙；409行，行17字。
2.2　01：4.5＋14.6，12；　02：37.0，23；　03：36.6，23；
04：36.7，23；　05：36.7，23；　06：36.7，23；
07：36.7，23；　08：36.8，23；　09：36.8，23；
10：36.8，23；　11：37.0，23；　12：36.6，23；
13：36.7，23；　14：36.8，23；　15：36.7，23；
16：36.7，23；　17：36.1，23；　18：36.7，23；
19：28.0，06。
2.3　卷軸裝。首殘尾全。有劃界欄針孔。有烏絲欄。已修整。
3.1　首3行上下殘→大正278，9/420B27～28。
3.2　尾全→9/427A1。
4.2　大方廣佛華嚴經卷第四（尾）。
5　與《大正藏》對照，卷品開闔不同。本件相當於卷四《四諦品第四之一》的後部分及卷五《四諦品第四之二》、《如來光明覺品第五》的全文。本號《四諦品》不分子目。
8　5～6世紀。南北朝寫本。
9.1　隸書。
9.2　有重文號。
11　從本件背揭下民國時裱補紙3塊，均無字。今編為BD15996號。
圖版：《敦煌寶藏》，56/14A～23A。

1.1　BD00128號
1.3　妙法蓮華經卷二
1.4　黃028
1.5　105：4739
2.1　（9＋971.5）×26.4厘米；20紙；540行，行17字。
2.2　01：9＋41.3，28；　02：50.6，28；　03：50.8，28；
04：50.8，28；　05：50.8，28；　06：50.5，28；
07：50.8，28；　08：50.4，28；　09：50.6，28；
10：50.8，28；　11：50.5，28；　12：50.4，28；
13：50.6，28；　14：50.6，28；　15：50.2，28；
16：50.4，28；　17：50.4，28；　18：50.5，28；
19：50.4，28；　20：20.1，08。
2.3　卷軸裝。首殘尾全。有火灼殘洞。有水漬。有烏絲欄。
3.1　首5行下殘→大正262，9/11B21～26。
3.2　尾全→9/19A12。
4.2　妙法蓮華經卷第二（尾）。
7.1　首紙背面有墨筆“第二，計十九紙”。或為本遺書之抄經勘記。
8　9～10世紀。歸義軍時期寫本。
9.1　楷書。
9.2　有行間校加字。有刮改。
11　圖版：《敦煌寶藏》，86/129A～142B。

1.1　BD00129號
1.3　金光明最勝王經卷八
1.4　黃029
1.5　083：1871
2.1　200.9×28厘米；5紙；128行，行17字。
2.2　01：45.3，29；　02：45.5，28；　03：45.3，29；
04：45.3，29；　05：19.5，13；
2.3　卷軸裝。首殘尾斷。上下邊殘破。有烏絲欄。
3.1　首殘→大正665，16/438C13。
3.2　尾殘→16/440B9。
8　9～10世紀。歸義軍時期寫本。
9.1　楷書。
11　圖版：《敦煌寶藏》，70/454A～456B。

1.1　BD00130號
1.3　藥師瑠璃光如來本願功德經
1.4　黃030
1.5　030：0265
2.1　（6＋297.2）×25.6厘米；7紙；181行，行17字。
2.2　01：6＋17.0，13；　02：46.5，28；　03：46.7，28；
04：46.7，28；　05：46.9，28；　06：46.7，28；
07：46.7，28。
2.3　卷軸裝。首殘尾脫。經黃紙，打紙。前2紙有破損。有烏絲欄。已修整。
3.1　首5行下殘→大正450，14/404C26～405A1。
3.2　尾殘→14/407A23。
8　7～8世紀。唐寫本。
9.1　楷書。
11　圖版：《敦煌寶藏》，57/515A～519A。

1.1　BD00131號
1.3　維摩詰所說經卷中
1.4　黃031
1.5　070：1160
2.1　432.5×25.5厘米；9紙；234行，行17字。
2.2　01：49.0，27；　02：48.5，27；　03：48.5，27；
04：48.0，26；　05：47.5，26；　06：48.0，27；
07：47.0，26；　08：48.5，28；　09：47.5，20。
2.3　卷軸裝。首殘尾全。第2紙下邊有撕裂，第3紙上下邊有撕裂，第9紙尾有橫向撕裂。多水漬。有烏絲欄。

3.1　首殘→大正 475，14/548B23。
3.2　尾全→14/551C27。
4.2　維摩詰經卷中（尾）。
7.3　第 8、9 紙尾均寫有“來（乘?）慧”2 字，疑或為題名。緊接尾題“卷中”下有“二十”兩字。
8　8 ~ 9 世紀。吐蕃統治時期寫本。
9.1　楷書。
11　圖版：《敦煌寶藏》，65/501A ~ 506B。

1.1　BD00132 號
1.3　大般若波羅蜜多經卷五九
1.4　黃 032
1.5　084：2163
2.1　110.7 × 25.5 厘米；3 紙；54 行，行 17 字。
2.2　01：21.5，護首；　02：43.0，26；　03：46.2，28。
2.3　卷軸裝。首全尾脫。有護首，護首有竹製天竿及土黃色縹帶，12 厘米。扉頁墨書經名。第 2 紙有古代裱補。有烏絲欄。
3.1　首全→大正 220，5/332A2。
3.2　尾殘→5/332B29。
4.1　□□□□□［大般若波羅］蜜多經卷第五十九/初分讚大乘品第十六之四，三藏法師玄奘奉詔譯/（首）。
7.4　護首墨書經名“大般若波羅蜜多經卷第五十九，六”，經名上有經名號。“六”爲本文獻所屬袟次。
8　8 ~ 9 世紀。吐蕃統治時期寫本。
9.1　楷書。
11　圖版：《敦煌寶藏》，72/146A ~ 147A。

1.1　BD00133 號
1.3　妙法蓮華經卷七
1.4　黃 033
1.5　105：5884
2.1　（5.5 + 464.7）× 26 厘米；11 紙；274 行，行 17 字。
2.2　01：5.5 + 37.5，24；　02：43.0，25；　03：42.5，25；
04：43.0，25；　05：42.5，25；　06：41.7，24；
07：43.0，25；　08：43.0，25；　09：43.0，25；
10：43.0，25；　11：42.5，26。
2.3　卷軸裝。首殘尾脫。背有古代裱補。有烏絲欄，甚淡。
3.1　首 2 行上下殘→大正 262，9/55A16 ~ 17。
3.2　尾殘→9/58C13。
4.1　□…□品第二十四（首）。
8　8 世紀。唐寫本。
9.1　楷書。
11　圖版：《敦煌寶藏》，95/608B ~ 614B。

1.1　BD00134 號
1.3　四分律比丘戒本
1.4　黃 034
1.5　156：6886
2.1　188 × 25.7 厘米；4 紙；108 行，行 17 字。
2.2　01：47.0，28；　02：47.0，28；　03：47.0，28；
04：47.0，24。
2.3　卷軸裝。首尾均脫。卷首中部横向撕裂，第 2 紙上、中部有殘洞。有烏絲欄。
3.1　首殘→大正 1429，22/1020C22。
3.2　尾殘→22/1022B1。
7.3　第二紙行間有雜寫：“更望得”。
8　9 世紀。歸義軍時期寫本。
9.1　楷書。
9.2　有刮改。
11　圖版：《敦煌寶藏》，102/377A ~ 379B。

新舊編號對照表

一、千字文號與北敦號、縮微膠卷號對照表

千字文號	北敦號	縮微膠卷號
地 072	BD00072 號	084:2210
地 073	BD00073 號	094:3882
地 074	BD00074 號	105:5789
地 075	BD00075 號 A	084:2395
地 075	BD00075 號 B	084:2809
地 075	BD00075 號 C	084:3318
地 076	BD00076 號	461:8712
地 077	BD00077 號 A	105:4863
地 077	BD00077 號 B	105:5307
地 078	BD00078 號 1	043:0408
地 078	BD00078 號 2	043:0408
地 078	BD00078 號 3	043:0408
地 078	BD00078 號 4	043:0408
地 079	BD00079 號	094:3627
地 080	BD00080 號	105:5469
地 081	BD00081 號 1	070:0858
地 081	BD00081 號 2	070:0858
地 082	BD00082 號	105:5229
地 083	BD00083 號	070:1098
地 084	BD00084 號	066:0836
地 085	BD00085 號	105:5249
地 086	BD00086 號	105:5082
地 087	BD00087 號	084:2606
地 088	BD00088 號	105:5470
地 089	BD00089 號	116:6542
地 090	BD00090 號	083:1558
地 091	BD00091 號	156:6881
地 092	BD00092 號	105:6116
地 093	BD00093 號	120:6613
地 094	BD00094 號	084:2241
地 095	BD00095 號	094:3714
地 096	BD00096 號	257:7958
地 097	BD00097 號	105:6076
地 098	BD00098 號	275:7690
地 099	BD00099 號 1	275:7959
地 099	BD00099 號 2	275:7959
地 100	BD00100 號	070:0866
黄 001	BD00101 號	063:0752
黄 002	BD00102 號	070:1223
黄 003	BD00103 號	275:7691
黄 004	BD00104 號	105:5906
黄 005	BD00105 號	105:4584
黄 006	BD00106 號	094:3685
黄 007	BD00107 號	105:5704
黄 008	BD00108 號 1	143:6685
黄 008	BD00108 號 2	143:6685
黄 009	BD00109 號	105:5015
黄 010	BD00110 號	094:3578
黄 010	BD00110 號背	094:3578
黄 011	BD00111 號	256:7619
黄 012	BD00112 號	110:6206
黄 013	BD00113 號	105:4676
黄 014	BD00114 號	157:6919
黄 015	BD00115 號	105:4497
黄 016	BD00116 號	111:6220
黄 017	BD00117 號	105:5594
黄 018	BD00118 號	105:4541
黄 019	BD00119 號	137:6662
黄 020	BD00120 號	094:4353
黄 021	BD00121 號	084:2627
黄 022	BD00122 號	105:5676
黄 023	BD00123 號	082:1435
黄 024	BD00124 號	105:5597
黄 025	BD00125 號	143:6759
黄 026	BD00126 號	105:6075
黄 027	BD00127 號	001:0003
黄 028	BD00128 號	105:4739
黄 029	BD00129 號	083:1871

黄 030	BD00130 號	030:0265	黄 033	BD00133 號	105:5884
黄 031	BD00131 號	070:1160	黄 034	BD00134 號	156:6886
黄 032	BD00132 號	084:2163			

二、縮微膠卷號與北敦號、千字文號對照表

縮微膠卷號	北敦號	千字文號
001:0003	BD00127 號	黄 027
030:0265	BD00130 號	黄 030
043:0408	BD00078 號 1	地 078
043:0408	BD00078 號 2	地 078
043:0408	BD00078 號 3	地 078
043:0408	BD00078 號 4	地 078
063:0752	BD00101 號	黄 001
066:0836	BD00084 號	地 084
070:0858	BD00081 號 1	地 081
070:0858	BD00081 號 2	地 081
070:0866	BD00100 號	地 100
070:1098	BD00083 號	地 083
070:1160	BD00131 號	黄 031
070:1223	BD00102 號	黄 002
082:1435	BD00123 號	黄 023
083:1558	BD00090 號	地 090
083:1871	BD00129 號	黄 029
084:2163	BD00132 號	黄 032
084:2210	BD00072 號	地 072
084:2241	BD00094 號	地 094
084:2395	BD00075 號 A	地 075
084:2606	BD00087 號	地 087
084:2627	BD00121 號	黄 021
084:2809	BD00075 號 B	地 075
084:3318	BD00075 號 C	地 075
094:3578	BD00110 號	黄 010
094:3578	BD00110 號背	黄 010
094:3627	BD00079 號	地 079
094:3685	BD00106 號	黄 006
094:3714	BD00095 號	地 095
094:3882	BD00073 號	地 073
094:4353	BD00120 號	黄 020
105:4497	BD00115 號	黄 015
105:4541	BD00118 號	黄 018
105:4584	BD00105 號	黄 005
105:4676	BD00113 號	黄 013
105:4739	BD00128 號	黄 028
105:4863	BD00077 號 A	地 077
105:5015	BD00109 號	黄 009
105:5082	BD00086 號	地 086
105:5229	BD00082 號	地 082
105:5249	BD00085 號	地 085
105:5307	BD00077 號 B	地 077
105:5469	BD00080 號	地 080
105:5470	BD00088 號	地 088
105:5594	BD00117 號	黄 017
105:5597	BD00124 號	黄 024
105:5676	BD00122 號	黄 022
105:5704	BD00107 號	黄 007
105:5789	BD00074 號	地 074
105:5884	BD00133 號	黄 033
105:5906	BD00104 號	黄 004
105:6075	BD00126 號	黄 026
105:6076	BD00097 號	地 097
105:6116	BD00092 號	地 092
110:6206	BD00112 號	黄 012
111:6220	BD00116 號	黄 016
116:6542	BD00089 號	地 089
120:6613	BD00093 號	地 093
137:6662	BD00119 號	黄 019
143:6685	BD00108 號 1	黄 008
143:6685	BD00108 號 2	黄 008
143:6759	BD00125 號	黄 025
156:6881	BD00091 號	地 091
156:6886	BD00134 號	黄 034
157:6919	BD00114 號	黄 014
256:7619	BD00111 號	黄 011
257:7958	BD00096 號	地 096
275:7690	BD00098 號	地 098
275:7691	BD00103 號	黄 003
275:7959	BD00099 號 1	地 099
275:7959	BD00099 號 2	地 099
461:8712	BD00076 號	地 076